제 3 판

MFICU
산모 · 태아 ICU
매뉴얼

일본주산기의료 (MFICU) 연락협의회 ● 편저

김석영 (가천대 길병원 고위험산모 · 신생아 통합치료센터) ● 옮김

군자출판사

제3판

MFICU 매뉴얼

셋째판 1쇄 인쇄 | 2021년 09월 15일
셋째판 1쇄 발행 | 2021년 10월 05일

지 은 이   일본주산기의료(MFICU) 연락협의회
옮 긴 이   김석영
발 행 인   장주연
출 판 기 획   최준호
책 임 편 집   이현아
발 행 처   군자출판사(주)
          등록 제4-139호(1991. 6. 24)
          본사 (10881) **파주출판단지** 경기도 파주시 회동길 338(서패동 474-1)
          전화 (031) 943-1888   팩스 (031) 955-9545
          홈페이지 | www.koonja.co.kr

MFICU MANUAL 〈revised 3rd ed.〉
written and edited by Japan Maternal-Fetal Intensive Care Unit Network
Copyright ⓒ 2015 by Japan Maternal-Fetal Intensive Care Unit Network
All rights reserved.
Original Japanese edition published by MEDICUS SHUPPAN, Publishers Co., Ltd.,
Tokyo Korean translation rights arranged with by MEDICUS SHUPPAN, Publishers Co., Ltd.,
through A.F.C. Literary Agency.

ISBN   979-11-5955-759-0
정가   60,000원

제3판

MFICU

산모·태아 ICU

매뉴얼

「"주산기의료의 임상 현장에서 긴급할 때 참조 할 수 있는 설명서", MFICU 매뉴얼」 초판은 2008년 2월, 이어서 2판은 2013년 2월에 발행되었다. 제1판이 발행되고부터 약 7년이란 시간이 지났으며, 많은 주산기의료 관계자뿐만 아니라 여러 방면에서도 이용되어 지침서와 같은 도서가 된 것은, 편집 집필자에게 있어 영광이며 감사한 일이다.

그동안 일본의 주산기의료 환경을 보면, 출산연령의 고령화가 더욱 진행되어, 고위험 임산부의 현저한 증가와 저체중출생아의 증가로 인해, 주산기모자의료센터에서의 출생 또한 증가하고 있다. 또 2011년에는 전국적으로 통합 주산기모자의료센터가 설치되었지만, 산부인과, 소아과 전문의의 감소는 여전히 계속되고 있어 결과적으로 주산기의료체제의 집중이 가속되고 있다.

한편으로 전국 주산기의료(MFICU) 협의회의 회원은 매해 증가하여, 실태조사나, 다기관 공동 연구등의 활동도 착실하게 실적을 올려오고 있다. 더욱이 주산기 영역을 비롯한 관련영역의 발전은 눈부시고, 『임산부진찰가이드라인 산과편 2014』(일본산과부인과학회·일본산부인과학회) 등, 각종 관련영역가이드라인의 발행·개정도 이뤄지고 있다. 그래서 2012년의 『MFICU 매뉴얼』제 2판의 내용을 다시 검토하고, 새로운 지식을 더해 개정판을 발간하게 되었다.

이번 개정판에서는 특히 「모유육아지원」 「산과의료정비제도」 「유방암·위암·백혈병」 「유산증」 「태아치료」 「흡인분만·겸자분만」 「제왕절개술」 「소아암·경련·의식장애」 「임산부사망」 「신생아소생법 (NCPR)」 「저체온요법」의 11항목을 새롭게 추가했는데, 그만큼 이 책의 활용범위가 넓어졌다는 것을 의미한다. 또 ACOG 의 Consensus "Safe Prevention of the Primary Cesarean Delivery"를 받아들여 일부 항목이 수정되었다. 초판 2개정판보다 한층 더 임상 현장에서 의사, 조산사, 간호사, 그 외 의료관계자 등 다양한 직종 여러 방면에서 활용되기를 기대하고 있다.

일상 업무가 바쁨에도 불구하고, 제3판의 집필, 편집에 흔쾌히 협조해준 본회 회원을 비롯한 모든 분들, 메디카 출판 편집부분들에게 깊은 감사를 표한다.

2015년 7월

편집인

馬場一憲　　松田義雄　　光田信明　　村越　毅

「"주산기의료의 임상 현장에서 긴급할 때 참조 할 수 있는 설명서"로, MFICU 매뉴얼」 초판이 2008년 2월 발행된 후, 약 5년이 경과했다. 많은 주산기의료 관계자뿐만 아니라 여러 방면에서도 이용되고 있는 것은, 편집 집필자에게 있어 영광이며 감사한 일이다.

그동안 일본의 주산기의료 환경을 보면, 출산연령의 고령화가 더욱 진행되어, 고위험 임산부의 현저한 증가와 저체중출생아의 증가로 인해, 주산기모자의료센터에서의 출생 또한 증가하고 있다. 또한 산부인과전문의 소아과 전문의의 감소는 여전히 계속되어 있어, 주산기의료체제의 장비 강화와 집중화가 요구되어 왔다. 이런 상황 속에서 2008년 해마다 전원시 수용불가 사례의 빈발과 임산부 뇌혈관장애사례에서 문제점을 포함해서, 주산기의료 시스템이 재구성되었다. 주산기의료 대책 사업은 후생성노동의 고용균등 아동가정국 모자보건과의 소관이었으나, 의정국 구급·주산기 관련 대책실에 이관되어 산모구명대응, 전원에 대한 대응, 수용정보 조정 등이 새로운 정비목표가 되었다.

한편으로 MFICU 협의회의 회원은 매년증가하여, 실태조사 및 다기관 연구 활동도 꾸준히 실적을 올려왔다. 또한 주산기 영역을 비롯한 관련 영역의 진보는 눈부시고, 산부인과 진료 가이드라인 산과편 부인과편(2011 일본산과부인과 학회)등 각종 관련 영역 가이드라인의 간행 개정도 이루어지고 있다. 그래서 2008년판 MFICU 매뉴얼의 내용을 재검토하여, 새로운 지식을 더한 개정판을 발간하게 되었다. 개정판은 새로운 지식이 추가되어, 대폭적으로 페이지수가 증가했지만, 초판보다 임상 현장에서 의사, 조산사, 간호사, 그 외 의료관계가 등 다양한 직종의 여러 방면에서 더욱 활용되기를 기대하고 있다.

일상 업무가 바쁨에도 불구하고, 제 2 판 집필 편집에 흔쾌히 협조 해준 MFICU 협의회 회원을 비롯한 여러분과 미디어 능력 출판 편집부의 분들에게 깊은 감사를 표한다.

2012년 12월

편집인

杉本 充弘　　松田 義雄　　村越　　毅

「모두가 안심하고 출산 할 수 있는 사회를 목표」로 후생 노동성은 1996 (平成8) 년부터 전국의 통합 주산기모자의료센터의 지정과 지역 주산기의료 시스템의 정비를 추진해왔다. 10년이 경과했고 전국각지에서 통합 주산기모자의료센터가 많이 지정되어 지역 주산기의료 시스템의 정비가 진행되었다.

그 간 태아 진단 기술의 발전과 보급, 조산 - 저체중아의 구명률의 향상, 산모이송의 보급, 불임치료의 발전과 보급에 의한 다태아의 증가 등 주산기의료를 둘러싼 환경은 다양하게 변화했다. 또 주산기의료를 담당하는 산부인과 의사 나 소아과 의사의 감소는 주산기 의료제공 체제에 커다란 변화를 가져오고 있다.

그런 가운데 전국의 종합 주산기모자의료센터에서 일하는 산부인과 전문의가 주산기의료를 둘러싼 다양한 과제를 공통 인식하고 해결 하자는 취지로 MFICU 협의회가 발족했다. MFICU협의회에서는 매일 발생하는 주산기의료를 둘러싼 과제에 대해 의견을 교환하는 동시에 실태 조사 및 다기관 공동연구에 임하고 있다.

그 중에서 주산기의료 (산부인과 의료)의 임상 현장에서 긴급시 신속하게 참조할 수 있는 매뉴얼을 요구하는 목소리가 높아지고 있었다.

이 책은 그 목소리를 수렴하여 MFICU 협의회의 회원을 중심으로 하여 집필된 책이다. 전국의 종합주산기모자의료센터나 지역주산기의료센터를 포함해, 지역에서 고위험산모를 전원받거나 또는 긴급 이송으로 받아서 진료하고 있는 산부인과 의사의 일상 진료에 도움이 될 것으로 확신한다. 또한 주산기의료의 현장에서 함께 일하는 신생아 전문의, 마취를 비롯한 관련 진료과 의사 선생님 또한 주산기의료를 함께 지원하는 조산사, 간호사, 의료관계자들도 이용할 수 있을 것으로 생각하고 있다.

작금의 주산기의료의 발전은 눈부신 것이다. 본 설명서를 참고로 하면서, 항상 새로운 정보를 얻고 진료에 종사하기를 바라고 있다.

끝으로, 바쁘신 중에도 불구하고 흔쾌히 집필하신 MFICU 연락 협의회 멤버부터 집필자 선생님들에게 깊은 감사를 표한다.

2007년 12월

편집인

末原 則幸　　松田 義雄　　村 越　　毅

❖ MFICU 매뉴얼 한국어 번역에 즈음하여 ❖

 우리나라의 고위험임신과 신생아의 국가적인 관리를 위해 전국에 고위험산모신생아통합치료센터가 2015년 개소한 이래로 벌써 6년이 흘렀고 전국에 21개 센터가 개소되었다. 각 센터에서 일반적으로 치료를 받는 고위험산모와 고위험신생아의 환자분포, 질환의 중증여부에 따른 치료결과, 합병증 발생 빈도 등 객관적인 통계자료는 아직 없는 상황이며 이러한 자료를 얻기 위해서는 표준화된 진료 지침이 우선 제시되어야 할 것으로 생각된다.

본 역서는 우리나라보다 약 10년 먼저 전국단위로 고위험산모신생아통합치료센터를 설치 운영하였던 일본의 각 기관 대표자들이 모여서 '전국 주산기의료 연락협의회'에서 만든 'MFICU 매뉴얼' 3판을 기준으로 하였다. MFICU에서 만나게 되는 비정상임신, 내 외과적 합병증임신, 태아기형, 비정상분만, 산욕기 이상 등 다양한 산과적 진단 및 치료 와 신생아 처치에 대한 기본적인 개념 및 중요한 점검항목에 대하여 기술하고 있으며, 이를 통해서 전국적인 진료의 표준화 및 그 치료결과를 비교할 수 있는 기준이 되는 참고자료라 생각한다.

물론 한국과 일본이 가장 지리적으로 가까운 이웃나라로 지형, 기후, 문화, 생활습관이 유사하지만 한국과 일본의 의료제도, 진료지침 및 의료보험 적용 등이 다르기 때문에 이 책 내용을 그대로 인용하는 것에는 한계점이 있으며, 국내 의료 현실과 다를 수 있다. 하지만 고위험산모의 특징이나 질병발생빈도 치료성적 등은 우리가 참고할 수 있는 부분이 있으며 어떤 질병군이 고위험산모신생아통합치료센터에서 다루어지고 있는지는 우리나라에서도 돌아볼 필요가 있는 점이라 생각한다.

책의 내용을 번역하는 과정에서 나오는 의학용어는 가능한 국내에서 사용하는 단어로 바꾸어 번역하였으나, 일본에서만 허용되는 약물 및 대체가 어려운 용어에 대해서는 원문에 충실하게 옮기었다. 이 책이 나오는데 일차번역과 교정을 보아준 길병원 고위험산모신생아 통합치료센터 김시라 코디네이터의 노고에 고마움을 전하며, 내용을 교정하고 정리해준 길병원 산부인과 임찬미, 정다회, 전해린 선생님과 책의 인쇄 교정 출판을 성심껏 해주신 군자출판사에 감사한 마음을 전한다.

이 번역서가 각 고위험산모신생아통합치료센터에서 진료하는 과정에서 가까이 놓고 쉽게 찾아보면서 늘 참고할 수 있는 서적이 되길 바라는 마음이다.

2021년 가을 가천대길병원 고위험산모신생아통합치료센터   김석영

Contents

CHAPTER 1 주산기(산모·태아) 의료 개론과 기본 기술   1

CHAPTER 2 합병증임신의 관리와 치료   51

CHAPTER **5** **이상분만의 관리와 처치** **395**

CHAPTER **8** **산과마취·무통분만** 653

CHAPTER **9** **신생아 관리와 처치** 671

부록

● **본서의 이용에 관해서**

    본 설명서의 내용은 일본 산과부인과 학회·일본 산부인과 학회 감수·편집『산부인과 진료가이드라인 : 산부인과 편 2014』및 일본 산과부인과 학회편『산부인과 연수 필수지식 2013』의 내용과 일치할 수 있도록 최대한 신경 썼다.

    각 학회의 권고와 가이드라인은 항상 최신의 것을 참고로 하였으면 한다.

    본 설명서에는 보험 진료가 적응이 되지 않은 진료에 대한 기술도 있지만 실제 진료에 있어서는 각 담당 의사가 치료여부를 판단하여, 치료를 받는 환자에게 사전 동의를 구한 뒤, 각 담당의사의 책임으로 행해주었으면 한다.

    또한 종합 주산기모자의료센터라고 해서, 모든 진료를 할 수 있는 것은 아니다. 진료 내용에 따라서는, 제한된 시설에 일임하여야 할 것도 있다는 것을 알아주셨으면 한다.

CHAPTER

주산기(산모·태아) 의료 개론과 기본 기술

1 주산기(산모·태아) 의료 개론과 기본 기술

a 모자 보건 지표의 동향

출생

1. 출생아·출생률

출생 수·출산율는 1975년 이후 감소 추세에 있으며, 2012년에는 103만 7,231명으로 인구 천명당 비율은 8.2이다. 출생 수와 사망자 수의 차이인 자연 증감 수는 21만 9,128명 감소하여 자연 증감률은 마이너스 1.7이 되었다.[1]

2. 합계 출생률

합계 출생률은 15~49세의 여성의 연령별 출산율을 합한 것으로 2종류가 있다. 기간 합계 출생률은 어느 기간의 출산 상황에 주목하여, 각 연령(15~49세) 여성의 출산율을 합한 것이며, 여자 인구의 연령 구성 차이를 제외한 출생률로 연도별비교, 국제비교, 지역비교에 이용되고 있다.

코호트 합계 출산율은 한 세대의 출생 상황에 착안하여 동일 년생(코호트) 여성의 출산율(15~49세)을 합한 것이며, 실제 여자가 평생 동안 낳는 아이의 수이다.

각 연령의 출산율이 세대(코호트)와 관계없이 동일하다면 2개의 합계 출산율은 동일한 값이다. 따라서 기간 합계 출생률은 1명의 여자가 "만일 그 연차 연령대별 출산율에서 평생 낳을 때" 자녀 수에 해당한다. 합계출산율은 1975년에 2로 내려가고, 2005년에 1.26으로 최저가 되었지만, 2012년에는 1.41로 조금 상승추세에 있다(그림 1).[1]

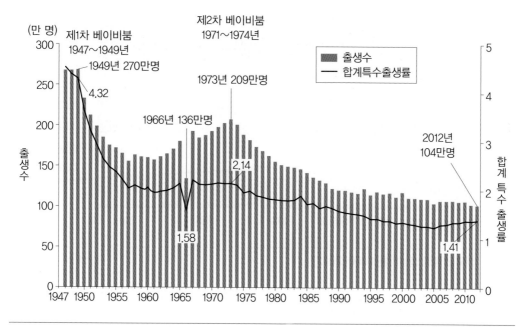

그림 1. **출생수와 합계 출생율의 추이(1947~2012)**　　　　(문헌1, p.26에서 인용)

3. 산모의 연령과 출생 수 · 출산율

　산모의 연령 계층별로 본 출생 수 · 출산율 추이를 20년마다 비교하면 모든 연령의 출산율(일본 여자 인구 천 쌍)은 1950년 110, 1970년 66, 1990년 39, 2010~2012년 40으로 최근 20년간 제자리 걸음이다. 그러나 출산 연령의 피크는 25~29세로부터 30~34세에 옮겨져 20대 출산율의 현저한 감소와 30대의 증가가 나타났다(그림 2).[1]

　특히 35세 이상의 고령 출산은 2012년에 전체 출산의 26%로 증가하고 있다. 또한 초산의 비율 은 1960~1990년은 42~45% 였지만 2000~2012 년은 47~49%로 증가하여, 특히 고령 초산의 증 가가 두드러지고 있다.

4. 다태임신

　쌍둥이, 세쌍둥이, 네쌍둥이 등 다태아 출산의 연차 추이를 보면 쌍둥이 출산율(출산 천 쌍)은 1974~86년까지 5.8~6.5이었으나, 1987년 6.6을 기로로 급상승하여 1998년에는 9.1, 2005년 11.5까 지 증가했다. 그 후 감소해 2012년은 10.0이었다. 세쌍둥이 출산율(출산 100만 쌍)은 1987년 이후 급증하여 1996년에 최대 275에 도달하고, 그 후 제자리걸음이었지만 2005년 이후로는 감소하여 2012년에 160이 되었다. 또한 네쌍둥이 이상의 출산율(출산 100만 쌍)은 1994년에 최대 26.7을 달 성했지만, 1996년에는 6.4, 2002년에는 4.2, 2010년에는 1.8까지 떨어졌지만 2012년에는 3.8이었다.

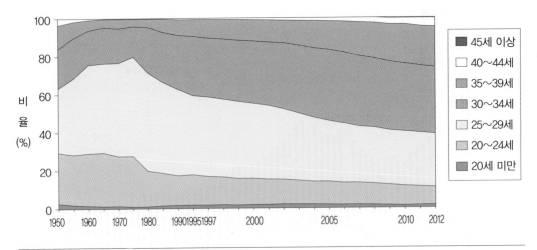

그림 2. 산모 연령별 출생비율(1950~2012)

(문헌1, p.50에서 인용)

특히 최근 10년 동안 다태아 출산율의 저하가 나타났다(표 1). 다태아 출산율의 저하는 2006년과 2007년의 일본산과부인과학회 권고에 따르면 이식 배아 수 제한의 효과와, 정식으로 인식되지 않은 감소수술의 경향 등이 원인이라고 생각된다. 한편 감소수술은 쌍태출산증가의 원인으로서, 그 경향은 근소하지만 다태출산율에도 나타난다고 추측된다.

5. 출생아 체중과 신장

출생아 체중(중앙값)은 남아 3.25kg (1973년), 여아 3.16kg (1974년)까지 증가했지만, 이후 감소세로 바뀌어, 2004년에는 남아 3.05kg, 여아 2.97kg, 2010년은 남아 3.00kg, 여아 2.94kg였었지만, 2012년은 남아 3.04kg, 여아 2.96kg으로 제자리걸음을 하고 있다.

체중별로 보면 2.5kg 미만의 저체중아의 비율은 1976년에 남아 4.5%, 여아 5.3%까지 떨어진 후, 남녀 모두 상승세가 되어, 2004년에는 남아 8.4%, 여아 10.5%였다. 하지만 2012년은 남아 8.5%, 여아 10.4%로 제자리걸음이다. 한편, 출생아의 신장(중앙값)은 2004년에 남아 49.1cm, 여아 48.6cm, 2012년에는 남아 49.2cm, 여아 48.6cm와 큰 변동은 없다.[1]

사망

1. 임산부 사망 수 · 사망률

임산부 사망은 임신 중이나 출산 후 만 42일 미만 여성의 사망을 의미한다. 임산부 사망수는 1978년까지의 사인 간단 분류(B40 유산, B41 기타 임신, 분만, 임신 합병증 및 합병증의 기재가

표 1. 다태아 출생률의 연차추이(2000~2012)[1]

연도	쌍둥이 (출생 1,000명당)	세쌍둥이 (출생 100만명당)	네쌍둥이 (출생 100만명당)
2000	10.0	270	6.6
2001	10.0	245	5.0
2002	10.7	271	4.2
2003	11.1	250	14.0
2004	11.4	271	7.1
2005	11.5	227	5.5
2006	11.4	222	5.4
2007	11.2	198	5.4
2008	10.4	163	6.3
2009	9.9	145	5.5
2010	9.6	149	1.8
2011	9.5	142	3.8
2012	10.0	160	3.8

없는 분만 사망에 해당하는 수), 1979년 이후 1994년까지 간단 분류(79 직접 산과적 사망, 80 간접 산과적 사망의 합계), 1995년 이후에는 국제 질병 분류 ICD (O00~O92 직접 산과적 사망, O98~O99 간접 산과적 사망, O95 원인 불명의 산과적 사망 및 임신 또는 임신 후 만 42일 미만의 A34 산과적 파상풍, B20~B24 인간면역결핍 바이러스 질환의 합계)에 의한 사망수이다. 또한 2003년 개정 ICD-10에서는 임신 종료 후 42일 이후 1년 미만에 발생한 직간접 산과적 원인에 의한 여성의 사망을 후기 임신부사망이라고 새롭게 정의하였고 그 범위는 「O96 일체의 산과적 원인에 따른 산모사망, A34 산과적파상품, B20~B24 인간면역결핍 바이러스 병의 총합」이다. 임산부 사망 수는 2000년 78명, 2005년 62명, 2010년 45명, 2012년 42명이었다. 임산부 사망률(출산 10만쌍)의 추이를 보면 1955년은 161.7이었으나 1965년 80.4, 1975년 27.3, 1985년 15.1로 크게 저하되었으며, 1995년 6.9, 2005년 5.7, 2012년 4.0로 현저히 개선되었다(그림 3). 국제비교(출생 10만 쌍)에 있어서도 높은 수준에 있다.

2. 사산 수·사산율

인구 동태 통계에서 사산은 임신 12주 이후 죽은 아이를 출산한 것으로, 자연 사산과 인공 사산으로 나뉘며, 산모 보호법에 의한 인공 임신 중절 중 임신 12주에서 임신 22주 미만까지를 포함

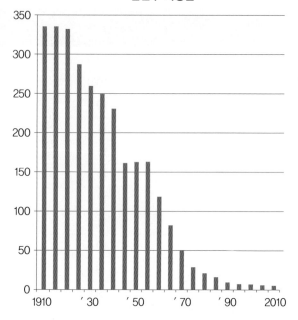

연차	임산부 사망률	연차	임산부 사망률
1910	333.0	1965	80.4
1915	332.5	1970	48.7
1920	329.9	1975	27.3
1925	285.4	1980	19.5
1930	257.9	1985	15.1
1935	247.1	1990	8.2
1940	228.6	1995	6.9
1947	160.1	2000	6.3
1950	161.2	2005	5.7
1955	161.7	2010	4.1
1960	117.5	2012	4.0

그림 3. 임산부사망률의 추이(1910~2012)[4]

하고 있다. 사산률은 출산(출생 + 사산) 천명의 비율로 나타낸다. 자연 사산의 추이를 보면 1950년 이후 상승 추세를 보여 1961년 54.3에 달했다. 그 후 감소하여 1965년 47.6, 1990년 18.3, 2012년 10.8이 되었다. 인공 사산은 1953~58년에 걸쳐 50을 초과했지만 이후 감소하여 1974년에는 최저 16.4를 기록했다. 이후 상승 추세를 보였지만 1985년에 자연 사산율을 상회 한 후에는 감소하는 경향을 보여 2000년 18.1, 2012년 12.6이 되었다.[1]

2012년 사산 24,800건의 원인을 보면, 태아의 병태는 「주산기 발생한 병태, 선천성 기형, 변형 및 염색체 이상」이 많고 산모 측의 병태에서는 「현재 임신과 무관할 수도 있는 산모의 병태」가 많았다.

또한 산모 보호법에 의한 낙태 건수는 1955년 117만 건을 넘어있었지만, 그 후 감소하여 2000년에는 34만 건 2012년 20만 건이었다. 낙태 건수의 9% 정도는 임신 12주 미만이며 조기 유산과 마찬가지로 사산 통계에 포함되지 않는다.[1]

3. 주산기 사망률·사망률

임신 22주 이후의 사산과 생후 1주 미만의 조기 신생아 사망을 합친 것을 주산기 사망이라고 하며, 주산기 사망률은 출생 수에 임신 22주 이후의 사산 수를 더한 출산 수를 천명당 비율로 나

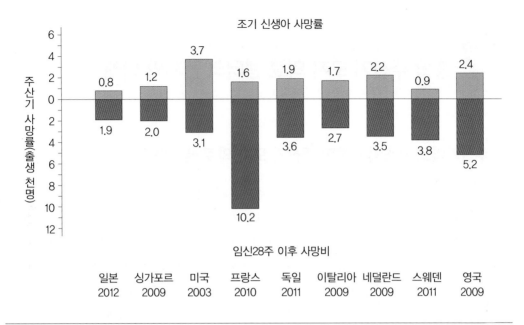

조기 신생아 사망률

주산기 사망률(출생 천명)

임신28주 이후 사망비

| 일본 2012 | 싱가포르 2009 | 미국 2003 | 프랑스 2010 | 독일 2011 | 이탈리아 2009 | 네덜란드 2009 | 스웨덴 2011 | 영국 2009 |

그림 4. **주산기 사망률의 국제비교**[4]

타낸다.

　1990년 11.1, 2000년 5.8, 2010년 4.2, 2012년 4.0이었다. 2012년의 주산기 사망 원인은 태아측의 병태에서는 「주산기에 발생한 병태」가 85.5%, 「선천성 기형, 변형 및 염색체이상」이 13.6%였다. 산모 쪽의 병태에서는 「현재 임신과 무관할 수도 있는 산모의 병태」가 27.1%, 「태반, 탯줄 및 난막 합병증」이 25.6%, 「산모에 원인없음」이 37.2%였다.

　주산기 사망의 국제 비교에서는 ICD-10 적용 이전의 정의인 「임신 28주 이후의 사산 수에 조기 신생아 사망 수를 더한 것, 출생 천 쌍 비율로 나타냄」 주산기 사망 비율이 사용되고 있다. 일본의 주산기 사망은 1950년 이후 지속적으로 개선되고 외국과 비교해도 최상위 수준이다(그림 4).[4]

참 고 문 헌

1）母子衛生研究会編. 母子保健の主なる統計. 母子保健事業団, 2013, 22-97.
2）今泉洋子. 多胎妊娠の疫学. 厚生科学研究「我が国における生殖補助医療の実態とそのあり方」. 平成11年度研究報告書, 2000, 609-41.
3）池田智明ほか. 妊産婦死亡の届出・登録・公表システムに関する諸外国の状況とわが国の問題点. 「乳幼児死亡と妊産婦死亡の分析と提言に関する研究」. 平成18年度厚生労働科学研究費補助金子ども家庭総合研究　総括・分担研究報告書. 2007, 79-90.
4）厚生統計協会編. 人口動態. 国民衛生の動向2014/2015. 国民衛生の動向・厚生の指標増刊. 57(9), 厚生統計協会, 2014, 58-77.

≫ 宮内彰人, 杉本充弘

종합 주산기 모자 의료 센터의 현재와 미래

주산기의료 시스템과 종합 주산기 모자 의료 센터의 현재

「주산기의료 시스템」이라 함은 지역의 임신·출산·산욕·신생아 의료에 관한 의료 제공 체제의 충실과 효율화를 도모하기 위해 지역의 주산기의료 기관 및 의료 종사자 및 그 관계자가 상호 연계를 깊게 하기 위해 구축한 시스템이다. 일본에서는 1996년에 시작되었다. 후생성의 「주산기의료 대책 정비 사업」에 의해 그 기본 틀이 결정되었고 그에 따라 각 도도부현이 지역의 실정을 감안하여 정비를 추진 해왔다. 이후 2003년 소 개정[2]를 거치고 2008년 도쿄의 산모 뇌출혈 사례를 계기로 설치된 「주산기의료와 응급 의료의 확보와 연계에 관한 간담회」보고서, 산모 제언 등을 받아들여 2010년에 대폭적인 개정[3]이 이루어졌다.

이 사업에서 도도부현은 후생 노동성이 나타낸 「주산기의료 체제 정비 지침」에 근거해 주산기의료 체제 정비 계획을 책정하고 주산기의료 협의회를 바탕으로 종합 및 지역 주산기 모자 의료 센터, 주산기의료 정보 센터 등을 정비한다. 2011년까지 전국에서 주산기의료 시스템의 구축 및 종합 주산기 모자 의료 센터의 설치가 이루어졌으며 전국 개소까지는 15년이 걸렸다. 2014년 4월 시점에서 종합 주산기 모자 의료 센터는 100개 시설, 지역 주산기 모자 의료 센터는 291개 시설[4]이 있다(그림 1).

주산기의료 시스템의 중요한 목적 중 하나는 모든 지역에 정상적인 임신·분만 관리부터 중증환자 대응까지 가능한 시설이 존재하여, 임산부 및 신생아 관리가 적합한 시설에서 행하여지는 "주산기의료의 지역화"를 실현하는 것이다. 그러기 위해서는 지역의 모든 주산기 의료기관이 연계하여 상호 긴밀한 정보 교환이 이루어지는 동시에 신속하고도 원활한 환자 이송이 이루어질 필요가 있다. 전국에서 이 체제가 일단 정비됨으로써 일본 주산기의료는 제공되는 의료의 질적 충실과 균형화라는 새로운 단계로 이행하고 있다고 생각할 수 있다. 본 원고에서는 주산기의료체제를 구성하는 "주산기의료협의회", "종합 주산기 모자 의료 센터", "지역 주산기 모자 의료 센터"의 역할·요건에 관하여 설명하고 향후의 과제에 대해 약간의 의견을 첨부한다.

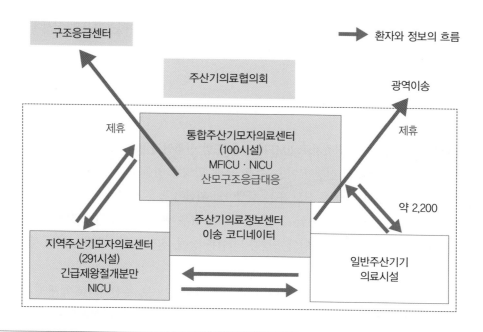

그림 1. **주산기의료체제(도도부현단위)**

주산기의료 협의회와 종합·지역 주산기 모자 의료 센터의 역할·요건

1. 주산기의료 협의회의 역할

1) 사업 주체인 도도부현은 주산기의료 협의회를 설치하고 다음 사항에 관한 검토·협의를 실시한다.

　① 주산기의료 체제에 관한 조사분석

　② 주산기의료 체제 정비 계획

　③ 산모 및 신생아의 이송·수용(현을 넘은 이송·수용 포함)

　④ 종합·지역 주산기 모자 의료 센터, 주산기의료 정보 센터(주산기 응급 정보시스템 포함), 이송 코디네이터, 지역 주산기의료 관련 시설의 관계자에 관한 연수)

2) 주산기의료 협의회의 검토에 따라 도도부현은 다음 사업을 행한다.

　① 주산기의료 정보 네트워크 사업

　② 주산기의료 관계자 연수 사업

　③ 주산기의료 조사·연구 사업

　④ 주산기의료 체제 정비에 관한 기본 방침 발표

3) 특히 산모·신생아 이송은 도도부현 응급의료 대책 협의회, 메디컬관제 협의회 등과 연계하여

지역의 실정에 맞는 산부인과 분야 이외의 합병증을 가진 산모의 이송·수용의 실시에 관한 기준을 협의하고 그 내용을 주민에게 정보를 제공한다.

2. 종합 주산기 모자 의료 센터

1) 도도부현이 지정

2) 상당한 규모의 산모 태아 집중치료실(MFICU)을 포함 산부인과 병동 및 NICU 포함 신생아 병동. 상시 산모 및 신생아 이송·수용 체제. 합병증 임신(중증 임신고혈압증후군, 조산 임박 등), 태아·신생아 이상 등 산모 또는 신생아의 위험이 높은 임신에 대한 의료, 질 높은 신생아 의료 등의 주산기의료를 행할 수 있다. 필요한 경우 해당 시설의 관계 진료과 또는 다른 시설과 연계하여 산과 합병증 이외의 합병증(뇌 혈관 장애, 심장 질환, 패혈증, 외상 등)을 가진 산모에 대응할 수 있다.

3) 지역 주산기의료 관련시설 등으로 부터의 이송을 받아들이는 등, 주산기의료 체제의 핵심으로서 지역 주산기 모자 의료 센터 기타 지역 주산기의료관련 시설 등과의 연계를 도모한다.

4) 원칙적으로 삼차 의료지역에 1개소이지만, 지역의 실정에 따라 복수 설치도 가능하다. 그런 경우는 주산기의료 정보 센터 등에 이송 코디네이터를 배치하는 등, 산모 및 신생아의 원활한 이송 수용에 유의한다.

5) 병상 수: MFICU 6병상 이상, NICU 9병상 이상(12병상 이상 권장)(삼차 의료지역의 인구가 100 만 명 이하의 지역에서는 MFICU 3병상 이상, NICU6 병상 이상 가능) MFICU의 후방 병상 및 GCU는 MFICU 및 NICU 병상 수의 2배 이상이 바람직하다.
(GCU: growing care unit 의 약자. 회복치료실, 발달 지원실 등의 의미)

6) 인적 배치
   - MFICU: 24시간 체제로 산부인과를 담당하는 여러 의사가 근무(6병상 이하는 1명 + 당직 1인 가능).
     상시 3병상당 1명의 조산사 또는 간호사.
   - NICU: 24시간 체제로 신생아 의료를 담당하는 의사가 근무(16병상 이상이면, 여러 명의 의사 근무가 바람직).
     상시 3병상당 1명의 간호사, 또한 임상 심리사 등 임상심리기술자 배치.
   - GCU 상시 6병상당 1명 간호사.
   - 마취과 의사.
   - NICU 입원 아동 지원 코디네이터(노력 규정).

3. 지역 주산기 모자 의료 센터

1) 도도부현이 인정한다.

2) 산부인과 및 소아과(신생아 의료를 담당하는 자) 등을 갖추고, 주산기에 관한 비교적 고도의 의료 행위를 할 수 있는 의료 시설(NICU를 구비한 소아 전문 병원 등에서 도도부현이 적절하다고 인정하는 의료 시설도 인정 가능).

3) 지역주산기의료 관련시설 등으로부터의 응급 이송이나 종합 주산기 모자 의료 센터에서 이송을 받아들이는 등 종합주산기 모자 의료센터, 기타 주산기의료 관련 시설 등과의 연계를 도모한다.

4) 종합 주산기 모자 의료 센터 1개소에 대하여 몇 곳의 담당으로 정비.

5) 인적 배치

- (신생아 의료를 담당하는) 소아과: 24시간을 보장하기 위해 필요한 직원
- 산부인과: 제왕절개수술이 필요한 경우 신속한(대략 30분내외) 대응이 가능한 의사(마취의 포함) 및 기타 각종 직원
- 신생아 병실: 24시간 체제에서 병원 내 소아과를 담당하는 의사가 근무, 목표했던 수준의 신생아 의료를 제공하기 위해 필요한 간호사가 적정 수 근무.
- 임상 심리사 등의 임상심리기술자.

주산기의료시스템의 과제와 미래 방향성에 대해

주산기의료체제의 전국적인 정비를 위해 관계자가 노력한 결과, 주산기의료 대책 정비 사업은 2차례의 개정을 거쳐 개시 후 15년만에 전 도도부현에 보급이 되었다. 이 사업은 주산기의료 시스템의 틀을 짜기 위한 것이며, 앞으로 각 지역에서 어떻게 내실화시켜 나갈 것인가가 과제가 될 것이다. 구체적인 과제와 그 해결 방향성에 대해 말하겠다.

1. 주산기 모자 의료 센터의 안정적 운용을 위한 제도 정비

사업 개시 당초에는 주산기의료시스템과 종합 주산기 모자 의료 센터의 정비와 유지에 보조금이 설정되어 진료 보수는 MFICU 관리비가 운영비로 지원이 되어 왔지만, 지역 주산기 모자 의료 센터에는 보조금이나 진료 보수의 지원이 정비되어 있지 않았다.

지역 주산기 모자 의료 센터의 평가: 2010년도부터 지역 주산기 모자 의료 센터로의 운영 보조가 실현되어 약간의 개선이 이루어졌다. 2012년도부터 지역 주산기 모자 의료 센터도 시설 요건을 갖추면 MFICU 가산을 산정하는 것이 가능해졌다.

종합 주산기 모자 의료 센터 인정요건의 합리화: 종합 주산기 모자 의료 센터의 시설 요건에는

기능에 관련된 요소와 병상수 등 규모에 관련된 요소가 포함되어 있다. 종합 주산기 모자 의료 센터에 필요한 MFICU 병상수는 6병상 이상(3차 의료권 인구가 100만 명 이하인 지역에서는 당분간은 3병상 이상)으로 되어 있다. 지역 주산기의료시스템의 충실을 위해 이차 종합 주산기 모자 의료 센터 인정을 검토하는 현이 늘고 있지만, 현 상황에서는 인구 백만 이상의 현에서는 이차라도 MFICU 3병상으로는 종합 주산기 모자 의료 센터로 인정되지 않는다. 한편으로 인구 100만 명 이하의 현에서 MFICU 3병상의 종합 주산기 모자 의료 센터가 두 곳이 인정되고 있는 현도 존재한다. 이처럼 주산기의료시스템에는 재검토가 필요한 부분이 남아있다.

주산기의료시스템은 도도부현에 따라 그 내용이 크게 다르다. 향후 지역 실정에 맞는 합리적인 체제정비가 가능한 방향으로 제도를 성숙시켜 나갈 필요가 있다.

2. 광역 이송시스템의 구축

주산기의료자원이 기본적으로 부족한 현 상황에서, 대도시권을 중심으로 지역에서 치료 종결을 고집하는 것이 합리적이라 할 수 없는 지역이 존재한다. 이러한 지역에서는 현의 경계를 넘는 광역 이송을 행하여야 하지만 현행 도도부현 단위의 주산기의료 시스템에서는 대응할 수 없는 것이 실정이다. 광역이송에 있어서는 이송처를 신속히 결정하는 시스템과 함께 상태가 안정된 시점에서 환자를 지역으로 되돌리기 위한 "재이송" 시스템을 구축할 필요가 있다.

3. 이송 코디네이터 제도의 보급에 의한 의료종사자의 부담경감

카나가와, 오사카, 도쿄, 사이타마 등 대도시권을 중심으로 이송 코디네이터 제도가 도입되고 있다. 이송 코디네이터 제도를 안전하게 운용하기 위해서는 긴급대응이 필요하다. 환자의 이송처 결정이 지체 없이 행해질 필요가 있으며, 그러기 위해서는 환자의 중증도·긴급도에 대한 판단이 매우 중요하며, 지역 주산기 모자 의료 센터와의 밀접한 연계를 실현할 필요가 있다. 현장 의료종사자의 이송처 결정을 위해 허비하는 시간을 줄이고 필요한 의료 제공에 전념할 수 있도록, 이송 코디네이터 제도의 보급이 향후에 더욱 진행될 필요가 있다고 생각한다.

4. 대규모 재해에 대한 대응

2011년 3월의 동일본 대지진을 계기로, 대규모 재해 시 주산기의료 및 지역 모자 보건활동을 지속적으로 제공하기 위한 제도 및 인재확보 시스템의 결여가 문제로 지적되고 있다. 주산기의료 시스템은 주산기분야에서 "평상시 긴급 대응 시스템"이지만, 이번 대지진에서는 준비가 부족하여, 그 능력을 피해지의 주산기의료 및 모자보건 활동 지원을 위해 충분히 발휘할 수 없었다. 향후에는 대규모 재해 시에도 기능을 발휘하기 위한 제도정비 및 훈련이 필요하다고 생각된다.

5. 향후 대처

2015년도에 주산기의료체제 정비 지침의 개정이 예정되어 있다. 그때 상기의 현안 해결책이 검토될 것이다. 산부인과 의사 및 신생아과 의사의 부족과 지역 편차로 저위험 분만을 포함해 안전하고 질 높은 분만 환경을 지역에서 어떻게 확보할지가 중대한 과제가 될 것으로 생각된다.

참고문헌

1) 厚生省児童家庭局長通知. 周産期医療対策整備事業の実施について. 児発第488号, 平成 8 （1996）年 5 月10日.
http://shusanki.org/theme_page.html?id=281〔2015. 5. 31.〕
2) 厚生労働省雇用均等・児童家庭局長通知. 周産期医療対策整備事業の実施について. 雇児発第0421001号, 平成15（2003）年 4 月21日.
http://www.jsog.or.jp/kaiin/html/infomation/info_20oct2003_1.html〔2015. 4. 9.〕
3) 厚生労働省医政局長通知. 周産期医療の確保について. 医政発0126第 1 号, 平成22（2010）年 1 月26日.
http://www.jnanet.gr.jp/kan/shishin2010.pdf〔2015. 5. 31.〕

≫ 海野信也

C 임산부 진단

임산부 건강검진(임산부 검진)에 대해

산모 건강검진의 주요 목적은 산모가 최소한의 위험에서 건강한 아이를 낳는 것에 있다. 일본에서 임산부 정기 건강 검진은 모자 보건법으로 정해져 있다. 임산부 건강검진의 회수에 대해서는 「모성, 영유아에 대한 건강진단 및 보건지도에 관한 실시요항」(1996년 아동가정국장통지)에 따라, 특별히 위험이 없는 모든 임신부에 대해, 임신초기부터 임신 23주까지 4주에 1회, 임신 24주부터 35주까지는 2주에 1회, 임신 36주 이후 분만까지는 1주일에 1회를 원칙으로 하고 있다. 5주에 초진을 받고, 특별히 문제가 없으면, 임신 40주에 출산하는 임산부는 16회의 임산부 검진을 받게 된다. 이것이 최적인 횟수라는 증거는 없지만, 일본의 주산기 사망률이 낮은 것으로 보아 대체로 적절하지 않을까 생각된다. 「산부인과 진료가이드라인: 산과 편 2014」에서는 임신 11주 말까지는 3회 정도, 12~23주 말까지는 4주마다, 24~35주 말까지는 2주마다, 그 이후 40주 말까지는 매주 검진을 시행하고, 41주 이후에는 정기적으로 태아 안녕 평가를 포함한 검진을 시행하는 것으로 되어 있다.

2007년에 적극적인 임산부 검진과 임산부 건강진단에 대하여 자치체에서의 공적 부담 필요성이 있어, 「최저 5회 정도의 공적비용부담을 실시하는 것이 원칙이다.」라는 모자 보건과장의 발표가 있었다. 그 후 2009년 2월 27일에 보다 현실성 있는 14회 정도의 공적 부담이 바람직하다는 통지가 발표되었다.[2]

임산부 검진의 실제

1. 초진 시 문진과 진찰

합병증을 일으키기 쉬운, 혹은 태아 이상을 초래하기 쉬운 임산부를 감별하기 위해서 체중·혈압측정, 내진, 초음파 검사, 소변검사 및 이학적 진찰을 실시한다. 그 후 문진을 하여 보충하는 것이 효과적이다(표 1).

또한 후생노동과학연구에서 임신 위험 점수의 작성·평가가 이루어지고 있기 때문에,[3] 이것을 사용하는 것도 한 방법이다.

표 1. 문진항목의 예

기본 정보(이름, 나이, 배우자, 전화번호, 결혼 여부, 직업, 키, 체중 등)
임신 분만력
기왕력과 가족력(유전에 관련한 것도 포함)
약제 복용력
알레르기 정보
흡연 알코올 섭취 여부
월경력
불임치료 여부
이번 임신경과
병명고지, 초음파진단에서의 태아 이상고지 여부 확인
검사동의서, 종교상의 이유로 수혈을 받을 수 있는지 여부

표 2. 임신초기의 초음파 관찰 항목

자궁내 임신?
태아는 생존해 있는가?
태아의 수·막성?
　(쌍태의 경우, 이융모막, 단일융모이양막, 일융모일양막융모양막?)
임신주수는 정확한가?(태아두전장에 의한 측정)
태아 형태의 이상은 없는가?
자궁·난소이상은 없는가?

2. 임신 진단방법과 시기

　최근에는 고감도에 특이성이 높은 소변중 hCG검사약이 시판되고 있으므로, 예정 월경일이 지난 임산부가 직접 검사를 시행하고 의료기관을 찾는 일도 많다.

　진찰은 내진, 질경 진단에 더해 경질 초음파를 실시한다. 소변 중 hCG정성검사(임신반응)는 임신4주가 되면 양성으로 나타나지만, 자궁내 임신이어도 태낭을 확인할 수 없는 시기도 있으므로 자궁외임신과 감별에 주의해야 한다. 태낭 내에 난황이나 태아 심박이 확인되어야 자궁내 임신이 확실해진다. 초음파진단은 임신초기(표 2) 임신중기(임신20주경) 임신후기(임신30주경)가 시행하기에 적절한 시기라고 생각하지만, 일본의 의료기관에서는 임산부 건강 진단과 같이 행해지는 경우가 많다고 생각된다. 「산부인과 진료가이드라인: 산과 편 2014」에서는 임신경과의 정상·이상판별을 목적으로 하는 「통상 초음파 검사」와, 주로 태아 형태 이상의 발견을 목적으로, 출생 전 진단의 일종으로 생각되는 「정밀태아초음파검사」를 구별할 필요성이 언급되고 있다. 「통상초음파검사」에서도 우발적으로 태아형태이상이 발견될 수 있으므로 사전에 동의를 권한다.

3. 분만예정일의 결정

재태기간은 본래 수정 시점으로부터의 경과시간으로 표현해야 하는 것이지만, 임상적으로 배란·수정이 언제 일어났는지를 정확히 판단하는 것은 어렵다. 그렇기 때문에 월경 주기가 28일일 경우에 최종 월경의 첫날부터 14일 후에 배란이 일어났다고 상정하고, 최후 월경 첫날부터 셈하여 40주 0일을 분만예정일로 하고 있다. 그러나 월경주기는 28일이 아닌 임산부도 많고, 또 28일이라도 최종월경의 첫날부터 14일 후에 배란이 일어났다고는 단정지을 수 없기 때문에 오차원인이 된다. 이 때문에 필요에 따라 초음파에 의해 보정을 하는데, 정확히 측정된 태아두전장(crown-rump length ; CRL)이 14~41mm의 시기에, 최종 월경 시작일부터 예정일과 7일 이상의 차이가 있는 경우는 CRL 값으로 예정일을 채택한다. 태낭·난황의 출현시기도 참고가 된다. 배란일이나 수정일을 특정할 수 있는 경우보다는 이미 계산한 예정일을 사용하며, 보정이 필요하지 않으면 해서는 안 된다. 임신 12주 이후의 시점에서의 재태 주수 확인은 양쪽마루 뼈지름(biparietal diameter ; BPD)이나 대퇴골길이(femur length ; FL)으로 행하지만, CRL측정이 가능한 시기에는 정확하지 않다.

4. 임신 초기에 실시하는 검사

임신중인 산모의 건강관리와 여러가지 병원체의 모자감염을 예방하기 위해 검사가 필요하게 되었다(표 3).

1) **혈액형**: 분만 시의 수혈에 대비하기 위해, 또 Rh (D)음성임신은 특별한 관리가 필요하기 때문에 한다.

2) **불규칙항체 스크리닝**: 태아에 악영향을 미치는 불규칙항체의 검사, 또는 불규칙 항체가 있으면 혈액형이 적합해도 수혈 시 부적합한 경우가 있기 때문에 실시한다.

3) **혈구수측정(CBC)**: 임신초기의 빈혈 확인이 주목적이지만 혈소판 수의 이상에 대해서도 검색을 한다.

4) **매독검사**: 매독양성 임신부에 대하여 페니실린 치료를 함으로써 선천매독을 거의 예방할 수 있다. STS (serological tests for syphilis)와 TP항원법(매독병원체에 대한 항체로, TPHA 테스

표 3. 임신초기 검사 항목

[필수로 여겨지는 항목]
ABO-Rh 혈액형, 불규칙 항체 스크리닝, 혈구수측정(CBC), HBs항원, HCV항체, 풍진항체(HI), 매독검사, HIV검사, 혈당검사, HTLV-1검사(임신 30주경까지), 자궁경부세포검진, 클라미디아 항원검사
[필수로 전원에게 시행하는 항목은 아님]
톡소플라스마항체

표 4. HIV항체검사 양성적 적중률

특이도 99.9%, 민감도 100% 검사키트를 5만명에게 시행한 경우			
HIV 이환율	양성수	위양성수	양성적중률
10%	5,000	50	99%
1%	500	50	91%
0.1%	50	50	50%
0.01%	5	50	9.1%

최근의 검사건수 10만건 당 HIV감염 임신 사례수는 8.5정도로, HIV 이환율은 거의 0.01% 이다.

트와 FTA-ABS 테스트가 있다. 스크리닝으로서는 TPHA 테스트를 이용한다)으로 검사한다.

5) HBs 항원: 산모가 B형간염에 지속 감염되고 있으면 모체태아 감염의 가능성이 있어, 출생아에 대해「B형간염 감염 방지 대책」을 시행할 필요가 있다.

6) HCV항체: 무증상의 C형간염 지속 감염자의 파악, HCV-RNA양성의 경우에 출생아 관리를 위해 한다.

7) 풍진항체(HI)검사: 임신초기의 감염으로 선천성풍진증후군을 일으킬 수 있는 가능성이 있어서 한다. 검사방법은 항체가의 평가가 확립된 HI법이 권장된다.

8) HIV 검사: HIV 검사는, 위음성을 줄이기 위해 스크리닝으로서 항원항체 동시검사를 실시하게 되어 있다. 현재 일본에서는 이환율이 0.01% 정도여서, 검사의 특이도는 충분해도 양성적중률이 낮아진다(표 4).

이에 대한 설명과 스크리닝 검사가 양성이었을 때도 확진 검사로 감염이라고 진단되는 결과가 나오는 경우는 적다는 것을 설명할 필요가 있다.

9) 혈당검사: 임신 초기에 내당능장애을 찾아내기 위해서 중요하다.

10) 자궁경관 세포검진: 일반적인 젊은 사람에 대해서도 자궁경관 세포진단은 필요하며 임신 검사를 위해 좋은 기회가 된다.

11) 클라미디아 항원검사: 성감염증 중에서 클라미디아 감염증은 빈도가 높다. 모자감염 예방을 목적으로 검사를 행한다.

5. 임신중기 · 후기에 행하는 검사

1) 당뇨 검사

임신 당뇨병에 대한 적극적인 치료는 신생아와 위중한 합병증을 감소시킨다고 알려져 있다. 또 병력이나 뇨당 양성 사례에 대해 당부하 시험을 실시하는 것으로는 파악할 수 없는 예가 다수 출현할 것으로 생각된다. 가능한 많은 임신성 당뇨를 검출하기 위한 당뇨 검사로서는 임신 초기 즉시혈당법과 임신 중기 50gGCT법 병용에 따른 2단계의 스크리닝이 좋다.[5],[6]

2) B군용혈연쇄구균(GBS) 보균진단

B군용혈연쇄구균(Group B Streptococcus ; GBS)는 약 10~30%의 임산부 질·대변 안에서 검출되었으며, 그 일부에서 모체태아 수직감염증(폐렴, 패혈증, 수막염 등)이 발병하여, 아기의 사망혹은 후유증의 원인이 된다. 미국에서는 모든 종류의 스크리닝이 권장되고 있지만,[7] 신생아 GBS 감염증을 완전히 방지하는 것은 아니다. 예방적 페니실린 투여가 때로는 아나필락스쇼크를 발생시킬수 있기 때문에, 알레르기 과거력이 있는 산모에 대한 예방은 주의할 필요가 있다.

3) HTLV I 항체검사

임신 30주경까지의 HTLV-1 (Human T-cell Leukemia virus type-1, 인체T세포백혈병 바이러스)항체검사는 표준검사가 되었다. 스크리닝 검사에서 양성인 경우는 확진검사를 실시한 후 HTLV-1 이력이라고 진단할 필요가 있다.

6. 건강검진 시 실시하는 관찰·검사항목

매번 관찰·검사하는 항목은 혈압, 부종, 체중, 뇨단백, 당뇨, 태아심박동 확인, 자궁저부의 길이·복위(임신중기부터)이다. 자궁저부의 길이·복위 측정에 대해서는 매번 초음파 검사를 실시하는 경우, 생략되는 경우도 있다. 그러나 자궁저부의 길이가 주 수에 비해서는 명확하게 작음에도 초음파 측정에서 태아체중예측을 낙관적으로 하는 바람에 태아발육부전(fetal growth restriction ; FGR)의 확인이 지연되어, 적절하지 않은 시기에 전원되는 사례도 있기 때문에 적어도 촉진은 필요하다고 생각한다.

7. 임신중기·후기의 초음파검사
1) 태아의 형태이상(태아초음파검사)

태아의 형태이상에 관하여 매번, 또는 한 번에 모든 항목을 살피려고 하는 것은 일반적인 진찰로는 어렵다. 임신 시기마다 쉽게 관찰할 수 있는 형태이상의 종류에 따라 체크리스트를 작성해 임신기간 내내 모두 체크할 수 있도록 하는 것이 효율적이다(체크리스트의 예는 문헌[8]에 있다).

2) 자궁경관 길이의 측정

경질초음파 단층법의 도입으로 인해 자궁경관을 상세하게 평가하는 것이 가능해져 자궁경관길이와 조산의 관계가 검토되고 있다. Iams 등[9]은 임신 24주 시점에서 경부길이 분포 75% 백분위

(40mm) 이상에 대해서, 경관이 단축되었을 경우의 35주 미만 조기분만의 상대위험률을 검출하여 30mm에서 상대위험율이 3.8, 22mm에서 9.5가 되는 것을 보고하고 있다. 특히 조산기왕력이 있는 등 조산 고위험 임신 관리에 도움을 준다.

조산 위험이 없는 예에 대하여 임신중기에 1회만 실시한다면, 임신 20주 전후가 적당하다고 생각된다.

3) 태아의 크기 평가: 태아추정체중

초음파 단층법에 의한 태아측정은 「초음파 태아측정의 표준화와 일본인의 기준치」에 의한 BPD, FL, AC를 이용하여 태아 체중을 추정하는 것으로 통일하고 있다. 최근의 초음파장치는 BPD, FL, AC를 측정함으로써 자동적으로 태아체중의 추정치가 표시되는 것이 많지만, 추정 태아체중은 직접적인 측정치가 아니며, 부정형으로 일정하지 않은 밀도의 태아를 대상으로 하여, 1차원(때로 2차원)의 측정치를 수식으로 대입하여 구한 것임을 충분히 인식할 필요가 있다. 추정된 태아체중에 대해 설명할 때에는 10% 정도의 오차는 예상할 필요가 있기 때문에 예를 들어 2,345g이라 표시되더라도 아래 두자릿수는 의미가 없음을 충분히 설명할 필요가 있다. 또한 거대아 예측에서 별로 정확하지 않은 것도 인식할 필요가 있다.

4) 태아 안녕

임신후반에서 NST (non-stress test, 비수축검사)와 함께 양수량 · 태아 호흡량 운동 · 태동 · 태아 근긴장도(tonus)를 관찰하는 것(biophysical profile score ; BPS)이나 도플러 혈류 측정에 의해 태아안녕 평가를 실시한다.

"세미 · 오픈 시스템"에 대해서

최근 건강검진은 주로 진료소, 분만은 병원에서 하는 「세미 · 오픈 시스템」을 채용하는 시설 · 지역도 많아지고 있다. 이 시스템은 건강 진단 시설과 분만 시설에서는 건강 진단 방법을 통일할 필요가 있어 센다이시에서 만들어진 진료 매뉴얼[11]이다. 이 시스템을 이용하는 임산부는 초음파소견을 포함한 진찰소견이나 코멘트를 기입해 소개서를 대신해 주는 "공통진료노트"(그림 1)를 사용하고 있다.

모든 임산부가 대상인 것은 아니나, 적어도 센다이 시내 6개 병원(년간 분만수 대략 5,000건)과 건강진단 시설에서 건강 검진 표준화의 시도가 되고 있다. 구체적인 절차는 그림 2에 보여진다. 초진이 건강검진시설의 경우 임신 10~12주에 분만시설에서 진료를 받고 진료기록을 작성한다. 초진이 분만시설인 경우 초진 후 건강검진 시설을 소개한다. 분만시설에서는 임신 20주 전후와 임신

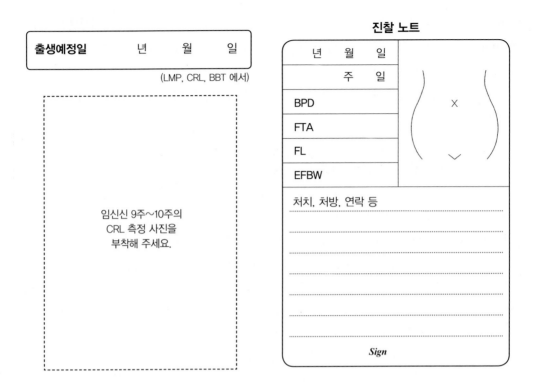

그림 1. 병원·진료소에서 정보공유를 위한 검진기록의 예

34주 이후에 건강검진을 실시하고, 모자교실이나 부모학급 등은 분만시설의 방침대로 하기로 하였다. 또 분만 예정일은 임신 9~10주의 경질초음파를 통해 CRL을 측정하여 추정하고, 사진을 공통 진료노트에 기록하는 것으로 하였다.

1. 임산부 검진

임신초기에 모든 검사를 한꺼번에 진행하면 금액적 부담이 되기 때문에, 임신 확인 후 가능한 조기에 실시하는 것이 바람직한 검사로 풍진항체가(HI)와 수시혈당이 있다. 임신 12주경까지 행하는 검사로는, 전혈구검사(CBC, 중기에도 시행), 혈액형·불규칙항체스크리닝, 매독검사, HBs항원, HCV항체, HIV검사, 자궁경관 클라미디아항원, 자궁경부세포진검사(자궁경부암 검사)를 하고, 톡소플라스마 항체, 홍역항체, 수두항체 등은 분만시설의 방침과 환자의 희망에 따라 시행한다. 혈당검사는 임신 초기와 24~28주경에 2회의 수시 혈당법을 실시하는 방법으로 하고 있다. 임신 후기에는 30주경까지 HTLV1-항체검사, 분만 시설에서 GBS 배양을 실시, NST 방식은 분만 시설의 판단으로 시행하기로 했다.

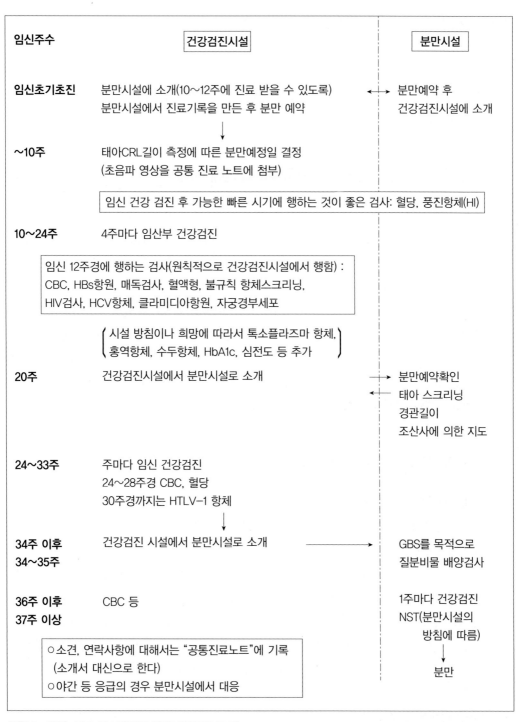

임신주수	건강검진시설	분만시설
임신초기초진	분만시설에 소개(10~12주에 진료 받을 수 있도록) 분만시설에서 진료기록을 만든 후 분만 예약	분만예약 후 건강검진시설에 소개
~10주	태아CRL길이 측정에 따른 분만예정일 결정 (초음파 영상을 공통 진료 노트에 첨부)	
	임신 건강 검진 후 가능한 빠른 시기에 행하는 것이 좋은 검사: 혈당, 풍진항체(HI)	
10~24주	4주마다 임산부 건강검진	
	임신 12주경에 행하는 검사(원칙적으로 건강검진시설에서 행함) : CBC, HBs항원, 매독검사, 혈액형, 불규칙 항체스크리닝, HIV검사, HCV항체, 클라미디아항원, 자궁경부세포	
	시설 방침이나 희망에 따라서 톡소플라즈마 항체, 홍역항체, 수두항체, HbA1c, 심전도 등 추가	
20주	건강검진시설에서 분만시설로 소개	분만예약확인 태아 스크리닝 경관길이 조산사에 의한 지도
24~33주	주마다 임신 건강검진 24~28주경 CBC, 혈당 30주경까지는 HTLV-1 항체	
34주 이후 **34~35주**	건강검진 시설에서 분만시설로 소개	GBS를 목적으로 질분비물 배양검사
36주 이후 **37주 이상**	CBC 등	1주마다 건강검진 NST(분만시설의 　방침에 따름) ↓ 분만
	○소견, 연락사항에 대해서는 "공통진료노트"에 기록 　(소개서 대신으로 한다) ○야간 등 응급의 경우 분만시설에서 대응	

그림 2. **세미·오픈 시스템에서 임산부관리의 한 예**

2. 임신 20주 전후 건강검진(분만시설 건강진단)

건강진료별로 실시하는 항목에 덧붙여, 조산예방을 위해 경질초음파로 자궁경관길이 측정한다. 동시에 복부초음파로 태반의 위치를 확인한다. 복부초음파로는 태아 기형을 확인한다. 이것은 태아에 치명적이거나 중대한 질환이 존재했을 경우에 대처하기 위함이다. 이 주수의 검진 결과 자궁 경부길이의 감소나 태반의 위치 이상으로 분만 시설로 관리가 이동하는 사례도 많다.

임신 중 예방 접종, 특히 인플루엔자 백신에 대해

임신부를 대상으로 한 백신 접종은 원칙적으로 금기이다. 그러나 불활성 백신 접종은 가능하다. 인플루엔자는 계절적으로 유행하는 인플루엔자 바이러스에 대한 감염증으로, 유행이 예상되는 형태에 따라서 매년 다른 제제를 접종해야 한다는 점이 다른 많은 백신과 달라, 임산부에게 가장 많이 사용되는 백신이다.

인플루엔자에 감염되면 임산부는 중증화되기 쉽고, 위독한 합병증을 발생시킬 위험도 높기 때문에 백신 접종이 권장되고 있다. 인플루엔자 백신 접종에 따른 산모·태아에 대한 위험성은 임신 전 기간 동안 낮다고 생각되므로 접종을 희망하는 임산부에게 접종하는 것은 적절하다. 여러 가지 백신들을 임산부에 접종 할 수 있는 기회는 많지 않지만, 그 유효성이 위험성을 상회한다고 생각되는 경우에 가능하므로 개별적으로 판단한다.

산과 외래에서의 의료안전관리

외래에서 행했던 검사결과는 내원 시 모두 체크하고, 결과에 따라 적절한 대응 하는 것이 바람직하나 모든 상황에서 가능하지는 않으므로, 아래와 같은 합의사항을 시설(복수시설이 관여할 때에는 시설간)에서 결정하고 준수하는 것이 중요하다고 생각한다.

1. 즉시 대응이 필요한 이상 검사치

혈액, 생화학 등의 검체검사는 통상의 외래 진찰 시에 확인해 설명한다. 즉시 대응이 필요한 분명한 이상이 발견된 경우는 검사실에서 의뢰의사에게 전화 연락하여 검사치를 보고하는 "위험값"(예를 들면 헤모글로빈농도가 7g/dL 이하)을 미리 정해 놓는 것이 필요하다.

2. 내원하지 않는 임산부

예약 또는 진료를 받아야 할 임산부가 내원하지 않은 경우에는 중요한 검사 결과를 전달할 수 없다. 따라서 외래 담당 의사는, 전달해야만 할 검사 결과가 있는데 예약한 임산부가 내원하지 않는 경우, 전화 연락 등을 해야 할 필요가 있다. 외래 담당 의사만으로는 어렵기 때문에 담당 조산사 · 간호사와 협력하여 수행할 필요가 있다.

산모 건강 진단 및 분만에 관한 비용의 공적비용 부담에 대해

후생노동성의 조사에 따르면 임산부 건강조사의 시읍면에 의한 공적비용부담은 2007년 8월 시점에서 전국 평균 2.8회로 나타났지만 2008년 4월에는 5.5회가 되었다. 그리고 2009년 2월 진찰 횟수가 14회 정도 행해지는 것이 바람직하다고 통지된 후, 2010년 4월에는 전 시구읍면이 14회 이상 조성하여 공적비용 부담 횟수의 전국 평균은 14.04회로 현저한 증가를 보여, 임산부 1인당 공적비용 부담액은 90,948엔이었다.[13],[14] 공적비용부담 이외의 건강검진 비용과 이상 없는 정산분만·산욕에 대해서는 다른 질환으로 진료한 경우처럼 "현물급부, 자기부담분 지불"이 아니며, 그 비용은 전액 이용자가 의료기관에 지불한다. 하지만 건강보험이 관여하지 않는 것은 아니고, 출산 후 "출산 육아 일시금" 및 적응증이 된다면 출산부담금이라는 형태로 건강보험으로부터 정해진 액수가 지불되므로, 일종의 "현금 급부"라고 할 수 있다.

이상 임신 분만 시에는 건강보험이 적용되지만, 자주 전액지불분과 "현물급부, 자기부담분지불"이 혼재되어 청구되므로, 잘못 해석되는 경우가 많아서 주의를 필요로 한다. 또한 임산부 건강검진과 정상 분만의 비용은 각 의료기관 독자적으로 정해도 되지만, 원내에 게시할 필요가 있다.

참고문헌

1) 母性・乳幼児に対する健康診査及び保健指導の実施について. 厚生省児童家庭局長通知. 児発第934号. 平成8年11月20日.
2) 妊婦健康診査の実施について. 厚生労働省雇用均等・児童家庭局母子保健課長通知. 雇児母発第0227001号. 平成21年2月27日.
3) 厚生労働科学研究費補助金医療技術評価総合研究「産科領域における安全対策に関する研究」平成16年度総括・分担研究報告書（III）.
4) 日本産婦人科医会. 妊娠初期の超音波検査. 研修ノート. No.74, 2005, 3.
5) 妊婦耐糖能異常の診断と管理に関する検討小委員会. 周産期委員会報告（妊娠糖尿病について）. 日本産科婦人科学会雑誌. 47(6), 1995, 609-10.
6) 安日一郎. 妊娠糖尿病のスクリーニングから管理まで. 日本産科婦人科学会雑誌. 56(9) 2004, 645-50.
7) Schrag, SJ. et al. A population based comparison of strategies to prevent early-onset group B streptococcal disease in neonates. N. Engl. J. Med. 347, 2002, 233-9.
8) 日本産婦人科医会. 妊娠中・後期の超音波検査. 研修ノート. No.76, 2006, 59.
9) Iams, JD. et al. The length of the cervix and the risk of spontaneous premature delivery. N. Engl. J. Med. 334 (9), 1996, 567-72.
10) 日本産科婦人科学会周産期委員会提案. 超音波胎児計測の標準化と日本人の基準値. 日本産科婦人科学会雑誌. 57(1), 2005, 92-117.

11) 宮城県周産期医療施設オープン病院化連絡協議会. 仙台市産科セミオープンシステム診療マニュアル. 第1版. 2006.

12) Fiore, AE. et al. Prevention and Control of Influenza with Vaccines : Recommendations of the Advisory Committee on Immunization Practices（ACIP）, 2010. MMWR. 59, No. RR-8, 2010, 1-62.

13) 妊婦健康診査の公費負担の状況にかかる調査結果について. 厚生労働省雇用均等・児童家庭局母子保健課長通知. 雇児母第0530001号. 平成20年5月30日.

14) 妊婦健康診査の公費負担の状況にかかる調査結果について. 厚生労働省雇用均等・児童家庭局母子保健課長通知. 雇児母発0608第1号. 平成22年6月8日.

参考URL
◦ 妊娠リスクスコア
http://www.aiiku.or.jp/aiiku/jigyo/contents/kaisetsu/ks0506/ks0506.htm〔2015. 5. 10.〕
◦ B型肝炎母子感染予防方法
http://www.mhlw.go.jp/bunya/kenkou/kekkaku-kansenshou20/dl/yobou140317-1.pdf
〔2015. 5. 10.〕
◦ C型肝炎ウイルスキャリア妊婦とその出生児の管理ならびに指導指針
http://www.vhfj.or.jp/06.qanda/pdfdir/HCV_guideline_050531.pdf〔2015. 5. 10.〕
◦ HIV母子感染予防対策マニュアル第7版（2016）
http://api-net.jfap.or.jp/library/guideLine/boshi/〔2015. 5. 10.〕
◦「超音波胎児計測の標準化と日本人の基準値」について
http://www.jsog.or.jp/public/shusanki/kijunchi.pdf〔2015. 5. 10.〕
◦ インフルエンザワクチン
http://www.cdc.gov/flu/protect/vaccine/qa_vacpregnant.htm〔2015. 5. 10.〕

≫ 明城光三

d. 정상분만

개념 · 정의

임신은 질병이 아니라 생리적인 현상이며, 분만 또한 그 연장선상의 집대성으로 자리매김 할 수 있다. 그러나 이 지극히 생리적 현상인 임신과 분만은 어떠한 경우에 대해서도 항상 질환과 인접한 경우라는 측면, 즉 시간경과와 함께 정상 생리적 범주, 이상 병적 범주 양쪽 모두에서 걸칠 수 있는 가능성을 지니면서, 시시각각으로 진행되는 현상이라고도 할 수 있다. 정상 임신 분만이란 모든 과정이 끝난 후 되돌아봐야 일련의 경과가 정상이었다고 진단할 수 있는 것으로 경과 중에 정상으로 판단을 하는 것은 성급하다. 우리 산과 의사들은 일련의 임신·분만과정을 수시로 주의 깊게 파악해 정상 생리학적 범주에서 병적 범주로 변화해도 항상 그것을 놓치지 않고 신속하고 적절하게 대처하는 자세를 갖는 것이 중요하다.

분만은 분만력·산도·분만물의 분만 3요소의 상호관계가 잘 작용함으로써 정상으로 진행된다. 정상분만(normal labor and delivery)의 정의란, 만삭(37~41주)에 자연적으로 진통이 발생하고 성숙 태아가 경질적으로 전방 후두 위에서 분만하고, 산모 태아 모두가 장애나 합병증이 없이 예후가 양호한 분만을 말한다. 더불어 분만 과정에 있어서, 평상시의 범위 내에서 회음절개 이외의 수술을 실시하지 않고, 분만 소요시간이 초산부에서는 30시간 미만, 경산부에서는 15시간 미만인 분만을 말한다.[1] 앞에서도 말했듯이 분만 종료 후 검토과정에서, 이 정의에 합당해야 정상 분만이었다고 할 수 있다. 우리 산과의사는 가능한 한 자연의 섭리를 존중하고, 나아가 이 정상분만의 정의 안에 들 수 있도록 분만 과정 전체를 관리해 나가야 한다.

진단

■ 정상분만과정이라고 판단하기 위한 정보

1) 분만경과의 기별분류

① 분만 제1기(개구기): 분만개시부터 자궁입구 개대(10cm)까지의 기간

② 분만 제2기(분만이기): 자궁입구 전개대에서 태아 분만까지의 기간

③ 분만 제3기(후산기): 태아분만부터 태반·난막의 분만(후산)까지의 기간

주의) 분만 개시란: 복통주기 10분 이내 또는 진통빈도 1시간에 6회 이상의 진통개시를 임상적인 분만개시라고 한다.

2) 분만진행 평가법

통상 적절히 시행하는 내진법으로 자궁입구의 개대, 자궁경관소실, 태아하강을 평가한다. 그러나 임산부들의 부담과 감염의 위험을 피하기 위해, 잦은 내진은 피한다. 표 1에서 Friedman 자궁경관 개대곡선에 기초한 값을 나타낸다.[2] 이 곡선은 다수의 정상분만에 관한 데이터를 바탕으로 작성되었고, 매우 신뢰성 있는 자료로 난산에 대한 임상적 판단의 지표로 유효하다고 여겨지고 있다. 또 활성기의 초기단계에 있어서 자궁경관 개대는 경산부 1.5cm/시간, 초산부는 1.2cm/시간이다. 분만 제 2기에서는 초산부 1.5~2시간, 경산부 0.5~1시간이다. 단지 Friedman 자궁개대곡선은 분만 이상의 원인을 특정하는 것이 아니며, 데이터에 관련된 이견도 많다. 곡선으로부터 벗어났다고 하여 이상이라고 진단해 버리면 부적절한 의료 개입이 일어날 수 있다.

최근 분만 제 2기 지연은 산모에게 융모막양막염, 산후출혈, 기계분만, 산도열상 등의 위험을 증가시키는데, 태아 심박수 모니터링 등에서 태아의 건강상태에 문제가 없다면 신생아 이환율은 증가하지 않을 것으로 보인다. 6,000명 이상의 임산부를 대상으로 한 대규모 조사에서는 태아 심박이 정상 패턴으로 나타나면 분만 제 2기 지연은 Apgar 점수, 신생아경련, NICU 입원률에는 관련 없는 것으로 나타났다.[3]

실제로 어느 시점에서 의료 개입할 것인가에 대한 판단은 자궁수축 상태 또는 아두골반불균형(cephalopelvic disproportion ; CPD) 등의 산모 측 상태, 태아의 안녕 등의 태아 측 상태에 따라 결정해야 한다.

3) 자궁경관 평가법

Bishop 스코어는 정량적 평가법으로 가장 많이 보급되어 있다(표 2).

점수는 0~13점 사이에서 평가하여, 높을수록 경관이 숙화되고 있다는 것을 알 수 있다. 최근

표 1. 분만 시기별 소요시간[2]

		분만 제1기			분만 제2기
	잠복기 (latent phase)	활동기 (active phase)			
		가속기 (acceleration phase)	극기 (phase of maximal slope)	감속기 (deceleration phase)	
자궁구	2.0~2.5cm	2~3,4cm	신속하게 8cm 개대	9~10cm	10m
초산모	평균 8.5시간	2시간 이내	약 2시간	2시간	1.5~2시간
경산모	평균 5시간	1시간 이내	약 1시간	몇 분	0.5~1시간
비 고	이 시간의 길이가 전체 분만 시간을 좌우함		태아 머리의 하강이 시작됨	태아 머리의 하강이 두드러짐	

표 2. Bishop 점수[4]

	Point value			
	0	1	2	3
경관개대도(cm)	0	1~2	3~4	5~6
경관소실(%)	0~30	40~50	60~70	80~
태아머리 높이	-3	-2	-1/0	+1/+2
경부경도	firm	medium	soft	—
자궁입구 위치	posterior	middle	anterior	—

에는 경질 초음파를 함께 함으로써 분만을 보다 정확하게 예측할 수 있다는 보고도 있다.[5]

관리

1. 입원 분만시 관리

1) 내진

① 양막파수의 유무 확인: 주로 질경을 통해 양수 유출 여부를 확인한다. 분명하지 않은 경우에는 각종 파수 검사시약을 사용하여 확인한다. 검사법에는 질내pH측정법(Nitrazine법, BTB법), 태아 피브로넥틴 검출법, 인슐린성장인자결합단백질 1형 검출법 등이 있는데, pH측정법 이외에는 임신 37주 이후의 사용에 대해 보험적용이 안 된다.

② 경관 소견: Friedman의 경관개대곡선 및 Bishop 스코어를 사용한다.

③ 선진부 소견: 소천문을 촉지함으로써 태아는 제1회선이 정상적으로 행해지고, 굴곡태세라고 진단한다. 또한 설상합의 방향은 제2회선의 지표로서 중요하다.

④ 하강도의 소견: 선진부가 양옆 좌골돌기의 위치까지 하강한 상태를 하강도(station) sp±0이라고 표현하며 진입(engagemenet)했다고 판단한다(그림 1).[6] 여기까지 진행했을 경우, 아두골반불균형(CPD)은 존재하지 않는다고 판단한다. sp±0의 레벨에서 1cm씩 위쪽은 −, 아래쪽은 +를 붙여 표현한다. 아두고정은 손가락내진으로 아두를 밀어 올릴 수 없는 상태이며, (station) sp+1~+2에 상당한다. 분만직전 상태는 sp+5이다. 골반입구면 sp−5에 상당한다.

2) 분만 제1기 관리

분만의 대부분을 차지하는 시기인데, 각 분만마다 상황이 다르다. 태아심박동도(cardiotocogram ; CTG)에서 태아심박변동, 자궁수축 확인을 정기적으로 시행하여 기록에 남긴다. 산모의 활력 증후는 보통, 체온, 심박수와 혈압을 1~2시간마다 측정하여 기록에 남긴다. 경구 섭취에 관

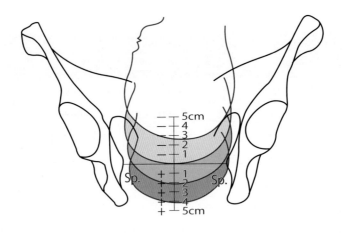

그림 1. de Lee의 staion (문헌6에서 인용)

해서는 제한을 두지 않고, 또 수액투여도 병용하지 않는 경우가 많다.

3) 인공 파막

인공 파막은 분만 촉진을 목적으로 하여 일상진료 중 오랜 기간 사용되어 온 의료행위이다. 그 효과에 관해서는 평균경관개대 5cm 전후로 인공 파막을 하게되면 분만 소요시간이 유의하게 단축되어 옥시토신 사용빈도가 감소했다는 보고와, 이와 다르게 조금도 변하지 않았고 제왕절개 분만율도 변하지 않았으며 신생아에 대한 영향도 없었다는 보고,[7-9] 인공 파막과 옥시토신을 병용했을 경우 각기 단독 시행 및 아무것도 하지 않은 군에 비해 유의하게 분만시간이 단축되었다는 보고가 있다.[10] 그러나 한편으로 인공파막 단독으로는 분만시간 단축의 효과는 거의 없다는 점, 유의하지는 않지만 제왕절개 분만율의 증가를 확인하였다는[11] 보고도 있어 그 평가는 확실하지 않다.

인공 파막에 따른 위험으로는 ① 탯줄탈출, ② 자궁내감염, ③ 태아기능부전 ④ 전치혈관의 파열 등을 들 수 있다. 특히 탯줄탈출은 인공·자연에 관계없이 파수 시에 일어날 수 있다는 것을 항상 염두에 둘 필요가 있다. 탯줄 탈출이 일어났을 경우, 아이는 위독한 상태가 되기 쉬우므로 만일 인공 파막을 실시하는 경우는 반드시 내진에 의해 아두고정을 확인한 후에 행한다.

인공 파막시에는 양수혼탁 여부에 주의한다. 지금까지 양수혼탁은 태아의 저산소 상태를 나타낸다고 여겨져 왔다. 그러나 현재 양수혼탁은 위장의 정상적인 생리적 성숙에 의한 현상[13] 혹은 일과성 탯줄압박에 의한 미주신경유발 장관연동운동 항진에 의한 것 등,[14] 저산소 상태나 산혈증 자체가 양수혼탁의 원인이 되지 않는다는 것으로 되어 있다. 태아 심박동에 이상이 없을 경우에는 특별한 처치는 필요하지 않지만, 만일 태아 심박동 이상과 양수혼탁이 동시에 합병했을 경우에는 산혈증이나 소생을 필요로 하는 신생아가 늘어난다고 하므로[15] 주의가 필요하다.

2. 분만 제2기의 관리

이 시기가 되면, 아두의 하강에 따른 직장부 압박 때문에 자연스레 "진통"이 발생하게 된다. 분만 제2기 소요시간의 평균값은 초산모 50분, 경산모 20분으로 되어 있지만, 이것 역시도 개인차가 크다. 태아심박진통도에 다양한 소견이 나타나고, 위험도가 낮다고 생각되는 사례에서도 아두 압박에 의한 조기일과성 서맥이나, 탯줄압박에 의한 변동 일과성 서맥이 발생하기 쉽다.

태아기능부전징후를 보였을 경우, 이대로 경질분만을 계속할지 여부는 분만진행도 등 그 시점의 상황에 따라 좌우된다. 통상적으로 각종 태아소생법을 시도하는 경우가 많다. 다음의 방법은 태아 혈액내 산소농도에 유리하게 작용할 수 있어 시도할 가치가 있다고 생각된다.

1) **산모의 좌(우)측 누워있는 자세로 체위변환**: 자궁에 의한 대동맥, 하대정맥압박에 의한 심박출량 저하, 태반순환부전 방지를 목적으로 한다. 좌측 누움 자세가 태아 혈액 산소포화도에 가장 우수하다.

2) **산모산소투여**: 태아 산소 포화도 상승을 목적으로 하여 산모에 10~15L/분당의 산소를 투여한다. 가능하면 마취용 밀착형 마스크를 사용하여 들숨에는 강하게 붙여서 고농도 산소 가스가 희석되지 않도록 한다.

3) **수액**: 1,000mL/20분 투여에 의해 태아산소포화도가 유의하게 상승한다고 알려져 있다.[6] 그렇지만 일본임산부는 서양산모와 비교해 체중이 적거나 임신성 고혈압 신장병, 폐수종 합병위험 등을 고려하여 500mL/20분을 권장하고 있다(『산부인과 진단가이드라인: 산과 편 2014』).[17] 긴급 제왕절개술에서의 마취도입 전 급속 수액 투여는 태아의 CBC 포화도 상승에 기여할 가능성이 있다.

4) **리토드린 등 자궁수축억제제 투여**: 자궁수축이 태아 심박 이상과 관련되어 있는 경우 리토드린염산염 등에 의한 자궁수축 억제가 효과적인 것으로 알려져 있다. 50mg (1A) / 5% 포도당 500mL를 300mL/시간당으로 투여했을 경우, 태아서맥 개선에 효과가 있다고 여겨진다.[18]

3. 분만 제3기의 관리

생후 1분과 5분에 Apgar 점수를 조사 기재한다.

1) **탯줄결찰**: 출생직후에 탯줄결찰을 시행한다. 신생아를 외음부보다 아래쪽에 두고 탯줄박동이 소실되는 것을 기다려 탯줄결찰을 시행하면, 태반 내 혈액이 약 80mL 아이에게 이동된다. 이것은 아이의 빈혈을 방지하는 동시에 신생아 황달을 증가시키는 방향으로도 작용하므로 주의가 요구된다.[19] 덧붙여 제 9장 「신생아의 관리와 처치 a. 일반 신생아 관리」의 탯줄처치(p.674)도 참조.

2) **태반분만**: 태반박리징후 이전에 태반을 견인하지 말아야 하며, 이는 자궁내반증을 예방하는데 중요하다. 박리징후는 통상 태아 분만 후 약 5분 이내에 확인되며, 이후 탯줄을 한손으로 들고, 또 다른 손으로 치골결합상부에서 자궁체부를 조용히 후위 쪽으로 밀어 올리면서 탯줄

을 가볍게 견인하며 분만 시키는 Brandt법을 시행한다.

3) 태반용수박리: 대부분의 태반은 10~15분 이내에 분만되는데, 그 이상 시간이 경과하더라도 태반용수박리를 적응할지에 대한 결정은 신중해야한다. 최근 유착태반이 큰 문제가 되고 있어, 태반용수박리를 시행함에 있어 그 위험성도 고려해야 할 것이다.

4) 자궁수축제: 분만 후 자궁수축 촉진을 목적으로 옥시토신이나 프로스타글란딘이 사용될 수 있다. 사용에 관해서는 다음과 같이 주의가 필요하다.

① 옥시토신: 원칙적으로 링거 정맥주사 투여 방법이 바람직하다. 다량의 투여(매분 20 mU 이상)는 항이뇨 작용이 나타나므로 전해질을 포함하지 않는 다량의 포도당액을 사용하면 물 중독에 걸릴 수 있다.

② 프로스타글란딘: $PGF2\alpha$의 자궁근층 내 국소주사는 원칙적으로 해서는 안 된다. 또한 $PGF2\alpha$ 사용은 고혈압, 쇼크, 심실성 기외수축, 심정지 등 심각한 부작용의 가능성이 있어 주의가 필요하다

③ 맥각 알칼로이드: 에르고메트리 말레인 산염, 메틸에르고메트리 말레인 산염은 모두 강력한 자궁수축작용을 가진다. 그러나 혈압상승, 구토, 관동맥연축 등 위독한 부작용이 있어 반복적인 투여는 피하는 것이 바람직하다.

4. 회음절개·열상 및 봉합

회음절개의 유효성에 관해서는 논란의 여지가 있다. 다만 회음부가 늘어나는 정도에 따라, 복부·회음열상이 불가피한 경우에는 적응이 된다. 회음절개의 종류에는 회음의 6시 방향 위치에서 항문쪽으로의 정중절개와, 마찬가지로 6시 방향 위치에서 비스듬한 방향으로 정중측절개가 있다. 그 특징은 표 3[13]과 같다. 그리고 복부·회음열상의 정도는 아래와 같이 분류된다.

표 3. 회음절개(정중절개 정중측절개)의 특징[13]

특징	회음절개	
	정중절개	정중측절개
봉합	쉽다	약간 어려움
치료부전	드물게 있음	때때로 있음
수술후통증	거의 없음	있음
해부학적결과	우수	차이 있음
출혈량	적다	좀많음
성교 통증	드물게 있음	때때로 있음
창살부위 확대	있음	거의 없음

1) 제1도 열상: 질·회음에 열상이 있으나, 골반아래쪽의 힘줄 혹은 근막에 달하지 않은 것.

2) 제2도 열상: 골반아래의 힘줄까지 열상이 이르는 것, 항문 괄약근에는 달하지 않은 것.

3) 제3도 열상: 항문 괄약근에 열상이 이르는 것.

4) 제4도 열상: 직장점막까지 열상이 이르는 것.

또한 회음절개·열상의 유무에 관계없이, 분만 후 외음부 통증을 강하게 호소할 경우에는, 혈종형성, 농양형성, 봉와직염 등의 발병을 고려하여 진찰을 한다.

참 고 문 헌

1）日本産科婦人科学会編. 産科婦人科用語集・用語解説集. 改訂２版. 東京, 金原出版, 2008, 221.

2）Friedman, EA. Labor：Clinical Evaluation and Management. 2nd ed. New York, Appleton-Century-Crofts, 1978.

3）Menticoglou, SM. et al. Prenatal outcome in relation to second-stage duration. Am. J. Obstet. Gynecol. 173, 1995, 906-12.

4）Bishop, EH. Pelvic scoring for elective induction. Obstet. Gynecol. 24, 1964, 266-8.

5）Paterson-Brown, S. et al. Preinduction cervical assessment by Bishop's score and transvaginal ultrasound. Eur. J. Obstet. Gynecol. Reprod. Biol. 40, 1991, 17-23.

6）荒木勤. 最新産科学：正常編. 改訂第22版. 東京, 文光堂, 2008, 246.

7）Fraser, W. et al. A randomized controlled trial of early amniotomy. Br. J. Obstet. Gyneacol. 98, 1991, 84-91.

8）Garite, TJ. et al. The influence of elective amniotomy on fetal heart rate patterns and the course of labor in term patients：A randomized study. Am. J. Obstet. Gynecol. 168, 1993, 1827-31.

9）UK Amniotomy Group：A multicentre randomized trial of amniotomy in spontaneous first labor at term. Br. J. Obstet. Gynaecol. 101, 1994, 307-9.

10）Wei, S. et al. Early amniotomy and early oxytocin for prevention of or therapy for, delay in first stage spontaneous labour compared with routine care. The Cochrane Library. 2009, CD006794.

11）Smyth, RMD. et al. Amniotomy for shortening spontaneous labour. The Cochrane Library. 2009, CD006467.

12）Moore, TR. et al. A prospective evaluation of fetal movement screening to reduce the incidence of antepartum death. Am. J. Obstet. Gynecol. 160, 1989, 1075-80.

13）Matthews, TG, et al. Relevance of the gestational age distribution of meconium passage in utero. Pediatrics. 64, 1979, 30-1.

14）Hon, EH. et al. The electronic evaluation of the fetal environmental hazard. Obstet. Gynecol. 87, 1996, 181-4.

15）Miller, FC. et al. Significance of meconium during labor. Am. J. Obstet. Gynecol. 122, 1975, 573-80.

16）Simpson, KR. et al. Efficacy of intrauterine resuscitation technicques in improving fetal oxygen status during labor. Obstet. Gynecol. 405, 2005, 1362-8.

17）日本産科婦人科学会・日本産婦人科医会編集・監修. "CQ408　胎児蘇生法については（胎児低酸素状態への進展が懸念される場合は）？". 産婦人科診療ガイドライン：産科編2014. 2014, 235.

18）Palomaki, O. et al. Severe cardiotocographic pathology at labor：effect of acute intravenous tocolysis. Am. J. Perinatol. 21, 2004, 347-53.

19）岡村州博編. 正常分娩. 武谷雄二総編集. 東京, 中山書店, 1998, 176-7, （新女性医学大系 25）.

≫ 福島明宗

e 정상산욕기의 진찰

개념 · 정의

산욕기란 「분만 종료 직후부터 시작하여, 임신 및 분만에 의해 변화한 성기 및 주위 조직이 해부학적, 생리학적으로 비임신 시기의 정상 상태로 복구되기까지의 기간」을 말하며, 통상 분만 후 6~8주이다.[1] 이 변화는 주로 성기, 유방에 일어나는데 정신 상태에도 변화를 일으키기 쉽다.

자궁 복고

임신으로 커진 자궁은 태아 및 태아 부속물을 만출한 후, 수축이 더욱 진행되면서 축소된다. 자궁의 크기, 딱딱함은 복벽에서 촉진으로 쉽게 관찰된다. 자궁저는 분만 12시간 후쯤에 잠시 상승해 배꼽높이에 이르지만, 이후에는 그림 1과 같이 하강한다. 자궁 복고를 방해하는 요인을 표 1로 꼽지만[2] 이 요인을 가진 산욕부에 대하여는 당연하지만 자세한 관찰이 필요하다.

오로

분만 당일의 오로는 혈성이며 점차 혈구성분이 줄어 혈장성, 갈색빛을 띠게 된다. 매일 질경으

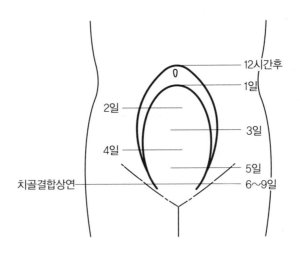

그림 1. **산욕에 따른 자궁저 높이**

(문헌 3, p.175에서 인용)

표 1. 자궁 복고를 방해하는 요인[2]

a. 기질성요인
1. 태아 부속물(태반, 난막등)의 자궁강내 잔류
2. 오로의 자궁강내 저류
3. 자궁근종
4. 자궁내 감염(자궁내막염, 자궁근육염 등)
b. 기능성 요인
1. 자궁근 과신전(다태임신, 거대아, 양수과다 등에 의함)
2. 미약한 진통
3. 자궁수축억제제의 장기 사용
4. 산모 피로
5. 과도한 안정
6. 방광·직장의 만성적 충만
7. 수유를 안함

로 진료를 할 필요는 없지만 양이 현저하게 많은 경우나 응혈 덩어리를 확인한 경우, 태반·양막 등의 잔류를 확인해야 할 경우에는 질경 진찰을 함과 동시에 경질 초음파 등으로 자궁강 내의 상태를 확인한다. 또한 오로 양이 현저하게 적은 경우도 자궁강 내에서 응고되어 저류되고 있는 경우가 있기 때문에 주의가 필요하다. 산모발열이 있을 때에는 오로의 상태·양, 악취의 유무를 확인해 자궁내 감염 여부를 판단한다.

질·회음 절개부

회음절개를 하거나 자연열상이 생겨 봉합한 경우에는 절개부의 관찰이 필요하다. 혈종 형성이나 감염의 징후가 없는지 주의한다. 혈종이 생기고 있는 경우에는 심각한 통증을 호소하는 일이 많다.

유방

유방울혈 염증 여부 및 유즙분비상태를 관찰한다. 특히 초산부에서는 젖이 안 나오기 쉬우므로 발열이나 유방 통증이 있는지 여부를 문진한다.

전신 상태

산욕기에는 세균 감염증이 생기기 쉬우므로[4] 발열에 주의를 기울인다. 주요 감염원은 자궁, 유퇴원시 또는 산후 진찰시에 기록해 두십시오.

*** * * * * 출산후 모체 경과 * * * * ***

산후 일월	자궁 회복	오로	유방의 상태	혈압	뇨단백	뇨당	체중	비교
	양호·불량	양호·불량			− + ⧺	− + ⧺	kg	
	양호·불량	양호·불량			− + ⧺	− + ⧺		
	양호·불량	양호·불량			− + ⧺	− + ⧺		
	양호·불량	양호·불량			− + ⧺	− + ⧺		

그림 2. **1개월 건강검진에서의 진찰 내용과 기록(모자건강수첩)**

방, 요로이므로 발열이 나타난 경우에는 오로의 성상, 유방 상태, 뇨혼탁의 유무 등을 체크한다. 산후 2~3일경에 압력이 상승하여 부종이 발생·악화되는 경우가 있지만 대부분은 일시적인 것으로 자연스럽게 호전된다.

정신 상태

산욕기에는 정신적으로 불안정한 상태가 되어 산후 우울증 등 산욕기 정신 장애의 증상이 나타날 수 있다.[5)]

1개월 건강 진단에서의 진찰

모자 건강 수첩의「출산 후 산모의 경과」항목에 대해 진찰한다(그림 2). 즉 소변검사, 혈압 및 체중측정을 실시하여 내진, 질경 진찰로 자궁 수축, 오로를 확인한다.

임신성 고혈압증의 산욕부에 관해서는 고혈압, 요단백이 지속되고 있지 않은지 주의한다. 오로가 지속되고 있는 경우에는 경질 초음파등으로 자궁내에 저류하고 있는 것이 없는지 확인하는 것이 좋다. 특히 제왕절개 분만 후에 저류되기 쉽다. 난막의 잔류가 확인되는 경우가 있지만 일반적으로 제거 가능하다.

참고문헌

1) 日本産科婦人科学会. 産婦人科研修の必修知識2013. 2013, 190.
2) 牧野田知, 神崎秀陽. 産褥異常の管理と治療. 日本産科婦人科学会雑誌. 54(7), 2002, N202-13.
3) 高林俊文. "産褥". TEXT産科学. 矢嶋聰編. 東京, 南山堂, 1994, 173-88.
4) 島田信宏. "産褥管理". 周産期の母子管理. 東京, 南山堂, 1980, 751-8.
5) Stein, G. The pattern of maternal change and body weight change in the first postpartum week. J. Psychosom. Res. 24, 1980, 165-71.

≫ 武山陽一, 谷川原真吾

모유 수유 지원

모유 육아 지원의 필요성

포유류인 사람에게 있어서 모유 수유는 "자연적인 일"이다. 그러나 자연적인 임신·분만이라도 모두가 모유 수유에 성공하는 것은 아니다. 다른 포유류에서는 모유분비 부족이 아이의 사망으로 직결되지만, 사람들은 우유나 산양유 등 모유 대용품에 의해 아이를 기를 수 있었다. 근대 이후에는 분유 등 인공유가 모유를 보충하는 것뿐만 아니라 젖을 대신하는 주영양으로도 사용하게 되었다. 그 예로 일본을 보면 생후 1개월의 모유 수유율이 1970년에는 32%까지 떨어졌다.

모유는 인공유와 비교하여 영양면에서 우수할 뿐만 아니라 위생적이며, 면역학적 메커니즘에 따라 태아 감염증이나 알레르기 질환에 대한 예방효과를 지녔다. 또 모자의 애착형성을 촉진하여 모자의 정신적인 면이나 신경발달에 좋은 영향을 준다. 수유는 산모의 각종 질환의 감소에도 기여한다. 모유 수유에 의한 모자의 질환 예방효과는 수유기간뿐 아니라 악성종양, 자기면역질환과 성인병 등 광범위하게 해당된다. 모유 수유는 산모에게 경제적으로 유리할 뿐만 아니라 모자의 이환율을 떨어뜨려 국민의료비 절감효과도 기대할 수 있다(표 1). 자연적인 형태의 모유 수유를 추진

표 1. 모유 수유의 우수한 점

태아 질환 감소	산모 질환 감소
중이염	산욕출혈혈
상기도감염	산후우울
하기도감염	당뇨병(II형)
기관지 천식	관절 류마티즘
아토피성 피부염	순환기질환
위장염	유방암
염증성장질환	난소암
비만	
당뇨병(I형, II형)	**분만 후 조기임신 예방**
백혈병	
영아돌연사증후군	**학대·육아포기의 감소**
조산아 질환의 감소	**경제적 이점(개인적·사회적)**
괴사성장염	
패혈증	
신경발달 장애	

하는 것은 모자 건강에 기여한다.

유즙분비는 출산 직후부터 1~2주간이 중요하며, 이 시기에 수유기술을 습득하는 것이 모유수유의 성공으로 이어진다. 출산 직후의 모자에 관련된 주산기 의료 스태프는 모유 수유에 큰 역할을 한다.

모유 수유 지원법

세계보건기구(WHO)와 국제연합아동기금(UNICEF)는 1989년 공동성명을 통해 「모유 수유를 성공시키기 위한 10개조」(표2)를 세계의 모든 산과시설을 향해 제창했다. 더하여 WHO와 UNICEF는 「10개조」를 실천하는 산과 시설을 「아기에게 친근한 병원: Baby Friendly Hospital」로 인정함으로써 모유 수유를 추진하는 「아기에게 친근한 병원운동」을 1991년에 개시했다.[2]

모유 수유 지원의 구체적 방법은 「10개조」로 요약되어 있는데, 각 항목에 대한 설명은 아래에 있다.

1. 출산후 조기부터 수유개시(제4조): 조기 모자 접촉은 모자의 애착행동, 모자 상호관계 확립에에 효과적일 뿐만 아니라 모유분비를 촉진하여 모유영양률을 향상시키는 효과가 있다. 출생 직후의 정상 신생아는 산모의 가슴에 안기면 스스로 혀를 움직여 유두를 빨아들이는 일이 많지만, 산모의 유두·유륜에 닿는 것만으로도 모유분비에 효과가 있다.

2. 모자동실, 자주 수유(제7조, 8조): 산후 모자가 같은 방에 있는 것은 자연적인 모습이다. 아이가 원할 때마다 자주 수유하는 것은 유두 자극과 유관내압 저하를 통해 젖 생산을 촉진한다. 모자동실을 하는 아이는 원할 때 충분히 젖을 먹는 자립 포유가 가능하다.

3. 인공유 등 모유 대용품 비사용(제6조): 인공유와 포도당은 아기의 공복을 억제하고 빈번한 수유를 방해하여 모유의 분비가 억제된다. 의학적으로 보충이 필요한 탈수나 저혈당 등의 상황이 아니라면 생후 6개월 동안은 모유 이외의 영양·수분을 주어서는 안 된다.

4. 고무젖꼭지 비사용(제9조): 고무젖꼭지는 비위생적일 뿐만 아니라 수유에 의한 유두자극 횟수를 줄이기 때문에 모유 수유에 유해하다.

5. 산모에 대한 모유 수유 구체적 지원(제3조, 제5조): 모유 수유 지원은 임신 기간 동안에 시작하는 것이 임산부의 모유 수유에 대한 의욕을 높인다. MFICU에 입실한 임신부에 대해서

표 2. **모유수유를 성공시키기 위한 10개조**

1. 모든 의료 종사자들에게 모유 수유 추진 정책에 대해 항상 알려 줄 것
2. 모든 의료 종사자들에게 모유 수유를 할 수 있도록 필요한 지식과 기술을 가르치는 것
3. 모든 임산부에게 모유 수유의 좋은 점과 방법을 알려 줄 것
4. 산모가 분만 후 30분 안에 모유를 먹일 수 있도록 도와주는 것
5. 산모에게 수유 지도를 충분히 하고, 만약 아기와 떨어져있어도 모유의 분비를 유지하는
   방법을 가르쳐주는 것
6. 의학적인 필요가 없는 한 모유 이외의 것, 수분, 당수, 인공유 등을 주지 않을 것
7. 모자 동실 할 것. 아기와 산모가 하루 24시간 동안 함께 할 수 있도록 할 것
8. 아기가 원할 때마다 원하는 양만큼 젖을 먹이는 것
9. 젖을 먹고 있는 아기에게 고무 젖꼭지나 장난감을 주지 말 것
10. 모유 수유를 위한 지원 단체를 만들어 지원하고, 퇴원하는 산모에게 이런 단체에 대해
    소개하기

도 동일하게 지원할 수 있다. 산후에는 수유 시 아이 안는 방법과 유두를 물리는 방법, 아이가 젖을 먹고 싶어 하는 사인을 어떻게 알아내는지를 구체적으로 알려줌으로써 산모는 그 효과를 실감할 수 있다.

6. 모유 수유 지원 단체 지원(제10조): 모유 수유 지원에는 모유 수유를 하고 있는 산모 간의 상호지지가 특히 효과적이다. 산과 시설에는 그 단체를 지원하는 역할이 필요하다.

7. 산과 시설에서의 모유 수유 방침의 명시 및 조직 일체가 대응(제1조, 제2조): 산과 시설은 모유 수유 지원에 대한 기본 방침을 문서로 명시하여 직원 모두가 함께 대응하는 자세를 보임으로써 산모의 신뢰를 얻을 수 있다. 이런 방침을 갖고 대응하는 아기친화적 병원운동은 모유 수유율을 높인다.[4]

MFICU, NICU에 있어 모유 수유 지원의 문제점과 그 대책

NICU에 입원한 아기에게 있어서 영양학적 이점이나 장내 환경의 개선, 감염 예방 등의 관점에서 보면 모유 영양은 매우 중요하다. 그러나 이런 모자는 모유 수유에 관한 복잡한 문제를 안고 있다. 아래에서 그 문제점과 대책에 대해 이야기 한다.

1. 모자 접촉 제한과 모자분리

조기모자접촉 모자동실이 모유 수유에 있어서 바람직하지만, 조산·신생아 가사에서는 아이 소생과 조기 집중 치료가 우선이다. 그러나 그 경우에도 단시간이라도 모자 접촉을 권한다. 분만실,

수술실, NICU에서의 모자 접촉을 권장하며, 아기 혹은 산모가 이송될 경우 모자 전원을 수용하여 NICU에서 모자가 skin-to-skin contact 가능한 환경을 필요로 한다.

2. 직접수유곤란

NICU에 입원한 아이는 호흡순환관리 등으로 인하여 직접 수유를 하지 못하는 경우가 많다. 그러나 그 경우에도 유축한 모유를 영양 튜브를 이용해 아이에게 줄 수 있다. 유축은 출산 후 조기부터 하루 8회 이상의 빈도로 유방이 비게 될 때까지 실시하면 효과적이다. 필요에 따라 유축기 사용에 대해 지원한다.

3. 산모질환에 의한 수유제한

다량출혈이나 제왕절개술 등으로 인해 산모가 탈진하게 되면 모유분비도 저하된다. 산모의 상태가 중증인 경우에는 그 치료가 우선되지만 각각의 상태에 따라 조기부터 모유분비, 지원을 시작한다. MFICU에서는 산모에게 약제를 사용하는 경우가 많다. 일본의 의약품 첨부 문서에서는 「임산부, 산모, 수유부 등에게 투여」할 경우에는 수유를 중지시킬 것이라고 기재되어 있는 약재가 많다. 그러나 이러한 기술은 유즙 내로 분비되는 것만을 근거로 하고 있으며, 아기에게 미치는 영향에 근거하는 것은 아니다. 아이에게 악영향을 끼칠수도 있지만, 진짜로 수유를 피해야 할 약제는 항암제나 방사성 의약품 등 극소수이며 대부분의 약제는 수유가 가능하다.

각 약제의 수유 허용성은 LactMed[6] 나 「임산부 약정보센터」 등의 기본 자료가 참고가 된다. 수유부에게 투여하는 약제 중 아이에게 미치는 영향을 줄이려면 어린 아이에게도 투여가능한 것, relative infant dose (RID=유아 섭취 약제량 [mg/kg/day] / 산모 섭취약제량 [mg/kg/day])이 10% 이상의 것, 유즙 이행성이 낮은 것으로 선택한다. 가능하다면 수유 직후에 약제를 투여한다. 수면 패턴의 변화, 쉬운 자극, 피부발진 등에 주의하며 아기를 관찰하는 것도 중요하다.

4. 산모의 정신적 스트레스

NCIU에 입원한 아기의 산모는 죄책감이나 불안감에 시달리기 쉽고, 이러한 정신적 스트레스는 유즙 분비를 지연시킨다. 주산기의료진은 산모의 기분을 이해·수용하면서, 산모가 긍정적으로 육아할 수 있도록 돕는다. 주산기의료진은 임신·분만 뿐만 아니라 출생 후 아기의 발달이나 모자관계와 같은 장기 예후까지 내다보는 것이 중요하다. 임신 기간부터 시작하는 모유 수유 지원은 주산기의료 담당자에게 있어서 모자의 장기적 예후 향상으로 연결되는 극히 중대한 직무라고 할 수 있다.

참고문헌

1) Section on Breastfeeding. Breastfeeding and the use of human milk. Pediatrics. 129, 2012, e827-41.
2) 公益財団法人日本ユニセフ協会　http://www.unicef.or.jp/about_unicef/about_hospital.html ［2015. 4. 2.］
3) World Health Organization. Evidence for the ten steps to successful breastfeeding. http://whqlibdoc.who.int/publications/2004/9241591544_eng.pdf?ua=1. ［2015. 4. 2.］
4) Fairbank, L. et al. A systematic review to evaluate the effectiveness of interventions to promote the initiation of breastfeeding. Health Technol Assess . 4, 2000, 1-171.
5) Sachs, HC. et al. The transfer of drugs and therapeutics into human breast milk : an update on selected topics. Pediatrics. 132, 2013, e796-809.
6) LactMed. http://toxnet.nlm.nih.gov/newtoxnet/lactmed.htm ［2015. 4. 2.］
7) 国立成育医療研究センター「厚生労働省事業 妊娠と薬情報センター」
http://www.ncchd.go.jp/kusuri/ ［2015. 4. 2.］

》 山田　学, 杉本充弘

g. 재해 대책

재해 발생 시뮬레이션과 구체적인 초동기 대응

본문은 2011년의 동일본 대지진에서의 교훈을 바탕으로 각 의료기관에서 재해 대책 매뉴얼 책정 시 활용하기 위한 목적으로 하고 있다.

첫째, 경험에 입각한 대지진의 시뮬레이션을 가정해 보자. 표 1에 정리된 것은 재해 직후에 발생했던 상황에 대한 경험을 바탕으로 한 것이나, 실제 상황에서 세세한 매뉴얼을 확인할 여유가 없을 경우 주의해야한다. 진동이 수습된 때가 오면 초동대응을 시작한다. 표 2에 구체적인 항목을 기재하였으며 이러한 항목은 거의 모든 의료기관의 MFICU에 적응할 수 있다. 도호쿠대학병원 간호부에서는 병원장(책임자), 리더, 중증담당, 임산부담당, 분만담당, 산욕부담당, 주변담당 각자에게 행동카드를 작성하고 있다. 동일본 대지진 후 재해대책 매뉴얼을 종래의 수직 흐름의 형식으로부터 전면적으로 재검토해 특히 ① 행동카드를 작성하여 초동기, 급성기 대응 방법을 명확히 하고, ② 케어의 세세한 항목을 기재하고, ③ 평상시 준비에 대해서도 구체적으로 기재하고 있다. 그

표 1. 재해발생(진도 5강 이상의 지진) 중·직후의 상황

1. 일반 전원이 꺼지고, 비상 전원으로 전환
2. 모든 알람이 일제히 울려 퍼진다.
3. 강한 흔들림에, 내진구조 건물에 있어도 걸어서 이동하는 것이 어렵다.
4. 무거운 의료 기기가 이동되고, 냉장고등의 문이 열려 제품이 튀어 나온다.
5. 진열 유리가 깨져 부상 위험에 노출
6. 모든 방재 문이 닫히고 자신이 있는 곳을 모르게 된다.

표 2. 재해발생 직후의 MFICU에 있어 초동기 대응

1. 직원 전원이 병동에 집합 (계단은 혼잡이 심해 이동 곤란하다.)
2. 입원 환자의 안전 여부 확인 (산모 신생아의 상태 확인)
3. 분만 중 혹은 수술 환자에 대한 대응
4. 의료 기기의 알람 확인 (들어본 적이 없는 소리에 대응 고심)
5. 의료 기기의 작동 상태 확인 (비상 전원에 의한 작동 정지)
6. 재해 대책 본부에 연락 (회선이 집중되면, 직접 뛰어서 전달할 수 밖에 없다.)
7. 재해 진료 대응 (전자 진료카드에서 종이 문서 기반으로)
8. 정보 인프라의 상황 파악 (직후에는 휴대전화, 인터넷은 사용할 수 없다.)
9. 피해 상황의 파악 (심각한 재해 상황인 경우 재해지역에 흘리지 않는다.)

초동기 행동 카드 [책임자용]
(재해 발생으로부터 제1회 재해대책본부회의개최까지의 60분)

활동 장소	대응 업종 및 담당자 **간호부장**
○○○○병동	**(부재 시 수간호사 및 부간호사장)**

지휘명령계통
센다이 시내 진동 5강 이상이면 재해대책본부는 ○○○○에 자동적으로 수립한다:
본부(내선 ○○○○)의 수립을 일제히 방송으로 확인한다.

초동대응 (우선순위)
(1) 여진에 대한 안전 확보를 지시한다.
  ○ 「테이블 아래에 숨어주세요」 「머리를 보호해주세요」
(2) 피난경로 확보 (지시하여 보고를 받는다.)
  ○ 가까운 문을 개방하여, 피난경로 확보
(3) 피해상황 확인 (지시하여 보고를 받는다.)
  ○ 담당환자, 신생아, 직원, 면회자의 안전 확인
  ○ 중증환자의 바이털 사인 확인과 사용하고 있는 수액펌프 등의 작동확인.
    산소 · 흡인의 가능상태 확인
  ○ 화재 발생시에는 「혹시 화재가 날 경우에」를 따른다.
  ○ 벽, 천장, 유리파손 등 피난 · 통행의 방해가 되는 것들의 유무
(4) 정보입수 (라디오, TV, 휴대용 TV를 켠다.)
(5) 재해 발생시 정보를 재해대책본부에 전달한다. (재해 발생 후 15분 이내)
  ○ EAST의 재해 발생시 보고를 기입
  ○ 시스템다운의 경우 간호사대기실 책장에 있는 재해발생 시 보고용 종이에 기재하여, 종이를 ○○○○에 보낸다.
    그 후에는 재해발생 1시간후 제1회 정시보고를 행한다.
  ○ 보고내용: 인적 피해 (병동 환자 · 직원 · 가족 등)
    라이프라인 (전기, 수도, 누수)의 이상을 발견했을 시 기재

초동기 행동 카드 [책임자용]

(5) 병동 (지시와 보고를 받는다.)
  ○ 입원환자에게 설명 협력의뢰를 리더에게 보고
  ○ 현재의 환자수(성인, 소아), 면회자수, 병동부재자 행선지 파악
  ○ 화이트보드를 준비하여 정보를 기재한다.
(6) 피해상황에 맞는 대응 (지시와 보고를 받는다)
  ○ 진찰지원시스템 다운 시에는, 검사오더를 전표운용으로 행한다.
  ○ 산소공급중지 : 산소통을 새로 바꾼다. 병동의 산소통의 남은 수를 확인한다.
  ○ 흡인불가능 : 수동의 흡인기를 사용한다.
  ○ 화장실 사용 불가능: 화장실사용불가. 오물실에 이동식 화장실을 설치한다(다른 공간에 있는 객실 등).
  ○ 비닐옷에 오물을 넣어 받아 처리한다.
  ○ 모니터 종류(EKG, NST 등)의 가동 유무
    (간호사 대기실에 데이터 송신 가능여부 포함)
  ○ 전화회선 (외선, 내선, PHS, 간호사콜)
(7) 보고
  ○ 의사 : 간호부장 또는 리더(간호부장 부재 시)가 환자상태 및 현재 상황 보고
  ○ 사장: 야간 · 휴일은 간호부장으로부터 병동에 연락한다.
(8) 제1회 정시 보고를 행한다.
(9) 제1회 재해대책본부회의에 출석

초동기 행동 카드 [중증환자담당자용]
(재해 발생으로부터 제1회 재해대책본부회의개최까지의 60분)

활동 장소	대응 업종 및 담당자
○○○○병동	**중상자 담당 조산사**

지휘명령계통
리더의 지시를 받아 행동하며, 환자의 상태, 피해상황을 보고한다.

초동대응 (우선순위)
(1) 신체 안전의 확보 「테이블 아래에 숨는다」 「머리를 보호한다」
  리더에게 자신의 안부보고 [○○ 무사합니다.]
(2) 담당환자, 면회중인 가족, 사고예방 · 안전확인 (리더에 보고)
  ○ 담당환자의 안전확인, 리더에게 보고
  ○ 링거대, 펌프등이 넘어지지 않도록 누른다.
  ○ 환자의 바이털 사인을 확인
  ○ ME기기(펌프 등) 작동상태 확인
  ○ 콘센트 이탈의 유무확인 (빨강 OR 녹색 어떻게 되어 있는가)
    산소공급의 유무확인 → 공급 중지의 경우, 산소통을 사용
  ○ 면회자의 유무 및 안부 확인, 인원수 파악, 리더에 보고
    상황에 맞는 응급치료
  ○ 중증환자는 가족 등에게 보내주지 않고, 담당 직원이 책임을 맡아 아이의 안전을 확보한다.
(3) 담당부서, 병원설비의 피해 상황 확인
  ○ 화재의 유무
  ○ 라이프 라인 (전기, 수도, 누수, 화장실)
  ○ 벽, 천장, 유리파열의 유무
  ○ 산소공급 · 흡인기 사용 가능여부를 확인
  ○ 모니터 종류의 가동 유무 (간호사대기실에 데이터송신 가능 등도 포함)

초동기 행동 카드 [중증환자담당자용]

(4) 피난경로 확보 (리더에게 보고)
  ○ 부실의 문을 개방한다.
  ○ 피난경로 확보
  ○ 피난에 대비해 본인 승낙을 기반으로, 귀중품 · 구두를 모은다.
(5) 보고
  ○ 상태를 의사에게 보고, 그 후의 관찰 내용 · 빈도는 의사의 지시에 따른다.
  ○ 그 후의 보고는, 돌발사고 이외에는 리더에게 보고한다.
    (리더가 정보를 일괄하기 위한 목적)
(6) 2차 재해 예방
  산란물의 제거
(7) 피난유도 (필요시, 재해대책본부의 지시, 또는 각 부서 판단)

그림 1. 초동기 행동카드 예

(토호쿠대학병원)

림 1에 책임자용, 중증환자 담당자용 행동 카드의 예를 제시한다. 이를 통해 극초기 대응이 완료된 동시에 재해대책본부에 의한 대응회의가 열려 매뉴얼을 참고한 급성기 대응으로 옮겨지게 된다.

재해 메뉴얼에 의한 급성기 대응

본 항목에서는 도호쿠대학 병원 주산기 모자 센터 재해 대책 매뉴얼에 따라서 구체적 대응내용을 기재했다.

1. 정시보고 (1차보고는 재해로부터 11시간 후, 이후는 재해대책본부의 지시에 따름)

- 재해 시 보고서를 작성, 제출한다.
- 도호쿠대학 그룹 페어(인트라넷)사용 불가 시에는 수기 작성한 서류를 제출하다.

2. 의료가스(산소·흡인·압축공기 등) 불가시 대응

- 산소: 병동에 있는 산소통 수 확인, 필요시 침대 근처에 가져간다.
- 흡인: 흡인기, 실린지에 카테터를 장착시켜 사용한다. 풋 석션펌프도 사용할 수 있다(기자재실에 상비).

3. 라이프라인

- 화장실: 사용할 수 없을 때에는 비어있는 개인병실이나 장애인용 화장실에 휴대용 화장실을 세팅하고 비닐봉투를 걸어 사용한다.
- 손 씻기: 전기센서로 반응하는 손씻기는 움직이지 않으니 수동 손씻기를 사용한다. 분만실의 수술실 화장실은 자가 발전으로 사용할 수 있다.
- 문: 모든 문을 개방한다.
- → 동일본 대지진 때, 얼마나 많은 사람이 화장실을 이용하고 있는지 처음으로 실감했다. 가정에서도, 병원에서도 화장실 대책을 충분히 마련해야 한다.

4. 시스템 다운대응

- 컴퓨터 정지 시에는 전표로 운용한다.
- CTG 모니터는 기록용지를 빼고 봉투에 넣어, 진료기록카드에 끼워 보존한다.
- → CTG 시스템이 다운되면, 평상시의 정보공유를 할 수 없게 된다. 반드시 복수의 직원이 CTG 판독을 계속하도록 해야 한다.

5. 비축식량(환자용)

- 병동 배선실에 환자용 식음료가 비축되어 있다. 신생아용 분유도 포함한다.
- 상근 직원은 일찍 출근하여 환자의 아침 급식의 분배(캔뚜껑을 따고 참치캔 내용물을 트레이에 담거나, 크래커를 나누거나)를 한다.
- 플라스틱 트레이 쓰레기봉투를 각 장소에 세팅한다. 플라스틱 통은 경우에 따라 씻어서 보관하도록 전한다.
- 영양실이 기능을 상실하면 신생아 수유는 직원이 한다.
- → 의료 인력의 식량 비축도 중요한 사항이다. 동일본 대지진 때 이 점은 매우 절실한 문제였다는 것을 기록해 둔다. 기아 상태에서는 정상적인 사고·정신 상태가 유지되지 않는다.

6. 정보 수집 수단

- 라디오: 간호사 대기실 안에 있는 라디오를 활용한다.
- 휴대용 TV: 상황에 따라 사용한다.
- 막대한 피해를 입은 지역에는 모든 영상이 제한되어 전송되지 않는다. 전원이 제한되어 휴대나 인터넷도 사용할 수 없게 되기 때문에, 휴대 라디오가 가장 신뢰할 수 있는 정보원이 된다.

7. 정보 전달·공유 수단

- 환자, 스탭의 파악: 입원 환자수, 신생아수, 직원의 소재를 화이트보드에 기입한다.
- 긴급연락 시 문자리스트 송신을 한다. 다만, 안부확인 등으로는 최대한 우편배달을 사용하지 않는다(기본적으로는 등원을 가지고 확인).
- → 피해 지역내에서는 통신이 거의 두절되지만, 재해지역 밖에서는 일시적으로 통신 가능한 곳이 있었다. 직원의 안부 확인에 관해서는, 다양한 정보가 혼재되지 않기 위해서 업데이트한 정보를 각자가 화이트보드에 기입해 나가는 것이 편리한 동시에 중요하다.

재해 시 진료체제

1. 외래 – 의사의 판단에 따라 귀가 가능한 환자는 귀가한다.

- 귀가 곤란자는 본부의 지시에 따라 대피소로 유도할 수 있다.
- 병원의 피해상황에 따라 외래 대응능력은 크게 달라지지만, 정보전달의 어려움 때문에 급성기에는 직접 내원한 모든 환자를 진찰할 수밖에 없다.
- 임산부 건강검진 횟수를 줄일 수 밖에 없는 경우가 있다.

- 외래가 통상 진료로 돌아올 때까지는, 경우에 따라 병동에서 외래 환자의 진찰을 실시한다.
- → 초동기에는 재해의 범위, 정도, 타원의 상황을 전혀 파악할 수 없기 때문에 외래진료는 중지하는 것이 기본이다. 동시에 중증 환자는 모든 것을 수용할 수 있는 재해 체제를 구축해야 한다. 대형병원에 많은 환자가 몰려드는 경우가 예상되므로, 감염증이나 검사소견 등 의료정보의 취급을 평소에도 검토해두는 것이 중요하다.

2. 분만대응

- 분만 지속여부에 관해서는 약제의 공급상황을 감안하여 협의 후 결정한다.
- 분만 감시 모니터링은 기록지로 한다.
- 분만 시 필요물품을 봉투에 모아(코펠, 탯줄 클립, 탯줄컷팅기계류, 언더패드, 타월 등) 준비해 둔다.
- 타원에서 온 환자의 경우, 감염증, 검사 소견 등의 확인은 모자 수첩으로 실시한다.
- → 분만 직전이라도 임산부의 생명안전 확보가 가장 중요하다.

  해일 등이 예상되는 경우는 위층으로 이송해야 한다. 원내에서 멸균 불가능한 상황이 예상되므로, 일회용품 제품의 확보, 전기식 오토클레이브의 확보가 중요하다.

3. 제왕절개 분만

- 수술방이 정상 가동되지 않을 때는 분만실에서 제왕절개술을 실시한다.
- 마취과 의사, 수술실 간호사의 지원 요청도 고려한다.
- → 당원에서는 초긴급상황에서 제왕절개술의 대응, 시뮬레이션을 위해 평상시에도 정기적으로 분만실에서 제왕절개술을 시행하고 있었다. 이것이 동일본 대지진에 있어서 수술실 파괴 및 기능 저하 시에 큰 역할을 해준 것에 대해 주목할 가치가 있다고 생각하고 있다.

4. 산욕부

- 모자동실에 있는 산욕부에게는 재해시 신생아 피난구 레스큐마마®를 건네, 보온, 보호, 이동시에 쓸 수 있도록 한다.
- 개인병실에 있는 산욕부들은 마더룸(집단지도용 방)에, 다인실에 있는 산욕부는 병실에서 대기하도록 한다.
- 피난에 대비하여 상의와 신발은 착용해 둔다.
- 입원기간은 원칙적으로 경질 분만 후 3일간, 제왕절개 분만 후 5일간으로 한다.
- 산욕 지도는 [긴급연락처] [산후의 이상] [아기의 이상] [아기의 생리 및 처치에 대해]를 중점적으로 실시한다.

→ 대지진 재해 후 급증하는 이송 환자를 대응하기 위해 부인과 병동의 일부를 산욕부용으로 운용하여 침상부족 사태를 극복했다. 또 귀가 곤란 환자들을 위해 다른 병동의 일부를 피난처로 확보하였다. 재해 발생 시 모자구호소를 설치하는 방안을 각 자치단체는 검토해야 한다.

5. 임산부

- 링거를 투여하고 있을 경우 코드를 비상전원으로 바꾼다.
- 다인실 산모는 방에 대기시키고 1실에 직원 1명이 붙는다.
- 개인실 임산부는 MFICU 앞 대기석에서 대기한다. MFICU의 임산부는 휠체어로 옮겨 피난·이송에 대비한다.
- → 대지진, 급성기에 절박 조산환자가 급증하는 경우는 없었지만, 약제공급체제의 확인에 대해서는 다양한 정보가 혼재했기 때문에 신속한 정보제공의 일원화가 요구된다.

6. 신생아

- 보온: 저체온이 되지 않도록 가능하면 모자동실로 한다. 모포 등으로 감싼다.
  특히 출산 당일 아기는 따뜻한 물주머니를 모포에 감싸서 따뜻하게 한다.
- 속옷: 부족이 예상되기 때문에 매일 갈아입히지 않고 원칙상 퇴원 시까지 착용한다.
- 목욕: 급탕기를 사용할 수 없는 때는 간호사 대기실에서 물을 데운 후, 욕조에 모아 사용한다.
- 목욕연습: 일반적인 목욕연습은 하지 않고 산모실에서 인형을 사용하여 설명한다.
- 가능한 모유 수유를 한다.

지역에서의 주산모자센터 진료체제

1. 재해 시 코디네이터 체제의 확립

인터넷이나 FAX를 이용한 평상시의 주산기의료 코디네이터 체제는 불가능하기 때문에 재해에 특화된 체제를 신속히 확립한다. 적어도 센터 전체의 통괄, 라이프라인이나 물자의 정보수집·제공, 지원 물자의 정보정리(로지스틱스), 지자체나 지원단체와의 조정, 나아가 진료(수술·분만)를 전담하는 각각의 담당자가 필요하다.

2. 지역 의료기관의 라이프라인, 의료자원 등의 정보수집

정보수집계를 중심으로 하루 2회(아침저녁) 현 내의 각 병원, 진료소의 라이프라인(전기, 가스,

수도) 및 의료물자의 부족 상황, 재해 상황을 파악해 그 상황을 화이트보드 등에 기재해 주산모자 센터 안에서 정보를 공유한다.

3. 환자이송체제

재해지 급성기에는 도로망의 중단, 연료부족 등으로 인해 임산부의 교통수단은 현저하게 제한되기 때문에 장거리 헬기이송, 지역환자수용 2가지로 과제가 집약된다. 이 점을 고려하여 자치단체의 범위를 넘는 광역이송체제의 확립, 대학 병원이나 설립기반을 초월한 지역별 환자수용 태세를 확립해야 한다.

피해 상황은 시시각각으로 변하기 때문에 아침 저녁 업데이트는 필수적이다.

4. 지원물자 · 지원인력의 조정

- 대외적인 창구를 일원화하여 재해지역에 널리 주지시킨다.
- 필요한 의료물자는 재해상황·시기에 따라 크게 다르며, 시시각각 변하기 때문에 적어도 2주 정도 매일 2회의 업데이트가 필요하다.
- 주산기모자센터 관련 지원물자는 타과와 비교해 특수성이 있기 때문에 재해 대책 본부에서의 복잡한 상황이 예상된다.
- 필요 물품 리스트를 각 의료기관별로 매일 작성하여 항상 파악해둔다.
- 지원물자를 보내주는 경우에는 물품리스트를 알려달라고 의뢰한다.
- 피난소에서의 필요물품 파악은 일반적으로 매우 어렵지만, 모자구호소가 설치되어 있다면 정보 공유·지원체제 일원화가 가능해진다.
- 지원 인력이 가장 필요되는 시기는 급성기 재해발생 후 일주일간이기 때문에, 통상 DMAT(재해파견 의료팀)과 함께 재해 시 산과 구급 지원 체제를 재고할 만하다.

또, 재해지역에 있어서는 이후 복구·재건에 따라 보다 장기적인 지원이 필요한 경우가 있다.

≫ 菅原準一

산과의료보상제도의 개요

분만과 관련된 사고는 과실의 유무에 대한 판단이 어려운 경우가 많아 의료 분쟁이 되기 쉽다. 산과의료에서는 이러한 분쟁이 많은 것이 산과 의사 부족의 이유 중 하나라고 여겨져, 산과 의사 부족 상태의 개선이나 산과의료 제공 체제의 확보는 여전히 큰 문제이다. 때문에 안심하고 산과의료를 받을 수 있는 환경 정비의 일환으로 2009년 1월부터 공익재단법인 일본의료기능평가기구가 운영되어 산과의료 보상제도가 시작되었다. 본 제도는 분만과 관련하여 발병한 중증 뇌성마비 아기와 그 가족의 경제적 부담을 신속하게 보상하는 것과 동시에 뇌성 마비 발병의 원인 분석을 실시해, 같은 사례의 재발 방지에 이바지하는 정보를 제공하는 것 등으로 분쟁의 방지·조기 해결 및 산과의료의 질 향상을 도모하는 것을 목표로 하고 있다. 본 제도의 주체를 이루는 「심사」, 「원인분석」, 「재발 방지」의 개요를 제시하고, 본 제도 운용에 의한 효과 및 현황을 보고한다.

심사

산과 의사, 소아과 의사, 재활 의학과 의사, 전문가 등으로 구성된 심사 위원회에서 심사를 실시하고, 그 결과에 기초하여 운영 조직이 보상 대상의 인정을 행하고 있다.

원인분석

원인분석은 책임추궁을 목적으로 하는 것이 아니라 의학적 관점에서 뇌성마비 발병의 원인을 밝히는 동시에 동일한 사례의 재발을 방지함에 있다. 산과 의사, 소아과 의사, 조산사, 변호사, 전문가 등으로 구성된 원인분석위원회에서 원인분석을 실시하고, 원인분석 보고서를 작성해 보호자와 분만기관에 송부하고 있다. 이와 함께 본 제도의 투명성을 높여 재발 방지 및 산과 의료의 질 향상을 도모하는 것을 목적으로 원인 분석 보고서의 "요약판"을 공표하고 있다.

또, 개인 식별 정보 등을 삭제한 「전문판」은 학술적인 연구, 공공적인 이용, 의료안전 자료를 위해 소정의 절차에 따라 공개청구가 있는 경우에 해당 청구자에게 공개하기로 하고 있다.

재발 방지

각각의 사례 정보를 체계적으로 정리·축적해, 「수량적·역학적 분석」을 실시하는 동시에, 의학적인 관점에서 원인 분석된 각각의 사례에 대해 「테마에 따른 분석」을 실시한다. 복수의 사례의 분석에서 알려진 정보 등에 따라 재발 방지책 등의 정보를 국민이나 분만기관, 관계 학회·단체, 행정기관 등에 제공함으로써, 재발 방지 및 산과의료의 질 향상을 도모한다.

「재발 방지에 관한 보고서」를 매년 공표함과 동시에 재발 방지에 관한 정보를 필요에 따라 발신하고 있다.

의료사고 관계 소송에 미치는 영향

산부인과와 관련한 의료사고 관계소송의 기제건수는 2009년부터 2011년까지는 연간 80건 정도로 추정되었지만, 2012년은 59건, 2013년은 56건으로 감소하고 있다. 이는 전체 진료 과의 감소 비율보다도 크기 때문에 본 제도는 의료사고 관계 소송에도 일정한 영향을 미치고 있는 것으로 생각된다.

제도의 개정

본 제도는 초기에 창설하기 위해서 한정된 데이터를 기초로 설계된 것으로 늦어도 5년 후를 목표로 본 제도의 내용에 대해 검증하고 보상 대상자의 범위, 보상수준, 보험료 변경, 조직 체제 등에 대해 적절하게 재검토할 것으로 알려져 있다.

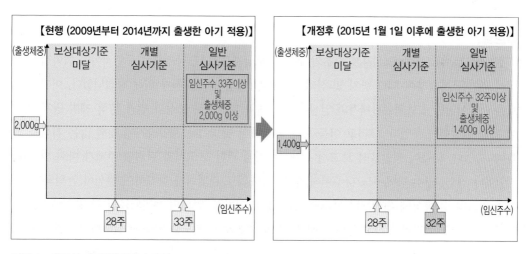

그림 1. 제도의 개정(일반심사기준)

표 1. 제도의 개정(개별 심사 기준)

현행(2009년부터 2014년까지 출생한 아기에게 적용)	개정 후(2015년 1월 1일 이후 출생한·아기에게 적용)
임신주수가 28주 이상이고, 다음 (1) 또는 (2)에 해당하는 것	
(1) 저산소 상태가 지속되어 제대동맥혈 안에 대사성 산혈증의 소견이 인정되는 경우 (pH수치가 7.1 미만)	
(2) 태아심박수 모니터에 특이 이상이 없었던 증례로서 통상 – 전조증상으로 보이는 저산소 상태가 전치태반, 상위태반조기박리, 자궁 파열, 임신중독(자간), 제대탈출 등에 의해 발생하여 계속적으로 다음의 (가)부터 (다)까지 어느 한쪽의 태아심박수패턴이 인정되거나, 심박수 기본축 변동의 소실이 인정되는 경우	(2) 저산소상황이 태반조기박리, 제대탈출, 자궁파열, 임신중독(자간), 모체태아간 수혈증후군, 전치 태반 출혈, 급격하게 발병한 쌍태간수혈증후군 등에 의해 발생하여 지속적으로 다음의 (가)부터 (아)까지 어느 한쪽의 소견이 인정되는 경우
(가) 돌발성으로 지속되는 서맥 (나) 자궁수축의 50% 이상에서 출현하는 만기 일과성 서맥 (다) 자국수축의 50% 이상에서 출현하는 변동 일과성 서맥	(가) 돌발성으로 지속되는 서맥 (나) 자궁수축의 50% 이상에서 출현하는 만기 일과성 서맥 (다) 자궁 수축의 50% 이상 출현하는 변동 일과성 서맥 (라) 심박수 기본축 변동의 소실 (마) 심박수 기본축 변동의 감소를 따라 고도서맥 (바) Sinusoidal pattern (사) apgar점수 1분 수치가 3점이상 (아) 생후1시간이내의 신생아 혈액가스분석치 (pH 수치가 7.0 미만)

2013년 6월에 「산과 의료 보상 제도 재검토와 관련되는 중간 보고서」 정리하여, 2014년 1월부터 일부 개정을 실시하고 있다. 또, 보상 대상 범위, 보상 수준, 보험료 등의 검토에 대해서는 2013년 11월에 최종 보고서를 정리해, 2015년 1월부터 개정되어 실시되고 있다. 개정되는 일반심사 기준을 그림 1에, 개별 심사 기준을 표 1에 나타낸다.

끝으로,

본 제도는 의료분야에서 일본 최초의 무과실 보상제도로서, 공정하고 중립적이며 의학적 관점에서 원인을 분석하여 재발 방지 및 산과의료의 질 향상을 도모하기 위해 창설되었다. 이처럼 새로운 사업이지만 산과의료관계자와 임산부의 이해와 협력으로 보상과 원인 분석·재발 방지 대응이 원활히 시행되고 있다. 그리고 이를 통해 뇌성마비 발병이나 재발방지에 대해 많은 지식을 얻을 수 있었다. 더불어 원인분석 보고서나 재발방지에 관한 보고서와 관련된 주제가 학회 및 심포지엄이나 강연, 연수 등에서도 다루어져, 많은 산과의료 관계자가 참가하여 열심히 논의되는 등, 산과 의료의 질 향상에 대한 관심이 높아지고 있다. 이처럼, 일본의 산과의료의 질 향상에 있어서 본 제도는 중요한 기여를 하고 있다고 생각되므로, 향후 본 제도를 더욱 충실하게 이행해갈 필요가 있다.

❯❯ 松田義雄，上田 茂

합병증임신의 관리와 치료

2 합병증임신의 관리와 치료

a 부인과질환

자궁근종

개념 · 정의

자궁근종은 부인과 양성종양 중 가장 많은 종양이다. 생식연령에 있는 여성의 20~25%에서 있는 것으로 알려져 있으며, 임신과 합병할 빈도는 0.1~3.9%라고 한다.[1] 그러나 최근 늦은 결혼, 불임치료의 발전, 초음파진단 기술의 향상으로 인해 이 빈도는 더욱 증가할 것으로 예상된다.

진단

1. 초음파 진단

임신초기라면 경질초음파로, 중기 이후에서는 복부초음파에 의해 진단한다. 경부 근종이나 자궁 하부의 근종일 경우, 분만장해로 이어질 수 있어 임신후기에 경질초음파로 태아머리와의 위치 관계를 확인한다.

① 근종의 크기, ② 근종의 개수, ③ 근종의 부위, ④ 근종과 태반 위치 관계, ⑤ 근종의 변성·괴사의 가능성, ⑥ 다른 골반내 종양과 감별에 주의하여 관찰한다.

2. MRI

MRI는 원칙적으로 자궁육종과의 감별이 곤란한 경우나 수술요법을 고려하는 경우에 시행한다. 임신 12주 이후에 실시하는 것이 바람직하며, 가돌리늄을 이용한 조영은 원칙적으로는 행하지 않는다. 가돌리늄은 태반을 통과하여 태아소변 중에 배출되고, 태아는 그것을 삼키는 순환에 빠져, 신성전신섬유화증(nephrogenic systemic fibrosis)을 일으킬 수 있다고 보고되고 있다.[2]

3. 혈액 · 생화학적 검사

빈혈의 유무를 확인한다. 근종에 변성이나 괴사가 생기면 백혈구의 증가, LDH나 CRP의 상승이 인지된다.

> ■ **임신이 자궁근종에 미치는 영향**
>
> 자궁근종의 크기는 임신 초기에 변화하지 않거나 증가한다. 임신 중기에 작은 근종(2~6cm)은 크기 변화가 없거나 증가하며, 6cm 이상의 자궁근종은 크기가 감소한다. 임신 후기에는 자궁근종의 크기에 관계없이 변화가 없거나 감소하는 경향을 보인다.[3] 임신 중·후기에는 하향조절(downregulation)에 의해 에스트로겐의 작용이 줄어들어서 자궁근종의 크기가 감소하는 것으로 여겨지고 있다. 또는 자궁 근육이 늘어남에 따라 근종의 혈류장애, 혹은 태반혈류량의 증가에 따른 근종의 혈류감소 때문에 근종의 변성·괴사가 일어날 수 있고, 동통·압통 등의 증상이 나타나는 경우도 있다. 줄기(stalk)가 있는 자궁근종에서는 자궁 염전이 발생하여, 통증이 따르는 경우도 있다.

> ■ **자궁근종이 임신 · 출산 · 산욕에 미치는 영향**
>
> 자궁근종이 임신·분만·산욕경과에 전혀 영향을 주지 않는 경우도 많다. 자궁근종이 임신·분만·산욕에 미치는 영향을 표 1로 정리했다. 근종의 발생 부위, 크기, 수에 따라 미치는 영향은 다르다. 일반적으로는 근종이 클수록(5cm이상 혹은 $200cm^3$ 이상일 때), 수가 많을수록, 또 태반부착부위나 자궁입구에 가까울수록 영향이 커진다.

◖ 관리

1. 관리 방침

기본적으로는 경과관찰을 하며, 절박유산이 된 경우에는 안정 및 대증요법을 시행한다. 특히 지름 6cm 이상의 근종은 임신 중기에 변성이나 괴사를 일으키면 절박유산 증상과 함께 동통을

표 1. 자궁근종이 임신·출산·산욕에 미치는 영향

1. (절박) 유산·조산
2. 조기양막파수
3. 태아성장지연 (FGR)
4. 자궁내태아사망
5. 태위 이상
6. 태아기형·변형 (머리변형 · 귀변형, 사경, 내반족·외반족 등)
7. 태반의 위치·부착이상 (전치태반, 하위태반, 유착태반 등)
8. 태반조기박리
9. 장기 압박증상 (요통, 빈뇨, 수신증, 심부정맥혈전증 등)
10. 빈혈
11. 분만 장애
12. 조기진통
13. 자궁 이완으로 인한 출혈. 자궁수축부전
14. 자궁내반증
15. 오로 정체, 자궁내막염

호소하는 경우가 많아, 자궁수축억제제제과 진통제(아세토아미노펜 등)의 투여가 필요하다. 동통은 3~10일 안에 소실되는 경우가 많지만, 효과가 없는 경우에는 펜타조신이나 경막 외 마취 같은 동통 관리가 필요할 수도 있다. 진통 완화와 조산 예방 목적으로 프로게스테론이 효과적인 경우도 있다. 감염 가능성이 있는 경우에는 항생제를 투여하는 것도 고려되지만, 그 필요성이나 효과에 대해서는 충분히 검토되어 있지 않다.

2. 수술요법

임신 중 근종 제거술은 난이도가 높고 보존적으로 경과관찰을 해도 유·조산율에 차이가 없다는 보고가 많기 때문에 일반적으로 시행되지는 않지만 개별평가가 필요하다. 증상이 심한 경우에는 수술요법이 고려될 수 있다. 수술의 적응증으로 ① 장막하근종염전, ② 피막혈관파열에 의한 급성복증, ③ 보존요법으로는 병세가 나아지지 않고 압박증상과 통증을 일으키는 근종, ④ 급속히 커진 육종과 감별하기 어려운 근종, ⑤ 크기나 위치가 임신 유지에 장해가 되는 근종, ⑥ 기왕의 유·조산의 원인으로 생각되는 근종 등을 들 수 있다. 또, 오로의 배출장애가 의심되는 근종은 제왕절개 수술 시 함께 제거하는 것도 고려된다.

3. 합병증

태반조기박리는 태반부착부에 근종이 존재 하는 경우 200cm³를 넘는 크기의 근종에서 나타날 가능성이 높다고 보고되며,[4] 혈류부전에 따른 태반허혈 또는 탈락막괴사가 원인으로 생각된다. 분만 시 자궁경관 혹은 자궁하부에 근종이 있는 경우 아두하강장애가 예상되거나, 태위 이상

(둔위나 횡위 등)에 의해 제왕절개 분만이 되는 경우도 많다. 분만 후에는 자궁이완증으로 인한 출혈이 되기 쉽기 때문에, 분만 후 자궁수축의 정도와 출혈을 관찰하는 것이 중요하다. 또, 오로의 배출장애나 정체를 일으키는 일이 있으므로 자궁내 카테터 유치가 필요한 경우도 있다. 분만 후 자궁내 감염이나 골반내 감염이 일어나면 근종의 변성·괴사를 일으켜 근종 자체의 감염을 초래할 수 있으므로 발열에 주의가 필요하다. 또한 줄기가 있는 근종 같은 경우 분만 후 염전을 일으킬 수도 있으므로 통증에도 주의한다.

자궁근종 합병 임신의 경우, 절박유산이나 통증 때문에 긴 기간 침상안정이 필요하거나 제왕절개 분만이 많으므로, 분만 전후의 심부정맥혈전증이나 폐색전증의 예방이 중요하다. 그러기 위해서 하지 부종·통증에 주의하며, 제왕절개 수술 시 또는 수술 후에 탄력 스타킹 착용 혹은 간헐적 공기압박과 항응고 요법과 같은 혈전 예방 대책이 필요하다.

난소종양

개념 · 정의

난소종양의 대부분이 무증상이므로, 임신을 계기로 처음 확인되는 경우도 많다. 임신 중에 발견되는 난소종양 중 대부분은 황체낭종(루테인낭종)과 같은 비종양성 난소종양이다.

임신과 동반되는 난소종양의 비율는 약 1,000 임신 중 1~2례로 알려져있다. 낭성기형종(cystic teratoma)이 30~50%로 가장 많고, 이어서 장액성·점액성 낭샘종(cystadenoma)이며, 임신 합병 악성난소종양은 2~5%로 알려져 있다. 임신 합병 악성난소종양은 Ⅰ기나 경계성종양이 많은 것이 특징이다.

임신 중에 난소종양이 커지는지 여부는 경우에 따라 다르다. 악성종양의 경우 비임신시에 비해 임신에 따라 특별히 진행되는 것은 아니며, 예후에도 차이가 없다. 임신 중에 난소종양이 발생하면 유산, 조산, 분만지연, 난소 염전을 일으키는 경우가 많다. 유·조산은 5~15%로 임신 전반기에 많다. 염전은 5% 정도 일어나며, 난소종양 파열이나 분만 장애는 더 적다고 한다.[6]

염전은 임신 시 크기가 증가하는 자궁때문에 비임신시보다 빈도가 높아져, 급성복통, 파열, 감염 등에 의해 유·조산을 일으킨다. 염전은 임신 10~17주에 일어나는 경우가 많고(약 60%), 종양 지름이 6~8cm일 경우에 가장 일어나기 쉬우며, 약 20%에서 확인되는 것으로 보고되고 있다.[6] 악성난소종양 치료에 의한 산모 악액질(cachexia)이 태아성장부전을 일으키기도 하지만, 악성난소종양이 직접 태아에게 영향을 미치는 것은 아니다.

1. 초음파

종양 격벽의 비후·결절·유두상 돌출물 등이 확인되어 악성종양으로 생각되는 경우 수술을 시행하는 것이 좋다. 그러나 자궁내막종의 경우, 임신에 의한 탈락막성 변화 때문에 종양 격벽이 비후되거나 결절이 보이는 경우가 있어 악성종양과 감별이 어려운 경우가 있다. 경과관찰을 하는 경우, 초음파 검사를 통해 종양의 크기, 내용, 상태의 변화를 관찰해 나갈 필요가 있다.

2. MRI

초음파와 함께 유용한 영상검사이다. 임신 12주 이후에 시행하며, 종양의 종류와 악성 감별에 도움이 된다.

자궁근종 파트에서 설명한 바와 같이 조영제는 원칙적으로 사용하지 않지만, 치료방침 결정에 필요하다고 판단될 경우에는 환자에게 충분한 사전설명을 한 후 사용하기도 한다.

3. 종양표지자(Tumor marker)

임신 시의 난소종양의 보조 진단으로서 종양표지자의 의의에 대한 보고는 적다. 표 2[7)]에서 보듯이, CA125를 비롯한 종양표지자는 임신이나 임신 합병증에 영향을 받는 경우가 많기 때문에 해석에 주의가 필요하다.

표 2. **임신에 따른 혈청 종양표지자의 변동**　　　　　　　　　　　　　　(문헌 7에서 발췌)

임신에 따른 영향	종양표지자	비임신시 기준치	최대수치 시기	임신중의 상한치
받기 쉬움	CA125 AFP	≦35U/mL ≦20ng/mL	임신 2개월 임신 32주 전후	200~350U/mL 300~400ng/mL
조금 받음	CA72-4 SLX SCC TPA	≦4U/mL ≦38U/mL ≦2ng/mL ≦100U/mL	임신 중기~후기 임신 전기 임신 말기	10U/mL 50U/mL 3ng/mL 200U/mL
거의 받지 않음	CA19-9 STN CEA	≦37U/mL ≦45U/mL ≦3.5ng/mL		

관리

1. 관리방침

　임신 초기에 종양 지름이 5cm 이하로 단순한 낭종이면 황체낭종(루테인낭종)인 경우가 많으므로 증상이 없으면 경과관찰을 한다. 황체낭종이라면 대부분 임신 16주까지는 소실되거나 크기가 감소한다. 5cm 이상일 경우에는 황제낭종 외의 다른 종양일 확률이 증가하여, 자연 퇴축의 빈도도 저하된다.

2. 수술요법

　수술의 시행 시기는 마취에 따른 태아 영향과 태반 형성 시기, 자궁의 크기, 유산 가능성을 고려하면 임신 12주 이후가 바람직하다. 최근에는 복강경에 의한 수술이 많이 시행되어 양호한 성적을 거두고 있지만, 개복술에 비해 우위성을 나타내는 연구는 아직 없다. 악성종양일 가능성이 있는 경우, 수술 중에 신속 병리진단을 할 수 있도록 준비해 두는 것이 중요하며, 또한 복수세포검사도 시행한다. 증상이 없지만 수술을 시행할 경우의 유·조산율은 약 5% 정도로 낮지만, 염전, 출혈 때문에 응급 수술을 시행할 경우에는 유·조산율이 40%의 높은 비율로 증가했다는 보고도 있다. 종양이 10cm 이상이거나 임신 중 크기가 커진 경우에는 악성종양의 가능성이 높아지기 때문에 수술을 시행하는 편이 좋다. 덧붙여 종양이 6~10cm일 경우, 단순 낭종이면 경과 관찰을 하고 그 외에는 수술을 고려한다.

3. 분만관리

　종양으로 인한 분만지연·정지의 가능성이 있는 경우에는 제왕절개분만을 선택한다. 더글러스와에 들어있는 큰 낭종성 종양의 경우 천자흡인 후 질식 분만이 가능하다. 악성인 경우 암세포가 복강 내로 들어갈 가능성이 있으며, 또한 양성종양 중 상피성 낭종의 경우 지방성분 등이 복강 내에 들어가 화학적 염증을 일으킬 수 있기 때문에 제왕절개술을 권장하기도 한다.

4. 악성난소종양이 있는 임신의 관리방침(그림 1)

　악성종양이 의심되는 경우, 임신 주수에 관계없이 즉시 수술을 시행하는 것을 원칙으로 한다. 임신을 지속하고자 하는 경우, 충분한 사전설명을 바탕으로 치료를 시행한다. 우선 환측의 부속기를 절제(악성으로 의심되는 정도에 따라 종양적출술을 행하는 경우도 있음)하여 신속 병리진단으로 조직의 유형을 확인한다. 경계성 혹은 악성종양일 경우에는 대망절제를 추가한다. 경계성종양 혹은 Ⅰa기일 경우 임신 지속이 가능하기에 수술 후에는 만삭·질식분만을 원칙으로 한다. 진행성 상피성 악성종양 및 생식세포 종양의 경우, 임신지속에 대한 희망이 없으면 근치술을 시행한

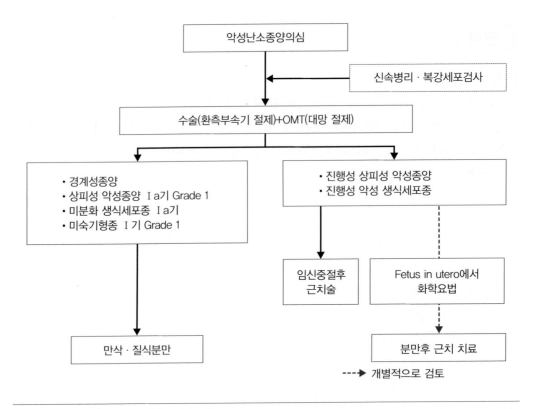

그림 1. 악성난소종양 합병 임신의 관리방침

다. 임신을 지속하고자 하는 경우 산모에게 충분히 사전설명 후 항암화학요법을 시행할 수 있다. 진행된 악성종양의 경우, 분만 후에 근치적 수술이 고려될 수도 있다.

자궁경부암 (이형성 포함)

개념 · 정의

자궁경부암은 임신에 합병되는 악성종양 중 빈도가 가장 높으며, 1,200∼2,200 임신당 1번꼴로 보고되고 있다.[8] 자궁경부암의 2∼5%는 임신 중에 진단되고 있다. 자궁경부암 중 편평상피암이 89%, 선암이 8.3%, 기타가 2.7%로 보고되고 있다. 보고에 따르면 비임신 시와 마찬가지로, 이형성이나 상피내선암종, 침습암종은 임신으로 인해 영향을 받지 않는다고 하며, 이형성이나 상피내선암종이 침습암종으로 진행되기 쉬워지는 것은 아니라고 되어 있다. 또한 이형성·상피내선암종의 경우, 임신에 미치는 영향은 거의 없다. 그리고 침습암종이 있으면 임신하기 어렵다고 되어 있다. 나아가 자궁경부암이 태반이나 태아에 전이했다는 보고는 없다.

진단

자궁경부세포검사, 질확대경검사, 조직생검을 시행한다. 임신 중 세포검사는 과소평가되기 쉬우므로 주의가 필요하다. 또 임신 중에는 이행대(S-C junction)가 가시 범위 내에 있기 때문에 질확대경검사의 부적합한 예가 적다. 임신 중 조직생검은 비임신 때에 비해 출혈 가능성이 높으므로 주의가 필요하다. 침습암종이 의심되는 경우 자궁주위 결합조직이나 자궁 앞뒤의 침윤을 확인하기 위해 MRI를 시행한다.

관리

1. 관리방침(그림 2)

자궁경부세포검사 이상에 대한 취급은 원칙적으로 비임신 시와 동일하다. 자궁경부암으로 진단되었을 경우 진행상태나 임신·분만력, 진단된 임신주수, 환자 본인의 임신 지속에 대한 의지에 따라

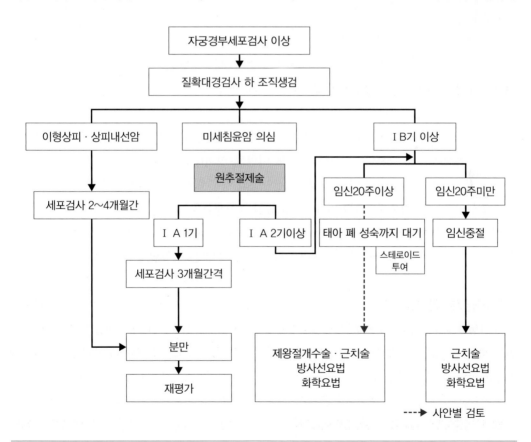

그림 2. **임신 중 자궁경부세포검사 이상의 취급**

다르게 대처한다. 따라서 임신·분만 관리에 있어서 충분한 사전설명에 근거한 관리를 해야 한다.

2. 원추절제술(conization)

① 조직생검에서 미세침윤암 이상이 의심되는 경우, ② 조직검사에서 상피내선암종 상피내선암(adenocarcinoma in situ ; AIS)이 의심되는 경우 ③ 세포검사에서 침습암종이 의심될 경우, ④ 조직검사에서 상피내선암종이 확인된 경우, 진단과 치료 목적으로 원추절제술이 시행된다.

원칙적으로 고도 이형성이나 상피내선암종에서는 원추절제술은 하지 않는다. 임신 중 원추절제술을 시행하면 수술시 출혈 9%, 수술 후 출혈 4%, 유산 18%의 빈도로 일어나는 것으로 보고되고 있다.[9] 또, 10mm이상의 깊은 원추절제는 조산 가능성을 높인다고 보고되고 있다.[10] 한편, 얕은 동전모양으로 절제하는 "coin" biopsy로는 깊은 자궁경관을 절제할 수 없기 때문에, 병소의 잔존이 30~50% 정도로 확인된다.

3. 진행기별관리

1) 이형성·상피내선암

조직생검에서 이형성·상피내선암종으로 진단되고, 세포검사와 질확대경검사 소견이 조직검사와 일치할 경우에는 기본적으로 분만 후까지 원추절제술을 연기하는 것이 바람직하다. 임신 중에는 2~4개월(또는 각 trimester)마다 세포검사와 필요한 경우 질확대경검사를 시행한다. 분만방식은 산과적 적응이 없는 한 질식분만으로한다.

이형성·상피내선암종이 임신 중 진행되거나 퇴행될 확률은 비임신시와 같다고 생각된다. 경·중등도 이형성에서 65~68%는 퇴행하고, 고도 이형성·상피내선암종에서는 20~25%에서 퇴행한다는 보고가 있다.[11,12] 따라서 이성형·상피내선암종의 경우 확실하게 임신 중에 세포진단을 시행하여 진행되고 있는 경우에는 질확대경검사를 통한 조직생검을 시행할 필요가 있다.

상피내선암종(AIS)이라고 진단되었을 경우, 위에 기술한 것처럼 원추절제술을 실시한다.[13] 또한 임신 중인 자궁경관 내 소파술은 금기이며, 자궁의 보존 여부는 사안별로 판단한다.

2) 자궁경부암 ⅠA 1기

조직생검에서 ⅠA 1기가 의심되는 경우에는 원추 절제술을 시행한다. 혈관침습 및 잔존 병변이 없는 경우, 원추절제술로 치료가 종료되며, 분만 후 4~8주에 세포검사, 질확대경검사, 조직검사로 재평가 한다.

3) 자궁경부암 ⅠA 2기, ⅠB 1기~ⅡA기

원칙적으로 임신 20주 미만이면 임신을 중단하고 근치술을 시행해야 한다. 그러나 임신 20주 이후에 진단된 경우는 태아의 폐성숙을 기다려 제왕절개술 후 근치자궁절제술을 시행한다. ⅠA2기의 골반림프절의 전이의 빈도는 0~10%, 혈관침습의 빈도는 2~22%로 되어 있어, ⅠA1기에 비해 전이·재발의 위험성이 높다고 여겨진다.[14] 진단이 되고 나서 어느 정도까지 임신을 지속할 수 있을지는 결론이 나지 않았지만, ⅠB기로 계획적으로 치료를 연기한 43개 증례의 경과를 보면, 지연기간 2~30주, 추적기간 2~228개월만에 재발·사망 2건(4.7%) 으로 보고[15]되고 있어 치료 연기는 신중을 요한다. 또한 최근에는 임신을 지속하기 위해 임신 중에 근치자궁목절제술을 시행했다는 보고도 있지만, 증례 수가 적어 더 많은 검토가 필요하다.

4) 자궁경부암 Ⅱ B 1기 이상

즉시 치료를 개시해야 하며 임신중절이 선택되는 경우가 많다. 임신 초기에는 동시항암화학방사선 요법을 시행하고, 중기 이후에는 바로 동시항암화학방사선요법을 시행하거나 태아의 폐성숙을 기다렸다가 제왕절개술 후 동시항암화학방사선요법을 시행하기도 한다.

예후

비임신 시와 비교해서 1기에서는 5년 생존율에 차이가 없다.[16] 그러나 Ⅱ기 증례 수가 적어 비임신 사례와 비교 및 검토한 결과는 없다.

자궁기형

개념 · 정의

자궁기형은 좌우의 뮬러관(Mullerian duct) 발생이상의 결과로 발생하여, 그 정도에 따라 다양한 형태를 가지고 있다. 임신에 따른 자궁기형의 합병빈도는 0.1~1.0%로 여겨진다.[17]

■ 자궁기형이 임신 · 분만 · 산욕에 미치는 영향

자궁기형에 의해 자궁강이 변형되거나 좁아지기 때문에 이소성 임신, 유산, 조산, 태아성장제한, 상위태반조기박리, 태위 이상, 조기양막파수, 분만지연, 탯줄부착이상, 자궁파열, 산후 자궁이완증 등을 초래하기 쉽다. 유산율은 약 15%, 조산율은 약 40%로 보고되고, 특히 중격자궁에서는 유산율이 높고, 조산은 중복자궁에서 많다. 태위 이상에 대해서는 중격자궁, 궁상자궁, 단경쌍각자궁에서 횡위가 많고, 쌍경쌍각자궁, 중복자궁에서는 둔위가 많다.

관리

태반이상, 분만지연이 확인되면 제왕절개분만을 한다. 또한 자궁성형수술 후라면 제왕절개분만을 행한다. 분만 후에는 자궁수축부전이 되기 쉽다.

참고문헌

1） Katz, VL. et al. Complications of uterine leiomyomas in pregnancy. Obstet. Gynecol. 73, 1989, 593-6.
2） Chen, MM. et al. Guidelines for computed tomography and magnetic resonance imaging use during pregnancy and lactation. Obstet. Gynecol. 112, 2008, 333-40.
3） Lev-Toaff, AS. et al. Leiomyomas in pregnancy：sonographic study. Radiology. 164, 1987, 375-80.
4） Rice, JP. et al. The clinical significance of uterine leiomyomas in pregnancy. Am. J. Obstet. Gynecol. 160, 1989, 1212-6.
5） Jacob, JH. et al. Diagnosis and management of cancer during pregnancy. Semin. Perinatol. 14, 1990, 79-87.
6） Horowitz, NS. Management of adnexal masses in pregnancy. Clin. Obstet. Gynecol. 54, 2011, 519-27.
7） 小澤真帆. "卵巣腫瘍合併妊娠". 産科診療トラブルシューティング. 東京, 金原出版, 2005, 273-87.
8） Shivvers, SA. et al. Preinvasive and invasive breast and cervical cancer prior to or during pregnancy. Clin. Perinatol. 24, 1997, 369-89.
9） Hannigan, EV. et al. Cone biopsy during pregnancy. Obstet. Gynecol. 60, 1982, 450-5.
10） Kyrgiou, M. et al. Obstetric outcomes after conservative treatment for intraepithelial or early invasive cervical lesions：systematic review and meta-analysis. Lancet. 367, 2006, 489-98.
11） Yoonessi, M. et al. Cervical intra-epithelial neoplasia in pregnancy. Int. J. Gynaecol. Obstet. 20, 1982, 111-8.
12） Kirkup, W. et al. Colposcopy in the management of the pregnant patient with abnormal cervical cytology. Br. J. Obstet. Gynaecol. 87, 1980, 322-5.
13） Lacour. RA. et al. Management of cervical adenocarcinoma in situ during pregnancy. Am. J. Obstet. Gynecol. 192, 2005, 1449-51.
14） 日本婦人科腫瘍学会編. 子宮頸癌治療ガイドライン 2011年版. 東京, 金原出版, 2011.
15） 佐藤章ほか. "悪性卵巣腫瘍・子宮頸癌". 合併症妊娠. 改訂3版. 村田雄二編. 大阪, メディカ出版, 2011, 341-58.
16） Sood, AK. et al. Surgical management of cervical cancer complicating pregnancy：a case-control study. Gynecol. Oncol. 63, 1996, 294-8.
17） 武田佳彦ほか. 子宮奇形・筋腫合併妊娠. 周産期医学. 26, 1996, 157-9.

≫ 藤森敬也

b 심혈관계 질환

심장질환(부정맥 제외)

개념 · 정의 · 분류 · 병태

1. 빈도

심장질환은 전체 임신의 1%에서 동반된다.[1]

2. 임신 · 분만 · 산욕기에서의 혈역학적 변화

심장질환이 동반된 임신부의 임신·분만을 생각함에 있어 통상적인 임신·분만의 혈역학적 변화를 이해하는 것이 중요하다. 임신 중 산모의 혈액량은 제1 삼분기보다 증가하여 임신 30~32주 전후로 최대가 되어, 비임신 시에 비해 약 40~50% 증가한다.[2~4] 심박출량은 임신 20~26주 최대 30~45% 증가한다.

진통이 시작되면 자궁수축에 따른 정맥환류가 증가하기 때문에 심박출량이 증가하며, 분만 제1기 전반에는 15~30%, 분만 제1기 후반에는 30~45%, 분만 제2기에는 45~60%까지 증가한다. 또 분만 후 5분 정도에 심박출량 증가는 최고조에 달하며(80%), 이후 산욕기에서는 분만 후 2주 동안 33% 감소하여 비임신 시 상태로 되돌아간다.

3. 합병증

산모가 청색성심장질환이 있는 경우 합병증으로서 폐고혈압, 심부전, 세균성 심내막염, 혈전색전증 및 출혈·탈수 등이 있다.[1,4] 유산, 사산, 조산, 자궁내성장제한 등의 빈도가 상승한다.[4]

관리

1. 임신에 관한 상담

일상생활의 제한에 근거한 New York Heart Association (NYHA) 기능 분류(표 1)와 심질환별 산모사망률에 근거한 미국산부인과학회(ACOG)의 분류(표 2)에 의해 임신에 관한 상담을 행한다.[4,5] NYHA 심장기능 분류 Class II 이하에서는 통상 임신이 허가된다.[4,5] ACOG 분류의 Group3 에서는 산모사망률이 높기 때문에 임신은 피한다.

표 1. New York Heart Association (NYHA)의 심장기능 분류

Class Ⅰ : 통상의 신체 활동에서는 자각 증상이 없으며, 일상생활에서 신체 활동의 제한이 없음.
Class Ⅱ : 통상적인 움직임에 증상이 있으며, 일상생활에서 경도 내지 중등도로 제한 있음.
Class Ⅲ : 통상 이하의 움직임에 증상이 있으며, 일상생활 중등도 내지 고도로 제한 있음.
Class Ⅳ : 모든 신체활동에서 증상이 나타난다. 안정된 상태에서도 증상이 있으며, 노동 중에 더 강해진다.

표 2. 산모사망률에 근거한 심장질환의 분류(ACOG)

		심장질환	산모사망률
그룹1		심방중격결손 심실중격결손 동맥관개존증 삼첨판 질환 팔로사징증(Tetralogy of Fallot)-복원후 생체판막치환 승모판협착증, NYHA Class Ⅰ과 Class Ⅱ	0~1%
그룹2	2A	승모판협착증, NYHA Class Ⅲ과 Class Ⅳ 대동맥판협착증 판막병변을 동반하지 않은 대동맥협착증 팔로사징증(Tetralogy of Fallot)-미복원 심근경색의 기왕력 대동맥병변을 동반하지 않은 Marfan증후군	5~15%
	2B	심방세동을 동반한 승모판협착증 인공판막치환	
그룹3		폐고혈압증 판막병변을 동반한 대동맥협착증 대동맥병변을 동반한 Marfan증후군	20~25%

2. 임신전의 평가

대동맥협착증이나 NYHA 기능 분류 ClassⅡ에서도 좌심실 박출률이 저하된 경우에는 심기능 예비능이 저하되어 있다고 생각하여 운동부하검사를 실시한다.[4] Marfan증후군으로 상행대동맥 확장지름이 40mm이 넘을 경우에는 임신을 피한다.[4]

3. 임신중 관리

합병증이 없는 임산부의 정기검진 스케줄은 대체로 임신 11주 말까지 세 번 정도, 12주부터 23주 말까지는 4주마다, 24주에서 35주 말까지는 2주마다, 그 이후 40주 말까지는 1주마다 행하는 것이 표준으로 여겨지고 있다.[4,6] 원칙적으로 병의 변화가 나타난다면 그 정도에 따라 1주일에 1~2회 진찰을 받아야 하고, 심부전증상이나 Eisenmenger증후군이 발생했을 때는 입원이 필요하다.

감염과 임신고혈압은 심부전을 유발할 수 있으므로 주의한다.[4)]

인공판막치환술을 받은 적이 있는 임산부의 경우 항응고요법이 필수적이며,[7)] 항응고 요법의 방법으로는 ① 임신 6~13주는 헤파린으로 변경하고, 임신 14주 이후는 환자에게 헤파린 피하주사를 그대로 계속 사용하거나 와파린칼륨의 경구투여로 변경한다. ② 임신 전기간에 걸쳐 헤파린 혹은 저분자헤파린을 투여하는 방식이 권장된다.[4)]

4. 분만 시의 대응

일반적으로 분만방법은 질식분만으로 한다.[4,5)] 상행대동맥의 지름이 확대된 Marfan증후군이나 심한 대동맥협착증, 고도 폐동맥협착 및 Fontan 수술을 받은 경우 제왕절개술 적용이 된다.[1,4)] 심박출량의 증가를 줄이기 위해, 분만시 산모를 좌측으로 눕도록 한다.[5)] 분만 중, 심박수가 100회 이상, 중심정맥압의 상승(>8mmHg), 호흡수가 24회 이상으로 호흡 곤란을 수반하는 경우, 심부전을 생각한다.[5)] 분만 제 2기 단축을 위해 흡인·겸자 분만을 시행할 수 있다.[4,5)]

질식분만시의 경막외마취는 심박출량을 감소시키는 데 유용하다. 이 방법의 적용은 빈맥성 부정맥이나 역류성 판막질환, 승모판막협착증 등이다.[4)] 상대적 금기증으로는 대동맥 판막 협착증이나 폐색성 비대형 심근증, 인공판막치환술 등이 있다.[4)] 제왕절개수술에서는 보통 경막외마취나 전신마취가 선택된다.

5. 산욕기 관리

빈혈, 감염성 심내막염은 산후 심부전을 유발할 수 있다.[5)] 인공판막치환술, 감염성 심내막염의 과거력이 있거나 팔로사징증, 폐쇄성 비대성 심장근육병증이 있는 경우 감염성 심내막염이 생길 가능성이 높다.[5)] 원인균이 불분명한 경우에는 앰피실린(8~10g/ 1일 4~6회에 분할 투여)과 겐타마이신 황산염(60mg 혹은 1mg/kg/하루 2~3회 분할투여)의 병용이 권장된다.[4)]

심질환 (부정맥)

개념 · 정의 · 분류 · 병태

1. 빈도

건강한 여성에서 임신 시 발생가능한 부정맥으로는 상실성기외수축, 심실성기외수축, 발작성상실성빈맥, 심방조동, 심방세동, 심방빈맥 및 방실차단 등이 있다. 임산부의 경우 24시간 Holter 심전도검사에서 상실성기외수축이 64%, 심실성기외수축이 54%의 빈도로 보고되었으며, 심방조동, 심방세동, 심

방빈맥이 있는 임산부에서는 판막증이나 선청성심질환, 심근병증 등이 동반된 경우가 많다.[4]

임신중 발작성의 심방조동, 심방세동 및 심방빈맥의 재발률은 기저질환의 유무와 관계없이 약 50%로 보고되었으며, 선천성심질환을 가진 임산부에 대한 연구에 따르면 60.6%의 임산부에서 면밀한 관찰이 필요한 부정맥이 동반되었고 그중 3.5%는 치료가 필요하였다.

2. 선천성심질환의 부정맥 발생기전과 병태

빈맥성 부정맥은 부정맥 기질, 기외수축, 심장의 용량부하 등의 3요소가 관여하여 발생한다.[4] 특히 심실조기흥분증후군(WPW syndrome)이나 엡스타인기형(Ebstein's anomaly)에 동반되기 쉬워, 방실회기성빈맥 또는 가성(pseudo) 심실빈맥의 원인이 될 수 있다.[4]

관리

1. 임신에 관한 상담

심장질환 수술 후 발생한 부정맥의 경우, 기존 심장질환 자체가 중증이거나 임신의 유지가 어려울 것으로 예상되는 경우(심한 심부전 등)를 제외하고는, 부정맥이라는 이유만으로 피임을 할 필요는 없다.[4]

2. 임신중의 관리

외래 경과관찰 시에는 부정맥에 관한 문진(동계, 빈맥, 서맥의 기왕 유무), 심전도 검사(3분간), Holter 심전도 검사 등을 실시한다.[4]

임산부에게 안전성이 확립된 항부정맥약은 없으므로 약물 투여는 신중하게 결정해야 한다.[4] 임신 전부터 발작성상실성빈맥이 확인되는 경우에는, 임신 전에 고주파 카테터박리를 하는 것이 바람직하다고 생각된다.[4] 빈맥성 심방세동에서는 심박수 조절을 위하여 β차단제 및 디곡신의 투여가 필요하다.[4] 지속성심실빈맥으로 순환동태가 불안할 경우에는 즉시 직류제세동을 한다.[4] 기초 심장질환에 의한 심부전이 인지되는 경우나 심방압이 높은 중등도 이상의 방실판막협착, 방실판막역류 등의 기저 심질환이 있는 경우 입원이 필요하다.[4]

3. 분만 시 대응

제왕절개술에 의한 분만은 산과적 적응증에 따른다.[4]

만성고혈압

개념 · 정의 · 분류 · 병태

만성고혈압(chronic hypertension)은 임신 20주 이전부터 고혈압(140/90 mmHg 이상)이 확인되거나, 분만 후 12주 이후에 고혈압이 확인되는 경우로, 임신고혈압이나 임신고혈압증후군과 구별된다.[9]

1. 분류

고혈압의 정도에 따라 경증과 중증으로 나뉘며, 경증은 수축기 혈압이 140 mmHg 이상 160 mmHg 미만, 확장기 혈압 90 mmHg 이상 110 mmHg 미만이다. 중증은 수축기 혈압이 160 mmHg 이상, 확장기 혈압이 110 mmHg 이상으로 정의된다.[9]

2. 빈도

전체 임신의 2~5%에서 확인된다.[10]

3. 성인

만성 고혈압의 90%는 본태성 고혈압이며, 나머지 10%는 2차성 고혈압이다.[10] 2차성 고혈압의 원인은 갈색세포종, 신장동맥협착증, 원발성 알도스테론증, 쿠싱증후군, 갑상선기능항진증, 대동맥협착증 등이 있다.

4. 합병증

만성 고혈압을 가진 임산부에게는 고혈압성 신장증이 15~25%로 발병한다.[10] 태반조기박리 발생빈도는 3배로 증가하고,[10] 경증에서 발생률은 1.5%지만, 중증에서는 8.4%에 달한다.[11] 조산의 위험성은 4배가 되며, 조산율은 임신 37주 미만에서 33%, 임신 35주 미만에서는 18~20%에 이른다.[11]

진단

■ 고혈압의 원인 확인과 감별

2차성 고혈압 원인을 확인한다.[12] 보통 임신 2삼분기에 생리적으로 혈압이 낮아지기 때문에 임신성 고혈압 감별이 중요하다. 즉 만성고혈압을 동반한 임신부도 임신으로 혈압이 낮아질 수 있기 때문에 임신 20주 이후에는 혈압이 정상일수도 있고 높게 나타날 수도 있다.

관리

1. 임신 전의 상담 시 대응

만성 고혈압 환자의 대부분이 임신 전부터 혈압약을 복용하기 때문에, 약제에 대한 기형 형성을 설명한다.[9,12] 만성 고혈압이 경증이고 합병증이 없는 경우, 기형 형성을 고려하여 임신 전과 임신 초기에는 혈압약은 중지한다.[12]

중증 만성 고혈압에서 안지오텐신전환효소억제제나 안지오텐신 II 수용체길항제를 복용하고 있는 경우, 칼슘통로 차단제(calcium channel blocker)나 메틸도파, 히드랄라진염산염로 전환한다.[12]

2. 신체 장기의 장애 평가

만성 고혈압이 오래되는 경우, 좌심비대나 신부전, 망막증 등의 장기에 합병증이 동반된 경우가 많으므로, 심장초음파검사, 심전도, 안저검사, 신장기능검사나 당뇨검사 등을 시행한다.[11,12] 심장초음파검사는 40세 이상의 임산부에 대하여, 임신이 판명된 시점에서 시행한다.[12]

3. 태아발육과 태아안녕평가

정상군(12/1,000)과 비교해 만성 고혈압이 합병된 임산부에서는 주산기 사망률이 2~4배 증가한다.[13] 또 자궁내성장제한의 발생률은 10.7%이지만, 단백뇨를 동반하면 23%가 된다.[11]

따라서 초음파검사로 태아의 발육이나 생물리학적계수 측정(biophysical profile scoring), 혈류속도 측정(제대동맥, 중대뇌동맥) 등을 행하여 태아의 상태를 평가한다.

4. 분만 방법

합병증이 없고 혈압조절이 양호하며 태아발육이나 양수량이 정상일 경우 정기 출산까지 관찰한다. 산모 합병증이나 자궁내성장제한이 있다면 유도분만을 고려한다.[11] 전자간증 합병 신장병증이 발병한다면 즉시 분만을 고려한다.[11]

치료

■ 혈압약 사용

경증 만성 고혈압에서 수축기 혈압이 150~160mmHg, 확장기 혈압이 100~110mmHg 또는, 좌심비대나 신부전이 있는 경우, 칼슘통로 차단제(calcium channel blocker)나 메틸도파, 히드랄라진염산염을 투여한다.[11]

참고문헌

1） Setaro, JF. et al. "Pregnancy and cardiovascular disease". Medical complications during pregnancy. Burrow, GN. ed. Philadelphia, Elsevier Saunders, 2004, 103-30.

2） Blanchard, DG. et al. "Cardicac disorders". Maternal-Fetal Medicine. Creasy, RK. ed. Philadelphia, Saunders, 2004, 815-43.

3） Mendelson, MA. et al."Pregnancy and cardiovascular disorders". Medical disorders during pregnancy. William, M. ed. St. Lois, Mosby, 2000, 147-92.

4） 循環器病の診断と治療に関するガイドライン（2009年度合同研究班報告）．心疾患患者の妊娠・出産の適応，管理に関するガイドライン（2010年改訂版）．85p.

5） Cunningham, FG. et al. eds. "Cardiovascular disease". Williams Obstetrics. 23rd ed. New York, McGraw-Hill, 2010, 958-82.

6） 日本産科婦人科学会・日本産婦人科医会 編集・監修. "CQ001 特にリスクのない単胎妊婦の定期健康診査（定期健診）は？". 産婦人科診療ガイドライン：産科編2011. 2011, 1-5.

7） 日本産科婦人科学会・日本産婦人科医会 編集・監修. "CQ104-2 添付文書上いわゆる禁忌の医薬品のうち，特定の状況下では妊娠中であっても投与が必須か，もしくは推奨される代表的医薬品は？". 産婦人科診療ガイドライン：産科編2014. 2014, 66-8.

8） Silversides, CK. et al. Recurrence rates of arrhythmias during pregnancy in women with previous tachyarrhythmia and impact on fetal and neonatal out comes. Am. J. Cardiol. 97, 2006, 1206-12.

9） 日本産科婦人科学会編. "妊娠高血圧症候群". 産婦人科研修の必修知識2011. 東京，日本産科婦人科学会，2011, 217-23.

10） August, P. et al. "Hypertensive disorders in pregnancy". Medical complications during pregnancy. Burrow, GN. ed. Philadelphia, Elsevier Saunders, 2004, 43-68.

11） Cunningham, FG. et al. eds."Chronic hypertention". Williams Obstetrics. 23rd ed. New York, McGraw-Hill, 2010, 983-95.

12） Barron, W. "Hypertension". Medical disorders during pregnancy. William, M. ed. St. Lois, Mosby, 2000, 1-38.

13） Rey, E. et al. The prognosis of pregnancy in women with chronic hypertension. Am. J. Obstet. Gynecol. 171, 1994, 410-6.

≫ 牧野康男

C 뇌혈관 장애

뇌출혈

개념 · 정의 · 분류 · 병태

1. 개념

뇌출혈은 두개내출혈로, 뇌실질 내에서의 뇌실질출혈과 거미막하 공간에서 출혈하는 거미막하출혈이 대부분을 차지한다.

2. 빈도

일본에서 임신에 관련된 뇌출혈은 뇌경색보다 많이 발생하고 있으며, 2006년 전국조사에서 뇌실질출혈은 100,000 분만당 3.5건, 거미막하출혈은 100,000 분만당 1.6건 발생했다.[1] 뇌출혈은 1991~1992년 발생한 임산부 사망 원인의 14%를 차지하여 두번째로 많은 원인이었다.[2] 또, 2010~2012년에 발생한 임산부 사망 146례의 검토에서도, 뇌출혈이 26사례(18%)를 차지해 역시 2번째로 많은 사망 원인이었다.[3] 임산부 사망수는 1991년부터 반감되고 있음에도 불구하고, 뇌혈관장애로 인한 임산부 사망은 실제 수가 증가하고 있다.

3. 원인

뇌실질출혈은 발생원인으로 임신성 고혈압, 뇌동정맥기형, 모야모야병이 있으며 임신성 고혈압은 발병인자인 동시에 예후를 악화시킬 수 있다.[4]

HELLP (Hemolysis, Elevated Liver Enzyme, Low Platelet)증후군에서는 위험도가 높아진다. 뇌동정맥기형이나 모야모야병은 임신성 고혈압보다 드물지만, 실제 사망한 증례에서는 보통 부검이 이루어지지 않고 배경질환으로 확인되지 못한 경우도 많아 실제로는 더 빈도가 높을 가능성이 있다. 거미막하출혈은 거의 대부분이 뇌동맥류 파열이 원인이다. 뇌동맥류는 크기가 클수록 파열되기 쉽다. 5~7mm를 넘으면 1년에 1% 정도 출혈이 발생하며, 그 이하에서는 출혈 위험은 낮다. 발생 부위별로는 전교통동맥, 내경동맥과 후교통동맥의 분기부에 생기는 동맥류가 파열되기 쉽다.

4. 병태

뇌출혈이 생기면 그 범위에 따라서 뇌부종이 발생하는데 보통 뇌출혈 발생 후 몇 시간 내로 시작되며, 증상이 심하면 뇌 헤르니아(hernia)를 일으킨다. 뇌 헤르니아에 의해 뇌간이 압박을 받으면 호흡중추가 장애를 받아 Cheyne-Stokes 호흡을 보이게 되며, 심해지면 사망에 이르게 된다. 또한 두개내압

의 상승은 뇌관류압을 저하시켜 뇌순환 장애를 초래하며, 이 상태가 장시간 계속되면 역시 사망하게
된다.

5. 증상

초기 증상은 의식 장애, 두통, 경련, 마비 등이다. 유사한 증상을 보이는 자간증(eclampsia)과의 감
별은 중요하다. 자간증과 뇌출혈은 치료에 대한 접근법이 크게 다르며, 특히 뇌출혈의 경우 진단이 지
연될 경우 예후가 불량하기 때문에 빠른 감별이 요구된다. 또한 거미막하출혈의 경우 초기증상으로 격
심한 두통이 나타나는 경우가 많으며 목경직과 같은 수막자극 증세를 나타내는 경우도 있다.

진단

1. CT (computed tomography) (그림 1)

뇌출혈은 뇌컴퓨터단층촬영(CT)을 통해 쉽게 진단할 수 있다. 뇌실질내 출혈은 급성기에는 고
음영의 병변으로 확인된다. 발병 후 몇 시간 안에 혈종이 확대될 가능성이 있어, CT를 통해 경과
를 관찰할 필요가 있다. 뇌동정맥기형에서는 CTA (CT angiography)가 진단과 병소 확인에 유용
하다. 거미막하출혈에서는 뇌척수액 저류 부위에 고음영 영역이 확인된다. 실비우스연구(sylvian
fissure)의 영상이 양호하지 못한 경우도 거미막하출혈을 의심한다.

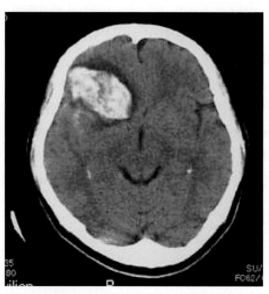

그림 1. 뇌출혈 CT영상

오른쪽 전두엽에 광범위한 고음영 영역이 인지된다.

2. MRI (magnetic resonance imaging)

MRI는 T2 강조 영상, 프로톤 강조 영상을 병용함으로써, CT와 동등한 진단을 가진다. 혈관의 평가에는 T1 강조상, T2 강조상, MRA, MRV가 유용하고, 출혈장소를 특정할 수 있는 경우가 있다. 거미막하출혈에서는 FLAIR 촬영으로 뇌척수액 저류에 따른 고신호 지역이 확인된다.

3. CT, MRI의 안전성

뇌CT 검사에서 산모의 복부 피폭량은 0.01Gy 미만이다. 태아의 피폭 허용량은 >0.1~0.2 Gy이며, 뇌CT에서의 피폭 선량은 허용 범위 내이다. MRI는 3테슬라 이하라면 임신 2~3분기에도 안전하게 촬영할 수 있다. 임신 1삼분기에는 안전성에 대한 증거가 없지만 지금까지 유해 사건에 대한 보고가 없다. 의식장애, 신경증세가 있는 임산부에서는 산모의 건강을 위해 주저 없이 영상진단을 한다.

관리 · 치료

1. 뇌출혈의 치료

뇌출혈로 진단되면 산모의 생명이 우선된다. 그림 2[5]는 일본 국립 순환기병 연구센터의 치료 방침을 보여 준다. 혈중 10mL 미만 소출혈이나 신경학적 소견이 경도 있는 증례에서는 보존적 치료로 임신을 지속하고 태아의 예후를 고려한 주수에서 분만시키는 방법도 선택할 수 있다. 수술을 해야 하는 경우, 수술과 임신종료 중 어느 것을 먼저 선택할지 확실한 지표는 없지만, 수술의 긴급도가 가장 우선되는 것이 원칙이다. 심폐정지가 일어난 뇌출혈 산모에서 응급제왕절개술이 산모의 소생에 유용한지는 아직 평가되어 있지 않다(그림 2).

초기 치료법으로는 급성기 뇌압 강하 치료와 뇌부종 치료를 위해 글리세롤을 투여한다. 『뇌졸중치료 가이드라인 2009』[6]에서는 임상적 최적 혈압 목표치에 대한 데이터는 없다고 하지만, 『AHA 가이드라인』[7]에서는 180/105mmHg 이하라고 되어 있다. 칼슘통로 차단제(calcium channel blocker)는 두개내출혈에서는 금기로 되어 있었지만, 최근 니카르디핀 약품설명서상의 뇌출혈 금기에 대한 내용이 개정되었다. 또한 니카르디핀은 미국 뇌졸중협회나 유럽 뇌졸중 이니셔티브의 가이드라인에서는 급성기 뇌출혈 환자에 대한 권장약제로 여겨지고 있다.[7,8] 히드랄라진은 두개내출혈 급성기 환자에게 금기다.

2. 수술 유용성

발병에서 치료까지의 시간, 발병 시 의식장애의 정도는 예후를 결정하는 인자로, 발병에서부터 수술까지의 시간이 길어질수록, 수술은 더 이상 예후 개선의 도움이 되지 않는다.[4] 또 의식장애가

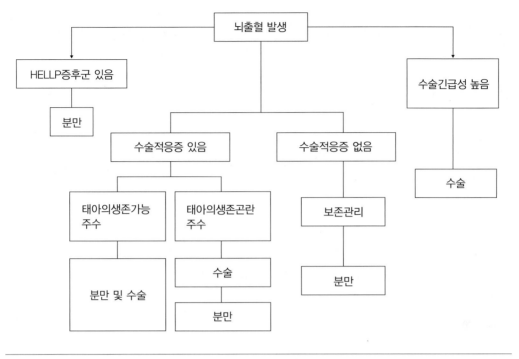

그림 2. **출혈성 뇌혈관장애의 전략(strategy)**

경중인 경우 수술을 하면 사망 사례를 줄일 수 있지만, 중증 의식장애 사례에서는 수술을 해도 사망을 막을 수 없다.[4] 조기 진단된 사례와 경중의 경우에서는 수술이 효과가 있을 것이다.

3. 분만방식

대부분의 병원에서 임신 중 뇌출혈이 발생하는 경우, 산모의 뇌수술을 위해 단시간에 산모와 태아를 분리할 수 있도록 제왕절개술을 선택하고 있다. 그러나 질식분만과 비교해서 제왕절개 분만이 예후를 의미 있게 개선할 것이라는 증거는 없다.

뇌경색

1. 개념

뇌경색은 뇌에 영양을 공급하는 동맥이 혈전이나 색전 때문에 폐색, 또는 협착되어 뇌조직이 괴사, 또는 괴사에 가까운 상태가 되는 것을 말한다.

2. 빈도

보통 일본에서 뇌경색은 뇌졸중의 3/4 이상을 차지하는데, 임신과 산욕기에서는 뇌경색이 1/3, 출혈성 뇌졸중이 2/3을 차지한다. 2006년 전국적인 조사에서 임신 및 산욕기 중 뇌경색은 25개의 사례가 있었다. 뇌출혈에 비해 임산부 사망에 이른 경우는 적다. 발병은 임신 초기, 임신 후기, 산욕기 이 3가지 시기에 호발한다.

3. 병태

임신으로 인한 응고계 항진, 산모의 혈역학적 변화, 호르몬의 변화 등은 뇌경색의 발병과 관련된 인자이다. 특히 임신 초기는 급격한 에스트로겐의 상승, 응고계 항진과 함께, 입덧에 따른 탈수에 의해 뇌경색이 발병하기 쉽다. 뇌경색에 의해 사망하지 않더라도 운동마비, 언어장애, 의식장애 등의 후유증이 남는 경우가 많으며, 고혈압, 당뇨병, 심질환, 지질이상, 뇌동맥해리, Protein S / Protein C / antithrombin Ⅲ 결핍에 의한 혈전성 소인, 항인지질항체증후군 등은 원인질환이 될 수 있다.

4. 분류

뇌경색의 분류는 ① 기전, ② 임상 카테고리, ③ 부위에 따라 나뉜다.

임상적 카테고리에서는 동맥혈전성 뇌경색, 심장성 색전증, 열공뇌졸중(lacunar stroke), 기타의 4가지로 분류된다.[2] 동맥혈전성 뇌경색은 동맥경화병변으로 인한 뇌경색으로, 주요 동맥에 50% 이상의 협착이 있는 경우를 말한다. 열공뇌졸중은 뇌의 세동맥의 단일 분지 동맥 영역의 뇌경색을 말한다. 심장성 뇌경색은 심장강 내 혈전에 의한 뇌경색 등을 말한다.[9]

5. 증상

뇌경색 증상은 두통, 구토, 어지럼증, 의식장애 및 국소 신경증상 등으로 다양하게 나타나는데, 최초 증상을 조기에 발견하는 것이 예후에 중요하다. 미국 뇌졸중 학회가 제창하고 있는 FAST라는 표어는 얼굴의 마비(face), 팔의 마비(arm), 말의 마비(speech), 그리고 발병 시각의 확인(time)을 빠르게 진단하고 조기에 치료하려는 것으로 임신 산욕기에도 응용할 수 있다.

진단

1. MRI

진단에는 MRI가 유용하며 권장된다.

촬영법으로는 확산강조영상, T2강조영상, FLAIR영상이 허혈영역 확인에 적절하다(그림 3).

MRA (magnetic resonance angiography)는 주요 동맥의 폐색 평가에 유용하다.

2. CT

뇌허혈의 초기 변화는 그 정도와 시간에 의존한다. 초기의 변화로서 렌즈핵의 불명료화, 선조 피질의 불명료화, 뇌피질−수질 경계의 불명료화가 나타나며, 회백질의 경미한 농도저하나 대뇌피질의 확대가 확인된다. 그러나 변화를 찾지 못하는 경우도 적지 않다.[9] 초기에 CT소견에서 확인되는 증례의 예후는 양호하지 못하며, modified Rankin scale이 3이상이 되는 우도비는 3.11 (95%, CI 2.77~3.49)라는 보고가 있다.[10]

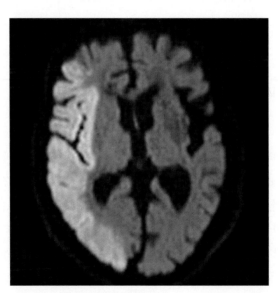

그림 3. 두부MRI 확산강조화상　　　(문헌11부근)

우중대뇌동맥 영역에 광범위한 뇌경색 형상이 인지된다.

관리 · 치료

1. 뇌경색의 치료

뇌경색 치료의 전략(strategy)을 그림 4에 나타낸다.[9,11] 뇌경색에서는 폐색된 혈관의 조기 재개통

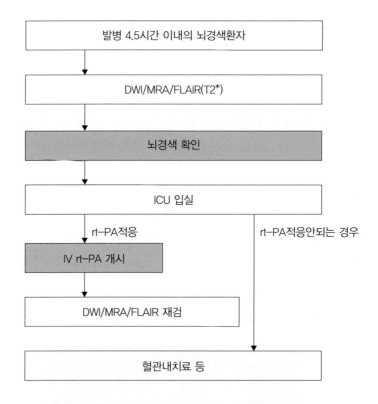

```
┌─────────────────────────────────┐
│       발병 4.5시간 이내의 뇌경색환자        │
└─────────────────────────────────┘
                 │
                 ▼
┌─────────────────────────────────┐
│        DWI/MRA/FLAIR(T2*)         │
└─────────────────────────────────┘
                 │
                 ▼
┌─────────────────────────────────┐
│             뇌경색 확인             │
└─────────────────────────────────┘
                 │
                 ▼
┌─────────────────────────────────┐
│             ICU 입실              │
└─────────────────────────────────┘
         │                    │
  rt-PA적응              rt-PA적응안되는 경우
         ▼                    │
┌──────────────┐              │
│  IV rt-PA 개시  │              │
└──────────────┘              │
         │                    │
         ▼                    │
┌─────────────────────────────────┐
│         DWI/MRA/FLAIR 재검         │
└─────────────────────────────────┘
                 │              │
                 ▼              ▼
┌─────────────────────────────────┐
│            혈관내치료 등            │
└─────────────────────────────────┘
```

그림 4. 뇌경색의 진단, 치료의 흐름

이 예후에 매우 중요하다. 혈전용해요법으로는 조직형 플라스미노겐 액티베이터(recombinant tissue plasminogen activator ; rt-PA)가 쓰인다. 현재는 발병으로부터 4.5시간 이내의 치료개시라면 유효성이 확인되어 있다. rt-PA는 태반을 통과하지 않으나 산모의 사망 또는 태아, 신생아 사망이 보고된 바 있으며[13,14] 자궁출혈에 대한 주의가 필요하다. 임신 중기 이후부터는 rt-PA를 투여해 임신 기간을 연장할 것인지, 임신을 중단하고 혈전 용해 요법을 시행할지 개별적인 판단이 필요하다. 두개내, 소화관, 요로 등 타 장기에 출혈이 확인되는 경우, 고혈압(수축기 185mmHg 이상, 확장기 110mmHg 이상)이 확인될 때는 rt-PA투여가 불가하다. rt-PA를 사용할수 없거나 효과가 없는 경우, 경피적 혈관혈전 회수장치를 이용해서 혈관내 치료를 한다.

2. 만성기의 관리

급성기에 혈전용해요법이 효과가 있었던 경우 계속해서 항응고요법을 한다. 출혈성 경색, 범위가 넓은 경색, 고혈압이 동반된 경우, 이른 시기의 항응고요법은 출혈의 위험성이 있어서 피한다.

참고문헌

1) 吉松淳ほか. 周産期のリスクマネージメント 我が国における妊娠関連脳血管障害. 日本周産期・新生児医学会雑誌. 44(4), 2008, 1107-11.
2) Nagaya, K. et al. Couse of maternal mortality in Japan. JAMA. 283(20), 2000, 2661-7.
3) 母体安全への提言2013. 妊産婦死亡症例検討評価委員会, 日本産婦人科医会. 2014.
4) Yoshimatsu, J. et al. Factors contributing to mortality and morbidity in pregnancy-associated intracerebral hemorrhage in Japan. J. Obstet. Gynaecol. Res. 40(5), 2014, 1267-73.
5) 吉松淳. "周産期の母子神経救急". 脳神経外科診療プラクティス4神経救急診療の進め方. 清水宏明編. 東京, 文光堂, 2014, 196-8.
6) 脳卒中合同ガイドライン委員会. 脳卒中治療ガイドライン2009. 日本脳卒中学会, 2009.
7) Broderick, J. et al. Guidelines for the management of spontaneous intracerebral hemorrhage in adults : 2007 update : a guideline from the American Heart Association/American Stroke Association Stroke Council, High Blood Pressure Research Council, and the Quality of Care and Outcomes in Research Interdisciplinary Working Group. Stroke. 38, 2007, 2001-23.
8) Steiner, T. et al. Recommen-dations for the management of intracranial haemorrhage - part I : spontaneous intracerebral haemorrhage. The European Stroke Initiative Writing Committee and the Writing Committee for the EUSI Executive Committee. Cerebrovasc. Dis. 22, 2006, 294-316.
9) 峰松一夫ほか. 脳卒中レジデントマニュアル. 第2版. 東京, 中外医学社, 2013, 287p.
10) Wardlaw, JM. Early signs of brain infarction at CT : observer reliability and outcome after thrombolytic treatment- systematic review. Radiology. 235(2), 2005, 444-53.
11) 吉松淳. "脳梗塞". 日本の妊産婦を救うために2015. 関沢明彦ほか編. 東京, 東京医学社, 2015, 253-7.
12) 日本脳卒中学会 脳卒中医療向上・社会保険委員会rt-PA（アルテプラーゼ）静注療法指針改訂部会. rt-PA（アルテプラーゼ）静注療法適正治療指針. 第2版. 日本脳卒中学会, 2012.
13) Leonhardt, G. et al. Thrombolytic therapy in pregnancy. J. Thrombolysis. 21, 2006, 271-6
14) Ahearn, GS. et al. Massive pulmonary embolism during pregnancy successfully treated with recombinant tissue plasminogen activator : a case report and review of treatment options. Arch. Intern. Med. 162(11), 2002, 1221-7.

≫ 吉松 淳

d 혈액질환

빈혈

개념 · 역학

임신 중 빈혈은 WHO 기준으로 헤모글로빈(Hb) 11g/dL 미만, 헤마토크리트(Hct) 33% 미만으로 정의돼 있다.

철결핍성 빈혈

병태

임신부의 빈혈 가운데 가장 빈도가 높다. 임신 중에는 철요구량이 증가하기 때문에 철결핍 상태가되기 쉽다. 단, 임신 중기에는 생리적인 혈액 희석이 있기 때문에, Hb나 Hct만 가지고는 병적 빈혈의 진단이 어렵다. 철결핍 상태에서는 평균적혈구용적(MCV)이 저하되기 때문에, 임산부의 철결핍 상태를판정하기 앞서 Hb 뿐만 아니라 MCV의 측정이 도움이 된다.[1]

진단 · 관리 · 치료

Hb가 9.0~11.0g/dL로 경증이며 MCV가 정상인 경우, 철결핍은 없지만 생리적 혈액 희석이 현저한 경우를 생각할 수 있다. 이러한 경우 철분제 투여에 앞서 철 함유량이 많은 식물을 섭취하도록 식사 지도를 실시해 경과를 지켜본다. MCV가 85μm³ 미만으로 낮은 값을 나타내는 경우에는, 철결핍 상태라고 판단하여 철분제 투여가 필요하다.

Hb가 9.0g/dL 미만이면서 MCV가 정상일 경우에는 철결핍성 빈혈과 거대적아구성 빈혈의 혼재나 철결핍성 이외의 빈혈일 가능성을 고려한다. MCV가 낮은 경우는 철결핍성 빈혈로 진단하여 철분제 투여 등의 적극적인 치료를 행한다.

철분제는 하루 100mg의 경구투여가 원칙이다. 경구투여의 경우에는 철이 충분해지게 되면 장관 상피의 흡수가 억제되므로 과잉섭취는 되지 않는다. 정맥내투여가 필요한 경우로는 부작용에 따른 위장장애 과거력으로 경구 투여를 할 수 없는 경우, 대량출혈로 급속하게 철분 보충이 필요한 경우이며, 이때 과잉 투여가 되지 않도록 주의한다.

거대적아구성 빈혈

병태

비타민B_{12} 또는 엽산의 결핍에 의해서 일어나는 거대적아구성 빈혈이다. MCV가 높은 경우 거대적아구성 빈혈의 가능성을 고려한다. 임신 중에는 조혈기능 항진에 따른 엽산의 수요가 증가하여 엽산결핍에 걸리기 쉽다. 항간질약에 의한 엽산 흡수장애도 원인이 된다.

관리

엽산결핍증에는 엽산 5mg을 하루 3회씩 약 4주간 복용한다.[2] 비타민 B_{12}결핍증에는 비타민 B_{12}제제 1mg을 근육주사로 주 3회씩 6주간 투여하고, 유지 요법으로서 그 후 2~3개월마다 1회 0.5mg을 근육주사를 하는 방법 등이 권장되고 있다.[2]

재생불량성 빈혈

병태

범혈구감소증 및 골수저형성이 특징이다. 본 증상은 임신 중에 악화되는 경우가 많기 때문에, 원칙적으로 완치가 된 상태 또는 경증일 때 임신하는 것이 좋다.

관리

비임신 시에는 골수이식을 비롯한 여러 치료법이 있지만 임신 중에는 부신피질호르몬 요법과 대증치료법(빈혈, 출혈, 감염 치료)이 주가 된다. 적혈구 수혈은 빈혈이 심한 경우에 시행하지만, 정상치까지 상승시킬 필요는 없고, 적혈구수 250~300만/μL(Hb8g/dL) 이상을 유지해야 한다는 의견이 있다.[3] 혈소판 수치가 현저하게 낮은 경우 혈소판 수혈을 실시하지만, 자주 수혈하면 항체가 생겨 버리므로, 생명의 위험이 있는 경우 또는 임신의 지속이 위험한 정도의 출혈이 있을 경우에만 시행한다. 감염에 대해서는 항균제를 사용하지만, 감염 예방이 중요하다. 호중구 500~1000/

μ 이하에서는 G-CSF 제제의 투여도 고려한다. 재생불량성 빈혈에 대한 투여는 아니지만 G-CSF 가 임산부의 무과립구증에 대해서 유효·안전하다는 보고도 있다.[5] 분만 전에는 스테로이드를 증량하거나 혈소판 수혈을 하여 혈소판수를 5만/μ 정도까지 개선시키며, 열상이 생기지 않도록 서서히 질식분만을 진행시키는 것이 원칙이다.

면역성(특발성) 혈소판감소성자반증(ITP)

개념 · 정의 · 분류 · 빈도 · 병태

면역성(특발성) 혈소판감소성자반증(immune⟨idiopathic⟩ thrombocytopenic purpura ; ITP)에는 급성형과 만성형이 있다. 급성형은 바이러스 감염이 선행하여, 성인보다 어린이에게 많고 보통 몇 달 안에 혈소판이 자연적으로 회복된다. 임신 합병증으로서 문제를 일으키는 것은 만성형이며, 이하 만성형에 대하여 기술한다.

ITP는 자기의 혈소판에 대한 항체가 생성되고 그 항체가 부착된 혈소판이 파괴되어 혈소판 감소를 가져오는 자가면역질환의 하나이다. 남녀 비율은 1:3~4, 호발 연령은 20~40세이며, 합병 임신의 빈도는 1~2 / 1,000임신으로 여겨진다.[6]

진단 · 증상

혈소판수 감소(10만/μL이하)가 있으며, 골수거핵구의 숫자는 정상 내지 증가, 적혈구 및 백혈구는 수·형태 모두 정상이며, 혈소판수 감소를 초래할 수 있는 각종 질환을 제외하여 진단된다. 혈소판에 부착되어 있는 항체는 platelet associated IgG (PAIgG)라 불리며, 병태를 반영하여 변동하는 경우가 많고, 활동성의 지표로 유용하다. 보통 피부·점막의 소출혈반, 잇몸출혈, 코피, 하혈, 과다 월경 등의 출혈경향이 보이지만, 무증상으로 지내다가 임신 초기 검사에서 혈소판수 감소를 발견하여 ITP를 진단받는 경우도 있다. ITP 합병임신의 가장 큰 문제점은 산모의 출혈성 합병증이다.

관리

1. 임신 전

임신 중에는 일반적으로도 혈액응고계가 항진하고, 혈소판 소비도 항진되므로, 상태가 안정되지 않은 채로 임신을 한 경우 임신 중에 증상이 악화될 수 있다. 그러므로 임신 전에 진단된 경우, 적절한 치료를 통해 질병이 안정된 후 임신하는 것이 바람직하다.

헬리코박터파이로리(파이로리균) 양성 ITP 환자의 63%는 제균을 함으로써 혈소판수가 증가했다는 보고가 있다.[7] 따라서 ITP가 진단되면 우선 파이로리균을 검사하여 양성이라면 혈소판수나 출혈 증상과 관계없이 제균이 권장된다.

제균 치료의 처방으로서는, 아목시실린 750mg, 클라리스로마이신 200mg, 프로톤펌프억제제(란소프라졸 30mg 등)를 1일 2회, 7일간 투여하는 3제 요법이 권장되고 있다.

제균효과가 확인되지 않는 경우와 파이로리균 음성인 경우 일차치료법은 부신피질호르몬의 투여이다. 일반적으로 프레드니솔론 0.5~1mgk/g/일을 초기 용량으로서 사용하고 그 후에는 점진적으로 감량한다. 유지량 이하에서 관해상태라면 임신을 허가한다. 부신피질스테로이드가 효과가 없는 경우 제2선택으로써 비장적출술이 고려된다. 감마글로블린 대량요법이나 혈소판 수혈은 효과가 일시적이기 때문에, 외과수술 시, 분만 시, 위독한 출혈 시 등 긴급하게 혈소판 증가가 필요할 때 행해진다.

2. 임신 중

2014년 일본혈액학회, 일본산과부인과학회, 일본소아과학회, 일본마취과학회에서 「임신 합병 특발성 혈소판감소성자반병 진료참조 가이드」를 발행하였으며, 이 장에서 이를 바탕으로 임신 및 분만 시 관리에 대해서 설명한다.

질병이 안정된 후 임신한 경우에는 그대로 치료를 지속하지만, 임신 중에 악화된 경우 치료 변경을 고려한다. 임신 중 발병한 증례에 대해서는 치료를 시작한다. 임산부에 대한 파이로리균의 제균 치료의 효과는 아직 확인되지 않았으나 치료에 사용하는 약제가 임신의 금기가 아니므로, 임신 중 ITP가 확진되고 분만까지 충분한 시간적 여유가 있는 경우 파이로리균의 평가를 시행한다. 이익−손실을 고려해, 임신 8~12주 이후에 제균요법을 선택하는 것도 좋다. 무증상 임신부에서는 임신 중 혈소판수를 3만/μL 이상으로 유지하는 것을 목표로 하여 정기적으로 혈소판수를 측정할 필요가 있다. 원칙적으로 혈소판수 3만/μl 이상이며 출혈경향이 없는 경우는 경과관찰로 한다. 여러 나라에서의 치료 방침을 소개하자면, American Society of Hematology (ASH)의 가이드라인에서는 혈소판수 1만/μL 이하의 고도의 혈소판감소증이나, 혹은 임신 중기·말기에 혈소판 감소(1만~3만/μl)와 출혈이 있는 경우, British Committee for Standards in Haematology (BCSH)의 가이드라인에서는 혈소판수 2만/μl 이하인 경우 치료를 시작한다.[9]

임신 중 치료의 첫 번째 선택은 비임신 때와 마찬가지로 부신피질호르몬를 투여한다. 프레드니솔론 10~20mg/일 기준으로 비교적 저용량 경구복용을 시작하여, 효과를 보면서 유지량 5~10mg/일 기준으로 감량한다. 임신 중에 저명한 혈소판 감소와 심한 출혈 경향을 보이는 경우

프레드니솔론 0.5~1mg/kg/일로 보통 성인에 대한 초기 투여량부터 시작하는 것도 고려한다. 이 경우 혈소판수 2만~3만/Ml 이상이 되어 출혈 경향이 개선되면, 2주간 조기 감량을 검토한다. 부신피질호르몬에 효과가 없는 환자에서는 면역글로불린 대량투여 요법이 이용된다. 400mg/kg/일, 5일간 투여가 기본이다. 50~90%의 환자에서 투여 후 2~3일에 혈소판수가 증가하기 시작하여 5~7일에 최고치로 오르지만, 효과는 일시적이다. 따라서 이 요법만으로 임신을 유지하기 위해서는 주기적으로 투여를 반복해야 한다. 그러나 이 치료법이 높은 비용이 드는 것을 고려하여, 대상과 증상을 판단해서 결정해야만 한다.

비장적출술은 임신 중에도 유효하지만 유·조산을 증가시킨다는 보고도 있어 임신 중에는 다른 치료법이 우선된다. 혈소판 수혈은 긴급할 때만 한다. 트롬보액틴수용체 작용제에 대해서는 장기적인 안전성이 불분명하고, 임산부에 대한 사용 보고는 거의 없다는 점, 태아에게 미치는 영향이 불분명하다는 점이 있어, 현재 ITP가 발병한 임신부에게 있어서 사용은 권장되지 않고 있다.[8]

3. 분만 시

분만 시에는 산모의 출혈성 합병증을 예방하기 위해, 질식 분만이라면 혈소판수 5만/μL 이상, 부분 마취 하에 의한 제왕절개라면 8만/μL 이상으로 유지될 수 있도록 계획적으로 부신피질호르몬의 증량이나, 면역글로프린 대량요법을 시행한다. 그래도 혈소판수가 증가하지 않는 경우는 혈소판 수혈을 시간에 맞게 시행한다. 분만 시 안전한 혈소판수에 관하여, ASH에서는 5만/μL, BCSH에서는 5만/μL, 제왕절개 또는 경막외 마취를 할 때는 8만/μL이 기준으로 되어 있다.[9]

그러면 분만 방식을 어떻게 선택할 것인가? 과거에는 ITP 합병 임산부의 분만방식은 신생아의 혈소판 감소와 출혈의 위험에 대한 걱정 때문에 1970년대에는 모든 ITP 환자에게 제왕절개가 권장되었으며, 이는 주로 출생 시의 외상과 두개내 출혈의 결과로 발생하는 약 10~20%의 높은 주산기 사망률의 보고에 근거하고 있었다.[10] 또 아기의 혈소판수가 5만/μL 미만인 경우에 제왕절개술로 분만해야 한다고 여겨져 왔는데 이는 [신생아의 혈소판수 5만/μL 미만인 경우에는 질식 분만에 의해 두개 내 출혈 등 적극적인 치료를 필요로 하는 출혈성 합병증이 39사례 중 11사례(28%)로 높은 비율로 나타났지만, 5만/μL 이상의 59사례에서는 모두 없었다]라는 총설[11]이 근거가 되고 있다. 그러나 그 후 1990년대에 발표된 연구에서는, 5만/μL 미만인 신생아 혈소판 감소증의 발생률은 10% 전후이며, 두개 내 출혈은 신생아 혈소판 감소증이라고 진단된 아이의 약 1%에서 일어난다고 기술되어 있다.[10] 신생아의 혈소판수가 5만/uL 이하인 중증 사례에서 두개내출혈의 빈도는 제왕절개 사례에서 1/28(3.8%), 질식분만 사례에서 2/41(4.9%)로 분만 방식에 의존하지 않는다는 보고가 있다.[12]

혈소판수가 감소하고 있는 태아에게 제왕절개술이 질식분만보다 안전하다는 과학적 근거는 없다.[10] 게다가 신생아의 출혈 합병증의 대부분은 혈소판수가 가장 낮은 생후 24~48시간에 발생해,

분만 시의 외상과는 관련이 없다.[10,13]

따라서, ITP가 동반된 임산부의 분만 방식은 순수하게 산과적 적응증으로 결정되어야 한다. 또한 태아의 출혈위험을 증가시킬 우려가 있는 두피전극, 흡인분만, 겸자분만 등의 조치는 피하는 것이 바람직하다. 미국의 가이드라인에서는 [ITP의 임산부의 분만 방식은 산과적 적응증에 근거해야 한다]고 되어 있다(grade 2C).[14] 영국의 가이드라인에서도 마찬가지다.[15]

이전 일부 시설에서는 분만 전에 경피적탯줄천자를 시행하거나 분만 중에 아두채혈법을 통해서 태아의 혈소판 수를 측정하였었다.

그러나 앞서 기술한 바와 같이 아기의 혈소판수가 5만/L 이하여도 혈소판이 감소하고 있는 태아에게 제왕절개술이 질식분만보다 안전하다는 근거는 없다는 점, 탯줄천자가 직접 원인이 되어 태아 사망을 일으킬 확률은 0.98% (48/4,922)[16]라는 보고가 있다는 점, 아두채혈법에서는 채혈 중에 검체가 응고되기 쉬워 검사 결과가 실제 혈소판보다 낮은 수치가 되기 쉽다는 점 때문에 최근에는 추천하지 않는다.

4. 분만 후

ITP가 동반된 임산부들은 분만 직전에 혈소판 수혈을 한다. 분만 후 단기간에 혈소판수는 이전 수치로 되돌아가지만, 산도의 혈종이나 제왕절개술 후 출혈의 위험이 있을 수 있어 충분한 주의를 요한다.

5. 신생아

신생아의 혈소판 감소가 악화되는 경우가 있다. 신생아의 2/3는 생후 1~2일에 혈소판 수가 더 줄고, 생후 7일 이후에나 회복된다고 보고되고 있다.[17] 따라서 출생아의 혈소판 수는 생후 1~2주간 경과관찰할 필요가 있다.

참고문헌

1） 貝原　学. 妊婦貧血. 産婦人科治療. 96, 増刊, 2008, 534-8.

2） 森實真由美ほか. 母体疾患の薬物療法, 血液疾患. 周産期医学. 39(11), 2009, 1545-50.

3） 寺尾俊彦. 血液疾患, 再生不良性貧血. 周産期医学. 24, 増刊号, 1994, 377-9.

4） 菊地範彦ほか. 血液疾患合併妊娠, 再生不良性貧血. 41(8), 2011, 1045-8.

5） Kikkawa, M. et al. Granulocyte-colony stimulating factor for the treatment of ritodrine-induced neutropenia. J. Obstet. Gynaecol. Res. 34(2), 2008, 286-90.

6） 山田秀人. "特発性血小板減少性紫斑病". 周産期の出血と血栓症：その基礎と臨床. 第1版. 小林隆夫ほか編. 東京, 金原出版, 2004, 84-91.

7） Fujimura, K. et al. Is eradication therapy useful as the first line of treatment in Helicobacter pylori-positive idiopathic thrombocytopenic purpura?：Analysis of 207 eradicated chronic ITP cases in Japan. Int. J. Hematol. 81(2), 2005, 162-8.

8） 宮川義隆ほか. 妊娠合併特発性血小板減少性紫斑病診療の参照ガイド. 臨床血液. 55(8), 2014, 934-47.

9） Gernsheimer, T. et al. Immune thrombocytopenic purpura in pregnancy. Curr. Opin. Hematol. 14(5), 2007, 574-80.

10） Provan, D. et al. International consensus report on the investigation and management of primary immune thrombocytopenia. Blood. 115(2), 2010, 168-86.

11） Scott, JR. et al. Fetal platelet counts in the obstetric management of immunologic thrombocytopenic purpura. Am. J. Obstet. Gynecol. 136(4), 1980, 495-9.

12） Cook, RL. et al. Immune thrombocytopenic purpura in pregnancy : a reappraisal of management. Obstet. Gynecol. 78(4), 1991, 578-83.

13） Gernsheimer, T. et al. How I treat thrombocytopenia in pregnancy. Blood. 121（1）, 2013, 38-47.

14） Neunert, C. et al. The American Society of Hematology 2011 evidence-based practice guideline for immune thrombocytopenia. Blood. 117(16), 2011, 4190-207.

15） British Committee for Standards in Haematology General Haematology Task Force. Guidelines for the investigation and management of idiopathic thrombocytopenic purpura in adults, children and in pregnancy. Br. J. Haematol. 120(4), 2003, 574-96.

16） Duchatel, F. et al. Complications of diagnostic ultrasound-guided percutaneous umbilical cord blood sampling : analysis of a series of 341 cases and review of the literature. Eur. J. Obstet. Gynecol. Reprod. Biol. 52(2), 1993, 95-104.

17） 川合陽子. 特発性血小板減少性紫斑病と妊娠・出産. Medicina. 33, 1996, 1730-2.

≫ 渡辺　尚, 松原茂樹

e 신장염 · 신증후군

개념 · 정의 · 분류 · 병태

1. 만성 신장염(chronic nephritis)

1) 개념: 만성 신장염은 단백뇨, 혈뇨, 고혈압이 동반되며(때로 무증상인 채로) 수년부터 수십년 동안 느리게 신장 기능 장애가 진행되는 것을 말한다.

2) 분류: 잠재형, 진행형으로 나뉜다.

3) 병태

① 잠재형: 미소변화 사구체신염 조직검사에서 증식성 신장염이면서 세포증식의 정도가 중증도 이상인 경우나 막증식성 사구체신염 또는 국소사구체경화증인 경우, 임신에 의해 질병이 악화될 수 있어 임신을 권장하지 않는다. 막성신장병증, 혈관간세포증식사구체신염, 막증식성 사구체신염, 고밀도침착(dense—deposit) 사구체신염 등이 나타난다. 각각의 사구체 병변은 경증이며, 요세관 간질 병변은 없거나 극히 경미하다.

② 진행형: 국소사구체경화증, 막성신장병증, 혈관간세포증식사구체신염, 고밀도침착 사구체신염, 광범위경화성 사구체신염 등이 나타난다. 각각의 사구체 병변은 중증이며, 동시에 여러가지 정도의 세뇨관·간질병변이나 혈관 병변이 존재한다.[1]

2. 신증후군(nephrotic syndrome during pregnancy)

1) 개념: 단백뇨(3.5g/일 이상이 지속), 저단백혈증(혈청 총단백 6.0g/dL 이하, 혈청 알부민 3.0g/dL 이하), 고지혈증(혈청 총콜레스테롤 250mg/dL이상), 부종을 나타내는 병태를 말한다.

2) 병태: 사구체 모세혈관의 선택적 투과성이 상실되어 모세혈관에서 보먼(Bowman)주머니로 대량의 혈장 단백질이 유출되면서 현저한 단백뇨가 발생한다. 신증후군을 일으키는 원발성 사구체 질환으로는 미소변화 사구체신염, 국소사구체경화증, 막성신장병증, 혈관간세포증식사구체신염, 막증식성 사구체신염, 고밀도침착(dense—deposit) 사구체신염 등이 있다.[1]

신장염 · 신증후군 환자의 임신 · 출산에 관한 지도 지침

신장질환 환자의 임신에 대해서는 일본 후생성의 진행성 신장장애 조사 연구반에 의해 표 1과 같은 지침이 발표되었다.[2] 만성 신장염에서는 신장기능이 Ccr 70~90mL/분 이상으로 경도 저하

표 1. 신장염·신증후군 환자의 임신·출산에 관한 지도 지침[2]

신장염·신증후군 환자가 임신·출산을 희망할 때에는 아래에 표시한 분류에 따라 지도하는 것이 바람직하다. 또한 경과 예측에는 신장 생검이 참고가 된다.

1. 급성 신장염(증후군): 단백뇨가 음성화되어 12개월이 경과한 경우 일반적으로 임신과 출산에 지장이 없다.
2. 반복성 혹은 지속성 혈뇨증후군(무증상성 혈뇨단백뇨): 일반적으로 지장이 없다.
3. 만성 신장염(증후군): 임신 전의 신장 기능(Ccr)에 따라 5등급으로 구분한다.

   1) ≥90 mL/ 분
   2) 90~70 mL/ 분
   3) 70~50 mL/ 분
   4) 50~30 mL/ 분
   5) 30~ 투석 도입 전

(주의) 1) 이러한 기준은 원칙적인 것으로, 특히 구분 1)·2)의 병기에서는 병세가 안정된 상태에 적용한다.
     2) 소변검사 소견, 혈액화학 검사치, 신장기능 등의 경과를 보고 조정할 필요가 있다.
     3) 요단백이 많은 경우(2.0g/일 이상), 고혈압이 동반된 경우(확장기 혈압 95mmHg 이상)에서는 구분이 낮은 순위로 한다.
     4) 급속진행성 신장염은 치료가 필요하기 때문에 이 표에는 추가되지 않는다.

4. 신증후군: 치료효과, 신장기능에 따라 6등급으로 구분한다.

   1) 완전 관해: 치료 종료 후 6개월이 지난 후에도 재발하지 않는 경우 일반적으로 지장이 없다. 단 6개월 이내에는 원칙적으로 임신이 권장되지 않는다.
   2) 불완전관해 I 형(요단백 1~2g/일 정도): Ccr ≥70mL/ 분……치료 중단 후 6개월이 지나 병세가 안정됨이 확인되는 경우는 일반적으로 지장이 없다. 단 6개월 이후에 병세가 안정되어 있더라도, 치료 중인 경우에는 원칙적으로 권장되지 않는다.
   3) 불완전관해 I 형(요단백 1~2g/일 정도): Ccr 50~70mL/분……원칙적으로 권장되지 않는다.
   4) 불완전관해 II 형(요단백 2~3.5g/일 정도): Ccr ≥70mL/분……원칙으로 권장되지 않는다.
   5) 불완전관해 II 형(요단백 2~3.5g/일 정도): Ccr < 70mL/분…… 권장되지 않는다.
   6) 치료효과 없음(요단백 3.4g/일 이상): 권장되지 않는다.

(주의) 확장기 혈압 95mmHg 이상이 지속될 경우, 혹은 병세가 불안할 경우에는 낮은 순위로 구분한다.

참고사항 ① 임신이 기존의 신장염·신증후군의 경과에 악화인자가 될 것인가에 관해서는 의견이 분분하다. 하지만 신장염·신증후군 임신부에서 질병의 형태에 따라 임신성고혈압증후군의 발생빈도에 차이를 보인다고 한다.

1. 미소변화형 신증후군: 일반적으로 병태(단백뇨·혈압 정도)가 안정되어 있는 한 임신으로 인한 영향은 적다.
2. 막성신증: 일반적으로 미소변화형과 같다.
3. 증식성신염(IgA 신증포함): 병변의 확장 정도가 합병증 발현과 비례하나 획일적인 판단이 어렵다.
4. 막성증식성신염: 자주 다량의 단백뇨를 나타내는 동시에 진행성 경과를 나타내기 때문에 임신·출산에 문제가 많다고 여겨지고 있다.
5. 소상사구체경화증: 일반적으로 막성증식성신염과 같다.
6. 반월체형성신염: 일반적으로 급속 진행성 경과를 취하므로 임신은 권할 수 없다.

(주의) 덧붙여 신장 생검 병리를 참고할 때에는, 사구체질환의 종류뿐만 아니라 사구체 장애의 정도, 요세관간질 및 혈관 병변의 유무, 확대 정도 등을 고려하는 것이 바람직하다.

참고사항 ② 신장염·신증후군 환자가 이미 임신한 경우

환자 및 가족이 출산을 원할 경우에는 데이터에 기초하여 임신 분만까지의 예후를 본인과 배우자(남편) 등에게 설명하고 생존아를 얻을 확률이 건강한 임신부와 비교하여 낮으며, 신장염이 악화되는 경우도 있는 점 등을 충분히 설명한 후에, 임신을 유지하는 데 협력하는 것을 원칙으로 한다.

지도 지침은 앞에서 서술한 것을 기본으로 하고, 임신에 의한 생리적 반응을 추가하여(혈청 크레아티닌, 요산, 신장기능 및 혈압 등의 소견) 판단해야 한다. 또한 산부인과 의사와의 밀접한 연계가 중요하다.

                                         – 후생성 진행성 신장장애 조사 연구반

된 경우 임신 및 출산에는 지장이 없지만, 중등도 저하(Ccr 50~70mL/분)보다 나쁜 경우는 임신·출산을 원칙적으로 권할 수 없다(표 1).[2] 신장기능에 문제가 없지만, 예외적으로 임신을 피해야 하는 경우로는 ① 신장 생검에서 활동성의 반월체(crescent) 형성이 확인되는 경우, ② 신증후군인 경우이다.[3]

신증후군의 경우, 완전 관해나 불완전 관해 1형(요단백 2g/일 이하)의 상태에서 치료를 중단한 지 반 년 이상 경과 후 재발을 보이지 않을 경우에는 임신에 문제가 없다고 여겨지고 있다.

하지만 그 외에 불완전관해 I형이지만 치료 중인 경우, 혹은 신장기능이 GFR 70mL/분 이하의 경우, 불완전관해 II형(요단백 2~3.5g/일) 및 치료에 효과가 없이 신증후군 상태가 지속되는 경우 임신·출산은 권장할 수 없다. 조직진단에서는 증식성신장염에서 세포증식의 정도가 중등도 이상인 경우, 막성증식성신염, 소상사구체경화증에서는 임신에 의해 본래 질환의 악화될 수 있어서 일반적으로 임신을 권하지 않는다.

만성 신장염-신증후군이 임신에 미치는 영향

[단백뇨와 태아발육 포함]
1. 응고이상
임신 시에는 혈중 알부민의 저하와 함께 소변을 통해 다량의 단백질이 누출되어 부종이 악화된다. 또한 소변을 통한 안티트롬빈 III의 배설이나 프로테인 C나 S의 저하, 고 피브리노겐 혈증, 혈소판응집항진은 임신 중 과응고를 일으킨다.

2. 태아발육
Studd 등은 아기의 출생체중은 산모의 혈청 알부민농도와 관련되며, 발육부전은 저단백혈증 정도에 비례한다고 했다. 저단백혈증은 산모순환혈장량을 저하시키고 이 결과 태반 혈류량이 저하되어 발육에 영향을 준다.[4] Roesnbaum 등은 정신운동발달의 장애를 보고하였는데 단백질의 부족이 뇌발달에 영향을 주었을 가능성이 있다.[5]

3. 주산기사망 조산
주산기 사망·조산을 일으키는 요인은 신장기능의 악화, 임신 초기부터의 고혈압과 그 중증화, 하루 3g 이상의 단백뇨로 알려져있다.

관리

1. 신장기능 검사

임신 8주에서 12주에 걸쳐 신기능 검사를 하여 기초값을 파악한다. 신기능 검사는 32주까지는 4주 간격으로, 그 이후는 2주 간격으로 한다.

2. 임신 중의 신장 생검

임신 중 신장 생검검사는 논란이 많지만 가급적 피하는 것이 좋다. Davison과 Baylis에 의하면 신장 생검의 적응은 ① 임신 30~32주 이전에 원인불명의 급격한 신기능 악화가 발생한 경우, ② 임신 30~32주 이전에 발병한 유증상의 신증후군이다. 신장 생검의 적응이 되지 않는 경우는 ① 신기능 저하, ② 육안적 혈뇨, ③ 저알부민혈증을 보이지 않으나 단백뇨 있는 비 전자간증 증례가 있다.[6]

3. 만성 신장염 합병 임신과 식이요법

1) 에너지 섭취량

신증후군에서는 신장에서 단백질 이화작용이 항진된다. 스테로이드를 투여받고 있는 경우나 신장기능 저하로 단백질의 섭취 제한이 필요한 경우 등에서는 단백질의 이화작용을 억제할 필요가 있다. 임신 중에는 태아 발육을 위한 에너지 섭취가 필요하기 때문에 최소한 다음과 같은 양의 에너지 섭취가 필요하다.

- 임신 중 에너지 섭취량[7]: 표준체중 × 25 kcal + 250 kcal

2) 단백질 섭취량

저단백혈증인 경우 고단백식이 권장되었으나, 간에서 단백질 합성이 증가되어도 이화작용이 그것을 웃돌아 소변으로 단백질이 더 많이 소실된다. 이 때문에 최근에는 저단백 식단이 사용되고 있으며 저단백식에서는 요단백이 줄어들면서 치료저항성 신증후군이 치료에 반응하게 될 수도 있다.[8]

3) 염분 제한

내과적으로는 5~7g/일 정도로 제한하는 것이 바람직하다. 그러나 급속한 염분 제한은 순환혈장량 저하를 불러와 자궁내성장제한, 태아기능부전을 일으킬 수 있다.[7]

4. 신증후군 합병임신과 식이요법

신증후군 환자가 임신을 한 경우 비임신 시 섭취하던 식이를 기준으로 하며, 신부전의 진행 속도를 늦추고 좋은 영양상태를 유지하는 것이 중요하다. 완전관해나 불완전관해 1형에서 치료를 중단하는 경우 일반적으로 식사 제한은 불필요하다. GFR 70mL/분 이상의 만성 신장염의 경우, 혈압 상태에 따라 간단한 식사제한을 행한다.

Kopple은 GFR 70mL/분 이상에서는 지속적으로 신장 기능이 저하된 경우가 아니라면 일반적으로 단백을 제한하지 않아도 된다고 했다.[8] 그러나 Brenner 등에 의하면 단백질 과잉섭취가 사구체에서 과잉배출을 초래하며 사구체경화나 간질장애의 원인이 될 수 있기 때문에, GFR이 비교적 양호할 때부터 단백질 섭취를 제한하는 것이 좋다고 하였다.[9]

단백질 1.25g/kg/일(체중 50kg 성인 기준 62.5g/일), 식염 8~10g/일로 상대적으로 제한이 느슨한 식사가 권장되나, 고혈압이 있는 경우에는 식염을 5~8g/일로 엄격하게 제한한다. 한편으로, GFR이 25~70mL/분인 경우 저단백·저인 식단이 신부전 진행속도를 늦춘다고 하는 데이터가 있어, 단백질 섭취는 0.55~0.60g/kg/일 기준으로 한다. 적어도 0.35g/kg/일 기준은 생물학적 가치를 높이는 단백질 양으로 여겨진다.[9]

5. 고혈압 관리

고혈압이 동반된 경우 혈압을 낮추는 시도를 한다. Jungers 등에 따르면 신장기능 장애가 있는 산모의 경우, 확장기 혈압을 80~90mmHg로 조절하고 동시에 80mmHg 이하로 저하되지 않게 조절하는 것이 중요하다고 말한다.[10]

6. 단백뇨의 억제

스테로이드, 면역억제제, 안지오텐신변환효소(ACE) 저해제, AT1수용체 저해제 등은 단백뇨를 억제할수 있는 약물이지만 면역 억제제, ACE 억제제, AT1수용체 저해제는 임신 중 금기이다.

임신고혈압증후군과 고도 단백뇨(신증후군)

임신고혈압증후군에서는 순환혈장량이 정상 임신보다 줄어들기 때문에 과도한 염분 제한은 태아에게 악영향을 미친다. 과도한 염분제한은 섭취 나트륨양보다 다량의 나트륨 상실을 초래해 순환혈장량이 더욱 낮아진다. 이 때문에 자궁혈류량의 감소, 태반혈류량이 감소되어 태아는 저산소 상태가 될 수 있고, 상황에 따라서는 태아 사망에 이르기도 한다.

단백뇨을 동반한 임신고혈압증후군의 주산기 예후

자궁내성장제한의 빈도는 단백뇨를 동반한 임신고혈압증후군에서는 52%를 차지하며, 단백뇨를 동반하지 않는다면 18%로 감소한다. 또한 주산기 사망률은 단백뇨가 동반된 임신고혈압증후군에서는 12.9%로, 단백뇨를 동반하지 않는 임신고혈압증후군에서는 3%인 것에 비해 4배나 높았다.[2]

임신고혈압증후군에서 심각한 단백뇨를 가진 환자 관리

중증의 단백뇨가 있는 경우, 산모와 태아의 예후가 어떻게 변화하는지는 중요하다. Chua 등은 24시간 요단백이 5g 이상인 임신고혈압신증 42사례의 예후를 검토했다. 이 연구에서 임신 고혈압 신증 88.1%는 2주 이내에 분만(조산의 경우 3주 이내 분만)하였다.

산모의 건강을 위해 임신중단 기준을 설정하는 것이 중요하며, 임신 34주 이후는 분만시키고, 34주 이전에서는 혈압을 조절해도 170/110mmHg 이상, 혈소판 수 10만/μL 이하, AST>60U/L, 심와부통증이 있는 경우에는 즉시 분만시키는 것으로 하고 있다.

이런 기준에서 주산기 사망은 5사례로 확인되었고, 이들의 임신 주는 25, 26, 28, 29주였으며, 자궁내성장제한이 4사례 있었다. 산욕기의 회복은 양호하며 3개월 후에는 41명의 환자에서 단백뇨 음성으로 나왔다. 임신중단 기준을 설정함으로써 주산기 사망률은 높아지지만 산모의 좋은 예후를 기대할 수 있다(표 2).[13]

1990년의 일본 산과부인과학회 임신중독증문제위원회에 의한 임신고혈압증후군 임신중단 적응 지침에서 ① 고혈압의 경우 입원·안정·약물 치료에도 불구하고 증상이 불변, 혹은 악화되는 경우, 특히 중증고혈압(160/110mmHg이상)이 2주 이상 지속되는 경우나 Gestosis Index가 상승하는 경우, ② 신장 기능 장애에서 GFR≤50mL/분, 혈중 크리아티닌 수치 ≥1.5mg/dL, 요산치 ≥6mg/dL, BUN≥ 20mgl/dL, 핍뇨≤300mL/일 또는 20mL/시간으로 안내하고 있으며, 이런 결과

표 2. **24시간 요단백 5g 이상인 임신고혈압신증의 예후**[13]

임신 고혈압 신증 42사례
88. 1%가 2주 이내에 분만(조산의 경우 3주 이내 분만)
임신중단 기준
34주 이후 분만
34주 이전 혈압조절을 해도 170/110 mmHg이상
혈소판 수 10만 μ/L이하, AST>60 U/L, 심와부통증+
예후
주산기 사망 5사례(25주, 26주, 27주, 28주, 29주)
태아 발육 부전(자궁내성장제한) 4사례
산욕기 회복은 양호
3개월 후, 41사례에서 단백뇨 음성

(Chua, S. 1992)

를 종합적으로 판단해야 한다고 한다.

2014년『산부인과 진료가이드라인: 산과 편 2014』에 따르면 임신고혈압신증 산모에서 임신 37주 이전에 조기분만을 고려하는 경우로는, ① 조절되지 않는 고도 고혈압(180/110mmHg 내외), ② 현저한 체중 증가(>3.0kg/주), ③ 요단백 증가(>5.0g/일) 혹은 단백질/크레아티닌비 증가(>5.0), ④ non-stress test(NST), biophysical profile score(BPS), 탯줄동맥혈류속도검사에서 태아안녕의 의심, ⑤ 태아 발육이 2주 이상 정지, ⑥ 혈소판 수 감소 추세가 뚜렷해지고 있음과 동시에 아래 중 어느 하나가 있는 경우: 혈소판 수<10만/μL, 혹은 AST/LDH의 이상치 출현, ⑦ 안티트롬빈 활성 감소 추세가 뚜렷해지고 있고 다음 중 어느 하나가이 있는 경우: 안티트롬빈 활성<60%, 혹은 AST/LDH의 이상 수치이다.[14]

만성신장염, 신증후군 환자가 임신한 경우 반드시 따라야하는 골드 스탠다드는 없다. 혈압, 신기능, 체중, 혈액검사결과 등의 추이에 주의하면서 식이조절을 하고, 고혈압이 있으면 산과의사 및 내과의사와 충분히 상의한 후 혈압을 조절해야한다.

참고문헌

1） 荒川正昭. "糸球体腎炎". 新臨床内科学. 第8版. 高久史磨ほか監. 東京, 医学書院, 2002, 1336-42.

2） 腎炎・ネフローゼ患者の生活指導指針：第30回日本腎臓学会総会記念刊行書. 発行人；宮原正. 1987.

3） 小林正貴ほか. 糸球体腎炎患者の妊娠管理. 腎と透析. 59(5), 2005, 834-8.

4） Studd, JW., Blainey, JD. Pregnancy and nephritic syndrome. Br. Med. J. 1, 1969, 276-80.

5） Rosenbaum, AL. et al. Neuropsychogenic outcome of children whose mothers had proteinuria during pregnancy. Obstet. Gynecol. 33, 1969, 118-23.

6） Davison, JM., Baylis, C. "Pregnancy in patients with undering renal disease". Oxford Textbook of Clinical Nephrology. 3rd ed. Davison, JM. et al. eds. Oxford, Oxford University Press, 2004, 2243-59.

7） 阿部信一. 腎疾患合併妊娠の食事指導. 周産期医学. 22, 1992, 112-6.

8） Kopple, JD. "Chronic renal failure". Textbook of nephrology. 2nd ed. Massry, SG., Glassock, RJ. eds. Baltimore, Williams & Wilkins, 1989, 1334-58.

9） Brenner, BM. et al. Dietary protein intake and the progressive nature of kidney disease：the role of hemodynamically mediated glomerular injury in the pathogenesis of progressive glomerular sclerosis in aging, renal ablation, and intrinsic renal disease. N. Engl. J. Med. 307(11), 1982, 652-9.

10） Jungers, P., Chauveau, D. Pregnancy in renal disease. Kidney International. 52, 1997, 871-85.

11） 出浦照國. 食塩と妊娠中毒症. 産婦人科の実際. 51(6), 2002, 847-52.

12） Ferrazzani, S. et al. Proteinuria and outcome of 444 pregnancies complicated by hypertension. Am. J. Obstet. Gynecol. 162, 1990, 366-71.

13） Chua, S., Redman, CWG. Prognosis for pre-eclampsia complicated by 5g or more of proteinuria in 24 hours. Eur. J. Obstet. Gynecol. Reprod. Biol. 43, 1992, 9-12.

14） 日本産科婦人科学会・日本産婦人科医会 編集・監修. 産婦人科診療ガイドライン：産科編2014. 2014, 168.

≫ 山本樹生

간·담도계 질환

간은 임신 및 분만에 따라 생리적 변화가 생길 수 있는 장기로, 간기능 평가는 이러한 변화를 고려해 신중히 수행해야 한다. 임신 중 간질환은 임신 자체에 의한 질환, 임신에 합병한 질환, 임신 전부터 가졌던 간질환 등 그 원인에 따라 여러 가지 병태를 생각할 수 있다. 이러한 임신 중 간질환으로는 임신성 급성지방간(acute fatty liver of pregnancy ; AFLP), 중증 임신성고혈압증후군을 동반한 간질환 등 분만이 종료됨으로써 증상이 나아지는 것이 있다. 또 임신 중 발생한 급성 바이러스성 간염, 약제성 간질환, 자가면역성 간염, 담석·담낭염, 간경화 합병임신 등 산모·태아를 모두 염두에 둔 관리가 필요한 질환도 있다. 간질환이라 해도 그 원인이 다양하고 임신에 따른 생리적인 변화를 충분히 이해한 후 각각의 질환에 대해 신속하고 올바른 진단에 도달하는 것이 중요하다.

임신오조

임신 초기에는 임신오조에 있어서 간기능 이상(혈중 트랜스아밀라아제 상승, 고빌리루빈 혈증)이 확인될 수 있지만, 병적 의미는 적을 것으로 생각된다. 또, 혈중 트랜스아밀라아제 수치는 200U/L 이하인 것이 많고, 입덧 증상이 조금 나아짐과 동시에 혈액 데이터도 정상화한다.

바이러스성 간염

최근 위생환경의 향상에 의해 선진국에서는 활동성 바이러스성 간염의 발병이 감소하여 왔다. 현 시점에서 밝혀진 바이러스성 간염은 5종류 이상으로 A형, B형, C형, D형, E형 간염 바이러스 등이 알려졌으며, B형 이외는 RNA바이러스이다. 간염의 주체는 바이러스 자체의 독성이 아닌 면역반응이 간세포사망에 관여하고 있는 것이 알려져 오고 있다.

불현성 감염이 많지만 첫 증상은 황달에 앞서 나타나는 구토, 메스꺼움, 두통, 심한 무력감 등이 있다. 대다수의 증례에서 혈중 트랜스아밀라아제 수치는 수백에서 수천 U/L의 머무는 경우가 많고, 황달 출현시기가 최고점이 된다. 바이러스성 간염에 이환한 환자를 진찰할 때는 장갑을 착용한 후 분비물, 오물을 처리한다. 특히 혈액으로 감염되는 B형, C형 간염 바이러스 감염 환자에 대해서는 수술용 장갑을 이중으로 하는 등의 주의가 필요하다. 의료종사자의 이차감염 예방을 위해서 B형간염 예방접종이 권장되고 있다. 급성 바이러스성 간염으로 인한 사망률은 0.1% 정도이며, AFLP와 같은 증상으로 급성 전격화되어서 간괴사가 일어나면 사망할 수 있다. 간성혼수가 발병하는 경우에는 사망률이 높아진다.

A형간염

일반적으로 대변 등의 오물에서 경구로 전파 및 감염된다. 4주간의 잠복기 후에 발병하는 증상은 다양하며, 황달을 동반하지 않는 사례도 많다. 혈청학적으로는 감염 후 수개월은 지속적으로 IgM 항체가 검출되므로 이로 감염 여부를 확인한다. 그 후는 IgG 항체 우위가 되어 평생면역이 된다. 1994년부터 불활성화 A형간염 백신이 도입되어, 3회 접종으로 거의 100%의 항체 보유율을 갖게되었다. 개발도상국에는 A형간염 백신 접종이 권장되어 있다.

임신부가 A형간염에 이환되었을 때에는 특별한 치료가 필요 없고, 안정 및 고단백 음식을 섭취함으로써 조절가능하다. 또한 A형간염에 의한 태아기형의 보고는 없으며 수직감염 사례도 매우 드물다.

B형간염

B형간염 바이러스(Hepatitis B virus ; HBV)는 DNA바이러스로, 급성간염 또는 급성감염 후 10%의 증례에서 만성간염으로 진행하면서 간경화 및 간세포암이 유발되는 것으로 알려져있다. B형간염의 감염 상태는 HBs항원, HBc항원, HBe항원과 그 항체의 조합을 측정하는 것으로 분류된다. HBV는 기본적으로 혈액을 매개로 감염되기 때문에 의료종사자, 마약상용자, 동성애자에게서 감염되는 사례가 많으며, 확률은 적지만 성행위 시 노출된 타액, 점액으로부터 감염되는 경우도 있어 주의가 필요하다. 따라서 HIV (human immunodeficiency virus)와의 혼합감염 사례도 많다고 여겨진다. HBV의 감염예방대책이 충실해진 결과, 의료종사자의 수평감염이 적어졌으며, 또한 1986년이후로 HBV의 수직감염 예방 대책도 내실화되어 의료기관에서의 수평·수직감염은 거의 사라지고 있다.

A형간염과 마찬가지로 급성 B형간염은 임신이 예후에 영향을 미치지는 않는다고 알려져있고 보존적 치료를 할 수 있다. 임신 초기에 산전검사로 B형간염의 감염유무를 확인하면서 발견되는 경우가 많고, 혈액검사상 양성인 임신부의 대부분은 무증상의 만성 감염 사례이다. 자궁내감염

사례에 대한 보고가 적어서, 양수나 제대 혈중에서 HBV가 확인되는 경우는 적다. 수직감염은 분만 시 산모의 혈액이나 모유 수유 과정에서 발생한다고 생각된다.

■ B형간염 수직(신생아)감염 방지 대책

B형간염 수직감염 예방법이 변경되었으므로 주의한다. 우선 HBs 항원 양성 임신부의 HBe 항원 검사를 통해 수직감염 위험성 파악 및 산모의 건강관리를 실시한다. 다음으로 출생 직후(12시간 이내를 기준)의 신생아에게 항-HBs 면역글로불린(HBIG)과 B형간염 백신(HB백신)을 주사하고, 생후 1개월과 6개월에 HB백신을 추가로 접종한다. 이후 생후 7개월에 아이의 HBs 항원 검사, HBs 항체 검사를 실시한다. HBs 항원 양성일 경우 예방조치의 실패, HBs 항체 양성은 예방조치 성공으로 판단한다. 모유에 관해서는 모유 수유를 시행한 아기와 시행하지 않은 아기 사이에 보균자 발생률의 차이가 없어 모유 영양을 금할 필요는 없다.[1]

C형간염

C형간염 바이러스는 RNA 바이러스이며, 주된 감염 경로는 B형간염과 같이 혈액감염이다. HCV 항체검사와 바이러스 RNA 검사가 있는데, 스크리닝 검사에서는 항체검사가 사용된다. HCV 항체가 양성이면 간기능검사 및 RNA 검사를 시행해, 간 손상 및 바이러스의 활동성에 대해 검토한다. HCV 항체 양성자는 만성 환자일 가능성이 높기 때문에 분만 후의 추적관찰을 고려하여 소화기내과 협진이 바람직하다. 임신 중 C형간염에 이환된 경우에 치료는 기본적으로는 비임신시와 동일하며, 간기능 검사의 변화도 임신에 의한 영향은 없다고 생각된다.

C형간염의 모자 간 수직 감염률은 3~6%정도로 보고되고 있다. 수유에 의한 명백한 감염률 상승은 보고되지 않기 때문에 수유를 제한할 필요는 없다. C형간염은 B형간염과 같은 유효한 수직감염 예방법은 없기 때문에 미국의 CDC에서는 출생 전 산모 혈중 HCV 항체검사를 권장하고 있지 않지만, 실제로는 분만 시 감염예방 대책으로 스크리닝 검사에 포함되는 경우가 많다.

자가면역성 간염

자가면역성 간염은 자가면역 기전에 의해 간세포가 손상되어 생기는 만성 질환으로, 이미 알고 있는 간염바이러스, 알콜, 약물로 인한 간 손상 및 다른 면역 질환에 의한 간질환은 제외된다. 2005년에 실시된 일본의 전국 역학 조사에 의하면, 환자 수는 약 1만 명이었지만 최근 증가 추세다. 일반적으로 중년 이후의 여자에게 발병하는 경우가 많지만 젊은이에게도 발생할 수 있다.

자가면역성 간염에 걸린 여성들은 활동성 간염에 의한 무배란이 원인으로 의심되는 불임 증세를 많이 보였다. 그러나 코르티코스테로이드나 아자티오프린을 이용한 치료에 의해 임신이 가능해지는 증례가 증가하고 있다. 많은 자가면역성 간염 환자들은 임신 중에 질병의 진행이 안정되지만, 환자의 약 10~20%는 임신 중에, 약 10~50%는 출산 후(특히 출산 후 3개월 이내)에 재발 또는 악화가 보이기 때문에 주의를 요한다.[2]

담석·담낭염

임신 시에는 에스트로겐의 증가에 의해 콜레스테롤 분비가 늘어나고, 프로게스테론 증가에 의해 담즙 배설이 줄어들며, 자궁크기가 증가하면서 물리적 압박에 의해 담석이 형성되기 쉽다. 담석·담낭염의 증상은 우상복부 통증이 전형적이며, HELLP증후군, 급성 임신성 지방간, 태반조기박리, 자궁파열, 자궁내감염 등의 산과 질환이나 충수염, 위식도역류, 위십이지장궤양, 간염, 폐렴 등 내과 질환과의 감별에 유의할 필요가 있다.

담석증 합병 임신의 관리로는 일반적으로 무증상의 경우 경과 관찰, 유증상 시에는 보존적 치료와 수술 요법이 고려된다. 보존적 치료에서는 저지방식과 진경제, 진통제, 항균제를 투여한다. 임신 중 발병할 경우에는 보존적 치료를 선택하는 경우가 많고 치료 효과도 73%로 높지만, 임신 기간 중 재발도 38~70%로 많고, 재발 시에는 급성담낭염, 총담관결석증, 췌장염으로 진행되어 중증이 되는 경우도 많다. 수술적 치료로는 담낭적출술, 십이지장유두괄약근절제술, 결석제거술이 대표적이다. 보존적 치료로 호전되지 않거나 급성담낭염, 총담관결석증, 담석에 의한 급성췌장염, 폐색성 황달 등의 경우에는 임신 중이라도 수술의 적응증이 된다. 담석에 의한 급성담낭염은 수술을 요하는 임산부의 급성복통 중에서 충수염 다음으로 많은 질환이므로 주의해야 한다.

담석이 확인된 임신부에서는 주로 보존적 치료가 주류를 이루지만, 재발률이 높고 재발 시 중증으로 발전할 수 있다는 점, 복강경 수술 등 최소침습 수술로 비교적 안전하게 수술이 가능하다는 점 때문에, 임신 중기에 수술을 시행하거나 또는 수술적 치료를 첫번째 선택으로 삼겠다는 견해도 있다. 담석증 합병 임신 관리에서는 수술 요법의 시기를 놓치지 않는 것이 중요하다.[3,4]

만성간염

만성간염은 다양한 원인에 의한 간염이 간세포의 괴사나 섬유화를 일으키는 것으로, 간경화, 간부전으로 진행될 수 있다. 최근에는 만성 바이러스성 간염에 대하여 치료법이 좋아지면서 약 1/3의 증례에서 치료가 가능해졌다. 주된 치료법은 인터페론과 핵산이 조합된 것으로, 잇따라 새로운 항바이러스 요법이 보고되고 있다.[5] 또한 자가면역성 간염에 대해서도 각종 면역억제제 투여에 의해 예후가 개선되고 있다. 일반적으로 가임기의 젊은 여성의 경우, 간기능 장애의 정도가 경증인 경우가 많기 때문에, 임신 중에 만성간염이 문제가 되는 경우는 적다. 하지만 중증의 만성간염 환자의 경우 문맥압항진증 및 식도정맥류가 문제되는 경우도 있기 때문에, 일반적인 관리에서는 출산에 앞서 치료를 진행한다. 임신 중 항바이러스 치료는 안전성이 확인되지 않아, 투여하는 경우가 드물다.

간경화

간경화는 간실질의 비가역적 섬유화나 결절성 병변을 동반하는 간기능 장애를 특징으로 하며 알코올성 간경화가 많다. 그러나 젊은 여성에서 임신 중 간경화가 발생한 경우에는 B형간염이나 C형간염이 원인이 되는 경우가 많다. 일반적인 간경화의 증상은 황달, 부종, 혈액응고장애, 대사이상, 비장비대, 식도정맥류를 동반한 문맥압항진증이다. 또한 간경화에 의해 임신이 어려워지는 경우가 많으며 임신한 증례에서는 예후가 불량하다. 간경화 합병 임신 사례에 있어서는 조산이나 자궁내성장제한, 간부전, 식도정맥류 파열에 따른 모성사망이 증가할 수 있다.

문맥압항진증(식도정맥류)

식도정맥류를 동반한 문맥압항진증은 일반적으로 간경화 또는 간 외 문맥폐색증에 의해 발생한다고 여겨지며, 젊은 여성의 발생빈도는 임산부와 비임산부가 비슷하다. 분문부 상부의 식도정맥류 파열이 치명적이며, 한번 출혈한 환자의 30~80%는 1년 이내에 재출혈 등으로 사망하는 것으로 알려졌다. 식도정맥류 출혈로 인한 사망은 임산부 사망의 주요 원인 중 하나이며, 특히 간경변에 따른 출혈은 치사율이 높은 것으로 알려져 있다. 약물치료로는 문맥압을 낮추어 출혈 위험을 감소시키기 위해 베타 차단제를 사용하며, 내시경 하의 정맥류 결찰 또는 경화 요법이 권장된다. 또한 영상유도하의 간내문맥의 일체순환 스텐트 유치, 단락 유치술도 유효하다고 보고되고 있다.

참고문헌

1） 日本産科婦人科学会・日本産婦人科医会　編集・監修．“CQ606 妊娠中にHBs抗原陽性が判明した場合は？”．産婦人科診療ガイドライン産科編2014. 2014, 308-10.

2） 厚生労働省難治性疾患克服研究「難治性の肝・胆道疾患に関する調査研究」班．自己免疫性肝炎（AIH）の診療ガイドライン（2013年）．2014.

3） Brooks, DC. "Gallstones in pregnancy". UpToDate. 2014.

4） Date, RS. et al. A review of the management of gallstone disease and its complications in pregnancy. Am. J. Surg. 196(4), 2008, 599-608.

5） Cunningham, FG. et al. eds. "Hepatic Disorders". Williams Obstetrics. 24th ed. New York, McGraw-Hill, 2014, 1084-95.

≫ 落合大吾, 田中　守

폐혈전색전증

정의 · 병인 · 빈도

1. 정의

폐색전증(pulmonary embolism ; PE)은 정맥계에서 형성된 혈전, 지방, 공기 혹은 양수 중의 태아성분 등이 혈류를 타고 폐동맥을 폐쇄하는 급성 및 만성 폐순환장애를 말한다. 이 중 대부분은 심부정맥혈전(deep vein thrombosis ; DVT)에 의한 폐혈전색전증(pulmonary thromboembolism ; PTE)이다.

2. 병인

혈전의 생성에는 혈액응고기능의 항진 · 혈류의 정체 · 혈관내피의 손상이 중요한 인자로 작용한다(virchow's triad). 임신 중에는 ① 임신에 따른 혈액응고기능의 항진 및 혈소판 활성화, ② 커진 자궁에 의한 하대정맥, 장골정맥 압박에 따른 혈류의 정체, ③ 질식 분만 또는 제왕절개술에 의한 혈관벽의 손상이라는 세 인자가 모두 다 갖추어져 있다. 특히 제왕절개술의 경우는, 침습적인 수술에 의하여 혈액응고가 더욱 촉진되고, 혈액 농축에 따른 혈액 점성 증가 및 침상안정에 의한 혈액 정체, 총장골정맥영역 혈관 손상 등의 이유로 PTE가 더욱 발생하기 쉽다.

3. 발생빈도

미국에서는 기름진 식생활과 높은 비만율 때문에 임산부의 혈전증 발생빈도가 일본보다 높다. 그러나 일본에서도 최근 식생활이 서구화되면서 비만, 당뇨병을 동반한 임산부가 많아지고 있으며 혈전증 발생도 증가추세이다.

산과에서는 DVT의 약 4~5%가 PTE로 연결된다고 알려져 있다. 한편, PTE의 90%이상은 하지 심부정맥 혈전에 기인한 것으로 되어 있다. PTE는 발생하였을 때 아무런 치료를 하지 않으면 18~30%가 사망할 수 있으며, 예로부터 미국, 영국, 스웨덴 등 구미에서는 임산부 사망률의 1위를 차지하고 있다.

「모자 보건의 주요한 통계」에 의하면, 일본에서도 양수색전증도 포함한 산과적 폐색전증의 모성사망률이 차지하는 비율은 1995년도에는 23.5%로 임산부 사망의 직접적인 원인 1위를 차지하였다.

그러나 일본산부인과의사회의 임산부 사망 보고 사업에 따르면 2010~2013년 사망한 임산부 중 원인이 밝혀진 146 사례에서 그 원인으로 산과적 출혈 26%, 뇌출혈 및 뇌경색 18%, 양수색전증 13%에 이어서 폐혈전색전증이 7%를 차지하였다. 사망 원인 중 산과적 출혈과 폐혈전색전증은 감소 경향에 있다고 보고했다(http://wwww.jaog.or.jp/all/document/80_141015_b.pdf).

2003년 일본마취과학회의 설문조사에 따르면 대상 환자 837,540 사례 중 369 사례(0.04%)에서 PTE이 발병하고, 그 중 66 사례(17.9%)가 사망했다. 발병수가 많은 과는 성형외과, 소화기외과, 산부인과 순이라고 보고되고 있다.[1]

일본산부인과신생아혈액학회 사업에서 조사한 1991년부터 2000년의 PTE의 발생 수는 산과 영역에서 76 사례로 전체 질식 분만 수의 0.02%(76/436,084)였고 그 중 10명(13.2%)은 사망하였다. 발병 시기는 임신 중이 17 사례(22.4%), 산욕기가 59 사례(77.6%)였다. 분만 후 발병한 59 사례의 내역을 보면, 질식분만에서는 0.003%(9/348,702), 제왕절개술에서는 0.06%(50/87,382)로, 질식분만에 비해 제왕절개술에서 약 22배 많이 발생하였다. 임신 중의 발병 사례에서는 임신 15주미만 8 사례(47%), 임신 25주 이후가 9 사례(53%)였으며 15~25주 사이에는 발병이 없었다. 산욕기 발병 사례에서는, 분만 첫 날 발생이 23 사례(39%)로 가장 많고 3일째까지 54 사례(92%)의 발병을 보였으며, 8일째 이후 발병은 나타나지 않았다.[2]

임상증상

PTE로 가장 많은 증상은 돌발적으로 발생하는 가슴통증과 호흡곤란이지만, 가벼운 흉통, 기침에서부터 객혈이나 쇼크를 동반한 실신까지 다양하다. 발병시기는 수술 중이나 수술 직후에 갑자기 발생할 수도 있지만, 가장 빈도가 높은 때는 수술 후 1~2일 보행을 시작할 때이다. 특히, 침상에서의 체위변환, 보행개시, 배변, 배뇨 등이 유발원인이 되는 경우가 많기 때문에, 이러한 동작 시에는 주의가 필요하다.

진단

1. 혈액 가스

폐동맥 압력이 상승하여 PaO_2의 저하와 과호흡으로 인한 $PaCO_2$의 저하가 특징적이다. PTE가 의심된다면 맥박산소측정기가 유용하다. SpO_2가 90% 이하이면 위험 신호이다. SpO_2 90%는 PaO_2 60mmHg에 해당한다. SpO_2가 95% 이하인 경우는 정밀 조사가 필요하다. 또한 D-dimer값이 음성(0.5μg/mL 미만)의 경우에는 혈전증은 가능성이 낮다.

2. 심전도

가장 흔하게 보이는 소견은 빈맥이다. 환자의 약 40%에서는 비특이적 T파 역위가 관찰되며 우심부하 소견으로서 우심실 비대, 폐성 P파, 우축편위, 불완전우각차단(incomplete right bundle block, RBBB) 등의 소견도 확인될 수 있다.

3. 조영CT스캔

혈전이 폐동맥의 근위부에 있을 때는 음영 결손으로 나타나 확정 진단된다. 그러나 원위부 쪽의 작은 혈전색전은 진단하기가 어렵다.

다른 폐질환을 감별할 수 있기 때문에 섬광조영술(scintigraphy) 보다 먼저 검사하는 경우가 많다.

4. 폐환기/관류스캔(pulmonary venilation/perfusion scan)

폐환기스캔에서는 정상, 폐관류스캔에 결손으로 환기관류불균형이 확인된 경우 PTE을 의심한다.

5. 폐동맥조영술

상기의 방법으로 확진이 어렵거나 수술 요법이 필요할 경우 시행한다.

치료

항응고요법 대해서 표 1에 나타내다.

표 1. 항응고요법

약제명	용법·용량	모니터링	부작용	그외
와파린칼륨	초회 20~40mg 유지량 3~5mg/일	프로트롬빈 시간(PTT): 정상의 2.5~3배 트롬빈시간(TT): 15%정도	출혈경향 출형경향이 인지된 경우, 비타민k를 50mg 근육주사	임신 초기에 투여할 경우, 약물에 노출된 태아의 20~30%에 fetal warfarin syndrome. 임신 후기에 노출되었을 경우, 분만시에 태아두개강내출혈을 초래하는 경우가 있음.
미분획화 헤파린	10,000~15,000 단위을 정맥주사 그 후 1,000단위/시간을 7~14일간 지속주입	활성화부분트롬보플라스틴시간(aPTT): 정상의 1.5~2배	출혈경향, 혈소판 감소증, 과민증, 골다공증	태반 통과성이 거의 없다.

혈전색전증의 예방법

일본혈전지혈학회의 예방지침[3]을 아래에 서술하였다.

1. 정맥혈전색전증 예방법

1) 조기보행 및 적극적인 운동

정맥혈전색전증 예방의 기본이 된다. 어쩔 수 없이 자리에 누워있어야 하는 상황에서는 이른 아침부터 하지의 운동이나 마사지를 하고, 조기보행을 목표로 한다.

2) 압박스타킹

일반적인 환자에게는 정맥혈전색전증의 유의한 예방효과를 인정하지만, 고위험 이상의 환자에서는 단독 사용으로 효과가 약하다. 발목이 16~20mmHg의 압박 압력으로, 사이즈가 잘 맞는 탄성 스타킹을 사용한다. 긴양말의 형태가 스타킹 형태보다 착용이 용이하고 불편감이 적어 더 권장된다.

3) 간헐적 공기압박법

고위험도의 환자에게도 효과적이고, 특히 출혈 위험이 높은 경우에 유용하다. 원칙적으로 수술 전이나 수술 중에 장착하기 시작한다.

4) 저용량 미분획화 헤파린

8시간 혹은 12시간마다 미분획화 헤파린 5,000단위를 피하 주사하는 방법이다. 고위험군은 단독으로 사용하는 것이 유효하지만, 최고위험군은 다른 예방법과 함께 사용된다. 척추 마취와 경막 외 마취의 전후에 사용하는 경우에는 미분획화 헤파린 2,500단위 피하 주사(8시간 또는 12시간마다)로 감량할 수 있다. 시작시기는 위험인자의 종류나 강도에 따라 다르지만, 출혈의 경우 합병증에 충분히 주의 그리고 가능하면 수술 후가 적절하다. 출혈성 합병증의 위험성이 낮아지고 나서 시작한다. 일반적으로 응고 기능의 모니터링은 필요되지 않으며, 간편하고 저렴하고 안전한 방법이다. 그러나 출혈의 위험이 염려되는 경우에는, 충분히 응고기능을 평가하면서 사용한다. 항응고 요법에 의한 예방은 적어도 보행이 충분히 가능해질 때까지 계속한다.

5) 용량 조절 미분획화 헤파린

aPTT(활성화부분트롬보플라스틴시간)의 정상치 상한을 목표로 미분획화 헤파린의 투여량을 조절하여, 항응고작용의 효과를 보다 확실하게 하는 방법이다. 처음에 약 3,500단위의 미분획화 헤파린를 피하주사하고 투여 4시간 후 aPTT가 목표치가 될 수 있도록, 8시간마다 미분획화 헤파린을 이전 투여량의 ±500단위로 피하주사한다. 복잡한 방법이지만 최고위험군 환자에게 단독 사용으로 효과가 있다. 합병증에 있어 가장 중요한 것은 출혈이다. 대부분의 출혈은 미분획화 헤파린의 중지와 국소 압박 및 적당한 수혈로 대응이 가능하다. 그러나 생명을 위협할 우려가 있는 출혈의 경우, 프로타민황산염을 투여하여 미분획화 헤파린 효과를 중화시킬 필요가 있다.

6) 용량 조절 와파린칼륨

와파린칼륨을 복용하여, PT-INR(프로 트롬빈 시간 국제 표준 비율)가 1.5~2.5가 되도록 조절하는 방법이다. 와파린칼륨 복용 시작부터 효과의 발현까지 3~5일을 필요로 하기 때문에, 수술 전부터 투여를 시작하거나 복용 초기에는 다른 예방법을 병용하기도 한다. PT-INR의 감시가 필요하다는 단점이 있지만, 최고 위험군에도 단독으로 효과가 있고, 저렴하며 경구약이라는 이점을 가진다.

와파린칼륨의 가장 중요한 합병증은 생명을 위협하는 출혈로 PT-INR이 연장된 경우에는 혈장 수혈을 통해 응고인자의 결손을 즉각 교정하고, 비타민 K 10~25mg을 정맥 주사한다. 그러나 임신 중에는 금기이다.

7) 저분자량 헤파린 및 Xa억제제(표 2)

저분자량 헤파린(에녹사파린나트륨)이나 Xa억제제(폰다파리눅스나트륨) 등의 항응고제는 작용에 개인차가 적어 하루 1~2회 피하주사하면 되고 모니터링이 필요 없기 때문에 간편하게 사용 가능하다.

2. 산과 영역에서의 정맥혈전색전증의 예방[3] (표 3)

1) 정맥혈전색전증의 가족력·기왕력, 항인지질항체 양성, 비만, 고령임신, 제왕절개술 후, 장기간의 침상안정 태반조기박리, 현저한 하지정맥류 등은 고위험 인자로 여겨진다.

2) 임신오조, 난소과자극증후군, 절박유산, 조산, 중증 임신고혈압증후군, 전치태반, 다태임신 등으로 침상안정 중인 임신부에게는 침대 위에서 하지 운동을 적극 권하지만, 절대 안정적이나 적극적으로 운동을 제한할 수 밖에 없을 경우에는 압박스타킹 착용이나 간헐적인 공기압박법을 시행한다.

3) 장기간의 침상안정 후에 제왕절개술을 실시하는 경우에는 수술 전에 정맥혈전색전증 스크리닝을 고려한다.

4) 정맥혈전색전증의 과거력 및 혈전성 소인을 가진 임산부에 대해서는 임신 초기부터 예방적 약물 요법이 바람직하다. 미분획화 헤파린 5,000단위 피하주사를 하루 2번 투여하며, 와파린칼륨

표 2. 항응고약 비교

	미분획화 헤파린	저분자량 헤파린 (에녹사파린나트륨)	합성Xa 억제제 (폰다파리눅스나트륨)
분자량	약15,000	약5,000	1,728
항Xa : 항트롬빈활성화	1:1	4.88:1	7,400:1
흡수율(피하투여)	28%	91%	100%
반감기(피하투여)	~1시간	3~7시간	17시간
중화제	프로타민황산염에 의해 중화	프로타민황산염에 의해 최대 60% 중화	없음

표 3. 산과 영역에서 정맥혈전색전증 예방 가이드라인[3]

위험단계	산과 영역	예방법
저위험	정상분만	조기보행 및 적극적인 운동
중위험	제왕절개술(위험군 이외)	압박스타킹 혹은 간헐적 공기압박법
고위험	고연령 비만 임산부의 제왕절개술, (정맥혈전색전증의 기왕 혹은 혈전성 소인있음) 질식분만	간헐적 공기압박법 혹은 저용량 미분획화 헤파린
최고위험	(정맥혈전색전증의 기왕 혹은 혈전성 소인있음) 제왕절개술	(저용량 미분획화 헤파린과 간헐적 공기압박법의 병용) 혹은 (저용량 미분획화 헤파린과 압박스타킹의 병용)

(저용량 미분획화 헤파린과 간헐적 공기압박법의 병용)이나 (저용량 미분획화 헤파린과 압박스타킹의 병용) 대신 용량
조절 미분획화 헤파린이나 용량 조절 와파린칼륨을 선택해도 된다.
**혈전성 소인: 선천적 소인으로서 안티트롬빈결핍증, 단백질C결핍증, 단백질S결핍증 등. 후천성 소인으로서 항인지
　　　　　질항체증후군 등.

은 기형형성 때문에 임신 중에는 원칙적으로 투여하지 않는 편이 좋다.

분만할 때는 진통이 생기면 일단 미분획화 헤파린을 중지하고 분만 후에는 지혈을 확인 후, 최
대한 빨리 미분획화 헤파린을 재개하고, 추후 와파린칼륨으로 전환한다.

기관지천식

정의 · 분류 · 빈도 · 병태

1. 정의

광범위하고 다양한 정도의 기도폐쇄와 기도 염증으로 특징지어진다. 기도의 폐색은 가벼운 정도부
터 생명을 위협하는 정도로 있을 수 있고 가역적이다. 기도 염증은 림프구, 비만세포, 호산구 등의 많은

염증 세포가 관여하며, 여러가지 자극에 대한 기도의 반응성을 항진시키고 기도점막상피의 손상을 야기한다(일본 알레르기 학회 「알레르기 질환 치료 가이드라인」, 1993).

2. 분류

원인 알레르기항원이 확실한 외인형과 불분명한 내인형으로 분류된다.

3. 빈도

ATD-DLD (American Thoracic Society for Division of Lung Diseases)에 의하면 소아에게 6.4%, 성인에서 3.0%로 알려졌는데, 최근 증가 추세이다.[1~3] 이에 대한 원인은 대기 오염, 과잉 영양, 식품 첨가물 문제가 원인으로 거론된다. 천식 합병 임산부의 빈도는 미국에서는 1~4%이고 일본도 비슷한 빈도이다.

4. 병태

꽃가루, 진드기 등의 알레르기 항원을 흡입하면 30분 이내에 기도의 수축 반응이 유발된다. 비만세포 및 호염기구의 세포막에 존재하는 IgE 수용체 Fcε RII에는 IgE항체가 결합되어 있다. 이 IgE항체가 특정 알레르기 항원과 결합하면, 비만세포 및 호염기구의 세포 내에 자극이 전해져 탈과립이 일어나고 이에 의해 화학전달물질 히스타민, 세로토닌 등이 방출되어 기관지 평활근의 수축, 혈관투과성 증가로 부종, 분비물의 증가가 생긴다. 새로 합성된 화학전달물질인 류코트리엔, 트롬복산도 평활근의 수축을 일으킨다.

■ 임신이 천식에 미치는 영향

천식 환자가 임신을 하면 증상의 악화, 불변, 개선이 각각 1/3씩 나타난다. 임신 중 천식이 조금 나아질 수 있는 인자로는 프로게스테론의 기관지 확장 작용, 에스트로겐 또는 프로게스테론을 통한 β 수용체 증강 작용, 순환혈류 중 히스타민분해효소의 증가로 인한 혈중 히스타민 감소 등이 추측된다. 한편으로, 악화 인자로서는 프로게스테론, 알도스테론 등이 글루코코르티코이드의 수용체에 경쟁적인 방해로 작용하는 경우나, 프로스타글란딘 $F_2\alpha$에 의한 기관지 수축 작용, 임신 중 스트레스의 증가 등이 추측되고 있다. 그러나 임신 중에 증상이 나아지거나 나빠질 것을 예측하는 것은 어렵다.

진단

과거력 등의 병력 청취가 중요하다. 임상증상으로는 호흡곤란, 천명, 새벽 혹은 밤에 나타나는 기침이 특징이다.

■ 검사소견

발작 시에는 혈액가스 검사가 중요하다. 특히 PO$_2$≦60mmHg인 경우 태아가 위험하다. 말초혈액검사에서 호산구의 증가가 보여질 수 있다. 치료 효능을 판정하는 데는 호흡검사(폐활량측정)가 도움이 된다. 특히 최대날숨유량(peak expiratory flow ; PEF)또는 일초율이 효과적이다.

관리와 치료

전미천식교육 및 예방프로그램(National Asthma Education and Prevention Program ; NAEP)에 의하면 환자교육, 천식 유발물질 회피, 약물요법, 호흡기능의 객관적 평가와 태아안녕평가가 중요하다.

아래에서 주된 약물 요법에 대해 설명하겠다.

1. 치료 약

대부분의 천식 치료제는 태아기형을 유발하지 않는 것으로 알려져있다.

1) 스테로이드

천식 치료에 있어 가장 효과적인 항염증제이다. 작용 기전으로는 ① 염증세포의 폐·기도 내의 침투를 억제하며 나아가 염증 세포 자체의 이동 및 활성화를 억제하는 것, ② 혈관의 투과성을 억제하는 것, ③ 기도의 분비를 억제하는 것, ④ 기도과민성을 억제하는 것, ⑤ 사이토카인의 생성을 억제하는 것, ⑥ β$_2$자극제의 작용을 촉진하는 것, ⑦ 비만세포 등에서 아라키돈산의 대사를 저해하고, 류코트리엔 및 프로스타글란딘의 생성을 억제하는 것을 들고 있다.

동물 실험에서는 전신성 스테로이드약의 대량 투여에 의해 구개열이 발생한다고 보고되고 있지만 사람에 대한 보고는 없다. 또한 프레드니솔론은 태반 통과성이 낮아 임신·수유 중에도 1차 선택 약제가 된다.

2) 테오필린 서방제

작용시간이 긴 서방제 출현 후, 천명이나 호흡 곤란 등의 천식증상을 지속적으로 억제할 수 있는 장기관리 약제로 사용되고 있다. 작용기전은 비특이적인 phosphodiesterase (PDE) 저해작용이다. 경구, 정맥주사약 모두 기형형성 보고는 없으며 임신 중 증상조절에 유용하다. 그러나 테오필린은 유즙으로 분비되며, 유아들은 테오필린 분해 속도가 느리므로, 수유 중에 투여는 주의해야 한다.

3) 지속성 β₂ 작용제

작용 기전은 기관지 평활근의 β₂수용체에 작용해서 기관지 평활근을 이완시키고 섬모운동에 따른 기도 분비액의 분비를 촉진하는 것이다. β₂작용제는 지속성(long acting) 약제 밖에 없으므로 이 약제을 장기적 관리를 위해 사용할 때는 흡입 스테로이드제와 병용할 필요가 있다. 경구·흡입약 모두 기형형성 보고는 없으며 임신 중에도 안전하다고 여겨지고 있다. 첩포(patch) β₂작용제는 새로운 약물 형태이며, 일본과 한국에서만 발매되고 있다. 임신 중의 사용에 대해서는 안전성을 적극적으로 뒷받침할 수 있는 근거는 없지만, 그 성분인 툴로부테롤의 경구약은 안전하다고 여겨지고 있으며, 첩포제제도 문제가 없다고 생각한다.

4) 항알레르기제

Ⅰ형 알레르기 반응에 관여하는 화학전달물질의 유리 및 작용을 조절하는 모든 약제들 및 Th2 사이토카인 억제제를 일괄하여 항알레르기제라 호칭한다. 항알레르기약 중에서는 매개물질의 분비를 차단하는 크로모글리크산나트륨의 안전성은 거의 확립되어 있다. 류코트리엔 수용체 길항제도 동물실험 결과에서는 기형형성에 관해서 거의 문제없다고 되어 있지만, 인간에게도 그렇다는 근거는 충분히 축적되지 않았다. 고전적인 항히스타민약, 비교적 이전 세대 항알레르기약도 기형형성에 관해 거의 문제가 없다고 여겨지지만, 임신 초기의 투여에 관해서는 치료상 유익성이 상회하는 경우에만 한정되어야 한다.

① 류코트리엔 수용체 길항제: 장기적 관리에 있어서, 천식 증상, β₂작용제의 응급사용 회수, 기도 염증, 기도 과민성, 흡입 스테로이드제의 감량, 천식 악화 횟수를 크게 줄일 수 있다.

② 그 외의 항알레르기약: 매개물질분비억제제제, 히스타민 H₁길항제, 트롬복산 A₂ 저해·길항제, Th2사이토카인 억제제

천식발작의 경우 정도에 따라 표 4와 같이 관리한다.[4]

2. 임신 중의 천식 치료

천식발작이 태아 및 산모에게 미치는 위험성을 생각하면, 천식 환자는 임신 중이라도 치료를 지속하는 것이 유익하다. 천식을 가진 산모는 비록 무증상이라도 평소에 발작을 예방하고 호흡기 능을 유지하려는 자세가 필요하며, 천식발작이 일어난 경우 사용할 수 있는 약물을 준비해놓아야 한다(표 5). 이를 위하여 항원을 포함한 악화 인자를 피하고, 심신의 안정을 꾀하고 스트레스를 멀리하는 것이 약물 치료 이상으로 중요하다. 또한 간접 흡연을 포함하여, 흡연은 산모 및 태아에 중대한 영향을 미친다. 환자 본인의 흡연이 안 된다는 것은 당연하지만, 배우자나 주위 사람들도 환자 입장에서의 금연의 필요성을 이해할 필요가 있다. 만약 어느 정도 이상의 발작이 나타나는 경우는, 태아의 저산소혈증을 막기 위해서 산소 흡입이 권장된다.

표 4. 천식발작의 관리방법

발작 정도[b]	호흡곤란	동작	검사치[a]				치료	자택치료가능, 응급외래입원, ICU관리[c]
			PEF	SpO₂	PaO₂	PaCO₂		
천명/가슴이 답답하다	갑자기 괴롭다. 움직이면 괴롭다.	거의 보통	80% 초과	96% 이상	정상	45mmHg 미만	β₂자극제흡인, 응급사용[d] 테오필린 응급사용	자택치료가능
경도 (소발작)	힘들지만 옆으로 누울 수 있다.	점점 곤란					β₂자극제흡인, 응급사용[d] 테오필린 응급사용	자택치료가능
중등도 (중발작)	힘들어 옆으로 누울 수 없다.	꽤 어려워 간신히 걸을 수 있다.	60~80%	91~95%	60mmHg 초과	45mmHg 미만	β₂자극제 네뷸라이저 흡인 반복[e] 에피네프린피하주사[g] 스테로이드제 정맥주사[h] 산소[i] 항콜린제 고려	응급 외래 • 1시간 안에 증세가 개선되면 귀가. • 2~4시간에서 반응 불충분. • 1~2시간에서 반응 없음. 입원치료 → 고도 천식치료
고도 (대발작)	괴로워 움직일 수 없다.	보행불가 대화곤란	60% 미만	90% 이하	60mmHg 이하	45mmHg 이상	에피네프린 피하주사[f] 아미노필린 정맥주사[j] 스테로이드제 정맥주사[h] 산소[k] 항콜린제 고려 β₂자극제 네뷸라이저 흡인 반복[e]	응급 외래 1시간 이내에서 반응 없으면 입원 치료, 악화되면 위중 증상 치료
위중	호흡감쇠 청색증 심정지	대화불가 움직임불가 착란 의식장애	측정 불가	90% 이하	60mmHg 이하	45mmHg 이상	상기의 치료 지속 증상, 호흡기능 악화로 기관삽관[c] 인공호흡 기관지세척[c] 전신마취	즉시입원 ICU관리[c]

a) 기관지확장제 투여 후의 값을 참고 한다.
b) 발작강도는 주로 호흡곤란 정도로 판정하고 다른 항목은 참고사항으로 한다. 천식발작과 다른 증상이 동반되는 경우 발작강도의 무거운 쪽으로 맞춘다.
c) ICU 또는 기관지삽관, 보조호흡, 기관지세척 등의 조치가 가능하며, 혈압, 심전도, 맥박산소측정에 따른 계속적으로 모니터가 가능한 병실로 입원.
d) β₂작용제 흡인 I 1~2 퍼프, 20분 간격 2회 반복. 효과가 없거나 증상악화 경향 시 β₂작용제 1정, 아미노필린 200mg응급사용.
e) β₂작용제 네블라이저 흡입: 20~30분 간격으로 반복한다. 맥박을 130회/분 이하로 유지하도록 모니터 한다.
f) 0.1% 에피네프린: 0.1~0.3ml 피하주사 20~30분 간격으로 반복 가능. 맥박은 130/분 이하에 멈춘다. 허혈성심장질환, 녹내장(개방우각 녹내장은 가능), 갑상선기능항진증에서는 금기, 고혈압의 존재 하에서는 혈압, 심전도 모니터가 필요.
g) 아미노필린 6mg/kg과 등장액 약 200~250mL을 점적 정맥주사, 1/2양을 15분 정도, 남은 양을 45분 정도 투여하며, 중독 증상(두통, 구토기미, 두근거림, 기외수축등)이 출현하면 중지한다. 발작 전에 테오필린이 충분히 투여된 경우는 아미노필린 절반 양 또는 그 이하로 감량한다. 통상 테오필린 복용 환자에게는 가능한 한 혈중 농도를 측정한다.
h) 스테로이드 정맥주사: 하이드로코르티손 200~250mg, 메틸프레드니솔론 40~125mg, 덱사메타존 혹은 베타메타손 4~8mg을 점적 정맥주사한다. 이후 하이드로코르티손 100~200mg또는 메틸프레드니솔론 40~80mg을 필요에 따라 4~6시간마다, 혹은 덱사메타존 혹은 베타메타손 4~8mg을 필요에 따라 6시간마다 점적 정맥주사 또는 프레드니솔론 0.5mg/kg/일 경구한다.
i) 산소 흡입: 코비강 등으로 1~2L/분
j) 아미노필린 지속 점적: 제1회 점적([g]참조)에 이어 지속 점적은 아미노필린 250mg(1병)을 5~7시간에서(약 0.6~0.8mg/kg/시)에 점적하여, 혈중 티오필린 농도가 10~20μg/mL(다만 최대한의 약효를 얻기 위해서는 15~20μg/mL)가 되도록 혈중 농도를 모니터 하고 중독 증상이 출현하면 중지한다.
k) 산소 흡입: PaO₂ 80mmHg전후를 목표로 한다.

표 5. 임신 중의 천식환자에게 사용할 수 있다고 생각되고 있는 약제와 주의점[4]

흡입약
1. 흡입 스테로이드제[a]
2. 흡입 β작용제[b]
3. 크로모글리크산나트륨(DSCG)
4. 흡입 항콜린제[c]
경구약
1. 테오필린 서방정
2. 경구 β_2작용제
3. 경구 스테로이드제[d]
4. 류코트리엔엔 수용체 길항제[5], 이전세대 항알레르기약[e]
5. 항히스타민제[e]
주사약[f]
1. 스테로이드제[d]
2. 아미노필린
기타 첩포 β_2작용제 : 툴로부테롤[g]

a) 인간에 대한 안전성에 대한 근거는 부데소니드가 가장 안전하다.
b) 단시간 작용성 흡입 β_2작용제(SABA)에 비하면, 장시간 작용성 흡입 β_2작용제(LABA)의 안전성에 관한 근거는 아직 적지만, 임신 중의 투여에 대한 안전성은 거의 동등하다고 생각된다.
c) 장기관리약으로 사용되었을 경우 임신에 대한 안전성의 근거는 없고, 천식발작 치료약으로서만 안전성을 인정받고 있다.
d) 프레드니솔론, 메틸프레드니솔론은 태반 통과성이 낮다고 알려져 있다.
e) 임신 중의 투여는 유익성이 상회하는 경우에 한정해야 하지만, 임신을 모르고 복용하고 있었다고 해도 위험성은 적다고 생각되고 있다.
f) 아드레날린 피하주사는 부득이한 때만 한정하며, 일반적으로 임산부에 대해서는 피하는 것이 좋다고 여겨지고 있다.
g) 흡입약, 경구약에 준해 안전하다고 생각되고 있지만 앞으로의 근거 수집이 중요하다.

폐결핵

빈도

세계에서는 사하라 이남의 아프리카·러시아·중국·인도 및 동남아시아의 개발도상국에서 이환율이 현재도 높다. 선진국에서는 감소 경향이다. 일본에서는 19세기 말부터 20세기 초까지 결핵은 국민병으로 불릴 정도로 번져, 인구 10만명 당 사망률이 200을 넘는 상황이었다. 그러나 제2차 세계 대전 전후, 항결핵약의 개발, 영양상태를 비롯한 생활 수준 향상에 따라서 감소했지만(그림 1) (http://www.jata.or.jp/rit/rj/g3rikan05.xls), 다른 선진국들에 비하여 신고율이 높다(그림 2) (http://www.jata.or.jp/rit/ekigaku/toukei/adddata/).

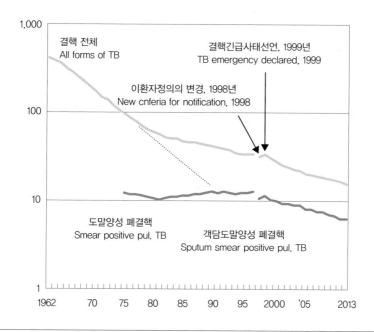

그림 1. 일본 결핵 등록율의 추이(1962년~2013년)

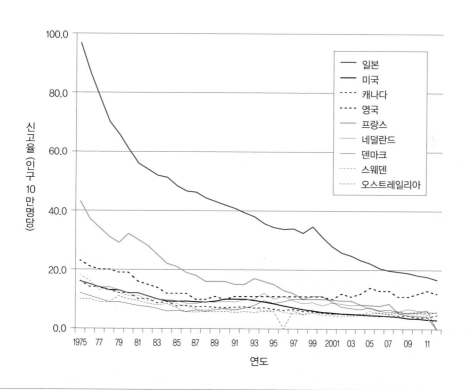

그림 2. 각나라별 결핵 신고율의 연도별 추이

진단

1. 임상 증상

기침, 가래 등의 기도 증상, 특히 기침이 3주 이상 장기화되거나 호흡기 질환, 비결핵성 질환으로 치료를 하고 있어도 효과가 없는 경우 결핵을 의심한다.

2. 검사

  1) 흉부×선 사진, CT검사
  2) 투베르쿨린 반응
  3) 퀸티페론(Quantiferon) 검사
  4) 항산균 검사

  ① 객담도말검사: 신속하게 결핵을 진단하는데 가장 중요하다. 기존에는 Gaffky's scafe 표시로 시행되었으나, 2000년 부터+/−표시로 변경됐다. 또한 Ziehl− Neelsen 염색 대신, 현재는 형광염색법이 사용되고 있다.
  ② 객담배양검사
  ③ 핵산증폭법
  ④ DNA검사

표 6에 투베르쿨린 반응과 퀸티페론의 차이를 정리했다. 표 7에는 항산균 검사법의 의의, 장점, 단점을 정리했다. 그림 3,4에 진단 절차와 마이코박테리아 검사법 적정한 조합을 보여준다.

3. 결핵예방법 폐지

2007년 3월 31일부로 폐지되어 감염증법(BCG에 대해서는 예방 접종법)으로 통합되었다.

치료

환자의 관해는 물론 재발 예방, 다른 사람으로의 전파의 감소를 목적으로 한다.
현재의 첫 번째 치료법은 다제 병용요법이 널리 시행되고 있다.

1. 표준적 방법[1] (INH: 이소니아지드, RFP: 리팜피신, SM: 스트렙토마이신황산염, EB: 에탐부톨염산염, PZA: 피라진아마이드)

  ① 1법: INH+RFP+PZA에 SM(또는 EB)의 4제 병용으로 2개월간 치료 후, INH+RFP(+EB)으로 4개월 치료한다.

표 6. 투베르쿨린반응과 퀀티페론의 차이

검사법	항원	BCG접종의 영향 유무	진단
투베르쿨린반응	PPD(정제투베르쿨린) BCG의 아미노산 배열과 유사	있다.	결핵이 아니어도 양성 가능성 있음.
퀀티페론	ESAT-6/CFP-10 BCG에는 존재하지 않음	없다.	보다 확실한 진단이 가능함.

표 7. 폐결핵 검사방법

검사방법	의의	장점	단점
객담도말검사	진단의 확정	신속한 결과를 얻을 수 있다.	결핵성 또는 비결핵균의 감별은 어렵다. 생균인지, 사균인지 구별도 어렵다.
객담배양검사	활동성 여부	가장 예민한 검사	결과가 나올 때까지 2~3주 필요
핵산증폭법	도말검사 배양검사와 병행하는 보조적 진단법.	비교적 단시간(수시간)으로 결과가 나옴. 비결핵성 항산균도 확인할 수 있다.	균의 양, 균의 생사는 알 수 없다. 감도는 배양법보다 떨어진다. 오래된 결핵에서도 양성이 될 수 있다.
DNA검사	항산균이 검출된 경우 균종동정.	비교적 단시간에 결과가 나옴.	

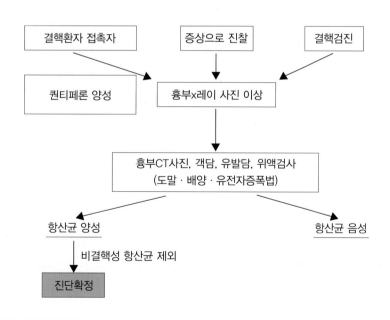

그림 3. 폐결핵 진단 과정

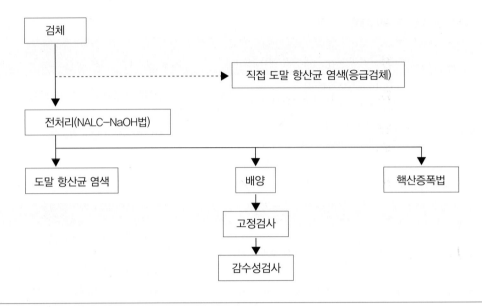

그림 4. **항산균검사의 흐름**

② **2법**: INH+RFP+SM(또는 EB)에서 6개월간 치료 후, INH+RFP (+EB)로 3개월 치료한다.
원칙은, ①을 사용하지만, PZA처리 불가한 경우에 한하여 ②를 이용

2. 치료 효과의 모니터링

결핵균의 음전(최소 매달 1회 객담검사), 흉부 X선 사진 소견의 개선도(최소 3개월에 1회)로 판정한다. 결핵균의 검출이 중요한데 치료 후 3개월 이내의 배양검사에서 음전이 되지 않으면 약이 유효하지 않을 가능성이 커, 감수성 검사를 참조하면서 그 후의 치료방침을 결정한다. 치료 중의 정기검사로서는 객담검사, 흉부 X선 사진(1회/3개월), 적절한 혈액검사를 실시한다.

퇴원 결정은 원칙적으로 다른날 객담도말검사에서 연속 2회 음성, 혹은 배양 음성 확인 후에 결정한다.

3. 약제의 부작용

화학요법 개시 후 2개월은 매월 혈액검사를 실시한다. 발열이나 발진은 어떤 항결핵약이든 발생할 수 있다. 화학요법 시작 7~10일 후 나타나는 발열은 주사제와 RFP에 의한 것이 많고, 3주 안팎의 발열은 내복약에 의한 것이 많다. 아래에는 약물에 따라 특히 주의해야 할 점을 열거하였다.

SM: 청력 검사(1회/월)
EB: 시력 검사(1회/월)

PZA: 간기능, 요산검사(1회/ 2주간), 식욕저하, 권태, 두통, 오심, 구토 등의 증상이 있는 경우는 간장애를 의심하고, 바로 간기능검사를 시행한다.

4. 임신 중의 치료

　항결핵약 치료 원칙인 일본결핵병학회 치료위원회의 의견에 따라 2004년 10월에 결핵치료기준이 개정되었다.

　WHO와 미국흉부학회(ATS)에서는 임산부의 결핵치료는 INH+RFP을 사용하되, INH 내성이 의심되는 경우 또는 중등도의 결핵에서는 EB를 추가하도록 권장하지만, 일본에서는 INH+RFP+EB가 권장된다. INH를 투여할 때는 말초신경장애 예방을 위해 피리독신염산염 50mg/일을 투여한다.

　PZA는 안전성이 담보되지 않아 미국에서는 사용되지 않으며 SM은 태아의 제8신경 장애가 있어 사용은 삼가야 한다.

　임신 중에는, 앞서 언급한 ②법 중 INH+RFP+EB에서 6개월간 치료 후, INH+RFP(+EB)로 3개월 더 치료한다. 2003년의 결핵 치료의 가이드라인에 따르면 치료의 시작 시 객담도말 양성으로 흉부 X선 사진에서 공동이 있으며, 치료 개시 2달 후의 배양검사가 양성이라면 치료를 3개월 연장하도록 한다.[3] 표 8에 투여량을 나타낸다.

　Sinder 등에 따르면 임산부에서 INH+RFP+EB 3제 요법을 사용했을 때 대조군에 비하여 태아의 기형형성에 유의한 차이가 없다고 하였다. 그러나 SM은 대조군에 비하여 유의하게 태아의 제4신경 장애가 높다고 보고하고 있다. 또 극히 드물긴 하지만, RFP에서는, 사지단축증, 저프로트롬빈혈증, 중추 신경장애가 높게 보고되고 있다.[4]

표 8. 임신중 결핵치료의 약제투여량

약제명	약자	표준량 (mg/ kg/ 일)	최대량 (mg/body / 일)
리팜피신	RFP	10	600
이소니아지드	INH	5	300
에탐부톨	EB	15 (25)*	750 (1,500)

*EB는 최초 2개월간은 25mg/kg을 투여하여도 좋다. 단, 3개월 이후도 계속 투여할 경우에는 15mg/kg으로 한다.

5. 수유

미국흉부학회는 항결핵약의 모유로의 이행이 미량으로 부작용이 거의 없다고 보고 수유를 권한다. 그러나 모유를 통한 유아에 대한 예방 효과는 없다.

참고 문헌

1) 黒岩政之ほか. 本邦における周術期肺塞栓症の発症頻度とその特徴：2002年度周術期肺血栓塞栓症発症調査報告第一報. 麻酔. 53, 2004, 454-63.
2) 小林隆夫ほか. 産婦人科領域における深部静脈血栓症／肺血栓塞栓症：1991年から2000年までの調査成績. 日産婦新生児血会誌. 14(2), 2005, 1-24.
3) 肺血栓塞栓症/深部静脈血栓症（静脈血栓塞栓症）予防ガイドライン作成委員会. 肺血栓塞栓症/深部静脈血栓症（静脈血栓塞栓症）予防ガイドライン（ダイジェスト版）. 東京, Medical Front International Limited, 2009.
4) Ferris, BG. Epidemiology standardization project（American Thoracic Society). 2. Recommenderd respiratory disease questionnaires for use with adult and children in epidemiological research. An. Rev. Respir. Dis. 118, 1978, 7-53.
5) 松本一郎ほか. 同一地域, 同一調査法による15年間のアレルギー疾患の変化. アレルギー. 48, 1999, 435-42.
6) Skjonsberg, OH. et al. Prevalence of bronchial asthma in schoolchildren in Oslo Norway：Comparison of data obtained in 1993 and 1981. Allergy. Clin. Immunol. 114, 2004. 40-7.
7) 日本アレルギー学会 喘息ガイドライン専門部会. 喘息予防・管理ガイドライン2012. 東京, 協和企画, 2009, 288p.
8) 日本結核病学会教育委員会. 結核症の基礎知識. 改訂第4版. 2013.
9) 結核・非結核抗酸菌診療ガイドライン（米国胸部学会ガイドライン）. 東京, 医学書院, 2004, 192p.
10) 感染症の診断・治療ガイドライン2004. 日本医師会雑誌. 132(12), 2004, 316.
11) Snider, DE Jr. et al. Treatment of tuberculosis during pregnancy. Am. Rev. Respir. Dis. 122(1), 1980, 65-79.

≫ 前田和寿, 加地　剛, 苛原　稔

h 당뇨병
(내당능장애, 당뇨병케톤산증)

내당능장애를 동반한 임신

개념 · 정의 · 분류 · 병태

임신 중 당 대사의 변화는 극적이다. 그 변화의 기본은 생리적인 인슐린저항성의 항진(인슐린 감수성의 저하)이며, 이 변화는 산모에게 강한 내당 스트레스 시험이 된다. 그렇기 때문에 임신 전에 이미 존재하는 당뇨병은 더 악화되고 또 새로이 임신당뇨병을 진단받는다. 이러한 임신부의 혈당 상태는 산모, 태아, 신생아에게 있어 여러가지 당뇨병성 합병증의 원인이 된다. 일본에서는 2010년에 임신 당뇨병의 새 국제표준진단기준이 도입되어, 임신 중의 내당능장애의 정의와 진단기준을 변경하였다.

1. 정의·분류 · 진단 기준

1) **임신전 당뇨병(pregestational diabetes):** 임신 전에 이미 진단된 1형 및 2형 당뇨병

2) **임신 시에 진단된 현성당뇨병(overt diabetes in pregnancy):** 임신 시 처음으로 진단된 내당능장애 중, 아래의 진단 기준을 충족한 경우

   ① 공복시 혈당(FPG) ≥ 126mg/dL

   ② HbA 1c ≥ 6.5% [주]

   ③ 확실한 당뇨망막병증이 존재하는 경우

   ④ 무작위 혈당(random plasma glucose) ≥ 200mg/dL 이거나 75g OGTT 2시간 값 ≥ 200mg/dL[※]

   ※ 공복시 혈당이나 HbA 1c에서 확인 [주]

   [주] HbA1c<6.5%이면서 75g OGTT 2시간 값 ≥ 200mg/dL의 경우에는 현성당뇨병으로 판정하기 힘들기 때문에, 임신 중에는 임신성 당뇨병에 준하여 관리하고, 출산 후에는 당뇨병으로 이행할 가능성이 높으므로 엄중한 추적관찰이 필요하다.

3) **임신성 당뇨병(gestational diabetes mellitus ; GDM) :** 임신 중에 처음 발견 또는 발병하였으나 당뇨병기준에는 해당되지 않는 당대사이상이다. "임신 시에 진단된 현성당뇨병"은 포함되지 않는다. 75g OGTT에서 다음의 기준에서 한가지 이상을 만족시킨 경우에 진단한다.

   ① 공복시 혈당값(FPG) ≥ 92mg/dL (5.1mmol/L)

② 1시간 값(1h PG) ≥ 180mg/dL (10.0mmol/L)

③ 2시간 값(2h PG) ≥ 153mg/dL (8.5mmol/L)

2. 병태: 내당능장애와 관련된 주산기 합병증

내당능장애를 임신부의 다양한 주산기 합병증을 표 1에 나타냈다. 선천성 기형은 임신 시작시기의 산모 혈당과 관련이 있기 때문에, 임신 전 관리가 불량했던 임신전 당뇨병 환자 또는 임신 전에는 진단되지 않았지만 임신 중에 진단된 현성 당뇨병 환자에서 높은 빈도로 확인된다. 기형 외의 모체의 합병증은 모든 내당능장애 임신에 공통된 것이다. 혈당 조절이 잘 안될 경우 거대아의 발생률이 높지만, 당뇨에 의한 혈관병변(신장병증, 망막병증 등)을 갖는 경우에는 자궁내성장제한의 위험이 높다.

임신 중 내당능장애 선별검사

1. 임신 초기의 스크리닝

임신 초기(4~12주)는 임신을 앞두고 발견하지 못한 당뇨병의 조기 진단이 주목적이다. 스크리닝 방법으로서 위험인자를 이용하는 방법(표 2)과, 전체 임신부를 대상으로 혈당 검사를 시행하는 방법 두가지가 있다.

후자는 GDM스크리닝 법으로 임신 초기에는 무작위 혈당 측정(cut-off치 95혹은 100mg/dL)이 추천되지만, GDM을 임신 초기에 진단하는 일의 유용성에 대한 증거는 없다. 임신 전에 간과했던 당뇨병의 조기 발견으로 위험인자를 이용하는 것만으로도 충분히 유용하다.

스크리닝 양성에는 진단적 당뇨 검사(75g OGTT)를 행한다.

표 1. 내당능장애 임신의 주산기 합병증

산모 합병증	유·조산 임신고혈압증후군 양수과다증 양수과소증 당뇨병케톤산증	요로감염 지연분만·분만정지 견갑난산 제왕절개분만율의 상승
태아 합병증 Diabetic fetopathy	태아기형 과잉발육·거대아 태아발육부전(자궁내성장제한)※	태아기능부전 태아심근증 자궁내태아사망
신생아 합병증 Infant of diabetic mother (IDM)	호흡곤란증후군 저혈당 고빌리루빈혈증 분만손상(팔 신경마비 등)	신생아사망 다혈구증 저칼슘혈증

※ 임신고혈압증후군 혹은 당뇨병성 혈관병변을 반영한 가중합병전자간증에 관련한 태반기능부전과 관련

표 2. 임신전당뇨병 및 GDM의 위험인자

• 당뇨병 가족력 (2촌 이내)
• 임신 전 비만 (BMI ≥ 24이상)
• 26세 이상
• 거대아 혹은 large-for-gestational age
  (LGA)아 분만력
• 임신성 당뇨 과거력
	• 원인불명 사산·주산기사망
	• 요당 양성
	• 다낭성난소증후군
	• 스테로이드치료
	• 본태성 고혈압
	• 산모 자신이 출생시 거대아 또는 small-for-
	  gestational age(SGA)

2. 임신 중기 스크리닝

임신 중기(24~28주)의 검사는 GDM의 조기 진단을 목적으로 한다. 임신 초기와 마찬가지로 위험인자와 모든 임산부를 대상으로 한 혈당 선별법이 있다. GDM의 구진단 기준의 경우는 후자, 특히 포도당유발검사(GCT)※가 가장 효율이 좋다고 해서 권장되었지만, 새 진단 기준에 의한 GDM에 관한 스크리닝 효율은 반드시 좋지는 않다(민감도 50% 정도). 따라서 강한 위험인자(특히 비만, 거대아 혹은 LGA〈Large-for-gestational age〉아 분만경력, 고연령, GDM 과거력, 당뇨병 가족력 등)(표 2)를 갖는 경우는 GCT음성이어도 75g OGTT를 해야 할 필요가 있다.

※ **포도당유발검사(glucose challenge test ; GCT):** 식사 섭취 여부에 관계 없이 50g 경구당 부하(TRELAN-G 50g)를 실시하고, 부하 후 1시간의 정맥 혈당값(혈장)을 측정하고 cut-off 수치 140mg/dL 이상을 스크리닝 양성으로 한다.

관리 · 치료

1. 임신 전 당뇨병의 산전 관리

임신 전에는 혈당 조절상태 평가와 당뇨병성 합병증을 고려하여 임신의 위험인자를 평가한다(표 3). 특히 선천성기형 예방 전략으로 임신 전 조절은 중요하며, HbA1c값의 정상화(6.5% 미만)를 목표로 피임지도 및 상담을 시행한다. 10년 이상의 병력을 가지는 경우는 신장병증, 망막병증, 심장 대혈관 합병증, 신경병증 등의 합병증에 대해서 평가한다. 임신으로 인한 망막증의 악화를 피하기 위해 활동성 망막증은 임신 전에 광응고 치료를 한다.

경구 당뇨병약의 기형형성에 대한 분명한 증거는 없으나, 임신을 확인한 경우 그 가능성을 고려하여 경구 약제에서 인슐린 치료로 변경한다. 메트포민염산염은 다낭성난소증후군에 대한 불임 치료로서 투여되어 임신 후에도 유산 예방을 목적으로 계속 투여될 수 있지만, 약물이 태반을 통과하기 때문에 안전성과 장점에 관한 증거는 불충분하다.

표 3. 임신전 당뇨병 위험파악 파악

	평가항목	검사 · 치료
병력 · 가족력	병형진단	
내과적 합병증 평가	고혈압 당뇨병성 망막증 신장기능 갑상선 기능 신경학적 평가	강압제 안과결합 크레아티닌 클리어런스 1일 단백뇨 정량
혈압조절 평가	HbA1c값 자가혈당측정(SMBG) 비만도	생활 양식에 대한 지도 개입 (영양지도, 운동요법, 체중조절) 약물요법(인슐린 치료로의 이행)

2. 임신 중의 관리 치료: 내과적 관리(혈당 조절)

1) 목표 혈당

당뇨 합병 임신이더라도 정상 임신부와 비슷한 혈당을 유지하면 주산기 예후가 현저하게 개선되기 때문에, 목표 혈당은 정상 임산부의 일내 변동 혈당으로 설정한다(표 4).

임신 전 당뇨병을 가지고 있던 경우 임신 초기의 오조 때문에 혈당 조절이 어려운 경우가 많다. 특히 1형 당뇨병에서는 오조가 케톤산혈증을 유발할 수 있어 충분한 주의가 필요하다(케톤산혈증에 대해서는 별항 참조). 특히 임신오조가 있을 때 저혈당 발작을 예방하는 것이 중요하다. 태아 췌장 β세포가 인슐린 분비를 시작하는 것은 임신 16주 경으로, 이 무렵에 오조가 끝나기도 하지만 기형 이외의 당뇨병성 태아질환이 시작되는 시기이므로 산전 당뇨병 혈당 관리를 강화하여 목표 혈당을 유지하도록 해야 한다.

표 4. 목표 혈당 (혈장 측정)[1]

	혈장수치
새벽 공복 시	60~90mg/dL
점심 전, 저녁 전	60~105mg/dL
각 식후 2시간 수치	≤120mg/dL
취침 전	60~105mg/dL
오전 2~6시 오전	≥60mg/dL

2) 혈당 조절의 평가

① 혈당 자기 측정(self-monitoring of blood glucose ; SMBG)

1형 당뇨병 및 비조절성(uncontrolled) 2형 당뇨병에서는, 아침 식사 전 공복 시, 아침 식사 후 2시간, 점심 시간 전, 점심 후 2시간, 저녁 식사 전, 저녁 식사 후 2시간, 취침 전 하루 7회 측정한다. 필요에 따라서 새벽 3시 측정을 추가하고 "새벽현상"에 유의한다. 2형 당뇨병의 대부분은 점심 시간 전 및 저녁 식사 전 측정을 생략한 5회 측정이 좋다. 측정한 횟수의 80% 이상 달성을 목표로 한다. 공복 시 고혈당은 당뇨병성 태아질환 관련이 가장 강하여 보다 엄격한 관리가 필요하다. "임신 시에 진단된 현성 당뇨병"의 대부분은 인슐린 치료를 필요로 하기 때문에, 진단되는 시점부터 임신 전 2형 당뇨병과 마찬가지로 SMBG를 실시하고, 인슐린 요법의 필요성을 판단한다.

GDM 진단 시 SMBG는 인슐린 치료 도입을 판단하기에 유용하다. 식이요법만으로 양호하게 조절될 수 있는지를 판정하기 위해서 하루 4번(아침 식사 전 공복시 및 각 식후 2시간) 3~7일간 SMBG를 시행한다. 이 SMBG에서 목표 혈당값의 대략 80% 이상을 달성하지 못할 경우 인슐린 사용을 고려한다. 임신 전 당뇨병과 마찬가지로 공복시 혈당은 더욱 엄격한 관리가 필요하다. 인슐린요법을 필요로 하는 GDM환자는 하루 5회 SMBG를 한다.

② HbA1c 및 당화알부민

HbA1c값은 2~4주마다 측정하고, 정상 범위(6.2% 미만) 유지를 목표로 한다. 당화알부민 수치도 참고가 된다.

3) 치료법

① 식이요법

임신 중의 식이요법은 30% 정도의 적절한 칼로리 제한식이 권장되며(표 5), 하루 4~6회 나눠서 식사하는 것을 지도한다. 과도한 칼로리 제한은 오히려 공복시 케톤 생성이 많아지기 때문에 피해야한다. 특히 저탄수화물식(당질 제한식)은 임신 중의 안전성이 확립되지 않아 금기이다. 비만 임신부에게는 공복시의 케톤의 감시(요중 케톤, 혈중 케톤, 분화측정)를 실시한다.

표 5. **경험적 식이요법 칼로리 설정 [예]**

임신 전 비만도	1일 섭취 칼로리양 (임신 전 기준 체중당)
정상 체중(임신 전 BMI<24)	35kcal/kg
비만(임신 전 BMI≥24)	30kcal/kg

② 인슐린요법

식이요법으로 목표혈당을 달성할 수 없을 경우에는 즉시 인슐린요법의 도입을 고려한다. 임신전 당뇨병은 16주경부터, GDM은 늦어도 임신 30~32주경까지 적절한 조절이 되지 못하면, 거대아를 비롯한 당뇨병성 태아질환을 예방할 수 없으므로 식이요법에 집착하지 말고 신속하게 인슐린 요법을 도입한다. 특히 산모의 비만, 과도한 체중 증가, 거대아 분만력, 그리고 현재 임신에서 이미 과잉발육이나 양수과다증이 확인될 경우 신속하게 인슐린 요법을 시행한다.

(i) 인슐린 제제

현재 임신 중에 안전하게 사용할 수 있는 인슐린 제제는 속효성 인간 인슐린(R), 중간형 인슐린(N), 초속효성 인슐린 아날로그(Lispro 〈휴마로그®〉 및 Aspart 〈노보래피드®〉) 및 초지속성 인슐린 아날로그의 Detemir(레버미어®)이다(모두 FDA범주-B). Glargine(란투스®)는 잠재적 세포 분열 활성이 높아 기형 발생 위험이 걱정되지만, 명확한 유해 사항에 관한 보고는 없다.

(ii) 임신 전 당뇨병 및 임신시에 진단된 현성당뇨병

강화인슐린요법(여러 차례 주사법)을 기본으로 한다. 임신 전에 식사요법만으로 조절 가능했던 2형 당뇨병도 대부분 임신 중에는 인슐린요법의 도입이 필요하다. 임신 20주 이후에는 인슐린 저항성이 커지기 때문에 필요한 인슐린의 양도 증가하고 특히 24주~34주경까지 급증해서, 그 시기에 맞춘 인슐린의 증량이 중요하다. 다만 활동성 망막증은 급격한 혈당 조절로 악화되는 것으로 알려져 있어, 신중한 인슐린 양의 조정이 필요하다.

(iii) GDM

GDM의 30~40%는 인슐린 치료가 필요하다. 중간형 인슐린을 하루 1~2회 투여하는 방법으로 조절이 가능한 증례도 적지 않다. 저혈당의 예방은 중요하지만, 임신 중에는 인슐린 저항성의 항진 때문에 2형 당뇨병 또는 GDM 환자가 저혈당이 되기 어렵다. 비만 임신부의 경우 신속한 인슐린 양의 증가가 가능하지만 보통 매일 또는 수일 단위로 인슐린 양의 증량을 기본으로 한다.

3, 임신 중의 관리 치료: 산과적 관리
1) 산모 관리

임신전 당뇨병 및 GDM으로 인슐린을 사용하는 산모는 SMBG와 HbA1c, 임신주수에 따른 혈당 조절 상태 파악과 함께 산모 합병증(표 1)에 따른 산과적 관리가 필요하다. 임신오조 증상은 저혈당 증상이나 케톤산혈증과 혼동될 수 있어 주의가 필요하며 세심한 환자 교육을 실시한다. 조기진통 치료로 쓰이는 자궁수축억제제나 스테로이드는 혈당 조절을 악화시켜 케톤산혈증을 유발

하게 되기 때문에 인슐린의 증량을 필요로 한다.

2) 태아 관리

내당능장애 임신의 합병증(표 1) 중에서 거대아, 양수과다증은 산모의 혈당조절 불량의 지표이다. 한편 자궁내성장제한이나 양수과소증은 산모의 고혈당 자체가 아니라 임신고혈압증후군(pregnancy induced hypertension ; PIH) 혹은 당뇨병성 혈관병변을 반영한 가중형 PIH에 관련한 태반 기능부전과 관련이 있다.

인슐린 치료 중인 경우 태아발육·양수량, 매일 자각태동관찰, non−stress test (NST), contraction stress test (CST), biophysical profile score (BPS) 등을 평가하며, 자궁내성장제한의 경우는 태아혈류 계측을 추가하여 종합적인 태아 평가를 시행한다.

3) 분만 시기: 보존적인 관리 또는 적극적인 관리

분만 관리의 방침을 결정하는 데에는 위험 인자의 파악이 중요하다(표 6). 자연 진통이 오기까지의 보존적 관리법과 계획 분만을 전제로 한 적극적 관리법으로 크게 분류된다. 혈당조절이 양호하고 위험인자가 없는 증례는 어느 쪽의 선택도 가능하지만, 조절이 어려운 고위험군의 경우 적극적 관리가 기본이 된다.

적극적 관리법으로 자연진통을 기다리는 중 과잉 발육에 의한 견갑난산의 예방과 모체·태아 환경의 위험 경감을 목적으로 임신 38~39주에 유도분만을 시행한다. 고위험 증례의 적극적 관리는 양수천자에 의한 폐성숙 확인을 원칙으로 한다. 인슐린 치료 증례에서는 40주를 넘기는 보존적 관리는 이점이 적다. 추정태아몸무게 4,000g 이상의 거대아는 38주에서 폐성숙을 확인한 후 제왕절개 분만의 적응증이 된다.

4) 분만시 관리

① 계획 분만의 경우에는 전날 밤까지는 통상대로 인슐린을 사용한다. 유도분만 당일은 새벽

표 6. 분만 시기와 방법에 관여하는 고위험인자

모체 인자	태아 인자
혈당조절불량 불확실한 임신주수 이상임신 기왕력(지연분만, 견갑난산, 급속분만, 제왕절개분만 등) 임신고혈압증후군 당뇨병성 합병증(망막병증, 신장병증 등) 조기진통 케톤산혈증	과잉발육·거대아 태아발육부전(자궁내성장제한) 양수과다·과소증 태아기능부전 태아기형

표 7. 분만시 혈당조절과 인슐린주입량[2)

혈당(mg/dL)	인슐린 주입량(단위/시간)	수액(125mL/시간)
<100	0	5%링거젖산용액
100~140	1.0	5%링거젖산용액
141~180	1.5	생리식염수
181~220	2.0	생리식염수
>220	2.5	생리식염수

부터 금식하고 수액을 투여하며 인슐린은 중단한다. 제왕절개 분만의 경우 오전 중에 수술을 기본으로 한다.

② 자연진통이 유발된 경우에는 보통 인슐린 투여를 중지하고, 그날의 식사 섭취 상황에 따라 다음의 수액량으로 조정한다.

③ 수액은 5%포도당 나트륨 링거를 기본으로 하고 100~125mL/시간에서 시작한다.

④ 혈당 측정(말초 모세관혈)은 1~2시간마다 실시하고, 혈당값을 70~100mg/dL로 조절한다.

⑤ 혈당 수준에 따라서 지속적인 인슐린 주입을 시작할 수 있다. 레귤러 인슐린 50단위 정도를 생리 식염수 50mL에 희석(1단위/mL)하고 펌프주입기를 이용하여 0.5단위/시간 단위로 증감한다 (표 7).

⑥ 요케톤 검사도 적절히 시행한다.

5) 산욕기 관리

산욕기에는 분만 직후부터 신속한 인슐린 감량이 필요하다. 현성 당뇨병인 경우는 임신 중 투여량의 1/3~1/5로 감량한다. 분만 후에는 인슐린의 필요량이 임신 전 투여량을 밑도는 경우도 있어 저혈당을 충분히 주의해야한다.

대부분의 GDM 증례에서는 인슐린 중지가 가능하다. 수유를 통한 에너지 소비 때문에 수유 후 저혈당에 주의한다. 산욕기에는 수유 때문에 500kcal/하루 섭취로 칼로리를 늘릴 필요가 있다.

4. 분만 후 추적관찰(follow up)

분만 후에는 ① 현성 당뇨병 및 GDM 합병 산모의 다음 임신에서 기형을 예방하는 전략과 ② GDM 합병 산모에서 2형 당뇨병 발병의 예방 전략이 중요하다. GDM는 산욕 6~12주에 추가로 당뇨 검사(75gOGTT)를 한다. 이 산욕 첫회 OGTT가 정상이라도 그 후에 높은 비율로 당뇨병이 발병하는 것으로 알려져 있어, 6~12개월마다의 추적검사가 필요하다.

당뇨병케톤산증(DKA)

병태

임신에 의한 내당능의 생리적 변화 때문에 1형 당뇨병뿐만 아니라 2형 당뇨병이나 GDM에서도 당뇨병케톤산증(diabetic ketoacidosis : DKA)이 발병될 수 있다. 비임신 때와 마찬가지로 감염, 스트레스, 인슐린 치료 문제 외에 임신 중에는 임신오조와 조기진통 치료(β작용제와 스테로이드 투여)가 새로운 유발요인이 된다. 최근 임신 중 발병하는 중증 1형 당뇨병도 알려져 있다.

진단

임신 중인 DKA의 임상 증상은 구토, 구갈, 다뇨, 근력저하, 지각이상, 날숨 시 아세톤 냄새, 호흡곤란(Kussmaul 대호흡), 혈압 저하, 빈맥, 피부의 긴장 저하, 의식 장애 등 다양하여, 증상의 파악이 진단의 첫걸음이다.

진단은 고혈당, 케톤뇨 또는 고케톤혈증 및 산혈증을 확인하는 것이다. 혈당값은 보통 300mg/dL 이상이지만, 임신 시는 150~300mg/dL로 보다 경증의 혈당에서도 나타난다. 동맥혈가스분석으로는 pH 7.3 미만, 중탄산이온 농도 15mEq/L 미만의 대사성 산혈증을 나타낸다. 소변은 농축뇨에서 요당 및 케톤체 강양성이 된다.

치료

DKA 치료 프로토콜은 탈수의 보정, 산혈증과 전해질 이상의 보정, 고혈당에 대한 인슐린 치료 및 DKA의 유발인자의 파악과 그 배제로 이루어진다. 미국산부인과학회 Practice Bulletin의 임신중 DKA 치료 프로토콜을 표 8에 나타냈다.

1. 수액

DKA에서는 4~10L의 탈수 상태라고 추측되어 긴급 수액이 치료의 제일 우선이다. 초기 수액은 순환혈장량의 확보를 위해 생리식염수(등장성수액)를 사용한다. 저장성 수액을 초기에 사용하면 혈장 삼투압이 급격하게 저하되면서 세포부종, 나아가 뇌부종의 원인이 될 수 있다. 또한 과다한 수액공급(8시간에 5000mL 이상)은 급성 호흡장애나 뇌부종의 유발요인이 된다.

표 8. **임신중 DKA관리**[3]　　　　　　　　　　　　　　　　　　　　　　　　　　　　　　　　　　(ACOG,2005)

1. 검사 항목
　　혈액가스분석, 혈당, 혈중 케톤, 혈청 전해질을 1~2시간마다 측정
2. 인슐린 치료
　　저용량 인슐린 정맥주사 도입량(bolus): 0.2~0.4U/kg
　　유지량(지속 주입): 2~10U/시간
3. 수액
　　생리식염수(등장수액)
　　처음의 12시간 보충 = 4~6L
　　처음 1시간에서 1L 보충
　　그 후 2~4시간 500~1,000mL/시간
　　80%완료까지 250mL/시간
4. 포도당 수액
　　혈당 250mg/dL에 도달하면 5% 포도당 함유 생리 식염수 개시
5. 칼륨 보충
　　혈청 칼륨값이 정상 또는 저하일 때, 15~20mEq/시간
　　혈청 칼륨값이 높을때는 정상치가 될 때까지 기다리고, 그 후 수액에는 20~30mEq/L 농도의 칼륨을 부하한다.
6. 중탄산소다
　　pH < 7.10때 1앰플(44mEq)을 1/2생리식염수(0.45%NaCl)에 첨가

2. 인슐린 치료

　　DKA가 진단되는 대로 인슐린을 투여한다. 저용량의 속효성 인슐린을 지속적으로 주입하면 간에서 케톤 생성이 억제되어 산혈증이 개선된다. 산혈증은 고혈당보다 늦게 개선되기 때문에 혈당이 정상화되어도 인슐린 지속주입은 계속해야 한다. 속효성형 인슐린 0.15~0.4단위/kg을 bolus에서 정맥주사한 후 유지량 2~10단위/시간 지속 정맥 투여를 계속한다. 처음 1시간에서 50~100mg/dL의 혈당 저하가 이루어지지 않는다면, 0.15단위/kg의 bolus량을 추가 정맥주사한다. 혈당값이 250mg/dL까지 개선 된 다음에는 5% 포도당 생리식염수로 변경한다(150~250mL/시간). 인슐린은 저용량 지속 투여(0.05~0.1U/kg/시간)로 조정하고, 저혈당을 조심하면서 혈당을 80~110mg/dL로 유지한다.

각주) 임신 관련 중증 1형 당뇨병[8]

　　임신과 관련하여 발병하는 중증 1형 당뇨병이 알려져 있다. 이 질환은 주산기의 예후가 매우 불량하고 고혈당 발생 시 아주 짧은 시간 안에 DKA로 진행되기 때문에, 발견 시 본 질환을 의심하는 것이 가장 중요하다. 보고 증례의 90%에서 감기와도 비슷한 전구 증상(발열, 인두통, 위 복부 통증, 오심, 구토 등)이 보이기 때문에 임산부가 감기 같은 증상으로 진료를 받았을 때는 가볍게 보지 말고 말고 태동감소 여부에 대해 문진하고 요당, 요케톤의 확인 및 태아심음감시를 실시한다. 모체와 태아의 예후는 조기 진단·조기 집중치료에 달려있으므로 이 질환이 의심되는 경우

즉시 주산기센터로 전원한다.

3. 칼륨 보정

DKA에서는 3~12mEq/kg의 칼륨 결핍상태에도 불구하고 입원 시에 혈청 칼륨이 보통 정상이거나 다소 높은 수치를 나타내고 있다. 인슐린 주입 후 칼륨은 세포 내로 이동하여 혈청 칼륨치는 급속히 떨어진다. 신장장애나 고칼륨혈증이 없는 한 20~30mEq/L 칼륨 보충이 필요하며 혈청 칼륨과 심전도를 자주 모니터한다.

4. 중탄산나트륨

DKA에서는 중증 산혈증이 없는 한 투여하지 않는다. 그러나 중증의 산혈증(pH<7.1 또는 <7.0) 때는 과잉 보정(pH가 7.1이상이 되지 않도록)을 주의하여 투여한다.

참고문헌

1) Landon, MB. et al. "Diabetes mellitus complicating pregnancy". Obstetrics : Normal and Problem Pregnancies. 5th ed. Gabbe, SG. et al. eds. Philadelphia, Churchill Livingstone, 2007, 976-1010.
2) Cunningham, FG. et al. eds. "Diabetes". Williams Obstetrics. 23rd ed. New York, McGraw-Hill, 2010, 1104-25.
3) ACOG Practice Bulletin. Pregestational diabetes mellitus. Obstet. Gynecol. 105(3), 2005, 675-85.
4) Moore, TR. et al. "Diabetes in pregnancy". Maternal-Fetal Medicine. 6th ed. Creasy, RK. et al. eds. Philadelphia. Saunders. 2009, 953-93.
5) 安日一郎. 妊娠糖尿病（GDM）の管理. 周産期医学. 41(12), 2011, 1571-8.
6) 安日一郎. "食事療法".「妊娠と糖尿病」診療スタンダード. 藤田富雄ほか編. 京都, 金芳堂. 2002, 93-101.
7) 安日一郎. 耐糖能異常妊婦の分娩時期と分娩管理. 日本産科婦人科学会雑誌. 61(9), 2009, N391-6.
8) Shimizu, I. et al. Clinical and immunogenetic characteristics of fulminant type 1 diabetes associated with pregnancy. J. Clin. Endocrinol. Metab. 91, 2006, 471-6.

≫ 安日一郎

제2장 합병증임신의 관리와 치료

갑상선 질환

i

개념 · 정의 · 분류 · 병태

갑상선 기능은 임신에 의한 변화가 당대사 만큼 크지는 않지만 임신의 생리적 변화 때문에 임신 중 갑상선 기능검사의 평가에는 신중을 요한다. 갑상선 기능이상은 기능항진증과 기능저하증 모두 유산, 임신고혈압증후군, 태아발육부전(자궁내성장제한), 사산 등 각종 주산기 합병증의 원인이 될 수 있기 때문에 갑상선 기능 이상이 동반된 임신은 고위험임신으로 관리되어야 한다. 또 갑상샘중독발작은 임산부의 갑상선 질환과 관계되는 중증 응급질환이다. 미국갑상선학회(ATA)는 2011년 「임신 및 산욕기의 갑상선 질환의 진단과 관리에 관한 ATA가이드라인」를 발표했다.[1] 이번 장에서는 대체로 그 내용에 준하고 있다.

■ 정의와 분류

1) **갑상선기능항진증(hyperthyroidism)**: 전체 임신 중 0.2%에서 발생한다.
   ① 그레이브스병(Graves disease) 갑상샘 자극 자가항체가 TSH 수용체를 자극하는 것에 의해서 기능항진증을 보인다. 임신 중 발생하는 갑상선 기능항진증 중 가장 높은 빈도로 발병한다.
   ② 갑상샘중독발작(thyroid storm): 갑상선기능항진증 합병 임신부의 10%에서 확인되며, 심부전 때문에 모체의 생명과 관련되는 산과 응급질환이다.
   ③ 임신 중 일과성 갑상선기능항진증: hCG-mediated hyperthyroidism이라고도 하며 임신성 일과성갑상선기능항진증(gestational transient thyrotoxity: GTT)이 대표적이다. 임신오조나 포상기태 임신 시의 trophoblastic hyperthyroidism 등도 포함된다.

2) **갑상선기능저하증(hypothyroidism)**: 전체 임신 중 0.1~0.3%에서 발생한다. 일본에서는 요오드 섭취가 충분하기 때문에 원발성 기능저하증의 원인은 주로 자가면역성 갑상선염(하시모토병)이다. 또한 그레이브스병의 수술요법이나 방사선 치료 후의 갑상선기능저하증도 적지 않다. 이차성 갑상선 기능저하증의 원인으로는 쉬한증후군(Sheehan's syndrome) 등의 뇌하수체 기원이 있다.
   ① 현성 갑상선기능저하증(overt hypothyroidism)
   ② 잠재성 갑상선기능저하증(subclinical hypothyroidism)

3) **분만 후 갑상선염(postpartum thyriditis)**: 전체 임산부의 6~9%로 확인되는 일과성 자가면역성 갑상선염.

■ 임신 중의 갑상선기능검사

임신 초기에는 상승한 융모성 성선자극호르몬(hCG) (7~11주에 최대치)에 의한 갑상선 자극 작용으로 인해 뇌하수체의 갑상선자극호르몬(TSH) 분비가 감소한다. 정상 임신부의 20%는 비임신 때의 정상 범위를 밑돌며, 0.03mIU/L 혹은 측정 감도 이하까지 저하한다. 따라서 임신 중의 혈청 TSH 값의 정상치는 비임신 시와는 다른 설정이 필요하며, ATA가이드라인 2011에서는 임신 각 삼분기별 혈청 TSH의 정상값을 표 1과 같이 설정하고 있다.[1]

표 1. 임신 각 삼분기별 TSH 정상수치[1]

제1삼분기: 0.1~2.5mIU/L
제2삼분기: 0.2~3.0mIU/L
제3삼분기: 0.3~3.0mIU/L

한편, 임신 중의 free T4 수준은 측정 방법마다 일정하지 않다는 것이 알려져 있으며, 측정법별 free T4의 임신 중의 정상치가 필요하지만 현 시점에서는 그것을 정할 수 없어서 비임신 때의 기준 (정상치 0.7~1.8ng/dL)을 사용하도록 권장하고 있다. 또한 임신 중기 이후에는 혈장량 증가에 따라 수치가 낮아지는 경향이 있다. TSH에 비하면 그 신뢰성은 낮다는 사실에 유의해야한다.

갑상선기능항진증(그레이브스병)

진단

1. 임상 증상

갑상선기능항진증에 특징적인 임상 증상은 심장 두근거림, 빈맥, 신경과민, 발한증가, 갑상선종대, 체중감소, 안구돌출 등이지만 이런 증상은 입덧에 따른 탈수나 체중감소를 비롯해 종종 임신과 관련된 비특이적 증상과 유사하다.

2. 갑상선기능검사

현성 갑상선기능항진증은 TSH가 낮고 free T4가 높을 때 진단한다. 드물긴 하지만 free T4 값이 정상범위이면서 T3 값이 높은 현성 기능항진증도 알려져있다(T3 thyrotoxicosis). TSH 수용체 항체가의 측정은 신생아 갑상선기능이상증 발병의 예측 인자가 된다.

임신 중 갑상선기능항진증 관리의 목표는 free T4 수준이 비임신 때의 정상범위 상한 (1.2~1.8ng /dL)을 유지하는 것이다. 임신 중 조절 상태는 주산기 예후와 관련되며 임신 전 조절 이 불량한 경우는 주산기 예후가 불량한 것으로 알려져 있어 임신 전부터 조절이 중요하다. 임신 중 치료는 항갑상선제가 기본이다. 베타차단제는 빈맥과 손떨림에 대한 제한적인 치료로서 쓰인다 (2주 이내). 요오드제 및 갑상선 수술은 갑상샘중독발작 때와 같은 긴급상황 이외에는 기본적으로는 사용하지 않는다.

1. 항갑상선제

티오아미드(thioamid)는 갑상선글로불린(thyroglobulin)과 요오드의 합성을 억제한다. 프로필티오우라실(PTU) 또는 메티마졸(MMI)이 사용되는데 이 약제들은 모두 태반을 통과하는 것으로 알려져있다. MMI는 PTU에 비해 태아기형의 위험이 더 크기 때문에 과거에는 PTU가 임신 전기간을 통틀어 1차약제로 알려졌다. 그러나 PTU는 중증 간기능장애(MMI의 간기능장애는 비교적 경증으로 나타난다)가 염려되어, ATA가이드라인 2011에서는 다음과 같은 내용이 권장이 되고 있다.

- 임신 제1삼분기는 PTU를 1차약제로 한다.
- MMI 치료 환자는, 임신이 확인되는 대로, 제1삼분기에 PTU로 변경한다.
- 제2삼분기부터는 MMI로 변경을 고려한다.

일본갑상선학회도 MMI에 따른 태아기형에 관한 경고와 함께 제1삼분기에는 PTU로의 전환을 권고하고 있다.[2] 임신 중의 투여 개시량(하루 투여량)은 그 중증도에 의존하지만, 일반적으로는 PTU 50~300mg, MMI 5~15mg이며, PTU와 MMI의 투여량 비율은 10:1~15:1이다.

2. 관리 지침

Free T4 수준의 개선은 4주 정도 시간이 필요하고, 혈청 TSH의 정상화에는 6~8주가 필요하다. 갑상선기능검사(TSH 및 free T4)는 투약 개시 후에 2~4주마다 시행하고, 목표 수준에 도달하면 4~6주마다 시행한다. 이전에는 PTU가 MMI에 비해 태반통과가 적다고 생각되었지만 현재는 MMI, PTU 모두 동등한 태반통과성과 동등한 태아작용을 가진다. 과잉 치료는 태아에게 갑상선기능저하증이 생기므로 최대한 조심한다. 목표수준은 임신 3삼분기의 TSH의 정상수치와 비 임시의 free T4 정상범위 상한(1.2~1.8ng/dL)으로 한다. 모체가 정상 갑상선기능(euthyroid)에 이르면 free T4 수준을 정상범위의 상한선으로 조절할 수 있는 최소한의 투여량까지 감량한다.

3. 태아 신생아에 대한 영향

그레이브스병 합병 임신의 태아·신생아에 대한 영향은 갑상선기능항진증, 갑상선기능저하증의 어느 쪽의 가능성도 있다. 모체의 갑상선기능 조절이 잘 되지 않을 때, 모체의 과다한 치료에 따라 태아와 신생아에게 기능저하증이 생길 수 있으며, TSH 수용체 항체(TRAb)가 태아로 이행하면서 기능항진증을 일으킬 수 있다. 임신 24~28주 TRAb 측정은 태아·신생아의 위험요소 파악에 유용하다. 특히 정상 상한선의 3배가 넘는 항체값의 경우는 보다 엄격한 태아 관리가 필요하다. 높은 TRAb항체값의 위험인자는 모체의 갑상선기능 조절 불량, 방사선요오드치료의 과거력, 이전 임신에서 신생아 갑상선기능항진증을 확인한 경우 등이다. 모체의 TRAb 수치가 높은 경우 태아 빈맥, 자궁내성장제한, 태아 갑상선 종대, 골성숙 항진, 심부전 및 태아수종 등을 동반한 태아의 갑상선기능항진증에 유의한다.

4. 산욕기 관리

분만 후 산욕 2~3개월은 갑상선기능항진증의 재발이 자주 발생하는 시기이다. 무증상 산욕부라도 산후 6주에 TSH 및 free T4를 측정한다. PTU, MMI 모두 모유 중에 분비되지만 모유 속 PTU의 대부분은 단백과 결합하여 불활성화 되기 때문에, 예전에는 산욕기의 1차약제는 PTU으로 알려졌다. 하지만 이후 MMI를 복용한 임산부와 수유를 검토하였을 때 모든 모체와 태아에서 특별한 유해현상은 확인되지 않았다. 때문에 PTU의 중증 간기능장애를 고려해 ATA가이드라인 2011에서는 산욕·수유부의 1차약제로 MMI (20~30mg/하루까지), 2차약제로 PTU (300mg/하루까지)를 권장하고 있다. 모유를 통해 아기에게 이행되는 영향을 줄이기 위해서는 수유 직후 복용할 것을 권장한다.

> ### ▦ 임신 중 일과성 갑상선기능항진증
>
> 임신 제1삼분기에 확인되는 일과성의 갑상선기능항진에는 임신오조와 임신성 일과성갑상선기능항진증이 포함된다. 갑상선 검사에서 기능항진 상태(낮은 TSH, 높은 free T4)를 나타내는데 이는 임신 초기부터 중기 초반까지 상승했던 hCG에 의한 갑상선 자극 작용 때문이라고 생각된다. 임신오조의 경우 입원이 필요할 정도로 심한 오조가 주된 증상이며, 임신성 일과성갑상선기능항진증은 자가면역성질환의 과거력이나 가족력이 없는 임신부 2~3%에서 확인되는 일시적인 갑상선기능항진 증상(두근거림, 손떨림, 불안발작 등)을 주소로 한다. 갑상선 종대, 안구돌출 등은 확인되지 않으며, TRAb 음성 등으로 그레이브스병과 감별된다. 모두 일과성이고, 대부분은 항갑상선제 복용을 필요로 하지 않고 20주경이면 정상화된다. TSH의 정상화는 몇 주가 더 필요하다.

■ 갑상선중독발작

갑상선중독발작은 임신 중 발생은 드물지만 심부전을 초래하여 모체의 생명과 관계되는 산과 응급질환의 하나이다. 발열, 빈맥, 진전, 구역, 구토, 설사, 탈수, 경련, 정신착란, 쇼크, 혼수 등의 증상을 보인다. 갑상선기능항진증이 조절되지 않으면, 과도한 티록신에 의해 심근증에서 심부전에 이르는 것으로 감염, 수술, 진통, 분만과 같은 사건이 유발원인이 된다. 원인이 되는 감염 자체의 증상과 감별이 필요하지만, 갑상선중독발작이 의심될 경우에는 갑상선 기능검사 결과를 기다리지 않고 빨리 치료를 시작한다. 신속한 응급실로의 이송과 집중치료실 입원이 필요하며, 항갑상선제의 투여와 전신 관리(산소 투여, 전해질·수액 관리, 체온 관리 등)를 기본으로 한다. 항갑상선제는 PTU 1g의 경구투여(경구섭취가 불가능한 경우 경비강 위관투여) 후 200mg을 6시간마다 투여하며 무기요오드제, 덱사메타존, β차단제, 페노바비탈 등의 치료를 병용한다.

■ 산후갑상선염(postpartum thyroiditis)

분만 후에 가장 흔하게 생기는 갑상선 기능 이상으로, 자가면역성 염증으로 인한 갑상선 손상으로 인해 갑상선호르몬이 혈중에 누출되는 일과성 갑상선중독증이다. 분만 후 6개월 경에 갑상선기능항진 상태에서 발병하고, 대부분은 기능 저하기를 거쳐 분만 후 1년까지 자연 완화된다. 진단은 분만 후 1년 이내의 TSH 수치의 이상(낮은 수치 또는 높은 수치)과 TRAb 음성(그레이브스병 제외)에 의해 확진된다. 항진시기에는 피로감과 두근거림 증상이 대부분이며, 더워지고, 신경질적인 증상을 나타낸다. 저하기에는 쉽게 피로감, 탈모, 우울증, 집중력 저하, 피부건조 등이 확인되는데, 대부분은 일반적인 산욕기 증상과 비슷해서 간과되기 쉽다. 항진시기의 항갑상선제는 효과가 없으며 중증 증상은 베타차단제가 증상을 줄이는 데 유용하다. 기능 저하기에는 레보티록신나트륨에 의한 치료를 필요로 하는 경우가 많고 적어도 6~12개월 지속한다. 대부분은 분만 후 12개월 만에 정상기능 상태로 돌아오지만, 30%는 기능저하증이 계속된다.

갑상선기능저하증

◖ 진단

1. 임상 증상

갑상선기능저하증의 초기 증상은, 체중증가, 무기력, 느린 동작, 기면, 추위, 피로감 등이지만 더욱 진행되면 변비, 쉰목소리, 눈꺼풀 부종, 탈모, 피부건조, 갑상선 종대, 건반사 저하 등이 나타난다. 그러나 이 같은 증상은 임신으로 인한 생리적 변화나 대사 항진상태에 따라 종종 가려지기 때문에 진단이 어렵다.

2. 갑상선기능검사

임상 증상 혹은 갑상선 진찰 기왕력이 있는 임산부는 갑상선기능검사가 필요하다. 갑상선기능 저하증은 현성(overt)과 잠재성(subclinical)기능저하증으로 분류된다. 전자는 TSH가 각 삼분기별 정상치 상한(2.5~3.0mIU/L)(표 1)을 넘으면서 낮은 free T4가 동반되는 것, 혹은 free T4 수치와 관계없이 TSH가 10mIU/L 이상으로 나타날 때 정의되고, 후자는 TSH가 2.5~10mIU/L인 동시에 free T4수치가 정상적인 것을 말한다. 요오드 섭취 부족 지역 이외에서 증상 발생의 대부분은 갑상선 자가항체(항갑상선글로불린 항체 및 항갑상선과산화효소 항체)에 의한다.

◖ 관리 · 치료

임신 중의 현성 갑상선기능저하증은 임상적인 또한 생화학적인 정상기능 상태를 목표로 신속한 치료가 필요하다. 치료에는 레보티록신나트륨이 쓰인다. 투여 개시량은 1.0~2.0µg/kg/일, 4주 간격으로 TSH를 측정하고 25 또는 50µg 단위에서 투여량을 조정하여, 각 삼분기 TSH의 정상범위(표 1)를 유지한다.

단, 치료 초기에는 TSH 저하의 반응성이 느려 약 6주가 걸리므로 과잉 투여를 피하기 위해 정상범위 아래 단계 수준을 목표로 한다. 이 경우 보다 반응성이 빠른 free T4 수치를 치료 지표로서 참고한다. 목표 수준에 도달하면 4~6주마다 TSH를 측정한다.

임신 전부터 치료하고 있는 경우 임신 후에는 레보티록신의 필요 투여량이 증가한다. 이는 임신 자체에 의한 티록신 수요 증대에 기인한다. 잘 조절되는 임산부의 경우에는 임신 초기, 중기, 말기의 임신 각 삼분기에 TSH 측정을 한다. 철분제는 레보티록신의 흡수를 저해하므로 철분제와 동시에 복용하는 것을 피하도록 지도한다. 항간질제(페니토인, 카바마제핀 등)도 흡수 억제 작용이 알려져 있다.

분만 후에는 임신 전 투여량으로 되돌리고, 6~8주 후에 TSH값을 측정한다. 레보티록신은 수유중 분비되지만 신생아의 갑상샘 기능에 영향을 줄 정도는 아니라 수유가 가능하다.

■ 잠재성(subclinical) 갑상선기능저하증

임신부의 잠재성 기능저하증을 치료해야 할지에 대해서는 명확한 결론이 나있지 않다. 유산이나 임신 초기의 태아 사망과 관련되어 있다는 것이 최근 증거로 확립되어 가고 있으나, 태아의 중추신경 발달을 저해하여 소아기의 지능 발달지연과 관련되어 있는지에 대해서는 십수년간 결론이 나지 않은 논쟁이다.

참고문헌

1） Stagnaro-Green, A. et al. The American Thyroid Association Taskforce on Thyroid Disease During Pregnancy and Postpartum. Guidelines of the American Thyroid Association for the Diagnosis and Management of Thyroid Disease During Pregnancy and Postpartum. Thyroid. 21, 2011, 1081-125.
2） 荒田尚子ほか（POEMスタディグループ）．妊娠初期に投与されたチアマゾール（MMI）の妊娠結果に与える影響に関する前向き研究（Pregnancy Outcomes of Exposure to Methimazole Study：POEM study）：中間報告．http://www.info.pmda.go.jp/iyaku_info/file/gakkaitou_gakkai_201112_1.pdf
3） Casey, BM. et al. Thyroid disease in pregnancy. Obstet. Gynecol. 108, 2006, 1283-92.
4） Singer, PA. et al. Treatment guideline for patients with hyperthyroidism and hypothyroidism. Standards of Care Committee, American Thyroid Association. JAMA. 273, 1995, 808-12.
5） Nader, S. "Thyroid disease and pregnancy". Maternal-Fetal Medicine. 5th ed. Creasy, RK. et al. eds. Philadelphia, Saunders, 2004, 1063-81.

 安日一郎

자가면역질환

　자가면역질환이란 본래 이물로 인식되지 않는 자신의 조직에 대하여 항체(자가항체)가 생성되어, 자기 조직간에 항원항체반응을 발생시켜서, 조직이 손상을 받아서 발생하는 질환을 말한다.

　자가면역질환에는 많은 질환이 포함되지만 크게 나누어 특정 장기만이 손상되는 장기특이적 자가면역질환과 전신 및 여러 장기가 손상을 받는 비특이적 자가면역질환으로 분류할 수 있다(표 1).

　전신홍반루푸스(systemic lupus erythematosus ; SLE)는 Klemperer에 따라 제창된 질환 개념인 결체조직질환 중 하나인데, 발병 및 병태 형성에 자가항체의 관여가 크기 때문에 대표적인 자가면역 질환으로 여겨진다.[1] SLE는 장기에 비특이적인 자가면역질환으로 신장을 비롯한 다장기에 장애를 초래하고 악화와 관해를 반복하면서 만성적으로 경과한다. SLE는 20~30대 젊은층에 발병하고, 성비도 1:9~10으로 여성에게 호발하므로, 임신과의 합병도 드문 것은 아니다.

　SLE 합병 임신에서는 많은 문제가 있지만, 근래에는 SLE의 분류 기준[2]에 근거한 조기진단이 가능해졌고, 부신피질 스테로이드 치료가 발전하면서 경증 사례나 관해 사례가 많아져 SLE의 활동성에 따라 임신에 미치는 영향은 조금 적어진 것 같다. 오히려 최근에는 SLE의 활동성과는 직접 관련이 없는 또 다른 자가항체가 임신에 미치는 영향이 주목을 받게 되었으며, 항인지질항체에 의한 난임 문제와 항SS-A, 항SS-B 항체에 의한 신생아 루푸스가 그 예이다.

SLE 환자에 대한 임신 허용

　지금껏 임신과 출산은 SLE의 악화인자의 하나이며 피하는 것이 바람직하다고 생각되어졌지만, 최근에는 진단과 관리, 치료법이 개선되면서 조기에 진단된 경증 사례나 장기 관해 사례가 많아졌다. 이에 따라 환자 중에서도 임신, 출산을 희망하는 경우가 많아졌으며 SLE 환자를 관리하는 내과 의사들도 일정한 기준을 두고 임신을 허용하는 경향이 있다.

임신이 SLE에게 미치는 영향

　SLE는 임신 14주경까지 악화하는 경향이 있지만, 이후 분만까지 병태는 나아진다고 되어있다. 그러나 SLE의 병태 그 자체가 관해와 악화를 반복하는 성질을 갖는다는 점에서 임신이 SLE의 병

표 1. 자가면역질환의 분류

(제1군) 장기특이적 자가면역질환으로 자가항체도 장기특이적인 것
하시모토병: 갑상선글로불린항체
그레이브스병: TSH수용체항체
유천포창: 피부 기저막항체
중증근무력증: 아세틸콜린수용체항체
특발성혈소판감소성자반증(ITP): 혈소판항체
등
(제2군) 장기특이적 자가면역질환으로 자가항체는 장기비특이적인 것
원발성 담즙성간경화증: 미토콘드리아항체
Sjögren(쇼그렌)증후군: 타액선항체, 미토콘드리아항체, 항핵항체
등
(제3군) 장기비특이적 자가면역질환으로 자가항체도 장기비특이적인 것
류마티스관절염: 항핵항체, IgG항체
SLE: DNA항체, 핵단백항체, 응고인자항체
피부근염: 항핵항체, IgG항체 등

세에 어떤 영향을 미칠지에 관해서는 일정한 견해가 없다. 그러나 산욕기에는 병세가 악화되는 경향이 강하다는 것과 임신 중 악화의 정도는 임신 전의 SLE의 활동성과 관계있고, 병세가 활동기에 있는 경우에는 악화 가능성이 극히 높다는 것에는 이견이 없다.

SLE이 임신에 미치는 영향

1. SLE 합병 임신의 예후

일반적으로 SLE 합병 임신에서는 임신하더라도 자연유산이나 사산의 빈도가 높고 또 신생아 조산의 빈도가 높다. 이것은 태아발육부전(자궁내성장제한)이나 태반기능부전 때문에 조기에 분만해야 하는 사례가 많기 때문이다.

2. 태아의 예후에 영향을 미치는 인자

태아의 예후에 영향을 주는 인자로서 SLE의 활동성이나 조절의 정도, 신장 합병증의 유무 등이 알려져 있지만, 그 본질적인 기전은 아직 불분명하다. 각종 자가항체의 유무와 태아의 예후와의 관련해서는 항인지질항체의 존재와 난임 사이에 관련성이 높은 것으로 알려져 있다.

3. 항인지질항체와 항인지질항체증후군

1) 항인지질항체의 종류

항인지질항체란 인지질에 대한 자가항체이며, 기존부터 항카디오리핀항체(항CL항체)와 루프스 항응고인자(lupus anticagulant : LAC)가 알려져 있다. 항인지질항체가 주목받게 된 시초는 항인지질항체를 가지고 있는 환자에서 동정맥의 혈전증, 유산, 사산을 반복하는 사례가 많은 것이 밝혀진 것인데 이러한 질병을 항인지질항체증후군(antiphospholipid syndrome ; APS)이라고 칭하게 되었다.

APS의 진단 기준으로는 2006년 제안된 Sapporo criteria 수정 분류 기준안이 사용되고 있다.[3] APS와 관련된 전신 질환을 가지지 않는 원발성 항인지질항체증후군과 결체조직질환 등의 자가면역질환을 동반한 속발성 항인지질항체증후군이 있다. 특히 SLE에서는 항인지질항체를 가진 사례가 많아, 1997년 개정 SLE의 분류 기준에서 면역이상 항목이 새롭게 더해졌다.[2] SLE 합병 임신부의 예후는 좋지 않다고 여겨지고 있는데 그 원인의 하나가 항인지질항체에 의한 것이라고 할 수 있다. 항인지질항체 검출법에는 여러가지 방법이 있지만, 일반적으로 β_2 2-glycoprotein I 의존성의 항CL항체(IgG)와 희석러셀뱀독검사(dR VVT)에 의한 LAC의 검출방법이 있고 이는 난임과 가장 관련이 높다.

2) APS와 난임

항인지질항체에 의한 유산, 사산 발생의 메카니즘에 관해서는 몇 가지 가설이 제창되고 있지만, 그 대부분이 최종적으로는 자궁·태반순환에 있어서의 혈전의 형성이 태반의 발육이나 기능에 영향을 주어 이것이 난임을 일으킨다고 결론 되어진다.[4]

4. 태아 신생아에 대한 영향

SLE의 산모에서 출생한 신생아에게 루프스모양 피부발진, 백혈구감소증, 혈소판감소증 등 SLE 양상의 증상이 나타나는 경우가 있다. 이것을 신생아 루푸스(neonatal lupus erythematosus ; NLE)라고 부르고 있다.

NLE의 증상의 대부분은 일과성이며, 모체에서 이행된 항체가 소실되는 생후 6개월경부터 병세는 점차 나아진다. 그러나 SLE 임신부의 태아나 신생아에서 낮은 빈도로 선천성 완전심장방실차단(congenital complete heart block ; CCHB)이 확인되는 일이 있다. 이것은 NLE의 다른 증상과 달리 비가역적이어서, 아이는 영구적으로 심장박동기(pacemaker)가 필요하다.

NLE 대부분의 경우, 모체 혈청의 항SS-A 항체가 양성이라는 점에서 항SS-A항체가 본 증후군의 발병과 깊이 관련되어 있는 것으로 생각된다. 일반 여성의 항SS-A항체 보유율은 1%인 한편, 항 SS-A항체 양성의 산모부터 출생한 신생아에 NLE이 발병하는 리스크는 약 10%로, 특히 선천성심장차단의 발병 빈도는 그 중에서 약 10%이다. 즉 항SS-A항체 양성의 산모로부터 심장차단을 가진 아이가 출생하는 위험은 약 1%에 불과하며 결코 높은 것은 아니다. 항SS-A항체를 가진 사례 중에서도 어떤 경우 NLE 발병이 호발하는지에 대해서는 이전에 NLE 신생아를 출산한 과거력이 지적되고 있다. 하지만 Anami 등[5]은 이중 면역 확산(DID법)에 따른 항SS-A 항체가 32배 이상 양성인 경우 중증 위험, 4~16배인 경우는 경증 위험, 4배 미만인 경우는 위험도가 없다고 말하고 있다.

임신 중 모체·태아의 관리

1. 임신 여부 판정

SLE 환자가 임신하는데는 SLE의 활동성과 신장병증 등 장기병변의 유무가 중요한 포인트가 된다. 일반적으로 발병 후 몇 년 이상 지나 증상이 안정되고 장기의 병변을 동반하지 않는 경우 임신은 문제가 되지 않는다. 관해시기에 있다는 것의 기준으로는 스테로이드의 유지량이 참고가 된다. SLE의 약물요법의 중심은 부신피질스테로이드이며 스테로이드의 투여량이 프레드니솔론으로 하루 15mg 이하로 투여하고 있으면 경감기에 있다고 생각해도 좋다. 한편 활동기에 있는 사례 또는 병변이 심한 경우 임신을 하게 되면 병세가 더욱 악화되어 스테로이드의 증량만으로는 대처할 수 없고, 펄스 요법이 필요한 경우도 있다. 이 점을 환자에게 잘 설명해야 한다.

2. APS 합병 임신부의 임신 유지를 목적으로 한 치료

APS 합병 임신부의 임신 유지를 위하여 기존부터 많은 시도가 있었다. 치료의 단계별로 분류하면 ① 자가항체 생성을 억제하기 위해 부신피질스테로이드 및 감마글로불린 대량요법(IVIG 요법)이 시도되어 왔고, ② 혈전 형성 억제를 위해서는 저용량 아스피린 요법(LDA)이나 헤파린 요법이 시도되어 왔으며, ③ 혈중의 항체 제거를 목적으로 한 혈장교환술이나 음전하 물질인 덱스트란 황산을 이용한 혈장흡착술도 시도되고 있다.[6]

현재 APS 임신부에 대한 표준치료는 LDA+헤파린 요법이지만, 임상적 근거가 있는 일관성 있는 치료방법이 없다는 것과 표준치료에 저항성을 보이는 증례가 있음이 문제가 되고 있다. 최근 표준치료에 저항성이 있는 증례에 대해 IVIG요법 임상 연구가 시작되고 있으며 앞으로 어떤 결과가 나올지 기다리고 있다.

3. 항 SS-A항체 양성 사례에 대한 신생아 루푸스(NLE) 발병 예방의 시도

NLE의 발병 예방을 목적으로 한 치료법의 유효성을 검토하기 위해서는 무작위 대조시험이 필요하며, 또한 NLE의 발병률을 고려하면 방대한 수의 증례가 요구되지만 유감스럽게도 현재까지 이러한 연구 보고는 없어서 앞으로의 검토가 기대된다.

Buyon 등[7]은 NLE 신생아를 출산할 위험이 있는 임산부의 관리 지침으로서, 임신 중 정기적으로 태아 심초음파에서 PR 간격을 측정하여 태아 심장차단을 가역적인 단계에서 조기에 발견하고, PR 간격 연장이 확인되는 경우 산모에게 덱사메타손을 투여하여 이를 치료하고 심장차단의 발병을 예방하는 방법을 제안하고 있다.

덱사메타손 투여에 따른 모체의 부작용을 고려하면 증상이 있는 사례에만 투여 대상을 한정한다는 의미에서 매우 매력적인 예방 프로토콜이라고 할 수 있다. 태아의 심장차단을 가역적인 단계에서 정확하게 발견하는 것과 태반 통과 후 덱사메타손의 유효성이 향후 과제로 생각된다.

4. 임신 중 약물요법

1) 부신피질스테로이드

임신 중인 SLE의 치료는 기본적으로 비임신 시와 동일하며 부신피질스테로이드제가 중심이 된다. 일반적으로 임신 전 투여량은 그대로 유지되는 것이 원칙이며, 임신했다고 해서 감량이나 증량은 필요 없다. 임신 중인 산모에게 약제를 투여할 때는 약제의 태반 통과성과 투여된 시기 등에 따른 태아에 대한 영향을 고려해야 한다. 부신피질스테로이드제 중 프레드니솔론은 태반에 존재하는 11β-hydroxysteroid dehydrogenase에 의해 불활성형으로 변화하기 쉬워 태아에 대한 영향은 적다고 할 수 있다. 한편 합성 스테로이드 중에서도 불화(fluorinated) 스테로이드로 분류되는 덱사메타손이나 베타메타손 태반에서 이 효소에 의해 불활성화는 일어나지 않기 때문에 그대로 태아에게 이행할 가능성이 높다. 이 성질을 이용해 모체 질환의 치료를 목적으로 부신피질스테로이드제를 투여하는 경우에는 프레드니솔론이 1차약제이며 태아의 폐성숙 등 태아 치료를 목적으로 부신피질스테로이드제를 투여하는 경우는 덱사메타손이나 베타메타손이 투여된다.

임신 중인 모체에 투여된 부신피질스테로이드제가 태아에 미치는 영향에 대해서는 구개열 등 기형발생 문제와 태아발육부전(fetal growth restriction: 자궁내성장제한) 등이 있다.

그 외에도 산모에게는 고혈압, 임신당뇨병 등을 일으킬 위험이 있다. 中村[8]는 임신 중 모체 질환 치료 목적으로 투여된 부신피질스테로이드제가 태아에 미치는 영향에 대해 검토한 결과 프레드니솔론 30mg/일 이하, 베타메타손 0.7mg/일 이하로 투여한다면 기형, 체중·신장·머리둘레의 감소, 부신기능과 신장기능 장애를 초래하지 않았기 때문에 아이에 대한 안전성에 관해서는 특히 문제가 되지 않는다고 하였다.

2) 그 외의 약제

약품 첨부문서상에는 임신부에서의 사용이 금기이나 특정 상황에서는 임신 중이라도 투여가 추천되는 약물로는 타크로리무스수화물이 있다. 그 밖에도 아자티오프린과 사이클로스포린은 미국에서 장기이식 이후 임신을 위해서는 일정량 투여를 지속해야만 하며, 부신피질스테로이드 단독으로는 치료 효과가 불충분한 결체조직질환 등에는 이들 세가지 약제의 사용으로 산모와 태아가 회복되는 경우가 많다고 여겨지고 있다.[9]

최근 항말라리아제 하이드록시클로로퀸(HCQ)을 임신 및 임신 후에도 계속 사용하는 것이 태아 안전은 물론이고 임신 유지 및 기저질병의 악화를 예방하고, 부신피질스테로이드제의 감량에 유용하다는 보고가 있다.[10]

임신 중의 관리와 분만시기

SLE의 급격한 악화를 조기에 발견하고 대처하는 것, 특히 신장기능의 악화에 주의하는 것, 산모와 태아 모두에게 적절한 분만시기 결정 등이 임신 중 관리의 핵심이다. SLE의 활동성 지표로서는 혈청 보체값(CH_{50})의 변동이 있다. CH_{50}가 낮은 값이 지속되는 경우나 급격한 저하를 보일 때는 급성 악화 가능성을 고려하고 대처해야 한다.

태아 모니터링은 태아발육에 주의하며 자궁내성장제한 조기발견과 양수과소 등의 태아기능 장애의 징후에 주의를 기울여야 한다. 또한 모체 신장기능의 악화 등으로 인해 임신을 중단해야 할 경우에는 태아의 생존가능성을 충분히 고려하여 분만시기를 결정한다.

항인지질항체증후군 임신관리에서는 도플러초음파검사가 유용하다. 자궁동맥 혈류의 파형에서 임신 20주를 지나도 확장기 notch가 지속되고, pulsatility index값이 상한가를 나타내는 경우에는 임신 예후가 좋지 않은것으로 보고되고 있다. 제대동맥의 혈류 파형에서 갑자기 resistance index (RI)가 갑자기 상승하는 것은 태아안녕이 위협 받고 있음을 시사할 수 있다. 따라서 도플러초음파검사에 의한 자궁동맥의 혈류파형 해석은 임신 예후의 추정에 도움이 되며, 제대동맥의 혈류파형 해석은 아이의 분만시기의 결정에 도움이 된다고 생각되고 있다.

산욕기 관리

분만 후에는 SLE의 급성악화를 예방하기 위해 스테로이드의 투여를 점진적으로 증량할 필요가 있으며 대개 임신기간 유지량의 3배 가량으로 높여 투여하고 그 후로 증상을 보며 감량한다. 프레드니솔론이 모유에 이행할 확률은 낮아 1일 30~40mg에서는 모유 수유를 중단할 필요는 없다.

참고문헌

1） 橋本博史. "SLEの概念とその変遷". 全身性エリテマトーデス臨床マニュアル. 東京, 日本医事新報社, 2006, 2-7.

2） Hochberg, MC. Updating the American College of Rheumatology revised criteria for the classification of systemic lupus erythematosus. Arthritis. Rheum. 40(9), 1997, 1725.

3） Miyakis, S. et al. International consensus statement on an update of the classification criteria for definite antiphospholipid syndrome（APS）. J. Thromb. Haemostat. 4, 2006, 295-306.

4） Ogishima, D. et al. Placental pathology in systemic lupus erythematosus with antiphospholipid antibodies. Pathology International. 50, 2000, 224-9.

5） Anami, A. et al. The predictive value of anti-SS-A antibodies titration in pregnant women with fetal congenital heart block. Mod. Rheumatol. 23, 2013, 653-8.

6） Nakamura, Y. et al. Immnunoadsorption plasmapheresis as a treatment for pregnancy complicated by systemic lupus erythematosus with positive antiphosopholipid antibodies. Am. J. Reprod. Immunol. 41, 1999, 307-11.

7） Buyon, JP. et al. Neonatal lupus：Review of proposed pathogenesis and clinical data from US-based research resistry for neonatal lupus. Autoimmunity. 36, 2003, 41-50.

8） 中村靖. 母体疾患へのステロイドの投与の適用と胎児への影響. 日本周産期・新生児医学会雑誌. 40, 2004, 682-86.

9） 日本産科婦人科学会・日本産婦人科医会 編集・監修. "CQ104-2 添付文書上いわゆる禁忌の医薬品のうち, 特定の状況下では妊娠中であっても投与が必須か, もしくは推奨される代表的な薬物は？". 産婦人科診療ガイドライン：産科編2014. 2014, 66-7.

10） Costedoat-Chalumeau, N. et al. Safety of hydroxychloroquine in pregnant patients with connective tissue diseases: a study of one hundred thirty-three cases compared with a control group. Arthritis Rheum. 48, 2003, 3207-11.

 吉田幸洋

B군용혈성 연쇄상구균

개요

B군용혈성 연쇄상구균(Group B *Streptococcus* ; GBS)감염증은 *Streptococcus agalactiae*에 의한 감염이다. 임산부의 보균율은 10~30%이다. 보균 산모로부터 태어난 신생아의 약 50%에서 균이 분리되어 그 1% 정도가 발병한다.[1] 주로 분만 시에 산도를 통해 감염한다. 융모양막염의 원인 균으로서도 중요하며 때로는 상행성으로 태아 감염을 유발하여 태아기의 패혈증이나 태아 사망의 원인이 된다. 신생아기의 감염은 조발형(생후 1일 이내)과 폐렴과 패혈증, 지연형(생후 7일 이후)인 수막염이 있다. 이전에는 사망률이나 후유증의 빈도가 높았지만, 최근에는 임산부 건강진료에 있어서의 스크리닝 효과로 조기 대응이 가능해졌기 때문에 모두 저하되고 있다.

진단

임산부 건강 진단 시 질 분비물의 균 배양을 통한 적극적인 스크리닝을 시행한다. 24시간 이내로 판정 가능한 간이신속배양기가 있으며, 임신 중에 스크리닝을 행하지 않은 조기양막파수나 조기진통 환자에게서 유용하다.

관리 및 치료

임신 33~37주에 질 주변의 배양 검사를 한다. 양성의 경우, 질식분만 중 혹은 양막파수 후 모체태아 감염 예방 차원으로 페니실린 계열 약제를 정주한다. 스크리닝에서 음성인 경우에도 지난 출생시 아기가 GBS에 감염된 적이 있거나 GBS 보균 상태가 불분명한 임신 37주 미만 분만, 파수 후 18시간 이상 경과, 38도 이상 발열의 경우는 똑같이 대처한다. 조기양막파수의 경우 GBS제균에 필요한 살균제의 투여 기간은 3일이다.

중증 A군 용혈성 연쇄상구균

개요

Group A *Streptococcus*에 의한 패혈증성 병태로 임신 말기에 주로 상기도 감염을 계기로 혈행성으로 자궁근층에 감염됨으로써 발병한다. 급속도로 패혈증 쇼크가 진행되면서 높은 비율로 태아 사망, 모체 사망을 야기한다. 일본에서 보고 사례는 적지만 진행이 빠르고 심각한 결과를 가져오기 때문에 본 질환의 존재를 염두에 두는 것이 중요하다.

진단

특징적인 임상증상을 보인다. 상기도염 양상의 증상을 초기 증상으로 하여 발열과 고도의 전신 권태감이 나타나며, 강한 진통이 발생하고, 태아심박수 모니터링 이상과 태아 사망이 발견된다. 분만 중 또는 분만 후 쇼크 및 DIC 증상을 보이고, 생명 위험에 이르게 된다.

조기 진단은 어렵지만 인두증상을 동반한 상기도염일 때에는 인두배양을 해둔다. 면역학적 신속진단 키트도 있다. 임상증상이 발현된 때에는 혈액배양, 혈액도말표본으로 연쇄구균상 및 백혈구에 의한 구균탐식형상을 검색한다. DIC에 관한 검사도 진단의 근거가 된다.

관리 및 치료

확립된 관리 및 치료지침은 없다. 중증 패혈증 및 패혈증성 쇼크를 기준으로 하여 시행한다. 즉 빠른 시점에서 항생제(암피실린, 클린다마이신)나 면역 글로불린 투여를 시작한다. 제왕절개 분만 여부에 관한 상세한 보고는 없지만, 신속한 병소의 제거, DIC대책, 호흡순환 관리 등 전신관리를 도모하는 것이 중요하며 연속 장시간 투석 여과, 내독소 흡착법이 필요한 경우도 있다.

수두

개요

수두(chickenpox)는 varicella-zoster virus(VZV)에 의한 감염증이다. 항체보유율은 90% 이상이며, 임산부들이 수두에 이환하는 빈도는 많은 보고에서 0.3%[3]로 낮다. 그러나 임신 중 수두 감염은 폐렴을 합병하여 때로 중증화된다. 임신 20주 전후에 태반을 통하여 태아가 감염되는 경우 선천성 수두증

(자궁내성장제한, 피부 유흔, 사지저형성, 소두증, 뇌 피질 위축, 맥락 망막염)이 1～2%에서 발생할 수 있다.[4] 신경 마디에 숨어 있던 VZV가 활성화함으로써 발병하는 유아기의 대상 포진은 1%, 분만 전후의 감염에 의한 주산기 수두는 20～50%로, 특히 분만 전의 5일부터 산후 2일까지 모체가 발병한 경우 아기는 생후 5～10일에 발병하지만, 모체로부터의 이행 항체가 없어서 폐렴이나 뇌염을 발병함으로써 중증화되고,[5] 사망률은 30%로 높다.

진단

유행상황과 특징적인 임상증상 및 수포액 안의 VZV항원이나 혈청 중 IgM항체 유무로 진단한다.

관리 및 치료

임신 중 발병할 때 항바이러스제인 아시클로버를 정주한다. 분만 시작 전에 감염된 경우 항체 생산과 약물의 태아로의 이행을 늘리기 위해 진통억제제를 사용하여 분만까지의 기간을 연장하는 경우도 있다. 이 사이에 수평감염예방을 위해 격리실 관리를 한다. 분만 전 5일부터 산후 2일 사이에 모체의 발병했을 경우, 신생아에게 항 VZV면역 글로불린을 투여하며 발병하면 아시클로버를 투여한다. 모체의 발병이 산후 3일 이후의 경우, 산모와 아이 간의 접촉을 피한다.

홍역

개요

홍역(measles)은 홍역 바이러스에 의한 전염병이다. 최근 백신 접종률이 줄어 20대 초반의 감염이 늘어나고 있다.[6] 주로 비말 감염으로 임산부의 이환은 폐렴과 뇌염을 유발하고 중증화시킬 위험이 있다. 또한 조산과 자궁내성장제한의 발병률이 높다. 반면 태아의 경우 선천성 풍진증후군 같은 다양한 선천기형의 발병 빈도는 낮다. 그러나 홍역 바이러스는 태반을 쉽게 통과하여 태아로 이행하기 때문에, 항체가 없는 모체에서 출생한 신생아의 경우 중증화되어 죽음에 이를 수 있다.

생백신이기 때문에 임신 중 예방 접종이 금기이다. 또한 예방 접종 후 2개월간 피임을 지도한다.

진단

특징 있는 임상증상(구강 내의 코플리크 반점 작은 반상의 발진, 미만성 홍반)과 혈청학적 항체 검사(HI법에 따른 페어 혈청 측정, EIA법에 의한 IgM 항체, PCR법)에 의해 확정 진단을 실시한다.

관리 및 치료

홍역 환자와 접촉하였으나 홍역 항체가 없는 경우(불명의 경우), 72시간 이내의 고역가 홍역항체를 포함한 감마글로불린의 투여는 감염의 예방 혹은 증상의 경감에 효과적이다. 분만 직전에 모체가 홍역을 앓을 때는 신속하게 고역가 홍역항체를 포함한 감마글로불린을 투여한다. 모체의 발병 후 7일 이후까지 분만 시기를 연장할 수 있는 경우는 진통억제제를 사용하여 항체 생산 및 태반 이행을 늘리는 것이 좋다. 분만 전후에 발병하면 산모와 아기를 격리시키고 신생아에게는 감마글로불린을 투여한다.

참고문헌

1） 日本産婦人科医会. "母子感染各論：B群溶連菌". 妊娠と感染症. 研修ノート. No. 70. 2004, 99-100.
2） 日本産科婦人科学会・日本産婦人科医会 編集・監修. 産婦人科診療ガイドライン：産科編2014. 2014, 295-7.
3） Stango, S. et al. Herpesvirus infections of pregnancy. Part Ⅱ. Herpes simplex virus and varisellazoster virus infections. N. Engl. J. Med. 313, 1985, 1327-29.
4） Pastuszak, AL. et al. Outcome after maternal varicella infection in the first 20 weeks of pregnancy. N. Engl. J. Med. 300, 1994, 901-5.
5） CDC. Prevention of Varicella. MMWR. 45, 1996, 1-3.
6） 日本産婦人科医会. "母子感染各論：麻疹ウイルス". 妊娠と感染症. 研修ノート. No. 70. 2004, 82-3.

≫ 平野秀人

소화기질환

임신 중 소화기관은 태반으로부터 분비되는 프로게스테론에 의해 연동운동이 감소하고 임신에 자궁이 커지면서 해부학적, 생리학적, 또 기능적으로 변화가 생긴다. 임신 초기에는 임신오조로 오심·구토가 출현하고, 임신후기는 임신자궁의 증대로 인한 위식도 역류증 등이 일어나기 쉽다. 임신 후기 상복부 통증이 있으면서 임신고혈압 증후군을 합병할 경우에는 HELLP 증후군을 염두에 두고 검사를 하는 것이 중요하다. 소화기 증상이 지속되는 경우에는 투약이나 경과관찰을 하는 것이 아니라 소화관 내시경 검사 등을 시행하여 악성종양을 포함한 기질적 질환의 유무를 정밀 조사해야 한다. 임산부의 급성복증의 원인으로는 자궁외 임신, 절박유산, 상위태반박리라는 산과적 질환과 함께 충수염 등 소화기 질환도 있으므로 이를 염두에 두고 감별이 필요하다. 이 경우에는 임신 중 방사선 피폭의 문제가 있기 때문에 검사와 치료에 제한이 더해져 대응에 고심하는 경우가 많다. 그러나 기회를 놓치면 산모와 태아의 주산기 예후에 중대한 영향을 미치기 때문에 신속·적극적인 진단, 치료의 개시가 중요하다.

위식도역류증(gastroesophageal reflux disease ; GERD)

병태

위식도역류증상은 가슴 쓰라림·구토를 주된 증상이며 임신 주수가 진행되면서 악화되는 일이 많지만 역류성식도염까지 되는 것은 드물다. 위식도역류증상의 원인은 임신 중에 상승한 프로게스테론의 작용에 의한 식도 하부괄약근의 수축력 약화, 위장의 연동 불량, 커진 자궁에 의한 위의 압박 등을 생각할 수 있다.[1~3]

치료

위식도역류증의 임신 중 관리는 식생활 개선이 최우선이다. 앉은 자세로 눕거나, 소량씩 잦은 식사 섭취, 수면 전 3시간은 먹지 않는 것 등이 장려되고 있다. 식생활을 개선해도 증상이 호전되지 않는 경우에는 약물요법으로 제산제(알루미늄겔), H2수용체길항제(시메티딘, 라니티딘, 파모티딘), 프로톤펌프억제제(오메프라졸, 라베프라졸, 란소프라졸)도 고려된다. H2수용체길항제는 현시점에서 모두 FDA pregnancy category는 B이고 임신 중 투약에 유익성이 있다. 프로톤펌프억제제는 오메프라졸만이 FDA prgnaency category가 C이고, 기타 약제는 B이며 첨부문서도 유익성 투여로 되어있다. 최근의 보고서에서도 뚜렷한 기형 보고는 없다.[4]

소화성궤양(peptic ulcer disease ; PUD)

병태

소화성궤양은 심와부통증, 식욕부진, 공복통증, 식후구토감, 구토가 주요증상이다. 위식도역류증과의 감별은 흉골하부의 가슴쓰라림과 역류가 위식도역류증에 비해 드물다는 점이다. 소화성궤양은 임신 중 에스트로겐의 증가에 의한 위산분비 억제와 프로게스테론에 의한 점막보호 작용이 있는 점액분비 촉진으로 임신 중의 합병은 드물며, 임신 기간 동안 소화성궤양이 개선되는 경우가 많다.[2,5,6]

치료

위식도역류증처럼 식생활과 생활 습관의 개선이 최우선이다. 식생활과 생활습관을 개선해도 증상이 호전되지 않을 경우 약물 요법이 선택된다. 약물 요법의 첫 선택은 제산제(알루미늄겔)이다. 또 점막보호제(스쿠랄페이트)는 체내 흡수가 거의 없으므로 안전하게 사용할 수 있을 것이다. 제산제와 점막보호제로 증상이 호전되지 않을 경우에는 H2수용체길항제(시메티딘, 니자티딘, 라니티딘, 파모티딘), 프로톤펌프억제제제(오메프라졸, 라베프라졸, 란소프라졸)도 고려된다. 이러한 치료에도 개선되지 않고 증상이 나빠지는 경우 상부 소화관 내시경검사를 시행한다.

소화성궤양이 나타나는 경우는 *Helicobacter pylori*에 대해서도 정밀 조사를 실시한다. *Helicobacter pylori* 양성의 경우는 항균제(아목시실린, 클라리스 로마이신, 메트로니다졸)를 투여한다. 메트로니다졸만 임신 3개월 이내의 투여는 금기이다. 프로스타글란딘 계열(미소프로스톨, 엔프로스틸)은 자궁수축 작용이 있기 때문에 FDA pregnancy category는 X로 투여금기이다.

급성충수염(acute appendicitis)

개념 · 빈도 · 병태

충수염은 임신 중에 개복치료를 필요로하는 외과질환 중 가장 흔한 질환이다.

1. 역학(빈도)

임신 중의 발병 빈도는 약 1,500 임신 중 한 명이지만, 보고자에 따라서 다르다.[7] 임신부의 발병률은 또래의 비임신부의 발병률보다 낮다.

2. 발병시기

본 질환은 임신 중의 어느 시기에도 발병하지만, 제2삼분기 발병률이 다른 시기보다 다소 많다.[8]

3. 병태

임신으로 자궁이 커지면서 충수돌기가 위로 올라가고 대망 감염을 막아주는 것이 어렵기 때문에 충수염 천공이나 범복막염의 발병 빈도는 증가한다.

4. 합병증

진단이 늦어지면 천공 발생으로 인해 유·조산율이나 산모 및 태아의 사망률이 상승한다.[9]

진단

1. 증상

초기 증상은 식욕부진, 오심, 구토 등이 생기지만 임신의 비특이적 증상과 비슷하다. 임신오조 등의 일반적인 증상과 다르게 충수염에서는 복통이 나타난 후에 오심·구토가 출현한다. 그러나 조기진통이나 진통 발생 후에도 복통에 구토감과 발열 등이 동반될 수 있어 충수염과의 감별은 더욱 어렵다.[7] 증상이 진행되면서 점차 오른쪽 하복부 통증이 주로 나타나게 된다.

임신 기간 중에는 자궁이 커짐에 따라 충수의 압통점도 위쪽으로 이동할 것으로 보인다. 임신 주수에 관계없이 대부분은 비임신 때처럼 오른쪽 하복부 통증이라는 보고도 있다.[7] 비임신 때에 특징적인 소견이나 증상은 임신의 경과와 함께 가려질 수 있기 때문에 임신 중의 진단은 비임신 때에 비해서 매우 어렵다.

2. 물리적 소견

염증이 생긴 충수는 자궁의 증대로 인해 전벽 복막에서 멀어지기 때문에 압통, 근육강직, 반발통 등의 소견을 찾아내기 어렵다.[9] 하지만 이렇게 소견이 분명치 않더라도 충수염을 부정해서는 안 된다.

3. 혈액 검사

백혈구 증가, 호중구 증가나 CRP 양성이 나타날 경우에는 충수염을 의심한다. 그러나 임신 중에도 생리적으로 백혈구가 증가하고 진통 발생 시에도 상승하기 때문에, 시간에 따른 변화를 추적하여 확인하는 것이 중요하다. 이 검사들은 진단에 유용하지 않다는 것을 보여준다.[7]

4. 화상 진단

복부초음파 검사는 간편하고 비침습적이어서 임신 중 충수염의 검사에 자주 이용되지만, 커진 임신 자궁의 영향으로 확인이 어려운 경우가 많다.[10] 초음파영상에서 압축되지 않는 6mm 이상으로 커진 충수가 보이면 충수염을 의심하지만 정확한 진단율은 낮다. 정상적인 충수로 판단할 수 없을 때에도 충수염을 부정할 수 없다.[11] MRI는 초음파 검사로 진단이 불명확한 경우의 충수염 진단에 유용하다. T2강조 영상에서 6mm 이상의 충수 확장이나 충수벽의 비후, 충수 주위의 높은 신호영역, 농양 등이 보이면 충수염을 의심한다.[10,12] helical CT가 유효하다는 보고도 있지만,[13] 방사선 피폭도 있으므로 초음파 검사와 MRI 등으로 진단이 되지 않는 경우에만 사용하는 것이 바람직하다.

관리

외과적 치료가 첫번째이다. 임신 중 충수염 진단은 지연되기 쉽고 진단까지 시간이 걸리면 충수천공이나 위독한 복막염으로 발전할 가능성이 높아진다. 발병에서 수술까지 24시간을 넘을 경우 천공률이 상승한다는 보고가 있기도 하다.[8] 진단의 어려움이나 천공의 위험성, 주산기 예후의 불량함을 고려하면 시험개복술도 용인된다.

충수염에 의한 발열과 동통은 자궁 수축을 유발할 수 있다. 충수염 발병을 계기로 분만에 이르는 빈도는 4.6%이며, 그 대부분은 수술 후 5일 이내에 조산되었다.[14,15] 충수염 합병임신으로 수술이 필요한 경우 조산이 될 수 있다는 점을 고려할 필요가 있다.

개복 수술의 경우 임신 주수와 관계없이 McBurney 부위나 혹은 압통점에서 충수 적출은 문제 없었다고 하였다.[16] 임신 초기에서 중기에 복강경수술은 개복수술과 비교하여 수술 후의 주산기 예후는 동등하다고 하였다. 일부 사람들은 임신 후기 때도 복강경하 수술을 할 수 있다는 의견도 있는 반면 이를 부인하는 의견도 있다.[18]

천공되지 않은 충수의 절제 후에도 유·조산이나 태아사망은 1.5~9.0% 안팎으로 보여지며, 충수가 천공되었을 경우에는 산모·태아의 사망률, 유·조산율은 11~36%로 증가한다.[14,15,19] 충수절제술 때 제왕절개 분만이 되는 경우는 드물며, 충수절제 후 수술부위 감염의 위험은 비임신 때와 비교해도 차이가 없다.

염증성 장질환 (inflammatory bowel disease ; IBD)

개념 · 역학 · 빈도 · 병태

염증성 장질환(inflammatory bowel disease ; IBD)은 궤양성대장염(ulcerative colitis ; UC)과 크론병 (Crohn's disease ; CD)을 포함한 총칭으로, 모두 호발연령이 생식연령과 겹쳐서 임신 중에 처음 발생하는 경우가 있다. 임신 시의 IBD의 상태가 그 후의 임신 기간 중 IBD의 상태를 결정한다.[20] 관해상태에서 임신된 경우에는 임신 중에도 그 증세가 유지되고, 활동기에 임신된 경우에는 임신 중에도 증상을 동반해 악화되는 경우도 있기 때문에 관해상태에서 임신하는 것이 바람직하다.[21]

1. **궤양성대장염(UC)**

   주로 점막과 점막하층을 침범하여, 직장에서 보이는 비특이 염증성 장질환이다.

   1) **역학(호발연령)**: 30세 이하의 성인에게 많고, 최고는 25~29세이다. 소아와 50세 이상 연령층에도 보인다. 성별차이는 없고 해마다 증가하는 추세이다.

   2) **원인**: 원인은 불명이고, 면역학적 기전이나 심리적 요인의 관여로 생각된다.

   3) **증세**: 설사, 무른변, 혈변이 가장 많고 그 외 복통, 체중 감소 등 여러가지 전신 증상을 보인다.

   4) **임상 경과**: 관해와 재발을 되풀이하는 것이 특징이다. 중증 장염이나 중독성거대결장증 등이 합병할 경우에는 임신주수와 관계없이 직장·결장 절제를 할 수 있다. 암이 되는 것은 1% 정도로 추정된다.

2. **크론병(CD)**

   궤양이나 섬유화를 수반하는 육아종성 염증성 병변으로, 소화기관의 어느 부위에도 발생한다.

   1) **역학(호발 연령)**: 10대 후반부터 20대의 젊은층에서 많이 발병한다. 30세 이후에는 급격히 발병률이 낮아진다.

   2) **원인**: 원인은 불명으로, 병변은 소화관의 어느 부위에도 일어나며 소화기관 이외에도 관절염, 홍채염, 결절성 홍반 등이 생길수도 있어 다채로운 임상 양상을 나타낸다.

   3) **증상**: 복통, 설사, 발열, 체중 감소가 4대 증상이다.

4) **임상 경과**: 관해와 재발을 반복하여 장기간에 천천히 진행되지만, 약 30%에서는 진단 후 1년 이내에 외과적 처치를 필요로 하게 된다.

진단·관리

1. 진단

진단 절차는 후생노동성 특정질환치료연구 사업의 난치성염증성장관 장애조사연구반의 보고에 준하다(표 1,2).

2. 임신이 IBD에 미치는 영향

임신이 시작된 당시의 IBD 상태는 그 후의 임신기간 중 IBD의 상태를 결정한다.[20] 관해 상태에서 임신된 경우에는 임신 중에도 그 상태가 유지되고, 활동기에 임신된 경우에는 임신 중에도 증상이 악화될 수 있기 때문에 임신은 관해(경감) 중에 하는 것이 바람직하다.[21]

a) 궤양성대장염(UC)

경감 중인 UC 환자가 임신한 경우, 재발할 위험성은 올라가지 않는다. 그러나 활동기에서의 임신은 그 2/3이 활동기 상태로 유지된다.[22] 1년 이상 관해기를 거치고 계획적으로 임신하는 것이 바람직하다.

표 1. 후생노동성 특정질환 궤양성대장염 조사연구반에 따른 진단기준

다음의 a)와, b)중에서 1항목, 및 c)를 충족하는 것으로 표 아래에 기입된 질환이 제외 가능하면 확진이 된다.
a) 임상증상 : 지속성 또는 반복성의 점혈·혈변 혹은 그 과거력이 있다.

b) 내시경검사: i)점막이 미만성으로 침범되고, 혈관 침윤은 소실되어, 거친모습 또는 미세 과립상을 나타낸다. 접촉성 출혈을 수반하기 때문에 점액성, 혈농성 분비물이 부착되어있다.
ii) 다발성의 짓무름, 궤양 혹은 위 폴립증이 확인된다.
장X선검사: i) 점막 표면의 미만성 세포과립상 변화, ii) 다발성의 짓무름, 궤양,
iii) 위 폴립증의 확인. 그 외, 팽대의 소실이나 장관의 협소·단축이 확인된다.

c) 조직생검: 활동기에서는 점막 전층에 미만성염증성 세포 침윤, 농양형성, 저명한 기저세포의 감소가 확인된다. 모두 비특이적 소견이므로, 종합적으로 판단한다. 관해기에서는 분비선 배열이상(사행, 분지), 위축이 잔존한다. 상기의 변화는 보통 직장에서 연속성으로 입구측에 드러난다.

b),c)의 검사가 불충분하거나 검사 시행을 못하더라도 절제수술 혹은 부검을 통해 육안적, 조직학적으로 이 질환의 특징적 소견이 확인된 경우, 다음과 같은 질환을 제외할 수 있다면 확진을 한다.
**제외해야 할 질환: 세균성이질, 아메바성대장염, 살모넬라장염, 캄피로박터장염, 대장결핵, 클라디미아장염 등 감염성 장염, 그 외에 크론병, 방사선조사성 대장염, 약제성대장염, 림프양증식증, 허혈성대장염, 장형베체트병 등이 있다.
주 1) 드물게 혈변을 알아차리지 못한 경우나, 혈변을 확인 후 바로 내원하는 경우도 있으므로 주의를 요한다.
주 2) 소견이 경증으로 진단이 확실하지 않은 것은 의증으로서 취급하고, 후일 재발 시에 명확히 소견을 얻을 수 있다면 이 질환으로「확진」한다.

표 2. 후생노동성 특정질환 크론병조사연구반에따른 진단기준

(1) 주요소견: A. 종주 궤양(longitudinal ulcer) (주1) 　　　　　　 B. 포석상(cobble stone appearance) (모양) 　　　　　　 C. 비건락성 상피세포 육아종 (주2) **(2) 부소견** 　a.소화관의 광범위하게 확인되는 부정형~원형 궤양 또는 아구창(주3) 　　　　　　 b.특징적인 항문 병변 (주4) 　　　　　　 c. 특징적인 위·십이지장 병변 (주5) **확진례** 　1. 주요 소견의 A또는 B를 가진 것 (주6) 　　　　 2. 주요 소견의 C와 부 소견의 a또는 b을 가진 것 　　　　 3. 부 소견의 a. b, c 모두를 가진것 **의심례** 　1. 주요 소견의 C와 부 소견의 c를 가진 것 　　　　 2. 주요 소견의 A또는 B를 갖지만, 궤양성대장염이나 장관베체트병, 단순성 궤양, 허혈성장병변과 감별을 　　　　　 할 수 없는 것 　　　　 3. 주요 소견의 C만을 가진 것 (주7) 　　　　 4. 부 소견 중 2개 또는 1개를 가진 것

주1) 소장의 경우는, 장간막 부착 측에 호발한다.
주2) 연속절편작성에 의해 진단율이 높아진다. 소화관에 경험이 많은 병리의사의 판정이 바람직하다.
주3) 일반적으로는 평행하지만, 평행하지 않는 경우도 있다. 또, 3개월 이상 지속할 필요가 있다.
　　 또한 장결핵, 장관베체트병, 단순성궤양, NSAIDs궤양, 감염성 장염의 제외가 필요하다.
주4) 항문열상, cavitating ulcer, 치루, 항문주위농양, 부종성 피부 등. 크론병의 항문 병변 육안소견 아틀라스를 참조하여, 크론병에 정통한 항문외과 전문의에 의한 진단이 바람직하다.
주5) 대나무 마디형 외관, 패임 모양 함몰 등. 크론병에 정통한 전문의들의 진단이 바람직하다.
주6) 종주 궤양만의 경우, 허혈성장병변이나 궤양성대장염을 배제할 필요가 있다. 포석상만 있으면 허혈성장병변을 배제해야
　　 한다.
주7) 장결핵 등 육아종을 가진 염증성 질환을 배제할 필요가 있다.

b) 크론병(CD)

　관해기에 있는 환자가 임신한 경우 임신 중에 다시 재발할 가능성은 높지 않다. 활동기에 임신이 되었을 경우 임신 중에 증상이 악화되는 경우도 있다. 특히 임신 중에 병세가 악화되어 약물요법이 효과가 없는 경우 외과적 치료가 필요할 수도 있다. 그러나 임신 중의 장관수술은 유·조산의 위험성을 높일 가능성이 있으며, 또한 커진 자궁 때문에 수술 술기 자체가 어려워질 수도 있어서 임신은 관해 중에 하는 것이 바람직하다.[21] 항문에 활동성 병변이 있는 임산부는 질식 분만이 병세를 악화시킬 것이라고 생각되어 왔지만, 질식 분만이 항문 병변의 악화와 관련이 없다는 보고도 있다. 그러나 실제로는 활동성 항문병변이 나타날 경우, 회음절개로 직장 질 누공의 위험이 높아진다는 보고가 있기 때문에 제왕절개 분만이 검토된다.[23] 상태가 안정되어 있는 환자들은 일반적인 산과적 적응증에 따른다.

3. IBD가 임신에 미치는 영향

a) 궤양성대장염(UC)

UC 합병 임산부의 주산기 합병증의 빈도는 정상인과 특히 큰 차이 없다는 보고가 많지만, 조산이나 저출생체중아, 선천질환 등의 빈도가 높다는 보고도 많이 보인다.[24, 25] 또 활동기에서의 유·조산율이 더 높다는 보고도 있다.[26]

b) 크론병(CD)

궤양성대장염의 경우보다 주산기 합병증의 빈도가 올라간다고 한 보고가 많으며, 건강한 임신부에 비해 조산이나 미숙아, 제왕절개 등의 빈도가 높다. 특히 조산에 관해서는 CD의 활동성에 관계없이 빈도가 높다고 보고되고 있다.[27]

4. 치료

치료는 모체와 태아에게 유익한 쪽이 크다고 판단되는 증례에 한해야 하지만, 활동적인 IBD는 태아에 대한 악영향이 크기 때문에 적극적인 치료 대상이 된다. IBD에 사용되는 약제 FDA pregnancy category, 수유에 대한 영향[28]에 대해서 표 3에 나타낸다.

표 3. IBD에 대한 약제와 FDA 임신카테고리와 수유에 대한 영향

	약제명	상품명	FDA Pregnancy category	수유에 대한 영향[28]
5아미노 살리실산유도체 (5-ASA)	설파살라진	사라조피린®	B	Potential Toxicity
	메살라진	펜타사®	B	Potential Toxicity
부신피질 스테로이드	프레드니솔론	프레드닌®	B	compatible
항원충제	메트로니다졸	후라질®	B	Potential Toxicity
면역억제제	아자티오프린	이뮤란®	B	Potential Toxicity
	사이클로스포린	산디문®	B	Potential Toxicity
TNF저해제	인플릭시맙	레미캐드®	B	compatible
	아달리무맙	휴미라®	B	Potential Toxicity

위암(gastric cancer)

개념 · 빈도

1. 개념

임신에 따른 여러 증상으로 위암의 주증상인 구토나 오심이 가려지므로 진단이 늦어지기 쉽다.

임신에 합병하는 위암은 비임신보다 훨씬 더 위험하다. 임신에 따른 검사의 제한과 진단의 어려움이나 임신에 따른 면역억제상태가 악성종양의 진행에 촉진적으로 작용하는 것도 있어,[29] 발견 시에는 이미 진행암으로 되어 있어 근치 치료가 어려운 경우도 있다. 임신 중 발견된 악성종양의 치료는 모체와 태아의 상태를 심사숙고하고 결정해야 한다.

2. 빈도

위암 합병 임신은 드물다. 일본에서 임신 중 위암을 합병하는 임산부의 빈도는 10만명당 10명 정도로,[30] 젊은 여성들 중에는 경성암(scirrhous cancer)이 많다.

증상

주증상은 오심·구토, 상복부 통증이며, 임신오조나 커진 자궁의 압박증상과 감별이 어렵다.

검사

임신 중이라도 상부 소화관 내시경 검사는 가능하다. 조기 진단은 예후 개선에 가장 중요하다. 증상이 장기간에 이른 경우나 임신 전부터 지속되는 경우에는 위암도 염두에 두고 적극적으로 상부 소화관 내시경 검사 등의 검사를 실시해야 한다.[31]

관리

임신 중에 위암으로 진단된 경우에는 비임신과 같이 암 치료를 고려한다. 임신 22주 미만이면 임신중절, 임신 30주 이후라면 인위적 조기분만 후 계속 추가적인 치료가 이루어질 때가 많다. 임신 22~30주에서는 아이의 성숙도와 위암의 상태를 감안하여 충분한 상담 하에 방침이 결정되다. 임신한 채로 수술적 치료를 하는 경우에는 증대된 자궁이 수술을 어렵게 할 것으로 예상되지만, 임신초기에는 자궁도 비교적 작고 상복부 수술에 미치는 영향이 작을 수도 있으므로 외과의와 충분히 상담 후 고려한다.[32]

예후

비교적 조기에 발견되어 근치수술이 시행되면, 예후는 일반 위암과 동등하다. 그러나 임신에 합병하는 위암은 임신에 동반되는 증상과 비슷하여 경과관찰 하거나 방사선 피폭의 문제로 임신 중 CT검사 등을 피하는 경향 때문에 암의 발견이 늦기 쉬우므로, 비임신 때보다 훨씬 더 예후가 불량하다.

참고문헌

1) Van Thiel, DH. et al. Heartburn of pregnancy. Gastroenterology. 72(4 Pt 1), 1977, 666-8.
2) Marrero, JM. et al. Determinants of pregnancy heartburn. Br. J. Obstet. Gynaecol. 99(9), 1992, 731-4.
3) Schulze, K. Christensen J. Lower sphincter of the opossum esophagus in pseudopregnancy. Gastroenterology. 73(5), 1977, 1082-5.
4) Diav Citrin, O. et al. The safety of proton pump inhibitors in pregnancy : a multicentre prospective controlled study. Aliment. Pharmacol. Ther. 21(3), 2005, 269-75.
5) McKenna, D. et al. Helicobacter pylori infection and dysplasia in pregnancy. Obstet. Gynecol. 102(4), 2003, 845-9.
6) Weyermann, M. et al. Helicobacter pylori infection and the occurrence and severity of gastrointestinal symptoms during pregnancy. Am. J. Obstet. Gynecol. 189(2), 2003, 526-31.
7) Mourad, J. et al. Appendicitis in pregnancy : new information that contradicts long-held clinical beliefs. Am. J. Obstet. Gynecol. 182(5), 2000, 1027-9.
8) Yilmaz, HG. et al. Acute appendicitis in pregnancy-risk factors associated with principal outcomes : a case control study. Int. J. Surg. 5(3), 2007, 192-7.
9) Babaknia, A. et al. Appendicitis during pregnancy. Obstet. Gynecol. 50(1), 1997, 40-4.
10) Pedrosa, I. et al. Pregnant patients suspected of having acute appendicitis : effect of MR imaging on negative laparotomy rate and appendiceal perforation rate. Radiology. 250(3), 2009, 749-57.
11) Barloon, TJ. et al. Sonography of acute appendicitis in pregnancy. Abdom. Imaging. 20(2), 1995, 149-51.
12) Lan, Vu. et al. Evaluation of MRI for the diagnosis of appendicitis during pregnancy when ultrasound is inconclusive. J. Surg. Res. 156(1), 2009, 145-9.
13) Ames Castro, M. et al. The use of helical computed tomography in pregnancy for the diagnosis of acute appendicitis. Am. J. Obstet. Gynecol. 184(5), 2001, 954-7.
14) Al-Mulhim, AA. Acute appendicitis in pregnancy. A review of 52 cases. Int. Surg. 81(3), 1996, 295-7.
15) Cohen-Kerem, R. et al. Pregnancy outcome following non-obstetrics surgical intervention. Am. J. Surg. 190(3), 2005, 467-73.
16) Popkin, CA. et al. The incision of choice for pregnant women with appendicitis is through McBurney's point. Am. J. Surg. 183(1), 2002, 20-2.
17) Barnes, SL. et al. Laparoscopic appendectomy after 30 weeks pregnancy : report of two cases and description of technique. Am. Surg. 70(8), 2004, 733-6.
18) Al-Fozan, H. et al. Safety and risks of laparoscopy in pregnancy. Curr. Opin. Obstet. Gynecol. 14(4), 2002, 375-9.
19) Babaknia, A. et al. Appendicitis during pregnancy. Obstet. Gynecol. 50(1), 1977, 40-4.

20) Rogers, RG. et al. Course of Crohn's disease during pregnancy and its effect on pregnancy outcome：a retrospective review. Am. J. Perinatol. 12(4), 1995, 262-4.

21) Hanan, IM. et al. Inflammatory bowel disease in the pregnant woman. Clin. Perinatol. 12(3), 1985, 669-82.

22) Alstead, EM. Inflammatory bowel disease in pregnancy. Postgrad. Med. J. 78, 2002, 23-6.

23) Brandt, LJ. et al. Results of a survey to evaluate whether vaginal delivery and episiotomy lead to perineal involvement in women with Crohn's disease. Am. J. Gastroenterol. 90(11), 1995, 1918-22.

24) Kin, HC. et al. Ulcerative colitis and pregnancy outcomes in an Asian population. Am. J. Gastroenterol. 105, 2010, 387-94.

25) Cornish, J. et al. A meta-analysis on the influence of inflammatory bowel disease. Gut. 56. 2007, 830-7.

26) Nielsen, OH. et al. Pregnancy in ulcerative colotos. Scand J. Gastornterol. 26, 1983, 735-42.

27) Baird, DD. Increased risk of preterm birth for women with inflammatory bowel disease. Gastroterology. 99, 1990, 987-94.

28) Gerald, GB. et al. Drugs in pregnancy and lactation：A reference guide to fetal and neonatal risk. 10th ed. Wolters Kluwer Health, 2014, 1579p.

29) Fukukawa, H. et al. Gastric cancer in young adults：growth accelerating effect of pregnancy and delivery. J. Surg. Oncol. 55, 1994, 3-6.

30) Yoshida, M. et al. Successful treatment of gastric cancer in pregnancy. Taiwan J. Obstet. Gynecol. 48(3), 2009, 282-5.

31) 信永敏克. 合併症妊娠. 改訂 3 版. 村田雄二編. 大阪, メディカ出版, 2012, 154-64.

32) 日高庸博. 周産期医学必修知識. 『周産期医学』編集委員会編. 東京, 東京医学社, 2011, 181-3.

≫ 井上 茂, 堀 大蔵

유방암 · 위암 · 백혈병

개념 · 정의 · 분류 · 병태

악성종양이 임산부에게 발생할 빈도는 0.07~0.1%로 비교적 드물다.[1] 그렇지만, 최근 여성의 사회진출에 따라 임신연령의 고령화 등 여성의 생활양식이 급격히 변화하고 있어, 앞으로 악성종양 합병 임신의 빈도는 증가할 것으로 예상된다.

이러한 질환의 진료에 있어서 모체의 치료를 우선하는 것은 말할 필요도 없지만, 태아에 대한 안전성 배려 때문에 치료지침이나 가이드라인에 따라 비임산부와 동일하게 검사·치료 등을 진행하는 것을 망설이는 경우도 적지 않다. 미숙아의 후유증을 고려하여 임신을 더 지속하면서 항암제를 계속 투여할 것인지, 태아에 대한 항암제의 악영향을 고려하여 조기분만 후 항암제를 투여할 것인지는 각 시설마다 또는 종양 전문의와 신생아 전문의마다 의견이 다르다. 임신주수, 악성종양의 병기 등을 고려하여 환자에 맞게 신중히 방침을 결정해야한다.

산모와 태아에게 미치는 이점과 단점이 상반되는 영역이기 때문에, 가족들 사이에서도 때로는 의견이 대립되는 경우가 있다. 또 발견 시에 병기가 진행되어 있어 모체의 불량한 예후가 예견되는 사례도 있다. 그러므로 치료 방침을 세울 때는 본인 및 가족을 중심으로 산과, 종양 전문과 및 소아과, 임상심리사 등 심리적 케어에 해당하는 직종도 포함하여 팀을 형성하는 것이 중요하다.

악성종양 치료 후 생존한 환자의 경우 다음 임신에서도 조산이나 미숙아 발생이 있을 수 있음에 주의한다.

1. 유방암

현재 일본의 30~64세 여성암에 의한 사망 원인 1위이며,[2] 임신 중 합병될 가능성이 큰 악성종양이다. 임신 관련 유방암은 임신 중에서부터 출산 후 1년 사이에 진단된 유방암을 말한다. 주 증상으로는 종양의 촉지 또는 분비이며, 임신에 의한 생리적인 변화와 유사하기 때문에 임신 중의 진단은 어렵다. 많은 증례에서는 촉지 가능한 종양으로 발견된다. 2주 이상 덩이가 만져지는 경우 적극적으로 초음파 검사를 중심으로 한 영상 진단이나 생검을 한다.

2. 위암

위암은 고령 발병의 특징이 있어 임신에 합병하는 빈도는 0.026~0.1%이다.[3] 임신 관련 위암은 일본 이외의 보고가 거의 없기 때문에 경험 시 적극적으로 증례 보고 등을 하여 데이터를 축적하도록 한다. 임신에 합병된 위암의 문제점으로는 대부분 진행된 상태로 발견된다는 점(114/124예, 95.2%), 불완전 절제를 포함한 수술적 치료가 가능한 경우가 45.3%로 적다는 점, 1년 생존율이 18%로 예후가 극히 불량하다는 점이 있다.[3] 지속되는 식욕부진, 가슴앓이 등 위 부위 증상이 주요 증상으로, 입덧과 유사하므로 감별 진단에서 위암을 염두에 둘 필요가 있으며 의심될 경우에는 전문 진료과에 소개하고, 내시경 검사로 확진까지 신속히 이끌도록 노력한다.

3. 백혈병

급성백혈병은 고령자에게 발병 빈도가 높은 질환이다. 임신부에 합병하는 빈도는 75,000~100,000 임신당 한 명으로 알려졌다.[4] 임신 중 발생하는 백혈병은 급성이며, 2/3가 골수성으로, 1/3이 림프성으로 알려졌다. 23%가 임신 제1삼분기, 37%가 임신 제 2삼분기, 40%가 임신 제3삼분기에 진단된다.[5] 주 증상은 권태감, 호흡곤란, 창백함 등으로 임신에 따른 생리적 변화와 유사하다. 임산부의 검진에서 시행하는 혈액검사에서 백혈병의 전형적인 소견인 빈혈, 혈소판 감소, 백혈구 증가 등이 있더라도 임신 중에 종종 확인될 수 있는 소견이므로 주의해야한다.

관리 · 치료

1. 유방암

유방암 치료는 주치료가 수술이지만 화학요법뿐 아니라 방사선치료·호르몬요법·분자표적치료와 같은 다양한 치료가 시도되는 질환이다. 현시점에서 임신 중에 시행 가능한 치료는 수술과 일부 화학요법이다.

일본유방암학회에 「유방암 환자를 위한 진료 가이드라인(http://jbcsfpguideline.jp/category4/q068/)」에서는 임신 중에 유방암으로 진단된 경우의 치료나 임신·출산에 관하여 다음과 같이 서술하고 있다. 「임신이나 수유가 암의 진행이나 재발에 영향을 주지는 않지만 검사·치료에 대해서는 산모와 태아에 반하는 이익에 대해 충분히 검토한 후 실시한다. 수술을 고려하는 경우 임신 15주까지는 유산의 위험이 있으므로 임신 16주 이후에 시행한다. 또 임신 중의 탁산계 약제나 트라스투주맙(분자표적치료) 또는 호르몬제 투여는 피해야 하며 방사선치료도 산후에 시행한다.」

감시림프절생검은 불필요한 림프절 박리를 피할 수 있는 이점이 커 임신 중에도 시행하는 것이 좋다. 임신 중에는 아나필락시스의 위험이 있는 색소(色素)보다도 태아 피폭이 적은 방사성동위원소가 즐겨 사용된다.[6]

수술을 하는 경우 DVT 예방의 필요성에 대한 정보를 제공하는 것이 좋다. 또한 임신 중에 유방 보존술을 선택해도 생존율에 차이가 없다는 보고가 있어 보존술을 선택할 수 있다.[7] 다만 보존술을 선택한 경우에는 수술 후 방사선치료가 필요하지만, 출산 후가 되어야 시작할 수 있다는 점에 유의해야 한다.

HER2나 에스트로겐 수용체의 양성률은 비임신 시와 비교해 낮아진다는 보고와, 비슷하다는 보고가 있어 의견이 일치되지 않으며 이는 연령의 영향이지 않을까하는 의견도 있다.

예후에 관해서는 비임신 시와 비교해 좋지 않다는 보고가 많다.[7] 분만 후에야 탁산계 항암제를 사용할 수 있다는 점이나, 비임신 시에 비해 증상 출현에서 확진까지의 기간이 길다는 점이 예후에 영향을 미칠 수도 있다.[7] 최근에는 임신 중 탁산계 약제 사용도 제2삼분기 이후이면 안전할 수 있다는 보고가 축적되고 있다.[8] 한편 임신중절이나 35주 미만의 출산은 모체에게 이점이 적어 권장되지 않는다. 앞으로는 유방암이 임신 초기에 진단될 경우 임신을 계속 유지하면서 탁산계 약제를 포함한 항암제 투여를 시행하는 것도 고려될지도 모른다.

임신 중 항암화학요법을 시행할 때에는 약제가 태반에서 대사되는 3주간은 태아의 골수 억제의 위험성이 있기 때문에 분만을 피해야 한다. 예를 들면 32~33주에 화학요법을 먼저 종료하고 37주 이후 유도분만을 한 뒤, 산후에 화학요법 또는 방사선요법을 추가한다.[8] 분만 후엔 감염 징조가 없으면 산후 1주에 치료를 재개하면 된다.[8]

2. 위암

수술적 치료가 주가 되며 종양의 절제가 가능한지 여부가 예후와 관련된다. 따라서 확진 후 가능한 빨리 수술치료를 받는 것이 바람직하다. 그러나 수술 시행에 있어서는 진단된 임신주수에 따라 방침이 달라지고 있으며, 일본에서의 비교적 최근 검토에서 보면 아래와 같은 견해를 보이고 있다.[3]

- 임신 22주 미만: 임신 유지를 원하는 경우에는 임신을 지속하면서 위암 절제술을 고려한다.
- 임신 28주 이후: 분만 후에 수술적 치료를 시행한다.
- 임신 22~27주: 증례보고도 적고 의견이 다양하여 치료 방침에 대한 결론은 나오지 않았다.

위암 합병 임산부의 생존율은 매우 낮다. 그러나 내시경 검사에서 초기암을 발견할 수 있기 때문에 임산부의 입덧 등의 증세가 지속될 때에는 내시경 검사를 신속히 실시한다.

3. 백혈병(급성골수성백혈병(AML)을 중심으로)

항암화학요법이 주체가 되는 질환으로 임신 중의 화학요법에서는 일반적으로 약 40~50%에서 태아발육부전, 조산이 확인된다. 태아에 대한 영향은 크게 나누어 아래 두 가지다.

- 조기: 기형형성 및 유산.
- 중기 이후: 성선이나 내분비 질환, 발육 또는 발달 문제, 생식세포의 손상으로 인해 다음 세대에게 미치는 유전적 영향.

각 약제에 대한 설명은 최근 검토[4]에 상세히 소개되고 있으므로 주의점을 발췌하여 기술한다.

- 세포독성이 있는 약제의 거의 대부분이 250~400kDa이며 태반을 통과한다.
- 단독요법보다 병용요법이 기형 발생률이 높다.
- 시타라빈+안트라사이클린계 병용요법(AML의 표준적 관해도입요법)을 사용할 때는 안트라

사이클린계 약제 선택시 태반 통과성이 높고 태아 합병증 발병률도 높은 이다루비신 대신 독소루비신을 선택한다.

- 임신 제1삼분기에서는 기형형성을 고려해 임신중절수술이 권장된다.
- 임신 제2삼분기부터는 기형형성에는 관여하지 않지만 태아발육부전에 주의한다.

그 외 아기의 골수억제, 조산, 사산 위험이 있으며 눈, 외성기, 조혈조직, 신경조직 등 일부 장기는 제1삼분기 이후도 감수성이 있으므로, 이러한 장기 장애 발생의 위험을 설명한다.

- 만삭에 가깝게 시행하는 화학요법에서는 출생아의 호중구감소증, 혈소판감소증에 주의한다. 또한 산모의 골수 억제를 고려하여 분만 3주 전에는 치료를 종료하도록 계획한다.
- 임신 중 줄기세포이식요법에 대한 보고는 없으며 임신 중에는 금기로 여겨진다.
- 항암제 사용시의 항구토제인 온단세트론(5-HT$_3$ 수용체길항제)은 임신 중에서도 사용 가능하다.
- G-CSF제제는 임신 중 투여에 관하여 아직 충분한 데이터가 없기 때문에 위기상황에만 사용을 고려한다.
- 임신 중의 통증에는 아세토아미노펜을 사용한다.

치료 후 임신과 재발의 관계는 증명되지 않지만, AML에서는 다음 임신까지 짧아도 2~3년의 관해기간을 두는 것이 바람직하다.

일반적으로 임산부 검진에서는 CBC만 검사하지만, 이상값이 확인되었을 때에는 말초혈액펴바른표본 검사를 추가하면 발견으로 이어지기 쉽다. 임신을 유지할 경우에는 종양 자체와 치료에 의한 종양용해에 동반된 발열, 감염증, DIC의 관리가 필요할 수도 있으므로 주산기관리를 엄격하게 실시한다. 약제의 기형형성이나 태아독성뿐만 아니라 병기와 병세도 고려해 치료정책을 결정해야 한다.

임신 중 백혈병의 악화여부는 의견이 분분한 상태이지만, 태아가 받는 영향을 줄이기 위해 치료개시를 연기하거나 치료의 내용을 변경하는 것은 모체의 예후를 악화시킬 가능성이 있다고 말한다.

또한 드물기는 하지만 태아나 태반으로의 전이에 대한 보고가 있기 때문에, 분만 후에는 병리학적으로 태반으로의 전이 여부를 확인한다.[1]

참고문헌

1) Pavlidis, NA. Coexistence of pregnancy and malignancy. Oncologist. 7(4), 2002, 279-87.

2) 日本乳癌学会編. "日本人女性の乳癌罹患率，乳癌死亡率の推移". 科学的根拠に基づく乳癌診療ガイドライン 2 疫学・診断編2011年版. 東京，金原出版, 2011, 2-4.

3) Sakamoto, K. et al. Management of patients with pregnancy-associated gastric cancer in Japan：a mini-review. Int. J. Clin. Oncol. 14(5), 2009, 392-6.

4) Thomas, X. Acute myeloid leukemia in the pregnant patient. Eur. J. Haematol. 2014.

5) Caligiuri, MA., Mayer, RJ. Pregnancy and leukemia. Semin. Oncol. 16(5), 1989, 388-96.

6) Morita, ET. et al. Principles and controversies in lymphoscintigraphy with emphasis on breast cancer. Surg. Clin. North Am. 80(6), 2000, 1721-39.

7) Rodriguez, AO. et al. Evidence of poorer survival in pregnancy-associated breast cancer. Obstet. Gynecol. 112(1), 2008, 71-8.

8) Cardonick, E. Pregnancy-associated breast cancer : optimal treatment options. Int. J. Womens Health. 6, 2014, 935-43.

≫ 小谷友美

정신질환

개념 · 정의 · 분류 · 병태

임신·분만·산욕기는 모체의 내분비환경 변화로 인하여 정신상태가 불안해진다는 것을 오래 전부터 알려져 있다. 특히 산후우울증이 대표적인데, 산욕기는 여성의 생애주기에서 정신 질환이 가장 발병하기 쉬운 시기이다. 정신질환은 1,000 분만 사례 중 0.8~2.5명에서 확인되는데 그 중 90%는 산욕기에 발병하는 것으로 알려져있다.[1]

중증화되면 비정형 정신병으로의 이행이나 자살의 위험성 등도 있다. 최근 사회구조의 복잡화, 인간관계의 어려움 등이 서로 어우러져 임신상태가 아니어도 사회생활에 불안을 안고 있는 사람들이 많이 생겨나고 있는데 이는 "자살", "왕따"라는 사회 전체의 문제로 이어지고 있다. 이런 현대 사회에서 임신은 쉽게 과다한 스트레스를 받기 쉽다. 따라서 초기에 그 위험을 인식하여 적절한 관리를 행하지 않으면 경우에 따라서 산모와 아이 모두는 물론 가정 전체가 불행한 전기를 맞이하게 된다. 세계적으로도 정신과 영역의 증상을 보이는 사람들이 증가하고 있으며 효과적인 신약 개발이 추진되고 있다. 이 때문에 약물치료로 증상이 조절된 뒤 임신하는 여성도 적지 않아 향후 외래 진료에 있어서 이러한 임신에 대한 관리를 하는 경우가 증가할 것으로 생각되고 섬세한 대응이 필요하다.

1. 조현병

임신 중 재발 빈도는 4.0~8.3%로 높으며 분만 후에는 30~40%로 더 높아진다.[2] 증상은 긴장성 혼미와 환각, 몽환 등을 나타내며 태아와 관련된 내용으로 망상이 생기기도 한다. 증상에 따라서 진료 거부, 치료에 대한 강한 저항을 나타내는 경우가 있어 출산 후에도 가족 전체에 큰 영향을 끼치기도 한다.

2. 간질

간질, 임신성 고혈압증후군, 자간증 등 외적 요인에 따른 정신질환의 출현도 있다. 원발성 간질의 원인은 분명치 않지만 외상, 뇌동정맥류 기형 등이 원인이 될 수 있다.[3]

3. 조울증

일본의 일반 집단에서의 발병 위험률은 약 0.3%로 유전적 요인이 관여하고 있어, 부모가 조울증인 경우 발병률이 10%로 높아진다. 임신 중에 처음 발병하는 경우는 드물지만 신경증 증상으로 우울 상태 등이 임신 초기에 관찰될 수 있다.[3] 발병하는 사람의 성격적 특징으로는 꼼꼼함과 집착 기질 등이 있다.

4. 신경증 증상(공황장애)

주로 불안 증상을 나타내며, 그 정도가 심해지면 공황장애가 유발되어 스스로 조절이 어려울 수도 있다. 임신이라는 생리적 현상에 대해 막연한 불안감이 있는 경우도 있지만, 어떤 경우 임신 중의 생활과 앞으로의 경과에 대해 불안해 할 수도 있다. 이것은 환자 자신의 성격에도 크게 의존하고 있어 개인차가 큰데 책임감이 강하고 꼼꼼한 성격이 요인으로서 존재하기도 한다. 약물, 음식, 감염 등 태아의 이상과 결부시켜 불안감이 커지는 경우가 많으며 인간관계, 가족간 스트레스 등이 영향을 주어 신체적 증상으로 피로감, 두통, 배변 및 배뇨장애가 생길 수 있다.[4]

관리·치료

1. 조현병

임신 전에 관해상태가 되는 것이 이상적이지만 현실적으로는 약물치료 중에 임신한 경우가 대부분이다. 임신초기의 경우 전문의와 가족들이 충분하게 이야기하고 임신의 지속에 대해 상담하는 것이 매우 중요하다. 임신 지속이 모체의 병세를 악화시킬 것이라고 생각되는 경우는 모체보호법에 따라 임신중절이 필요한 경우도 있다.

1) 약물요법: 임신을 유지할 경우 정신과 의사와 긴밀한 소통이 필요하다. 리스페리돈(리스페달®) 1~3mg/일, 올란자핀(지프레키사®) 5~10mg/일, 쿠에티아핀푸마르산염(쎄로켈®)50~150mg/일, 아리피프라졸(아빌리파이®) 6~12mg/일, 블로난세린(로나센®) 4~8mg/일 중 하나가 이용된다. 올바른 복용 지도를 실시하고 계속해서 복약하도록 한다.

2) 분만 방식: 원칙적으로 질식 분만을 시행한다. 그러나 증상 조절이 곤란한 경우에서는 제왕절개술도 고려한다. 신생아에 대한 향정신약물의 영향(출생 후 7일 전후의 흥분·경련·구토·설사 등)에 대해서도 주의할 필요가 있다.

2. 간질

간질 합병 임신은 임신 초기에 질출혈의 빈도가 높아 주의해야 한다.

1) 약물 요법: 간질약으로 발프로산나트륨, 카바마제핀, 프리미돈, 페노바비탈, 페니토인 등이 있다. 모두 태반 통과성이 있어 태아기형의 빈도가 증가하는 것으로 보고된 바 있으며 신경관결손, 척추갈림증, 무뇌아, 심장기형, 구순구개열, 다지증에 주의가 필요하다. 항간질약의 약리작용으로서 엽산 감소나 활성형 비타민D 감소의 위험이 있어, 신생아의 저칼슘혈증이나 비타민K의 감소 역시 주의해야 한다. 발병예방을 위해 임신 전 엽산섭취, 출산 전 비타민K 투여가 권장된다. 분만방법과 시기는 상태에 따라 검토한다. 제왕절개술의 절대적 적응증은 아니다.

표 1. 출산과 관련된 정신질환의 분류 (문헌5, p.366 부근 인용)

보고자(연도)	증례수	신경증증상	조현병	조울증	착란·섬망증상	기타
Thomas & Gordon (1959)	1,208	8%	34%	34%	15%	5%
Paffenbarger (1961)	126	–	45%	21%	–	34%
Osterman (1963)	65	45%	21%	20%	14%	–
Jansson (1964)	195	56%	28%	15%		1%
Jansson (1965)	202	30%	6%	37%	24%	3%
Melges (1968)	100	4%	51%	31%		14%
Kensell (1981)	71	–	1%	82%		17%
Brockington (1981)	58	–	9%	67%	–	24%
加藤 (1965)	202	30%	6%	27%	24%	3%
川崎 (1966)	202	51%	–	30%	14%	5%
市川 (1974)	89	10%	45%	45%	–	–
本多 (1974)	80	45%	20%	29%	–	6%
榎本 (1984)	135	44%	18%	30%	–	8%
後山 (1993)	55	7%	13%	11%	–	69%
竹内 (1996)	35	9%	49%	6%	–	36%

3. 조울증

임신 중 조증의 빈도는 적다. 임신 초기부터 우울증 상태, 사고의 지체, 행동량 감소, 부정수소*
등이 있다.

1) 약물 요법: 임신 전부터의 치료를 계속한다. 우울증에 이용되는 약물은 선택적세로토닌재흡
수억제제(SSRI)인 플루복사민말레산염(루복스®) 25~50mg/일, 파록세틴염산염(팍실®) 10~20mg/
일 또는 세로토닌노르아드레날린재흡수억제제(SNRI)인 밀나시프란염산염(트레도민®) 25~50mg/
일 중 하나가 이용된다. 이 약제들은 태아의 기형형성에 대해서는 확실하게 확인되지 않았다. 조
증에 대해서는 탄산리튬은 피하고, 안정제 및 정신병약인(리스페리돈®) 3mg/일 또는 발프로산나
트륨(데파킨®) 400mg/일이 이용된다. 약물요법의 기형형성의 위험성은 매우 낮지만, 신생아에 영
향이 나타날 수 있으므로 투여량은 최소한으로 하는 것이 바람직하다.

---

* 부정수소(不定愁訴): 일본에서 쓰이는 진단명으로, 스트레스 따위의 심신 장애로 어깨가 쑤시거나 마음이
  불안해지는 등 원인이 확실치 않은 불쾌감을 호소함

4. 신경증 증상(공황장애)

임신 초기·후기는 걱정이나 불안이 생기기 쉽고 심인반응으로서 공황장애나 우울증, 히스테리 같은 신체증세가 두드러진다. 정신과와 협력하여 항불안제를 사용한다. 또한 임신 분만·산욕기에 있어서 산과 의사는 올바른 지식을 제공해 과도한 불안을 없애도록 대응하고, 정신적으로 지지하는 것이 중요하다.

5. 산욕기 정신질환

산욕기는 정신질환이 가장 발병하기 쉬운 시기로 보고에 따르면 40~50%로 높다. 증상은 조현병, 신경증, 우울증 등이 섞여 있다. 표 1에 출산에 관련한 정신질환의 분류가 나와있다.[5]

특히 일과성의 정서장애로서 산후우울증이 잘 알려져 있다. 분만 후 우울증을 보이는 경우에는 경과관찰을 하면서 그 증상에 따라 항불안제 등의 약물요법이 필요할 수 있으며, 약을 사용하는 경우 약제의 모유로의 이행을 충분히 고려해야 한다. 수유는 모자관계 형성에 아주 중요하므로 섣불리 약물요법을 선택해 수유를 중단해서는 안 된다.[6]

참고 문헌

1) Thomas, CL. et al. Psychosis after childbirth : Ecological aspects of a single impact stress. Am. J. Med. Sci. 238, 1963, 363.
2) 岡崎祐士ほか. 精神障害者の妊娠と出産：分裂病について. 周産期医学. 4, 1974, 921.
3) 荒木勤. 最新産科学：異常編. 改訂第5版. 東京, 文光堂, 2005, 254.
4) 本多裕ほか. 妊娠・産褥期の精神障害. 臨床精神医学. 10, 1981, 21.
5) 佐川正ほか. "精神疾患". 村田雄二編. 合併症妊娠. 改訂3版. 大阪, メディカ出版, 2011, 366.
6) 杉本充弘編著. 妊婦・授乳婦の薬. 東京, 中外医学社, 2009, 426p.

≫ 高島明子, 竹下直樹

CHAPTER 3

이상임신의 진단과 치료

3 이상임신의 진단과 치료

ⓐ 임신오조

개념 · 정의 · 빈도 · 병태

임신 중의 오심·구토(nausea and vomiting in pregnancy ; NVP)는 50~90%[1,2]의 임신여성이 경험한다고 하며 임신초기의 현상은 특히 입덧이라고 불린다. 일반적으로 입덧은 임신 5~6주에 시작하여 임신 9주의 증상이 최고조가 되어 12주경쯤에 증상이 완화되고 16~18주에는 없어지지만, 15~20%에서는 제3삼분기까지 증상이 있고 5% 정도는 분만까지 계속된다고 한다. 입덧 시기에는 입덧이 중증화된 사례를 임신오조(hyperemesis gravidarum)라고 하며, NVP와의 뚜렷한 경계선은 없다. 비타민 B1결핍이 심각해지면 베르니케뇌증(Wernicke–Korsakoff syndrome)을 일으켜 생명의 위험에 빠지거나 후유증을 남기기도 한다.

1. 정의

임신으로 야기된 오심·구토가 중증화되고 탈수, 체중감소(5% 이상),[1,2] 산혈증, 전해질 이상 등을 합병했을 경우를 임신오조(hyperemesis gravidarum)라고 한다.

2. 빈도

모집단과 질환의 정의가 일정하지 않기 때문에 보고마다 차이가 있지만, 입원을 필요로 하는 임신오조는 0.3~2%로 여겨진다.[1,2]

3. 병태

원인은 불분명하다. 호르몬설, 심인설, 소화기 기능 이상설 등이 있다. 가장 의심되는 것은 융모성 생식샘자극호르몬(hCG)이다. 이 호르몬의 혈중 최고치가 바로 입덧이 최고조인 때와 같거나 hCG가

표 1. 임신오조(hyperemesis gravidarum)에서의 검사데이터 이상

검사데이터이상수치	빈도 (%)	일반적인 범위	비임신(정상)
Free T4 상승	60	13~40	–
Free T3 상승	10	225~350	–
TSH 저하	60	<0.4	0.5~5.0
Na 저하	30	125~134	138~146
K 저하	15	2.3~3.1	3.6~4.9
Cl 저하	25	80~98	99~109
중탄산염 상승	15	27~34	20~26
중탄산염 저하	8	14~22	20~26
AST or ALT 상승	40	41~324	13~33
T. bil 상승	20	1.1~5.3	0.3~1.2
Amylase 상승	10	151~391	42~132
Lipase 상승	10	70~200	11~50

높은 값을 나타내는 융모성 질환에서는 임신성 오조 증상이 악화된다는 것이 그 근거이다. hCG에는 갑상선 자극 작용이 있어서 임신오조 시기에 검사상에 갑상선 호르몬의 비정상이 인정된다(표 1).[3] 이 현상은 gestational transient thyrotoxicosis라 불리며 많은 연구가 있다.[4] Goodwin은 NVP 임신부와 대조한 검사 데이터를 비교해 차이를 보였던 호르몬은 갑상선호르몬과 hCG, 에스트로겐 뿐이었다고 하였다.[5] 오심·구토의 증상이 완화됨에 따라서 검사 데이터도 정상화되며 갑상선기능항진증 증상(심계항진, 발한, 진전 등)이 나타나는 경우도 드물다고 하였다.[4,5]

심인설에서는 임신·출산을 수용할 수 없는 정신상태와 임신·출산에 대한 불안을 주위에서 이해해 주지 못하는 스트레스 등이 요인으로 지적되지만 확실하게는 알 수 없다. 임신오조가 되기 쉬운 성격(성숙하지 않다, 의존적이다 등)에 대해서도 가설로서 검증되고 있지만 증명되어 있지 않다.

진단

질환의 정의 자체가 모호해서 명확한 진단 기준을 제시하기는 어렵다. 전형적인 입덧의 최고조인 임신 9주 이전에 오심·구토가 시작되어 보통은 서서히 심해지면서 일상생활에 현저한 지장을 초래하게 되면 임신오조라고 생각된다. 체중측정, 혈압측정, 소변·혈액검사, 초음파에 의한 임신 주수의 확인, 다태·융모성 질환을 감별할 필요가 있다.

표 2. 임신 중의 오심·구토(nausea and vomiting in pregnancy ; NVP)의 감별진단

소화기계
　　위장염, 담도질환, 간염, 소화기 폐색성 질환, 궤양, 막염, 충수염, 악성종양
비뇨·생식기계
　　신우신염, 요독증, 난소낭종염전, 신장결석, 자궁근종변성
대사성질환
　　당뇨병성케톤산혈증, 포르피린증, 에디슨병, 갑상선기능항진증
신경계질환
　　가성뇌종양, 전정질환, 편두통, 뇌척수종류
기타
　　약제중독, 약제불내성, 정신적요인
임신관련
　　급성임신성지방간, 임신성고혈압증후군

1. 감별 진단

　발병 시기가 임신 9주 이후이거나 급격히 중증화된 경우에는 주의 깊게 오심·구토를 나타내는 질환과 감별할 필요가 있다(표 2).[1]

2. 증상

　소화기 증상으로는 식욕부진, 오심·구토, 타액의 과잉 분비 등이 있으며, 악화되어 탈수가 되면, 두통, 구갈, 열감, 현기증 등이 나타난다. 구토가 잦을 경우 토사물에 혈액이 섞여있기도 하다.

3. 검사 데이터

　이상값을 나타내는 검사 데이터를 표 1[4]에 나타냈다. 처음에는 고염소 산혈증이 나타나지만 구토가 계속되어 저세포외액 상태가 되면 저염소 알카리증이 되어, 나트륨, 칼륨 등과 같은 전해질 값도 낮아지는 것을 보인다. 아밀라제나 리파아제의 상승이 종종 있으며 정상치의 2~3배가 된다. 이런 수치들은 구토의 소실과 더불어 정상치로 회복된다. Goodwin[3]는 뇨케톤체, 전해질, 간 효소, 아밀라제, TSH가 중증도의 판정과 치료효과의 판정, 다른 질환의 감별에 유용하며, 융모성 생식샘자극호르몬(hCG)은 융모성질환 등처럼 높은 비정상수치에 이르지 않으면 유용하지 않다고 말한다.

치료

1. 식사

무리해서 일반 식사 시간에 맞추지 않고 원하는 것을 먹도록 한다. 탈수가 되면 오심·구토가 더욱 심해지는 악순환에 빠지므로, 일시적으로 음식을 끊고 식욕이 회복되면 섭취량을 조금씩 늘려간다. 오심·구토를 유발할 수 있는 자극은 피해야 하며, 냄새가 강한 음식이나 자극성이 강한 음식, 개인적으로 나쁜 추억이 있는 음식 등은 섭취하지 못하도록 한다. 여러가지 음식이 입덧에 효과가 있다고는 하지만 의학적으로 증명되는 것은 적다. 생강(ginger)은 몇 가지 연구에서 유용하다고 알려져 있다.[1,2,4]

2. 수액보충 요법

수액보충 요법은 외래에서도 가능하지만 호전되지 않으면 입원이 필요하다. 어떤 수액보충이 가장 오심에 효과가 있는지를 보여주는 연구는 없기 때문에 일반적인 탈수 치료와 방식은 동일하다. 링거액 등을 기본으로 하여 투여하여 전해질, 신기능, 소변양 등의 정보가 얻어지면 부족한 전해질도 보충하면서 수액을 유지한다. 저 나트륨 혈증이 현저한 경우 급격하게 보정(>14mEq/L/8시간)하면 삼투압성 탈수증후군이 발병할 수 있으니 천천히 시행한다. 삼투압성 탈수증후군은 뇌교(pons)를 포함한 뇌의 다른 영역에 탈수를 일으키고 이완성 마비, 청음장애 등이 진행되며, 최악의 경우는 감금증후군(사지마비)을 일으킨다. 이러한 손상은 종종 불가역적이다.

3. 비타민

비타민 B6(피리독신)는 경증의 오심에는 효과가 있는데, 구토를 거의 억제하지 않아서 입덧의 초기에 경구로 투여하는 경우가 많다.[6] 미국에서는 NVP치료의 최초 단계로서 비타민 B6를 경구로 10~25mg, 3~4회/일 투여하도록 권장한다.[1] 비타민 B1(티아민)은 베르니케 뇌증(Wernicke-Korsakoff syndrome) 예방에 중요하다. 당류의 대사에 빠르게 비타민 B1이 소비되기 때문에 비타민 B1을 투여하기 전에 당류 투여를 해서는 안 된다.[6] 3주일 이상 구토가 계속됐던 환자는 100~500mg/일 대량의 비타민 B1을 3일 간 투여하고 이후 유지량으로 2~3mg/일 투여한다.[6] 또한 오조로 장기간 식사를 하지 못하며 수액보충 요법을 지속할 경우, 앞에 적은 비타민을 함유한 종합 비타민을 수액에 첨가하도록 권장된다.

4. 항구토제

일본에서 사용 가능한 항구토제로 임신오조에 효과가 있다는 비교적 신뢰할 수 있는 데이터가 있으며, 제1삼분기의 최기형성의 보고가 없는 약제를 표 3에 기재했다.[1,7] 메토클로플라마이드는 많

표 3. 임신오조에 사용 가능한 구토방지제

약제종류		약제명	용량		FDA 카테고리
			경구	주사	
도파민수용체길항제	부티로훼논계 진정제	돔페리돈	없음	1~2.5mg/h 점적정맥주사	C
	페노티아진계 진정제	프로클로로페라진	5~10mg 4~6h 마다	5~10mg 4~6h마다 정맥주사 또는 근육주사	C
		클로르프로마진	10~50mg 6~8h 마다	10~50mg 6~8h마다	C
	기타	메토클로프라마이드	10~30mg/일	10mg 4~6h마다 정맥주사 또는 근육주사	B
항히스타민제		프로메타진	12.5~50mg 4~6h 마다	12.5~50mg 4~6h마다 근육주사	C
		디멘히드리네이트	1회 50mg 6~8h 마다 200mg/하루까지	없음	B
세로토닌수용체길항제		온단세트론*	4~8mg 8h마다	8mg 4~8h마다 정맥주사	B
부신피질스테로이드		메틸프레드니솔론	16mg 8h마다 3일간**	16mg 8h마다 정맥주사 3일간**	D

*보험 적용은 항암제사용시의 오심·구토에만
**이후 2주 이상에 걸쳐 감량한다.

은 나라에서 사용되며, 아이에 대한 악영향과 관련된 최근의 RCT (randomized controlled trial)로 유효성이 보고되었다.[7] 항히스타민제(H1수용체 길항제), 페노티아진계 진정제는 최기형성 보고가 없다.[8] 부신피질스테로이드는 안전성(구순구개열의 위험이 조금 증가한다는 보고가 있음)에 약간 의문이 있으며 다른 약제로 효과가 없을 때 사용해야 한다.[8,9]

온단세트론은 최기성이 보고되지 않아 유효성도 있다고 보고되고 있는데, 일본에서는 항암제 사용 시의 구토에만 보험 적용이 되고 있다.

5. 중심 정맥 영양과 경관 영양

수액보충과 항구토제로 오심·구토를 억제할 수 없고, 영양 불량인 경우에는 중심 정맥 영양과 경관 영양을 도입할 필요가 있다. 중심 정맥 영양이나 경관 영양을 도입할지에 대한 가이드라인은 없으며 개별 증례 상황에서 검토할 필요가 있다. 중심 정맥 영양 주의점은 비임신환자와 동일하며, NST 팀의 지원 하에 주의 깊게 시행한다. 중심 정맥 영양은 카테터 유치에 의한 감염위험이 있기 때문에 경관 영양 쪽이 안전성에는 조금 더 좋으며, 또 오심·구토를 억제하는 효과도 더 높았다고 한다.[7]

6. 정신적 보조 치료

임신오조의 심인성 배경에는 여러 가설이 있어 불분명하지만 가까운 사람들, 특히 배우자에 의한 이해와 지지의 중요성은 이미 확인되었다. 특정한 불안 요인이 오조의 촉진 인자가 되고 있는 경우는 최면 요법이 효과가 있는 경우도 있다. 오심·구토를 유발하는 인자에서부터 격리하기 위한 이동요법도 효과가 있다. 입원이나 친정에 가는 등의 방법을 생각할 수 있다.

7. 동양 의학적 치료

1) 경락

WHO는 1981년에 한중일 각국마다 조금씩 다른 경락과 경혈의 이름 및 위치를 정리하고 통일하여, 기호, 번호를 붙여 등록했다. 상지음, 상지양, 하지음, 하지양 각각 3개의 경, 임맥, 독맥을 합쳐서 14개의 경락, 경혈은 361혈이다. 이 중 임신오조에 효과가 있는 혈로서 가장 유명한 것이 상지음, 심포경(pericardium meridian)의 내관(P6)이다. 내관(P6)장소는 앞팔의 안쪽, 손바닥의 근위단으로부터 중심 축으로 환자의 손가락 폭 3개 분량의 거리에서 장장근건과 요측수근굴근건 사이에 있다(그림 1). 이런 혈의 자극이나 침술요법에 관한 문헌은 매우 많지만 효능의 유무에는 찬반이 있다.[1] 약물 치료를 싫어하는 임산부가 많기 때문에 혈자리를 가르쳐서 직접 자극 해주거나 침구 치료원을 소개하는 선택 사항도 고려한다.

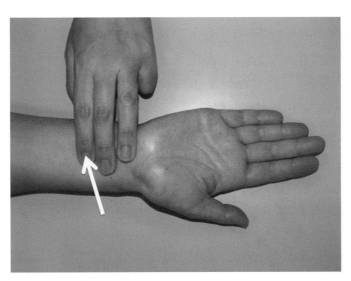

그림 1. P6의 위치

팔의 안쪽, 가운데를 만지는 것이 장장근건(인대), 그 옆의 내측으로 표시한측에 요측수근굴근건이 있다. 장장근건과 요측수근굴근건 사이에 혈이 있다.

표 4. **임신오조에 자주 이용되는 한약**　　　　　　　　　(문헌10부근 발췌)

처방	적응증
소반하가복령탕	먹으면 바로 토하는 경우
반하후박탕	목이 메임, 평범한 사람
육군자탕	이유없이 메스꺼움
오령산	입술마름·소변횟수가 적음·부종이 있음

2) 한약

　구토하는 임산부에게 과립 한약을 먹이는 것은 매우 어렵다는 문제가 있다. 엑기스를 사용하거나 과립제를 녹여서 식히거나 하는 등의 노력이 필요하다. 임신오조에 효과가 있는 한약은 소반하가 복령탕, 반하후박탕, 육군자탕, 오령산 등이 있다. 위속의 물·거품을 치료하는 것이 좋다고 한다. 처음 3가지는 생강을 그리고 앞서 언급한 4가지 모두 복령을 함유하고 있다. 처방과 사용법의 포인트를 표 4에 정리했다.[10]

8. 심부정맥혈전증(deep vein thrombosis ; DVT)

　최근 임신과 정맥색전증 venous thromboembolism (VTE)과의 관련이 주목 받고 있으며, 질환 자체의 빈도는 낮지만 모체 사망 원인 10위 이내를 차지한다. 임신 그 자체가 VTE의 위험 요인이다. 다른 장에 자세히 기술되어 있기 때문에, 이곳에서는 임신오조의 경우에 주의해야 할 사항을 말하겠다. 산욕기에 DVT의 위험이 가장 높다고 알려져 있지만, 임신 제1, 제3 삼분기에서의 VTE의 발생률이 높은 경향이 있다는 보고가 있다. 임신 중의 VTE 위험을 증가시키는 인자로서는 다태, 정맥류, 염증성장질환, 요로감염증, 당뇨병, BMI 30kg/m^2이상, 모체 연령 35세 이상 그리고 분만 이외의 3일 이상의 입원력 등이 꼽힌다. 탈수 때문에 입원할 것 같은 임부에게 상기와 같은 위험요인이 있는 경우는 VTE 합병에 충분이 주의할 필요가 있다. 특히 장기간 누워있게 된 때에는 혈액응고계 검사데이터 등을 시행하여 항응고요법을 검토한다.

◖ 모체 및 태아의 예후

1. 모체

　Dodds[11] 등에 의하면 임신오조로 병원에 입원한(2회까지) 횟수는 모든 단태임산부의 0.76%, 3회 이상 입원이 필요한 경우가 0.06퍼센트였다. 아주 심각한 임신오조는 드물다. 또 입원한 임신부 중 분만까지 체중 증가가 7kg 미만으로 증가한 것은 14%로, 대부분은 보통 수준의 증가가 있다.

2. 태아

임신오조로 기형이 증가하거나 그 밖에 아이에게 큰 악영향을 미치는 경우는 보고되고 있지 않았지만, 몇 번이나 입원을 반복했던 중증 사례 중 분만까지의 체중증가가 통상적인 수준이 되지 않았던 임신부에서 태어난 아이 중에는 FGR이나 조산아가 많은 것으로 보고되고 있다.[11]

임신오조가 모체태아에게 미치는 큰 악영향이 없다고 설명하고 환자를 안심시키는 것도 치료의 일환으로 중요하다.

참고문헌

1) ACOG Practice Bulletin. No.52. Nausea and vomiting of pregnancy. Obstet. Gynecol. 103, 2004, 803-14.
2) Refuerzo, JS. et al. Clinical features and evaluation of nausea and vomiting of pregnancy. UpToDate Topic 6792 Version 26.0, last updated : Aug 07, 2014.
3) Goodwin, TM. Hyperemesis gravidarum. Clin. Obstet. Gynecol. 41, 1998, 597-605.
4) Kimura. M, et al. Gestational thyrotoxicosis and hyperemesis gravidarum : possible role of hCG with higher stimulating activity. Clin. Endocrinol. 38, 1993, 345-50.
5) Goodwin, TM. Nausea and vomiting of pregnancy : An obstetric syndrome. Am. J. Obstet. Gynecol. 186, 2002, S185-9.
6) Niebyl, JR. et al. Overview of nausea and vomiting in pregnancy with an emphasis on vitamins and ginger. Am. J. Obstet. Gynecol. 186, 2002, S253-5.
7) Smith, JA. et al. Treatment and outcome of nausea and vomiting of pregnancy. UpToDate Topic 6811 Version 49.0, last updated : Jan 19, 2015.
8) Magee, LA. et al. Evidence-based view of safety and effectiveness of pharmacologic therapy for nausea and vomiting of pregnancy. Am. J. Obstet. Gynecol. 186, 2002, S256-61.
9) Koren, G. et al. The teratogenicity of drugs for nausea and vomiting of pregnancy : Perceived versus true risk. Am. J. Obstet. Gynecol. 186, 2002, S248-52.
10) 木下優子，矢久保修嗣．女性が悩む症状と漢方薬Q&A 悪阻に対する漢方と構成生薬の役割．薬局．59（10），2008，3068-70.
11) Dodds, L. et al. Outcomes of pregnancies complicated by hyperemesis gravidarum. Obstet. Gynecol. 107, 2006. 285-92.

》 鈴木りか，若木　優

유산

유산(abortion)이란 아기가 자궁 밖 생존이 불가능한 시기에 임신이 종결되는 것을 의미한다.

주산기 의료 수준의 향상에 의해 태아의 생존 한계가 임신 22주로 빨라지면서, 일본산과부인과학회는 1993년에 유산을 "임신 22주 미만의 임신중단"이라고 정의하였다. 또한 임신이 자연적으로 중단되는 경우를 자연유산(spontaneous abortion), 인공적으로 중단되는 경우를 인공유산(induced abortion, artificial abortion)이라고 한다.

1. 분류(표1)

1) 절박유산(threatened abortion): 태아 혹은 태아부속물이 모두 자궁밖으로 배출되지 않은 상태로, 자궁입구가 폐쇄된 상태이나 소량의 자궁출혈이 있는 경우, 하복통의 유무에 관련없이 절박유산이라고 한다. 유산으로의 이행상태라고 생각되나 정상임신 과정으로 복귀도 가능하다. 반드시 유산 상태를 표현한 것이 아니고 초기임신 시 자궁 출혈을 주 특징으로 한 증상에 대한 명칭이다. 임신 중기에서는 때때로 자궁 경관의 개대와 태포가 보이기도 한다.

2) 불가피 유산(inevitable abortion): 배아 혹은 태아 및 그 부속물이 아직 배출되지는 않았지만, 유산이 시작되어 자궁경관이 개대하고 자궁 출혈도 증가된 상태에서 보존 치료가 불가능해지면서 배아 또는 태아가 배출되기 시작한다. 피가 많이 나고 아랫배가 아프며 대개는 즉시 수술(자궁 내용 제거술)이 필요하다.

3) 완전유산(complete abortion): 임신 시 태아 혹은 태아와 부속물이 완전히 배출된 상태를 말한다. 대부분의 경우 유산 후 자궁이 잘 수축되고 자궁 입구는 폐쇄된다.

4) 불완전 유산(imcomplete abortion): 유산 시 태아 또는 태아 및 부속물이 완전히 배출되지 않고 일부가 자궁에 남아있어 자궁이 충분히 수축되지 않았으며 자궁구도 폐쇄되지 않고 출혈 등의 증상이 지속되는 상태를 말한다. 많은 자연 유산이 이러한 상태가 되어 자궁내 제거수술이 필요하다.

5) 계류 유산(missed abortion): 태아 혹은 태아가 자궁 내에서 사망 후 증세가 없이 자궁 내에 정체되어 있는 상태로 일반적으로 증상을 나타내지 않는 경우를 말한다. 출혈 등의 증상이 있어 상당한 기간 배아 혹은 태아가 자궁 안에 머문 경우는 지연유산(retarded abortion)이라고 한다.

또 고사난자(blighted ovum)는 태낭이 발생했지만 그 후 배아가 보이지 않는 것을 말하는데, 이것은 조기 배아사망이라고 생각되어 계류유산 범위에 들어간다.[1]

6) 감염 유산(infected abortion): 생식기 감염을 동반한 유산을 말하며, 보통 유산 경과 중에 자궁내 감염이 일어난 상태이다. 발열, 자궁강으로부터 농성 분비물 유출 등의 증상을 보인다. 이러한 증상

에 의해 발열유산, 부패유산이라 불리며, 방치할 경우 패혈증으로 진행될 수도 있고 패혈성유산(septic abortion)이 된다. 때론 쇼크나 파종성 혈관내 응고장애증후군(disseminated intravascular coagulation syndrome ; DIC)을 병발하여 위독한 상태가 되기도 한다.

임신의 정의는 「수정란의 착상으로 시작되어, 배아 또는 태아 및 부속물의 배출이 종료될 때까지의 상태」(일본산과부인과학회, 1988년)이다. 최근 β-hCG 모노클로날 항체의 임상응용에 의해 빠른 시기에 진단이 가능해졌다. 그 결과 태낭이 출현하기 전에 유산에 이르는 증례도 진단할 수 있게 되었다. 이러한 증례는 화학적 임신(chemical pregnancy)이라고 불린다. 이에 대해서 초음파 단층법에 의한 자궁강 내에 태낭이 확인된 것을 임상 임신(clinical pregnancy)이라고 부르며 구별하고 있다.[1]

2. 빈도

자연 유산은 전체 임신의 약 10~15%로 보여진다. 또 임신 12주 미만의 조기유산이 압도적으로 많고, 그 안에서도 8~10주 유산이 많다. 반면 후기유산은 적다.

일본후생성 보고(1992~1995)에 의하면 자연 유산의 빈도는 14.9%, 조기유산은 13.3%, 후기유산은 1.6%였다. Wilcox에 의하면 임상적 임신의 12%가 유산이 되고, 화학적 임신까지 포함하면 31%가 유산됨을 보였다.[2]

3. 원인

1) 조기유산의 원인

태아 측, 모체 측의 원인이 서로 복잡하게 관여하고 있다고 예상되지만, 배아, 태아 염색체 이상이 가장 큰 원인이라고 생각되며, 조기유산의 50~60%,[1,3] 최근에는 약 80%를 차지한다고 한다.[12]

모체 측 원인은 먼저 내분비 이상으로 황체기능부전, 고프로락틴혈증, 갑상선기능이상, 당뇨병 등을 들 수 있다. 면역 이상이 발견되는 경우에도 유산이 많다. 임신은 일종의 동종 이식이므로 임신을 유지하는 면역기능의 파탄이 원인이 될 수 있다. 더하여 흡연과 음주, 그리고 카페인의 과다 섭취가 유산율을 증가시킬 수 있다고 한다.

2) 후기유산의 원인

후기유산도 태아 측, 모체 측 모두의 원인을 생각할 수 있지만, 초기유산에 비해 모체 측의 원인에 의한 것이 많다.

태아 염색체 이상은 약 30~40%이지만, 염색체가 정상적인 태아 이상을 더하면 약 50%가 태아 측의 원인이다.[1,3]

모체 측의 원인으로서는 우선 감염에 의한 것이 많은데, 후기유산 증례에는 융모양막염이나 세균성 질염[4]이 많이 나타난다.

경부 무력증은 후기유산의 원인의 15~20%를 차지하고 있다. 그 외에는 자궁 기형 및 자궁근종이 원인이 되기도 한다.[1,3]

표 1. 유산의 분류

1. 임신 주수에 따른 분류 (일본산과부인과학회, 1993)
조기유산(early abortion): 임신 12주 미만의 유산 후기유산(late abortion): 임신 12주 이후 22주 미만의 유산

2. 임상적인 형식에 의한 유산 (일본산과부인과학회산과부인과용어해설집 인용)
1) 절박유산(threatened abortion) 2) 불가피유산(inevitable abortion) 3) 완전유산(complete abortion) 4) 불완전유산(incomplete abortion) 5) 계류유산(missed abortion) 6) 감염유산(infected 〈infectious〉 abortion)

증상

조기유산은 질출혈 하복통이 주된 증상이며, 경관의 개대, 배아·태아 및 그 부속물의 만출을 보인다. 후기유산은 분만과 유사한 경과를 취해서 질출혈과 진통양상의 복통으로 시작해서 태아 분만, 태반 분만 순으로 일어난다.

진단

1. 임신 진단

우선 임신의 진단에는, 요중hCG (human chorionic gonadotropin, 융모성성선호르몬)측정이 사용된다. 앞에 기술한 모노클로날 항체를 이용한 고감도 hCG 키트에서는 검출 감도가 25~50IU/L이고, 임신 4주 0일 안팎에 검출된다.[1] 임신 반응이 양성인 경우 다음으로 초음파 단층법을 행한다. 최근에는 경질초음파가 보급되고 경복부와 비교하여 고성능이므로 조기임신의 진단에는 경질초음파를 이용한 것이 좋다.

경질초음파는 임신 4주 중반부터 자궁 내에 태낭을 확인할 수 있다. 태낭의 진단은 지름이 4mm 이상으로 내부에 난황낭(yolk sac)이 확인된 것을 말한다.[1] 또 임신 5주경부터 6주 전반에 태아심박동이 보이게 된다. 조기유산 진단에는 정확한 임신주수가 매우 중요하며, 그 주수의 결정에는 최종월경, 기초체온에 의한 배란일의 추측 또는 요중hCG가 양성으로 된 시기 등을 참고한다. 또 초음파 단층법에 의한 태낭지름이나 두전장을 통해 보다 정확한 주수가 도출된다.

2. 조기유산 진단

임신반응 양성에서 질출혈이나 하복통이 있을 경우 우선 조기유산을 의심할 수 있는데, 그 순서에 대해 설명하겠다.

1) 태낭이 보이지 않는 경우

우선은 이소성 임신과 감별진단할 필요가 있다.

경질초음파에서 임신 5주에 들어서도 자궁 이외의 위치에서 태낭이 관찰되지 않는 경우에는 혈청 β-hCG을 정량한다. 1,000IU/L을 넘는 경우에는 자궁외임신이 강하게 의심된다. 수일 후 경질초음파 단층법, 혈청 β-hCG정량을 다시 시행하여, 태낭이 생기지 않고 혈청 β-hCG가 더욱 상승하는 경우는 이소성 임신의 가능성이 높다.

혈청 β-hCG가 낮을 경우에는 1주 후 경질초음파 혈청 β-hCG정량을 행한다. 자궁 내에 태낭이 출현하고 혈청 β-hCG 의 상승이 있으면, 그 후 태아 심박동이 확인될때까지는 일주일에 1번 경과를 관찰한다.

한편 그 후에도 태낭의 출현이 없고 혈청 β-hCG가 상승하지 않는 경우는 화학적 임신으로 여겨지며, 보통 질출혈을 보인 임신은 종결된다.

2) 태낭이 보이는 경우

태낭의 크기증가를 볼 수 없거나 크기 증가가 보여지더라도 배아의 출현이 없는 경우, 고사난자로 생각된다. 임상적으로는 임신 8주가 넘었고, 배아(태아)가 출현하지 않거나, 태아 심장 박동이 없으면 조기유산을 생각한다.

임신 6주에서 배아가 보이고 심박동이 확인된 경우에는 질출혈, 하복통 등의 증상이 없더라도 2주 후에 다시 한 번 초음파단층법을 시행하여, 태아의 발육 혹은 다태임신에 관하여 확인을 한다. 다태임신에 대해서는 늦게 쌍태 혹은 삼태를 진단받는 경우도 있다. 다태로 진단받으면 막성 진단이 중요하다.

3) 태낭이 보이며, 배아(태아)가 확인되지만 심박동을 확인할 수 없는 경우

자궁내 배아(태아) 사망 가능성이 있다. 설령 질출혈, 하복통 등의 증상이 없어도 계류 유산의 가능성이 있다. 그러나 질출혈이나 하복통이 심하지 않는 한 결론을 서두르지 않고 며칠 뒤 다시 한번 심박동을 체크한 후에 진단하는 신중한 자세가 필요하다.

4) 태낭이 보이며 배아(태아)및 심장 박동이 확인 된 경우

태아는 생존해 있다. 질출혈 혹은 하복통이 있을 경우 절박유산으로 진단된다.

3. 후기유산 진단

후기유산은 정상 분만과 같은 과정을 거친다. 질출혈, 하복통으로 시작되어 자궁입구가 개대하고, 진통양상의 하복통이 강해져 태아 및 태반이 분만된다. 따라서 질출혈이나 하복부 통증을 겪을 경우 절박유산으로 진단된다. 또 경관 입구로 양막이 보이거나 양막의 탈출, 태포진입이 보이는 경우 절박유산으로 진단된다.

관리 · 치료

1. 절박유산에 대한 치료

융모막하혈종이 확인되는 경우에는 안정을 지시한다. 임신 15주까지는 유산 예방 효과가 입증된 약물 치료는 없다. 기본적으로는 외래 치료이지만 질출혈이 많거나 아랫배가 많이 아프면 입원 치료가 된다.

또한 융모막하혈종이 보이는 경우나 자궁입구의 개대 혹은 양막탈출의 증례는 입원 치료가 필요하다. 또 ACOG의 가이드라인(2012)에서는 조산 기왕력 여성에 대해서는 임신 16주 이전의 프로게스테론 투여가 권장되고 있다.[5] 임신 16주 이후에 대해서는 리토드린염산염이 투여된다.

양막탈출의 증례 중 진통양상의 자궁수축이 없는 자궁경부무력증에는 경부봉축술이 이루어진다. 수술방법으로서는 시로드카 수술, 맥도날드 수술이 있지만, 가능하면 시로드카 수술이 더 효과적이다.

기타 양막탈출의 증례에 대해서는 프로테아제 억제제인 우리나스타진의 질내 투여에 의해 난막의 취약화를 예방하는 것도 효과적이다(다만, 보험 적용외. 질좌제〈10,000단위〉를 이용).

융모막하혈종에 대해서는 보존적 치료를 한다. 혈종이 큰 경우 예후는 좋지 않다. 융모막 양막염을 진단받으면 항균제를 투여한다.

2. 진행유산 · 불완전유산, 계류유산에 대한 치료

조기유산에 대해서 종래에는 진단이 되는 대로 가능한 한 빠른 시기에 자궁내용 제거술을 실시하는 것이 원칙으로 여겨져 왔다. 그러나 최근의 경질초음파단층법의 보급과 혈청 hCG의 정량이 신속하게 이용되므로 수술적 관리법(자궁 내용 제거술)과 보존적 치료법을 선택할 수 있게 되었다.[6]

보존적 치료법은 수술에 비해 감염은 분명히 적다고 되어 있지만, 출혈 기간이 길어지고 또 출혈이 심해지면 응급으로 자궁내용 제거술이 필요한 경우도 있다. 이때 수혈이 필요한 경우도 보고되고 있다.[6~8] 한편 그 후 발표된 과거 최대규모의 RCT(MIST 〈miscarriage treatment〉 trial)에서는 대기적 관리와 외과적 관리의 자궁내 감염의 발생률은 모두 낮은 수치(약 3%)로 차이를 확인하

표 2. 유산 종류에 따른 대기적 관리법의 완수율[7]

유산 종류	환자수	완수율		
		7일째	14일째	46일째
불완전유산	221	117(53%)	185(84%)	201(91%)
계류유산	138	41(30%)	81(59%)	105(76%)
고사란	92	23(25%)	48(52%)	61(66%)
계	451	181(40%)	314(70%)	367(81%)

지 못했다고 보고되었다.[9]

완전유산이면 보통은 보존적 치료법으로 충분하며, 진행유산으로 출혈량이 적은 경우에도 보존적 치료법이 선택된다. 불완전유산에서 보존적 치료법만으로 진단 후 3주까지 80~90%에서 치료가 가능하다. 한편 계류 유산에서는 65~70%로 약간 낮고, 고사난자가 더 낮은 것으로 알려졌다.

Luise 등이 보고한 진단 후 7일, 14일, 46일째의 보존적 치료법에 따른 유산의 완수율을 표 2에서 보여준다.[7]

앞서 언급한 3주째의 완수율과 표 2의 46일째를 비교해도 조금 상승하는 정도이다. 출혈에 의한 응급 수술 혹은 수혈의 가능성도 생각하면 보존적 관리를 선택했다고 해도 진단 후 3주 내에 유산이 완수되지 않으면 수술 요법을 선택해야 한다고 생각한다.

또한 최근 초음파 단층법으로 계류 유산으로 생각되는 것 중에 포상기태가 포함되어 그 중 25%(32사례 중 8예)가 임신성 융모상피종으로 이행했다고 보고되었다.[10] 포상기태 증례에서는 자궁내용제거술 직전의 혈청 β–hCG수치가 비교적 높은 수치(100,000IU/L이상)였다.[10] 그러므로 자궁내용물의 병리조직 진단은 중요하며, 병리조직 진단이 되어 있지 않은 경우는 혈청 β–hCG값이 음성이 될 때까지 follow up 할 필요가 있다. 『산부인과 진료가이드라인: 산과 편 2014』에서는, 계류유산·불완전유산·진행유산 진단 후의 관리로서 ① 보존적 치료 혹은 외과적 치료(자궁내용 제거술)를 행한다(권장레벨 A), ② 포상기태에 유의하고 더하여 자궁 내용 잔류에 의한 예정 외의 입원·수술의 위험이 있다는 것을 설명한다(권장레벨B)로 되어있다.[11]

이상으로부터 계류유산이나 고사난자에서는 보존적 치료법에 의한 완수율이 비교적 낮은 점, 보존적 치료법과 수술적 관리법의 각각 이점에 대하여 충분히 설명한 뒤, 환자의 동의 하에 치료법을 선택한다. 불완전유산 치료법의 선택에 있어서도 동일하다.

감염유산의 경우 진단이 되는 대로 빨리 자궁 내용 제거를 하고 항균제를 투여한다. 자궁내용 제거술을 시행할 때에는 자궁천공, 자궁강 출혈, 자궁내용물 잔류, 자궁내 감염의 가능성에 대해 설명하고, 그 후의 대응에 대해 서면 동의를 얻어둔다. 또한 수술 전 처치로서 라미나리아, DILA-

PANTM, 혹은 라미셀®을 이용하여 자궁경관를 확장하면 수술 조작이 쉬워진다. 자궁내용 제거술을 행할 때 복부초음파 가이드 하에 실시하면 보다 안전하고, 자궁외임신의 한 종류인 간질부임신의 진단의 참고도 된다.

3. 후기유산에 대한 치료

자궁 내 태아 사망의 경우, 대개 자연적으로 유산이 진행되어 태아와 태반은 분만된다. 태반의 일부가 남았다고 여겨지는 경우는 경복부초음파 가이드 하에 가능한 큰 태반 겸자를 이용하여 자궁 내용물을 제거하는 것이 안전하다고 생각되지만, 임신 중기는 자궁 벽이 부드럽고 자궁 천공을 일으키기 쉽기 때문에 더 신중해야 한다.

자궁 내 태아사망 진단 시 진통이 없는 경우도 있다. 태아에서 유리된 트롬보플라스틴이 모체순환으로 유입되어 응고기능 장애(사태아증후군)가 발병하기 전에 분만하는 것이 바람직하므로, 이러한 증례에서는 프로스타글란딘E₁ 유도체를 이용한 진통유발이 일반적으로 이루어진다.

그림 1에 프로스타글란딘 질좌제에 의한 처치의 흐름도를 나타냈다. 전날에 자궁 경부 안에 라미나리아를 삽입하고, 다음날 아침부터 3시간마다 5정까지 프로스타글란딘 질좌제를 삽입한다. 자궁 경관의 성숙이 중요하다.

또한 제왕절개술이나 자궁근종 핵출술의 기왕력이 있는 경우에는 더욱 주의가 필요하다. 응급수술이 언제라도 이루어질 수 있는 체제에서 프로스타글란딘 질좌제를 투여해야 한다. 이런 일련의 조치와 투약에 대한 충분한 설명을 한 후에 환자의 동의를 얻는다. 가능하면 서면으로 하는 동의가 바람직하다.

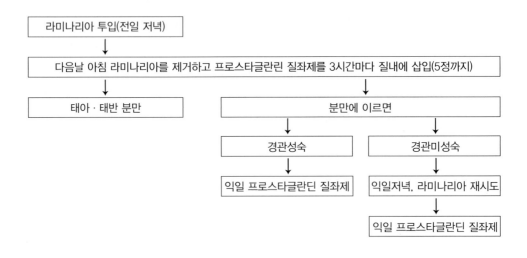

그림 1. 프로스타글란딘 질좌제 사용을 통한 처치　　　　　　　(문헌1부근 일부 개정하여 게재)

■ 사산 신고: 임신 12주 이후 유산(사산)의 경우, 사망 신고가 필요하다. 최종 월경 기준으로 만 12주 이후라도 태아의 성장이 보여지지 않고, 혹은 초음파진단에 의해 임신 12주 미만으로 진단되는 경우는 임신 11주 이전의 임신이라고 진단하여 사산 신고가 필요하지 않다.

참고문헌

1) 日本産婦人科医会編. 研修ノート. No. 57. 流産・早産の管理. 東京, 日本産婦人科医会, 1997, 1-48.
2) Wilcox, AJ. et al. Incidence of early loss of pregnancy. N. Engl. J. Med. 82, 1988, 854-9.
3) 下屋浩一郎ほか. "流産・不育症". 産科合併症. 改訂 2 版. 村田雄二編. 大阪, メディカ出版, 2013, 25-45.
4) Romero, R. et al. Infection and labor Ⅷ：Microbial invasion of the amniotic cavity in patients with suspected cervical incompetence；prevalence and clinical significance. Am. J. Obstet. Gynecol. 167（4 Pt 1）, 1992, 1086-91.
5) ACOG Committee Opinion No. 522. Incidentally detected short cervical length. April 2012.
6) 竹村秀雄. 流産手術（待機的管理法との選択を含む）. 産科と婦人科. 73（増刊号）, 2006, 5-9.
7) Luise, C. et al. Outcome of expectant management of spontaneous first trimester miscarriage：observational study. BMJ. 324, 2002, 873-5.
8) Nanda, K. et al. Expectant care versus surgical treatment for miscarriage. Cochrane Database of Systematic Reviews. 2006.
9) Trinder, J. et al. Management of miscarriage：expectant, medical, or surgical? Results of randomized controlled trial（miscarriage treatment<MIST> trial）. British Medical Journal. 332, 2006, 1235-40.
10) Miyoshi, J. et al. Clinical features of early-stage nonhydropic mole for diagnosis persistent trophoblastic disease. Obstet. Gynecol. 118, 2011, 847-53.
11) 日本産科婦人科学会・日本産婦人科医会 編集・監修. "CQ202 妊娠12週未満の流産診断時の注意点は？". 産婦人科診療ガイドライン：産科編2014. 2014, 111-3.
12) 齋藤滋. 厚生労働省科学研究費補助金成育疾患克服等次世代育成基盤研究事業「不育症治療に関する再評価と新たなる治療法の開発に関する研究」平成20年度〜22年度総合研究報告書. 2011年 3 月. http://fuiku.jp/ ［2015.4.6］

中野　隆

유산은 약 15%의 빈도로 일어나며, 특히 조기유산은 대부분(약80%)[1]은 수정란의 우발적인 염색체 이상에 따른 것이며 이런 경우 부부 모두 병적 원인은 없다.

습관성 유산은 3번 이상 연속된 자연 유산으로 정의된다. 2번 이상 연속된 자연 유산은 반복 유산으로 불린다.

난임은 단일의 진단명이 아닌 복수의 병태를 포함한다. 후생노동성 과학 연구반[1]에서는 「임신은 가능하지만 2회 이상의 유산·사산 또는 생후 1주일 이내에 사망하는 조기 신생아 사망에 의해서 아이를 얻을 수 없는 경우」라고 정의하고 있다. 조기유산과 임신 후기의 사산을 같은 용어로 말하는 것은 부적절하다는 것은 물론, 이 정의로부터 단순한 진료 지침을 정하는 것은 어렵다. 또 난임의 원인 중 하나인 항인지질 항체증후군은 조기발병 중증 전자간증후군이나 혈전증, 태반조기박리의 원인이 될 수 있지만, 생존아를 얻으면 난임의 정의에서 벗어난다. 한편 난임 환자의 임신유지 증례에서 임신·분만 예후는 일반 임신과 차이가 없다는 보고도 있으므로,[2] 구별해서 이해할 필요가 있다.

임신 경험 있는 35~79세의 여성에 대한 조사에서[1] 3회 이상의 유산 경험은 0.9%, 2회 이상 4.2%, 1번 이상은 38%다. 최근 여성의 고령화로 인하여 유산율이 증가하고 있어 수만 명에게 불임의 가능성이 있다고 여겨진다. 연령은 난임의 중요한 원인이지만 치료 방법은 없다.

연령 및 과거 유산 횟수의 증가와 함께 유산 빈도는 상승하지만, 특히 고령이 아닌데 유산 횟수가 3~4회인 환자의 차회 임신 성공률은 60~70%이다.[1]

불안함이나 만약을 위해서 근거가 없는 항응고요법 등의 치료를 시행해 유산을 회피해도 반드시 치료가 유효했다고는 말할 수 없으며 임산부나 분만관리시설에 쓸데없는 부담을 강요할 가능성이 있다.

위험인자

유산의 위험을 상승시키는 위험인자를 가지고 있어도 100% 유산하는 것은 아니므로, 후생노동성연구반에서는 이를 원인이 아니라 「위험인자」라고 표현하고 있다.[1] 연구반에서 조사한 527례의 증례에서, 위험인자 불분명 65.3%, 항인지질항체양성 10.2%, 제 XII인자결핍 7.2%, Protein S결핍 7.4%, Protein C결핍 0.2%, 부부의 염색체이상 4.6%, 자궁형태이상 7.8%, 갑상선이상 6.8% 이었다

(중복례 43건). 항포스파티딜에탄올아민(PE)항체 양성 예는 위험 인자 불분명군 중 약 1/3(전체의 22.6%)이었지만, 항PE항체의 병원성 여부에 대해서는 의견이 일치하지 않고 있어 불분명군에 포함되어 있다.

진단

후생노동성 연구반이 제언하는 위험인자 검색은 다음과 같다.[1] 『산부인과 진료가이드라인: 산과 편 2014』의 CQ204[3]에도 기재되어 있는 항목에는 밑줄하였다.

○ 난임 1차 검사(1차 스크리닝)
- <u>자궁형태검사</u>: 경질초음파, 자궁난관조영, 자궁경 등
- 내분비 검사: 갑상선 기능, 당뇨병 검사
- <u>부부 염색체 검사</u>
- 항인지질항체: <u>항카르디올리핀 β$_2$글루코프로틴 I 복합체항체</u>, <u>루프스 항응고인자</u>, <u>항CLIgG항체, 항CLIgM항체</u>
○ 난임 선택적 검사
- 항인지질항체: 항PEIgG항체, 항PEIgM항체
- 응고인자검사: 제XII인자 활성, 프로테인S활성 혹은 항원, 프로테인C 활성 혹은 항원, APTT

2004년의 일본산과부인과학회 생식내분비위원회에 의해 제창되던 검사 항목이 정리되어 익숙한 항핵항체, 여성내분비검사(LH, FSH, PRL, P4)가 포함되어 있지 않다. 항핵항체는 반복유산의 15% 정도에서 양성이지만, 치료의 여부에 상관없이 유산율은 바뀌지 않는다.[3] 황체기능부전은 일찍부터 조기유산과의 관련이 지적되어 왔지만, 회의적인 의견이 많아 황체호르몬 보충요법으로 인한 임신률 개선의 증거는 부족하다.[3] 『산부인과 진료가이드라인: 산과 편 2014』에서는, 조절되지 않는 당뇨병이나 갑상선기능 이상은 유산의 원인이 되지만, 증상이 없는 경우에 스크리닝 검사를 할 필요성은 부족하다고 한다.[3] 또한 응고인자 검사에 대해서는 아직 연구가 불충분하여 검사의 필요성은 확정되지 않았다고 말하고 있다.[3]

그 외 『산부인과 진료가이드라인: 산과 편 2014』에는 새로 유산했을 경우, 유산(자궁내용, 유산태아)물의 염색체를 검사한다(권장 수준 C)고 했다.[3] 앞서 말한 바와 같이 유산 원인의 대부분은 수정란의 우발적인 염색체 이상이며, 그 경우 난임에 대한 검사 및 치료의 필요는 없으며, 유산조직 염색체검사는 보험 적용이 안되고 시간도 필요하므로 모든 유산에 대해 검사를 하는 것은 현

실적이지 않다. 그러나 난임이 의심되는 사람에 대해서는 유산조직 염색체 검사를 시행해 염색체 이상이 발견되면, 그 유산이 치료의 유무에 관계없이 임신 유지가 불가능했음을 알고 납득하는 것에 의의가 있다. 2번째 유산에서 태아 염색체 검사를 실시하고, 불균형 전좌가 있으면 부부의 염색체 검사를, 정상 핵형이면 다른 원인 검사를 실시하고, 삼배체 등의 수적 이상이 있으면 난임의 원인 검사를 하지 않음으로써 환자 부담을 경감할 수 있다는 보고가 있다.[3]

부부의 염색체 검사를 하기 전 충분한 유전학적 상담을 한다. 염색체 이상은 현재 근치적 치료는 없으며, 또 현시점에서 착상 전 진단이 가능한 예는 한정되어 있다. 전좌가 있어도 최종적으로 생존아 획득률은 68~83%로 보고되고 있다.[3] 아이들이 자신과 같은 전좌를 가질지도 모르고, 경우에 따라서는 혈연자의 문제로 파급되어, 부부의 어느 쪽에 책임이 있는가를 아는 것이 불이익으로 나타나는 일이 생길지도 모른다. 어떤 부부들에게 이런 정보를 제공하면 검사를 희망하지 않는 부부도 있다. 따라서 결과의 통지 시에 부부 중 어느 쪽에 소견이 있었는지를 전달하지 않는 선택방법도 제안한다.

치료

무치료의 증례 수가 적어 명확한 증거를 얻는 것이 어렵다는 전제 하에,[1] 각 위험 인자에 따른 치료가 검토된다. 위험 인자가 없는 증례나 치료 효과가 불분명한 예에 대해 환자 본인의 희망으로 치료를 계획하는 것은 신중해야 한다.

1. 사회생활에서의 난임 예방

고령일수록 유산율이 높고 임신률이 낮으며, 임신·분만 합병증이 증가하는 것은 분명하다. 임신 적령기는 확실히 존재하기 때문에, 40세를 지나서 첫 임신을 계획하는 것은 생물학적으로 부자연스럽다는 것을 계몽하는 것은 난임이나 불임 환자의 감소로 이어질 수 있다. 그러기 위해서는 젊을 때 안심하고 임신·출산할 수 있는 사회를 만들 필요가 있다. BMJ에 의하면,[1] 연령별 유산율은 25~29세에서 11.9%, 40~44세에서는 51.0% 이다. 단순히 계산하면 3회 유산율은 전자에서는 0.17%이지만 후자에서는 13.2%로 증가하기 때문에, 20대의 임신을 권장하는 것으로 난임의 발생을 사회적으로 예방할 수 있다.

2. 정신 요법(Tender Loving Care)

위험 인자가 불분명 한 부육병에 대하여 정신적 지원을 받은 사례의 생존아 획득율이 80% 안팎인 것에 비하여, 지원 없는 사례에서는 40~60%으로[1] 감소하는 것으로 볼 때, 정신적 지원을 통해서 생존아 획득율이 개선될 가능성이 있다. 난임 환자들이 불안과 우울증에 빠지는 위험성을 감안한다면 정신적인 지원과 상담이 더욱 중요하다. 상담뿐만 아니라 적절한 위험인자를 평가하여 원인이 있으면 치료를 하면되고 만약 없으면 치료 없이도 높은 생존아를 얻을 수 있음을 이해시킴으로써 불안의 감소로 이어질 수 있다.

3. 자궁 형태 이상

자궁 형태 이상에 대한 수술요법의 유용성은 명확하지 않다.[1] 쌍각자궁, 중격자궁에서는 태아 염색체 이상으로 인한 유산율이 15.4%로 다른 사례보다 낮으며, 이는 염색체 이상 이외의 원인에 의한 유산이 많다는 것을 시사한다. 중격자궁에서는 수술한 것이 임신 성공률은 높지만 증례 수가 적어 효과는 확정할 수 없다. 한편 수술을 하지 않아도 진단 후 첫 임신에서 59%, 최종적으로 78%가 출산에 이른다는 보고가 있다. 주산기 임상에서는 여러 가지 자궁 형태 이상의 임신·분만예를 경험하므로, 자궁 형태 이상을 가지고 있어도 출산 가능한 것을 이해시키는 데 일조할 수 있다.

4. 내분비 이상

갑상선 기능 이상, 당뇨병이 발견되었을 경우에는, 해당 진료과와 협진하고 충분하게 조절된 상태가 된 다음에 임신할 필요가 있다.[1]

5. 염색체 이상

부부 중 어느 한쪽이 상호균형전좌, 로버트슨전좌, 역위 등의 경우에는 충분히 유전 상담을 할 필요가 있다. 상호균형전좌 보인자라고해도 최종적인 생존아 획득률은 각 보고에 따라 60~80%로 결코 낮지는 않다. 체외수정 시의 착상 전 유전진단(PGD)에 따라서도 차이가 없다는 보고가 많다. 불임부부에게 PGD를 시행하기 위해서는 체외수정·배아이식이라는 정신적, 신체적, 경제적 부담을 강요하게 되어 그 의의에 대해 회의적인 시각이 적지 않다. 유산이라는 정신적 타격을 피할 수 있는 이점을 꼽기도 하지만 PGD을 시행해도 유산율이 22.7%라는 보고도 있다.[4]

상호균형전좌 보인자가 임신을 계속 지속하는 경우 양수 염색체 검사를 해야 할지에 대해서는 논란이 있다. 원래 염색체 불균형이 지금까지의 유산의 원인이었더라면 이번 임신 역시 유산으로 끝났을 것이다. 태아가 불균형전좌였던 경우는 9.2%에 불과하다는 보고가 있어,[4] 검사의 시행은 신중하게 검토한다. 또 부모와 같은 상호균형전좌가 발견될 경우, 미래의 그 아이의 난임 가능성 등에 대해 고민하게 되며, 양수천자에 의한 유산 가능성도 존재하기 때문에, 실제로는 검사를 원하지 않는 경우가 많다.

6. 항인지질항체 증후군

2006년에 개정된 항인지질항체 증후군의 진단 기준에서는 일차 검사에 포함되는 항목에 대해서 12주 이상의 간격을 두고 2회 이상 양성인 경우에 진단된다. 상세한 진단기준은 『산부인과 진료가이드라인: 산과 편 2014』에 기재되어 있다.[3]

국제기준에 따른 항인지질항체 증후군으로 진단된 증례에 대해서는 저용량 아스피린(80~100mg/일)과 헤파린(5,000~10,000단위/일)의 병용요법이 효과적이라는 과학적인 근거가 있다.[1] 헤파린칼슘 주사는 혈전증 위험이 있는 증례의 혈전 예방에 대해 사용할 수 있도록 2012년 1월부터 보험 등재되었다. 임신을 계획한 주기의 착상기부터 아스피린을 복용하고 임신이 판명되면 헤파린을 시작하여 12시간 간격으로 5,000단위를 피하 주사한다. 아스피린은 분만 시 출혈량 증가와 응급 제왕절개 시 척추 마취를 대비해서 임신 36주 이후는 중지한다. 다만 일본의 의약품 첨부문서에서는 임신 28주 이후는 금기로 되어있으므로, 28주 이후에도 투여를 계속할 경우엔 충분한 설명과 동의가 필요하다. 헤파린은 분만 직전까지 사용하고 분만 후 지혈이 되면 다시 재개하여 수일간 투여한다. 계획된 제왕절개술시에는 전날부터 헤파린 주사를 중지한다. 투여 종료부터 12시간 이내에 응급 제왕절개술을 할 경우에는 전신 마취로 하고, 12~24시간인 경우는 마취과 의사와 상담한다.[5]

부작용으로서 헤파린 유도혈소판감소증(HIT), 골량감소, 간효소상승에 주의한다. 특히 HIT는 발병하면 위독해질 수 있다. 발병률은 0.5~5%로, 투여 개시부터 2주 이내에 발생하는 경우가 많아 2주 이내에는 수차례 혈소판측정을 한다. 그 이후에는 1~2개월마다 검사를 한다.[5] HIT가 의심되면 즉시 헤파린을 중단하고 아르가트로반(Argatroban)을 처방한다.[5]

7. 국제 기준 이외의 항인지질항체 양성 예

재검하여 음성이었던 우발적항인지질항체 양성증례, 항PE항체 양성 예, 항PS(항포스파티딜세린)항체 양성증례에 대해서는 치료 여부의 차이가 없다는 보고도 있어,[2] 치료의 필요성·유효성 모두 해결되지 않은 상태이다.[1]

8. Protein S결핍증, Protein C결핍증

혈전증 기왕력이 있으면 저용량 아스피린 헤파린 치료가 필요하다. 임신 10주 이전의 유산 기왕력만 있는 경우에는 저용량 아스피린 요법보다 헤파린 치료를 통해 생존아 획득율이 더 높다는 자료가 있고, 임신 10주 이후의 유산에는 헤파린 병용이 유효하다는 보고가 있으므로, 이들의 상황을 바탕으로 치료법을 검토한다.[1]

9. 제XII인자 결핍증

명확한 치료방침은 정해져있지 않지만, 연구진은 제한된 증례 수에서 저용량 아스피린 요법으로 양호한 치료 성적을 얻고 있다.[1]

참고문헌

1） 齋藤滋. 厚生労働省科学研究費補助金成育疾患克服等次世代育成基盤研究事業「不育症治療に関する再評価と新たなる治療法の開発に関する研究」平成20年度～22年度総合研究報告書. 2011年3月. http://fuiku.jp/ ［2015. 4. 6］
2） 藤井知行. 周産期領域からみた不育症. 日本産科婦人科学会雑誌. 65(8)，2013，1673-8.
3） 日本産科婦人科学会・日本産婦人科医会 編集・監修. "CQ204　反復・習慣流産患者の診断と取り扱いは？". 産婦人科診療ガイドライン：産科編2014. 2014，119-24.
4） 杉俊隆. "不育症の検査異常とその治療・染色体異常". EBMに基づく不育症診療の実際. 東京，金原出版，2007，22-8.
5） 齋藤滋. 在宅ヘパリン自己注射療法：安全性と管理. 産科と婦人科. 80(1)，2013，91-6.

奥田美加

제3장 이상임신의 진단과 치료

포상기태(hydatidiform mole)란 융모 영양막세포의 이상증식과 간질의 부종을 특징으로 하는 병변을 말한다. 고전적인 포상기태에서는 융모의 수종상 종대(낭포)가 육안적으로 지름이 최소 2mm를 넘지만, 임신 주수가 이른 경우는 낭종 지름이 그 미만인 것도 인정된다. 최신의 『융모성 질환 취급 규약』(제3판, 2011년)에서는 포상기태의 진단은 육안적 소견이 아닌 조직학적 소견에 근거하여 실시한다고 정해져있다. 포상기태는 조직학적으로 영양막세포의 이상 증식과 간질의 부종상을 보인다. 그 진단에는 병리 조직적인 검사가 필수적이다.

1. 분류

포상기태는 완전포상기태(complete mole)와 부분포상기태(partial mole)로 분류된다.

완전포상기태: 거의 모든 융모가 낭포화된 것을 말한다. 초기임신 주수에서는 때때로 낭포지름이 작은 것이 확인된다. 조직학적으로는 낭포 테두리가 원형으로 부풀어 올라있고 다량의 영양막 세포의 증식을 보인다. 태아성분은 존재하지 않는다.

부분포상기태: 낭포화된 융모와 정상적 융모 2종류의 융모로부터 생긴 병변에서 조직학적으로 일부 융모의 영양막 세포의 가벼운 증식 및 간질의 부종이 확인된다.

배아/태아나 탯줄이 있거나, 조직학적으로 유핵적혈구 등의 태아성분을 보이는 경우가 많다.

2. 병태

완전포상기태와 부분기태는 그 발생 구조가 세포 유전학적으로 다르다. 완전포상기태는 게놈 결핍이나 불활성 난자에 정자가 수정되면 발병하는 것으로 추정된다. 모든 염색체 게놈이 부친(정자)으로부터 유래, 즉 웅성(수컷) 발생이다.

1정자 수정의 경우에는 46, XX기태만 발생하고, 유전자 구성은 모두 호모접합형(호모기태)을 보인다. 2정자 수정의 경우에는 유전자의 일부가 이형접합형(이형기태)을 보인다. 이론상으로는, 46, XX기태, 46, XY기태, 46, YY기태가 1:2:1의 비율로 발생하지만, 46,YY기태의 보고는 없어, 발생 초기 사멸된다고 여겨진다. 한편 부분기태의 핵형은 모친에서 유래한 염색체 23개와 부친에게서 유래한 염색체 46개로 구성된 3배체인 경우가 많다. 정상 난자에 2정자가 수정함으로써 발병하는 것으로 알려졌다.

3. 빈도

최근 일본의 포상기태 수는 출생 수의 저하에 따라 해마다 감소 경향에 있다. 발생 빈도는 1994~1998년에는 출생 1,000에 1.7였지만, 1999~2003년에는 1.5, 2004~2008년에는 1.2로 감소 경향에 있다.

진단

1. 진단 기준

기존 일본에서의 낭포화성융모의 진단 기준은 육안적으로 최소지름이 2mm를 넘는 것으로 되어있다. 그러나 임신초기의 기태낭포는 지름이 2mm를 넘지 않는 것도 있어, 육안적 소견만 진단하면 포상기태를 놓칠 수 있다. 또한, 수종상 유산융모를 기태낭포로 잘못 진단할 위험성 등도 있다. 그래서 최신의 취급규약에서는 육안적 소견이 아닌 조직학적으로 융모에 의한 영양막세포 이상증식과 간질의 부종을 특징으로 하는 소견을 포상기태라고 정의하고, 그 진단은 조직학적 검사에 의하게 되었다.[1] 더하여 조직학적 검사를 해도 수종상유산, 부분기태, 완전포상기태 등을 감별하기 어려운 경우가 있다. p57^{K1P2}이나 TSSC3항체를 이용한 면역 조직 화학적 검사나 유전자검사에 의해서 비로소 진단이 확정되기도 한다.

注: 최근 융모의 지름이 2mm 미만이며 현미경 관찰에서 융모간질의 수종화가 보여지는 것을 현미경 상 기태로 취급하고 있었지만, 조직학적으로 영양막세포의 이상 증식이 없는 것은 기태라 하지 않기 때문에, 수종성유산이라는 호칭으로 통일되었다.

2. 증상

무월경, 부정출혈, 임신오조 등의 증상이 나타나지만 특이한 것은 없다. 진료가 늦어져 임신중기의 시기까지 임신이 계속된 경우는, 자궁 과대, 단백뇨, 부종, 고혈압 등이 오는 경우도 있다. 이상임신의 조기진단, 조기치료가 가능해지게 되며, 전형적인 포상기태 증상을 동반하는 경우는 드물다. 부분기태의 경우는 유산의 경우와 다른 증상은 거의 없고 자궁내용물의 병리조직 검사에서 처음 진단되는 일도 적지 않다.

3. 검사

1) 초음파 검사

임신 초기 환자에 대해 질초음파가 거의 모든 예에서 시행되고 있는 현재, 포상기태 진단은 초음파 검사로 이뤄지는 경우가 압도적으로 많다. 완전포상기태에서는 자궁내강에 특징적으로 다수의 작은 낭포상(small vesicle pattern)이 그려지고, 정상적인 태아상은 보이지 않는다. 초음파기기의 발달로 임신 8주 이전의 초기에도 완전포상기태의 진단은 가능해지고 있다. 그렇지만 부분기태는 완전포상기태와 비교해 전형적 소견이 적어 진단에 고심하는 경우가 많다. 컬러 및 펄스도플러법은 자궁근층 내 병변의 혈류이상을 보는데 효과적인 검사법으로, 특히 침입기태의 진단에 유용하다.

2) 혈중 hCG값

포상기태에서는 과잉 생성된 융모세포(영양막세포)에서 대량으로 융모성 성선호르몬(human chorionic gonadotropin ; hCG)이 분비된다. 이 때문에 hCG값이 정상임신에 비해 높은 이상수치가 되는 경우가 많고, 종종 100,000IU/mL이상, 때로는 1,000,000mIU/mL 이상에 달한다. 그렇지만, 초기 병변에서나 부분기태에서는 hCG가 비교적 낮은 수치를 나타내는 경우도 있어, hCG 값만으로 포상기태를 진단할 수는 없다. 포상기태 후의 관리에 혈중 hCG의 시간에 따른 변화 측정은 필수적이다.

3) 병리 조직 검사

포상기태의 진단에 필수적이다. 부분기태는 임상경과, 영상소견으로는 유산과 구별을 못할 때가 많아 유산 시의 자궁내용물은 반드시 병리검사에 제출한다. 최근 들어 계류 유산의 경우 보존적 관리가 선택될 수도 있지만, 배출물을 병리검사에 제출해야 함을 미리 설명해두고 가능한 지 참해달라고 한다.

4) 면역조직염색검사

임프린트유전자 산물인 p57^{K1P2}, TSSC3(모친 유래 유전체만이 발현)의 면역염색을 통해서 완전포상기태와 그 외의 임신 감별이 가능하다. 부분기태나 유산(수종상유산을 포함)은 모체유래 유전체를 가지므로 p57^{K1P2} 염색 양성이 되지만, 완전포상기태는 웅성(수컷) 발생이 있기 때문에 p57^{K1P2}에서 염색되지 않는다. 이 때문에 완전포상기태의 진단에 유용하다.

5) 염색체 검사

완전포상기태에서는 2배체(46XX또는 46XY), 부분기태에서는 3배체(69XXX 또는 69XXY)가 된다.

6) DNA다형성 해석

DNA 진단이 가장 신뢰할 수 있다. 최근에는 short tandem repeat (STR) 다형을 이용하는 경우가 많다. DNA다형해석을 실시하면 면역염색검사에서는 판정할 수 없는 부분기태와 유산의 구별이나 웅성발생 호모기태와 이형기태의 구별이 가능하다. 또한 융모암의 유전적 유래의 결정이 가능하다.

치료 · 관리

포상기태의 치료는 첫째가 조속한 포상기태 조직의 제거이며, 둘째로 포상기태 분만 후의 엄격한 추적관찰이다.

1. 포상기태제거술

수술 중의 자궁 천공이나 과다 출혈 등의 위험이 유산수술에 비해 높기 때문에 신중한 대응이 필요하다. 미리 라미나리아 등의 삽입을 통해 자궁경관을 충분히 확장해 둔다. 수술은 정맥 마취 하에 태반겸자 혹은 흡인장치를 이용하여 포상기태 제거술을 한다. 내용물이 많은 증례에서는 자궁근이 대단히 얇아져서 자궁천공 위험이 높아, 특별히 주의하여 신중하게 행한다. 마지막으로 큐레트로 조심해서 자궁벽을 소파한 후, 경질 초음파 장치로 포상기태 조직이 대부분 배출되었음을 확인하고 수술을 끝낸다. 내용물의 육안적인 확인을 거쳐서 반드시 조직학적 검사를 제출한다. 영상검사에서 포상기태의 후 잔류가 의심되는 경우에는 1주일 후에 다시 자궁 내 소파를 시행하고 포상기태 조직의 후 잔류가 없음을 조직학적으로도 확인하는 것이 바람직하다.

2. 포상기태 분만 후의 관리

완전포상기태 후 10~20%가 속발성으로 침윤성기태가 되고, 1~2%가 융모암으로 진행된다. 또 융모암의 약 30%는 완전포상기태 이후에 발병하고 있다. 부분기태 후에 재발할 확률은 2~5%로 완전포상기태에 비해서 낮지만, 융모암 발병 보고도 있어, 완전포상기태·부분기태 모두 정기적인 관리가 필요하다.

포상기태 분만 후에는 기초 체온을 기록하고, 1~2주에 1회 정도 정기적인 혈중 hCG수치 측정을 실시하여, 정상치가 되는 것을 확인한다. 일본에서의 재발증 진단기준은 포상기태 소파 후의 hCG의 감소곡선(그림 1)에 따라 판정되며, 5주에서 1,000mIU/mL, 8주에서 100mIU/mL, 24주에서 cut off 수치 이하의 3점을 잇는 선을 판별선으로 하여, 어느 시기에서든 이 선을 밑돌 경우를 경과 순조형, 어느 시기에서든 이 선을 웃도는 것을 경과 비순조형으로 하고 있다.

포상기태 소파술 후 비순조형이라고 판정되었을 경우, 우선 영상진단(경질초음파, CT, 흉부X선 등)을 시행하여, 자궁이나 폐 등에 병소를 확인할 수 있으면 융모암진단 스코어(표 1)로 채점한다. 4점 이하이면 임상적 침입기태, 5점 이상이면 임상적 융모암이라고 진단하지만, 포상기태 후 증례에서는 대부분은 임상적 침입기태라고 한다.

한편 영상진단에 의해 병소를 확인할 수 없는 경우에는 포상기태후 hCG존속증으로 분류된다.

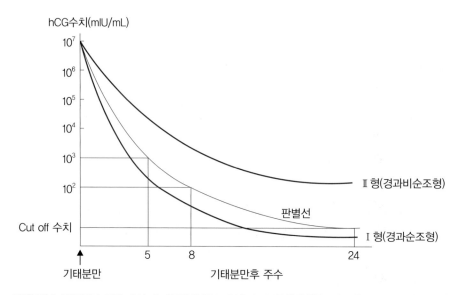

기태분만후 5주에서 1,000mIU/mL, 8주에서 100mIU/mL, 24주에서 혈중hCG수치 cut off 수치의 3점을 잇는 선을 판별선(discrimination line)으로하여, 어느 시기에서 이선을 밑돌 경우를 경과순조형(Ⅰ형)으로, 어느 시기에서 1개 이상의 시기에서 이 선을 웃도는 경우를 경과 비순조형(Ⅱ형)으로 분류한다.

그림 1. 기태 소파술 후의 hCG수치 추이 패턴의 분류　　　　　　　　　　　　　　　　　(문헌 1에서 인용)

표 1. 융모암진단 스코어　　　　　　　　　　　　　　　　　　　　　　　　　(문헌1에서 인용)

스코어 (융모암일 가능성)		0 (~50%)	1 (~60%)	2 (~70%)	3 (~80%)	4 (~90%)	5 (~100%)
선행임신		포상기태			유산		정산기간출산
잠복기		~6개월 미만				6개월~ 3년미만	3년~
원발 병소		자궁체부 자궁방결합조직 질			난관 난소		골반 외
전이부위		없음 폐 골반 내					골반 외 (폐 제외)
폐전이소	직경	~20mm 미만			20~30mm 미만		30mm~
	대소부동성	없음				있음	
	개수	~20					21~
hCG수치(mIU/mL)		~10^6 미만	10^6~10^7 미만		10^7~		
기초체온 (월경주기)		불규칙·1상 (불규칙)					2상 (규칙적)

또 자궁적출검체 등에서 병리학적 진단이 가능한 경우는 침입기태 혹은 융모암으로 진단되며, 융모암 진단스코어는 적용하지 않는다. 기태 소파술 후 경과 비순조형의 경우는 종양 전문의에게 소개하는 것이 바람직하다.

3. hCG수치 정상화 후 관리

hCG 값이 정상화된 이후의 관찰 기간에 대해서는 여러 가지 의견이 있지만, 3~4년간의 경과 관찰은 필요하다고 여겨진다. 기초 체온 측정은 융모암의 조기 진단에 유용하므로, 가능한 시행한다. 포상기태 소파술 후의 임신 허용 시기는 1~2년으로 알려졌지만, 최근에는 hCG 컷오프 값 이하가 3~6개월 정도 계속되고 있으면 임신을 허용하고 있다. 포상기태소파 후의 임신에 관해서는, 포상기태를 반복하는 빈도가 2% 안팎으로 높은 비율임을 제외하고, 유산율, 조산율, 태아 기형에 대해서는 차이를 보이지 않는다.

4. 태아 공존 기태

특별한 병태로서 남성핵발생 완전포상기태와 정상임신과의 이란성쌍태(태아공존기태)가 있다. 생식 보조 기술과 배란 유발제의 사용으로 인해 발생 빈도가 증가하는 추세이다. 태아와 포상기태가 공존하는 병태로서 부분포상기태가 있지만, 부분포상기태에서는 핵형이 삼배체가 되어, 자궁내태아(배아)사망이나 유산이 된다. 태아공존기태의 경우, 태아의 염색체는 일반적으로는 정상 핵형이며 생존아를 얻는 것이 가능하다. 임신 중의 합병증(임신중기발생의 전자간증, 유조산, 태아 사망, 자궁출혈 등)이 높은 비율로 일어나기 때문에 충분한 설명이 필요하다. 또 속발성 질환의 발병 위험은 35~50%로 보통 완전포상기태보다도 속발률이 높은 점에 주의해야 하지만, 임신 유지 기간과 속발률 사이에는 관련이 없다고 보고되고 있다. 태아공존기태의 경우, 임신지속여부에 대해서는 논의가 갈릴 테지만 위독한 임신 합병증이 없으며, 태아 희망이 강한 경우에는 충분한 설명 하에 임신을 유지할 수 있도록 허가하여도 좋다.

참고문헌

1) 日本産科婦人科学会, 日本病理学会編. 絨毛性疾患取扱い規約. 改訂第3版. 東京, 金原出版, 2011, 111p.

2) Kohorn, EI. et al. Combining the staging system of the International Federation of Gynecology and Obstetrics with the scoring system of the World Health Organization for Trophoblastic Neoplasia. Report of the Working Committee of the International Society for the Study of Trophoblastic Disease and the International Gynecologic Cancer Society. Int. J. Gynecol. Cancer. 10, 2000, 84-8.

≫ 長田久夫, 碓井宏和

자궁외임신

개념 · 정의 · 분류 · 병태

1. 정의

자궁외임신(ectopic pregnancy)은 수정란이 자궁강(자궁내막) 이외의 장소에 착상되어 자라나고 있는 상태를 말한다. 자궁경관에 착상된 경우를 경관임신이라고 부른다.

2. 분류

수정란의 착상부위에 따라 난관임신, 난소임신, 복강임신으로 분류한다. 경관임신은 임신유지에 적절하지 않은 자궁경관에서의 임신이며, 자궁외임신으로 분류된다. 또한 자궁내와 동시에 자궁외임신이 성립된 경우를 자궁내외동시임신이라고 한다.

3. 역학

전임신의 1~2%에 생기며, 그 중 난관임신이 전체의 98%이상을 차지한다. 호발연령은 26~30세이며, 경산부에게 많다. 일본에서의 사망률은 10만명 당 0.5명(2003년)이다. 경관임신은 전임신의 0.09% 정도이다.

4. 원인(발증기전)

난관수술 기왕력, 골반내염증성질환, 불임, IUD (intrauterine device)의 사용, 흡연 등이 위험인자이다. ART (assisted reproductive technology, 보조생식술) 증례에서도 발생 빈도가 높다. 자궁외임신의 반복률은 약 10%로 높은 비율이다. 경관임신은 선행임신에서 유산 또는 인공임신중절례가 많고, 자궁내막의 수정란 착상이 방해된 것으로도 추측되고 있다.

5. 합병증

난관임신에서 파열을 일으킨 경우에는 복강 내에서의 다량출혈을 일으키는 출혈성 쇼크에서부터 임산부가 사망할 가능성까지 있다. 경관임신에서는 융모조직의 박리가 일어나면서 다량의 외출혈을 초래하는 경우가 있다.

난관임신(난소임신)[1~3]

진단

1. 문진

불규칙한 질출혈이나 하복통을 주소로 하는 가임기 여성의 경우, 반드시 자궁외임신을 염두에 둔다. 또한 위험인자의 유무에 대하여 파악한다.

최종월경, 기초체온, 배란일, 성교일, 배아이식일 등으로 정확한 임신주수를 산정한다. 예정월 경시기의 부정출혈(거짓월경)을 최종월경으로 오인하는 경우가 있어, 선행월경도 포함하여 확인한다.

2. 내진

임신 주수에 비해 작은 자궁체부, 부속기 주위의 종류, 저항, 압통, 자궁질부의 이동통 등을 보인다. 복강 내출혈이 생기면 후질원개의 팽창과 압통, 저항이 확인된다.

3. 기초체온

정확한 임신주수의 진단이나 경과관찰에 유용하다.

4. 인간융모성고나도트로핀(human chorionic gonadotropin ; hCG) 측정

자궁외임신에서는 hCG의 생성·분비가 적고, 정상임신에 비해 배가시간(2배가 되기 위해 필요한 시간)이 연장되기 때문에 계속적인 hCG측정이 진단의 보조가 된다.

5. 경질초음파단층법

정확히 임신 5주 후반 이후 혹은 hCG가 2,000IU/L이상의 상태에서 자궁 내에 태낭이 확인되지 않는 경우에는 자궁외임신이 강하게 의심된다. 자궁 내에 태낭이 존재하지 않는 경우에도 자궁 내의 태낭모양 윤형음영(pseudo-GS)을 태낭으로 오인하는 경우도 있다. 또한 자궁 밖에 난황낭 혹은 태아심박동에 있는 태낭을 확인하면 자궁외임신으로 진단할 수 있다.

그러나 일반적으로 병변부는 echo free space를 포함한 경계가 불규칙한 종양 모양으로 그려진다. 난소임신에서는 임신성황체낭포와의 감별이 필요하다. ART증례에서는 자궁내외 동시임신을 고려하여 태낭이 확인되더라도 자궁 밖의 소견에도 주의한다.

복강 내 출혈이 나타날 경우 자궁 주변, 특히 더글러스와에 액체 저류상이 확인된다.

6. 더글러스와 천자

복강내출혈을 직접적으로 확인하기 위해 경질적으로 더글러스와 천자 및 흡인을 시행한다. 자궁외임신에서는, 암적색, 비응고성의 혈성복수가 특징이다.

7. 자궁 내용 제거술

임신유지를 희망하지 않을 경우 또는 정상임신이 어려울 경우 자궁내용 제거에 의한 융모조직의 유무를 확인한다. 육안적 진단에 더하여 병리조직 검사, 기초체온, hCG값에 따른 경과관찰이 필요하다.

8. 외과적 진단

이상의 방법으로 진단이 되지 않는 경우 복강경이나 시험개복에 의한 확정진단을 시행한다.

관리

복강 내에 다량의 출혈이 존재하는 경우, 수술 준비와 병행해서 수액, 수혈, 항쇼크요법을 실시하고 전신 상태의 개선에 힘쓴다.

1. 보존적 치료[3]

자연 치유를 기대하는 보존적 치료의 성공률은 50~70%이며, hCG가 낮은 값이면 성공률이 높다. 적응증은 이소성 임신의 파열이 확인되지 않는 경우, 치료 전의 hCG가 1,500IU/L 미만인 경우, 48시간의 경과에서 hCG가 감소 경향에 있는 경우이다. 또한 경과 관찰에 대한 충분한 동의를 얻도록 한다.

경과 관찰 중에는 성교를 금지하고 내진은 삼간다. 경과 관찰 개시 48시간마다 hCG측정과 경질초음파검사를 반복하여 hCG가 검출한계 이하가 될 때까지 경과 관찰한다.

2. 외과적치료[1]

근치적수술과 보존적수술로 크게 구분된다. 최근에는 복강경수술이 넓게 적용되고 있으나 활력징후가 불안정한 경우 등에서는 개복수술을 고려한다.

1) 근치적수술

태낭이 착상된 장기를 전적출하는 수술방법으로 난관임신의 경우 난관 절제술이 된다. 가임력 보존을 희망하지 않는 경우 또는 파열 및 유착에 의한 보존수술이 곤란한 경우에 선택된다.

2) 보존적수술[1]

가임력 보존을 강하게 희망하는 동시에 난관 손상이 심하지 않은 경우 또는 반대측 난관에 의한 임신이 기대 불가능한 경우, 난관기능을 보존하기 위해 보존적 수술이 선택된다. 수술방법은 난관부분절제·난관문합, 난관절개내용제거, 부분제거·원위단개구, 난관내용 압출 등이 있다. 난관절개내용제거술에 융모존속증이 발병할 확률은 5~10%로 생각되고, hCG의 계속적인 관찰이 필요하다. 복강경하보존수술의 적용은, 가임력 희망이 있을 때, 병소의 크기가 5cm 이하일 때, 혈중 hCG가 10,000IU/L 이하일 때, 첫 난관임신일 때, 태아심박이 확인되지 않을 때이다.

3. 내과적치료[1,3]

메토트렉세이트(MTX)방법이 가장 일반적이다(다만, 자궁외임신에 대하여 보험적용 외).

적응증은 파열이 없을 때, hCG가 48시간에서 상승경향에 있지만 5,000IU/L 미만일 때, CBC, 혈소판수, 간기능이 정상일 때이다. 또한 계속적인 경과관찰을 위한 충분한 동의가 필요하다.

절대 금기에는 복통이 있는 증례, 급성 복강내출혈, 간기능장애, 신기능장애, 골수기능장애 증례, 자궁내외동시임신이 거론된다. 태아심박이 확인된 증례, 병변부가 4cm 이상, hCG가 5,000IU/L 이상이 되는 증례는 상대금기이다.

투여방법[3]은 아래와 같다.

1) 반복투여법: MTX 1mg/kg 근주(1, 3, 5, 7 병일)
루코보린칼슘 0.1mg/kg 근주(2, 4, 6, 8 병일)

48시간 간격으로 β-hCG를 측정, β-hCG가 15% 이상 저하되지 않으면 4회까지 투여를 계속한다. 제14병일에 측정한 β-hCG이 투여전 수치의 40% 미만이 되지 않으면 추가투여가 가능하다.

2) 단회투여법: MTX 50mg/m² 근주

제 4, 7병일에 β-hCG를 측정하여, 그사이에 15% 이상의 감소가 확인되지 않으면 투여를 반복한다. 매주 15%의 β-hCG 감소가 확인되지 않으면 4주기까지 추가투여가 가능하다.

투여 후에는 성교를 금지하고 내진은 삼가한다. 1주 간격으로 hCG를 측정하고 검출 한계 이하가 될 때까지 경과관찰을 한다. MTX의 최기형성 때문에 투여 후 3개월간은 피임하도록 지도한다.

복강임신[2]

진단

복강임신의 자각증상은 복막 자극증상에 의한 전신권태감으로 그 발현에는 차이가 있다. 더글라스와임신에서는 자궁경관 위치가 전방으로 변한다. 초음파검사에 더하여 MRI도 유용하다.

관리

임신 24주 이후의 증례에서는 경과관찰이 가능하다는 의견도 있다. 임신 24주 미만의 증례 또는 임신 24주 이후라도 양수과소를 동반한 증례에서는 태아예후가 좋지 않으므로, 임신유지는 원칙적으로 권장되지 않으며 분만을 고려한다.

수술 시에는 대량수혈을 준비하고 엄격하게 활력징후를 확인한다. 태아 분만 후의 태반의 전부 제거는 곤란하며 잔류태반은 또는 장관협착의 원인이 되기 때문에 MTX요법의 적응이 된다.

경관임신[1,2]

진단

1. 문진

임신력 청취를 시행한다. 90%의 증례에서 무통성의 질출혈이 확인되고, 다량출혈은 1/3의 증례에서 출혈을 동반한 복통은 1/4의 증례에서 나타났다.

2. 내진

경관임신에서는 자궁체부에 비해 자궁경관이 커져서 눈사람모양 자궁이 된다.

3. 초음파단층법

자궁내강이 아닌 자궁경관부에 태낭이 확인되면 진단된다. 감별진단에서는 경부에 태낭이 내려온 진행유산, 기왕 제왕절개창에 착상된 자궁협부임신, 증대된 자궁경관선이 있다.

관리

확립된 치료법은 없으며 수술요법, 약물치료 혹은 병용요법 등 다양한 치료가 시도되고 있다. 자궁전적술은 근치수술이 되는데, 가임력이 상실되며 특이한 자궁형태로 인하여 요관손상의 빈도도 높다.

가임력보존수술로는 경관소파술과 경관 탐폰(tamponade)의 병용 및 선택적 동맥색전술 등이 있다.

내과적 치료에는 여러가지 약제가 사용되고 있으나 일반적으로는 MTX방법이 사용되고, 그 용법은 전술한 사용법을 기준으로 한다. 태낭에 직접 투여법과 전신 투여법이 있고 이를 조합하여 시행한다. 태아생존이 계속되는 경우, 염화칼륨을 태낭 내에 투여하는 것도 고려한다.

제왕절개 반흔부 임신

진단

전형적인 제왕절개술 기왕이 있는 임산부로, 자궁강 내 및 경관 내에 태낭이 없고 자궁 앞벽의 전회 제왕절개창부위 근층 내에 타원형의 태낭이 확인된다. 초음파 검사상 경관임신과 달리 경관선은 정상으로 그려진다.

Godin 등[4]의 초음파검사 진단기준에 따르면 ① 자궁내강·경관 내부가 동시에 비어있고, ② 태낭은 자궁협부 앞벽에 발달하고, ③ 방광과 태낭 사이에 근층이 결손·얇아져 있다고 되어 있다.

그러나 상기기준에 일치하지 않고 근층 내에 태낭상이 없으며, 자궁전벽하부에 팽창하는 종물이 부정형의 라쿠나모양 음영으로 관찰되는 경우도 있어, 주의가 필요하다. 또한 MRI, 3D초음파 검사, 칼라(파워)도플러 등을 범용하는 것으로 진단 정확도가 향상된다.

관리

가임력을 보존하기 위해서는 약물치료(MTX요법) 또는 수술용법(질식내용제거, 개복·복강경하 반흔부 절제, 자궁경하 내용제거), 혹은 양쪽의 겸용요법이 보고되고 있으나, 확립된 치료법은 없다. 보조치료로써 선택적 동맥색전술도 거론된다.

참고문헌

1） 日本産科婦人科学会編. "異所性妊娠（卵管妊娠・頸管妊娠)". 産婦人科研修の必修知識2011. 東京, 2011, 206-13.

2） Cunningham, FG. et al. eds. "Ectopic Pregnancy". Williams Obstetrics. 23rd ed. New York, McGraw-Hill, 2010, 238-56.

3） Farquhar, CM. Ectopic pregnancy. Lancet. 366, 2005, 583-91.

4） Godin, PA. et al. An ectopic pregnancy developing in a previous caesarian section scar. Fertil. Steril. 67, 1997, 398-400.

中井章人

f 조산

개념 · 정의 · 분류 · 병태

조산(preterm birth)은 주산기사망의 가장 큰 원인 중 하나인 한편, 호흡곤란증후군, 두개내출혈, 미숙아망막증 등 생존아의 직접적인 생존을 위협하는 많은 질환도 합병한다. 또한 미숙아가 많기 때문에, 장래의 생활습관병(고혈압, 당뇨병 등)의 발병에 영향을 미칠 가능성이 시사되고 있다.

1. 정의

임신 22주 이후부터 임신 37주 미만의 분만

2. 분류

자연조산(75%), 인공조산(25%)으로 분류된다. 자연조산은 자연적인 진통의 유발에 의해 조산이 된 것이며, 인공조산은 모체태아의 생명을 살리기 위해 인공적으로 조기에 분만시키는 것을 말한다.

또한 임신 28주 미만의 출생존아를 초미숙아(extremely immature infant)로 부른다. 최근에는 관리상의 문제점으로부터, 임신 34주 이후부터 37주 미만의 조산을 late preterm birth, 임신 32주 미만의 조산을 very preterm birth, 임신 28주 미만의 조산을 extremely preterm birth로 특별하게 세분화하여, 각각의 출생존아를 late preterm infant, very preterm infant (VPT), extremely preterm infant (EPT)로 부른다.

3. 역학(빈도)

후생노동성인구동태조사에서 2012년 조산율은 5.7%이며, 1985년 이후 2007년까지 증가, 그 후에는 다소 감소하여 현재는 변동이 없는 추이이다. 특히 28주 미만의 조산율은 1985년의 0.16%에 비해 2012년에는 0.26%까지 증가하였다.

4. 병태

임신을 유지하기 위해 다양한 자궁수축억제기능이 사용되고 있으나, 조기에 이것의 균형이 깨지면서 분만에 이르는 자궁수축과 자국경관 숙화를 일으켜 조산이 된다. 이것에는 염증성사이토카인의 발현이 크게 관여하고 있다.

조산의 원인으로서 세균성질염, 융모양막염, 자궁경관무력증, 전자간증후군, 심질환, 신질환, 당뇨합병임신, 전치태반, 상위태반조기박리, 자중근종, 자궁선근증, 자궁기형, 다태임신, 양수과다, 흡연, 스트레스, 치주병, 태아발육부전, 태아기능부전 등을 들 수 있다.

1. 진행도 평가

진행도 평가는 조산지수(tocolysis index)를 사용하여 시행한다. 이것은 자궁수축, 양막파수, 출혈, 자궁구개대의 4항목을 점수화하여 절박조산의 예후판정을 하는 것이다. 5점 이상의 경우에는 단기간 연장밖에 기대하기 어렵다고 되어있다(표 1).[1]

2. 자궁경관의 경질초음파소견(그림 1,2)

자궁경관길이의 단축 및 funneling, 경관선 영역의 소실, sludge 등의 자궁경관소견이 확인되면 조산의 위험이 높아진다. 따라서 자궁경관의 경질초음파소견에 따라 조산의 예측이 가능하다. Iams 등은 임신 24주 때의 자궁경관길이가 40mm 이상군과 비교한 결과, 26mm 이하에서는 6.2배, 22mm 이하에서는 9.5배, 13mm 이상에서는 14배로 단축되는 것에 따라 35주 미만의 조산 위험율이 높아진다고 하여, 25mm를 경부길이의 cut off하는 것이 타당하다고 보고하고 있다.[2] 전체 임산부에 대한 자궁경관길이 screening의 유용성에 대해서는 결론이 나있지는 않지만, 18~24주

표 1. Tocolysis index[1]

	0	1	2	3	4
자궁수축	없음	불규칙	규칙적	–	–
파수	없음	–	고위파수의심	–	저위파수
출혈	없음	소량	다량	–	–
자궁구개대	없음	1cm	2cm	3cm	4cm 이상

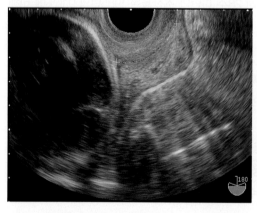

그림 1. 정상자궁경관소견(임신24주, 자궁경관길이 33mm)

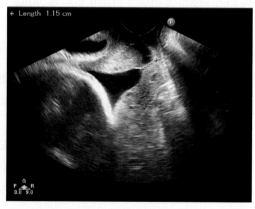

그림 2. 내자궁구개대, 경관길이단축, funneling있음

경의 screening[3]이 고려된다. 『산부인과진찰가이드라인: 산과 편 2014』에서는 전 임산부를 대상으로, 임신 18~24주경에 자궁경관길이를 측정한다는 기재가 권장수준C로 새롭게 추가되었다.

치료

1. 투약에 따른 자궁억제

주로 자궁수축억제제제(tocolytic agents)로서 일본에서는 염산리토드린, 황산마그네슘, 그 밖에 해외에서는 니페디핀이나 인도메타신의 유효성이 보고되어 있다. 이것들을 사용하는 경우에는 문서를 통한 동의를 구한다. 니페디핀은 적응 외 사용, 인도메타신은 금기이므로, 충분한 설명이 필요하다. 자궁수축억제제의 투여방법을 표 2에, 주요한 부작용을 표 3에 나타낸다.

표 2. 각종 자궁수축억제제의 투여방법과 금기 (첨부문서에서 전재를 포함)

〈투여방법〉	
염산리토드린	50μg/분부터 시작하여, 10~20분 간격으로 50μg/분씩 증량한다.
황산마그네슘	4g을 30분에 걸쳐서 정주한 후에, 모체의 Mg혈중 농도를 모니터하면서, 자궁수축이 멈출 때까지 1~2g/시간을 투여한다.
인도메타신	25~50mg 좌약이나 내복으로 6시간마다 48시간까지. (단, 보험적용 외. 또한 첨부문서에서는 금기)
〈투여금기〉	
염산리토드린	조절불량 당뇨병, 폐고혈압증, 허혈성심질환
황산마그네슘	저칼슘혈증, 중증근무력증, 신부전
인도메타신	소화성궤양, 혈액질환, 간기능장애, 신부전, 천식, 췌장염, 직장염

표 3. 각종 자국수축억제제의 주요 부작용 (첨부문서에서 전재를 포함)

염산리토드린
폐수종, 급성심부전, 무과립구증, 저칼륨혈증, 횡문근융해증
신생존아: 심실중격벽의 비대, 장폐색.
그외: 빈맥, 부정맥(모체, 태아 모두), 간기능장애, 혈소판감소, 진전, 고혈당, 고아밀라아제혈증을 동반한 침샘종창(양), 두통, 홍반 등

황산마그네슘
폐수종, 호흡부전, 심장마비, 강직, 근육마비, 저혈압, 안면홍조, 체열감, 두통, 건반사저하, 무기력, 마비성 장폐색(일레우스)
신생존아 : 뼈 이상소견(상완골근위측 골간 끝에 방사선 투과성의 횡단상이나 피질의 비박화)

인도메타신
쇼크, 간기능장애, 신부전, 소화관출혈, 천식, 재생불량빈혈, 용혈성빈혈, Stevens-Johnson증후군, 양수과소
신생존아: 괴사성장염, 동맥관수축, 동맥관개존, 신부전, 장천공

2. 태아 폐성숙의 촉진

1주 이상의 장기간 임신연장이 기대되지 않는 상황에서는 모체에 스테로이드를 투여하여 태아의 폐 성숙을 촉진시키는 방법이 1972년의 Liggins & Howie의 보고 이후 많이 시도되어 왔다. 1995년의 NIH Consensus Statement에서는 임신 24~34주에서 투여 후 7일 이내 분만한 증례에서 신생존아 호흡곤란증후군이나 두강내출혈의 발생을 감소시킨다고 하여 그 유효성을 확인했다. 그러나 그 후의 보고에서는 반복 투여시킨 증례에서 모체태아의 부작용의 보고가 연달아 이어졌기 때문에, 2000년의 보고에서는 반복투여를 행해서는 안 된다고 권고하고 있다.[4]

2009년에는 일본에서도 베타메타손(린데론®)이 임신 34주 미만의 조산이 예상되는 경우에 한하여 출생존아의 신생 호흡곤란증후군 발병예방제로서 보험 적용이 되었다. 『산부인과 진료가이드라인: 산과 편 2014』에서는 임신 22주 이후 34주 미만의 조산이 1주이내에 예상되는 경우에는 베타메타손 12mg을 24시간마다 2회 투여를 추천하고 있다(권장수준C).

3. 태아심박수(fetal heart rate ; FHR) 모니터링

태아가 작으면 작을수록 진통이나 분만에 의한 영향이 커지게 된다. 따라서 분만까지의 전체 경과를 감시 하에 두는 것이 중요하다. 진통이 시작되고 나서는 태동검사를 통해서 태아심박수와 자궁수축을 모니터 하면서 관리한다. 저체중 출생존아는 태아기능부전을 나타내기 쉬워 성숙아에 비해 단시간에 중증화되기 쉽기 때문에 엄격한 감시체제를 필요로 한다.[5]

4. 분만 시 주의

분만 시 외상을 최대한 피하려는 의미에서 경질 분만 시에는 일찍이 분만대로 이동하여 회음절개를 한다. 또한 제왕절개술을 주저해서는 안 된다. 미숙한 주수에서는 자궁하부의 신전이 불충분한 것이 많아, 자궁하부 횡(가로)절개보다 자궁하부 종(세로)절개나 때로는 고전적 제왕절개술을 필요로 할 수도 있다. 척추 마취 외에 신속 자궁근 이완을 얻을 수 있는 니트로글리세린을 병용함으로써 종(세로)절개를 피하고 조산아를 무리 없이 낳을 수 있다. 니트로글리세린은 자궁 절개 전에 100μg을 정맥 내 투여한다. 추정 체중이 1,000g 미만 중 양막파수가 되지 않은 증례에서는 태포에 휩싸인 채로 아이를 태어나게 하는 '행복(幸帽) 분만'의 유효성도 보고되고 있다.[6]

보조질식분만 중에서도 겸자분만에 비해 흡인분만에서 태아 손상의 빈도가 높아, 조산아에 대한 흡입 분만은 권하지 않는다. 그러나 2,000g 미만의 태아에게 행해지는 흡인분만에서의 태아 손상 발생률에는 차이가 확인되지 않는다는 후향적인 연구도 있어, 충분한 의견 일치는 이루어지지 않았다.[7] 『산부인과 진료가이드라인: 산과 편 2014』에서는, 흡입·겸자 분만을 실시하는 경우의 조건이 35주 이후에서 34주 이후(권장수준C)로 개정되어 있다.

GBS (Group B Streptococcus)를 비롯한 병적인 세균 검출 예나 분만 중의 발열 예에서는 암피

실린(ABPC) 혹은 벤질페니실린칼륨을 투여한다.[8]

분만 시에는 출생존아 중증 소생을 적절히 행할 수 있는 의사가 필수적이다. 분만 후 즉시 NCPR의 수순에 따라서 소생의 처치를 실시하여, 호흡, 순환, 체온의 안정화를 도모한 다음 NICU에 수용한다. 조산아는 생후에 체온저하를 일으키기 쉬워 분만실 온도에 주의가 필요하다. 특히 임신 28주 미만의 아이의 출생에 있어서 분만 실내 온도는 최소한 26℃를 유지하도록 힘쓴다.

참고문헌

1) 松田義雄ほか. 切迫早産の処置と治療：陣痛の抑制. 産科と婦人科. 64, 1997, 327-32.

2) Iams, JD. et al. The length of the cervix and the risk of spontaneous premature delivery. National Institute of Child Health and Human Development Maternal Fetal Medicine Unit Network. N. Engl. J. Med. 334, 1996, 567-72.

3) SMFM clinical guideline : Progesterone and preterm birth prevention : translating clinical trials date into clinical practice. Am. J. Obstet. Gynecol. 206(5), 2012, 376-86.

4) Cunningham, FG. et al. eds. "Preterm birth". Williams Obstetrics. 23rd ed. New York, McGraw-Hill, 2010, 820.

5) Parer, JT. "Fetal heart rate". Maternal-Fetal Medicine : Principals and Practice. 3rd ed. Creasy, RK., Resnik, R. eds. Philadelphia, WB Saunders, 1999, 290.

6) 村越毅. 幸帽児帝王切開の適応は？. 臨床婦人科産科. 62(4), 2008, 405-9.

7) Thomas, SJ. et al. The risk of periventricular-intraventricular hemorrhage with vacuum extraction of neonates weighing 2000 grams or less. J. Perinatol. 17, 1997, 37-41.

8) Gilstrap, LC. et al. Intrapartum treatment of acute chorioamnionitis : Inpact on neonatal sepsis. Am. J. Obstet. Gynecol. 159, 1988, 579-83.

正岡直樹, 山代美和子

g 조기양막파수

개념 · 정의 · 분류 · 병태

조기양막파수(premature rupture of the membranes ; PROM)란 진통 발생 전에 양막의 파손이 초래된 것으로 정의된다.

1. **분류**: 특히 임신 37주 미만에 일어난 것을 preterm PROM이라고 한다.

2. **역학(빈도)**: PROM에서는 전체 분만수의 10~25%, Preterm PROM에서는 조산의 약 30%를 차지한다.

3. **원인(발생기전)**: 감염, 양수과다, 다태임신, 자궁기형, 태아이상, 양수천자 등의 원인으로 일어난다. 그 중에서도 자궁질부에서의 상행성감염에 따라 융모양막염이 일어나고, 파수에 이르는 기전이 밝혀지고 있다.

4. **합병증**: PROM에 따른 합병증으로 자궁내 감염, 조산, 태반조기박리가 거론된다. 즉, 융모양막염(chorioamnionitis ; CAM)도 자궁내 감염과 비슷한 의미에서 사용되고 있으나, 태반수준에서의 감염을 나타내는 histopathological CAM의 의미에서 사용되는 경우가 많다. 나아가 임상적 CAM (clinical CAM)은 자궁내 감염과 거의 같은 의미가 된다.

진단

1. 시진

병력을 상세하게 청취한 후 외음부를 충분히 소독하고 멸균한 질경을 사용하여 시진을 시행한다. 다량의 양수가 자궁입구에서 지속적으로 누출되는 것이 전형적인 증상이다.

2. 양수의 pH측정, fern test

양수는 pH 7.1~7.3의 약알칼리성으로, 검사를 통해 NaCl이나 단백질을 포함한 양수임을 확인한다. 이상의 2항목이 확인되면 진단율은 93%까지 상승하는 것으로 나타난다.[1]

3. 생화학적 진단법

조기의 양막파수의 경우에는 생화학적 진단법도 적응된다. 양수 중에 존재하는 특이한 물질을 특수한 방법을 이용해 진단하는 것이다. 태아 피브로넥틴, 알파 페토프로테인, 인슐린성장인자결합단백(IGFBP-1)이 알려져 있다. 그러나 현재 일본에서는 IGFBP-1을 이용한 체크 PROM이나 Amist test 등이 주로 이용되고 있다.

4. 색소 주입법

복부 초음파 검사법에서 양수가 전혀 확인되지 않는 증례나 1~3검사 방법으로 진단할 수 없는 경우에는 적용되는 경우도 있다. 침습적인 방법이기도 하여 적용은 제한적이다. 태아에게 무해한 색소(인디고카민 등)를 생리식염수로 희석해서 경복적인 양수천자를 이용해 주입하는 방법이다. 주입 후에 질 내의 색조 변화를 확인하는 것으로 진단된다.

관리

임신 37주 이후의 PROM에서는 약 80%의 증례에서 24시간 이내에 진통이 발생하는 분만에 이르기 때문에 그 상태에서 대기하지만 감염의 위험을 고려해 즉시 분만을 하는 방법도 시도되고 있다. 임신 34~36주에서는 임신 37주 이후에 준한다.

preterm PROM(임신 34주 미만)의 경우에는 태아의 미숙성과 모체 감염이라는 상반된 문제가 공존하기 때문에 그 관리는 한층 복잡하다. 태아 분만 시에 유의해야 할 항목을 이하에 나타낸다.[1]

1. 임신 주, 태아 발육의 평가

preterm PROM에 한하지 않고 저체중아 출산을 취급할 때는 최소한의 필요 사항이 있다.

임신부의 월경력을 자세히 듣고 임신 초기의 초음파 계측 값을 바탕으로 임신주수 확인과 수정을 한다. PROM의 태아 계측에서는 양수 누출로 인하여 머리가 납작해져 있어서 대횡경이 과소평가되는 경우가 있다. 대횡경이 전후 지름의 75%이상 있어야 신뢰할 수 있는 BPD (biparietal diameter)라고 한다.

2. 태아 well-being 평가

양막이 파수되지 않은 사례보다 non-reassuring FHR pattern은 약 5배 출현하기 쉽다고 알려져있다. 또한 골반위에서는 제대탈출의 가능성을 항상 염두에 두어야 한다.

3. 자궁내 감염의 평가

자궁내 감염은 다른 감염원의 존재가 배제된 뒤 38도 이상의 모체 발열과 함께, 자궁압통, 모체·태아 빈맥, 양수의 악취, 백혈구 증가 또는 CRP의 증가 등의 많은 비특이적인 증상으로 진단되는 경우가 많다. 게다가 이러한 증상의 출현은 비교적 늦은 시기에 나타난다.

일단 감염이 일어났을 경우에는 태아의 예후가 좋지 않아지기 때문에, 조기 진단의 가능성으로서 양수천자와 biophysical profile (BPP)이 주목받고 있다. 전자에서는 양수 내의 세균(그람염색, 배양), 글루코오스 농도, 호중구 엘라스타제, 인터루킨6 등이 아이의 예후와 연관되는 것이기 때문에 자주 사용되고 있다.[2] 후자 중에서도 non-reactive NST, 호흡기 운동의 소실, 양수량의 감소가 태아 감염의 경고 징후로 중시되고 있지만 유용하지 않다는 의견도 있다.

4. 진통의 평가

자궁구 개대에 더해 자궁 수축이 10분 이내로 규칙적으로 보이고, 통증까지 수반되는 경우에는 분만 진행을 판단한다. 양막이 파수된 증례에서는 예상 외로 빨리 진행되는 경우가 있어, 서둘러 분만 준비가 필요하다.

5. 보존적 관리

상기 2~4의 이상 소견이 보이지 않을 경우에는 보존적인 관리 방침이 선택된다. 구체적으로는 침상 안정, 매일의 체온측정이나 CBC, CRP등의 측정에 더하여, 태아 well-being의 평가로 매일 NST를 시행하고, BPP는 일주일에 2회 전후로 실시한다.[5]

6. 항균제 투여

예방적인 약제 투여가 효과가 있을지 그동안 많은 논의가 있었다. 메타분석에 따른 보고에서는 항균제 투여에 따라 모체에서 1주일 이내에 분만이 되는 증례 및 융모양막염의 감소, 신생아에게서는 세균이 검출되는 증례 및 두개 내 출혈의 감소가 확인되었다.[3] 또한 최근 연구에서는 미숙아 뇌성마비에 감염이 관여하고 있음이 밝혀지고 있어, 임신 30주가 하나의 critical period로 생각된다.[4] 한편 항균제 사용으로 인한 내성균 출현 문제도 발생하고 있다.[5]

이상의 점을 고려하여『산부인과 진료가이드라인: 산과 편 2014』과 맞추어보면 예방적인 항균제의 투여는 다음과 같다. ① GBS이력이라면 GBS보균에 관한 가이드라인을 따라 암피실린을 투여한다. ② 임신 34주 이후이면 예방적 항균제는 사용하지는 않는다. ③ 임신 26주 이후 34주 미만이면 암피실린과 에리트로마이신 병용으로 예방적 투여를 시행한다. ④ 임신 26주 미만에서는 시설마다 대응을 작성할 필요가 있다. 일반적으로 임신 26주 미만의 증례에서는, 몇 개의 후향적인 관찰 연구로부터 습득한 지견으로부터 광역 범위의 항균제가 사용되는 경향이 있다. 하지만 충분한 근거는 확인되지 않고 현 시점에서의 사용에 대해서는 일정한 견해가 없다. 그러나 임상적인 융모양막염의 경우에는 이상의 기준으로 판단해서는 안 된다.

7. 분만 방법

경관이 성숙되었으며 질식분만이 가능하다고 판단된 증례에서는 double set up 하에 양수보충도 고려하면서 질식분만을 시도한다.[6] 분만이 1주 이내로 예상되면 임신 32주 미만은 모체에 스테로이드를 투여한다.

참고문헌

1) 松田義雄. 私はこうしている : preterm PROM. 産婦人科治療. 81, 2000, 306-8.

2) Miura, H. et al. Neutrophil elastase and interleukin-6 in amniotic fluid as indicators of chorioamnionitis and funisitis. Eur. J. Obstet. Gynecol. Reprod. Biol. 158, 2011, 209-13.

3) Cunningham, FG. et al. eds. "Preterm Birth". Williams Obstetrics. 23rd ed. New York, McGraw-Hill, 2010, 819.

4) Matsuda, Y. et al. Intrauterine infection, magnesium sulfate exposure and cerebral palsy in infants born between 26 and 30 weeks of gestation. Eur. J. Obstet. & Gynecol. Reprod. Biol. 91(2), 2000, 159-64.

5) Terrone, DA. et al. Neonatal sepsis and death caused by resistant Escherichia coli:Possible consequences of extended maternal ampicillin administration. Am. J. Obstet. Gynecol. 180, 1999, 1345-8.

6) Nageotte, MP. et al. Prophylactic intrapartum amnioinfusion in patients with preterm premature rupture of membranes. Am. J. Obstet. Gynecol. 153, 1985, 557-62.

》 小川正樹, 松田義雄

h 전자간증후군

개념 · 정의 · 분류 · 병태

1. 개념과 병태

전자간증후군(pregnancy induced hypertension ; PIH)은 산모와 태아 둘 모두에(모체사망 또는 미숙아출생의 주요질환 중 하나) 중요한 영향을 미치는 질환이며, 중증 PIH의 발생 빈도는 유럽에서는 2~7%, 일본의 "임신중독증" 중 6~14%이다. 개발도상국에서는 더 높으며, 임신합병증 중에서 가장 중요한 질환이다.

PIH의 원인 또는 병태에 대한 상세한 것은 아직 불분명하지만 현재 two-stage theory가 받아들여지고 있다.[1] 면역학적인 적응장애로 인해 탈락막 나선 동맥 remodeling부전이 일어나고 태반 순환에서의 hypoxia가 일어나, 융모 세포에서 VEGF의 가용형 수용체인 sFlt-1과 TGF-β의 가용형 수용체인 sEng의 생성 항진과 sFlt-1의 리간드인 PIGF의 생성 억제가 일어난다.

sFlt-1의 증가와 PIGF의 생성 억제는 freeVEGF를 감소시켜 태반에서 혈관 생성을 억제하고 hypoxia를 증가시킨다. sEng은 TGF-β1의 혈관 이완 작용을 억제하고 태아 태반 순환의 hypoxia를 악화시켜,[2] 나선동맥의 remodeling 부전을 더욱 조장한다.[3] 동시에 hypoxia는 HIF-1α의 생산 증가를 통해서 TGF-β3 생산을 증가시키고, 정상 태반에 필요한 융모 세포의 침입을 억제한다.[3] PIH에서는 임신 초기부터 태반 순환의 저산소 상태의 악순환이 일어난다(stage-1).

sFlt-1, PIGF, sEng은 태반 통과성이 있어, 태아·태반 순환계에서 저산소 상태의 악순환을 형성하는 동시에 모체 순환계에도 이행하여 모체 순환계에서는 혈관 내피 장애를 일으키고, PIH에서 발생하는 고혈압과 단백뇨 등의 여러 증상을 일으킨다(stage-2).[4] 따라서, 혈관내피장애와 그 결과 일어나는 "혈관경련"과 "혈액농축"이 PIH의 병태의 본질이며, 고혈압이 가장 중요한 임상증상임을 시사한다.

2. 정의·분류

1970년대부터 미국을 중심으로 고혈압이 "임신중독증"의 주 증상으로 여겨지고, 1972년의 ACOG의 분류가 기초가 되어 구미의 모든 학회에서 고혈압이 중요하다는 의견을 토대로 새로운 정의·분류가 제안되어 기존의 정의·분류가 재검토되었다. 일본에서도 국제적으로도 통용되는 정의로 수정할 필요가 있다는 의견이 있어, 2005년 4월부터 새로운 정의·분류가 채택되었다(표 1~3).

표 1. 전자간증후군의 정의·분류 (일본임신고혈압학회, 2004, 일본산과부인과학회,2005)

1. 명칭: 임신중독증을 전자간증후군(pregnancy induced hypertension ;PIH)이라는 명칭으로 변경한다.
2. 정의: 임신 20주 이후, 분만 후 12주까지 고혈압이 있는 경우, 혹은 고혈압에 단백뇨를 동반한 경우로, 동시에 이러한 증상이 단순한 임신 우발합병증에 의하지 않은 것을 말한다.
3. 병형분류
- 전자간증(preeclampsia): 임신 20주 이후에 처음 고혈압이 발병하여, 동시에 단백뇨를 동반한 것으로 분만 후 12주 이전에는 정상으로 돌아오는 것.
- 임신고혈압(gestational hypertension): 임신 20주 이후에 처음으로 고혈압이 발병하여, 분만 후 12주 이전에는 정상으로 돌아온 것.

- 가중형 전자간증(superimposed preeclampsia)
  1) 고혈압증이 임신 전 혹은 임신20주까지 존재하며, 임신 20주 이후에 단백뇨를 동반한 것.
  2) 고혈압과 단백뇨가 임신 전 또는 임신20주까지 존재하며, 임신 20주 이후, 둘 중 하나 또는 두증상 모두 악화된 것.
  3) 단백뇨만을 보이는 신장 질환이 임신 전 혹은 임신 20주까지 존재하며, 임신 20주 이후에 고혈압이 발병한 것.
- 자간증(eclampsia): 임신 20주 이후에 처음으로 경련발작을 일으키고, 간질이나 이차성 경련이 아닌 것. 발생 시기에 따라, 임신자간, 분만자간, 산욕자간이 된다.

표 2. 증상에 의한 아분류

증상에 따른 병형 분류
1. 경증
   1) 고혈압: 혈압이 아래범위에 해당하는 경우.
      (1) 수축기혈압이 140mmHg이상에서 160mmHg미만.
      (2) 확장기혈압이 90mmHg이상에서 110mmHg미만.
   2) 단백뇨: 원칙적으로 24시간 소변을 이용한 정량법으로 판정한다. 300mg/일 이상에서 2g/일 미만인 경우.

2. 중증
   1) 고혈압: 혈압이 아래범위에 해당하는 경우.
      (1) 수축기혈압이 160mmHg 이상의 경우.
      (2) 확장기혈압이 110mmHg 이상의 경우.
   2) 단백뇨: 2g/일 이상의 경우. 수시 소변을 사용한 경우는 여러차례 신선뇨검사에서 연속해서 3+(300mg/dL)이상인 경우.

발병 시기에 따라 병형 분류
   임신 33주 미만에서 발병한 것을 조발형(early onset type), 임신 32주 이후에 발병한 것을 후발형(late onset type)라고 한다.

(표1~2는, 일본산과부인과학회잡지, 56(9), 2004, 3-4부근 일부 개편하여 인용)

진단

원칙적으로는, 정의·분류에 따라 진단한다. 진단에 있어서는 이하에 제시하는 점에 유의할 필요가 있다.

1. 고혈압

외래에서 고혈압(수축기 혈압 140mmHg and/or 확장기 혈압 90mmHg 이상) 진단은, 단 한번의 측정으로 진단해서는 안 된다. 혈압이 높을 경우 반드시 재측정하고(가능하면 30분 후에 다시

표 3. 부록

1. 임신 단백뇨(gestational proteinuria): 임신 20주 이후에 처음 단백뇨가 발생하여, 분만 후 12주에는 소실된 것. 병형 분류에는 포함하지 않는다. 2. 고혈압(chronic hypertension): 가중형 전자간증이 발병하기 쉽고, 임신고혈압 증후군과 같은 관리가 요구된다. 임신 중에 악화되어도 병형 분류에 넣지 않는다. 3. 폐수종·뇌 출혈·상위태반조기박리 및 HELLP증후군은 반드시 임신 고혈압 증후군에 기인하는 것은 아니지만, 꽤 깊은 인과 관계가 있는 위독한 질환이다. 병형 분류에는 포함하지 않는다.	4. 고혈압을 h·H, 단백뇨를 p·P(경증은 소문자, 중증은 대문자), 조발형을 EO(early onset type), 후발형을 LO(late onset type), 가중형을 S(superimposed type) 및 자간을 C로 약기한다. 예) 전자간증은 (Hp-EO), (hP-LO)등, 임신고혈압은 (H-EO), (h-LO)등, 가중형 전자간증(Hp-EOS), (hP-LOS) 등, 자간은(HP-EOC), (H-LOC), 가중형의 자간은(HP-EOSC), (hP-LOSC) 등으로 표시한다.

측정한다), 그래도 혈압이 높은 경우에 고혈압이라고 진단한다. 또한 병원에서 측정하면 혈압이 높아지는 임산부(백의고혈압증)가 있으므로, 임신 초기부터 고혈압을 나타내는 경우는 자택에서 혈압을 하루 3회(아침, 낮, 밤) 측정하고, 그 값을 진단에 참고한다.

2. 단백뇨

외래에서 단백뇨가 확인되었을 경우, 소변이 농축되었는지, 중간소변을 채취했는지 여부, 식사의 영향이 없는지 등을 반드시 확인하는 것이 중요하다. 검체가 제대로 채취되고 있는지 아닌지를 확인하는 것은 검사 데이터 평가에 있어서 필수불가결하다. [산부인과 진료가이드라인 산과 편 2014]에서는, 단백뇨의 진단에 단백질/크레아티닌 비율(>0.27을 양성)의 측정을 권장하고 있다.

관리

1. 임신검진에 따른 예측, 예방

PIH를 예측하여 초기에 발견하는 것은 관리상 중요하다. 구체적인 방법으로는 PIH의 위험인자에 의한 고위험임신을 예측하는 것이다. 그러나, PIH의 위험인자가 무엇인가는 정확하지 않다. 또한 예측테스트에는 정확도나 편이성에 의한 문제가 있다. 따라서 실제로 정확한 PIH를 예측하는 것은 어렵다. 때문에 임상증상이나 PIH의 병태형성에 관여하고 있는 검사데이터의 변화를 가능한 일찍 파악하는 것이 중요하다.

1) PIH의 위험인자

표 4에는 PIH의 위험인자를 보여준다. PIH에 있어서 수축기 혈압, 출산횟수, 헤마토크릿 수치,

표 4. 전자간증후군(PIH)의 위험인자

1. 기초질환 혹은 기왕증의 유무 • 고혈압증 혹은 고혈압 가족계 • 기왕PIH 혹은 PIH의 가족력 • 신질환 • 당뇨병(임신당뇨병도 포함) • 갑상선질환 • 심질환 • 교원병 • 항인지질항체증후군 등	2. 모체 배경 인자 • 연령(청소년임신, 고연령임신) • 경산횟수(초산모) • 비임신 시 비만 • 비임신 시 작은키 3. 모체 초진 시 소견 • 혈압(수축기 및 확장기) • 부종 • 단백뇨 • 높은 헤모글로빈 수치 • 높은 헤마토크릿 수치

비임신 시 체중, 확장기 혈압의 순으로 기여율이 높다고 보고되고 있다.[5]

2) 예측테스트[5]

예측 test에는 roll over test, 등척운동(isometric handgrip exercise), 앤지오텐신II 감수성 시험, 자궁동맥혈류 파형분석 등이 있다. roll over test는 평가가 충분하지 않고, 앤지오텐신II 감수성 시험은 예측의 정밀도로 나쁘지 않지만 검사법이 복잡하고 임산부에게 침습적이다. 등척운동은 negative predictive value로서 의의가 있다는 보고가 있다. 자궁동맥혈류파형 분석은 침습적이지 않고 임산부 외래에서 상시 가능한 검사이며, 예측의 정밀도가 높아지면 향후에 기대 가능한 검사법이다. sFlt-1, sEng, PlGF 등을 측정함으로써, 예측이 가능하다는 보고[6,7]가 있다. sFlt-1, sEng, PlGF의 측정은 임상의 경우 가능하지만, 건강보험은 적용되지 않는다.

3) 임산부 외래에서 검진 포인트

외래 건강검진 시에 얻을 수 있는 데이터를 항상 평가하는 것이 중요하다. 첫 번째로 혈압, 요단백, 당뇨 등의 검사 데이터를 시간별로 관찰한다. 두 번째로 헤마토크릿 수치, 혈소판수, 안티트롬빈 III, 혈청 클레아티닌 수치, 요산치, 간효소치(GOT, GPT, LDH), 총콜레스테롤 수치, 중성지방 수치 등을 시간별로 평가한다. 세 번째로 태아발육, 양수량, 자궁 동맥 혈류계측치 또는 제대 동맥 혈류 계측치를 시간별로 평가한다.

2. 입원 관리

입원 관리의 명확한 기준이 있는 것은 아니지만, ① 중증 PIH인 경우, ② 태아안녕에 문제가 있는 경우 등은 입원 관리가 바람직하다. 『산부인과 진료가이드라인: 산과 편 2014』에서는 임신 고혈압 신증의 입원 관리를 권장하고 있다. PIH의 원인은 불분명하고, 현재까지도 근본치료는 임신의 종료(분만)이며, 혈압관리를 비롯한 여러가지 치료는 모두 대증요법이다.

1) 분만의 적응증

PIH의 치료의 어려운 점은 모체에게 있어서는 임신 기간을 단축한다는 점이 이점이지만, 태아에게 있어서는 미성숙을 고려하면 임신기간을 길게 하는 편이 이점이므로, 모체태아 쌍방의 예후를 만족하는 것은 상반된 결과를 바라는 것이 되어 모순적이다. 따라서 아이의 미숙성을 감안하면 양호한 장기예후를 기대할 수 있는 임신 28주까지는 태아를 우선으로 하여 가능한 임신 기간 연장을 도모해야 한다. 한편 아이의 폐성숙이 완성되는 임신 34주 이후는 모체를 우선으로 하여 조금이라도 모체에 위험이 있는 경우는 분만 해야한다. 임신 28~34주까지는 모체 태아 양쪽 위험의 경중을 토대로 하여, 분만의 타이밍을 생각해야 한다.[8]

2) 항압강하제 투여의 적응 기준과 그 목적

중증 PIH에서 임신 기간의 연장을 목표로 하는 경우 안정 입원 및 식사 요법(염분: 7g/일, 비만의 경우 필요에 따라 에너지 제한)은 물론 항압약을 통한 혈압 조절이 중요하다. PIH에서 볼 수 있는 중증 고혈압은 뇌혈관 장애를 비롯한 다양한 장기의 손상을 모체에게 초래할 가능성이 높아 혈압강하는 모체에 있어서 유익하다. 그러나 태아 입장에서 혈압이 낮아지는 것은 말초혈관 저항이 증가되어 있는 태아·태반 순환계에 있어서 오히려 해로울 가능성도 있다. 실제로 지나친 혈압강하는 말초 혈관 저항이 증가한 태아·태반 순환 계통에서는 순환 부전을 야기하여, 태아 wellbeing에도 영향을 미칠 것으로 생각된다. 그러나 중증 고혈압에 모체를 노출시키는 것은 고혈압 뇌증이나 자간 등의 발생을 초래하고, 모체뿐만 아니라 최종적으로는 태아에게도 위독한 악영향을 끼치게 된다. 따라서 모아 쌍방에 있어서 중증 PIH의 혈압조절은 반드시 필요하다. 일반적으로는 모아 쌍방의 건강을 해치는 수준까지 혈압이 상승하면 조절이 필요하다. 모체 태아 쌍방의 위험이 분명하게 상승하는 것은 임신 32주 미만에 발생하는 조발형, 또는 수축기 혈압 160mmHg and/ or 확장기 혈압 110mmHg 이상의 중증 고혈압일 경우이다.[9]

혈압조절제 사용목적으로는 2개의 의견이 있다. 하나는 hypertensive emergency를 피하기 위해 시행하는 것이다. 즉, 모체의 합병증(자간, 뇌부종, 뇌출혈 등)을 막기 위해서, 분만에 대비해 (수술 전 검사를 포함한 제왕절개술 준비, NICU의 침상 확보 등) 단기간(수시간~수일) 실시한다. 보통 중증 전자간증이 대상이 된다. 분만 직전·분만시·산욕기의 모체의 합병증을 피하는 것에 주목하여 실시하기 때문에 태아에 대한 이점은 거의 없다. 또 하나의 의견은 임신 지속을 목적으로 장기 투여한다는 것이다. 따라서 전자간증에는 무조건 유효하지 않다. 오히려 가중형전자간증에 유효할 가능성이 높다. 전자간증에 대한 투여는 장기 투여를 목표로 해도 태아태반순환부전의 개선이 어렵고, 많은 경우가 전술한 바와 같은 단기 투여가 도움이 된다.

3) 혈압조절 수준의 목표와 한계

혈압조절의 기본적인 생각은 중증 고혈압에 의한 모체의 위험을 가급적 신속하게 회피하면서, 태아·태반 순환계, 신순환계 등에서의 순환 혈액량을 유지해, 태아의 항상성을 유지하는 것에 있다. 그러나 중증 PIH에 있어서 혈압을 어느 정도 낮추는 것이 타당한지 적절한 강압범위에 관한 근거는 현재로서는 없다.

중증 PIH에서는 혈압이 높을 뿐만 아니라 불안정한 경우가 많기 때문에, 혈압을 저하시키는 것 뿐 아니라 안정시키는 것이 중요하다.

원칙적으로 중증의 상태를 경증의 레벨(압축기 혈압 140~159mmHg, 확장기 혈압 90~109mmHg)까지 저하시키고, 동시에 혈압의 안정을 도모하는 것이 필요하다. 혈압의 변동을 억제하면서 평균 혈압을 15% 안팎 하락시켜도 태아태반순환계는 거의 영향이 없고,[10] 평균 혈압을 15% 정도 떨어뜨린다는 것은 강압 시의 기준이 될 수 있다.

4) 혈압조절제의 선택

구미에서는 칼슘길항제나 α·β 차단제가 혈압조절제로 사용되고 있으나, 일본에서는 제1선택 약제는 히드라라진염산염(경구) 또는, 메틸도파, 제2선택 약제는 히드라라진황산염(정주) 혹은 니카르디핀염산염(지속정주)을 사용, 빠른 혈압조절이 필요하다고 생각되는 경우는 제2선택 약부터 사용[11] 되고 있다.

제1선택 약에 칼슘 길항제나 α·β 차단제가 포함되지 않은 이유는 일본에서는 이러한 약제가 임산부에게 금기였기 때문이다. 그러나 2011년 6월부터 칼슘 길항제 니페디핀(아랄랏®)과 α·β 차단제 라베타롤염산염(트란뎃®)의 유익투여가 인정을 받아 약제 선택지가 증가했다. 여전히 다른 칼슘길항제나 α·β 차단제는 임산부 금기이므로, 한층 더 금기조항이 해제되기를 기대한다.

1) Roberts, JM. et al. Preeclampsia : Recent insights. Hypertension. 46, 2005, 1243-9.
2) Wang, A. et al. Preeclampsia : The role of angiogenic factors in its pathogenesis. Physiology. 24, 2009, 147-58.
3) Caniggia, I. et al. Inhibition of TGF-beta 3 restores the invasive capability of extravilloous trophoblasts in preeclamptic pregnancies. J. Clin. Invest. 103, 1999, 1641-50.
4) Ahmad, S. et al. Autocrine activity of soluble Flt-1 controls endothelial cell function and angiogenesis. Vasc. Cell. 13, 2011, 15.
5) 江口勝人. 妊娠中毒症の発症予知. 産婦人科治療. 88, 2004, 1082-8.
6) Levine, RJ. Circulating angiogenic factors and the risk of preeclampsia. N. Engl. J. Med. 350, 2004, 672-83.
7) Levine, RJ. ; CPEP Study Group. Soluble endoglin and other circulating antiangiogenic factors in preeclampsia. N. Engl. J. Med. 355, 2006, 992-1005.

8）日本産婦人科医会編. 妊娠中毒症. 研修ノート. No.64, 2001, 66-7.

9）中本収. "妊娠高血圧症候群の疫学". 妊娠中毒症から妊娠高血圧症候群へ. 日本妊娠高血圧学会編. 東京, メジカルビュー社, 2005, 93-101.

10）関博之ほか. 妊娠中毒症の病態別にみた各種治療の有効性とその限界：各種降圧剤. 日本臨床栄養学会誌. 16, 1994, 63-7.

11）日本妊娠高血圧学会編. 妊娠高血圧症候群（PIH）管理ガイドライン2009. 東京, メジカルビュー社, 2009, 82-7.

12）Weinstein, L. Syndrome of hemolysis, elevated liver enzymes, and low platelet count: a severe consequence of hypertension. Am. J. Obstet. Gynecol. 142, 1982, 159-67.

13）Barton, JR. et al. Care of the pregnancy complicated by HELLP syndrome. Obstet. Gynecol. Clin. North. Am. 18, 1981, 165-79.

≫ 関　博之

HELLP증후군 / 급성임신지방간(AFLP)

HELLP증후군

개념 · 진단기준 · 역학

1. 개념

오랫동안 preeclampsia(일본 분류 중 전자간증과 거의 같은 병태)로 용혈, 간효소의 상승, 혈소판수의 감소가 합병하는 것으로 알려져 있었지만,[1] Weinstein은 이 병태를 중증 preeclampsia와는 다른 증상이나 징후를 가진 질환이라고 생각하여, 1982년에 HELLP증후군(H=hemolysis, EL=elevated liver enzymes, LP=low platelets)으로 명명했다.[2] 현재 HELLP증후군은 중증 preeclampsia의 아형 혹은 그 합병증으로 여겨지고 있다.[3] Sibai는 용혈, 간효소의 상승, 혈소판의 감소의 3증상 전부 발현한 것을 complete form, 이 증상 중의 1내지 2증상 밖에 발현하지 않은 증상은 partial form 또는 incomplete form으로 정의했는데,[3~5] (complete form의 모체태아 예후는 partial form 또는 incomplete form보다 나쁘다는 보고가 있다)[6] 일본에서는 이 용어의 사용 여부에 관해서는 일정한 견해가 나와있지 않다.

2. 진단기준

진단기준에는 2가지의 대표적 기준이 있다(표 1). Tennessee Classification System은 Sibai가 제안한 엄격한 진단기준[4]으로 용혈은 말초혈액 도말검사 또는 빌리루빈 농도의 상승 또는 LDH의 상승으로 진단한다. 이것에 대하여 Mississippi- Triple Class System은 병태의 정도를 혈소판수 최저값으로 분류한 정의이다.[7] 또한, HELLP증후군의 진단에는 중증 preeclampsia의 존재가 필요하다는 의견도 있지만, 전술한 partial form 또는 incomplete form에서도 HELLP 증후군으로 진단해도 좋다고 하는 견해도 있다. 또 용혈이 없는 증례를 ELLP 증후군이라고 부르는 견해도 있어 현재로서는 정의나 진단에 관한 통일된 견해는 얻을 수 없다.

3. 역학

HELLP증후군은 전 임신 0.5~0.9%에 발생하며, 중증 preeclampsia의 10~20%에 발병한다.[8] HELLP증후군의 70%는 분만 전에 발생하며(산욕 HELLP증후군의 발병률은 30%)[6], 발병 시기는 임신 27~37주 사이가 최고치이며, 임신 27주 미만에 발생하는 것이 10%, 임신 37주 이후에 발생하는 것이 20%였다.[9] 일반적으로는 HELLP증후군의 발병은 빠르게 진행되며, 많은 증례에서 고혈압과 단백뇨를 동반하고 있으며, 이들의 증상을 보유하지 않은 HELLP증후군은 10~20%이다.[10] 또한 산욕 HELLP증후군은 분만 후 48시간 이내에 발병하는 경우가 많고, 분만 전부터 고혈압과 단백뇨를 앓고 있는 산욕기 임부에게서 발병하는 경우가 많다.[6]

HELLP증후군은 모체 태아 모두에게 많은 합병증을 발병시킨다(2).[11] 주산기 사망률이나 신생아의 이환률은 모체보다 높고, 임신 32주 미만의 조산은 주산기 사망률, 신생아의 이환률이 높다. 또한 HELLP증후군의 모체로부터 태어난 신생아는 혈소판 감소증이 발병할 가능성이 높고, 뇌출혈이나 장기간에 걸쳐 신경계의 합병증의 위험을 높이므로 주의해야 한다.[13]

표 1. HELLP증후군 주요 진단기준

HELLP class	Tennessee Classification	Mississippi Classification
1	혈소판≤100x10^9/L AST≥70IU/L LDH≥600IU/L	혈소판<50x10^9/L AST or ALT≥70IU/L LDH≥600IU/L
2		50x10^9/L≤혈소판<100x10^9/L AST or ALT≥70IU/L LDH≥600IU/L
3		100x10^9/L≤혈소판<150x10^9/L AST or ALT≥70IU/L LDH≥600IU/L

임상증상

전형적인 임상증상은 좌상복부통증 또는 심와부통증, 구토감, 구토이며, 많은 증례에서 증상 발생 전에 권태감을 보인다.[10] 또한 30~60%의 증례에 두통, 약 20%에 시력증상이 보였다.[10] 보통 이러한 증상은 진행성이며 증상의 강도는 종종 변화한다. HELLP증후군은 야간에 심해져 낮 동안은 개선되는 경우가 많다.[14] Partial form은 complete form보다 임상증상이 가벼우며 합병증도 발병하기 어렵지만,[3] partial form 또는 incomplete form부터 complete form으로 될 가능성이 있기 때문에 주의가 필요하다.[7]

용혈은 HELLP증후군의 주증상 중 하나이지만 장애를 받은 혈관내피를 통과하는 동안에 적혈구의 파열이 발생하여, 파열적혈구가 동맥내막장애 또는 혈관내피장애, 피브린 침착 등을 일으킨다. 그 결과 말소혈중에 schizocyte 또는 burr cell이 출현한다.

용혈은 LDH수치의 상승 또는 헤모글로빈 수치의 저하를 일으킨다.[15] 적혈구가 파괴될 경우, 헤모글로빈이 혈중에 방출되고, 합토글로빈과 결합하여 간에서 대사된다. 따라서 LDH의 상승이나 비포합형 빌리빈의 존재로부터 용혈의 진단이 가능하며, 합토글로빈의 저하나 소실은 용혈의 진단근거로서의 신뢰도가 높다.[15] 간효소의 상승도 용혈을 반영한 검사결과이다. 용혈은 LDH수치

표 2. 문헌 보고된 HELLP증후군합병증 (문헌11에서 인용)

	발증 빈도(%)
모체합병증	
1. 자간	4~9
2. 상위태반조기박리	9~20
3. 파종성혈관내응고장애(DIC)	5~56
4. 급성신부전	7~36
5. 대량복수	4~11
6. 뇌부종	1~8
7. 폐수종	3~10
8. 간피막하혈종	0.9 혹은 2 미만
9. 간파열	0.5 미만 혹은 1.8
10. 간경색	불명
11. 혈전증 재발	불명
12. 망막박리	불명
13. 뇌경색	극소수
14. 뇌출혈	1.5%
15. 모체사망	불명
태아·신생존아합병증	
1. 주산기사망	7.4~34
2. 태아발육부전(FGR)	38~61
3. 조산	70 ; 임신 28주 미만은 15
4. 신생존아혈소판감소증	15~50
5. 호흡곤란증후군(RDS)	5.7~40

를 상승시키지만, 간장애를 초래하여 AST또는 ALT값도 상승시킨다. 또한 혈중 glutathione S-transferese-a1은 AST 또는 ALT보다 먼저 변동하기 때문에, AST, ALT보다도 용혈의 조기진단을 가능하게 하는 지표이다.[16]

표 3. HELLP증후군의 감별진단

1. 임신에 관련된 질환 　임신중 혈손판 감소 　급성임신지방간(AFLP) **2. 임신에 관련되지 않은 염증성 질환** 　바이러스성간염 　세담관염 　담낭염 　요로감염증 　위염 　위궤양 　급성 췌장염	**3. 혈소판감소증** 　특발성혈소판감소성자반병(ITP) 　엽산결필증 　전신성 홍반성낭창(Erythematodes) 　항인지질항체증후군 **4. HELLP증후군과 유사한 드문 질환** 　혈전성혈소판감소성자반병(TTP) 　용혈요독증증후군(HUS)

임신 중에 발생하는 혈소판감소(150×10⁹/L이하)는 59%가 gestational thrombocytopenia, 11%가 특발성혈소판감소자반증(idiopathic thrombocytopenic purpura ; ITP), 10%가 preeclampsia, 12%가 HELLP증후군이다.[17] 혈소판수가 100×10⁹/L 이하로 되는 것은 preeclampsia나 gestational thrombocytopenia에서는 드물며, ITP에서는 종종 발생하고, HELLP증후군에서는 필수적이다. HELLP증후군에서는 혈소판이 활성화되고 손상받은 혈관내피에 응집하여 소비되는 결과, 혈소판의 turn over은 증가하여 life span이 단축하고 감소한다.[18]

감별진단

보통 감별해야만 하는 질환은 표 2에 거론한 바와 같이 바이러스성 간염 또는 세담관염, 더하여 기타 급성질환이지만, 그 이상으로 감별해야하는 질환은 비교적 드물지만 병태가 위독하고 극히 HELLP증후군과 비슷한 질환이다. 특발성혈소판감소성자반증(ITP), 급성임신지방간(acute fatty liver of pregnancy ; AFLP), 용혈성요독증증후군(hemolytic uremic syndrome ; HUS), 혈전성혈소판감소성자반증(thrombotic thrombocytopenic purpura ; TTP) 등이 거론된다(표 3). 이러한 질환은 모체사망의 위험이 높고 장기 입원을 필요로 하며 HELLP증후군과 치료법이 다르기 때문에 정확한 감별 진단이 필요하다. 특히 AFLP, HUS, TTP는 감별이 어려운 경우가 있기 때문에 자세히 기술한다(AFLP는 다음항 참조).

1. 급성임신지방간(AFLP)[11,19,20]

다음항 p. 222 참조.

2. 용혈성요독증증후군(HUS)와 혈전성혈소판감소성자반증(TTP)

HUS와 TTP는 혈전성미세혈관장애가 병태의 본질로, HELLP증후군과 마찬가지로 혈관내피장애, 혈소판응집, 미세혈전, 혈소판감소라는 임상증상을 가지고 있다.[21] HELLP증후군에서 보여지는 말초혈액도말검사의 이상, 혈중LDH의 수치 상승은 감별에 유용하다.[22] HUS는 보통 산욕기에 발생하며 미세혈관장애는 신장에 영향을 미치게 되어 신부전의 증상을 보이는 것이 많다. TTP는 극히 드물 질환으로 정신신경증상(두통, 시력장애, 착란, 실어증, 일과성 마비, 간질발작)을 때때로 동반한다. HUS 또는 TTP의 사망률은 혈장교환을 이용해 집중관리 함으로써 감소한다.

관리 · 치료

HELLP증후군의 관리·치료에는 임신 주수를 고려한 3가지 원칙이 있다.[7,10,12] ① 임신 34주 이상이면 즉시 분만을 한다. ② 임신 27~34주의 증례에 대해서는 진단 후에 모체의 상태를 안정시키고, 코르티코스테로이드를 투여한 뒤에 48시간 이내에 분만을 한다. 분만 방법은 원칙적으로 제왕절개 분만으로 한다. ③ 48~72시간 이상의 대기 요법은 임신 27주 미만의 증례에 대해서 이루어진다. 코르티코스테로이드 투여는 적절히 행한다. 원칙적으로 분만 방법은 제왕 절개 분만이지만 상황에 따라서(임신주수, 자궁수축의 유무나 상태, 경부길이 및 자궁경과숙화 정도 등을 검토) 질식 분만이 선택되는 경우도 있다.

임신 34주 미만의 증례에 대해서는 즉각 분만은 하지 않고 스테로이드 효과 출현까지의 24~48시간의 대기 요법이 선택되지만, 이러한 경우에서는 상위태반조기박리, 급성신부전, 폐수종, DIC, 주산기 사망과 모체 사망의 위험이 있다. 때문에 모체 측에서는 혈압, 단백뇨의 정도나 혈액생화학 검사 혹은 응고검사의 값을, 태아측에서는 NST나 초음파단층법이나 펄스도플라법에 의해 태아의 well-being(태아발육이나 태아태반순환동태, 양수량 등)을 지속적으로 평가할 필요가 있으며, 원칙적으로 상급 의료 시설에서 관리되어야 한다.[10] ① 모체의 병세가 조절되지 않는 경우, ② 항압치료에도 변하지 않고 혈압이 160/110mmHg 이상인 경우, ③ 신장 기능의 악화, 대량의 복수, 핍뇨 등의 증상이 지속되고, 상위태반조기박리나 자간, 폐수종 등이 발병할 수 있는 경우는 분만한다.[12] 이럴 경우 분만 양식이 제왕절개 분만인 것이 많다.

코르티코스테로이드 요법은 내분비의 복잡한 상호작용과 세포내의 시그널링(계면활성제의 lipid-protein pathway의 분화)의 2개의 작용 기전을 통해서 태아의 폐 성숙 촉진에 유용하다.[23]

특히 임신 26~32주의 시기에 코르티코스테로이드를 투여하는 것은 효과가 있다.[23] 또한, 덱사메타손보다 베타메타손이 출생 후의 신생존아의 뇌출혈과 뇌성마비에 대한 방어 효과가 있기 때문에 권장되고 있다.[24] 코르티코스테로이드 요법은 모체에 대하여 부종의 경감, 혈관내피세포 장애의 경감, 미세혈관에서의 용혈의 경감, 염증성 사이토카인의 생성 억제에 의한 항염증 작용 등이 있어 모체에게도 유익함이 있는 것으로 보고된다.[26] 그러나 그 후의 검토에서 모체의 입원기간의 단축이나 병태의 개선을 수반하지 않는 혈소판수의 회복 등 몇 안 되는 효과가 있기는 하지만, 모체의 사망률, 상위태반조기박리 또는 폐수종의 합병증, 간장애 등의 경감작용은 보이지 않아[27] 모체에 대한 효과는 드물다고 현재 여겨지고 있다. 또한 고용량의 코르티코스테이로이드 요법(12시간 간격으로 10mg의 덱사메타손을 투여)은 단기적으로 임신을 연장하기 위해서는 효과가 있다는 보고[7]도 있지만, 이후의 검토에서 모체의 HELLP증후군에 유용하다는 결과는 얻지 못했다.[28]

끝맺음

HELLP증후군은 임신고혈압 증후군(PIH)과 상당히 깊은 인과관계가 있는 위독한 질환이지만, 현재의 PIH 분류에는 포함되지 않았다. 그러나 HELLP증후군의 모체태아 쌍방에 대한 영향은 커서 주산기 영역의 중요한 질환이다. HELLP증후군은 중증 PIH 증례와 동등하거나 그 이상의 위독한 질환이라는 인식으로 관리·치료할 필요가 있다.

급성임신지방간 (AFLP)

개념 · 병인 · 병태[29]

임신 중 간부전을 일으키는 대표적인 질환 중 하나가 급성임신지방간(Acute fatty liver of pregnancy ; AFLP)이다. 그 빈도는 약 임신 10,000예에 대해서 1예(7,000~16,000예에서 1예)로 생각된다. AFLP는 간세포 내의 미소지방방울의 침착을 특징으로 하고 있으며, 육안적으로 간은 노란색으로 위축되어 기름기가 많다. 이 질환은 1940년에 Sheehan[6]이 6예의 임산부의 부검 예부터, obstetric acute yellow atrophy로 보고하여, 질환 개념이 확립되었다. 그 후 전격성간염과는 달리, 간에 괴사나 염증양상이 거의 확인되지 않으므로, AFLP의 명칭이 이용되고 있다.

원인은 불분명하지만 임산욕부에게만 발병하는 산과 고유의 질환으로, 그 병태는 임신고혈압 증후군(PIH), 특히 전자간증(PE)이나 HELLP증후군과 공통된 부분이 있다고 생각된다. AFLP의 일부 증례에는 상염색체 열성 유전에 의한 미토콘드리아내의 β산화 이상이 관여해, 소아의 Reye증후군과 유사한 증례가 있다. 이러한 증례에서는 β산화반응의 최종 단계에 관여하는 β산화효소군에 다수의 변이가 있다. 그 중에서 가장 빈도가 많은 타입이 LCHAD (long chain-3-hydroxyacyl-CoA-dehydrogenase)라는 상염색체 2번의 G1528C와 E474Q의 변이다. 그 외에 MCHAD (medium-chain)나 SCHAD (short chain)의 변이도 발견되고 있다. Reye증후군과 유사한 병태를 가지는 LCHAD 결손아가 AFLP를 발병한 이형 보인자의 산모에게서 태어났다는 보고가 있는 한편, 이형 보인자의 산모가 LCHAD 결손아를 낳을 때에 보통 AFLP를 발병한다고는 할 수 없다는 보고도 있다. 중증 PE, 특히 HELLP증후군을 합병한 증례의 β산화효소군의 결손의 의의에 관해서는 아직 결론이 나오지 않았지만, 최근 간에서의 β산화에 이상이 있는 아이를 출산한 산모는 16%로 간 장애(12%가 HELLP증후군, 4%가 AFLP)를 일으키지만, β산화 이상을 일으키지 않는 아이를 낳은 산모에서는 0.9%밖에 간 장애를 발병하지 않는다는 보고가 있다. AFLP와 β산화효소군의 결손 관련이 주목 받고 있다. AFLP의 반복률은 불명하지만, LCHAD 결손 태아를 출산한 경우에는 반복률이 증가할 것으로 생각된다.

진단[31]

진단은 간세포 내에 미소지방방울 침착을 증명하는 것에 의한다. 그러나 많은 증례로 파종성 혈관내응고증후군(DIC)을 합병하기 때문에 간생검에 따른 조직 진단을 실시하는 것은 어려운 경

표 4. HELLP증후군과 급성임신지방간의 임상증상의 차이 <small>(문헌 31부근인용개편)</small>

	HELLP증후군	급성임신지방간(AFLP)
질환단위로서 인지	1982년	1940년
발병 시기	임신 중기 이후	임신 중기 이후
자각증상	상복부(통증) 위화감	상복부(통증) 위화감
	식욕부진, 권태감	식욕부진, 권태감
혈소판감소	있음	없는 경우도 있음.
AT-Ⅲ 활성감소	없는 경우도 있음	있음
AST(GOT) 상승	있음	있음
LDH상승	있음	있음
전자간증후군	90%에 선행	50%에 선행
다태	발증하기 쉽다.	발증하기 쉽다.
임신성혈소판감소증	선행하는 경우가 많다.	선행하지 않는 경우도 있다.
임신성 AT-Ⅲ 결핍증	선행하지 않는 경우도 있다.	선행하는 경우가 많다.
간세포내 미소지방방울 저류(저장)	적다.	많다.

우가 많아 임상 소견을 참고하여 질환의 존재를 추측하고 있는 것이 현실이다.

임상 소견의 특징을 표 4에 나타낸다. 임상적으로는 AT-Ⅲ 활성 저수치, AST/LDH 상승과 동시에 요산치의 상승을 가지는 증례를 AFLP라 진단하는 것이 타당하다. 양자를 감별하는 golden standard는 없기 때문에, 『산부인과 진료가이드라인: 산과 편 2014』[32] 에는 「CQ313 HELLP증후군·임상적 급성임신지방간의 조기발견법은?」라는 Answer를 만들어 감별진단에 일조하고 있다.

임상 소견

AFLP는 일반적으로 임신 후기에 발병한다고 한다. 몇 가지 보고에 의하면 AFLP는 평균 임신 37.5주(31~42주)에 발생하고, 증례의 3/4은 임신 34주 이후(가장 조기 발병 환자는 임신 31주) 발병한다. 초산에 남아인 경우에 많고, 증례의 10~20%는 다태임신에서, 절반의 증례는 PIH를 합병한다. 임상 증상으로는 지속적인 구역감·구토, 다양한 정도의 권태감, 식욕부진, 명치부근통증 진행성 황달 등이 주 증상이다. 저 피브리노겐혈증, 저 알부민 혈증, 저 콜레스테롤 혈증 및 응고시간의 지연을 동반하는 중등도에서 중증 간기능 장애를 갖는다. 혈청피브리빈 농도는 보통 10mg/dL 이하, 혈청트랜스 아밀라아제 농도는 상승하지만, 일반적으로 1,000 U/L을 넘지 않는다. 중증 예의 대부분은 혈관투과성의 항진 때문에 혈액 농축, 간신증후군, 복수 및 종종 폐수종 등을 발병한다. 또한 모체의 백혈구 증가, 혈소판 감소가 일어난다. 용혈은 저콜레스테롤 혈증에 의한 적혈구막장애에서 일어나 정도가 위독하다. 그 결과 LDH값은 상승하여 유극적혈구나 유핵적혈구가 말초혈에 출현한다. 저혈당이나 간성혼수, 중증 응고장애나 다양한 정도의 신기능 부전은 거의 반수의 증례에서 나타난다. AFLP에서는 간 응고 인자의 생산 저하와 동시에 일어나는 응고 항진에 의해, 다양한 정도의 응고 장애가 발병한다. AFLP증례의 반수 이상에서 혈중피브리노겐 값은 100mg/dL이하를 나타내며, D-dimer 수치 및 혈중 FDP수치의 상승도 종종 보인다. 또한 혈소판수의 저하도 때때로 나타나, AFLP환자의 약 1/4는 5만/μL이하가 된다.

관리 · 치료

1. 임신 중 · 분만시의 관리

병세는 계속 진행성으로 악화되기 때문에 분만이 유일한 치료법이다. 임신 기간이나 분만 시간의 연장은 모체태아의 위험을 증가시키므로 진단이 오면 즉시 분만한다. 또한 AFLP는 패혈증, 출혈, 신부전, 췌장염, 위장관 출혈 등과의 합병이 모체 사망의 원인이 되므로, 이러한 병태에 대한 신속하고 적절한 대응이 관리상 중요하다. 따라서 양호한 예후를 얻기 위해서는 간기능부전, 신장 기능부전, 응고장애 등에 대한 신속하고 적절한 대증요법과 임상증상을 감안한 적절한 급속분만법의 선택과 가급적 신속한 실시가 필요하다. 간 보호를 위해 급속분만술로서 제왕절개술을 권장하지만, 응고장애의 관점에서 보면 모체의 응고장애의 위험을 더욱 증가시킬 가능성이 있다. 이 때문에 제왕절개증례나 산도열상으로 인해 출혈량이 증가할 수 있는 질식분만 증례에서는 신선냉동혈장(FFP)이나 cryoprecipitate를 포함한 수혈요법이 필요한 경우가 많다. 미리 수혈요법에 관한 사전동의를 받고 혈액제제를 준비해야 한다.

2. 산욕기 관리

AFLP에서의 산욕기의 관리·치료의 기본은 혈관 투과성의 항진에 의한 유효 순환 혈액량의 감소에 따른 순환 부전과, 그 결과 발생한 폐수종, 복수, 간기능부전, 신기능부전 등에 대한 대응이다. 원칙적으로는, 적절한 대증 요법(① 수액/FFP등에 의한 순환 혈액량을 보정 후에 hANP(심방성 나트륨이뇨펩티드)and/or이뇨제를 투여, ② SpO_2등에 의한 호흡 상태를 평가하는 산소 투여로 충분한 산소화할 수 없는 경우에는 기관내 삽관에 따른 인공 환기를 시행 ③ 필요에 따른 응고 인자의 보충, ④ 필요에 따라 감염에 대한 항균제 등)에 의해 증상이 나아진다.

보통 간기능부전, 신기능부전은 산욕 1주 사이 정도에 회복된다. 대증요법에서는 개선되지 않을 정도로 위독한 경우는 혈장 교환이나 간 이식 등을 고려할 수 있다.

또한 AFLP의 치유 과정에 있어서 두 개의 합병증이 일어나기 쉽다는 것을 유의해 둘 필요가 있다. 하나는 일과성의 요붕증으로 약 1/4의 증례에서 발병한다. 간 기능 장애로 인한 vasopressinase를 비활성화하는 효소의 생산 저하로 vasopressnase농도가 상승해 요붕증을 일으킨다. 또 하나의 합병증은 급성췌장염으로 약 절반의 증례에서 발병한다. 이러한 합병증은 intensive 그리고 또는 supportive care에 의해 회복된다.

AFLP의 모체 사망률은 7%, 주산기 사망률은 약 15%로 보고되고 있다. 현재의 일본의 모체사망률이나 주산기 사망률을 고려하면, 이러한 숫자는 결코 낮지 않다. AFLP는 진단이 어렵고, 모체태아 쌍방의 예후에 위독한 영향을 미치는 모체 합병증으로서 항상 인식해 둘 필요가 있다.

참고문헌

1) Pritchard, JA. et al. Intravascular hemolysis, thrombocytopenia and other hematologic abnormalities associated with severe toxemia of pregnancy. N. Engl. J. Med. 250, 1954, 89-98.
2) Weinstein, L. Syndrom of hemolysis, elevated liver enzymes, and low platelet count : a severe consequence of hypertension in pregnancy. Am. J. Obstet. Gynecol. 142, 1982, 159-67.
3) Audibert, F. et al. Clinical utility of strict diagnostic criteria for the HELLP (hemolysis, elevated liver enzymes, and low platelets) syndrome. Am. J. Obstet. Gynecol. 175, 1996, 460-4.
4) Sibai, BM. The HELLP syndrome (hemolysis, elevated liver enzymes, and low platelets) : much ado about nothing? Am. J. Obstet. Gynecol. 162, 1990, 311-6.
5) Barton, JR. et al. Diagnosis and management of hemolysis, elevated liver enzymes, and low platelets syndrome. Clin. Perinatol. 31, 2004, 807-33.
6) Sibai, BM. et al. Maternal morbidity and mortality in 442 pregnancies with hemolysis, elevated liver enzymes, and low platelets (HELLP syndrome). Am. J. Obstet. Gynecol. 169, 1993, 1000-6.
7) Martin, JN Jr.et al. Understanding and managing HELLP syndrome : the integral role of aggressive glucocorticoids for mother and child. Am. J. Obstet. Gynecol. 195, 2006, 914-34.
8) Geary, M. The HELLP syndrome. Br. J. Obstet. Gynaecol. 104, 1997, 887-91.
9) Magann, EF. et al. Twelve steps to optimal management of HELLP syndrome. Clin. Obstet. Gynecol. 42, 1999, 532-50.
10) Sibai, BM. Diagnosis, controversies, and management of the syndrome of hemolysis, elevated liver enzymes, and low platelet count. Obstet. Gynecol. 103, 2004, 981-91.
11) Ibdah, JA. et al. A fetal fatty-acid oxidation disorder as a cause of liver disease in pregnant women. N. Engl. J. Med. 340, 1999, 1723-31.
12) Gul, A. et al. Perinatal outcome in severe preeclampsia-eclampsia with and without HELLP syndrome. Gynecol. Obstet. Invest. 59, 2005, 113-8.
13) Ertan, AK. et al. Clinical and biophysical aspects of HELLP-syndrome. J. Perinat. Med. 30, 2002, 483-9.
14) Koenen, SV. et al. Is there a diurnal pattern in the clinical symptoms of HELLP syndrome? J. Matern. Fetal Neonatal Med. 19, 2006, 93-9.
15) Marchand, A. et al. The predictive value of serum haptoglobin in hemolytic disease. JAMA. 243, 1980, 1909-11.
16) Knapen, MF. et al. Plasma glutathione s-transferase alpha1-1 : a more sensitive marker for hepatocellular damage than serum alanine aminotransferase in hypertensive disorders of pregnancy. Am. J. Obstet. Gynecol. 178, 1998, 161-5.
17) Parnas, M. et al. Moderate to severe thrombocytopenia during pregnancy. Eur. J. Obstet. Gynecol. Reprod. Biol. 128, 2006, 163-8.
18) Baxter, JK. et al. HELLP syndrome : the state of the art. Obstet. Gynecol. Surv. 59, 2004, 838-45.

19) Sibai, BM. Imitators of severe pre-eclampsia/eclampsia. Clin. Perinatol. 31, 2004, 835-52.

20) Knox, TA. et al. Liver disease in pregnancy. N. Engl. J. Med. 335, 1996, 569-76.

21) Groot, E. et al. The presence of active von Willebrand factor under various pathological conditions. Curr. Opin. Hematol. 14, 2007, 284-9.

22) Haram, K. et al. The HELLP syndrome : clincal issues and management ; A review. BMC Pregnancy and Childbirth. 9, 2009, 8. (doi:10.1186/1471-2393-9-8)

23) Stiles, AD. Prenatal corticosteroids-early gain, long-term questions. N. Engl. J. Med. 357, 2007, 1248-50.

24) O'shea, TM. et al. Perinatal glucocorticoid therapy and neurodevelopmental outcome : an epidemiologic perspective. Semin. Neonatol. 6, 2001, 293-307.

25) Van Runnard Heimel, PJ. et al. Corticosteroids, pregnancy, and HELLP syndrome : a review. Obstet. Gynecol. Surv. 60, 2005, 57-70.

26) Thiagarajah, S. et al. et al. Thrombocytopenia in preeclampsia : associated abnormalities and management principles. Am. J. Obstet. Gynecol. 150, 1984, 1-7.

27) Matchaba. P. et al. Corticosteroids for HELLP syndrome in pregnancy. Cochrane Database Syst. Rev. 2004, CD002076.

28) Fonseca, JE. et al. Dexamethasone treatment does not improve the outcome of women with HELLP syndrome : a double-blind, placebo-controlled, randomized clinical trial. Am. J. Obstet. Gynecol. 193, 2005 1591-8.

29) Cunningham, FG. et al. eds. "Hepatic, gallbladder, and pancreatic disorders". Williams Obstetrics. 23rd ed. New York, McGraw-Hill, 2010, 1063-73.

30) Sheehan, HL. The pathology of acute yellow atrophy and delayed chloroform poisoning. J. Obstet. Gynaecol. Br. Commonw. 47, 1940, 49-62.

31) 水上尚典. 産科疾患の診断・治療・管理. 異常分娩の管理と処置. 日本産科婦人科学会雑誌. 60, 2008, N85-91.

32) 日本産科婦人科学会・日本産婦人科医会 編集・監修. 産婦人科診療ガイドライン：産科編2014. 2014, 198.

≫ 関　博之

상위태반조기박리

개념 · 정의 · 분류 · 병태

1. 정의

상위태반조기박리(placental abruption)는 정상위치에 부착된 태반이 임신 중이나 분만경과 중에 태아분만 전에 자궁벽에서 떨어지는 것을 말한다.

2. 역학(빈도)

전체 임신 0.3~1.2%에 발생한다. 고령은 발생 위험의 하나이며,[1] 최근 결혼과 출산 연령 상승에 따라 그 빈도는 향후에 증가할 수 있다. 상위태반조기박리(조기박리)의 반복률은 1.9~17.3%로 기왕력이 없는 증례에 비하여 10배 높아진다.[2] 산과 DIC의 약 50%, 모성사망률에서 5~10%를 차지하여, 주산기 사망률은 통상의 10배 이상 높다. 또한 뇌성 마비의 단일원인 중 가장 많이 차지한다.[3]

3. 분류

중증도는 태반의 박리면적과 가장 관련성이 있다. 여기에 임상증상을 더한 Page의 분류(표 1)[4]가 일반적으로 이용되고 있다.

4. 원인

조기박리의 원인은 다방면에 걸친 기계적인 외력이나 자궁 내압의 급격한 저하에 따른 갑자기 일어나는 것, 만성적인 심혈관경련, 혈관변성, 혈관저형성, 국소염증, 아포토시스 등 다양한 기전이 생각되고 있다. 임상적으로는 임신고혈압 증후군이나 만성고혈압, 신장질환 등 고혈압이나 혈관질환과 합병하는 것, 융모양막염, 조기양막파수, 절박유조산, 태아발육부전등 국소 감염이나 염증, 태반순환장애, 융모·탈락막발육장애 등의 요인도 생각된다(표 2). 조기박리 기왕력이나 흡연도 위험요인이 된다.

5. 병태

탈락막 기저부의 출혈부터 시작되어, 태반벽 뒤 혈종을 형성하고 곧 박리로 이어진다. 자궁근층이나 자궁 융모막면에 혈액침윤이 일어나(Couvelaire 징후) 넓게 간막에 퍼지기도 한다.

태반이나 탈락막의 조직인자가 모체혈중으로 유입되면, DIC를 일으키는 것과 동시에, 태아는 태반박리에 의해 저산소혈증이 생긴다. 태반의 위치, 박리 부위에 의해 외출혈을 볼 수 있는 경우와 혈종이 conceal되어 외출혈이 없는 경우가 있다.

표 1. 상위태반조기박리의 중증도분류: Page의분류[4]

중증도		증상	태반박리 면적	빈도
경증	0도	임상적으로 무증상. 태아 심장 소리 대체로 양호. 분만 태반 관찰로 확인.	30%이하	8%
	1도	질출혈은 중등도(500mL 이하). 경도자궁긴장감 태아심장소리, 때때로 소실. 단백뇨는 드물다.		14%
중등증	2도	강한 출혈(500mL 이상). 하복부통증을 동반한다. 자궁경직 있음. 태아는 입원 시 죽는 경우가 많다. 단백뇨는 가끔 출현.	30~50%	59%
중증	3도	자궁내 출혈. 질출혈 저명. 자궁경직 저명. 하복통. 자궁저상승. 태아사망. 출혈성쇼크. 응고장애의 병발. 자궁장막면의 혈액침윤. 단백뇨 양성.	50~100%	19%

표 2. 상위태반조기박리 발병요인

전자간증후군, HELLP증후군, 고혈압증, 만성신질환
융모막 양막염 전기 파수, 절박유조산
태아발육부전
복부의 외력(교통 외상, 타박, 외회전술 등)
자궁내압의 급격한 저하(양수과다의 파수, 양수천자 등)
태반조기박리 기왕력
자궁근종(근종 위에 태반 부착), 자궁기형
태반 이상(주곽 태반, 부태반 등)
태아기형, 제대의 이상(짧은 제대, 난막부착 등)
고령산모, 다산모
혈전 소인, 항인지질항체증후군
흡연, 약물사용(코카인 등), 저영양(빈혈, 엽산결핍)

증상

초발증상은 복부긴장감, 복통 또는 허리통증, 자궁수축, 질출혈 등 이른바 절박유 조산과 같은 증상을 보이는 경우가 많아 감별진단이 중요하다. 『산부인과 진료가이드라인: 산과 편 2014』에서는 질병출현에서 입원까지의 시간이 단축되기 위해서는 임산부에게 조기박리 정보를 제공하는 것이 도움이 될 수도 있다고 말한다. 그러나 전형적인 증상이 나타나지 않는 경우도 있어 주의가 필요하다.

1. 동통 · 자궁수축

동통은 복부 팽만감, 하복부통증 및 자궁수축 양상부터 돌발적인 격렬한 통증까지 다양하다.

표 3. 상위태반조기박리의 초음파소견 : Jaffe의 분류[5]

(1) retroplacental anechoicity: 태반후혈종상
(2) intraplacental anechoicity: 태반내혈종상
(3) placental thickness: 태반의 두께가 5.5cm 이상으로 비후
(4) edge abnormalities 　　　Round shape: 태반이 둥그스름한 상 　　　Separated edge: 태반 주변이 박리되는 상

시간 경과에 따라서 중증화되며, 태반박리부와 일치하는 부위의 압통 및 쉴새없이 지속적인 자궁수축이 있다. 중증례에서는 자궁이 판자처럼 단단해지며 태아가 촉지되지 않는다. 자궁후벽에 부착된 경우는 요통을 호소하기도 한다.

2. 질출혈

질출혈의 특징은 암적색, 비응고성이며 소량이거나 확인되지 않는 경우도 있다. 외출혈량과 모아의 예후 및 중증도는 관련 없으며 출혈량이 적은 concealed타입에서는 진단이 늦어져서 아이가 예후불량인 경우가 많다.

3. 태동감소

태동 감소 또는 소실이 첫 증상이 되는 경우가 있어서 태동의 유무를 반드시 확인한다.

진단

1. 외진 · 내진

초기에는 소량의 출혈 또는 경도의 복부긴장을 보인다. 박리가 진행되면 압통을 동반한 자궁은 지속적으로 수축하여 판자와 같은 경도가 되며, 자궁저는 올라가게 된다.

2. 초음파검사

조기박리가 의심되는 증례에서는 초음파단층검사에서, ① 태아심박 및 well-being 확인, ② 절박조산 또는 전치태반 등의 감별, ③ 태반박리의 진단 등을 시행한다.

태반박리의 초음파소견으로서 Jaffe 분류(표 3)[5]가 많이 이용된다. 태반후혈종은 태반박리부터 시간이 경과해 중증화된 것으로 확인되는 경우가 많다. "평소와 태반이 다르다"고 감지했을 때에 다른 검사소견도 포함하여 종합적으로 조기박리의 진단을 시행한다. 또한 아주 초기 단계에서는 전형적인 이상소견을 보이지 않는 경우가 많기 때문에 주의할 필요가 있다.

3. 혈액검사

증상발현 초기에는 혈액검사상, 이상소견을 확인하지 못하는 경우가 많지만, 요인이 되는 전자간증후군 또는 HELLP증후군, 자궁내 감염증 등에 주의할 필요가 있다. 증상이 진행함에 따라 빈혈이나 소모성응고장애에 의한 피브리노겐 저하를 초래하여, DIC소견이 나타나게 된다. CBC(WBC, Hb, Ht, 혈소판), 생화학검사(TP, Alb, UA, BUN, Cre, AST〈GOT〉, ALT〈GPT〉, LDH, T-Bil, T-chol, TG, CRP), 응고계검사(혈침, APTT, PT, 피브리노겐, ATⅢ, FDP, D-dimer) 등을 시행한다.

4. 태아심박진통도(CTG)

태아 저산소상태를 반영하여 variability의 감소, 빈맥, sinusoidal pattern, late deceleration의 출현 등 non-reassuring fetal status(태아기능부전) 증후가 보여지게 된다. 자궁수축곡선은 불규칙한 물결모양 수축과 지속적인 수축, 과도한 진통 등이 보인다.

관리 및 치료

조기박리의 중증도·임신력·임신주수·태위·Bishop점수·모아의 상태에 따라 증례별 대응이 매우 중요하다. 모체 DIC가 높은 수준에서 이미 출혈에 따른 hypovolemia가 의심되는 때는 제왕절개술 자체가 모체생명을 위험에 빠뜨릴 가능성이 있기 때문에, 이 경우에는 태아의 상태에 따라 AT제제, 신선냉동혈장(FFP), 적혈구농축액(RCC) 등을 투여하여 모체상태 안정화 대책을 우선하면서, 이러한 치료를 신속한 출산과 병행하여 시행한다(그림 1).

1. 분만방법

경증의 조기박리를 제외하면 태아의 생존 유무에 상관없이 신속한 출산을 시행한다. 자궁내 태아 사망례에서는 자궁구가 개대하여 파막 등으로 진통이 더 강해지면서 수시간에 분만이 예상되는 경우에는 질식분만을 시행하나, 분만 전망이 불투명할 경우에는 제왕절개분만으로 한다. DIC가 발명하면 즉각 분만과 병행하여 치료를 시행한다. 분만진행과 양수유출에 의한 자궁내압 상승의 경감이나 트롬보플라스틴의 혈관내 유입방지를 위해 인공파막을 시행한다. 조기박리를 진단한 경우, 모체태아의 예후개선을 위해서 즉시 제왕절개술을 시행하는 것이 중요하다. 일차시설에서 진단된 경우에도 조기의 제왕절개술이 요구되지만, 수술 중 수술 후 관리체제가 정리되지 않은 경우에는 신속히 상급시설로 전원하여 제왕절개술을 시행한다. 이 판단은 지역의 사정 또는

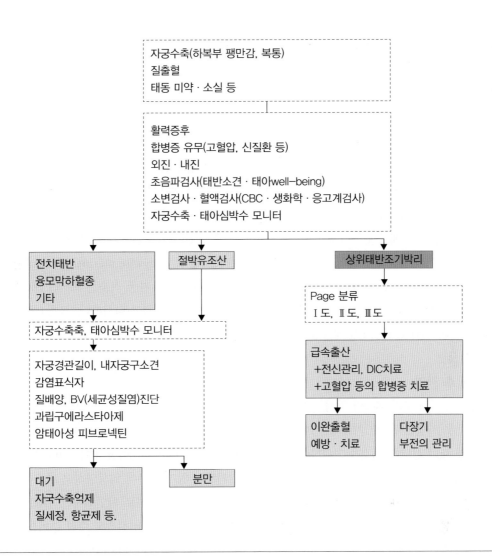

자궁수축(하복부 팽만감, 복통)
질출혈
태동 미약 · 소실 등

활력증후
합병증 유무(고혈압, 신질환 등)
외진 · 내진
초음파검사(태반소견 · 태아well–being)
소변검사 · 혈액검사(CBC · 생화학 · 응고계검사)
자궁수축 · 태아심박수 모니터

전치태반
융모막하혈종
기타

절박유조산

상위태반조기박리

Page 분류
Ⅰ도, Ⅱ도, Ⅲ도

자궁수축축, 태아심박수 모니터

급속출산
+전신관리, DIC치료
+고혈압 등의 합병증 치료

자궁경관길이, 내자궁구소견
감염표식자
질배양, BV(세균성질염)진단
과립구에라스타아제
암태아성 피브로넥틴

이완출혈
예방 · 치료

다장기
부전의 관리

대기
자국수축억제
질세정, 항균제 등.

분만

그림 1. **절박유조산·상위태반조기박리의 감별과 관리**

전원체제에 따라 다르기 때문에 지역마다의 검토가 필요하다.

2. 수술 전 관리

모체 산소 투여, 활력증후 확인을 실시하는 동시에, 대량출혈에 대비하여 최소 2개 이상의 정맥로를 확보한다. 중증 례에서는 중심정맥 확보가 바람직하다. 보충요법으로서 충분한 수액(교질액, 알부민제제), AT제제, RCC 및 FFP, 필요에 따라 혈소판을 준비한다.

항쇼크요법으로 속효성 스테로이드, 우리나스타틴, 도파민염산염이나 도브타민염산염 등을 투여한다. 가장 중요한 것은 모체DIC에 대한 치료이며, 조기부터 보충요법과 항DIC요법을 시작한다. 아이가 생존한 경우 제왕절제술까지의 시간 동안 긴급 처치로서 리토드린염산염 수액 등으로 진통을 억제하는 경우도 있다.[6]

3. 수술 중 관리

시급할 경우의 마취는 전신마취가 좋다. 개복은 긴급성과 지혈조작을 할 가능성을 고려하여 정중절개가 바람직하다. 태아 및 태반분만 후는 이완출혈 예방 목적으로 자궁 마사지나 메칠에르고트린산염, 옥시토신 투여를 적극적으로 하여 자궁수축 촉진에 힘쓴다. 박리면에 출혈이 많은 경우, 가급적 출혈부를 봉합한 후 거즈 등을 자궁 내에 충전, 압박하고 출혈이 조절되면 복강내에 드레인을 유치하고 배를 닫는다. DIC 경향 때문에 누수 출혈이 합병했을 경우, 자궁 압박 봉합법을 행한다.[7] 이러한 봉합을 하더라도 출혈 조절이 어려울 때에는 stepwise uterine devascularization[8] 이나 transcatheter arterial embolozation (TAE)을 고려한다. 자궁 적출은 오히려 DIC를 악화시키는 원인이 될 수 있기 때문에 충분한 응고인자의 보충을 행하고 나서한다. 불필요한 자궁 적출을 줄이기 위해서는 조기 치료가 중요하다.

4. 수술 후 관리

DIC로부터의 조기 회복이 가장 중요하다. 수술 후에도 자궁 수축 촉진제 투여와 항DIC요법을 적극적으로 시행한다. DIC치료에는 FFP중심의 수혈로(RCC: FFP=1:1.5~2), FFP 10~15단위가 피브리노겐 3g에 상당하는 것을 고려하여, 피브리노겐은 150~200 mg/dL이상, PT는 70%이상을 목표로 수혈한다. 혈액 데이터에 반영되기까지 시간적 지체가 있기 때문에 임상양상을 중요하게 여기고 빠른 수혈 요법을 시행한다. 대개 출혈경향은 혈소판 5만/μL이하로 확인되지만, DIC에서는 급속하게 혈소판 수치가 낮아지기 때문에, 10만/μL미만이 된 단계에서 신속히 수혈 준비를 한다. 수혈과 동시에 항DCI요법, 항쇼크요법 등을 실시하고, 수축기혈압이 90mmHg 이상, 소변양이 0.5~1ml/kg/시간 이상으로 될 수 있도록 순환동태를 유지한다. RCC수혈에 따라 칼륨수치의 상승에도 유의하고 적국적인 이뇨를 꾀한다. 조기에 진단하여 신속한 대응을 취하는 것으로, 24시간 이내의 DIC 이탈을 목표로한다. 또한 엄중한 경과관찰, 전신관리를 계속하여 수술 후 나타날 수 있는 다장기부전, 혈종, 감염, 폐수종, Sheehan증후군 등 합병증의 예방이나 조기발견에 힘쓴다.

분만 후에는 발병 요인을 분석하고 또한 혈전원인이나 자기면역질환, 고혈압에 대한 정밀조사도 시행한다. 수술 후, 전자간증후군 등의 일반적인 주의로서 금연, 스트레스 회피, 영양·생활부문 등을 지도한다.

다음 임신에 대한 유의점

다음 임신에 대하여 조기박리 발병확률은 높고, 임신뿐만 아니라 의료측면에서도 고위험임신이라는 인식을 가진다. 전자간증후군이나 고혈압질환을 토대로 하여 발병한 증례가 많기 때문에, 조기박리 재발의 고위험군이라는 인식 아래 주산기 센터에서의 주산기관리가 중요하다.

참고문헌

1） Matsuda, Y. et al. Impact of maternal age on the incidence of obstetrical complications in Japan. J. Obstet. Gynaecol. Res. 37（10）, 2011, 1409-14.
2） 竹田省. 常位胎盤早期剥離. 産科と婦人科. 11, 1998, 1506-9.
3） 公益財団法人日本医療機能評価機構産科医療補償制度再発防止委員会. 第4回産科医療補償制度再発防止に関する報告書：産科医療の質の向上に向けて. http://www.sanka-hp.jcqhc.or.jp/documents/committee/index.html
4） Page, EW. Abruptio placentae : Dangers of delay in delivery. Obstet. Gynecol. 3, 1954, 385-93.
5） Jaffe, MH. Sonography of abruptio placentae. AJR. 137, 1981, 1049-54.
6） 山本智子. "常位胎盤早期剥離". 産科周術期管理のすべて. 木下勝之, 竹田省編. 東京, メジカルビュー社, 2005, 334-8.
7） Makino, S. et al. Double vertical compression sutures：A novel conservative approach to managing postpartum hemorrhage due to placenta previa and atonic bleeding. Aust. N. Z. J. Obstet. Gynaecol. 52, 2012, 290-2.
8） 牧野真太郎, 竹田省. 産科大出血：子宮出血の止血法. OGS now. 10, 2012, 24-33.

竹田　純, 竹田　省

전치태반·하위태반

정의 · 분류 · 역학 · 병태

2008년에 개정된 일본 산과 부인과 학회의 『산과 부인과 용어집·용어해설집』에서는 전치태반 (placenta previa)이란 「태반이 정상보다 낮은 부위의 자궁벽에 부착되어 조직학적 내자궁구를 덮거나, 그 변연이 자궁구에 걸리는 상태를 말한다. 조직학적 내자궁구 덮는 정도에 따라 ① 전치태반(total placenta previa), ② 부분 전치태반(partial placenta previa), ③ 변연전치태반(marginal placenta previa)으로 분류한다. 이들은 임상상의 개념으로서, 태반이 개대한 내자궁구 ① 전부를 덮은 상태, ② 일부를 덮은 상태, ③ 변연에 이르는 상태에 대한 진단명이지만, 내자궁 입구가 폐쇄된 상황에서 초음파 단층법에 의한 진단에서는 ③을 조직학 내자궁구를 덮는 태반의 변연에서 자궁 입구까지 최단거리가 2cm 이상의 상태, ②을 상기 거리가 2cm 미만인 상태, ①을 같은 거리가 거의 0의 상태에 각각 상당 시킨다고 잠정적으로 정의한다고 되어 초음파 검사에 의하여 전치 태반이 진단되는 현재 임상에 보다 맞는 기술로 개선되었다(2013년의 개정 제3판에서는 변경 없음).[1]

또한 하위태반(low-lying placenta)은 태반이 정상보다 낮은 부위의 자궁 벽에 부착하지만, 조직학적 내자궁을 덮고 있지 않은 상태를 말한다. 초음파 단층법으로 진단하는 경우 자궁구와 그것에 가장 가까운 태반 변연과의 거리가 2cm 이내의 상태를 기준으로 한다. 다만 위 거리는 종종 임신후기 자궁 하절의 단축에 따라 늘어난다(임신말기에는 특히 두드러짐).

때문에 임상진단은 가장 최근 소견을 가지고 시행하는 것으로 한다고 되어, 이전의 기술 사용법보다 구체적으로 고쳐졌다. 한편, 구미의 성서, 문헌에서는 일본의 정의·분류와는 다른 입장이 취해질 수도 있지만 이 점은 나중에 기술하겠다.

1. 역학

전치 태반은 임신 0.3∼0.5%로 확인되어 있고, 위험인자로는 고령, 다산, 다태임신, 제왕절제술 기왕력, 자궁내조작(불임치료 포함) 흡연 등이 알려져 있다.

2. 병태

임신중·분만 시의 출혈과 이에 따른 조산, 수혈, 자궁적출 등이 문제가 된다. 유착태반의 원인 질환으로서도 중요하며, 특히 제왕절제술의 기왕이 있는 경우에는 횟수에 비례하여 발생률이 높아진다. 태반이 부착되어있는 자궁하부(하절)에서 비임신 때는 1cm가 안되는 자궁협부가 임신에 의해 7∼10cm 까지로 늘어난 것이지만, 경부의 단축 및 내자궁구의 개대에 따라 자궁 하부에서 태반의 부분 박리에 의한 출혈이 일어난다. 또한 태반 박리 후에는 자궁 하부의 수축력이 자궁 체부와 비교해 불량하여 태반 박리면에서의 출혈이 많아진다.

진단

현재에는 전치태반은 자궁구가 미개대 시점에서 초음파검사로 진단되고 있기 때문에, 과거에 일반적이었던 자궁구가 개대한 상태에서 「전·부분·변연」 중 하나로 분류하는 방법은 실용적이지 않다. 잘 알려져 있듯이 임신 후반기의 자궁하부(하절)형성과 혈류가 부족한 경관 부근 태반조직의 위축 때문에 태반은 임신 경과와 함께 내자궁구로 멀어지도록 위쪽으로 이동(이른바 placental migration)한다.

임상적으로는 임신중기의 경관길이 측정을 목적으로서 경질초음파검사에서 전치 혹은 하위태반이 발견된 경우, placental migration을 고려하면서 신중히 추적하여 최종 진단을 하게 된다. 그러나 임신 30주 이후에 전치태반으로 진단되는 예에서는 최종진단에서도 상태가 바뀌지 않는 경우가 많다. 따라서 진료소 등 자체에서의 대응이 곤란한 시설은 임신 32주까지는 상급시설에 소개하는 것이 요구된다.[2] 또한 제왕절개술 기왕력 등으로 유착태반의 위험이 높다고 생각되는 경우에는 더욱 조기에 소개하는 것이 필요하다.

▦ 하위태반의 병적 의의

일본에서는 하위태반은 전치태반과는 다른 질식분만이 가능한 예가 있다는 이유에서 그 위험을 다소 경시하는 경향이 있다. 그러나 『Williams obstetrics』 제 23판에서는 low-lying placenta를 「태반이 자궁하부에 착상한 것」으로 정의한 후, placenta previa의 하나의 유형으로 다른 전치태반과 특히 구별하지 않고 취급하며, 나아가 모든 전치태반(하위태반을 포함한)에 대하여 제왕절개술이 필요하다고 기술되어 있다.

수축력이 부족한 자궁하부에 태반박리면이 형성된 것이 분만 시 또는 수술 시에 출혈이 증가하는 기전임을 생각하면, 태반변연(하단)이 내자궁구를 덮을지 말지를 결정적으로 중요한 것이 아니라 오히려 『Williams obstetrics』의 정의와 같이 자궁하부에 형성된 태반(혹은 태반 박리면)이라는 점을 중시하는 것이 타당하다고 생각된다.

하위태반의 경우 태반 변연이 내자궁구로부터 벗어날수록(자궁 하부에 형성된 태반박리면이 작을수록) 질식분만 시 출혈이 적어질 수 있다는 생각에서, 「선택제왕절개술을 고려해야만 하는 하위태반에서 태반변연이 어느 정도까지 낮은 경우인가?」라는 점이 문제가 된다. 표 1에서 나타내듯이, 내자궁구까지 거리가 2cm를 넘는다고 이상 출혈 등 긴급 제왕절개술의 위험이 줄어들었다고 보고[3]되고 있기 때문에, 선택 제왕절개수술을 고려해야 하는 하위태반의 기준(정의)으로 「내자궁구부터 2cm이내」가 채택되는 경우가 많다. 『산부인과 진료가이드라인: 산과 편 2014』도 이에 따른 입장을 취하고 있다.[2] 그러나 다른 보고[4]에서는 2cm까지 군과 2.1~4.0cm까지 군과의 비교에서는 출혈량에 차이가 없었기 때문에, 후자에 대해서도 2cm까지 예와 마찬가지의 주의가 필요하다고 말했다.

표 1. **전지태반의 초음파소견과 제왕절개술의 빈도**[3]

태반변연부터 내자궁구까지의 거리	증례수	선태적 제왕절개술	질식분만 시행	분만중의 출혈에 따른 긴급제왕절개술	다른적응에 의한 긴급제왕절개술	질식분만 (시행에 따른%)
그룹1(자궁구를 덮거나 도달함)	42	25	17	10	7	0(0)
그룹2 (0.1~2.0cm)	40	20	20	6	12	2(10)
그룹3 (2.1~3.5cm)	39	12	27	2	8	17(63)

또한 질식분만에 성공한 경우에서도 분만시의 출혈이 많아져, 하위태반은 질식분만후의 다량출혈(경우에 따라 이완출혈로 확인됨)의 최대 원인으로 지적[5]되고 있다.

관리

1. 출혈이 있는 경우

약 반수의 임산부에게 질출혈이 확인되는 시기는 임신 30주경부터가 많다. 출혈이 있는 임신부에게는 입원 관리가 필요하다. 자궁 수축은 출혈의 원인으로 중요하기 때문에 안정, 자궁수축억제제를 투여한다. 임신 시기에 따라서는 조산아 출생에 대비하여 부신피질 스테로이드 투여가 필요하며, 동시에 빈혈 개선, 자기혈액저장 등도 필요하게 된다.

2. 출혈이 없는 경우

출혈이 없는 임산부도 일정의 시기(예를 들어 임신 30주경)부터 예방적으로 입원하는 관리법이 있지만 그 유용성은 확인되지 않고 있다. 그러나 지역의 주산 의료체제 등에 따라서는 필요한 경우도 있다.

3. 유착 태반의 고위험 예

제왕절제술의 기왕이 있는 임산부에게 전벽부착 태반인 경우 등 유착태반의 고위험으로 여겨질 경우에는 화상검사 및 자궁적출을 상정한 한층 더 엄격한 관리나 자기혈액 준비 등이 요구된다.

4. 주의

첫 회의 질출혈이 제왕절개술을 바로 하지 않으면 안 될 정도로 다량이 되는 경우는 드물다.

하지만 출혈량이 어느 정도 될 때 계속 대기요법이 가능한지에 대한 데이터는 없다. 또한 임신 중 출혈 여부, 출혈량과 제왕절개술 시 출혈량에는 관련이 없었다는 보고[6]가 있어, 수술 시까지 출혈이 없었다는 이유로 가볍게 볼 수 없다.

치료

일부 전치 태반을 포함하여 제왕절개술이 필요하다. 제왕절개술의 목적은 태반박리에 따른 모체출혈, 쇼크방지, 태아 예후 개선 및 태반박리면에서의 출혈 조절(봉합, 압박 등)이다.

제왕절개 분만 시의 출혈량은 자궁근종 합병, 상위태반조기박리 등 다른 적응에 따른 제왕절개 분만 시 출혈량보다 많고, 14.2%가 수혈을 필요로 했다(저치 태반이 16.7%)고 보고[5]되어 있다. 따라서 수술 전에 1,000g 내외의 자가혈을 준비해 두는 것이 바람직하다.

전벽 부착의 전치 태반 등에서 일반적인 자궁 하부 횡절개에서는 절개부에 태반이 존재할 경우 신속하게 태반을 절개하여 태아를 분만시켜야 한다. 그러나 태반 절개에 따른 다량의 출혈로 인해 수술 시야 확보가 어려워지고, 절개창에 노출된 태반이 물리적으로 태아의 분만을 방해하므로, 태아의 분만에 지체된 실혈에 의한 태아 빈혈의 우려도 있다. 이 때문에, 가능한 태반의 절개, 손상을 피할 목적으로, 수술 중 초음파로 태반의 위치를 확인하여 가능한 태반을 피하는 위치(때로는 자궁저부)에서 절개를 하는 방법[7] 및 자궁근층 절개 후에 손으로 태반을 박리하여 난막을 노출시킨 후에 태아를 분만하는 수기[8]가 유용하다.

태반박리면에서의 출혈이 많은 경우에는 여러 가지 봉합법(B−Lynch법 등), 풍선 유치·압박(Bakri 풍선 등)에 보스민이 더해진 생식거즈로 압박, 긴 거즈 패킹, 골반내동맥결찰, IVR 등의 지혈수기가 제창되고 있지만, 상세는 「유착 태반」의 항(p.396)을 참조하길 바란다.

참고문헌

1) 日本産科婦人科学会編. 産科婦人科用語集・用語解説集. 改訂第3版. 日本産科婦人科学会, 2013, 249-50.
2) 日本産科婦人科学会・日本産婦人科医会 編集・監修. 産婦人科診療ガイドライン：産科編2014. 2014, 143-7.
3) Bhide, A. et al. Placental edge to internal os distance in the late third trimester and mode of delivery in placenta praevia. Br. J. Obstet. Gynaecol. 110, 2003, 860-4.
4) Matsubara, S. et al. Blood loss in low-lying placenta：placental edge to cervical internal os distance of less vs. more than 2cm. J. Perinat. Med. 36, 2008, 507-12.
5) Ohkuchi, A. et al. Effect of maternal age on blood loss during parturition：A retrospective, ultivariate

analysis of 10,053 cases. J. Perinat. Med. 31, 2003, 209-15.

6） 渡辺尚ほか. 出血しやすい前置胎盤とは. 臨床婦人科産科. 58(11)，2004，1377-81.

7） 村山敬彦. 前置胎盤. 周産期医学. 40（10），2010，1453-8.

8） Ward, A. Avoiding an incision through the anterior previa at cesarean delivery. Obstet. Gynecol. 102(3), 2003, 552-4.

＞＞ 上田克憲

양수량의 이상

정의 · 분류 · 병태

1. **정의:** 양수량이 유난히 많고 적은 경우를 말한다.

2. **분류:** 양수과다와 양수과소로 구분된다.

3. **병태:** 양수량은 임신 10주에서는 약 30mL로, 이후 늘어나서 32~35주에 최대가 되어 약 1,000mL에 달한다. 임신 40주에서는 800mL로, 38주에서 43주에 걸쳐서는 1주마다 150mL씩 감소하는 것으로 알려져 있다.

　임신 초기에는 양수의 공급원이 오로지 태아의 표면에서 누출되는 태아 혈청이나 양막 표면에서 누출액으로부터 유래된 것으로 알려져 있다. 태아의 신장은 임신 10~11주에 기능을 시작하여, 소변양이 서서히 증가하고, 임신 중기부터는 태아 소변이 최대의 공급원이 된다. 기타 공급원으로서 태아의 폐나 구강, 비강으로부터의 누출액이 관여되는 것으로 보고되고 있다. 양수 소실은 태반·제대 막에서 태아 순환을 거쳐서, 모체 혈액으로 이르는 경로가 있는 것으로 알려져 있다. 임신 후반기에는 태아 연하운동이 활발해져 소화관을 통한 소실이 양적으로 가장 주된 경로가 된다. 양수량은 생리적으로는 물의 양수강으로의 유입과 소실에 의해 일정하게 유지되게 된다. 두 사이의 균형이 깨짐으로써 양수량의 이상이 발생한다.

진단

　양수의 총량을 측정하는 방법으로는 양수강으로의 색소주입법이 확립되어 있지만, 침습적이기 때문에 임상적으로 시행되지는 않는다. 초음파 진단이 표준 평가법이다.

1. 양수 최대 깊이(양수 포켓)의 측정

　Manning[1]의 방법으로 양수강의 수직 거리의 최대를 양수포켓으로 지표에 이용하는 방법이다. 일반적으로는 2cm 미만이 양수과소, 8cm 이상을 양수과다라고 정의한다.

2. amniotic fluid index (AFI)의 측정

　Phelan이 시작한 방법으로 자궁을 종횡으로 4등분하여, 각각의 양수 포켓의 총합을 AFI로서 양수량 평가에 사용한다. AFI측정의 주의점은 프루브 바닥을 수직으로 향하게 할 것, 프루브를 복벽에 누르지 않는 것이다. 일반적으로는 5cm 미만을 양수과소, 24~25cm 이상을 양수과다로 한다. 또한 임신 주수별 정상 범위의 90%를 양수량 정상으로 하고, 그 상하 5%를 각각 양수과다·양수과소로 여기는 것도 있다. 대부분 AFI가 사용되는 경우가 많은데, 다태임신의 경우에 각각 태아의 양수 평가는 양수포켓으로 시행한다.

양수과다

원인

양수강에서의 유입과 소실의 균형에 변화가 발생했을 때 일어난다. 양수과다를 초래하는 질환을 표 1에 열거했다.[3]

1. 태아 요량의 증가: 모체의 당뇨병에서는 모체 고혈당이 태아의 고혈당을 초래하고, 혈장 삼투압의 상승으로 인해 태아 소변량이 증가한다. 태아의 순환혈액량이 증가하는 병태로서, 쌍태간 수혈증후군의 수혈아가 가장 전형적인 예로 보여진다. 태반혈관종이나 무심체 쌍태에서 보이는 양수과다도 같은 병태가 관여되어 있다. 태아 내분비대사성 질환에 있어서도, 병태에 따라서는 태아 소변량 증가로 양수과다를 일으킬 수 있다(태아 Bartter증후군 등).

2. 태아 연하 운동 저하: 태아의 연하 운동이 저하되는 경우에도 양수과다가 발병한다. 염색체 이상, 태아근골격계 이상(근긴장성디스트로피, 사지단축증 등), 중추신경계 이상(무뇌증 등)이나 태아기형증후군 등 태아의 선천성 이상의 일부에서는 연하장애를 동반하고 양수과다를 발병시킨다. 태아수종은 양수과다를 동반하는 경우가 많다. 모체감염증(TORCH증후군)에서도 양수과다가 발병할 수 있다.

3. 태아 소화관의 양수 흡수 장애: 상부소화관폐쇄(식도폐쇄, 십이지장폐쇄, 소장폐쇄)나 선천성 횡격막 헤르니아는 양수과다의 원인이 된다.

4. 태아 표면의 액체 성분 누출: 무뇌증, 수막류, 탯줄헤르니아 또는 복벽파열 등에 의하여 환부에서 액체 성분의 누출로 인해 양수과다가 일어날 수 있다고 한다.

5. 특발성 양수과다증: 양수과다증 진단된 것 중 뚜렷한 원인이 없는 것을 가리킨다. 양수포켓이 12cm 이상의 예에서는 75~91%에서 원인이 확인되지만, 양수포켓 8~12cm에서는 17~29%만 원인을 확인했다는 보고가 있다. 양수량을 규정하는 메커니즘은 아직 해명되어있지 않으며, 태아 및 모체에 이상이 없음에도 양수량의 이상을 초래할 수 있다.

관리

양수과다 원인에 따라 그 관리는 다양하나 원인을 찾는 것이 가장 중요하다.

1. 내당능 이상 합병 임신

양수과다의 원인을 찾기위한 검사로서 모체의 포도당 내성검사(75g OGTT)가 필수적이다. 내당능이상 임신 시 양수과다는 경미한 경우가 많으나, 경증이라도 모체의 혈당조절 불량의 징후이기 때문에 보다 엄격한 혈당 관리가 필요하다. 혈당관리가 개선되면 양수량도 정상화된다.

2. 태아 선천성 이상

선천이상 검사도 필수 검사이다. 양수과다는 여러 가지 태아기형(증후군)의 합병증이므로 그 관리나 예후는 원인 기형에 따라 가지각색이다. 태아 초음파검사로 관찰되는 태아형태 이상 정도에 따라 태아 염색체검사도 고려한다. 양수과다와 함께 태아발육부전이 확인되는 때는 18-트리소미가 전형적이다. 21-트리소미도 양수과다와의 관련이 있다. 선천성 위장관 폐색이나 선천성 횡격막 탈출증 등의 외과적 질환이 의심되는 경우에는 소아외과와의 연계가 필요하다.

3. 원인을 확정할 수 없는 경우

양수과다의 50%는 이른바 원인 불명의 특발성 양수과다로, 그 대부분은 모체태아에 명확한 합병증이 나타나지 않아 예후가 양호하다. 그러나 선천성 근긴장성 디스트로피와 같이 예후 불량에도 불구하고, 그 출생 전 진단이 어려운 경우도 있어 그 관리에 충분한 주의가 필요하다. 특발성 양수과다 증례의 태아에게서 28%가 1년 예후가 좋지 않았다는 보고도 있다.[4]

표 1. 양수과다를 유발하는 질환

1. 태아 소변 양의 증가 　　모체 당뇨병아, 태아내분비대사성 질환 등
2. 태아 연하운동의 저하 　　태아 근골격계 이상(근긴장성 디스트로피, 사지단축증), 　　중추신경계 이상(무뇌증), 태아기형증후군, 태아수종 　　모체감염병아(TORCH증후군 깊이), 염색체 이상
3. 태아 소화관의 양수 흡수 장애 　　상부 소화관 폐색(식도 폐쇄, 십이지장 폐쇄, 소장폐쇄)등
4. 태아 표면의 액체 성분 누출 　　무뇌증, 수막류, 탯줄헤르니아, 복벽 파열
5. 기타 　　특발성 양수과다증

4. 모체 관리

중추신경이상 또는 소화관 폐색, 혹은 쌍태간수혈증후군에 따른 양수과다는 때때로 중증화되어 모체의 호흡곤란, 구역질, 심계항진 등의 압박증상을 동반할 수 있으며, 대증요법으로 양수 제거가 필요할 수 있다.

5. 분만시 관리

양수과다는, 조산이나 preterm PROM (37주 미만의 PROM), 파수 시의 상위태반조기박기, 제대탈출 혹은 태위이상, 그리고 이완출혈 등의 위험요인이 있다. 더블 셋업을 고려한 분만 관리가 바람직하다.

양수과소

원인

양수과다와 마찬가지로 자궁 내 액체 성분의 양수강 유입과 소실 균형에 변화가 발생했을 때에 발병한다. 양수과소를 일으키는 질환을 표 2에 열거했다.[3]

1. 태아 소변량의 저하: 태아의 비뇨기계 이상 중 신장기형(신장무형성, 저형성, 낭포성신질환)이나 폐색성 요로질환에 의해 무뇨 또는 핍뇨가 되어 양수과소가 발생한다. 신장 기형에 의한 양수과소는 임신 중기부터 확인되는 경우가 많고, 그 정도는 최대이다.

선천적으로 이상이 없는 태아의 소변량 저하에 의한 양수과소는 임신 후기에 확인되는 경우가 많고, 태아발육부전(FGR)이나 지연임신에서 따라 보인다. 태반기능부전에 의한 태아발육부전의 경우, 태아 저산소증이나 산혈증에 의해서 혈류 재분배가 일어나고, 신장혈류량 저하로 양수과소가 발병한다고 생각된다.

1. 태아양수의 저하: 38주에서 43주 사이에서는, 양수량이 주마다 150mL씩 감소하는 것으로 알려졌다. 이러한 감소 메커니즘은 잘 알려져 있지 않지만, 과기 임신에서는 신장혈류량이 저하되고 소변량이 감소하는 것으로 나타났다. 쌍태간수혈증후군인 공혈아에게는 순환혈액량 감소로 인해 소변량 저하, 더 나아가 무뇨가 되어 양수량이 극도로 감소한다(stuck twin).

2. 전기 파수(PROM)

3. 모체 약제 투여 영향: 인도메타신이나 ACE 저해제의 영향으로 양수과소가 초래되는 경우가 있다.

표 2. **양수 과소를 부르는 질환**

---

1. 태아 요산성의 감소
   a) 태아 기형: 신장의 형성, 신장 저 형성, 낭포성신장질환, 폐쇄성 요로
      질환
   b) 신장 혈류량 저하(태반기능부전): 태아발육부전, 과기 임신
2. 양수의 만성 유출
   전기 파수
3. 모체 약제 투여(인도메타신, ACE저해제 등)

관리

1. 태아의 신장 비뇨기계의 선천성 기형

신장의 선천성 기형에 의한 양수과소는 매우 위독하여 태아의 폐성숙을 저해하고 폐저형성을 가져온다. 대부분은 생명 예후가 좋지않다. 폐색성 요로질환에서는 양수량의 변화가 중요하며 양수과소가 인정되면 신장기능의 보호를 위해, 생존가능시기에 조기 분만이 이루어진다. 태아가 미숙한 예에서는 태아 치료(경피적 요로양수강 단락술)가 시도되고 있다.

2. 태아발육부전

태아발육부전의 관리에서는 양수량의 평가가 중요하다. 양수과소가 있는 경우에는 태아에 신장혈류량 저하를 일으킬 정도의 저산소증이 있음을 의미한다. 태아발육 유무, 태아혈류 계측이나 태아 심박 모니터 소견, BPP 점수 등을 고려하여 조기 분만이 필요한지 검토해야 한다.

3. 분만시

분만 예정일 가까이에 태아발육부전을 동반하지 않는 양수과소의 대부분은 정상 분만을 하게 된다. 그러나 분만시의 탯줄 압박에 의한 태아심박모니터 이상, 양수혼탁이나 제왕절개 분만의 비율이 유의하게 높다고 한다. 특히 지연임신의 경우 빈번한 태아평가가 필요하다. 분만시 탯줄압박에 의한 태아기능부전에 대해서 태내소생술로 경질 인공양수주입이 시도되고 있다.

4. preterm PROM에 따른 양수과소

preterm PROM에 따른 양수과소는 태아의 예후에 다양하게 영향을 미친다. 임신 중기에 일어나는 양수과소(특히 22주 이전)에서는, 태아의 폐저형성, 사지의 변형 구축, 양막대증후군 등을 보이는 경우가 있다. 양수과소가 일반적으로 확인되는 시기가 이른 시기일수록 태아의 예후는 좋지 않다. 태아가 미숙한 경우, 폐저형성 예방 목적으로 반복적인 경피적 양수 주입이 태아의 예후

를 개선한다는 보고가 있지만,[5] 그 유익성에 대해서는 보다 많은 전방시적인 검토가 필요하다. 중증의 양수과소에게서는 자궁수축에 대해 쉽게, 탯줄압박이 일어나고 태아 심박 모니터 이상의 원인이 된다. 또한 preterm PROM에 따른 양수과소가 태아의 염증반응증후군과 관련되어 있다는 보고가 있다.[6]

치료

양수량의 이상에 대한 치료는 양수과다에 대한 양수제거와 양수과소에 대한 양수주입에서 볼 수 있듯이 대증요법이 주를 이루고 있다. 양수량의 이상 원인을 제거하는 것에 좌우되는 근본적인 치료는 제한된 질환에만 행해지고 있다. 태아 요로폐색질환에 대한 요로양수강 단락술이 그 한 예이다. 증례가 매우 제한적이거나 합병증도 있어 그 유용성에 대해서는 일정한 견해가 없다. 쌍태간 수혈증후군에서의 양수과다·과소에 대해서는 태아경하레이저 응고술을 통해 태아의 예후뿐만 아니라 양수량의 이상도 개선한다.[7]

참고문헌

1） Manning, FA. et al. Qualitative amniotic fluid volumes in normal pregnancy. Am. J. Obstet. Gynecol. 139, 1981, 254-8.
2） Phelan, JP. et al . Amniotic fluid volumes assessment with the four-quadrant technique at 36-42 week's gestation. J. Reprod. Med. 32, 1987, 540-2.
3） Cunningham, FG. et al. eds. "Disorders of amniotic fluid volume". Williams Obstetrics. 23rd ed. New York, McGraw-Hill, 2010, 490-9.
4） Dorleijn, DM. et al. Idiopathic polyhydramnios and postnatal findings. J. Matern. Fetal. Neonatal. Med. 22(4), 2009, 315-20.
5） De Santis, M. et al. Transabdominal amnioinfusion treatment of severe oligohydramnios in preterm premature rupture of membranes at less than 26 gestational weeks. Fetal Diagn. Ther. 18(6), 2003, 412-7.
6） Yoon, BH. et al. Association of oligohydramnios in women with preterm premature rupture of membranes with an inflammatory response in fetal, amniotic, and maternal compartments. Am. J. Obstet. Gynecol. 181(4), 1999, 784-8.
7） Quintero, RA. et al. Stage-based treatment of twin-twin transfusion syndrome. Am. J. Obstet. Gynecol. 188, 2003, 1333-40.

野田清史

m 다태임신

역학과 예후

1. 빈도

일본에서의 다태임신의 빈도는 1983년의 체외 수정 배아 이식의 도입 이후는 삼태 이상의 이른바 supertwin을 포함하여 1995년 0.9%에서 2004년 이후에는 약 1.2%까지 증가했다(쌍태아 분만은 약 1.1% 삼태 분만은 약 0.03%). 1996년에 이식 배아를 3개 이내에 제한한다는 취지의 일본산과부인과학회 회고가 나온 후에는 사태 이상의 다태는 감소했다. 더하여 2008년에는 일본 산과부인과학회는 「보조생식의료의 중복 임신 방지에 관한 견해」로서 단일배아이식(single embryo transfer ; SET)을 원칙으로 했으므로, 이란성 쌍태를 중심으로 하여 쌍태 임신 전체의 빈도는 점진적 감소 경향에 있다. 2010년에는 1,071,304출생 중 다태아는 20,201(1.9%)이며, 1,087,148분만 중 쌍태아 분만은 10,394건(0.96%), 삼태 분만은 162건(0.01%), 사태 2건, 다섯태 이상은 0건이었다. 또한 배반포 이식을 중심으로 한 보조생식의료(assisted reproductive technology ; ART)에 의한 일란성 쌍태아 임신의 증가가 지적되고 있다.[2]

2. 주산기 예후

다태임신에서는 유산율이 높다. 2000~2008년의 인구 동태 통계에 의하면 일본에서의 다태임신에서의 조산율은 54.3%이며, 단태 임신이 4.5%인 반면, 그에 약 12배이다. 또 2010년에 출생한 다태아 중 2,500g미만의 저출생 체중아는 73.7%의 빈도이다.[1] 더하여 쌍태아간수혈증후군(twin-twin transfusion syndrome ; TTTS) 등 특유의 합병증도 있기 때문에 단태 임신에 비해 태아의 주산기 예후는 나쁘다. 2010년의 인구동태 통계에 의하면 다태아의 주산기 사망률은 17. 3으로, 단 태아의 3.9에 비해서 높고, 그 내역은 임신 22주 이후 사산이 13.2, 조기 신생아 사망이 4.1이었다.

쌍태임신에서는 막성에 따라 예후가 달라진다. 이융모막이양막(dichorionic diamniotic ; DD)쌍태아에서는, 주산기의 사망은 1.4~1.8%이며,[3,4] 생존아의 신경학적 이상은 1.2~1.8% 정도이며,[4,5] 임신 34주 미만의 조산아에 한정하면 3% 정도라고 보고된다.[6] 한편, 일융모막이 양막 쌍태아(monochorionic diamniotic ; MD)에서는 TTTS 등의 특유의 합병증이 예후에 관여하여, 임신 34주 미만의 조산아의 신경학적 이상은 15%라는 보고도 있다.[6] 태아경을 이용한 태반 혈관 레이저 응고술(fetoscopic laser photocoagulation for communicating vessels ; FLP)의 도입 이후의 사망률은 11% 정도 신경학적 이상은 신생아기에서 2%로 보고된다.[7,8]

삼태 임신에서는 임신 20주 이후의 태아 사망이 3.0~4.3%, 신생아 사망은 12~13%이며, 장기 생존은 84%라고 보고된다.[9,10] 임신 30주 미만의 분만은 24~30%로 초저체중아가 19~23%였다.[9,10] 또 삼융모막삼양막 삼태에 비해 이융모막삼양막삼태나 일융모막삼양막삼태는 예후가 좋지 않다고 나타나

있다.[9~11)]

임신 초기 관리

1. 막성 진단

자연임신의 일란성 쌍태와 이란성 쌍태는 약 반반 정도로 알려져 있으나, 난성 진단은 초음파 검사로는 불가능하다. 일융모막 쌍태아 중 약 1/4는 DD, 약 3/4는 MD이고, MM (monochorionic monoamniotic, 일융모막일양막)은 약1%로 드물다. 전에 기술하였듯 융모막쌍태 특유의 주산기 리스크가 있어 정확한 막성 진단을 시행하는 것이 바람직하며, 임신 10~12주경의 시기가 최적이다. 태낭수, 난황낭수, 태아 수, 양막 수에 따라 진단한다(표 1a). 참고로 임신 제2삼분기 이후 초음파 진단은 점차 어려워지지만, 격막 기시부의 형태가 참고가 된다(표 1b). 삼태임신의 막성 진단은 쌍태 임신 방법을 기준으로 한다.

2. 분만 예정일의 결정

특히 자연임신의 다태임신 분만예정일 결정법은 확립되어 있지 않으며, 관례적으로 쌍태 임신에서는 큰 태아의 두전장(crown-rump length ; CRL)을 바탕으로 결정되었다. 한편, 작은 태아 CRL이 임신 주수와 상관관계가 있다는 보고도 있다.

표 1. 쌍태임신의 막성진단

a. 임신초기: 임신 10~12주경

	이융모막이양막쌍태 (DD쌍태)	일융모막이양막 (MD쌍태)	일융모막일양막쌍태 (MM쌍태)
태낭	2	1	1
난황낭	2	2	1or2
양막	2	2	1

b. 임신 제2삼분기

	이융모막이양막쌍태 (DD쌍태)	일융모막이양막 (MD쌍태)	일융모막일양막쌍태 (MM쌍태)
격막의 형태	λ사인	T사인	없음
태아의성별	동성 or 이성	동성	동성
태반	2 or 유합	1	1
제대			상호권락의 가능성

3. 임신 초기의 초음파 검사로 예후 예측 인자

임신 초기의 CRL 차이, 경부 부종(NT), 정맥관 혈류 등, 초음파 검사에 의한 지표에 따라, 특히 일융모막일양막쌍태의 예후 예측인자로서의 의의가 검토되고 있다.

4. 예방적 경부 봉축술

다태임신에 대한 예방적 경관 봉축술의 조산 예방 효과는 부정적이다.

임신 중기 관리

1. 자궁 경부길이

다태임신의 임신 제2삼분기의 자궁경관길이의 단축은 조산 예측에 유용하다.[12]

2. 프로게스테론

단태임신의 조산 고위험 증례에서 확인된 프로게스테론 제제의 조산 예방 효과는 쌍태 임신에서는 불명하며, 'vaginal progesterone pessaries'를 이용한 무작위배정시험(PREDICT study)에서는 조산 억제 효과는 인정되지 않았다.[13]

3. 태아 모니터링의 빈도

쌍태간수혈증후군 등의 일융모막일양막쌍태 특유의 합병증을 파악하기 위해 일융모막일양막쌍태에서는 임신 초기부터 2주 간격(이내)으로 추적관찰이 권장되고 있다.[14]

4. 기타 관리

다태임신에서 예방적 자궁 수축 억제제 투여나 관리 입원의 효과는 명확하지 않다. 다태임신에서는 임신 고혈압 증후군의 빈도가 높을뿐만 아니라 중증화하기 쉬우므로 주의가 필요하다.

일융모막일양막쌍태 특유의 병태

1. 쌍태아간수혈증후군(TTTS)

한 태아가 양수과다, 다른 태아가 양수과소를 나타냈을 경우에 진단되며, 진단에는 추정 체중 차이가 반드시 필수항목은 아니다. 방치하면 예후는 불량하며, 조기발병에서 태반 혈관 레이저 응고술(FLP)이 치료의 첫번째 선택지다(「TTTS」의 항 p.302 참조). 태아의 양수 깊이가 7cm 이상, 다른 태아의 양수 깊이가 3cm 이하의 경우에는 쌍태간 양수불균형증(twin amniotic fluid discordance ; TAFD)으로 진단되고, 이는 TTTS로 이행된다.

2. Selective lUGR

일융모막일양막쌍태의 한 아이가 태아발육부전(FGR)의 경우에서, 특히 태아발육부전 태아가 태반동맥혈류이상을 나타내는 것이나 양수과소를 합병하는 것(stuck twin)은 예후가 좋지 않다.[15] 제대동맥혈류를 이용한 병형 분류로서 Gratacos분류를 이용하는 것이 예후 예측에 유용하다. 중증 예에 대하여 FLP가 적용되고 있다.

3. 일융모막 쌍태아에서의 빈혈과 다혈(TAPS)

TAPS (twin anemia polycythemia sequence)란 양수과다·과소를 동반하지 않지만, 각각의 태아에게서 빈혈과 다혈이 확인되는 경우를 말한다. 빈도는 2~5%이며,[7,18] 자연 발생과 FLP이후의 것이 있다. 진단 기준을 표 2에 나타낸다.[7,16]

4. 한쪽 태아 사망

쌍태의 일 태아 사망은 수%로, 이융모막쌍태에서는 양쪽 아이의 순환이 독립되어 있기 때문에, 생존아에 대한 직접적인 영향은 없다. 일융모막일양막쌍태에서는 생존아에서 사태아에게로 문합 혈관을 통한 급격한 혈액의 이행(acute feto-fetal hemorrhage)이 일어날 수 있기 때문에 예후가 나빠질 위험이 있다. 최근의 메타 분석에서는 생존아의 사망이 15%, 신경학적 후유증이 26%였는데,[17] 예후불량은 더 많다는 보고도 있다. 일융모막일양막쌍태아에서의 한쪽 태아 사망 후의 조기분만이 예후를 개선한다는 근거는 없으며 대기적 관리가 원칙이다. 예후에 관여하는 생존아들의 빈혈 평가에는 중대뇌동맥 수축기 혈류 속도가 유용하다.

5. 무심체 쌍태아(TRAP sequence)

TRAP sequence (twin reversed arterial perfusion sequence)는 일융모막일양막쌍태의 1%로 나타내며, 일반 아이(pump아)의 문합 혈관을 통한 역행성 혈류에 의해서 무심체의 크기가 증가한

표 2. Twin anemia polycythemia sequence (TAPS)의 진단기준

	Lopriore의 기준[16]	Lewi의 기준[7]
출생전진단	빈혈: MCAPSV>1.5Mom 다혈: MCAPSV<1.0Mom	
신생아진단	Hb차이>8.0g/dL Reticulocyte비율>1.7	빈혈: Hb<11g/dL 다혈: Hb>20g/dL

MCAPSV : 중대뇌동맥수축기혈류속도

다. 임신초기에 한쪽 태아사망으로 진단되어있던 태아가 나중에 커진 경우 TRAP sequence를 의심한다. 이에 따라 정상아의 심부전이나 양수과다를 초래할 수 있는데, 그 치료법으로써 고주파절제술(radiofrequency ablation ; RFA)의 효과가 인정되고 있다.

6. 일융모막일양막(MM)쌍태아

MM쌍태아는 제대상호 단락이 높은 비율로 나타나므로 출생 전 진단이 가능하다. 제대인자에 따른 태아 사망의 위험이 있지만, 임신 후반에서는 그 빈도가 낮은 것으로보아, 임신 32~34주 이후까지 임신 지속이 가능하다.[18] 그러나 제대인자뿐만 아니라 융모막쌍태아로서의 본래 위험도 있어, 임신 후반에도 태아 기능 부전이나 태아 사망에는 주의를 요한다.

참고문헌

1) 母子衛生研究会編. 母子保健の主なる統計. 母子保健事業団, 2011, 42-96.

2) Knopman, J. et al. Monozygotic twinning : an eight-year experience at a single center. Fertil. Steril. 94, 2010, 502-10.

3) Oldenburg, A. et al. Influence of chirionicity on perinatal outcome in a large cohort of Danish twin pregnancies. Ultrasound. Obstet. Gynecol. 39, 2012, 69-74.

4) Minakami, H. et al. Effects of placental chorionicity on outcome in twin pregnancies. A cohort study. J. Reprod. Med. 44, 1999, 595-600.

5) 上田敏子ほか. 双胎の神経学的長期予後；196組の双胎における産科的リスクファクターに関する検討. 日本周産期・新生児医学会雑誌. 44, 2008, 20-4.

6) Adedayo, L. et al. Neuromorbidity in preterm twins in relation to chorionicity and discordant birth weight. Am. J. Obstet. Gynecol. 190, 2004, 156-63.

7) Lewi, L. et al. The outcome of monochorionic twin gestations in the era of invasive fetal therapy : a prospective cohort study. Am. J. Obstet. Gynecol. 199, 2008, 514e1-8.

8) Nakayama, S. et al. Perinatal outcome of monochorionic diamniotic twin pregnancies managed from early gestation at a single center. J. Obstet. Gynecol. Res. 38, 2012, 692-7.

9) Adegbite, AL. et al. Perinatal outcome of spontaneously conceived triplet pregnancies in relation to chorionicity. Am. J. Obstet. Gynecol. 193, 2005, 1463-71.

10) Bajoria, R. et al. Comparative study of perinatal outcome of dichorionic and trichorionic iatrogenic triplets. Am. J. Obstet. Gynecol. 194, 2006, 415-24.

11) Kawaguchi, H. et al. Perinatal death of triplet pregnancies by chorionicity. Am. J. Obstet. Gynecol. 209, 2013, e1-7.

12) Lim, AC. et al. Cervical length measurement for the prediction of preterm birth in multiple pregnancies : a systematic review and bivariate meta-analysis. Ultrasound Obstet. Gynecol. 38, 2011, 10-7.

13) Rode, L. et al. Prevention of preterm delivery in twin gestations (PREDICT) : a multicenter, randomized, placebo-controlled trial on the effect of vaginal micronized progesterone. Ultrasound Obstet. Gynecol. 38, 2011, 272-80.

14) Vayssiere, C. et al. Twin pregnancies : guidelines for clinical practice from the French College of Gynaecologists and Obstetricians (CNGOF). Eur. J. Obstet. Gynecol. Reprod. Biol. 156, 2011, 12-7.

15) Ishii, K. et al. Ultrasound predictors of mortality in monochorionic twins with selective intrauterine growth restriction. Ultrasound Obstet. Gynecol. 37, 2011, 22-6.

16) Lopriore, E. et al. Clinical outcome in neonates with twin anemia : polycythemia sequence. Am. J. Obstet. Gynecol. 203, 2010, 54e1-5.

17) Hilmann, SC. et al. Co-twin prognosis after single fetal death. Obstet. Gynecol. 118, 2011, 928-40.

18) Lewi, L. Cord entanglement in monoamniotic twins : does it really matter? Ultrasound Obstet. Gynecol. 35, 2010, 139-41.

➤➤ 石井桂介，光田信明

n 혈액형 부적합 임신

개념 · 정의 · 분류 · 병태

혈액형 부적합 임신이란 모체에는 존재하지 않는 아버지 유래의 적혈구 항원이 태아에게 존재하는 경우를 말하는데, 문제가 되는 것은 그 적혈구항원에 모체가 감작되어 항체가 생성된 경우이며, 가장 대표적인 것은 Rh (D) 부적합 임신이다.

1. 역학(빈도)

일본에서 Rh (D) 음성의 비율은 구미 백인종의 10몇퍼센트에 비해서 0.5%로 낮고, 유산−분만 후의 항 D항체 투여의 보급으로 Rh (D) 부적합에 의한 태아 용혈 질환의 빈도는 더 감소해왔지만, 여전히 치료가 필요한 혈액형부적합임신 중 가장 빈도가 높다. 구미에서 문제가 되는 항체 검출은 모든 항체를 아울러 약 1%로 보인다고 보고되고 있다.

2. 발생기전

대부분의 경우 과거 분만이나 유산 시 태아혈이 모체혈류에 들어가 감작된 결과, 다음 임신 시 항체(IgG항체)가 태아로 이행하여 태아의 용혈을 일으킨다. 중증의 경우 태아 빈혈에서 태아 부종, 태아사망을 초래할 수 있다. 때로는 가벼운 증상이라도, 신생아 황달이 더 심해지는 경우도 많다. 모체의 감작은 임신 중 태아−산모간 수혈이나 수혈에 의해 일어날 수도 있다.

진단

1. Rh (D) 부적합

모체가 Rh (D) 음성이더라도 태아의 아버지가 Rh (D) 음성이면 혈액형 부적합 임신이 되지 않는다. 아버지가 Rh (D) 양성인 경우에도 Rh (D)에 관해서 이형 접합의 경우는 1/2의 확률로, 태아는 Rh (D) 음성이 된다. 다만 d항원은 존재하지 않으므로 부친이 호모접합인지 이형접합인지는 혈청학적으로는 알아볼 수 없다. 일본인에서는 모체가 Rh (D) 음성의 경우에도 태아는 Rh (D) 양성이 많아, 기본적으로는 Rh부적합을 염두에 둔 관리를 한다. 구미에서는 모체 혈액 속 태아 혈액성 cell−free DNA검사에 의한 태아 유래의 Rh (D) 판정도 이루어지고 있으며 음성 네거티브는 1% 정도, 6%가 판정 보류로 보고되어 있다.[1] 임신 15주 이후는 양수에서 태아의 Rh (D) 판정의 보고도 있어, 감도 99.5%로 보고되고 있다.[2] 일본에서는 Rh (D) 음성의 산모와 Rh (D) 양성의 아버지에게서 Rh (D) 양성의 아이가 태어날 확률은 93%로 높은 비율이므로, 이 검사들은 행하지 않는다. Rh (D)에는 weak D(이전 DU: D항원 발현량이 적다), partial D (D항원의 에피토프 일부가 결손) 등의 아형이 존재한다. Weak D의 경우, 모체가 D항원에 감작되는 경우는 거의 없다. 『산부인과 진료가이드라인: 산과 편 2014』에서는 항D면역 글로블린을 투여하지 않는 것이 권장되고 있다.[3] 단, weak D인 모체가 경증이면서 감작된 증례 보고가 있어,[4] 미국에서는 임산부에 관련되서는 Rh (D)의 아형의 조사는 실시하지 않고, 결과적으로 weak D도 D음성으로 관리되게 되어 있다.[5] 다만 미국에서도 수혈의 헌혈자로서 검사된 경우에는 Rh (D)아형이 검출되는 구조가 되어 있어, 이 경우 weak D는 Rh (D) 양성으로 취급된다. partial D의 경우에는 모체가 D항원으로 감작될 수도 있다. 또, 일본인의 특징으로서 Rh (D)의 pseudogene(이 경우, 혈청학적으로는 Rh (D) 음성이 된다)의 빈도가 높은 것도 보고된다.[6]

　　Rh (D) 부적합 임신 가능성이 있는 경우, 항D항체검사를 시행한다(불규칙 항체스크리닝으로 대체 가능). 임신 초기 항 D항체 음성의 경우, 다시 검사를 임신 28주 및 분만 전에 하는 것이 권장되고 있다.[3] 이전의 유산력-분만시에 항D면역글로불린 투여를 받지 않은 경우에는 임신 초기의 항D항체 음성이어도 극히 약하게 감작될 수 있으므로, 보다 자주 항체 유무를 체크하는 것이 권장되고 있다.[7][8] 항체양성이 확인되었을 경우에는 항체 값을 측정하고, 간접 항글로불린 시험(간접 쿰스시험)에서 16~32배 미만이면, 임신 24주 미만에서는 4주에 1회, 임신 24주 이후 2주 간격으로 1회 항체 값을 측정한다. 16~32배 이상이 됐을 경우에는 태아 중 대뇌 동맥의 혈류 속도 측정을 개시한다. Rh (D) 부적합에 의한 태아 용혈의 기왕이 있는 경우, 모체의 항체 값이 낮아도 태아 빈혈의 가능성이 있기 때문에, 임신 18주경부터 태아 중대동맥의 혈류 속도 측정을 개시한다.[9]

2. Rh (D) 이외의 혈액형 부적합 임신

　　임신 초기에 불규칙 항체의 유무를 알아본다. 항체의 종류에 따라 태아 빈혈의 위험성에 차이가 있으며(표 1), 태아 빈혈의 위험이 있는 경우에는 항체 값을 측정한다. 수혈에 의해 항체가 생기게 되는 경우도 있어서, 해당 적혈구 항원을 태아의 아버지가 가지고 있는지 아닌지를 조사하는 것이 바람직하다. 태아 빈혈 위험이 있는 불규칙 항체인 경우, 그 후의 관리는 Rh (D) 부적합에 준하여 진행한다. 특히 Rh (c) 부적합인 경우, Rh (D)와 동일한 정도로 태아빈혈의 위험성이 있다.[5] 일본에서 보고된 예는 없지만 Kell부적합 사례는 태아의 조혈도 저해되고 급격히 태아 빈혈이 진행되는 특징이 있어, 항체 값 4~8배라도 태아 빈혈의 가능성이 있다고 한다.

3. 초음파 검사

　　2000년 Mari 등의 보고 이후, 혈액형 부적합 임신 관리는 크게 변화했다[10](그림 1). 항체 값이 critical titer 이상으로 될 경우, 도플러 검사에 의한 태아의 중대동맥 최고 유속(MCA PSV)을 측정하고, 1.5MoM 이하면 중등도 이상의 태아 빈혈은 없다고 생각된다. 태동 시에 측정 값이 커지

표 1. 대표적인 불규칙항체

(문헌7부근 일부 변용)

혈액형시스템	항체	용혈성질환중증도	정밀검사필요성
Rh	D	경증~중증, 수종형	필요
	C	경증~중증	필요
	E	경증~중증, (수종형)	필요
	c	경증~중증, (수종형)	필요
	e	경증~중등증	없음
–D–	Rh17	경증~중증, 수종형	필요
Rhnull	Rh29	경증	없음
MNSs	M	경증~중증, (수종형)	필요
	N	경증~중등증(중증)	없음
	S	*경증~중등증	(필요)
	s	*경증~중증	필요
P	P	경증~중증	필요
	PP1P^k	경증~중증	필요
Lewis	Le^a	없음	없음
	Le^b	없음	없음
Ii	i	없음	없음
Duffy	Fy^a	경증~중증, (수종형)	필요
	Fy^b	없음	없음
Kidd	JK^a	경증~중증	필요
	JK^b	경증	없음
Diego	Di^a	경증~중등증	(필요)
	Di^b	경증~중증	필요
Lutheran	Lu^a	경증	없음
	Lu^b	경증	없음
Kell	K	*경증~중증, 수종형	필요
	k	*경증	없음
	Ko	경증	없음
	Ku	경증~중등증	없음
	Js^a	*경증~중등증	없음
	Js^b	*경증	없음
Xg	Xg^a	*경증	없음
Jr	Jr^a	극경증	없음

주 : 1) * 일본인 보고 예 없음
 2) 필요: 항체값 16~32배 이상에서, MCA-PSV측정
 3) 없음: 정기출산까지 대기해도 태아사망 위험없음
 4) ( ) 좀처럼없음

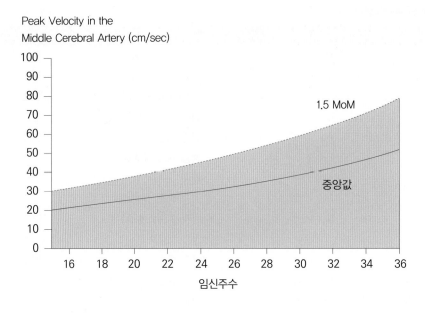

그림 1. MCA-PSV 계측에 따른 태아빈혈의 예측[10]

는 경향이 있기 때문에, 가급적 태동이 없는 상태에서 도플러 빔과 혈관과의 각도가 크지 않게 측정하는 것이 바람직하다. 각도가 30도의 경우 각도 보정을 하는 것이 좋다는 보고도 있다.[11] 중대뇌동맥의 기시부를 벗어나 말초로 가면 실제보다 낮은 값이 될 수 있으므로 주의가 필요하다. 주에 최소 1회는 측정하고, 1.5MoM을 넘으면 제대 혈액 검사를 한다.

임신 35주 이후는 false positive가 증가하기(acceleration의 관여가 고려되고 있다) 때문에, 높은 값일 경우에는 참고가 되기 어렵고,[12] 또 중증 태아발육부전 합병 시에는 MCA-PSV가 높은값이 된다는 보고[13]나 역으로 sensitivity가 떨어진다는 보고[14]가 있으며, 이런 경우에는 다른 검사(양수 ΔOD$_{450}$측정)에서의 확인을 고려한다.

4. 양수 검사

중대뇌동맥혈류측정에 의해 태아빈혈의 평가법이 보급되기 전까지는 양수의 ΔOD$_{450}$의 측정이 일반적이었다. 기존 Lilye의 곡선 대신 Queenan의 곡선(그림 2)이 이용된다.[15] Queenan의 자궁내 태아사망 위험 영역에서는 제대혈 검사 혹은 조기 분만이 필요하다. 한편 Queenan의 Rh 음성 영역에서는 태아가 Rh (D) 음성일 가능성이 높다. Kell 부적합 시에는 용혈의 정도와 빈혈의 중증도에 괴리가 있으며, 양수 검사 결과는 참고가 되지 않는다.

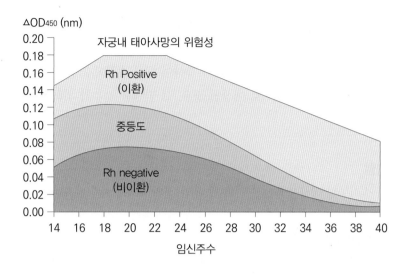

그림 2. 태아빈혈의 예측(Queen의 기준)[15]
양수 △OD450의 측정에 따름

치료

1. 제대천자-태아수혈

MCA-PSV가 1. 5MoM이상일 경우 태아 채혈을 시행한다. 채혈만 한다면 25G 제대 천자침(팔광)을 사용하면 아이에게 위험이 적다.[16] 제대혈의 Hct가 30%(혹은 20%) 이하의 경우, 태아 수혈의 적응이 된다. 수혈에는 Hct 75~85%로 조절한 사이토메갈로바이러스 항체음성의 O형 Rh (D) 적혈구를 이용한다.[5] 태아 수혈의 상세에 대해서는 다른 장을 참조한다. 임신 35주에 이르러 태아빈혈이 인정되는 경우에는 빨리 조기분만을 계획한다.

2. 기타 치료

1) 혈장 교환

중증 혈액형 부적합 임신의 기왕력이 있는 경우에 임신 12주부터 주에 1~2회 혈장 교환을 시행한다. 예전부터 진행되어 있으나, 다수 사례 보고가 없었고 태아 수혈과 병용 사례 등도 많아 그 유효성에 관해서는 충분한 데이터는 없다.

2) 면역 글로불린 대량 요법

중증 혈액형 부적합 임신의 기왕력이 있는 경우에 임신 20주 이전부터 400mg/kg/day의 면역 글로불린을 5일 간 연속 정주하고, 이것을 15~21일 간격으로 반복한다. 효과가 있다고 하는 문헌

[17]) 과 효과를 부정하는 문헌[18]이 있으며 평가는 정해져 있지 않다. 혈장 교환과 함께 조합하려는 시도도 있다.[19])

어떤 치료법이라도 과거의 임신 경과로부터 추측하여 태아 수혈이 가능한 주수보다 조기에 중증 태아 빈혈-태아 부종이 생길것으로 예상될 경우, 그 발병을 늦추기 위하여 시행을 생각하는 것이 타당하다고 생각된다.

3) 페노바비탈

태아의 간의 빌리루빈 대사능을 높이기 위한 분만 진의 모체투여가 유효하다는 보고가 있다.[20])

4) 신생아 황달의 치료

광선요법, 면역글로불린요법, 교환수혈을 시행한다. 태아 수혈 후에는 태아의 적혈구 대부분이 Rh (D) 음성의 성인혈이기 때문에 황달이 비교적 경미해진다.

예방

『산부인과 진료가이드라인: 산과 편 2014』에 상세히 기재되어 있고, 간단한 설명만 남기겠다. Rh (D) 음성 임신부의 분만 후, 아이의 혈액형이 Rh (D) 양성인 경우, 분만후 72시간 이내에 항 D 면역 글로불린 1바이알(250μg)을 근주한다. 태아혈이 모체로 유입량, 30mL을 넘는 경우, 혈액 유입량의 초과분에 대해서, 30mL당 1바이알의 항 D면역 글로불린의 추가 근주를 요한다. 30mL를 넘는 태아혈의 모체 유입은 0.25~1%에게 보여지며,[21]) 분만 후 Kleihauer-Betke 시험에서 평가가 가능하다(표 2). 임신 28주에 항 D면역 글로불린을 근주하는 것으로, 임신 말기의 감작률이 2%에서 0.1%까지 감소하다는 보고가 있어, 임신 28주에서 1바이알 항 D면역 글로불린의 근주가 권장되고 있다.[3]) 항 D면역 글로불린의 근주 후 3주 이내에 분만 하는 경우에는 분만 후의 글로불린 투

표 2. 모체에서의 태아혈액 유입량의 계산법 (문헌 23에서 일부 개편하여 인용)

$$태아혈액유입량 = \frac{MBV \times 모체\ Hct값 \times 모체혈중의\ 태아적혈구의\ 비율}{신생아\ Hct\ 값}$$

MBV: 모체 순환 혈액량
 (체중 × 0.07 × 1,000 × 1.5, 비임신시 체중 50kg에서 약 5,000mL)
 [예] Kleihauer-Betke시험에서 HbF 1.7%, 모체Hct값 35%, 태아Hct값 50%의 경우

$$태아혈액유입량 = \frac{5,000 \times 0.35 \times 0.017}{0.5} = 60mL$$

여는 생략 가능하다. 임신 중에 항 D항체가 생성된 경우나, weak D인 경우에도 글로불린 투여는 하지 않는다.[3] 한편, 임신 중에 Rh (D) 음성이었던 산모가, 분만 후의 검사에서 weak D가 된 경우는 모체혈에 태아혈액 혼합 유입의 영향일 가능성이 있어 주의가 필요하다.[22] 항 D면역 글로불린 투여가 필요함에도 불구하고 투여되지 않은 것이 후일 판명되었을 경우에는 13일 이내의 투여하면, 어느 정도 예방 효과를 기대할 수 있다고 여겨지고 있으며, Bowman은 분만 후 28일 이내라면, 항 D면역 글로불린의 투여를 권장하고 있다.[8]

분만 이외에도, 임신 7주 이후까지 아이의 생존이 확인한 자연 유산 후, 임신 7주 이후의 인공유산·이소성 임신 후, 복부타박 후, 임신 중의 검사·처치 후(양수천자·외회전술 후 등)에 항D면역 글로불린을 투여할 것을 권장하고 있으며, 더하여 ACOG 가이드라인에서는 부분 포상 기태, 출혈을 동반하는 절박유산, 자궁내 태아사망, 임신 중·후기 출혈 시에도 투여를 권장하고 있다.[3] 기본적으로는 투여 여부가 고민되었을 경우에는 투여하는 것이 좋다고 되어 있다.

참고문헌

1) Moise, KJ Jr. et al. Circulating cell-free fetal DNA for the detection of RHD status and sex using reflex fetal identifiers. Prenat. Diagn. 33(1), 2013, 95-101.

2) Goebel, JC. et al. Prenatal diagnosis of the Rhesus D fetal blood type on amniotic fluid in daily practice. Arch. Gynecol. Obstet. 277(2), 2008, 155-60.

3) 日本産科婦人科学会・日本産婦人科医会 編集・監修. "CQ008-2 Rh(D) 陰性妊婦の取り扱いは". 産婦人科診療ガイドライン：産科編2014. 2014, 38-41.

4) Prasad, MR. et al. Anti-D in Rh positive pregnancies. Am. J. Obstet. Gynecol. 195(4), 2006, 1158-62.

5) Creasy, RK. et al. "Hemolytic disease of the fetus and newborn". Maternal Fetal Medicine. 7 th ed. Saunders. 2014, 558-68.

6) van der Schoot, CE. et al. Prenatal typing of Rh and Kell blood group system antigens : the edge of a watershed. Transfus. Med. Rev. 17(1), 2003, 31-44.

7) 浮田昌彦. 血液型不適合. 臨床婦人科産科. 47(5), 1993, 510-2.

8) Bowman, JM. Controversies in Rh prophylaxis. Who needs Rh immune globulin and when should it be given? Am. J. Obstet. Gynecol. 151(3), 1985, 289-94.

9) Moise, KJ. Management of Rhesus Alloimmunization in Pregnancy. Obstet. Gynecol. 112(1), 2008, 164-76.

10) Mari, G. et al. Noninvasive diagnosis by Doppler ultrasonography of fetal anemia due to maternal red-cell alloimmunization. Collaborative Group for Doppler Assessment of the Blood Velocity in Anemic Fetuses. N. Engl. J. Med. 342(1), 2000, 9-14.

11) Ruma, MS. et al. Angle correction can be used to measure peak systolic velocity in the fetal middle cerebral artery. Am. J. Obstet. Gynecol. 200(4), 2009, 397. e1-3.

12) Zimmermann, R. et al. Longitudinal measurement of peak systolic velocity in the fetal middle cerebral artery for monitoring pregnancies complicated by red cell alloimmunisation : a prospective multicentre trial with intention-to-treat. Br. J. Obstet. Gynaecol. 109(7), 2002, 746-52.

13) Mari, G. et al. Middle cerebral artery peak systolic velocity : a new Doppler parameter in the assessment of growth-restricted fetuses. Ultrasound Obstet. Gynecol. 29(3), 2007, 310-6.

14) Makh, DS. et al. Is Doppler prediction of anemia effective in the growth-restricted fetus? Ultrasound Obstet.

제 **3** 장

이상임신의 진단과 치료

Gynecol. 22(5), 2003, 489-92.

15) Queenan, JT. et al. Deviation in amniotic fluid optical density at a wavelength of 450 nm in Rh-immunized pregnancies from 14 to 40 weeks' gestation : A proposal for clinical management. Am. J. Obstet. Gynecol. 168(5), 1993, 1370-6.

16) 松田秀雄ほか. 25ゲージ針の開発による胎児採血の安全性の向上. 日本周産期・新生児医学会雑誌. 40(2), 2004, 370.

17) Voto, LS. et al. High-dose gammaglobulin (IVIG) followed by intrauterine transfusions (IUTs) : a new alternative for the treatment of severe fetal hemolytic disease. J. Perinat. Med. 25(1), 1997, 85-8.

18) Chitkara, U. et al. High-dose intravenous gamma globulin : does it have a role in the treatment of severe erythroblastosis fetalis? Obstet. Gynecol. 76(4), 1990, 703-8.

19) Ruma, MS. et al. Combined plasmapheresis and intravenous immune globulin for the treatment of severe maternal red cell alloimmunization. Am. J. Obstet. Gynecol. 196(2), 2007, 138. e1-6

20) Trevett, TN. et al. Antenatal maternal administration of phenobarbital for the prevention of exchange transfusion in neonates with hemolytic disease of the fetus and newborn. Am. J. Obstet. Gynecol. 192(2), 2005, 478-82.

21) Ness, PM. et al. Clinical high-risk designation does not predict excess fetal-maternal hemorrhage. Am. J. Obstet. Gynecol. 156(1), 1987, 154-8.

22) American College of Obstetricians and Gynecologists (ACOG) Prevention of RhD alloimmunization. ACOG Practice Bulletin. 4, 1999.

23) Cunningham, FG. et al. "Red cell Alloimmunization". Williams Obstetrics. 24th ed. McGraw-Hill. 2014, 306-13.

長谷川雅明

o 지연임신

개념 · 정의 · 빈도 · 병태 · 위험

1. 개념: 지연임신은 정기출산과 비교하여 양수과소에 따른 제대 압박부터의 태아심박이상, 거대아에 따른 분만외상, 태변흡인증후군(meconium aspiration syndrome ; MAS) 등의 주산기합병증의 빈도가 높기 때문에 고위험임신으로서 취급되고 있다. 이 때문에 일본에서는 지연임신이 되지 않기 위해서 임신 41주 시점에서 분만유도를 행하고 있는 시설이 많으며 지연임신에 관한 보고는 적다.

2. 정의: 지연임신은 임신 42주 0일 이후 임신이 계속되는 경우를 말한다. 이 시기의 분만을 지연임신이라고 부른다.

3. 빈도: 지연임신의 빈도는 미국에서는 약 7%(2001년)였으며, 일본에서는 1990년 1.7%, 1995년 1.2%, 2000년 0.8%, 2005년 0.6%, 2010년 0.3%로 매해 감소하고 있다(표 1). 이 일본–미국의 차이는, 미국에 비하여 일본에서는 임신초기에 초음파검사에서 분만예정일의 수정이 행해지는 사례가 많은 것과, 임신 42주 미만에서 분만유도가 행해지고 있기 때문이라고 추측된다.

4. 원인: 지연임신의 원인은 불명확한데, 초산모 또는 지연임신의 기왕 등이 요인으로 언급된다. 2번째의 임신에 따른 재발률은 약 27%, 3번째의 재발률은 약39%라는 보고가 있다.[1] 그 외 유전요인 또는 남아인 것도 요인이며, 드물게는 저에스트로겐 상태가 되는 태아의 무뇌증·부신저형성·태반 설파타아제 결손증 등에서도 지연임신이 된다.

5. 병태·위험: 재태주수가 진행됨에 따라 난산, 제왕절개분만, 거대아 양수혼탁 등의 위험이 증가한다 (표 2). 주산기 사망률도 분만 1,000에 대하여 임신 40주에서는 2~3이지만, 임신 42주에서는 2배, 임신 43주에서는 4배 상승했다.

① 양수과소에 따른 제대 압박이 일어나기 쉽고, 태아 심박동 이상으로, 태아 저산소 혈증과 신생아 가사의 위험이 높아진다.

② 거대아의 빈도가 증가하고, 지연분만, 견갑난산, CPD, 산도 열상의 위험이 높아진다.

③ 자궁태반기능부전이 관여하고 있다고 예전부터 알려져 왔으나 확실하지 않다. 태아발육부전에서는 양수과소에 따른 제대압박, MAS, 신생아 합병증(저혈당, 경련, 호흡부전)의 위험이 한층 높아진다.

④ 양수 혼탁의 빈도가 높고 심하며, 태아에 gasping이 일어날 경우 MAS, 신생아 가사가 되기 쉽다.

⑤ 산모측에서는 산도 열상이나 제왕 절개 분만의 위험이 높다. 또한 예정일 초과로 인한 산모의 불안이 커진다.

표 1.

표 1. 일본 임신기간별로 본 연도 별 출생수 및 백분율

	1980	1990	1995	2000	2005	2010
출생 수	1,576,889	1,221,585	1,187,064	1,190,547	1,062,530	1,071,304
조산(%)	4.1	4.5	4.9	5.4	5.7	5.7
만삭분만(%)	91.5	93.8	93.9	93.8	93.7	93.9
만기후분만(%)	4.4	1.7	1.2	0.8	0.6	0.3

표 2. 과기출산에 따른 주산기합병증[2]   (Rand늘, 2000)

	임신40주	임신42주이후	
〈모체측 합병증〉			
난산	2.4~9.5%	9.5~11%	RR1.26 (95%CI 1.23-1.29)
제왕절개분만	5.4%	8.2%	
중증산도열상	2.6%	3.3%	RR1.25 (95%CI 1.20-1.31)
분만시이상출혈	9.1%	10.0%	RR1.09 (95%CI 1.06-1.12)
〈태아측 합병증〉			
주산기사망	2~3/1,000분만	4~7/1,000분만	임신43주에서 4배, 임신44주에서5~7배
거대아*	0.8~1.0%	2.5~10%	CPD, 난산, 분만외상등의 합병증 있음
양수혼탁	17.5%	37.7%	
NRFS	5.0%	8.4%	RR1.68 (95%CI 1.62-1.72)
자궁태반기능부전		20~40%	태아발육부전, 양수감소, MAS, 장기신경학적합병증 단기신생아합병증(저혈당, 경련)

RR: relative risk, CI: confidence interval, NRFS: nonreassuring fetal status, *4,500g이상

진단

　지연임신 진단의 포인트는 분만예정일의 정확성을 재평가하는 것이다. 분만예정일이 최종월경부터 계산한 것인지 초음파검사에서 결정한 것인지를 확인한다. 임신초기에 초음파검사에서 분만예정일을 결정한 경우, 지연임신이 될 오즈(odds)비는 0.68(95%CI 0.57-0.82)로 감소한다.[3] 최종월경부터 계산한 분만예정일과 초음파검사로부터의 분만예정일이 1주 이상 차이가 나는 경우에는 초음파검사 분만예정일의 선택을 권장한다.[4]

　초음파검사에서는 임신 8~11주의 두전길이(CRL) 수치에서 14~41mm의 분만예정일의 결정이 가장 신뢰성이 높다. 임신 12주 이후에서는 정확한 예정일 결정이 어렵다. 『산부인과 진료가이드라인: 산과 편 2014』에서는 임신20주 미만에서 임신 12주 이후로 추정되는 경우, 또는 CRL>50mm

의 경우에서는 초음파계측(태아머리직경〈BPD〉, 허벅지뼈길이〈FL〉 등)으로부터 추정이 가능하고, 최종월경시작일부터의 예정일과 초음파계측값 예정일의 차이가 10일 이상 차이가 있는 경우에는 초음파계측 예정일을 선택한다(추천레벨: C)고 되어있다.

관리

ACOG는 2004년에 지연임신에 관하여 표 3[5]과 같이 권고하고 있다. 임신 41주에서 초음파검사에 따른 양수양 측정 및 NST를 시작하고, 임신 42주 이후에서 경관숙화 예에는 분만유도를 권하고 있는데, 일본산과부인과학회 주산기위원회의 보고(1999년)에 따르면, 일본에서는 임신 41주 이후에서 분만유도를 실시한 시설이 68.4%로 가장 많고, 임신 42주 이후에서는 21.1%, 임신 42주 이후에도 대기적 관리를 하는 시설은 없었다.

[임신관리]
1. 분만예정일의 재평가: 앞에 기술 (p. 201)

2. 태아안녕 평가
1) 태동 카운트: 매일 1회, 태동을 10회 느끼는데 몇 분 걸리는지를 확인하고, 1~2시간 이상 걸리게 되면 진찰을 권한다.

2) 양수량의 측정: 임신 40주 이후, 가능하면 주2회 시행한다. 분만예정일을 지난 때부터 태아의 소변량이 적어져 양수량이 감소한다.[6] 소변량 감소의 원인은 확실하진 않지만, 태아의 발육에 비해 상대적으로 태반순환혈류양이 감소하는 것에 의한 것으로 이해된다.

AFI 5cm 이하, 양수주머니 2cm 이하를 양수과소라고 한다. 양수량의 측정상 주의점으로는 제대정맥의 낮은 음영부위를 양수로 착각할 가능성이 있기 때문에, 컬러도플러에서 확인하는 것이

표 3. ACOG의 지연임신의 다뤄야할 권고(2004)[5]

과학적 근거에 의거한 것(Level A)
1) 경관숙화부전 예에서는, 유도분만, 대기적 관리 어떤 것이어도 괜찮다.
2) 경관숙화 또는 진통유도의 목적에는 PG gel을 사용한다.
3) 태아이상 또는 양수과소를 보이는 경우는 분만 방침을 취한다.

대략적인 합의력을 얻은 것(Level C)
4) 출생전의 태아심박수 모니터링이 주산기사망을 감소시킨다는 증거는 없지만, 주산기 사망 및 이환은 주수가 진행됨에 따라 증가하기 때문에 태아심박수 모니터링은 임신 41주에서 42주 사이에 시작한다.
5) 임신 41주부터 1주일간 2회 양수량의 측정을 시행하고, NST를 추가하여 modified BPP로 평가한다.
6) 경관숙화례 및 다른 합병증이 없는 예에서는 유도분만을 추천한다.

중요하다.

3) NST: 임신40주 이후 가능하면 주2회 시행한다. 양수과소에 따른 탯줄압박으로 부터의 변동일과성서맥, 지연일과성서맥의 출현에 주의한다.

4) biophysical profile score (BPS): 태아호흡양운동, 태동, 근육긴장, 양수량, NST의 5개의 파라메타에 의한 태아의 well-being을 평가한다. BPS의 간편법으로서 AFI와 NST를 결합하여 평가하는 modified BPP가 유용하다. AFI와 NST의 평가가 일치하지 않을 때에는 BPS나 contraction stress test(CST)를 back-up test로 실시한다. Negative CST를 보이는 태아의 주산기 사망률은 2.3/1,000이지만, positive CST에서는 62.5/1,000가 되어 약 27배 상승한다.[7]

5) 초음파도플러: 제대동맥, 중대뇌동맥, 정맥관등의 혈류측정이 시행되지만, 지연임신에 대한 유용성은 분명하지 않다.

3. 태아발육 평가

1) 거대아 평가: 증가율은 감소하고 있지만, 태아의 체중은 임신 40주를 지나서도 점차 증가하여 지연임신에서는 거대아의 빈도가 증가한다.

2) 태아발육부전의 평가: 과기출산에 따른 사망의 1/3은 태아발육부전에 의하며, 출생 1년 이내의 사망률도 높다. 그 원인은 MAS에 기원하는 것도 있지만 불명확한 것이 많다.

4. 산도 평가

Bishop score를 사용하여 평가한다. 몇 점 이하를 경관숙화불량으로 할지 통일기준은 없지만, 미국의 ACOG, 캐나다의 SOGC의 가이드라인에서는 6점 이하를 경관숙화불량으로 취급하고 있다. 또한 CPD의 유무 등을 확인한다.

5. 산모 보건지도

지연출산은 모체환경(산도·양수량 등)이나 태아에 문제가 없는 경우, 모체의 생활습관의 지도를 적절하게 행하여 예방할 수 있는 것도 많다. 적절한 영양관리 및 체중관리·운동·유두마사지 등으로 산도의 숙화 촉진을 도모하여, 초기부터의 모체 관리가 중요하다.

6. 분만유도? 또는 기대요법?

지연임신에서는 주산기사망률이 급격하게 증가하기 때문에, 지연임신을 회피할 것인지, 지연임신에 이른 후 분만유도를 할 것인지 논란이 갈리는 시기이다. Sanchez-Ramos 등의 meta-analysis에서는 유도군과 대기군에서 주산기사망에 관한 유의차는 나오지 않았지만, 모체·태아의 합병증(제왕절개술, 양수혼탁, MAS등)에 대해서는 임신 41주 이후의 유도군에서 낮아지고 있다.[8~10]

표 4. 임신41주 이후에 분만유도와 대기적 관리의 비교[10]　　　　　　　　(Sanchez-Ramos 등, 2003)

	문헌수	유도분만군(%)	대기관리군(%)	Odds ratio	95%CI
〈모체측 합병증〉					
제왕절개분만	15	661/3,292 (20.1)	709/3,216 (22.0)	0.88	0.78-0.99
태아심박 이상에 따른 제왕절개분만	7	14/2,295 (6.2)	183/2,301 (8.0)	0.77	0.61-0.96
분만중의 태아심박이상	8	286/2,413 (11.9)	330/2,453 (13.5)	0.86	0.72-1.02
태변착색양수	11	655/2,923 (22.4)	785/2,835 (27.7)	0.75	0.66-0.88
〈태아측 합병증〉					
태변흡인증후군	5	6/752 (0.8)	12/666 (1.8)	0.46	0.18-1.21
NICU입원	7	291/2,495 (11.7)	313/2,510 (12.5)	0.92	0.78-1.10
5분 후의 Apgar점수 6점 이하	10	30/2,651 (1.1)	37/2,677 (1.4)	0.82	0.51-1.32
주산기사망	13	3/3,159 (0.09)	10/3,065 (0.33)	0.41	0.77-1.28

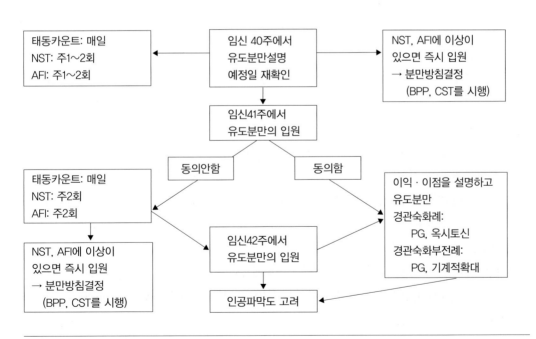

그림 1. 임신 40주 이후 임신관리의 일례

(표 4). 『산부인과 진료가이드라인: 산과 편 2014』에서는 임신 41주대에서는 경관숙화도를 고려한 분만유도를 하거나 진통이 올 때까지 대기한다(추천레벨: B), 임신 42주 0일 이후에서는 분만유도를 고려한다(추천레벨: B)로 되어있다. 어느 쪽이든 주산기의 높은 위험상태이므로 환자 및 가족과 충분한 정보의 공유 및 이해가 필요하다. 임신 40주 이후의 관리지침을 그림 1에 나타냈다.

[분만관리]

1. 진통유발전

1) 내진으로 경관숙화상태를 평가한다: 경관의 성숙도가 분만의 성공을 크게 좌우한다. 경관 숙화부전(Bishop 스코어 4점이하)에 대해서는 라미나리아, 라미셀®, 라미켄알®, DILAPAN-S™, 메트로이린텔(미니메트로®, 네오메트로®) 등의 기계적인 개대법이나, 약물요법으로 PGE2를 적절한 모니터검하에 1정씩 1시간마다 6회 경구 투여한다.

2) 분만유도를 한 경우: 지연임신에서는 분만유도가 바람직하다. BPS 8점에서도 양수량 감소의 경우에서는 분만유도를 한다. BPS6점에서의 주산기사망률은 61/1,000이지만, 이상 변수가 non-reassuring FHR pattern, 근긴장소실의 경우에는 370/1,000으로 급격하게 높다.[11]

3) 임신 41주에서 진통이 오지 않을 경우: 유두마사지로는 지연임신을 예방할 수 없지만, 난막박리는 유효하다는 보고가 있다.[12] 유도분만할지 기대요법을 할 지는 여러 가지의 메리트, 디메리트를 충분히 설명한 후에, 분만방침을 결정한다. 어느 쪽을 선택할지는 사회적적응도 충분히 배려한다. 어느 쪽의 경우라도 충분한 모체평가 및 태아평가를 실시할 필요가 있다.

2. 진통유발후

아래 위험에 관하여 충분히 설명하고, 긴급제왕절개분만이 될 가능성에 대해서도 함께 설명한다.

1) CTG에서 엄격하게 감시한다: 일본산과부인과학회주산기위원회가 추천한 지침을 참고하여 non-reassuring FHR pattern으로 판단한 경우에는 서둘러 신속분만을 시행한다.

2) 제왕절개술의 고려: 거대아 또는 CPD가 의심되는 경우에는 태아의 추정체중에 관하여 정확한 진단이 어렵다는 것을 설명한 뒤, 환자 또는 가족과 잘 상담하여 제왕절개술을 고려한다.

3) 견갑난산의 경우: McRobert법, 치골결합윗변의 압박, Woods스크류법, Shuwartz법, 네발로 기는 방법 등을 시도해본다.

4) 태변착색양수가 있는 경우: CTG에서 엄격하게 감시한다. 분만 후의 소생환경을 조성하고, 출생 후에 호흡장애에 주의한다. 상황에 따라서 신생아과 의사에 대한 지원을 요청한다.

참고문헌

1） Balleteig, LS. et al. "Postterm pregnancy". Magnitude of the problem ： Effective care in pregnancy and child birth. Chalmers, I. et al. eds. Oxford University Press, 1991, 765.

2） Rand, L. et al. Post-term induction of labor revisited. Obstet. Gynecol. 96, 2000, 779-83.

3） Crowley, P. Interventions for preventing or improving the outcome of delivery at or beyond term. Cochrane review. 2004.

4） Neilson, P. Ultrasound for fetal assessment in early pregnancy. Cochrane Review. 2004.

5） ACOG Practice Bulletin. Management of postterm pregnancy. Clinical Management Guidelines for Obstetrician-Gynecologists. 104, 2004, 639-45.

6） Trimmer, KJ. et al. Observation on the cause of oligohydramnios in prolonged pregnancy. Am. J. Obstet. Gynecol. 163, 1990, 1900.

7） Freeman, RK. et al. A prospective multi-institutional study of antepartum fetal heart rate monitoring I ： Risk of perinatal mortality and morbidity according to antepartum fetal heart rate test results. Am. J. Obstet. Gynecol. 143, 1982, 771-7.

8） Treger, M. et al. Post-term pregnancy ： Should induction of labor be considered before 42 weeks? J. Matern. Fetal Neonatal Med. 11, 2002, 50-3.

9） Hannah, ME. et al. Canadian Multicenter Post-Term Pregnancy Trial Group. Induction of labor as compared with serial antenatal monitoring in post-term pregnancy. N. Engl. J. Med. 326, 1992, 1587-92.

10） Sanchez-Ramos, L. et al. Labor induction versus expectant management for postterm pregnancies ： A systematic review with meta-analysis. Obstet. Gynecol. 101, 2003, 1312-8.

11） Manning, FA. et al. Fetal biophysical profile score IV ： Correlation with antepartum umbilical venous fetal pH. Am. J. Obstet. Gynecol. 169, 1993, 755-63.

12） Magann, EF. et al. Management of pregnancies beyond forty-one weeks with an unfavorable cervix. Am. J. Obstet. Gynecol. 178, 1998, 1279-87.

 皆本敏子

p 혈전증

개념 · 정의 · 빈도

심부근막보다 더 심부를 주행하는 정맥을 심부정맥이라고 부르며, 이 정맥에 혈전이 생겨 정맥 환류에 상애를 초래하는 병태가 심부정맥 혈전증(deep vein thrombosis ; DVT)이다. 또한 폐혈전색전증(pulmonary thromboembolism ; PTE)은 폐동맥이 혈전색전자에 의해 막혀있는 질환이며, 원격 혈전색전자가 폐동맥으로 유입폐색되는 것이 급성 폐혈전증이다.

1. 빈도: 지금까지 일본의 산과영역에서의 DVT·PTE의 역학적 데이터는 비교적 소수의 표본 수에 따랐지만, 일본 산부인과·신생아혈액학회 조사에 의해 큰 표본 수에 의한 검토가 이루어졌다.[1] 이 집계에는 치명적 경과를 취할 수 있는 PTE가 ① 사망률 13.2, ② 전체 분만 수에 대해서 0.02%, ③ 질식분만 수에 대해서 0.003%, ④ 제왕절개분만 수에 대해서 0.06%, ⑤ 78%는 분만 후 발병으로 나타나있다. 다만, 무증상인 것이 모두 포함되지 않았다는 점과, 현재는 이 발생률보다 2~3배 높을 가능성이 있음에 유의할 필요가 있다.

2. 병태: DVT는 지금까지 인종적 배경이 다르기 때문에 서양과 비교하여 일본에서는 드문 것으로 생각되어왔다. 그러나 ① 고령 임신·분만 증가 해온 점, ② 제왕절개 분만률이 상승해온 점, ③ 생활습관의 서구화에 따른 비만임산부가 증가해온 점, ④ 고위험 임신관리에 따른 장기간 누워있는 등 선천적 혈전성 소인에 의한 혈전증을 능가하여 후천적 혈전성 소인의 요인이 증가해 온 것이 원인으로 늘어나는 경향에 있다고 생각된다.[2,3]

선천성 혈전성 소인을 나타내는 사례는 비교적 적기 때문에 대부분은 임신 등에 의한 후천성 혈전성 소인에 기인한다고 생각된다. 후천적 소인이란 응고인자의 증가, 자궁에 의한 정맥압의 상승 등이지만, 중요한 응고제어계인 프로테인C 응고제어계의 억제도 크게 관여하고 있다고 생각된다.[4~7]

진단

산욕기에서의 DVT/PTE(합해서 VTE〈venous thromboembolism〉로 표기한다)의 진단은 예측하고 의심하는 데서 시작된다. 진단에서 치료까지의 플로차트(순서도)를 그림 1에 나타낸다.

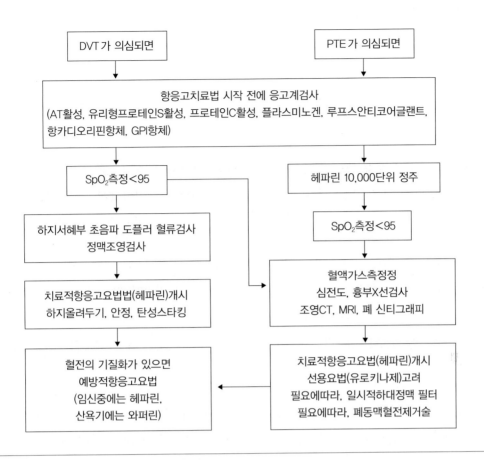

그림 1. 심부정맥혈전증·폐혈전색전증의 진단·치료

1. 심정맥 혈전증(DVT)

임상적으로는 하지근육내(특히 배복근)의 위화감부터 시작되어, 부종, 발적, 동통은 마지막 증세로 나타난다. 갑작스런 발열도 흔히 경험된다. 슬와(오금)부, 서혜부의 압통을 확인한다. 제왕절개술 후의 경우, 자궁근절개창봉합부의 압통과 감별이 어려운 경우가 많다. 선천성 혈전경향을 나타내는 예는 적지만 가족력, 기왕력은 중요하다.

2. 폐혈전색전증(PTE)

흉부 위화감에서 시작해 호흡곤란을 호소하는 경우가 많다. 첫 보행 후에 갑자기 광범위 폐동맥혈전색전이 되어 쇼크 상태가 되기도 한다. 또한, 90% 이상의 PTE는 하지 DVT에 기인하기 때문에 하지 DVT사례에서는 당연히 의심하게 된다. 특히 오른쪽 다리의 DVT는 왼쪽 다리와 비교하여 PTE의 위험도가 높아지므로 주의한다. 명백한 하지 DVT 소견이 없는 PTE도 있으며, 그러한 PTE의 경우 의심하는 것이 가장 중요하다. SpO_2의 측정이 비침습적이고 간편하다.

항응고 요법을 실시하기 전에 응고이상증 스크리닝을 위한 채혈을 반드시 해둔다.

임신·산욕기 응고계 특징

임신·산욕기의 응고계는 비임신 때부터 변화하고 있으므로, 그 해석에는 아래와 같은 점을 고려해야 한다.

1. 임신 중, 생리적으로 저하된 유리형 프로테인S활성은 산욕기에 회복한다.

임신 중 각종 응고인자의 생리적 변동에서 큰 것 중 하나로, 중심적 응고억제 단백질 프로테인C의 보효소인 프로테인S(유리형 프로테인S)의 생리적 저하가 있다. 이것은 임신에 동반되어 C4결합 단백질의 혈중 증가에 따른, 이결합단백질에 프로테인S 결합이 증가함으로써, 결국에는 저하되는 것으로 생각된다. 생리적 변화로서 정상 임신부에서도 그 활성이 30%정도까지 저하되는 예가 관찰됐다. 생리적 활성 저하가 얼만큼 VTE 발병에 관여하는지는 프로테인S가 보효소인 점부터 현재에도 명확하지 않다.

2. 임신·산욕기는 활성화 프로테인C (APC)에 대한 감수성이 떨어지고, 약 1개월에 임신 전으로 회복된다.

유리형 프로테인S의 생리적 저하와 관련되어 있을 것으로 생각되는데 임신·산욕기는 응고억제의 중심적 역할을 하는 APC에 대한 감수성이 저하된다. 정상 임신 증례에서는 임신 각 시기를 비교하면 APC에 대한 감수성은 임신 30주부터 유의하게 저하되지만, 산욕 4주경에는 임신 전 상태로 돌아간다.[3] DVT증례에서는 발병 시, 혈장의 APC에 대한 감수성이 유의하게 저하되어 있으며, 임신·산욕기에는 활성화 프로테인C-프로테인S 제어계가 DVT-PTE 발병에 중요한 역할을 담당하고 있을 가능성이 추측되고 있다.[4,5]

3. 태반 내 및 산욕 자궁 내에서의 응고선용현상의 결과, FDP-DD값은 임신·산욕기, DVT 진단에 참고가 되지 않음

DVT 진단에 유용한 응고 마커 중 하나인 FDP-DD 값은 임신·산욕기에는 임신 시 자궁태반 순환에서의 응고선용에 따른 FDP-DD의 산생을 포함하며, 산욕기에서는 산욕자궁강 내의 광범위한 응고선용에 따른 FDP-DD 생성이 포함되기 때문에, DVT의 진단의 참고가 안 된다(음성일 때 DVT는 부정적이지만, 양성일 때도 진단적 의의는 낮다고 생각된다). 또한 제왕절개 분만 후 일시 저하된 FDP-DD 값이 다시 대폭 상승할 경우, VTE를 의심하고 주의 깊게 경과를 관찰할 필요가 있다. 또한 APC에 대한 감수성 저하는 FDP-DD에 비해 VTE의 리스크를 정확히 평가할 가능성이 있다는 보고가 있다.[6]

관리

주로서 산욕기의 VTE 예방 대책에 대해서 기술한다. 분만 후에는 비임신 때와 비교해, VTE의 위험도가 상승하므로 충분한 설명과 함께 그 예방대책의 필요성을 확인한다.

1. 역학적 검토에 따른 위험 인자의 추출

유럽, 특히 네덜란드, 덴마크나 스웨덴 등 북부 유럽은 선천적혈전성 소인의 하나인 라이덴형 혈액 응고 제5인자 보유율이 높은 것도 있고, 예로부터 VTE가 일상 임상에서 주목받아왔다. 그 결과 유럽 이민자가 많은 북미를 포함하여, 임신·산욕에서의 VTE의 빈도, 위험 인자, 사망률이 큰 모집단에서 검토되고 있다[8,9](표 1, 2). 운동 제한, VTE 병력 및 수혈 주목해야 한다.

반면 일본에서 산욕부에서의 VTE의 정확한 발병 빈도, 위험 인자에 대한 역학조사 검토는 적다. 1996년도 후생성심신장애연구에서 후형시적인 임산부 사망 전국 조사에서 처음으로 PTE의 상세한 사망 사례의 검토를 시행하였으며, PTE는 이 조사 기간에서의 임산부 사망 원인 제3위였다. 제왕절개 분만 후에는 PTE사망 사례가 전체의 76.5%(17예 중 13예)를 차지하고 있었다. 일본에서는 과거 무작위 대조연구가 이루어지지 않았고, 일정한 발병률에 대하여 어떤 예방법이 타당한지를 과학적으로 평가한 연구는 오늘날까지 존재하지 않는다. 그래서 제6판 ACCP(북미호흡기학회)외과 가이드라인[13]이 보여주는데, 예방대책을 실시하지 않는 수술환자의 증후성 PTE의 위험도 레벨과 그 대책을 참고로한 예방법이 제안되었다. 「폐혈전색전증/심부정맥혈전증(정맥혈전색전증)예방 지침」[11]은 일본에서의 발생하는 빈도 수에 북미 가이드라인에 해당하는 대책을 채택한 것이다.

일본산과부인과학회·일본산부인과의회에서는 『산부인과 진료가이드라인: 산과 편 2014』[12]을 공표하고, 분만 후의 VTE위험 인자를 3군으로 나누는 새로운 VTE예방 대책을 제시하고 있다. 제1군은 분만 후 항응고요법이 필요한 것으로, ① VTE 기왕 또는 ② 임신 중 VTE 예방 또는 치료를 위해 장기간 항응고요법이 실시된 것으로 하고 있다. 제2군에서는 분만 후 항응고요법 또는 간헐적 공기 압박법이 필요한 예로서, 혈전성 소인을 가지고 제3군으로 보이는 위험 인자를 가지고 있는 경우 등으로 하고 있다. 제3군에서는 분만 후 항응고요법 또는 간헐적 공기 압박법이 고려되는 예로서, 가이드라인 표 안의 위험 인자를 2개 이상 가지고 있다고 하고 있다(표 3). 제왕절개분만 등의 위험 원인요인은 제3군으로 표시되며, 다른 1개 이상의 가이드라인 표 중 위험 인자를 가진 경우, 분만 후 항응고요법 또는 간헐적 공기 압박법을 검토한다(권장레벨 C)고 되어있다.

한편, 『혈전 색전증/심정맥색전증(정맥혈전색전증)예방지침』(2004년판)에서는 제왕절개술은 중간위험도로 분류하고 있지만, 최고 위험이 아닌 예방적 항응고 요법에 대한 명확한 투여 기준을 마련하지 않았다.[11] 위험도 판정에 있어서의 부가적 인자에 대해서는 절박 조산에 따른 장기간 누

표 1. 임신에 관련한 VTE 위험인자 (문헌8에서 인용·개편)

위험인자	Adusted OR	95%CI
운동제한(임신중의 1주일 이상 침상안정 및 BMI 25kg/m²이상)	62.3	11.5-337.0
운동제한(임신중의 1주일 이상 침상안정 및 BMI 25kg/m²이상)	40.1	8.0-201.5
VTE기왕력	24.8	17.1- 36
질식분만 후 산욕감염 (임상증상 + 발열 + WBC상승)	20.2	6.4- 63.5
수술에따른 1,000mL이상 산욕출혈	12.0	3.9- 36.0
전신성 에리테마토데스	8.7	5.8- 13.0
수혈	7.6	6.2- 8.3
제왕절개 후 산욕간염(인상증상 + 발열 + WBC상승)	6.2	2.4- 16
태아발육부전을 동반한 전자간증	5.5	2.1- 16
다태	4.2	1.8- 9.7
BMI 30kg/m²이상	5.3	2.1- 13.5
안티트롬빈이상증	4.7	1.3- 17.0
보조생식의료	4.3	2.0- 9.4
1L이상의 산욕출혈	4.1	2.3- 7.3
태아발육부전(임신 주수 성비 보정 출생아 체중이 2.5퍼센트 미만)	3.8	1.4- 10.2
흡연(1일 10~30개 임신전또는 임신중) 산욕기	3.4	2.0- 5.5
프로테인S이상증	3.2	1.5- 6.9
전자간증	3.1	1.8- 5.3
응급제왕절개술	2.7	1.8- 4.1
21kg 이상의 체중 증가	1.6	1.1- 2.6
1회 이상의 분만	1.5	1.1- 1.9
35세 이상	1.3	1.0- 1.7
예정제왕절개술	1.3	0.7- 2.2

표 2. 임신에 관련한 VTE위험인자 (문헌9에서 인용·개편) EL2+/2++

위험인자	Adusted OR	95%CI	코멘트
VTE기왕	24.8	17.1-36	
35세 이상	1.4	1.0- 2.0	pn=256
BMI30kg/m²이상	5.3	2.1-13.5	n=129
	1.7	1.1- 2.6	n=256
BMI25kg/m²이상	2.4	1.7- 3.3	pn=291
	1.8	1.3- 2.4	an=268
분만횟수 1	4.03	1.6- 9.84	n=143 anPE
분만횟수 2	1.5	1.1- 1.9	n=603
분만횟수 3이상	2.4	1.8- 3.1	n=603
운동제한	7.7	3.2-19	an
전자간증	2.9	2.1- 3.9	
	3.1	1.8- 5.3	pn
전자간증 및 태아발육부전	5.8	2.1-16	
오조	2.5	2.0- 3.2	
응급제왕절개술	2.7	1.8- 4.1	
제왕절개술(모든)	3.6	3.0- 4.3	
	2.1	1.8- 2.4	
	2.0	1.5- 2.7	pn=256
수혈	7.6	6.2- 9.4	

an: 분만전, PE: 폐혈전증, pn: 산욕, n: 증례대조연구에 따른 증례 수

표 3. 분만후의 VTE 위험인자
(문헌12에서 인용)

제1군 분만 후 항응고치료가 필요한 여성
1) VTE 기왕이 1회 이상 있음
2) 임신 중에 VTE예방(치료)를 위한 장기간 항응고치료가 실시되었음

제2군 분만 후 항응고치료 혹은 간헐적 공기압박법이 필요한 여성
1) 혈전성 소인이 있고, 3군에 보이는 위험인자를 가지고 있음
2) BMI>40kg/m²
3) 이하와 같은 질환(상태)을 가지고 있음
   심질환, 폐질환, SLE(면역억제제복용중), 악성종양, 염증성소화기질환, 다발관절증, 네프로제증후군, 겸상적혈구빈혈증

제3군 분만 후 항응고치료법 혹은 간헐적 공기압박법이 고려되는 여성
1) 이하의 위험인자를 2개 이상 가지고 있음
   제왕절개술, 35세 이상, BMI>30kg/m², 3회 이상 경산모, 흡연자, 분만 전 안정와상 2주 이상, 표재성정맥류가 현저, 전신감염증, 사지마비·편마비, 산욕외과수술, 전자간증, 분만소요시간 36시간 이상, 수혈을 필요로 한 분만 시 출혈, 양친 중 한쪽 VTE기왕력

표 4. 산과영역에 따른 정맥혈전색전증 예방 지침
(문헌11에서 인용개편)

최고 위험	혈전증 소인/기왕/합병 제왕절개술	헤파린 제제와 IPC
고위험	고령 비만 임산부의 제왕절개술 혈전증 소인/기왕/합병 질식분만	헤파린 제제 혹은 IPC와 GCS
중등도 위험	제왕절개술(고위험 이외)	IPC와 같이/또는 GCS
저위험	정상분만	조기기상 및 적극적 운동

절박조산에 따른 장기간 침상례 등에 대해서는 위험레벨을 올려서 판정할지 아닐지는 시설의 판단에 맡기고 있다.
혈전성소인: 선천성소인으로는 안티트롬빈 결손증, 프로테인C결손증, 프로테인S결손증, 후천성소인으로는 항인지질항체증후군,
IPC: 간헐적 공기압박법
GCS: 탄력스타킹

워있는 사례 등에 대해서 위험도 레벨을 올려 판정할 것인지 여부는 '시설의 판단에 맡겨져 있다'고 되어 있다(표 4).

『산부인과 진료가이드라인: 산과 편 2014』에서는, 종래의 고위험 제왕절개술로 합병증이 적다고 여겨지는 간헐적 공기 압박법의 사용도 의사의 판단 선택에 맡겨진다고 되었고, 『폐혈전색전증/심부정맥혈전증(정맥혈전색전증)예방지침』(2004년판) 및 『순환기병의 진단과 치료에 관한 지침』(2008년도 합동 연구반 보고)에서 『폐혈전색전증 및 심부정맥혈전증의 진단, 치료, 예방에 관한 지침』(2009년 개정판)[13]과 관리지침이 다르게 되어있다. 이와 관련하여 『폐혈전색전증 및 심부정맥혈전증의 진단치료예방에 관한 지침』(2009년개정판)에서는 총합적인 위험레벨은 예방의 대상이 되는 처치 및 환자의 위험에 추가적인 위험인자를 가미해서 결정된다. 예를 들어 강한 추가적인 위험인자를 가진 경우에는 위험레벨을 1단계 올려야 하며, 약한 추가적인 위험인자의 경우에도 그것이

표 5. 예방적 항응고치료법

분만전부터 산욕 초기까지

① 미분획화 헤파린(헤파린칼슘) … 보험 적용 가능

   12시간 간격 5,000단위를 하루 2회 피하주사 혹은 5,000~10,000 단위/일 지속정주

   3~5일간 투여

② 저분자량 헤파린(에노키사파린나트륨) … 위험이 있는 제왕절개술후에는 보험 적용 가능

   수술 후 24시간 후부터 2,000단위를 하루 12시간 간격 2회 피하주사 3~5일간

③ 항Xa저해제(폰다파리늑스나트륨) … 위험이 있는 제왕절개술 후에는 보험 적용 가능

   다만 위험과 이점을 고려

   수술 후 24시간 후부터 1.5mg 또는 2.5mg 하루 1회 피하주사 3~5일간

     * ②에서는 수술 후 경막외력카테터 제거는 최종 투여 후 10~12시간 후로 한다.

산욕 경구 섭취 시작부터

와파린칼륨

PT-INR 2.0~3.0을 목표로 투여

치료 영역 도달까지 헤파린을 병용한다.

수유는 가능

여러 개 겹친다면 위험레벨을 올리는 것을 고려해야 한다고 하고 있다.

한편 영국산부인과학회는 모체사망공식조사 2000에서는 모든 제왕절개술을 받은 임산부는 예방적 헤파린 치료를 받아야 된다고 하고 있다. 그리고 영국산부인과학회 Green-top Guideline 2009에서는 VTE기왕을 포함한 35세 이상, 초기 BMI(30이상), 두번째 경산 이상, 탈수 등의 위험 인자 중 1개 이상의 위험 인자가 있으면, 예정제왕절개술에서도 분만 후 7일간 저분자량헤파린 치료를 받게 한다고 되어 있다.[9] 또한 제9판 ACCP가이드라인2012에서는 제왕절개술에서 큰 위험 인자 1개, 작은 위험 인자 2개가 있는 경우에는 예방적 저분자량헤파린 또는 기계적 예방을 추천하고 있다. 더하여 임산부에게는 VTE 예방 치료를 위해서 미분획화 헤파린이 아닌 저분자량에 헤파린을 권장한다(grade 1B). 헤파린유발성혈소판감소증(heparin induced thrombocytopenia ; HIT) 등의 중증 알레르기 반응을 보이거나 다나팔로이드 제제를 투여할 수 없는 경우에만 폰다파리눅스나톨리움이나 경구의 트롬빈 저해제를 사용한다(grade 2C)[8]고 되어 있다.

발생예측 또는 재발방지를 위한 예방적 항응고 요법에서는 미분획화 헤파린 5,000~10,000단위/일/인당, 제왕절개수술 후에는 에노키사파린나트륨 같은 저분자량 헤파린 2,000단위 하루 2회를 피하주사 투여량으로 하고, 치료적 용량과 명확하게 구별한다(표 5).

VTE 발생 시의 치료

주로 산욕기의 항응고요법을 중심으로 한 약물 요법에 대해 기술한다. 항응고 요법은 VTE의

발병 예방으로서의 예방적 항응고요법과 발병 시의 치료적 항응고요법이 있다.

1. 급성기 치료

발병급성기에서는 이하의 치료를 실시한다.

① 하지를 올려두어 안정을 취하고 혈전의 기질화를 기다린다. 미분획화 헤파린의 지속 투여에 의한 용량조절 치료적 항응고 요법을 실시한다. aPTT법으로 제어의 약 2배의 시간 연장을 유지하거나, PT-INR(international normalized ratio) 1.5~2.5를 목표로 삼는다.

② 의식 상실을 수반하는 등의 초응급 예에서는, 우선 미분획화 헤파린 10,000단위를 정주한 후 소생을 시작한다. 외과적 폐동맥혈전 제거에 적응이 되면 수술적 치료를 받을 수 있다.

불안정한 혈액 동태를 동반하는 급성기 VTE에서 혈전용해 요법으로 유전자 변형 조직 플라스미노겐 활성제(t-PA) 몬테프라제를 발병 후 6시간 이내에 13,750~27,500IU/kg정맥 내 투여한다.

「혈전색전증 및 심부정맥혈전증 진단, 치료, 예방에 관한 가이드 라인(2009년 개정판)」[13]에서는 ① 정상 혈압에서 우심 기능 장애가 없는 경우는 항응고 요법을 제1선택으로 한다. ② 정상혈압이

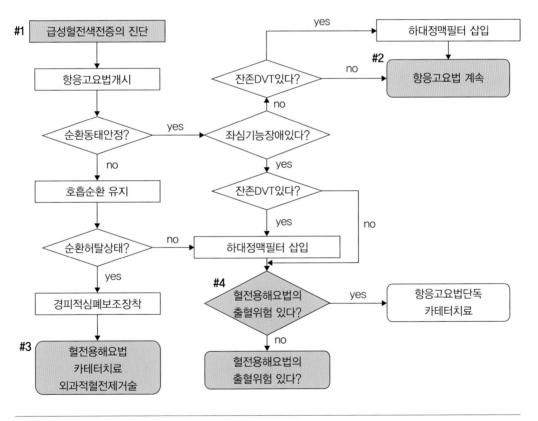

그림 2. 급성기 치료

(문헌 13에서 인용)

지만 우심기능장애가 있는 있는 경우에는 효과와 출혈의 위험을 신중하게 평가하여 혈전용해요법도 선택지에 넣는다. ③ 쇼크나 저혈압이 만연되는 경우에는 금기증을 제외하고 혈전용해요법을 제1 선택으로 하라고 되어있다(그림 2).

아래와 같이 적응이 있으면 일시적 하대정맥 필터의 유치를 검토한다.

2. PTE예방을 위한 하대정맥 필터 유치의 적응은 신중히 검토해야 한다

임신·산욕기에 발병하는 VTE 증례에서 선천성 혈전성 소인이 있는 증례의 비율은 각종 보고에서 차이가 있지만 10% 정도이다.

또 임신과 같은 생리적 과응고 상태의 부하가 일시적으로 걸린 결과로 생긴 병태이기 때문에, PTE예방을 위한 영구형 하대정맥 필터의 유치는 권장되지 않는다.

또한 일시적으로 하대정맥 필터 유치에 관하여도 약 20% 정도가 감염, 혈전형성 등의 합병증이 있으므로, 그 유치는 신중하게 실시하고,

① 임신 34주 전후에 기질화 되지 않은 유리혈전의 존재, ② 헤파린저항성혈전의 존재, ③ 항응고요법이 어려운 예가 대상이다.

일시적 하대정맥필터 장착 예에서는 분만 종료 후 항응고요법을 미분획화 헤파린 또는 저분자량 헤파린, 와파린칼륨을 투여하고 제거하지만, 제거 시에는 폐색전증(pulmonary embolism ; PE)을 일으킬 수 있어, 필터 내에 혈전이 있는 경우에는 t-PA 제제를 동시에 투여한다. 제거 후에는 폐혈류 신티그래프를 실시하여, PE가 없는 것을 확인한다.

3. 모체 사망에 동반한 그 후의 문제가 발생할 가능성이 있다

임신·산욕기의 모체 사망은 「건강한 아기가 무사히 태어나 건강한 엄마와 함께 퇴원한다」 라는 결말밖에 예상하지 못했던 가족에게 있어 매우 충격적인 사건이며, 더욱이 남겨진 가족에게 신생아를 돌보는 것은 큰 부담이 된다. 「적절한 대응이 이루어지지 않은 것이 아닌가」라는 오해를 불러 일으키면, 경우에 따라서는 소송이 될 수 있는 가능성이 있기 때문에 임신·분만, 특히 제왕절개 수술 시에는 예측되는 합병증으로서, VTE의 예방과 대책에 대해서 충분한 설명과 동의를 문서화 해놓을 필요가 있다.

4. 어린이의 미숙성에 따른 문제의 발생에 유의한다

임신 중 중증 PTE의 예에서는 태아의 분만을 도모하여 모체의 치료를 우선시하지 않으면 안된다. 특히 폐동맥의 혈전 사례에서는 발병 직후, 혈압 저하 등 불안정한 순환동태를 나타내는 경우는 t-PA 투여와 같은 선용요법의 적응이 되며, 태반후혈종형성의 위험으로부터 태아의 분만을 고려한다. 또한 혈전 경향이 있는 예에서는 조기 발병형 전자간증이 동반될 수 있으며, 인공 조산이

될 경우 태아의 미숙성으로 인한 문제가 발생한다. 산욕기는 그 특성을 고려하여 산과, 신생아과, 혈관외과, 순환기과 등의 해당 진료과와의 밀접한 진료 연계가 필요하다.

임신·산욕기의 항응고요법에 대한 혈액응고학적 관점에서의 주의점

1. 임신 중

임신 중 항응고요법은 태반 통과성이 없는 헤파린(혹은 유사 물질)뿐이지만 산욕기의 경구 섭취 개시 후에는 신속하게 와파린칼륨 내복 요법으로 이행한다. 프로테인S이상증이나 프로테인C이상증 등의 비타민K 의존성 응고인자의 이상증에서는 신중한 투여가 된다.

와파린칼륨 투여에서 PT-INR는 2.0~3.0을 목표로 투여한다. 와파린칼륨 투여는 임신 초기에는 최기형성, 임신 중기 이후에는 태아 응고인자의 저하로 인한 체내 두개 내 출혈의 가능성이 있으므로 사용할 수 없지만, 산욕기의 사용 및 수유는 허가한다. 모체 심장인공판막 치환술 기왕력이 있는 레에서는 예외적으로 사용을 고려한다. 혈전성 소인이 없는 예는 일반적으로 산욕기, 약 12주 정도의 투여를 실시한다.[14]

2. 히루딘아날로그 사용

헤파린 유발성 혈소판 감소(HIT) 발병 시, 임신 중에는 태반 통과성이 있기 때문에 태아의 출혈성 합병증을 일으킬 수 있다. 따라서 HIT 등의 중증 알레르기 반응을 나타내는 다나파로이드 제제를 투여할 수 없을 때만 경구의 트롬빈 저해제를 고려한다. 산욕기는 통상 대체약제로서 히루딘아날로그(아르가트로반)를 투여한다. 유즙 이행은 있지만, 수유는 가능하다고 여겨진다.

3. 항인지질항체증후군(APS)

저용량 아스피린은 동정맥혈전증을 일으킬 수 있는 항인지질항체증후군(antiphospholipid antibody syndrome ; APS)에서 사용한다.

DVT는 정맥혈전이고, 피브린 혈전을 주체로 하기 때문에 원칙적으로는 항응고요법이 치료의 주체이다. 다만 APS는 동맥혈전을 일으킬 수 있으므로, 저용량 아스피린의 투여를 와파린칼륨과 병행하여 실시한다. 수유 중 저용량 아스피린의 투여는 신중하게 실시한다.[15]

참고문헌

1） 小林隆夫ほか．産婦人科血栓症調査結果の最終報告と静脈血栓症予防ガイドラインについて．日本産婦人科・新生児血液学会誌．14(1)，2004，5-6.

2） 杉村基ほか．産婦人科領域における肺血栓塞栓症．日本血栓止血学会誌．12(6)，2001，460-6.

3） 石川睦男．妊産婦死亡と肺血栓塞栓症．妊産婦死亡に関する研究，平成8年度厚生省心身障害研究報告書，123-8.

4） Sugimura, M. et al. Detection of decreased response to activated protein C in venous thrombosis associated with pregnancy by endogenous thrombin potential-based assay. Semin. Thromb. Hemost. 25(5), 1999, 497-502.

5） Sugimura, M. et al. Detection of marked reduction of sensitivity to activated protein C prior to the onset of thrombosis during puerperium as detected by endogenous thrombin potential-based assay. Thromb. Haemostas. 82, 1999, 1364-5.

6） Hirai, K. et al. A rapid activated protein C sensitivity test as a diagnostic marker for a suspected venous thromboembolism in pregnancy and puerperium. Gynecol. Obstet. Invest. 72, 2011, 55-62.

7） 杉村基．妊産婦における深部静脈血栓肺塞栓症発症の血液凝固学的メカニズム．産婦人科の世界．56（2），2004，169-75.

8） Bates, SM. et al., American College of Chest Physicians. VTE, thrombophilia, antithrombotic therapy, and pregnancy：Antithrombotic Therapy and Prevention of Thrombosis, 9th ed：American College of Chest Physicians Evidence-Based Clinical Practice Guidelines. Chest. 141 （2 Suppl），2012, e691S-736S.

9） Royal College of Obstetrician and Gynaecologists. Thromboprophylaxis during pregnancy and after vaginal delivery（Reducing the risk of thrombosis and embolism during pregnancy and the puerperium）. Green-top Guideline. No.37a, 2009, 1-35.

10） Sixth consensus conference on antithrombotic therapy. Chest. 119, 2001, supplement.

11） 肺血栓塞栓症/深部静脈血栓症（静脈血栓塞栓症）予防ガイドライン作成委員会．肺血栓塞栓症/深部静脈血栓症（静脈血栓塞栓症）予防ガイドライン．2004.

12） 日本産科婦人科学会・日本産婦人科医会 編集・監修．"CQ004-2分娩後の静脈血栓塞栓症（VTE）の予防は？"．産婦人科診療ガイドライン：産科編2014．2014，15-8.

13） 循環器病の診断と治療に関するガイドライン（2008年度合同研究班）．肺血栓塞栓症および深部静脈血栓症の診断，治療，予防に関するガイドライン（2009年改訂版）．2009, 68p.

14） 杉村基．産婦人科領域における血液凝固阻害薬：その特殊性と今後の適正使用の検討．産科と婦人科．65(8), 2010, 931-6.

15） American Academy of Pediatrics Committee on Drugs. Transfer of drugs and other chemicals into human milk. Pediatrics. 108(3), 2001, 776-89.

⟩⟩ 杉村　基

태아이상

4 태아이상

a 단일유전자병

개념 · 정의 · 빈도 · 병태

질환의 발병에 유전자가 관계되어 있는 유전성질환은 단일유전자병, 염색체이상증, 다인자유전병의 3개로 크게 구분된다. 단일유전자병은 1종류의 유전자(상염색체, 성염색체, 미토콘드리아)의 변이가 원인이 되어 발생하는 유전성질환이다.

1. 빈도

유전양식에서 이하와 같이 분류된다. ① 상염색체우성유전, ② 상염색체열성유전, ③ X염색우성유전, ④ X염색체열성유전, ⑤ Y염색체유전, ⑥ 미토콘드리아유전.

2. 역학

단일유전자병이 소아기에 출현되는 빈도는 0.36%으로, 그 내역은 상염색체우성유전이 0.14%, 상염색체열성유전이 0.147%, X염색체열성유전이 0.05%로 되어있다.

3. 병태

유전자의 변이로 유전자가 정상으로 기능하지 않는 것을 말한다.

1) 유전자 기능의 상실로 정상 유전자 단백질이 생산되지 않는다: 상염색체열성유전의 효소 결손에 의한 선천성 대사이상증 등.

2) 유전자 기능의 변화에 따른 이상 단백질이 생성된다: 상염색체우성유전의 골형성부전증 typeⅡ 등.

진단

주산기에서 문제가 되는 것은 초음파검사에서 이상소견이 보여 의심되는 경우와 이전 아이 또는 친척에게 이환아가 있거나, 부모가 보인자인 경우이다. 초음파소견에서 의심되는 경우는 신생변이에 따른 상염색체우성유전(치사성〈타나토포릭(thanatophoric)〉 골이형성증, 결절성경화증 등)이 많고, 이전 아이가 이환아의 경우는 상염색체열성유전(많은선천성대사이상증: 부모가 보인자이지만, 이환아출생으로부터 판단)이 많으며, 친척 중에 이환자가 있는 경우는 X염색체열성유전자(Duchenne형근 디스토로피 등: 모친이 보인자)가 많다.

출생 전 진단의 방법으로는 생화학·효소진단과 유전자 진단이 있다. 검사 시료로 사용하는 것은 융모(chorionic villi sampling ; CVS)와 양수(양수천자)가 있다. 또한 보조적 진단법으로서 초음파 검사 등 화상진단이 있다.

1. 생화학·효소 진단

대사이상에 따라 변화한 생화학물질을 동정하는 생화학진단이나 효소(책임유전자단백)활성을 측정하는 효소진단은 유전자 해석기술이 도입되기 이전부터 행해지고 있으며, 현재도 진단 가능한 질환은 많다. 일본에서도 양수 내의 유기산 분석으로 메틸말론산혈증과 프로피온산혈증의 출생전 진단이 이루어지고 있다. 또한 배양 양수세포의 효소활성을 측정함으로써 Gaucher병이나 Fabry병의 출생 전 진단이 가능하다.[1]

2. 유전자 진단

유전자 진단 방법으로는 직접법과 간접법이 있다. 직접법은 질환의 원인이 되고 있는 책임유전자의 변이를 직접 파악하는 방법이다. 대표적인 방법으로는 제한효소소화법과 시퀀스법이 있다 제한효소소화법은 제한효소라는 특이적 염기서열을 인식하여 절단하는 성질을 사용하여 유전자변이에 의해 이 특이적 염기서열이 변화하면, 제한효소에 대한 반응이 변화하는 것을 이용한 것이다. 시퀀스법은 핵산염기 배열을 결정하여, 변이에 의한 염기 배열의 이상을 직접 검출하는 방법이다. 최근의 차세대 시퀀서의 보급과 시퀀스 기술의 진보에 의해 시퀀스법이 유전자 진단의 첫번째 선택이 되고 있다.

간접 법이란 책임 유전자 근방에 존재하는 DNA마커를 지표로 변이 유전자(allele 대립형질)의 존재를 추측하는 연쇄분석법이다. 책임유전자나 그 변이가 동정되어 있지 않을 때에 사용한다. 일반적으로는 마이크로새틀라이트마커(2염기 반복배열 횟수의 다형)를 사용하여 실시한다.

3. 태아 화상 진단

특징적인 형태 이상을 보이는 것은 초음파 검사나 MRI검사에서 특징적 소견으로 질환을 의심할 수 있다. 또 골격계통 질환의 진단에는 Helical(나선형) CT에 의한 3D 뼈 사진도 유용하다.

두개골 변형: Apert 증후군, Crouzon 증후군

심장종양: 결절성경화증

제대탈장, 거대아, 거설, 거대신장: Beckwith-Wiedemann증후군

사지단축: 치사성골이형성증(I형, 수화기형 대퇴골 II형, 클로버모양 두개), 골형성부전증(골절상), 연골무형성증

4. 유전자 진단의 요건

유전자 진단을 하는 데 필요한 요건은 다음과 같다.

1) 발단자의 정확한 진단

2) 유전자 변이의 동정

질환의 책임유전자가 동정되어 있는 동시에 발단자의 유전자 변이가 동정되어 있는 것이 유전자 진단의 직접법에서는 필수적이다. 동일 변이가 높은 비율로 발견될 수 있는 유전병(연골형성부전증 등)은 적고, 책임 유전자 변이는 많은 질환이 가계 특유이다. 그 중에서도 소수의 유전자 변이가 비교적 높은 빈도로 나타나는 페닐케톤뇨증, 당원병1형, Gaucher병은 유전자진단이 될 가능성이 높지만, 다른 많은 질환에서는 가계 특유의 유전자 변이를 동정해야 한다. 척수성근위축증1형(Werding-Hoffmann병), 후쿠야마형 선천성 근이영양증, Duchenne형 근이영양증과 같은 질환은 가계 특유의 유전자 변이가 나타나는 경우도 적지 않다.

3) 유용한 DNA마커와 가계내 검체의 존재

책임유전자의 변이가 동정되지 않은 경우에는 연쇄 해석이 된다. 책임유전자 근방의 유용한 DNA 마커가 있으며, 혈연자의 DNA를 입수할 수 있어야 한다.

관리

태아에게 단일 유전자병이 나타나도 주산기 관리는 통상의 산부인과 관리에 준한다. 분만시기는 정상에서 예정일 이전이 바람직하다. 분만방법은 질환의 특이성을 고려하여 선택한다. 골형성부전증은 쉽게 골절을 일으킬 수 있다. 또 Beckwick-Wiedmann중후군에서는 태아가 커다란 제대탈장을 동반하는 경우가 많아, 계획적 제왕절개 분만이 선택된다. 결절성경화증에서는 심장에 큰 종양이 확인되어도 통상 경질분만이 가능하다. 이하 특별한 관리에 관하여 서술한다.

1. 태아 치료

단일 유전자병으로 태아 치료가 시도되는 것은 선천성 부신피질 과형성이다. 이 질환은 부신피질에 스테로이드 합성계의 효소결손(약 90%는 21-수산화 효소 결핍 손상)으로 인해 ACTH(부신피질자극호르몬)의 과다분비가 일어나며, 부신피질 과형성을 가져오는 질환으로 과도한 부신 안드로겐으로 인하여 여아에게 외성기 남성화를 초래한다. 이 외성기 이상을 예방하기 위해 태아 치료가 고려된다. 즉 스테로이드 호르몬을 보충하여 네거티브 피드백에 의한 ACTH의 과잉분비를 억제한다. 임신 7주에는 외부 생식기의 남성화가 시작되므로, 이환아의 가능성이 있는 경우 임신 5~6주에서 모체에 덱사메타존 투여를 시작한다. 임신 10~12주에 CVS를 시행하여 성별 판정과 유전자 검사를 한다. 환아가 여아인 경우 덱사메타존 투여를 분만 시까지 계속하고, 남아 또는 여아에서 비환아인 경우는 중지한다.

2. 유전 상담

단일 유전자병은 유전 상담이 매우 중요하다.[2,3] 유전 상담이란 유전병이나 그에 준한 상태로 문제가 있는 환자와 가족들에게 그들이 필요한 의학 유전학적 정보를 제공하고, 그것을 충분히 이해하고 스스로 문제를 해결하는 의사 결정이 가능하도록 지원하는 의료 행위이다. 태아가 단일 유전자병에 이환되어 있을 가능성이 있거나 이환아를 출산하여 다음 번 임신에 대해 고민하고 있는 경우는 반드시 필요하다. 요점은 정보제공과 의사결정의 지원이며 의사결정의 과정을 중시한다. 임상유전 전문의나 유전 상담사가 중심이 되어 행한다.

3. 출생 후의 대응

단일 유전자병의 근치법은 없으므로 출생 후의 대증요법이 된다. 선천성 대사이상증은 식이요법, 약물요법, 장기이식 등의 치료법에 따라 예후가 개선되는 경우가 많다.[4] 한편, 치사성골이형성증에서는 폐저형성에 의한 호흡 부전 때문에 생후 단시간에 사망하는 경우가 많다. 생후에 소생을 어디까지 할 것인가 등 출생 직후의 대응에 대해서 가족, 산과의사, 신생아과 의사, 조산사, 간호사 등과 분만 전부터의 대화가 중요하다. 이처럼 예후불량이 추측되는 예의 대응은 매우 어려워 일률적으로 논할 수는 없다. 산과의사, 신생아과의사, 조산사 간호사뿐만 아니라 임상유전 전문의나 사회복지사 등도 함께 증례에 대해서 검토하고, 가족과 충분한 대화를 통해 개별 증례에 대하여 여러 가지 대응을 결정하는 것 외에는 방법이 없다.

참고문헌

1）Milunsky, A. ed. Genetic Disorders and the Fetus：Diagnosis, Prevention, and Treatment. 5th ed. Baltimore, Johns Hopkins University Press, 2004, 1224.

2）福嶋義光編. 遺伝カウンセリングマニュアル. 改訂第2版. 東京, 南江堂, 2003, 360p.

3）Harper, PS. Practical genetic counseling. Oxford, Butterworth Heinemann, 1998, 364p.

4）Cassidy, SB. et al. eds. Management of genetic syndromes. 2nd ed. Hoboken, Wiley, 2005, 695p.

≫ 左合治彦

b 염색체이상

개념 · 정의 · 분류 · 빈도 · 병태

1. 개념

염색체의 수나 구조의 이상으로 인해 유산이나 사산, 자궁내 발육 부전이나 형태 이상을 초래한다. 그러나 염색체 이상이 있어도 표현형·가임성 등에 영향을 주지 않을 수 있다.

2. 정의·분류

보통 사람의 염색체는 보통 22쌍 44개의 상염색체와 1쌍 2개의 성염색체로 구성된다. 염색체의 수적 이상에는 본래 2개인 염색체가 3개가 되는 트리소미나 하나밖에 없는 모노소미 등이 있다. 한편 구조이상이라고 불리는 것에는, 염색체 상호전좌나 염색체역위, 부분결실이나 중복, 링 형태로 둥글게 된 환상염색체, 장완 또는 단완만을 가진 동완염색체(이소염색체) 등이 포함된다. 그 외, 일부 염색체의 비활성화 및 각인(imprinting) 심도에 관한 기능 이상이 있으나, 이번 장에서는 수적 이상과 구조 이상에 대해서 기술한다.

3. 빈도

자연 유산의 주된 원인은 염색체의 수적 이상이라고 일컬어지듯 출생 전에 없어지는 염색체 이상도 많다. 표 1에 자연유산에서의 염색체이상 내역을 나타낸다.[1] 신생아에게 나타나는 염색체 이상 빈도는 0.83%(120명 중 1명)라고 한다.[2] 그 중 반이 수적이상이나 불균형전좌 등의 유전자량의 불균형을 동반하는 것, 나머지 절반은 균형전좌와 Robertson전좌 등의 유전자량은 균형일 것으로 추정되는 것이 있다. 유전자량이 균형인 것이나 성염색체의 이상 등에서는 지적발달을 포함한 임상적 표현형에 이상을 가져오지 않는 것이 포함된다.

21-트리소미는 1/1,000출생, 18-트리소미는 1/6,000출생, 13-트리소미는 1/12,000출생이라고 한다. 단, 임신 16주 이후에 21-트리소미는 24%, 18-트리소미는 74%, 13-트리소미는 71%가 태아사망으로 끝난다고 하며, 임신 주수가 이를 수록 각각의 빈도가 더 높다. 또한 일반집단의 균형전좌의 빈도는 0.1~0.16%(625~1,000명에 1명)이라고도 일컬어지고 있다.[3]

4. 병태

염색체의 수적 이상이나 구조 이상에 의해 생긴 유전자량의 불균형이 표현형이나 임신 가능성 등에 이상을 초래한다. 유산이나 사산, 자궁내 발육 이상, 형태 이상의 원인이 된다. 한편 모든 염색체 이상이 태아기에서부터 진단이 가능한 것은 아니다.

표 1. 자연유산태아의 염색체 분석

핵형	빈도(%)
정상 핵형	50
이상 핵형	50
45,X	8
삼배체	8
사배체	3
2~22-트리소미	23
구조이상	2
그 외	6

진단

1. 태아 염색체 검사 방법

1) 확정 진단

태아의 염색체를 직접 조사하려면 임신 11주 이후의 비교적 조기에 검사가 가능한 융모나 15주 이후의 양수 내 태아 세포를 이용하여 시행된다. 융모 검사에 따른 유산율은 1~2%라는 보고가 많고, 양수검사에서는 0.1~0.5%라고 한다. 일반적으로 양수 속의 섬유아세포를 배양하고 분석하기 때문에 결과를 얻는데 있어 2~4주가 소요된다. 어떤 특정 염색체의 수를 알아보기 위해 FISH (fluorescence in situ hybridization)법을 쓰는 방법도 있다. 이 방법으로는 수일 내에 결과를 얻을 수 있으며, 실제로 13, 18, 21, X, Y염색체의 마커를 세트로 하여 간기핵세포에서의 염색체 수를 조사하는 것도 이루어지지만, 염색체 전체를 관찰하는 것은 아니어서 전좌형 트리소미인지 아닌지 등의 진단은 할 수 없다. 이를 위해 일반적으로 G분염색법도 함께 실시한다. 드물긴 하지만 태아의 흉수 혹은 cystic hygroma의 림프액 등을 이용하여 염색체 분석을 하는 것도 가능하다. 림프구가 풍부하게 포함되어 있기 때문에 배양이 필요 없고 비교적 빨리 결과를 얻을 수 있다.

태아의 염색체 분석에서 드물게 세포 배양이 진행되지 않아서 분석이 불가능해지거나 저빈도 모자이크가 간과되거나 미세한 결실과 중복, 삽입, 전좌 등의 구조이상 진단의 어려움 등 출생 후 말초 림프구에서의 분석과는 다른 검사의 한계가 있다. 검사를 처방하는 경우에는 태아에게 어떤 소견이 확인되는지, 어떤 염색체 이상을 의심하는지, 또는 '고령 임신을 위한 스크리닝' 등 검사 목적을 명기하는 것이 염색체 분석의 정밀도 향상에 필수적이다. 부부의 한쪽이 균형 전좌 보인자인 경우에는 상세한 핵형을 기재하는 것이 필요하다. 유산의 경우나 사산아의 경우에서도 융모나 태반의 일부에서 태아세포를 배양할 수 있다면 염색체를 조사하는 것이 가능하다.

2) 비확정 진단

초음파 검사에 의한 소프트 마커를 이용한 스크리닝 및 모체혈청 마커검사, 모체혈을 이용한 비침습적산전검사(noninvasive prenatal genetic testing : NIPT) 등은 태아의 침습을 피할 수 있지만, 태아의 염색체를 직접 분석하는 것은 아니기 때문에 어디까지나 불확정 진단이다.

① 태아 초음파 검사

초음파 검사상 빠른 시기에 태아의 염색체 이상을 의심케 하는 소견에는 nuchal translucency (NT)의 비후, 머리 부분의 cystic hygroma(약 50~60%로 염색체 이상)와 소프트마커라고 불리는 소견이 있다. NT와 태아이상 빈도에 대해서는 표 2에 나타낸다.[4] NT 측정에 있어서는 임신 11주 0일~13주 6일에 정확한 시상 단면으로 태아 상체가 크게 그려지도록 초음파 영상의 확대가 충분할 것 등의 측정조건이 중요하다. NT 비후가 있더라도 염색체가 정상 핵형이고 임신 20~22주 무렵 초음파 검사에서 이상 소견이 확인되지 않으면 태아의 예후는 일반과 다르지 않다고 한다. 소프트마커의 21-트리소미에 관한 민감도와 특이도를 표 3에 나타낸다.[5]

임신 중기 이후에 염색체 이상을 의심하게 하는 소견에는 태아발육부전(FGR), 심장기형, 중추신경계 이상 등이 있다. 18-트리소미에서는 태아발육부전에 더해, 소뇌저형성, 심실중격결손증, overlapping-fingers 등 수족의 이상, 풍부한 와톤제대교질·제대낭포 등의 제대 이상 등 비교적 특징적인 소견을 얻을 수 있다. 또한, 전전뇌(포)증에 태아발육부전이나 그 외의 기형을 동반할 때는 13-트리 소미가 의심되지만, 18-트리소미만큼 특징적인 초음파 소견을 동반하지 않을 수도 있다. 양수과소를 동반하지 않는 태아발육부전이 확인되었을 때에는 염색체이상 가능성도 염두에 두면서 정밀 조사를 실시한다. 또 21-트리소미의 합병을 의심케 하는 소견에는 십이지장 폐쇄, 완전형심내막상결손 등의 심장기형, 림프흉수, 비면역성태아수종 등이 있다.

② 모체혈청마커 검사

모체혈청마커검사는 모체 혈청 중의 알파페토프로테인(AFP), 융모성고나도르핀(hCG), 비포합

표 2. NT의 비후도와 염색체이상, 유산 혹은 태아사망, 선천이상의 빈도[4]

Nuchal translucency	Chromosomal defects	Fetal death	Major fetal abnormalities	Alive and Well*
<95th centile	0.2%	1.3%	1.6%	97%
95~99th centiles	3.7%	1.3%	2.5%	93%
3.5~4.4mm	21.1%	2.7%	10.0%	70%
4.5~5.4mm	33.3%	3.4%	18.5%	50%
5.5~6.5mm	50.5%	10.1%	24.2%	30%
>6.5mm	64.5%	19.0%	46.2%	15%

* 주요한 선천이상이 없는 건강한 아이가 태어날 가능성을 추정한 것

표 3. 임신15~22주에 따른 21-트리소미에 관련한 초음파소견의 빈도　(문헌5에서 변용)

		21-트리소미 n=73		비21-트리소미 n=16,891	
		n	%	n	%
Thick nuchal skinfold	6mm이상 후두부 비후	24	32.9	142	0.8
Short femur length	기대치의 0.93 이하	46	63.0	2,534	15.0
Short humerus length	기대치의 0.92 이하	47	64.4	1,956	11.6
Echogenic bowel	골반골과 동등한 초음파 밝기	13	17.8	252	1.5
Echogenic intracardiac foci	심실의 건삭에 있는 석회화소(좌우는 불문하다)	27	37.0	951	5.6
Renal pelvic dilatation	신우 전후 지름이 4mm 이상	15	20.6	355	2.1
Aneuploid associated anomaly	10mm 이상의 뇌실확장, 심장기형, 태아수종 혹은 남성변화	19	26.0	77	0.5
(참고) Family history	다운증후군 가족력	0	0.0	19	0.1

형 에스트리올(uE3), 인히빈A 등의 3종류부터 4종류중의 마커물질을 측정하여, 태아의 21-트리소미, 18-트리소미(개방성), 신경관결손 등의 질환의 이환 확률을 산출하는 방법이다. 확률계산은 마커물질의 측정결과에 연령이나 가족력 등을 가미하여 시행한다. 검사는 임신 15주부터 18주 사이에 행하는 경우가 많다.

③ 모체혈을 이용한 비침습적산전검사(NIPT)

모체혈 중에 태아 cell-free DNA가 존재하는 것을 이용하여 염색체의 이수성 이상의 유무를 추정하는 방법이다. 태아 cell-free DNA량이 늘어나는 임신 10주 이후에 검사 가능하다. 2015년 6월 시점에서는 일본산과부인과학회가 실시한 「모체혈을 이용한 새로운 출생 전 유전학적 검사에 관한 지침」[6]에 따라 운용되고 있으며, 일본의학회가 인정한 유전상담이 가능한 시설에서 임상 연구의 틀 안에서 시행되고 있다. 현 시점에서는 13, 18, 21번 염색체의 이수성만이 검사 대상으로 되어 있으나, 성염색체를 포함하는 기타 염색체의 이수성이나 염색체 미세결실 증후군의 검사도 가능하며 또한 그 방법원리를 통해 태아의 전체 게놈을 알 수 있는 방법이다.

2. 검사의 이유

고령임신, 초음파 검사를 통한 태아의 이상 소견, 부부가 전좌보인자인 경우 등에 상기의 진단이 실시된다. 검사에 의해 염색체 이상이 진단된 경우, 분만 방법의 선택이나 출생 후의 치료 방침을 미리 검토해 두는 것이 가능해지는 한편, 충분한 설명도 없이 안일하게 「확정진단을 위해」로 처리하면 출생 후의 아이의 치료 거부로 이어지는 일도 일어날 수 있다. 또한 임신 22주 이전에 결과를 얻을 수 있으면 임신의 중단도 선택사항이 된다.

무엇을 위해 염색체 검사를 할 것인지, 그 후의 선택사항도 선택지에 넣어 검사에 임할 필요가 있다. 일본의학회의 「의료에서의 유전학적 검사·진단에 관한 가이드라인」[7]이나 일본산과부인과학회가 실시한 「출생 전에 실시하는 검사 및 진단에 관한 견해」[8] 등을 참고하면서 진행한다.

3. 검사 전 설명

「출생 전에 실시하는 검사 및 진단에 관한 견해」 중에서도 "태아가 이환아인 가능성을 검사하는 의의, 진단한계, 모체·태아에 대한 위험성, 합병증, 검사 결과 판명 후의 대응 등에 대해 검사 전에 잘 설명하고 충분한 유전 상담을 실시한 후에 사전동의를 얻고 실시할 것"이라고 되어 있듯이 부부에게 검사 전에 충분한 설명을 한 후에 검사를 할 것인지 여부를 결정할 필요가 있다. 검사의 구체적 방법, 비용의 설명도 필요하다.

상염색체의 트리소미 등을 의심하고 검사를 하는 경우에도 과잉 마커나 성염색체의 예기치 못한 결과나 염색체 이상이 어떤 표현형을 가져오는지 불분명할 수도 있다. 결과에 따라 태아 이외의 가족의 염색체 이상이 판명될 수 있다는 점을 이해한 후 검사를 해야 한다.

◖ 관리

염색체의 이상이 판명되면, 그 자연력을 토대로 하여 임신·분만 관리의 방침을 검토해 나간다. 산부인과 의사뿐만 아니라 신생아과 의사, 유전과 의사, 조산사·간호사 또는 기타 의료보조자 등 팀에 따른 검토를 실시하고, 공통의 인식에 근거하여, 일관된 케어를 실시하는 것이 바람직하다. 서로 알기 쉽게 정확한 정보를 제공하여 정책을 결정할 수 있도록 하는 것이 중요하다. 결과의 해석이 곤란하면, 각종 교과서 외 「염색체 이상을 발견하면(梶井正·야마구치 대학 명예 교수가 염색체의 지식이 없는 의사라도 이해할 수 있도록 만든 사이트)」 http://www.cytogen.jp/index/index. html를 참고할 수 있다.

또한 「유전자 전자망」 http://www.idennet.jp/나 「전국 유전자 의료부문 연락회의」 http://www. idenshiiryoubum.org/에는 국내 유전상담 시설 목록이 게재되어 있으며, 「생식의료에 관한 유전상담 수용 가능한 임상유전 전문의」 http://www.jsog.or.jp/activity/rinshoiden_senmoni.html에는 산부인과 전문의이자 임상 유전 전문의 대부분이 등록되어 있다.

참 고 문 헌

1） Kajii, T. et al. Anatomic and chromosomal anomalies in 639 spontaneous abortuses. Human Genetics. 55（1）, 1980, 87-98.

2） Gardner, RJM., Sutherland, GR. "Elements of medical cytogenetics". Chromosome abnormalities and genetic counseling. 3rd ed. New York, Oxford University Press, 2004, 10.

3） 新川詔夫監. 福嶋義光編. "均衡型相互転座". 遺伝カウンセリングマニュアル. 第 2 版. 東京, 南江堂, 2003, 294.

4） Souka, AP. et al. Increased nuchal translucency with normal karyotype. Am. J. Obstet. Gynecol. 192(4), 2005, 1005-21.

5） Schluter, PJ. et al. Mid trimester sonographic findings for the prediction of Down syndrome in a sonographically screened population. Am. J. Obstet. Gynecol. 192(1), 2005, 10-6.

6）「母体血を用いた新しい出生前遺伝学的検査に関する指針」 http://www.jsog.or.jp/news/pdf/guidelineForNIPT_20130309.pdf ［2015. 4. 6.］

7） 日本医学会「医療における遺伝学的検査・診断に関するガイドライン」http://jams.med.or.jp/guideline/genetics-diagnosis.pdf ［2015. 4. 6.］

8） 日本産科婦人科学会「出生前に行われる検査および診断に関する見解」 http://www.jsog.or.jp/ethic/H25_6_shusseimae-idengakutekikensa.html ［2015. 4. 6.］

➤ 山中美智子

C 태아병

개설

「태아병」이라는 단어는 일반적으로 2개의 의미로 쓰이고, 넓은 의미로는 자궁내에서 발병하는 태아의 질병전체를 가리킨다. 염색체나 유전자이상, 기형, 기능장애 등의 이상을 모두 포함한다. 화상진단 및 검체채취로 많은 태아의 정보가 얻을 수 있게 되어, 태아진단 및 태아치료라는 개념이 확립되어 왔지만, 그 중에서 태아에게 보이는 일반적인 이상을 「태아병」이라고 부른다.

좁은 의미에서는 화학물질 및 세균, 바이러스라와 같은 외적 인자나 모체환경에 의해 발생이상 및 장애가 생긴 것을 가리킨다. 선천이상의 발생 메커니즘에 주목하여, 염색체 및 유전자의 이상을 나타내는 염색체 이상(배우자병)이나 유전자병과 같은 발생 초기 시기에 생기는 병 이외에 자궁내 환경에 의해 장기의 형성이나 분화 등에 영향을 미치는 질환이다. 임신 10~11주의 배아기에 생기는 경우를 특별히 「배아병」이라고 칭하기도 한다.

태아병으로 대표적인 질환은 바이러스감염에 따른 선천성풍진증후군 또는 선천성거대세포감염, 약물섭취 등에 의한 태아하이단토인증후군, 태아알콜증후군 등이 알려져 있다.

바이러스 감염증에 관하여는 별도로 설명하기 때문에, 이번장에서는 태아하이단토인증후군, 태아알콜증후군에 대하여 간단하게 설명한다.

태아하이단토인증후군은 항간질제인 페니토인을 내복한 임산부의 7~10%에 발생한다고 한다. 발육부전, 소두증, 손발의 말단골저형성, 낮은 콧등, 다모, 구순구개열 등의 이상을 보인다. 간질 합병임신의 경우는 가능하면 페니토인을 다른 약제로의 변경이 요망된다.

태아 알코올증후군은 태내에서 알코올 및 그 외 대사산물에 노출된 태아가 발육부전, 발달지체, 면역결핍 등을 나타내는 이상이다. 소두증, 소악증, 구개열, 소안구증, 심방심실중격결손증 등의 증상이 확인된다.

≫ 室月 淳

d 태아발육부전(FGR)

1. **개념:** 태아발육부전(fetal growth restriction ; FGR)은 재태주수에 해당하는 태아발육에 비해 작은 태아를 가리키며, IUGR(intrauterine growth retardation) 용어로 사용되어 왔다. 그러나 retardation은 불가역적인 상태나 정신발달지연으로 사용되고 있기 때문에 현재에서는 restriction(제한)으로 표현하면서 태아가 가지고 있는 유전적인 크기를 고려한 뒤에, 원래 발육해야 할 크기에 못 미치게 발육하게 되는 경우를 일컫는다.

2. **정의:** 정확한 임신 주수에 기초한 초음파 측정으로 추정한 체중이 태아 체중 기준 값 1.5SD를 기준으로 정하며, 태아 각각 측정치(BPO, AC, FL)와 태아 추정 체중의 경시적 변화 및 양수량 등도 고려하여 종합적으로 태아발육부전을 진단한다.

3. **분류**

type Ⅰ FGR (symmetrical FGR); 배아·임신 초기에 원인이 있는 것.

type Ⅱ FGR (asymmetrical FGR); 태아 영양실조라고도 하며 임신 후반기 이후에 발육 부전을 일으키는 것.

4. **병인:** symmetrical FGR의 병인은 ① 선천기형(심장기형, 제대기형, Potter증후군), ② 자궁내감염증(TORCH증후군; 선천성감염증), ③ 유전인자(XO, 13, 18, 21-트리소미 등 염색체 이상, 페닐케톤뇨증 등 선천성 대사 이상), ④ 태아 알코올 증후군, 약물중독증, 흡연·방사선 피폭 등이 고려되고 있다.

asymmetrical FGR의 병인은: ① 모체 영양장애, ② 자궁태반혈류장애(고혈압합병임신, 임신고혈압증후군, 신장질환, 자궁 및 자궁혈관의 기형, 태반경색, 교원병, 항인지질항체증후군, 당뇨병, 다태임신), 등이 고려되고 있다.

5. **빈도:** 전체 임신의 10%. 그 내역은 symmetrical FGR 10~20%, asymmetrical FGR 80~90%이다.

6. **예후**

1) **주산기 사망률:** 출생 체중이 작을수록 사망률은 높아지며, 태아발육부전의 중증화에 따라 증가하고, 특히 5퍼센트 미만에서는 두드러진다.

2) **장기예후:** 관동맥질환, 고혈압증, 인슐린비의존형당뇨병, 지질대사이상, 혈액응고장애 등의 성인병 발병에 관여, 특히 최근 대사증후군(성인 고혈압증을 동반한 비만, 제2형 당뇨병의 합병)과의 관련이 주목되고 있다.

진단 및 태아 안녕의 평가

SGA (small-for-gestational age)와 태아발육부전은 동의어처럼 같이 쓰이지만, SGA는 출생시점에서의 평가이며, 태아발육부전은 임신주수라는 시간축에서의 발육진단으로 평가되어 있는 개념이다. 태아발육부전을 의심했을 경우에는 우선 정확한 분만 예정일의 산출이 이루어져 있는지를 다시 확인해야 한다.

1. 초음파 진단(태아계측)

1) 태아 체중 추정식(modified Shinozuka식)으로 추정 체중의 임신 주수별 기준치에 기초를 둔 회귀곡선(일본산과부인과학회주산기위원회제안)(그림 1)[1]

- EFW [추정아 체중] (g) $= 1.07 \times BPD^3 + 3.00 \times 10^{-1}AC^2 \times F$

   ※ BPD: 아두대횡경(cm), AC: 복부둘레(cm), FL: 대퇴골 길이(cm)

2) CRL (crown-rump-length): 두전 길이(mm)

임신 일수를 수정하는 데 중요하다. 임신 일수를 추정하는 경우에는 CRL 값의 타당성은 14~41mm 범위에서 실시한다(일본산과부인과학회주산기위원회).

3) BPD (biparietal diameter): 아두대횡경(cm)

임신일수를 추정하는 목적에서 사용하는 경우 임신 20주 이전에 한정하는 것이 좋다(일본산과부인과학회주산기위원회). BPD에 의한 태아 발육 이상은 interval growht에 의해서도 평가된다.

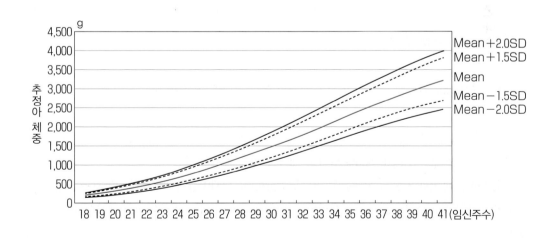

그림 1. **추정아 체중의 임신주수에 대한 회귀곡선**[1]　　　　　　(일본산과부인과학회주산기위원회, 2005)

임신 15주까지 4.0mm/주, 임신 16~28주 3.0mm/주, 임신 29~35주 2.0mm/주, 임신 36주 이후 1.2mm/주를 기준으로 한다. 태아발육부전아에서 머리 발육이 정지된 경우 조기 분만이 바람직하다.

4) HC (head circumference): 머리둘레(cm)

HC의 계측은 BPD계측과 같은 단면에서 실시한다. HC는 초음파 장치의 area trace를 이용하여 두개골의 외측 길이를 계측하거나, BPD와 OFD (occipito-frontal diameter)의 계측 값에서 아래 계산식을 이용하여 산출한다.

■ HC = (BPD/2 + OFD/2) × 3.14

5) AC (abdominal circumference): 복부둘레(cm)

AC는 임신 주수의 수정에 사용하기에는 그다지 적합하지 않지만, 아이의 몸무게를 추정하는 데 가장 좋은 것으로 알려져 있다. AC의 측정부위는 태아의 복부대동맥과 수직하는 단면으로 태아의 복벽에서 척주까지의 거리의 앞 1/3에서 1/4 부위에 간내 제대정맥 및 위장이 보이는 단면에서 진행한다. 계측법은 엘립스법(직행하는 복부전후지름 및 횡지름으로 만들어진 AC 바깥둘레의 유사 타원의 원주를 구하는 방법)에 의해 상기 단면 복부의 바깥둘레를 AC로 한다(일본 산부인과 산부인과 주산기위원회). Divon 등의 보고에서는 2주 동안의 AC 증대가 10mm 미만을 태아발육부전으로 하면 해당 임신 주수의 표준 체중의 10% 미만의 진단율은 민감도 85%, 특이도 74%라고 하였다.[2]

BPD, HC, FL 등 다른 태아발육의 파라미터와의 관계를 보는 것은 태아발육부전의 진단에 유용하다. 특히 HC/ACratio는 asymmetrical, symmetrical FGR 진단에 유용하다(그림 2).

6) FL (femur length(cm))

임신 10~12주부터 임신 말기 태아에게 측정 가능하며, 임신 전기에는 FL의 성장은 3mm/주, 후기가 되면 2mm/주가 된다. 태아 골격의 선천적 이상 진단에 유용하다.

2. 태아 안녕의 평가

태아발육부전 태아의 well-being 평가는 태아 산혈증 출현을 예지함으로써 저산소 상태 그 자체를 평가하는 방법과 저산소 상태를 바탕으로 일어나는 생체반응을 평가하는 방법이 있다. 전자는 태아혈 채혈, 후자는 태아 심박수 모니터링, BPS (biophysical profile score), 태아혈류량계측이 있다.

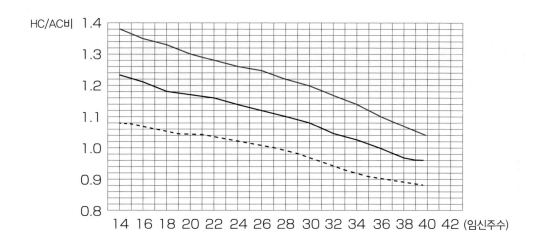

그림 2. 임신주수에 따른 HC/AC비 (문헌3, Campbell, S. et. al. 1977)

1) BPS

기존의 NST에 태아의 생리학적 활동인 호흡양운동, 근긴장, 태동 및 요생성의 지표인 양수량을 조합하여 각 5항목(정상적으로 2점, 비정상적으로 0점을 주어 10점 만점)을 평가하는 방법으로 임신 25~26주부터 실시 가능하다.

태아 저산소 상태의 말기에는 NST의 이상이나 호흡양 운동이 감소하며 저산소증에서 산혈증으로 진행됨에 따라, 근긴장이나 태동이 소실된다. 양수량은 저산소증에 의한 혈류재분배기구(brain sparing effect)로 인해 신혈류량이 감소하여 태아의 뇨량이 감소한 결과 양수량의 감소가 출현하는 것이며, 장기간에 걸친 변화라고 생각된다. BPS의 의의와 해석을 표 1에 나타냈으며 양수량이 중요하다.[4]

2) 태아 혈류량 계측

제대동맥, 중대뇌동맥에서는 혈관저항의 지표로서 resistant index (RI)나 pulsatility index (pI)를 이용하며 하대정맥, 제대정맥에서 심방수축기의 역류속도와 심실수축기의 유입속도 비율인 preload index (PLI)를 얻어서 심기능을 평가한다.

제대동맥혈류는 태반의 혈관 저항을 반영하는 것으로 간주되므로, aysmmetrical FGR태아에게서 만성저산소혈증이 존재하면 RI값, PI값 상승이 보여진다. 게다가 저산소혈증의 보상작용으로 혈류의 재분배가 일어나면, 뇌혈관저항 감소에 의해 중대뇌동맥의 RI값, PI값이 저하된다. 더욱 진행되어 보상작용이 파탄을 초래하여 심부전 상태가 되면 중대뇌동맥의 RI값, PI값이 상승한다. 또한 심박출량이 저하되어 우심방 수축에 따라 하대정맥으로의 역류파가 증가하여 PLI의 상승을 초래한다.

표 1. BPS의 의의 해석 (Manning, FA. 1995)

BPS의 점수	해석	방치시 1시간 이내의 태아 사망률(/1,000)	관리방법
10/10 8/10 (양수량정상) 8/8 (NST를 하지 않음)	non asphyxiated	<1	보통 (특별 처치 없음)
8/10 (양수과소증)	chronic compensated asphyxia	20~30	37주 이후라면 분만 미숙아: BPS (주2회)
6/10 (양수량정상)	acute asphyxia possible	50	37주 이후라면 분만 미성숙아: 24시간이내에 재검시 다시 6점 이하라면 분만.
6/10 (양수과소증)	chronic asphyxia with possible acute asphyxia	>50	32주 이후라면 분만, 32주 이전이면 매일 BPS
4/10 (양수량정상)	acute asphyxia likely	115	32주 이후라면 분만, 32주 이전이면 매일BPS
4/10 (양수과소증)	chronic asphyxia acute asphyxia likely	>115	>임신 26주 : 분만
2/10 (양수량정상)	acute asphyxia nearly certain	220	
2/10 (양수과소증)	chronic asphyxia superimposed acute asphyxia	>220	
0/10	gross sever asphyxia	550	

치료 및 관리 방침

병인검색과 위험인자 제거 및 모체합병증 치료는 태아발육부전 치료의 기본이다. 항인지질항체증후군의 발육불량에 대해서는 헤파린 요법(안정적인 효과를 발휘하며 중화제도 있기 때문에, 임신 반응이 양성이 된 시점부터 헤파린칼슘 5,000단위를 12시간마다 피하주사하여 분만 1일 전에 중지한다)의 유효성이 알려져 있다.

그러나 태아발육부전의 병태가 다양하므로 다양한 모체 내 치료의 유효성은 아직 증명되지 않은 것이 현 상태이며 태아의 안녕을 관찰하고 적절한 타이밍에 분만하는 것이 중요하다(분만 시점에 대해서는 현재 명확한 컨센서스는 없다).

따라서 태아발육부전의 관리는 ① 임신 주수의 확인, ② 종류의 평가, ③ 기초질환을 검토한 후, 태아의 안녕을 엄중히 평가하여 상태의 악화, 발육의 정지가 보였을 때, 태아의 미숙성으로 인해 출생 후 생활이 불가능하다고 판단되는 경우에는 태내치료를, 출생 후 생활 가능한 경우에는 출생 후 치료를, 출생 후 생활 가능여부가 불확실한 경우에는 태아의 상태·환경이 한층 더 악화되면 출생 후 치료를 실시하는 것을 고려한다.

분만방법은 태아발육부전에서는 예비능이 저하되어 있으므로 긴급 제왕절개술을 포함한 급속 분만이 가능하도록 준비를 갖춘 후에 경질분만을 시행한다. 예비능이 현저히 낮은 것으로 의심되는 증례나, 고도의 태아발육부전 또는 골반위 태아발육부전에서는 예정 제왕절개술을 고려하는 한편, 13-트리소미 혹은 18-트리소미 등 예후불량 태아인자가 있는 증례에서는 환자나 가족과 충분히 검토한 후에 분만시기, 분만양식을 결정한다.

◉참◉고◉문◉헌

1） 日本産科婦人科学会周産期委員会. 委員会提案：超音波胎児計測の標準化と日本人の基準値. 日本産科婦人科学会雑誌. 57(1), 2005, 92-117.

2） Divon, MY. et al. Identification of the small for gestational age fetus with the use of gestational age : indices of fetal growth. Am. J. Obstet. Gynecol. 155, 1996, 1197-201.

3） Campbell, S. et al. Ultrasound measurement of the fetal head to abdomen circumference ratio in the assessment of growth retardation. Br. J. Obstet. Gynaecol. 84, 1977, 165-74.

4） Manning, FA. "Fetal biophysical profile scoring". Fetal Medicine. Manning, FA. ed. Norwalk CT, Appleton & Lange, 1995, 221-306.

❯❯ **寺本勝寬, 滝澤　基**

용혈성질환

1. 용혈성질환의 원인

신생아에게 발생하는 용혈성질환은 원칙적으로 태아기에도 발병할 수 있으며, 태아 용형설질환의 원인은 대부분 혈액형 부적합 임신이다. 그 밖에 빈도는 극히 적지만 혈관종(태아, 태반)이나 α-탈라세미아 등이 있다.

1) 혈액형 부적합 임신

산모와 태아의 혈액형(주로 ABO, Rh형)이 다르고, 게다가 모체에 있는 적혈구항체(자연항체) 또는 태아혈이 모체로 이행하여 만들어지는 감작항체가 태아혈중으로 이행하여 태아혈과 항원항체반응을 일으켜 태아, 신생아에게 용혈현상이 야기될 수 있는 임신상태를 말한다.

임신중에는 태반이라는 장벽이 있기 때문에 모자간에 혈액형의 부적합이 있었다고 해도 태아혈의 모체로의 유입량은 극히 소량이기 때문에 모체가 감작되기 어려우나, 분만 시 또는 그 이전, 특히 임신 후반기에 태아혈이 모체로 유입되고 적혈구 항원이 강한 항원성을 가지고 있는 경우에 모체에 감작이 일어난다. 다음번 임신 시 모체 태아간에 혈액형 부적합이 있고, 태아혈이 소량이라도 일단 모체에 노출되면 모체 면역계가 활성화되고 다량의 항적혈구항체(Rh(D)는 항D항체)를 생성한다. 항적혈구 항체가 IgG형인 경우는 태반을 통과하기 때문에, 태아 적혈구의 파괴, 즉 용혈이 일어난다. 용혈의 정도는 항원의 종류에 따라 경증에서 중증까지 다양하다.

태아·신생아 용혈성 빈혈을 초래하는 대표적인 적혈구 항원은 D항원이다. 일본에서는 Rh(D) 음성자가 약 0.5%로 빈도가 낮은 데다가, 1973년에 도입된 항D면역 글로블린의 보급으로 인해 D감작 사례는 현저히 감소하고 있다.[1] 2002~2014년의 13년간 본 센터에서 경험한 적혈구 불규칙 항체 양성증례 56예의 종류와 증례수를 나타낸다(표 1).[2] 태아 신생아에 용혈을 가져올 가능성이 있는 것 중에서는 항M항체 14예, 항E항체 12예, 항D항체 8예, 항c항체 3예 순이었다. 항M항체에서는 태아·신생아에게 심각한 용혈성 질환을 초래하는 경우가 드물었다.[3] 혈액형 부적합 임신에서 항D항체와 함께 항E항체가 임상적으로 중요하다는 것을 알 수 있다. 한편 빈도가 많은 Lewis 항체(항Lea, Leb항체), 항 P1 항체는 모두 IgM형이며 임상적으로 문제가 되지 않는다. ABO혈액형 부적합으로 인한 임신시 문제가 되는 신생아 용혈성 질환은 경증인 경우가 많지만, 그 중에는 중증 예도 있으므로 주의가 필요하다. ABO혈액형 부적합 중증 용혈성 질환을 일으킬 수 있는 것은 모친이 O형이나 태아가 A형 또는 B형인 경우에 한한다.

용혈로 인해 생성되는 간접 빌리루빈은 임신 중 태반을 경유하여 모체 간에서 대사되기 때문에 태아기에 황달을 초래하지는 않지만, 빈혈이 진행되어 더욱 심해지면, 태아수종, 자궁내 태아 사망에 이

표 1. 적혈구불규칙항체의 종류와 태아·신생아 용혈성질환의 관여

가능성있음			관여하지 않음
중증	높음	낮음	
D , c	E	C , C^w , e	
K , Ku , k	Kp^a , Kp^b		
Js^b		Js^a	
Jk^a		Jk^b	
Fy^a		Fy^b	
Di^a	Di^b	S , s	
U	M		P$_1$
PP$_1$P^k			Le^a , Le^b
			Lu^a , Lu^b
			Jr^a
			Xg^a
			Bg^a

른다. 출생 후에는 용혈이 진행되기 때문에 빈혈과 함께 황달이 진행된다. 증상은 직접 항글로빈 검사 양성만으로 용혈 소견을 나타내지 않는 것부터, 빈혈, 황달이 출현하는 것까지 정도는 다양하다.

2) 태반혈관종

태반혈관종은 일상 임상에서 종종 경험하며(그림 1), 전체 임신의 약 1%에서 발견되지만, 실제로 어떠한 임상증상을 나타내는 것은 혈관종의 크기가 4~5cm 이상인 것으로 한정되며, 그 빈도는 9,000~50,000 임산부에서 1예 정도로 극히 적다.[4,5] 본 센터에서는 2002~2014년 13년간 태반혈관종을 5개 증례로 경험하였는데, 태아에게 뚜렷한 용혈성 빈혈을 확인한 사례는 없었다. 태반혈관종은 초음파 단층법으로 태반보다 초음파 밝기가 낮은 종양으로 그려지며, 내부에는 명확한 혈류 신호가 확인되지 않는다(그림 2). 태반혈관종이 태아 빈혈을 일으키는 병태로는 태아모체수혈(fetomaternal transfusion ; FMT) 또는 미세혈관 장애로 인한 용혈성 빈혈이나 혈액희석 등이 그 원인이라고 생각되고 있다.

또한 태아 빈혈 이외에도 태아수종, 태아심부전, 양수과다, 태아발육부전(FGR) 등 다양한 합병증을 초래하여 주산기 사망률은 30~40%로 높다. 태아 빈혈의 진행 상황에 따라 태아의 폐성숙이 충분히 예상되는 시기라면 임신을 종료하고 분만의 방침을 따르지만, 태아가 미숙 가능성이 높은 경우는 태아 빈혈에 대한 태아 수혈이나 혈관종에 대한 혈액 공급을 정지시키기 위해 레이저 치료나 알코올 고정 등의 침습적인 치료의 보고 예가 있다. 태아의 혈관종은 극히 드물다. 피하, 간 등에 단발 혹은 다발성으로 발견되며, 용혈의 원인은 미세혈관 장애에 의한 용혈성 빈혈로 생각된다.

3) α-탈라세미아

헤모글로빈을 구성하는 α-글로빈의 생합성 장애로 인한 상염색체 열성 유전성 질환이다. 비정상 헤모글로빈이 생성되기 때문에 적혈구의 기능장애, 용혈을 일으킨다. 고도의 빈혈과 태아수종, 태아사망을 일으키는 가장 중증의 hemoglobin Bart's는 동남아시아(중국, 대만, 태국 등) 지역에 호발하지만, 일본에서의 발병은 극히 적다. 탈라세미아 보인자의 경우, 빈혈을 초래하는 경우는 적고, 적혈구가 소구성인 경우가 많다.[8] 따라서, 임산부 및 그 파트너가 해당 지역 출신이거나 철 결핍이 없음에도 불구하고 소구성 적혈구상이 확인될 경우, 본 질환의 가능성을 고려해야 한다.

2. 태아 및 신생아의 병태

신생아에서 용혈성 질환의 주요 증상은 황달이지만, 태아기에는 용혈에 의하여 생성되는 빌리루빈

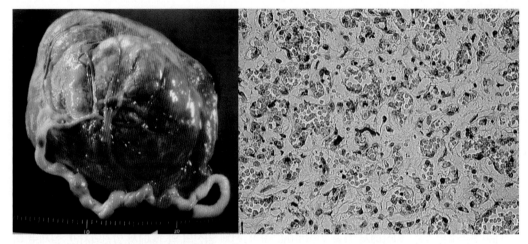

그림 1. 태반혈관종의 육안소견 및 병리조직

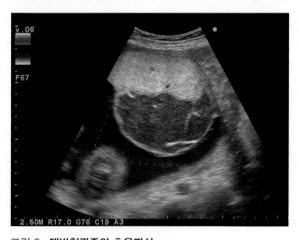

그림 2. 태반혈관종의 초음파상

중 비포합형 빌리루빈은 농도 차이에 따라 태반을 통해 태아에서부터 모체에 신속하게 이행한다. 또한 포합형 빌리루빈은 태반 통과성이 대부분 없지만, 장관순환에 의해 포합형 빌리루빈이 비포합형으로 변환되므로 태아기에 고빌리루빈혈증을 보이는 경우는 거의 없다. 또한 양수 중의 빌리루빈 농도는 용혈의 정도에 비례하여 상승한다. 이는 태반에서 모체 순환으로 양막을 통해 양수강 내로 이행하는 경로와 태아 폐를 통해 양수강 내로 이행하는 경로를 고려할 수 있다.[8] 한편, 비장에서는 용혈이, 또 간에서 조혈능 항진이 진행되므로 간비종대를 초래한다. 혈액 소견에서는 빈혈과 함께 망상적혈구의 증가를 보인다. 순환기계에서는 심수축능(1회박출량)의 항진[9]에 따라 심확대나 삼첨판폐쇄부전증을 일으키며 심기능 부전을 일으키면 최종적으로 태아 수종에 이른다. 또한 말초 동맥에서는 수축기 혈류 속도 상승이 특징적이다. 이는 심기능 항진과 함께 적혈구 수 감소에 의한 혈액 점도의 저하가 원인으로 여겨지고 있다.

검사·진단

1. 혈액형 검사 및 불규칙 항체 검사

임신 10주 경에 모자건강수첩을 나눠주고 혈액형 검사를 실시한다. 이때 불규칙 항체 스크리닝을 함께 실시한다. 전에 언급한 바와 같이 항E항체, 항D항체 이외의 항체 확인은 혈액형 검사로는 알 수 없다. 간접 쿰스 검사를 포함하는 불규칙 항체 검사가 양성으로 나타난 경우에는 먼저 불규칙항체 종류를 확인하여 태아·신생아 용혈성 질환의 원인이 될 수 있는지 확인하는 것이 『산부인과 진료가이드라인: 산과 편 2014』에서도 권장되고 있다.[10]

모체혈 중에 태아 유래 세포가 유입되어 모체 조직 내에 태아 DNA가 cell-free 상태로 장기간 잔존하는 것이 1990년에 Bianchi 등에 의해 보고되었고,[11] 이를 이용하여 태아 Rh 혈액형진단[12]에 응용되기 시작했다. 모체가 Rh음성이고 태아가 Rh양성인 경우, 모체혈 중에 D항체를 발현하는 DNA 단편이 미미하지만 존재하며 이를 검출함으로써 태아 혈액형 진단이 가능해진다. 태아가 Rh음성으로 진단되면 혈액형 부적합은 성립되지 않고, 임신 후반기 모체에 대한 항D면역글로프린 투여는 불필요하다.

2. Rh(D) 부적합 임신 관리 지침

Rh(D) 부적합 임신 관리 지침을 그림 3에 나타낸다. 항D 항체량과 태아 빈혈의 중증도는 관련이 있다. 1:8을 critical point로 하고, 그 이하에서는 경과관찰, 그 초과시 정밀조사를 실시한다. 물론, 감작이 되어 있는 경우에도, 아이의 아버지가 Rh(D) 음성이면 아이는 100% 확률로 Rh(D) 음성이 되므로 모체태아의 혈액형 부적합은 성립하지 않고, 그 이후의 검사는 필요하지 않다.

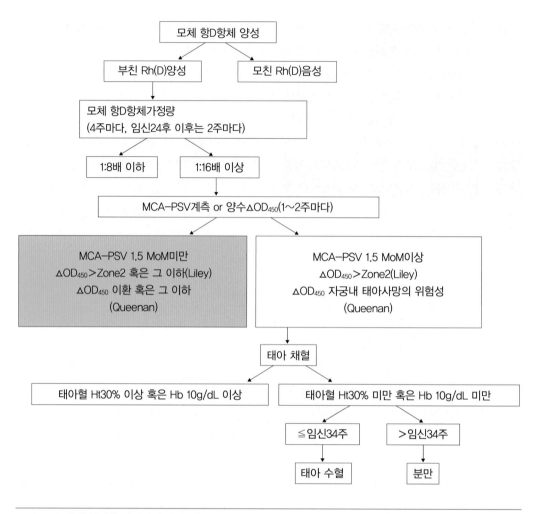

그림 3. Rh(D) 부적합 감작례의 관리지침

3. 초음파단층법 및 도플러 혈류 계측

최근 초음파 도플러법을 이용한 중대뇌동맥의 최고 혈류속도(middle cerebral artery peak systolic velocity ; MCA-PSV) 계측에 의한 태아 빈혈의 평가는 Rh (D) 부적합 임신에서 양수 ΔOD_{450}과 동등하거나 그 이상의 진단성을 가지고 있다는 보고가 있다.[13] 양수천자는 초음파 검사에 비해 침습적이고, 양수천자에 의해 태아모체간수혈증후군(feto-maternal transfusion syndrome ; FMT)을 유발할 수 있고, 또한 비용적인 문제가 있어 초음파도플러법을 이용하고 있다. MCA-PSV는 초음파 컬러 도플러법을 이용하여, 내경동맥에서 분기하여 직선적으로 주행하는 중대뇌동맥을 동정 후, 펄스도플러법을 이용하여 샘플링 포인트를 설정하고 각도 보정을 실시한 후, 혈류속도 파형을 추출하여 계측한다(그림 4). 프루브와 중대뇌동맥이 이루는 각도가 커지면 측정

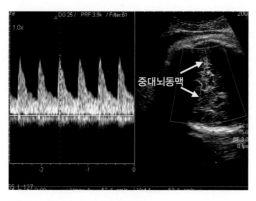

그림 4. MCA-PSV 계측방법

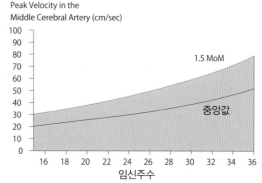

Peak Velocity in the
Middle Cerebral Artery (cm/sec)

1.5 MoM

중앙값

임신주수

그림 5. MCA-PSV계측에 따른 태아빌현의 예측[13]

태아이상

오차가 커지기 때문에, 가능하면 각도는 작게 하는 것이 바람직하다. 또한 태아가 적어도 2분 이상 정지하고 있을 때, 중대뇌동맥의 기시부에서 15–30 파형에서 가장 높은 PSV를 최소 세 번은 측정한다. 그림 5(제3장n, 중복재게)는 Mira 등의 보고에 기초한 MCAP-SV의 정상치를 나타낸 것이다. MCA-PSV와 태아 빈혈의 관계에서는 MCA–PSV가 1.5MoM 이상의 경우는 moderate로부터 severe anemia(감도 100%)로 되어, 태아채혈을 통한 정밀검사가 필요하다.[13] 단 본 방법은 임신 35주 이후가 되면 false positive가 많아지므로 임신 35주 이후에 평가에는 주의가 필요하다.

4. 태아 심박수 진통도

Sinusoidal pattern은 심박수 곡선이 규칙적이고 매끄러운 사인 곡선을 나타내는 것을 뜻하며, 지속 시간은 관계없이 분당 2~6사이클로 진폭은 평균 5~15bpm에서 있으며, 최대 36bpm 이하의 파형을 보인다고 되어 있다.

초기에는 Rh 부적합 임신에서 중증 태아빈혈을 나타낸다고 보고되었으나, 그 후 이 패턴은 모체에 대한 어떤 종류의 약제 투여, 제대압박, 자궁내 감염, 태아기능부전 등에서도 확인된다는 사실이 알려졌다.[14] Sinusoidal pattern 출현 메커니즘에는 불분명한 점이 많지만, 중추신경계의 기능 이상이나 자율 신경계의 기능부전이 원인으로 생각된다.

5. 양수천자; 양수 $\triangle OD_{450}$

태아 빈혈의 중증도를 평가하는 방법으로 양수의 450nm에서 흡광도를 이용하는 방법($\triangle OD_{450}$)이 일반적이다. 고전적으로는 Liley의 기준[15]이 있으나, 임신 27주 미만의 데이터가 없기 때문에 Queenan의 기준[16]을 사용해도 좋다. Liley의 기준(그림 6)에 따르면, ① $\triangle OD450$가 1이라면 태아는 항원을 갖지 않거나 가지고 있었다고 하여도 용혈(빈혈)은 경도이고, ② Zone 2에서는

e. 용혈성질환 ●●● 301

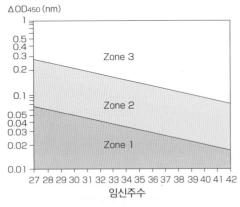

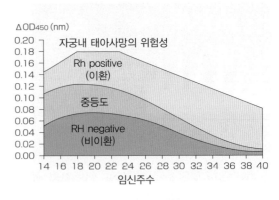

그림 6. 태아빈혈 예측도 (Liley의 기준)[15]   **그림 7. 태아빈혈예측도 (Queenan의 기준)[16]**

아래(하) 1/2에서는 태아 Hb가 대략 11.0~13.9g/dL, 위(상) 1/2에서는 8.0~10.9g/dL로 추정되며, ③ Zone 3이면 중증이다. Queenan 기준(그림 7, 제3장n. 재게재)에 따르면 ⓐ Rh negative(비이환), ⓑ Indeterminate, ⓒ Rh positive(이환), ⓓ 자궁내 태아 사망의 위험성 4가지로 분류되어 있다.

Liley에 의한 기준의 Zone 2상 1/2 이상 또는 Queenan에 의한 기준의 Intrauterine death risk 에서는 태아 채혈에 의한 정밀조사가 필요하다.

Rh(D) 이외의 C, c, E, e 부적합 및 그 이외의 혈액형 부적합 관리에 대해서는 확립된 지침은 없고, 당분간 D부적합 임신관리에 준하여 관리한다. 그러나 모체 항E항체와 아이의 용혈성 질환 사이에 뚜렷한 상관관계가 인정되지 않으며, 항E항체 양성인 사람에 대해서는 전체 사례에서 태아·신생아 용혈성 질환, 발병 가능성을 고려해야 한다는 보고도 있다.[17] 일본에서는 극히 드문 Kell 부적합에 대해서는 태아 용혈보다 오히려 적혈구 조혈능 자체가 억제되기 때문에 빈혈이 생긴다고 한다. 따라서 양수 ΔOD_{450}에 의한 아동의 빈혈 예측은 어렵다.

6. 태아 채혈

최종적인 태아 빈혈의 진단은 태아 채혈로 한다. 채혈항목은 Hb(Ht)값 외에 혈액형, 혈소판 수, 망상적혈구수, 직접쿰스검사 등이다. 태아 수혈의 적응으로는 Ht<30% 또는 Hb<10g/dL이다.

태아 빈혈이 확인된 증례에 대한 치료

태아수혈 시에는 제대천자와 같은 방법으로 실시한다. 천자침은 22G를 사용하여 제대정맥 내에 거치시킨다. 천자 부위는 제대의 움직임이 비교적 적고, 태동에 영향을 받지않는 태반 부착부 부근에서 하는 것이 바람직하나, 천자가 어려울 경우에는 부유하고 있는 제대에서 하거나, 경우에 따라서 태아간장내의 탯줄정맥에서 해도 좋다. 태아복수가 고여있는 증례에서는 복강 내 투여를 하여도 된다. 수혈을 통해 목표로 하는 Ht를 40%로 하고, 수혈량은 이하의 식에 따라 산출한다.

- 수혈량(mL) = 태아·태반 순환 혈액량(mL) × (목표로 하는 Ht − 수혈 전의 Ht) / (수혈하는 혈액의 Ht)
- 태아·태반 순환 혈액량(mL/kg) = 137.8 − 1.49 × 임신주수[9]

예를 들어 임신 30주에 태아·태반 순환 혈액량이 140mL, 수혈 전의 Ht 30%, 수혈용의 농후 적혈구의 Ht 60%라고 할 때, 수혈양은 140mL × (40% − 30%)/60% = 23mL가 된다.

10mL당 1~2분의 속도로 수혈한다. 수혈에는 O형 Rh음성 농후적혈구를 사용한다. 수혈 후의 평가는 1~2주 후에 MCA−PSV 계측이나 태아 채혈 등으로 실시한다.

참고문헌

1) 浮田昌彦ほか. 妊婦のType & Screen 1. Rho(D) 陽性妊産婦の赤血球不規則抗体. 産婦人科治療. 50, 1985, 95-101.
2) 日本産科婦人科学会. 産婦人科研修の必修知識. 2011, 232.
3) Wikman, K. et al. Fetal hemolytic anemia and intrauterine death caused by anti-M immunization. Transfusion. 47, 2007, 911-7.
4) Benirschke, K. et al. "Benign tumors and chorangiosis". Pathology of Human Placenta. 5th ed. Benirschke, K. et al. eds. New York, Springer, 2006, 863-76.
5) Zanardini, C. et al. Giant placental chorioangioma : natural history and pregnancy outcome. Ultrasound Obstet. Gynecol. 35, 2010, 332-6.
6) Nicolini, U. et al. Alcohol injection: a new method of treating placental chorioangiomas. Lancet. 353, 1999, 1674-5.
7) Quarello, E. et al. Prenatal laser treatment of a placental chorioangioma. Ultrasound Obstet. Gynecol. 25, 2005, 299-301.
8) Leung, WC. et al. Alpha-thalassaemia. Semin. Fet. Neonat. Med. 13, 2008, 215-22.
9) Nicolaides, KH. et al. Measurement of human fetoplacental blood volume in erythroblastosis fetalis. Am. J. Obstet. Gynecol. 157, 1987, 50-3.
10) 日本産科婦人科学会・日本産婦人科医会 編集・監修. "CQ008-1". 産婦人科診療ガイドライン：産科編2014. 2014, 36-7.
11) Bianchi, DW. et al. Isolation of fetal DNA from nucleated erythrocytes in maternal blood. Proc. Natl. Acad. Sci. USA. 87, 1990, 3279-83.
12) Lo, YM. et al. Prenatal diagnosis of fetal RhD status by molecular analysis of maternal plasma. N. Engl. J. Med. 339, 1998, 1734-8.
13) Mari, G. et al. Noninvasive diagnosis by Doppler ultrasonography of fetal anemia due to maternal red-cell alloimmunization. Collaborative Group for Doppler Assessment of the Blood Velocity of Anemic Fetuses. N. Engl. J. Med. 342, 2000, 9-14.
14) Modanlou, H. et al. Sinusoidal heart rate pattern : Reappraisal of its definition and clinical significance. J.

제 **4** 장

태아이상

Obstet. Gynaecol. Res. 30, 2004, 169-80.

15) Liley, AW. Liquor amnii analysis in the management of pregnancy complicated by rhesus sensitization. Am. J. Obstet. Gynecol. 82, 1961, 1359-70.

16) Queenan, JT. et al. Deviation in amniotic fluid optical density at a wavelength of 450 nm in Rh-immunized pregnancies from 14 to 40 weeks' gestation：A proposal for clinical management. Am. J. Obstet. Gynecol. 168, 1993, 1370-6.

17) Moran, P. et al. Anti-E in pregnancy. Br. J. Obstet. Gynaecol. 107, 2000, 1436-8.

≫ 荒木陵多，吉里俊幸

형태이상 ① 중추신경계

개념 · 정의 · 빈도

중추신경계의 이상에는 중추신경계 그 자체의 이상 외에, 중추신경계를 덮는 두개골이나 척추 등 뼈 이상에 따른 이차적인 이상도 포함된다. 중추신경계의 경우, 출생후의 장애의 정도는 출생전의 화상진단(형태진단)만으로는 예측이 어렵다. 그렇기 때문에 검사 후 설명시에 예후에 관하여 과도한 기대나 과도한 불안을 주지 않도록, 충분한 설명과 동시에 진단이 불확실한 시점에서는 진단명을 전하지 않고 전문의에게 소개하는 것이 좋다.

진단

모든 태아를 대상으로 다음과 같은 간편한 방법이라도 좋으므로, 초음파검사를 통한 스크리닝을 하는 것이 바람직하다. 초음파 스크리닝에서 이상이 강하게 의심되지만, 두개골에 의한 음영에 따라 진단이 어려운 경우에는 MRI검사가 유용하다.

1. 임신초기

경질초음파 검사에서 임신 10~12주에 태아의 머리 외형을 확인한다. 반구형태가 아니라 부정한 모양을 하고 있는 경우에는 두개골이 결손된 무두개증이 의심된다(그림 1). 임신 12주경이 되면 머리횡단면에서 좌우대칭의 대뇌구조와 맥락막총(脈絡叢)이 명확하게 관찰되지만, 이러한 구조가 확인되지 않을 경우에는 전전뇌포증과 같은 이상이 의심된다.

2. 임신중기

임신 20주 전후에 표 1의 항목을 확인한다.

두개 내의 뇌구조가 좌우비대칭이면 뇌종양이나 한쪽의 측뇌실 확대 등이 의심된다. 두개 내에 구조물이 발견되지 않거나, 조금 확인될 뿐 대부분 반사가 없는 액체저류상이면 수무뇌증이나 전전뇌포증 등의 이상이 의심된다. 이 시기의 맥락막총내에는 경계가 명확한 낭포(맥락막총낭포)가 확인되는 경우가 있다. 염색체 이상 마커라고 이야기되고 있으나, 다른 형태의 이상을 발견하지 못할 경우는 염색체 이상일 가능성이 적고, 임신 후기에 자연적으로 소실되는 경우가 많다.

두개 밖으로 돌출된 이상 영상이 있을 경우에는 수막류나 뇌수막류 등이 의심된다. 두개 내

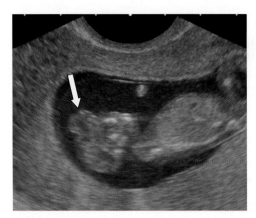

그림 1. 무두개증

임신 11주의 태아의 정중단면, 머리의 윤곽이 부정형하게 보임(화살표).

표 1. 임신 20주경의 중추신경계 확인항목

1. BPD가 임신주수에 맞는가
2. 두부횡단면에서 내부는 좌우대칭에서 두개내에 이상상이 확인되지 않는가
3. 두개 외에 돌출되는 이상영상이 확인되지 않는가
4. 추체와 극돌기가 결손 없이 두줄로 나란히 보이는가
5. 등 엉덩이 부분에 이상한 융기가 보이지 않는가

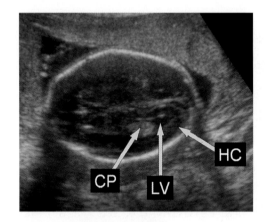

그림 2. 정상태아의 머리 횡단면

임신 20주경, 적어도 표 1의 1~3항목은 확인하는 것이 바람직하다.
HC: 대뇌, LV: 측뇌실, CP: 맥락막총.

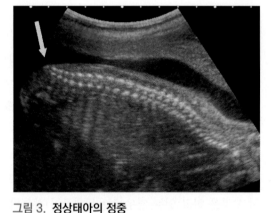

그림 3. 정상태아의 정중

임신 20주경, 이 단면에서 표 1의 4~5항목을 확인하는 것이 바람직하다. 화살표는 엉덩이측을 나타낸다.

외의 이상은 임신 20주 무렵까지 나타나는 경우가 많으나, 임신 20주가 지나면서 나타나는 이상도 있으므로 임산부 건강검진에 따라서 적어도 아두대횡경(biparietal diameter ; BPD) 측정단면을 확인하는 것이 바람직하다.

척주는 정중시상단면에서 추체와 극돌기가 두 줄로 관찰되는데, 극돌기가 결손된 경우는 이분척추를 의심한다. 이분척추는 척추의 어느 부분에서나 발생할 수 있지만 허리 아래에 많다. 등에 융기가 확인된 경우에는 이분척추에 따른 수막류나 척수수막류가 의심된다. 엉덩이 부분에서는 선미부 기형종일 수도 있다.

두개의 이상

관리

1. 무두개증, 무뇌증

머리뼈 자체가 결손 된 무두개증은 임신 초기의 초음파 이미지에서는 노출된 뇌에 의해 정상 머리처럼 보일 수 있다. 주수가 지나면 탈출한 뇌가 자궁벽에 부딪치는 등으로 안와의 상부가 완전히 결손된 무뇌증의 형태가 된다고 알려져 있어 예후가 매우 좋지 않다. 다음번 임신 시에는 임신 전부터 엽산을 섭취하도록 지도하는 것이 바람직하다고 되어 있으나, 이번 무두개증이 엽산 섭취 부족으로 인해 일어났다고 모친의 책임으로 전가되지 않도록 충분히 설명해야 한다.

2. 수막류, 뇌수막류, 수막뇌(낭)류

두개골 일부가 결손되면 그 결손부에서 두개내 구조물이 바깥으로 탈출할 수 있다. 수막류는 비교적 예후가 좋다고 여겨지고 있으나, 수막에 따라 뇌도 탈출한 뇌수막류나 더욱이 뇌실도 탈출한 수막뇌(낭)류의 예후는 좋지 않다. 이러한 이상은 Meckel-Gruber증후군(뇌수막류+다지+다낭포성신장)과 같은 증후군이나 염색체 이상에 의한 형태이상 중 하나일 수도 있기 때문에 다른 이상 유무의 검사도 중요하다.

3. 후두공 뇌탈출증

머리의 극도의 후굴이 확인되며 후두골 결손, 경추 수준의 이분 척추가 있는 것은 후두공 뇌탈출증이라 불리며 치사률이 높다. 태아가 커서 발견된 경우에는 극도의 후굴로 인해 경질분만이 어려운 경우가 있다.

4. 두개골(조기) 유합증

두개골의 극도의 변형이 확인되었을 경우, 두개골(조기) 유합증을 의심한다. 화살모양 봉합이 유합된 경우는 좌우에 짧고 앞뒤로 긴 변형, 양쪽의 관상 봉합이 유합된 경우는 좌우로 넓게 앞뒤에 짧은 변형이 온다. Apert(에이퍼트)증후군(두개골유합, 합지증, 정신발달지체 등)과 같은 증후성의 것이 적지 않다. 가족력에 대한 상세한 청취도 중요하다. 예후, 특히 정신 발달에 대해서는 매우 다양하다.

두개 내 이상

뇌의 발육이상, 수액통과장애, 종양, 혈행장애, 출혈, 감염증 등 두개 내에는 다양한 이상이 생길 수 있다.

관리

1. 수무뇌증

대뇌가 거의 확인되지 않으며, 액체상 안에 대뇌겸만 확인되는 경우는 수무뇌증을 의심한다. 수무뇌증은 임신 중간부터 나타나기도 하고, 뇌에서의 혈류장애의 결과라고 생각되기도 한다. 무뇌증과 마찬가지로 예후가 좋지 않다.

2. 전전뇌포증

전뇌포는 대뇌나 시상 등으로 분화하는데, 이 분화이상으로 인하여 전전뇌포증의 중증형인 alober형은 두개내가 좌우로 나뉘지 않고, 단일한 큰 뇌실에 한 덩어리가 된 시상이 돌출해 보인다(그림 4). 단안증과 같은 안면 이상을 동반하는 것 또는 13-트리소미 같은 염색체 이상이 발생할 수 있다. 예후가 좋지 않지만, 피질이 정상으로 나뉘어져 있는 lobar형에서는 예후가 나쁘지 않은 경우도 있다.

3. 수두증

맥락막총에서 생성되는 뇌척수액은 측뇌실에서 제3뇌실, 중뇌수도, 제4뇌실을 통해 지주막하강으로 유출되는데, 어딘가에 통과장애가 있으면 주로 측뇌실이 확대된 수두증이 된다. 급속히 측뇌실이 확대되는 경우를 제외하고, 태아 치료의 효과는 의문시되고 있다. 아두가 CPD가 될 정도로 크지 않으면 제왕절개술이 필요 없다. 예후, 특히 정신발달에 미치는 영향은 다른 합병기형에 따라 다르며, 그 밖에 기형이 없는 경우에는 출생 후에 뇌실 복강 단락술에 의해 장애가 출현하지 않는 경우도 적지 않다. 거대세포, 톡소플라즈마, 풍진 감염으로 인해 측뇌실 확대가 일어날 수 있다.

수액의 통과장애로 인해 측뇌실 확대를 일으키는 질환의 하나로 Chiari II형 기형이 있다. 척수수막류 등에 의해, 소뇌 및 뇌관이 경추 관내에 떨어진 것으로써, 횡단상으로 두개골이 레몬의 형상을 보인다. 이를 레몬사인이라고 하고 소뇌가 바나나와 같은 형상으로 보이는 바나나사인이 보일 수 있다. 소뇌와 두개의 사이의 대조(大槽)의 소실도 확인된다.

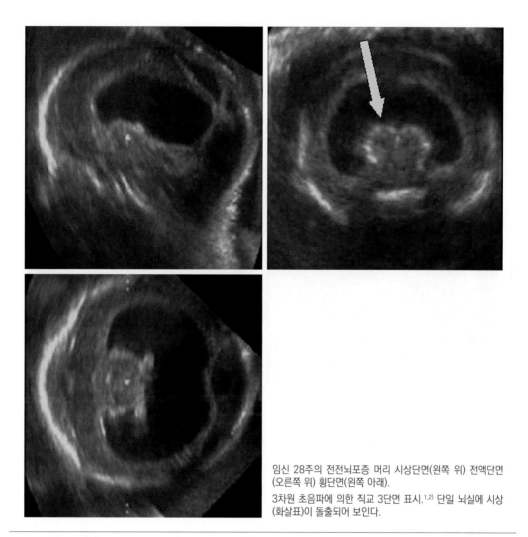

임신 28주의 전전뇌포증 머리 시상단면(왼쪽 위) 전액단면
(오른쪽 위) 횡단면(왼쪽 아래).
3차원 초음파에 의한 직교 3단면 표시.[1,2] 단일 뇌실에 시상
(화살표)이 돌출되어 보인다.

그림 4. 전전뇌포증

4. 뇌량결손

측뇌실의 확대가 뒤쪽에서 두드러질 경우에는 뇌량결손에 따른 측뇌실의 변형일 가능성이 있다. 뇌량 결손을 확인하려면 정중 시상 단면으로 진단할 수 있다. 3차원 초음파[1,2]에 의한 직교 3단면 표시(그림 5)나 MRI 검사가 유용하다. 합병 기형을 동반하는 경우에는 정신 발달 장애 가능성이 높지만 뇌량 결손 단독이라면 반드시 예후가 나쁘지는 않다.

5. 지주막성낭포

지주막성낭포는 윤곽이 명확한 낭포가 뇌를 바깥쪽에서 압박하여 한쪽으로 치우치게 있는 것

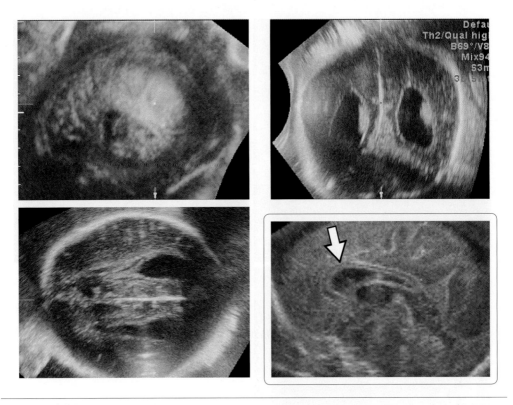

그림 5. 뇌량결손
임신 35주의 뇌량결손증의 머리 정중시상단면(왼쪽 위), 전액단면(오른쪽 위), 횡단면(왼쪽 아래).
3차원 초음파에 의한 직교3단면표시.[1,2]
오른쪽 아래는 정상증례의 머리 중앙시상단면. 뇌량(화살표)가 명확하게 묘출되고 있다.

처럼 보이지만 뇌구조는 정상이다. 예후는 특히 정신 발달은 정상적인 경우가 많지만 심각한 장애를 갖는 경우도 있다.

6. 공뇌증

공뇌증은 뇌의 일부가 결손되어 거기에 수액이 저장된 것이다. 예후는 뇌의 결손 정도에 의존하지만 일반적으로는 좋지 않다.

7. Dandy-walker증후군(기형)

소뇌의 중앙(소뇌충부)이 완전히 결손되거나(혹은 저형성), 거기서 제4뇌실이 낭포형으로 탈출되어 있다. 여러가지 합병증이 발생할 수 있고 정신발달지연의 빈도도 높다.

8. Galen 정맥류

동맥 기형의 일종으로 유출로의 정맥이 확장되어 있다. 초음파 도플러법으로 내부의 혈류를 확인함으로써 진단할 수 있다. 출생 후 색전술 등의 치료로 예후는 개선되고 있다.

9. 기타 두개 내 이상

정상적인 구조를 가진 뇌 내에 점상의 비정상적인 고휘도 부분이 확인된 경우에는 톡소플라스마 등의 감염증에 따른 뇌 내 석회화가 의심된다. 뇌 내에 발생한 기형종에서도 고휘도 부분을 포함하는 경우가 많지만, 뇌종양 부분은 정상적인 뇌의 형태를 유지하지 못한다.

이분 척추

이분척추에서는 외측을 향해 낭포의 돌출이 확인되는 경우가 많다. 수막만 탈출하고 척수의 탈출이 없는 것을 수막류, 수막류로 된 부분에 척수가 들어간 것을 척수수막류, 더하여 탈출한 척수 안쪽에 낭포 모양의 공간이 있는 것을 척수낭류이라고 한다. 출생 전에 낭포벽(수막)이 결손되어 척수가 벗겨지고, 밖으로 나온 것을 척수파열이라고 한다.

낭포벽이 손상되지 않도록 분만하고, 출생 후 수술함으로써 생명예후는 반드시 나빠지는 않지만, 하지마비나 배설장애가 후유증으로 남는 경우도 적지 않다.

참고문헌

1) 馬場一憲ほか. 産婦人科 3 次元超音波. 東京, メジカルビュー社, 2000, 222p.
2) 馬場一憲. "3 次元超音波の基礎と原理". 竹内久彌, 馬場一憲編集. マスター 3 次元超音波. 東京, メジカルビュー社, 2001, 12-29.

≫ 馬場一憲

형태이상 ② 심혈관계

개념 · 정의 · 빈도

선천성 심장질환의 발생빈도는 출생아 100명낭 1명으로 보고되고, 가장 빈도가 높은 선천성 이상이다. 생후 1년 이내에 치료를 필요로 하는 중증 선천성 심장질환은 그중 1/3 정도(출생아 300명당 1명)로 예상되고 있다. 태아사망 또는 사산이 되는 경우가 적지 않으므로, 태아를 모집단으로 하면 중증선천성 심장질환의 발생빈도는 더욱 높아질 것으로 예상된다.

1. 태아진단의 현황: 출생 후 초기에 중증의 선천성 심질환에서는 태아진단이 중요하다. 그렇지만 Ebstein병 등 현저한 심장확대를 보이는 질환이나 좌심저형성, 우심저형성 등의 심실이 실질적으로 1개 밖에 없는 질환의 태아진단율은 비교적 높지만, 완전대혈관전위증(transposition of the great arteries ; TGA), Fallot사징후(tetralogy of Fallot ; TOF), 양대혈관우심실기시(double outlet right ventricle ; DORV), 대동맥궁단절(interrupted aortic arch ; IAA) 등의 심실의 크기에 두드러지게 이상이 없고, 주로 유출로에 이상소견이 있는 선천성 심질환의 태아진단율은 아직 낮다.

2. 병태: 고도의 심장확대가 있는 증례에서는 태아순환에서 신생아순환으로 바뀌는 출생직후부터 심부전, 호흡부전 증상이 발현한다. 폐혈류 및 체혈류를 동맥관에 의존하고 있는 유출로 확장질환 및 산소화된 혈액의 혼합을 동맥관에 의존하고 있는 대혈관전위(TGA)에서는 동맥관이 폐쇄되면 급격히 다장기부전(multiple organ failure ; MOF) 또는 심한 저산소혈증에 빠진다. 이 질환은 태아상태에서 진단될 경우에 치료성적 향상 및 QOL개선이 기대된다.

태아진단

1. 사강단면에서의 스크리닝

중증 심장질환의 약 50%는 초음파의 사강단면에서 스크리닝이 가능하다.

1) 위치이상

태아기에 심장의 위치를 편위 시켜버리는 호흡기질환(선천성횡경막탈출증, 폐선천성낭포성선종양기형, 폐분화증 등)은 출생직후부터 심한 호흡부전을 야기한다. 내장의 위치이상을 동반한 내장 역위나 어긋난 위치에서는 높은 확률로 복잡한 선천성 심장질환을 유발한다. 내장 위치 이상

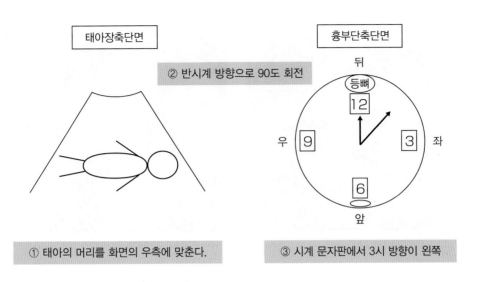

그림 1. **초음파 태아진단에서 좌우결정법**

은 중증 호흡기질환이나 복잡한 선천성 심질환의 스크리닝에 도움이 된다. 내장의 위치이상을 태아 스크리닝으로 확인하기 위해서는 우선 초기에 태아의 좌우를 정확하게 결정할 필요가 있다. 좌우 결정법의 한 사례를 그림 1에 나타낸다. 모니터의 우측에는 태아의 머리가 왼쪽에는 태아의 다리가 오는 듯한 장축단면을 취한다. 이어서, 프루브를 90도 반시계방향으로 회전시킨다. 이 방법으로는 등뼈를 시계 문자판의 12시라고 하면, 태아가 어떤 체위를 취하고 있어도, 3시의 방향이 왼쪽, 9시의 방향이 오른쪽이 된다.

우선 첫번째로 심방 중격의 가장 후방 점(p점)에 주목한다. P점은 정상에서는 흉부 거의 중앙에 있다. p점이 왼쪽 혹은 오른쪽으로 치우쳐 있을 경우에는 심장을 편위시키는 호흡기질환의 존재를 생각할 수 있다.

이어서 심첨부의 방향을 관찰한다. 정상적으로는 왼쪽 대각선 45±20도를 향하고 있다. 65도 이상일 경우 TOF나 DORV일 가능성이 있다. 거의 중앙을 향하고 있는 경우는 수정대혈관전위증의 가능성이 있다. 오른쪽을 향하고 있는 경우는 내장의 위치가 잘못되거나 반대로 놓여있을 가능성이 있다.

다음에는 위장의 위치를 확인한다. 정상적으로는 왼쪽에 있어야 할 위장이 오른쪽 또는 가운데에 있는 경우에는 내장착위, 내장역위일 가능성이 높다.

2) 심확대

생후 1주일 이내에 입원한 중증 선천성심질환의 약 20%는 심확대가 동반되므로, 심확대의 평가는 심질환의 스크리닝에 도움이 된다. 심확대의 평가법으로는 총심횡경(total cardiac dimen-

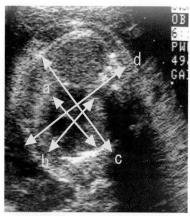
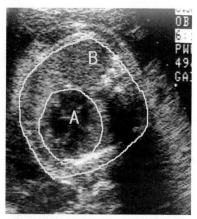

CTAR=a*b/c*d
TCD=a

CTAR=면적A/면적B

그림 2. TCD, CTAR측정 방법

---

sion ; TCD)과 CTAR (cardiac thoracic area ratio)이 있다(그림 2).

TCD가 [주수] mm보다 크면 CTAR을 계측한다. CTAR이 40% 이상의 경우는 정밀검사가 필요하다.

태아 심확대는 심기형뿐만 아니라 빈혈, 대사이상, 심근증, 동정맥단락 등의 심확대를 초래하는 질환이나 폐저형성의 스크리닝에도 도움이 된다.

3) midline의 관찰

Midline이 화면의 수직방향에 있는 경우 초음파가 잘 반사되지 않기 때문에 얇게 보이고, 심실중격결손증(ventricular septal defect ; VSD)으로 혼동되기 쉽다(그림 3). Midline을 가능한 수평방향이 되도록 모체 복벽상에서 프루브를 이동시킨다. Midline을 관찰하여 단심방, 단심실, 심내막상결손, 큰VSD 등이 스크리닝 가능하다. 복잡한 선천성 심질환은 midline의 이상을 동반하는 경우가 많으므로, midline의 이상은 복잡한 선천성심질환의 발견에 단서가 된다.[4]

4) 심방, 심실 좌우차이

정상인 경우 midline 중 심장은 거의 균형을 이루고 있다. 좌우 심방, 심실의 크기, 벽의 두께, 벽의 수축성을 비교하여 좌우의 불균형을 찾아낸다. 좌우의 불균형이 있으면 유입부의 협착질환이나 유출부의 협착질환을 의심해 스크리닝을 실시한다.

중격과 초음파 빔이 평행

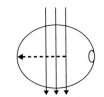
중격과 초음파 빔이 수직

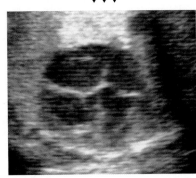

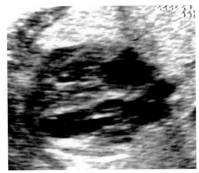

그림 3. midline의 관찰

2. 유출로로부터의 스크리닝

사강단면에 유출로를 더하면 중증 심기형의 75% 이상이 스크리닝 가능하다. 유출로를 관찰하는 방법으로는 다음 3가지 방법이 있다.

관찰법 I: 프루브를 사강단면에서 태아의 머리쪽으로 수평으로 돌린다(그림 4).

관찰법 II: 프루브를 사강단면에서 태아의 발 옆으로 눕힌다(그림 5).

관찰법 III: 프루브를 사강단면에서 시계 또는 반시계방향으로 회전한다(그림 6).

사강단면에서 태아의 머리쪽에서 밀거나 또는 태아의 발쪽으로 이동시키면 1사강단면 중앙에 대동맥이 보인다. 이것이 five chamber view이다. five chamber view 관찰 포인트는 심실중격에서 대동맥 전벽까지의 연결 여부를 확인하는 것이다. 대동맥 판의 크기, 열림 상태, 대동맥판 직하의 심실 중격에 결손구(유출로의 VSD)가 없는지 확인한다.

프루브를 다시 태아의 머리로 평행 이동 또는 태아의 발 쪽으로 눕히면, 폐동맥, 대동맥, 상대정맥의 3개 혈관의 원통의 단면이 보인다. 이것이 three vessel view이다. 관찰 포인트 두가지는 폐동맥, 대동맥, 상대정맥이 왼쪽 앞에서 오른쪽 뒤로 향하여 일직선으로 늘어서 있는 것과 크기가 「폐동맥〉대동맥〉상대정맥」의 순서를 확인하는 것이다(그림 7).

프루브를 더 태아의 머리쪽으로 평행이동 또는 태아의 발쪽으로 이동시키면, 폐동맥에서 동맥관을 거쳐 하행대동맥이 연결되고, 상행대동맥에서 대동맥궁을 거쳐 하행대동맥이 연결되어 보인

프루브를 태아 머리 방향에 평행하게 비켜놓는다.

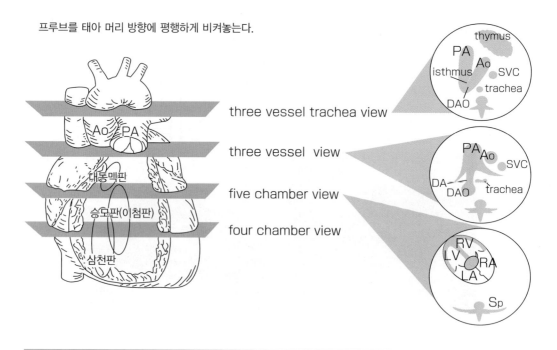

그림 4. 유출로 관찰법 I

프루브를 태아 발측으로 밀어붙인다.

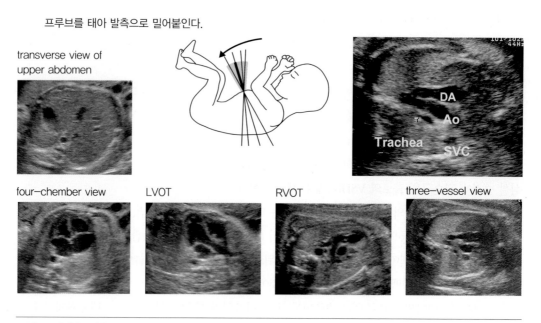

그림 5. 유출로 관찰법 II

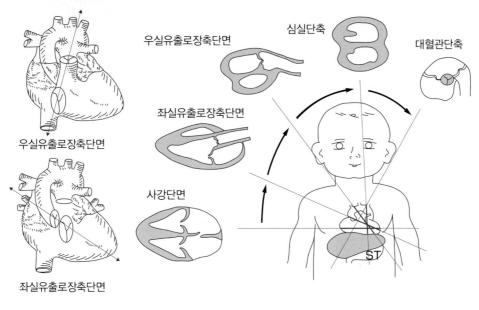

프루브를 사강단면에서 시계방향(혹은 반시계방향)으로 회전시킨다.

심실단축

대혈관단축

우실유출로장축단면

좌실유출로장축단면

사강단면

우실유출로장축단면

좌실유출로장축단면

ST

그림 6. **유출로 관찰법 Ⅲ**

다. 대동맥궁의 뒤쪽으로는 기관이 관찰된다. 이것이 three vessel trachea view이다.

2개의 궁(동맥관궁과 대동맥궁)이 하행대동맥으로 합류하는 형태는 알파벳의 V와 비슷하다(그림 7). 정상에서 2개의 궁은 거의 같은 굵기이다. 만약 동맥관궁이 가늘고 대동맥궁이 굵은 경우에는 폐동맥 협착·폐쇄 등의 폐혈류가 감소하는 질환이 있을 수 있다. 혹은 대동맥궁이 가늘고 동맥관궁이 굵은 경우에는 대동맥 협착·폐쇄 등의 체혈류가 감소하는 질환이 있을 수 있다.

유출로를 관찰할 때 아래의 3가지 포인트를 누른다.

● **포인트 1: 거의 같은 크기의 대혈관 2개를 확인할 수 있다**

우선 첫번째로 관찰법Ⅰ 또는 Ⅱ로 three vessel view에서 대혈관을 2개 찾아낸다. 다음으로 폐동맥이 대동맥보다 조금 큰지 확인한다. 폐동맥이 대동맥보다 현저히 큰 경우(대동맥 협착) 또는 폐동맥이 대동맥보다 작은 경우(폐동맥협착)(그림 8)는 유출로의 협착질환을 의심한다. 유출로가 어느 쪽인지 한 개밖에 발견하지 못한다면, 어느 한 개의 대혈관이 폐쇄되어 있을 것이라는 의심이 든다.

● **포인트 2: 각 심실에서 하나씩 대혈관이 나와있다**

관찰법Ⅱ 또는 Ⅲ로 심실에서 대혈관이 어떻게 나오는지를 관찰한다. 정상적으로는 우심실에서 1개, 좌심실에서 대혈관 하나가 나와 있다. 만약에 우심실에서 2개의 대혈관이 나와 있는 것이 확

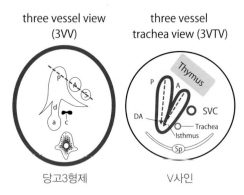

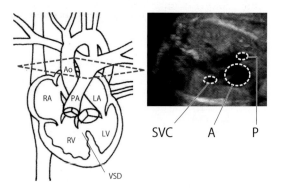

그림 7. 유출로 보는 방법

3VV에서는 3혈관의 배열 방식, 크기에 주목한다. 정상에서는 폐동맥(P), 대동맥(A), 상대정맥(S)가 일직선으로 늘어서있으며, 크기는 P>A>S의 순서이다(당고3형제). 3VTV에서는 2개의 arch 크기, 혈류 방향에 주목한다. 2개의 arch는 하행 대동맥으로 합류하며, 굵기는 같고, 혈류 방향도 같다(V사인).

그림 8. Follot 사징후(TOF)의 3VV의 소견

대동맥이 폐동맥보다 크다(고르지 않은 당고3형제)

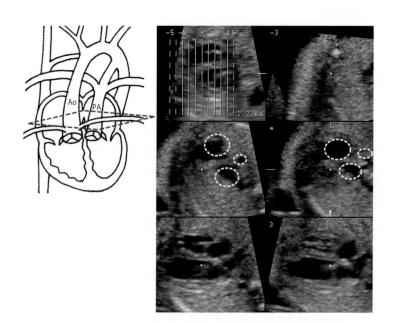

그림 9. 대혈관전위증(TGA)의 3VV소견

폐동맥, 대동맥, 상대정맥이 일직선 상에 있지 않음.

인되면 DORV가 된다. TOF에서는 우심실에서 폐동맥과 대동맥의 반, 즉 1.5개의 대혈관이 나와 있다.

- **포인트 3: 2개의 대혈관이 공간적으로 교차하여, 하나의 단면에서는 동시에 관찰할 수 없음**

관찰법Ⅱ 또는 Ⅲ로 두 개의 대혈관 주행을 관찰한다. 정상적으로는 같은 단면에서 두 개의 대혈관이 동시에 관찰되지는 않는다. 만약 동일한 단면상에서 두 개의 대혈관이 평행하게 주행하고 있으면 완전 대혈관 전위(TGA)(그림 9)로 진단된다.

3. 컬러 도플러를 활용한 심장스크리닝

다른 장기와 비교하였을때 가장 다른 심장의 특징은 혈류가 있다는 것이다. 태아 심장스크리닝에 컬러 도플러를 활용하면 스크리닝의 시간을 단축하여 효율을 높일 수 있다(그림 10). 총폐정맥환류 이상(그림 11), 방실판역류, 심실중격결손, 반월판 협착에서는 컬러 도플러가 태아 진단에 도움이 된다.

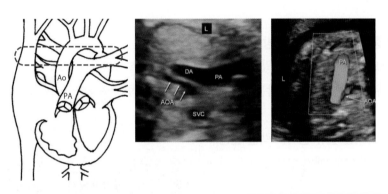

그림 10. 대동맥협착증/대동맥궁이단증(CoA/IAA)의 3VTV
V사인의 부근 대동맥궁이 매우 가늘다(불균형한 V사인)

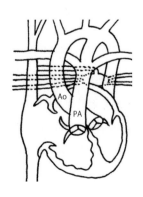
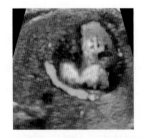

하행 대동맥과 심방 사이의 공간에 주목:
폭이 넓음, 관강구조가 있음, 좌와 우의 폐정맥이
직접 연결된다(컬러 도플러 필수)

그림 11. 총폐정맥환류이상증(TAPVD)의 4CV소견

칼라도플러를 스크리닝에 활용하기 위해서는 아래의 점에 유의한다.

1) 태아 심장에 적합한 조건의 설정(프레임레이트의 확보)

심장박동의 속도를 따라가는 것이 필요 불가결한 조건이다. 미리 프레임레이트가 높게 유지되는 태아 심장에 적합한 조건의 설정해 둔다. 프레임레이트를 높게 유지하기 위해 필요한 최소한의 폭으로 컬러의 범위(ROI)를 좁게 하여 관찰한다.

2) 혈류속도(PRF)의 조절

PRF를 고속으로 설정하면 고속혈류는 잘 관찰할 수 있으나, 저속혈류의 색상은 실리지 않는다. PRF를 저속으로 설정하면 저속혈류는 잘 관찰할 수 있지만, 고속 혈류는 되풀이되어, 혈류방향을 확인할 수 없게 된다. 관찰하는 장소의 실제 혈류속도에 맞게 PRF를 미세하게 조정하면서 관찰한다.

3) 혈류방향(프루브의 위치나 방향의 고려)

상하 방향으로 혈류가 향하고 있는 경우에 컬러가 최대로 올라간다. 좌우의 수평방향으로 혈류방향의 경우 색상은 올라가지 않는다. 혈류방향이 상하방향으로 되도록 프루브의 위치나 방향을 조절한다.

4) 시상을 고려한 혈류 평가(트랙볼 활용)

수축기와 확장기의 2개의 혈류 신호가 있다. 방실판역류(삼첨판역류, 승모판역류), 반월판 협착(대동맥판협착, 폐동맥판협착)은 수축기에만 확인된다. 심실중격결손에서는 수축기와 확장기에서 방향이 반대인 혈류가 확인된다. 화상을 프리즈하여 트랙볼을 사용하면 직전의 영상을 반복해서, 한 장씩 정지화면으로 확인할 수 있다.

가족에게 고지

가능한 한 정확하고 상세한 태아 정보를 수집하여 산과의사, 신생아과의사, 소아순환기과의사, 심장외과의사와 합동 컨퍼런스 후에 가족들에게 설명한다. 단순한 진단명 뿐만 아니라, 출생 후의 예상되는 경과, 치료법, 중장기 예후를 포함한 설명을 한다. 충분히 가족을 지원하기 위해서 의사뿐만 아니라 간호사, 사회복지사가 동석하는 것이 바람직하다. 고지함에 있어 가족의 사생활을 최대한 배려하는 것이 중요하다.

임신 중의 관리

중증심질환이라도 태내에서 태반순환의 지원으로 태아 순환은 유지되므로, 특별한 치료가 필요하지 않은 경우가 많다. 단, 방실판역류(삼첨판 역류, 승모판 역류, 공통방실판역류)에서는 주수가 진행됨에 따라 판막역류나 태아심부전이 진행될 수 있다. 반월판협착(중증대동맥협착, 중증폐동맥판협착)에서는 주수가 진행됨에 따라 심실 형성이 저해될 수 있다. 미국에서는 태아기에 풍선대동맥판막성형술을 시도하여 성공 사례가 보고되고 있으나 일본에서는 아직 시행되지 않고 있다. 또한, 중증심기형에 부정맥이 합병되면 심부전이 진행될 수 있으므로 주의가 필요하다.

출생 직후의 치료

태아 진단 정보를 바탕으로 출생 후 치료 계획을 세워 물적·인적 준비를 한다.

1. 예정 제왕절개술

중증 심질환으로도 자연분만이 가능하며 제왕절개술은 필요 없다. 단, 출생 직후부터 중증 심부전·호흡부전 증상이 발병하여, 소생이나 긴급처치가 필요한 경우는 제왕절개술이 바람직한 경우도 있다.

2. 프로스타글란딘(PGE₁)

폐순환이나 체순환, 산소화된 혈액의 공급을 동맥관에 의존하고 있는 심질환에서는 동맥관 폐쇄를 예방할 목적으로 출생 후 초기부터 PGE_1을 시작한다. 투여량은 출생 후 동맥관이 폐쇄된 다음에 투여하는 용량에 비해 더 소량 투여한다(1~2ng/kg/m).

3. 풍선심방중격절개술(BAS)

TGA, 좌심저형성증후군(hypoplastic left heart syndorme ; HLHS), 삼첨판폐쇄 등으로 난원공이 좁은 경우, 출생 직후에 BAS (balloon atrioseptostomy)가 필요한 경우가 있다.

4. 체외 페이스메이커

서맥성부정맥으로 인해 태아 심부전을 초래한 경우에는 출생 직후에 체외 페이스메이커(카테터에 의한 경정맥 페이스메이커 또는 심근전극에 의한 페이스메이커)를 한다.

참고문헌

1） 川滝元良, 西畠信, 里見元義. 心疾患の胎児診断：現状と展望. 日本小児科学会雑誌. 105, 2001, 949-53.

2） 川滝元良. 胎児心エコー診断へのアプローチ. 東京, メジカルビュー, 2004, 189p.

3） Kawataki, M., Toyoshima, K. Fetal cardiac screening by three- and four-dimensional ultrasound. Ultrasound Review of Obstetrics and Gynecology. 6, 2006, 69-74.

4） 川滝元良, 千葉敏雄ほか. 胎児心エコー検査：三次元・四次元診断（3D/4Dエコー）. 小児科診療. 70, 2007, 205-14.

5） 川滝元良. 胎児心疾患（断層エコー, カラードプラー）. 産科と婦人科. 74（増刊号）, 2007, 75-86.

6） 胎児心エコー検査ガイドライン作成委員会編. 胎児心エコー検査ガイドライン. 2006.

≫ 川滝元良

형태이상 ③흉부

태아흉부내 장기는 심장 이외에도 폐, 기관·기관지, 식도, 흉선, 흉막, 심외막 등이 있으며, 그 병태도 여러가지이다. 이 부위의 초음파검사에서는 흉골·늑골, 견갑골 및 상지의 뼈에서 차단되는 경우가 많아, 복부에 비하여 확인하기 어렵다. 게다가 대혈관이나 기도가 복잡하게 얽혀진 부위이기도 하여, 각기관의 동정에는 해부학적지식에 기초하여 위치관계의 파악이 필요하다. 한편, 흉부는 폐나 심장·대혈관이라는 생명유지에 필수적인 장기를 포함하고 있기 때문에 점거성 병변에 의한 이 장기들의 편위·압박이 저형성이나 협착·폐쇄를 초래하여, 생후의 호흡·순환동태에 중대한 영향을 미친다. 본 글에서는 태아흉강내 병변 중, 대표적인 질환(선천성횡격막탈장, 선천성폐낭포성선종양기형, 기관지폐분획증, 폐수종)에 대해 말하고, 더하여 식도, 흉선, 기관·기관지에 대해서도 설명한다.

선천성 횡격막 탈장(CDH)

개념 · 분류 · 빈도 · 병태

1. 개념

선천성 횡격막 탈장(congenital diaphragmatic herniation : CDH)은 횡격막을 넘어 복강 내 장기가 흉강 안으로 탈출하는 질환이다.

2. 분류

탈장문에 의해 Bochdalek 탈장(후방), 흉골후탈장(전방, 오른쪽: Morgagni공, 왼쪽: Larrey공), 식도열공탈장로 분류되지만, 대부분은 Bochdalek공이다. 유낭성 무낭성, 횡격막의 전체결손, 부분결손 등으로도 분류된다.

3. 빈도

1/1,000~4.5/1,000출생. 왼쪽이 많지만, 우측성, 양측성도 있을 수 있음.

4. 발생

Pleuroperitoneal fold 형성부전으로 생각된다.

5. 병태

탈장문에서 탈출한 장기로 인해 폐 기도가 압박되어, 폐저형성, 기도 협착·폐쇄 등을 보인다.

진단

초음파 검사에서는 임신 18주 무렵부터 진단이 가능하다. 흉강 내에 부정확한 관상 구조물이 출현하여, 그 반대쪽으로 심장이 편위하는(심장축은 변화하지 않는다) 것이 특징이다(그림 1a). 복강내에 위장이 관찰되지 않는 경우에는 강하게 의심된다. 의심스러운 경우에는 폐의 장축 단면상 관찰이 권장된다. 이 단면에서는 돔 형태의 횡경막을 확인하면서 탈출장기를 관찰할 수 있으며, 흉강 내에 어느 정도 탈출하고 있는지 확인하기 쉽다. 탈출 장기는 위장관, 비장, 간이 많다. 연동운동의 확인은 소화관이 탈출했다고 판단하는 근거가 된다. 다만 탈출장관이 조밀하게 밀집된 경우, 연동운동이 줄어들어 폐와 동일한 밝기를 나타내는 경우가 있으며 주의가 필요하다. 간 탈출(liver-up)의 진단은 비교적 어렵지만, 왼쪽 CDH 의 경우, 간좌엽이 심장 좌전방으로 탈출하여, 위장관의 사이에서 확인되면 진단할 수 있다(그림 1b). 또 컬러도플러에 의한 제대정맥·문맥이나 간정맥의 편위에서도 진단은 가능하다.

MRI도 진단에 유용하며, 폐가 극단적으로 압박되거나, 확인이 어려울 때 도움이 된다. 일반적으로 MRI에 의한 폐의 intensity에서 저형성의 예측이 가능하다(저형성이 진행되면 low intensity가 됨). 장관의 탈출량은 MRI 상에서 복강에 잔존한 장관량으로 추정할 수 있다. 감별 진단으로서 횡격막 이완증(특히 유낭성 CDH와의 감별은어렵다), 선천성폐낭포성선종양기형(congenital cystic adenomatoid malfolmation ; CCAM)I형, 기관지원성낭포, 신경장관낭포, 낭포성종격기형

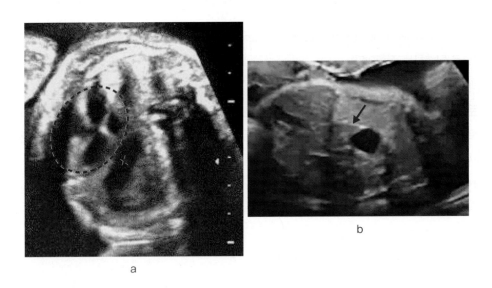

a

b

그림 1. 선천성횡격막탈장(CDH)

a: 좌흉강 내의 위장탈출(★)과 오른쪽방향에 심장 편위(점선내: 심장의 축변화 없음)가 확인된다.
b: liver-up(화살표).

종 등이 있다.

관리

폐저형성의 중증도는 예후를 결정하는 최대 인자로 평가되며, 그 평가에는 폐·흉부비(LTR), 폐·머리둘레비(LHR) 등이 사용된다. 전자는 양측 폐를 사용하는데 비해, 후자는 측폐(오른쪽)를 사용하며, LTR는 생존 평균이 0.2라고 하며, 0.13 미만은 극히 나쁘다. LHR에서는 1.0 미만인 경우는 예후가 나쁘고 0.6 이하는 매우 안 좋다. 최근에는 임신 주수의 기대치에서 보정한 observed/expected LHR (o/eLHR: %)도 이용되고 있다.[1] 게다가 건강한쪽 폐동맥지름에서 평가(36주 이후 2.0mm 이하는 폐저형성으로 예후불량)나 신생아에서 양폐동맥지름을 대동맥지름으로 보정한 modified McGoon index (1.3미만은 예후불량) 등도[1] 태아에 응용되고 있다.[2]

폐 이외에서는 간의 흉강내탈출(liver-up), 심장 뒤쪽으로 탈출 장기 침입(위장의 우측 흉곽 내 진입 포함), 좌심계부하 등이 중증화의 지표로서 이용된다. 한편, 태아의 식도 압박에 의해 양수과다가 되는 일이 많아, 조산이나 태동 과다로 인한 제대 사고에도 주의한다.

유전적으로 CDH는 특발성이다. 그러나 상염색체 우성 유전 형식을 취하는 가족성 CDH에 대한 보고도 있다. 또한 몇 가지 증후군의 한 증상으로도 발병한다(Fryns증후군, thracoabdominal 증후군, 18-트리소미 등).

태아치료로는 태아경 벌룬기관폐색술(fetal endoscopic tracheal balloon occlusion ; FETO)이 동물실험 후 임상응용되었다. 이것은 기관을 일시적으로 막음으로, 이를 통해 폐분비액을 저장시키고 폐를 확장시키는 것을 응용한 방법이다. Eurofetus group의 보고에서는 전기 파수의 위험은 있지만, 종합적인 결과로서 중증 합병증이 없는 왼쪽 CDH의 경우, 태아의 생존율이 24.1%에서 49.1%로 상승했다고 한다. 현재 일본에서도 시설을 한정하여 임상시험을 시도하고 있다. 한편 최근에는 모체 산소 투여에 의한 태아치료 보고도 있다. 이것은 산소 분압을 올리는 것으로, 태아의 폐혈관 저항의 저하와 폐용적의 증대를 가져오고, 그것에 따른 우심실기능의 개선, 정맥압의 저하, 나아가 좌심기능의 개선을 기대하는 것이다.

분만방법으로는 CDH만으로는 제왕절개술의 적응이 되지 않지만, 출생 직후부터 많은 인력과 장비에 의한 적극적 치료 개입이 필요하기 때문에 제왕절개술로 계획분만도 이루어지고 있다. 이 경우에는 우선 첫울음을 피하는 것이 목적으로 태아 마취를 포함한 모체의 전신 마취가 많다. 경 질분만 시에는 출생 직후 제대정맥에서 근이완제를 투여하여 우선 첫울음을 피하고, 즉시 기관 삽관을 하는 방법도 고려된다. 최근에는 생후의 gentle ventilation 도입에 의한 폐의 기압외상 감소나 NO에 의한 우심실 부하 경감 등으로 치료 성적은 향상되고 있다. 중증 예에서는 ECMO (extracorporeal membrane oxygenation, 체외막형인공폐)의 사용이 가능한 의료시설에서 출산하는 것이 바람직하다.

선천성폐낭포성선종양기형 (CCAM)

개념 · 분류 · 빈도 · 병태

1. 개념
선천성 폐낭포성성선종양기형(CCAM)은 폐 및 기관지 조직이 증식함에 따라 다낭포성 종양을 형성한 것이다. 최근에는 congenital pulmonary airway malformations (CPAMs)의 하나로 표현하는 경향이다.

2. 분류
Stoker에 의해 3형으로 분류되어 있다.

Ⅰ형: 낭포 지름이 크고(2~10cm), 개수는 적다(1~4개), 약 50%

Ⅱ형: 낭포 지름 2cm 이하, 약 40%

Ⅲ형: 낭포 지름 0.5cm 이하, 약 10%

또, Adzick 등은 임상적 관점에서 초음파 검사 등의 이미지로, 5mm 이상의 단방 내지 여러 개의 낭종을 가진 대낭성(macrocystic)와, 5mm 미만 소낭종의 모여진 미소낭성(microcystic)으로 분류한다.

3. 빈도
좌우 양쪽 모두에 발생하는데, 대부분은 편측성이며 양쪽성은 2% 미만이다.

4. 병태
원칙적으로 병변은 기관·기관지와 연속된다. 또한 영양혈관은 정상폐혈관에서 유래되지만, 아주 드물게 체순환 유래의 하이브리드 병변의 경우도 있다. Ⅱ형에는 합병기형도 많아서 신장기형, 심장기형(총동맥간증, 팔로4징후 등), 소장폐쇄, 횡격막헤르니아, 수두증 등이 있다. 3형, 미소낭포성(microcystic)에서는 폐저형성, 태아수종, 양수과다로 이행하는 비율이 높고, 이로 인한 태아 사망률도 높다.

진단

초음파 검사로 흉강 내의 병변을 확인하며, 컬러 도플러로 혈류 신호가 없는 mass로 확진된다. Ⅰ형은 낭포상이 눈에 띄고(그림 2), Ⅲ형은 비교적 균일한 고휘도 mass상을 나타낸다. Ⅱ형은 그 중간형의 초음파상을 나타낸다. 감별 진단으로서 횡격막탈장, 기관지낭포, 심막낭포 등이 있다. 특히 Ⅰ형은 횡격막탈장과 헷갈리기 쉽다. mass 내에 연동운동을 보이지 않거나 위장이 복강내에서

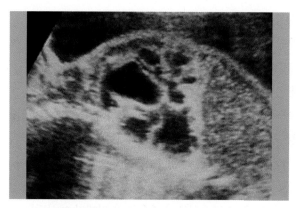

그림 2. 선천성폐낭포성선종양기형(CCAM)
Stoker분류 Ⅰ~Ⅱ형. 크고작은 낭포가 두드러진다.

확인되는 것 등으로 CDH로부터 구별할 수 있다. 그러나 간혹 CCAM과 CDH의 합병이 있을 수 있으므로 주의가 필요하다. 기관지낭포는 단방성으로 기관지에 밀착하여 보이는 것이 참고가 된다. Ⅲ형은 일반적으로 높은 휘도 mass로서 확인되며, 현저한 종격의 이동이나 태아 수종을 발생시키는 경우가 많다.

일반적으로 태아기의 CCAM 확인은 작은 것도 포함하여 중요하다. 이는 성인이 된 후, CCAM 내에 악성종양(bronchioloalveolar carcinoma 등)이 발생할 수 있기 때문이다.

태아 진단의 요령은 폐를 장축단면으로 스캔해 보면 좋다. 폐저부에서 폐첨부까지 명확하게 확인할 수 있으며, 작은 CCAM도 쉽게 찾을 수 있다. CCAM은 흉부 안을 스크리닝할 수 있는 태아기에 발견하여 생후, 무증상 상태에서 치료로 연결하는 것이 중요하기에 태아 진단의 의의는 크다.

관리

1. 태아 관리

순환 동태 파악, 폐저형성의 예측이 중요하다. 또한 양수과다에 의한 절박 조산의 관리, 다른 태아 합병증의 정밀 검사도 중요하다. 일반적으로 CCAM과 염색체 이상과의 관련성은 낮다고 한다. 관리면에서는 Ⅰ~Ⅲ형마다 위험이 다르므로, 면밀한 계획으로 관리할 필요가 있다. CCAM의 부피를 타원 공식(세로 [cm] × 가로[cm] × 높이 [cm] × 0.52)에 적용하여 머리둘레 길이(cm)에서 보정한 CCAM 체적비(CVR)는 태아 수종 이행의 기준으로 사용되며, 컷오프 값 1.2 미만에서는 태아수종의 이행은 적다고 여겨지며, 1.6 이상은 태아 수종 발생 가능성이 높고 예후가 나쁠 것으로 보인다. 태아수종에 동반해서 거울증후군(모체에도 같은 전신부종이 나타남)에도 주의하며, 이 경우 임신을 중단하는 것도 고려한다. 태아CCAM은 자연축소의 보고도 있으며, 특히 Ⅲ형에서 많다고 한다. 그 메커니즘은 불명하지만, 태아 기도 내에 저류액이 유출되는 것에 의한 감압 때문이라고도 한다.

CVR이 높아져 태아 수종으로 이행할 가능성이 큰 경우나, 이미 태아수종에 빠진 경우, 임신 32주 이전에는 자궁 내 치료를 고려할 수 있다. Ⅰ형으로 큰 낭포가 확인되는 경우에는 양수 흉강 단락술이 고려되지만, 점도가 높기 때문에 흡수에 비해 효과는 작다고 여겨진다. 한편, 경태반적 스테로이드(덱사메타존) 투여에 의해 CCAM의 퇴축이 기대되는 경우도 있다. 특히 Ⅲ형, 미소낭포성(microcystic) 안에서, 높은 CVR수치로 수종으로의 이행이 예상되는 경우에 행해지는 경우가 많으며, 태아수술과 비교해도 좋은 성적을 나타내고 있다. 한편 일본에서는 자궁내치료로서 opne fetal surgery(개복하 태아CCAM 절제술)는 현재 이루어지고 있지 않다. 분만방법은 산과적응을 제외하면 일반적으로 제왕절개술의 적응은 없다.

2. 출생 후

큰 CCAM에서는 공기의 저류에 의한 호흡기 감염증이나 기흉을 반복하는 것이 많다. 또한 미래에 폐의 악성 질환으로의 변화도 염려되지만 매우 드물기 때문에, 최근에는 외과적 절제는 호흡 상태 등에서 종합적으로 판단되어 보존적으로 보는 경우도 많다.

기관지 폐분화증 (BPS)

개념 · 분류 · 빈도 · 병태

1. 개념

기관지 폐분화증(bronchopulmonary sequestration ; BPS)은 호흡기능을 가지지 않은 폐조직의 낭포성종양이다.

2. 분류

폐엽 내(정상폐와 같은 장측흉막이 있음)와 폐엽 외(정상폐와 다른 흉막이 있음)가 있다. 또한 폐엽 외는 흉강내와 복강내(횡격막하)로 나뉜다.

3. 빈도

가족 내 발생 사례가 없다. 태아·신생아기는 폐엽외성이 많다.

4. 병태

CCAM과 달리 병변은 원칙적으로 기관·기관지와의 교통이 없기 때문에, 다른 조직 혈관에서 혈류를 받고 있다. 폐엽외 BPS에서는 횡격막 탈장의 합병도 많으며, 또한 CCAM, 유미흉, 식도 이상이나 심장 질환 등도 합병될 수 있다.

진단

초음파 영상에서는 다수의 확장된 모세 기관지가 초음파 간섭을 일으키므로, 경계가 명료한 고휘도 msas로 나타나며 컬러 도플러에 의한 체순환(주로 하행 대동맥)에서 갈라지는 이상 혈관의 확인으로 진단이 가능하다(그림 3). 그러나 극히 드물게 내흉동맥 등에서 혈관 지배를 받기도 하며, 또한 팔로4징후 등의 주요 대동맥폐동맥측 부혈행로(major aortopulmanary collateral artery ; MAPCA)와 감별을 요하는 경우도 있으므로 주의한다. 폐엽 내·외의 구별이나 CCAM Ⅲ형과의 감별은 어려운 경우가 많다.

관리

폐엽 외의 경우, 정맥계나 림프계 등에 폐색이 생겨 흉수나 태아수종을 초래하게 된다. 태아수종에 이른 BPS는 예후가 매우 나쁘다. 흉수 합병의 경우에는 흉강·양수 단락술에 의한 감압이 시도되어, 폐저형성을 피하거나 순환 개선을 기대할 수 있다. 복강 내 BPS는 흉강내 BPS에 비해

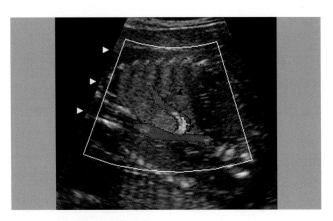

그림 3. 기관지폐분화증(BPS)
컬러 도플러로 하행대동맥에서 분기하는 이상혈관의 확인(화살표)으로 진단
이 가능하다.

예후는 좋아서, 태아수종으로의 이행은 적다고 여겨지지만, 식도나 상부 소화관에 대한 압박으로 양수 과다를 일으킬 수 있다. 태아기에 영상으로 자연 퇴축된 보고도 있으며, 이 경우 생후 경과는 양호한 경우가 많다. 이 자연퇴축의 기전에 대해서는 지배혈관의 폐쇄에 의한 경색 등을 생각할 수 있지만 자세한 것은 알려져 있지 않다. 태아치료로서 CCAM과 마찬가지로 open fetal surgery의 보고도 있으나 일본에서는 아직 이루어지고 있지 않다.

흉수증

개념 · 분류 · 병태

1. 개념

흉수증(hydrothorax)은 태아의 흉막강 내에 액체저류를 동반한 상태이다.

2. 분류

태아의 흉수증은 유미흉(원발성)과 속발성으로 나뉜다.

3. 병태

유미 누출에 의한 유미흉은 일측성이 많아 오른쪽에 많다. 속발성에서는 누출성, 침출성 모두 있을 수 있다. 그 원인질환으로 태아 수종을 초래하는 심혈관이상 혈액질환, 감염증, 흉강내점거성 병변(종격종양, CCAM, BPS) 등 많은 원인이 있다.

진단

유미흉은 흉수 속의 세포 분획에서 림프구 우위(80% 이상)가 확인되면 진단할 수 있다. 속발성인 경우에는 원인질환 진단이 우선된다. 감별 진단으로서 심낭액(다량)이 중요하다. 흉수의 경우 폐는 폐문부에 압박되어, 좌우의 초음파 공간은 심장전방에서 분리되어 있지만, 심낭액의 경우에는 폐가 후방으로 압박되고 초음파 공간은 심장전방에서 연속되는 것이 특징이다(그림 4).

관리

속발성의 경우 원인질환 치료·관리가 중요하다. 심장질환(저산소에 의한 심장기능 부전도 포함)에 의한 심부전, 다태임신(twin-twin transfusion syndrome ; TTTS), 동정맥 단락이 있는 병태(갈렌정맥기형, 융모혈관종, 천미부기형종, 문맥체순환션트 등)에 의한 전부하 상승, 혈액형 부적

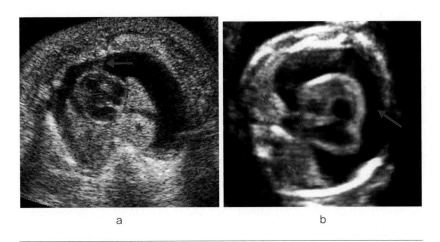

그림 4. 흉부와 심낭액 (a는 문헌4에서 일부 개편 인용)

a: 흉수에서 폐는 폐문부를 압박하며(★) 좌우의 echo free 공간을 심장전방에서 분리된다(화살표).
b: 심낭액에서는 폐는 후방으로 압박되어(★) echo free 공간은 심장전방에서 연속되어 보이는 것
이 특징이다(화살표).

합이나 파르보바이러스 감염에 의한 중증태아빈혈, 나아가 거대세포 감염증 등의 임상 상태가 중요하다.

태아 치료로는 태아 흉강천공에 의한 흡인 제거가 있다. 또한 임신 34주 미만에서 반복되는 경우나 태아수종 합병 예에서 흉강·양수강 단락술(보험 적용 있음)도 실시되어, 생존율 향상을 기대할 수 있다. 최근에는 태아 흉강내에 OK432 등을 주입하여 장측과 벽측의 흉막을 유착시키는 유착촉진요법도 시도되고 있으나 효과의 정도는 일정하지 않다. 바이러스 감염이나 혈액형 부적합에서는 천자하여 태아에게 글로불린 직접 투여도 시도되고 있다. 태아 심장기원 흉수의 경우에는 모체를 통해서 항부정맥제를 투여하는 방법이 있다. 예후로는 유미흉의 경우는 비교적 양호하며, 생후의 MCT (middle chain triglyceride) 분유로 자연 치유될 수 있다. 속발성인 경우에는 원질환에 크게 영향을 받는다.

식도질환 : 식도폐쇄

개념 · 빈도 · 병태 · 빈도

1. 개념

식도 폐쇄는 선천적으로 식도가 폐쇄되거나, 기관과 누공을 만들어 위유문부와 연속되지 않는 질환이다.

2. 분류

기관과 식도의 누공 상태에 따라 분류된 Gross 분류가 자주 이용된다.

Type A : 식도의 입구측 ·항문측 양쪽 모두 막힘

Type B : 입구측 기관과 누공을 형성, 항문측은 막힘

Type C : 입구측은 막힘, 항문쪽은 기관과 누공을 형성

Type D : 입구측·항문쪽 모두 기관과 누공을 형성

또한, 결손부의 길이로부터 long / short gap 등으로도 나뉜다.

3. 병태

기관·식도 중격이 후방에 편위되었기 때문에 생긴 것으로 여겨지지만, 전장(foregut)의 전방 편위도 관련되어 있다고 한다. 복합기형(심혈관계, VATER연합 등)이나 염색체 이상에 의한 것도 있다. 기관과 누공을 형성하기 위해 기관 연화증을 일으킬 수도 있다.

4. 빈도

2,500~4,000 출생 당 1명. Type C가 전체의 88%로 가장 많고, 그 다음으로 type A가 많다.

◖ 진단

정상적인 태아 식도의 단축상은 2~3개의 고휘도 점상 에코상으로 보이며, 심장 사강 단면 수준에서는 심방과 하행 대동맥 사이에 있는 부위에서 확인하기 쉽다(그림 5a). 또, 장축상은 3개의 고휘도의 에코상이 조밀하게 겹쳐진 상으로서(그림 5b), 대동맥궁의 내측 및 좌심방 뒤쪽에서 확인된다. 더욱이 연하 운동(내강의 확대·축소 운동)의 확인도 가능하다(그림 5c).

식도 폐쇄는 위장이 작거나 보이지 않는 것에서 간접적으로 의심되는 경우가 많다. 양수 과다는 거의 필수적으로 나타나며, 임신 20주 미만에서는 잘 두드러지지 않는다. Type C에서는 위장의 크기가 정상적으로 보일 수도 있다. 식도맹단부가 입구 쪽인 경우, 기관 전방에 부분적인 식도 확장이 생기기 때문에(pouch sign, 그림 5d) 이를 확인하면 직접적인 진단이 된다. 단, 양수 과다인 경우, 태아는 복벽에서 멀어져 초음파 진단이 어려워지는 경우도 많다.

◖ 관리

태아 치료법은 없다. 양수 과다에 의한 조산 예방이 중요하다. 필요에 따라 천자에 의한 양수 흡인·제거도 시행한다. 다른 기형을 동반한 경우, 염색체 이상일 경우도 많으며, 다른 합병기형의 정밀조사와 상담도 필요하다. 분만은 경질 분만도 가능하지만, 제대탈출을 예방하기 위해, 양수흡

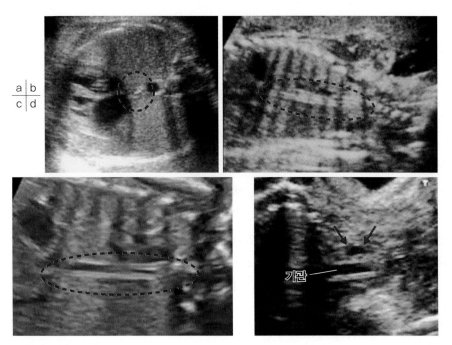

그림 5. 식도

a~c: 정상, d: 식도폐쇄.
a: 정상에서는 단축상은 2~3개의 고휘도점상 에코상으로 심장사강단면에서 심방과 하행대동맥에 사이
에 있는 부위에서 묘출된다. b: 장축상은 고휘도선상 에코상으로 확인된다. c: 식도의 내강 확대도 묘출
된다. d: 식도폐쇄(Gross 분류 Type C)에서는 식도맹단부가 기관의 전방에서 확장(pouch sign: 화살표)
하고 있다.

인으로 양수량을 정상량으로 되돌린 후, 유도분만을 시도하는 경우도 있다. 또한 분만 후의 출혈
에도 주의한다.

기타 흉부 질환

1. 흉강내종양의 감별해야할 질환

이하의 질환을 들 수 있다.

낭포성: bronchogenic cyst, pericardial cyst, neurenteric cyst, lymphangioma, gastroenteric
cyst, cystic pleuropulmonary blastoma(CPPB)

충실성: pleuropulmonary blastoma(PPB), congenital peribronchial myofibroblastic
tumor(CPMT), fetal lung interstitial tumor(FLIT), congenital lobar hyperinflation(emphysema)

혼재성: 종격기형종 등

또한 심장·대혈관 유래의 점거성 병변으로서, 팔로4징후증과 합병하는 폐동맥판결손증에서의 현저한 폐동맥 확장이나 Ebstein기형에 따른 우심방 확장 등이 있다. 심장의 우측 편위의 경우, 특수한 질환으로서 right pulmonary agenesis나 Scimitar syndrome(우폐정맥이 하대정맥으로 유입되는 등의 폐정맥 환류 이상으로 인한 편측저형성; 주로 오른쪽) 등도 있다.

2. 흉선질환

태아의 흉선도 진단의 대상이 될 수 있다. 태아기의 흉선은 크고 흉골 후부의 전종격에 위치하며 상부는 정가운데에 하부는 약간 왼쪽에 편위되어 보인다. 임신 중기에는 폐에 비해 고휘도로 보이지만, 주수가 지남에 따라 저밝기로 변한다(그림 6). 융모막양막염이나 임신고혈압증후군의 태아에서는 작고, 또 심장기형을 합병하는 22q11.2 결실증후군에서는 결손·저형성을 나타낸다. 지표로서 흉선·흉곽비(thymic thoracic ratio ; TTR, 그림 6b)를 사용하면 정상에서는 평균 0.44로 주수에 관계없이 일정한데 반해, 대혈관이상을 합병한 22q11.2 결실증후군인 경우, 평균 0.25로 눈에띄게 저하되어 있어 진단에 도움이 된다.[4]

3. 기관·기관지 질환

초음파검사의 발달로 최근에는 기도 관찰도 가능해졌다. 기관은 경부횡단면에서 양측 총경동

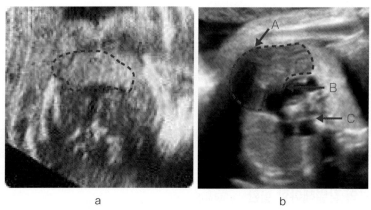

a   b

흉선 · 흉곽비(thymic thoracic ratio ; TTR)

$$TTR = \frac{A와\ B의\ 거리}{A와\ C의\ 거리}$$

그림 6. **흉선**[4]

흉골후부의 전종격에 위치하고, 임신중기에는 폐와 비교하여 비교적 고휘도지만(a), 주수가 진행됨에 따라 저밝기로 이행한다(b). TTR은 스크리닝에 쓰인다(b).

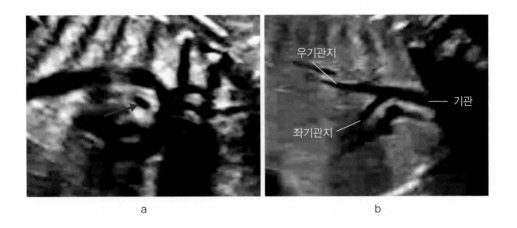

그림 7. 기관·기관지

a: 좌기관지는 대동맥궁내측에 횡단면이 확인된다(화살표).
b: Y자를 한 기관·기관지의 전체상. 분지각에서 좌우가 나뉜다(분지각의 작은쪽이 우기관지).

맥의 사이에 단축상이 확인되며, three-vessel tracheal view에서는 횡행 대동맥의 중앙 우측에 확인된다. 또한 왼쪽 기관지는 대동맥 궁을 빠져나가기 위해 궁 안쪽에서 오른쪽 폐동맥의 약간 머리측 후방에 횡단면이 확인된다(그림 7a). 오른쪽 기관지는 three-vessel view 안에서 상행대동맥의 우측 후방에 접하여 확인된다. 이들 부분을 중심으로 프루브를 관상단면으로 회전시키면 "Y자"를 한 기도의 전체상을 비교적 간단하게 확인할 수 있다(그림 7b). 표 1에 정상 기관·기관지 내경의 참고 값을 나타낸다.[5] CDH나 CCAM 등 흉강내 점거성 병변에 의한 광범위한 기도압박이나, 혈관륜 등의 이상혈관에 의한 부분적 기도압박의 진단에 응용할 수 있다. 또한 기관무형성 진단에도 유용하다. 최근, 상기도 압박이나 부분 협착으로 인해 발생하는 병태를 congenital high air-

표 1. 정상태아에 상기도 묘출률과 내경[5]

임신주수	증례수	묘출률(%)	내경(mm)		
			기관	왼쪽기관지	오른쪽기관지
26~27	5	100	2.9±0.12	2.0±0.08	1.9±0.24
28~29	4	100	3.2±0.17	2.1±0.96	2.1±0.14
30~31	5	100	3.7±0.24	2.4±0.29	2.3±0.21
32~33	9	100	4.0±0.43	2.9±0.16	2.9±0.16
34~35	7	100	4.6±0.46	3.6±0.38	3.5±0.46
36~37	8	100	5.4±0.53	4.1±0.41	4.0±0.47
38~39	7	100	5.8±0.55	4.5±0.60	4.4±0.50
40~41	5	100	6.0±0.54	4.7±0.44	4.6±0.54

(Mean ≠ SD)

way obstruction syndrome (CHAOS)로 종합적으로 파악하게 되었다.[6] 균일한 고휘도 음영의 확장된 폐, 작은 심장, 복부측에 팽만한 횡격막, 기관·기관지의 부분적 확장, 더하여 복수가 확인된다면 이 질환을 생각해 볼 필요가 있다. 이러한 기도의 진단은 출생 후 급변하는 호흡상태의 예측이나 상부 기도를 압박하는 mass에 대하여 EXIT (exutero intrapartum treatment procedure)의 적응 등, 출생 후 대처법에 유익한 정보를 제공하여 예후 개선을 돕는다.

참고문헌

1) Jani, J. et al. Observed to expected lung area to head circumference ratio in the prediction of survival in fetuses with isolated diaphragmatic hernia. Ultrasound Obstet. Gynecol. 30, 2007, 67-71.
2) Suda, K. et al. Echocardiographic predictors of outcome in newborns with congenital diaphragmatic hernia. Pediatrics. 105, 2000, 1106-9.
3) Yinon, Y. et al. Fetal pleural effusions. Best Pract. Res. Clin. Obstet. Gynaecol. 22(1), 2008, 77-96.
4) Chaoui, R. et al. The thymic-thoracic ratio in fetal heart defects : a simple way to identify fetuses at high risk for microdeletion 22q11. Ultrasound Obstet. Gynecol. 37, 2011, 397-403.
5) Aoki, S. et al. Prenatal observation of fetal trachea and bronchi using ultrasonography. Jpn. J. Med. Ultrasonics. 36, 2009, 191-9.
6) Marc, H. et al. Congenital high airway obstruction syndrome （CHAOS）: A potential for perinatal intervention. J. Pediatr. Surg. 29, 1994, 271-4.

>> 青木昭和

형태이상 ④ 복부

태아 복부장기는 초음파 검사로 찾기가 쉽고, 형태이상을 손쉽게 알 수 있는 경우가 많다. 한편, 각 장기의 위치 관계가 해부학적으로 파악하기 쉬운 반면 명확한 경계를 갖지 않은 장기에서는 진단에 어려울 수도 있다. 또한 임신 후기에는 배꼽기시 주변은 태아위치가 굴곡위이기 때문에 양대퇴부에 가리워지는 경우가 많고, 초음파 검사로 관찰하기 어려운 경우가 있다. 이것들을 근거로 하여, 이번 장에서는 대표적인 태아 복부 질환에 대해 설명한다

소화관 폐쇄

소화관 폐쇄의 기본적인 변화는 입구측의 장관확장과 항문측의 장관축소이다. 폐쇄 부위가 상부 소화관인 경우는 양수과다가 많고, 장관 확장에 의한 낭포상의 개수는 적다. 폐쇄 부위가 하부가 될수록 양수과다 빈도는 줄어들지만 낭포상은 증가한다. 하부 폐쇄에서는 장관 전체의 확장이 두드러져, 흉부를 압박할수록 복부가 부풀어 오를 수 있다. 한편 상부 소화관 폐쇄에는 제대궤양·파열의 합병이 보고되어 있고,[1] 출혈에 의한 갑작스런 자궁내 태아 사망이나 태아기능부전 등이 임상에서 문제가 되고 있다.

십이지장폐쇄 · 협착(duodenal atresia and stenosis)

분류 · 빈도 · 발생 · 병태

1. 분류
   Ⅰ형: 점막에 의한 막양폐쇄형. 가장 많은 유형.
   Ⅱ형: 구측·항문측 모두 맹단이 되어, 그 사이가 선상 조직으로 연결되어 있다.
   Ⅲ형: 양쪽 맹단에서 그 사이는 분리되어 있다.
   Ⅳ형: 협착형 2번째로 많은 유형.

2. 빈도
   5,000명에 1명 정도

3. 발생

십이지장은 태생 4주 즈음에 일단 폐쇄되었다가 재개통하여 완성되는데, 이 때의 장애가 폐쇄 협착으로 이어진다고 한다.

4. 병태

완전 폐쇄가 협착보다 많다.

진단

위장의 내측으로 하나의 연속된 cyst가 확인되고, 연동을 보이는 특징이 있다(double bubble sign, 그림 1). 이는 확장된 십이지장과 위가 유문을 사이에 두고 cyst상으로 보이기 때문이다. 빈번한 구토나 협착부 통과에 따른 내용물 양이 변화하며, 이러한 sign이 눈에 띄지 않게 되는 경우도 있다. 양수과다도 진단에 도움이 된다. 감별 진단으로 장회전 이상, 중복위, 중복 십이지장, 총담관낭종(확장증) 등이 있다.

관리

Vater유두보다 원위부에서 폐쇄가 생긴 경우, 양수 외에 췌장·간으로부터의 소화 효소가 원위 소화관에 이르지 않으므로 광범위한 장관 상피의 기능 저하가 생기고, 출생 후의 장 영양 공급에 문제가 생길 수 있다. Ⅲ형은 담도계의 기형을 동반하는 경우가 많다. 륜상췌는 십이지장폐쇄·협

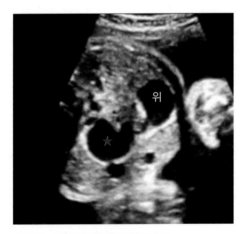

그림 1. 십이지장폐쇄의 태아복부
위장 정중선에 하나 더 연속된 cyst(★)가 확인된다
(double bubble sign)

착의 20~30%에서 합병한다. 다운증후군이 30% 정도 확인되기 때문에, 다른 합병기형의 정밀 조사나 상담, 필요하면 염색체 검사도 시행한다. 심장질환, 식도폐쇄 등의 합병도 높다. 양수과다에 대해서는 절박조산과 관련된 관리가 중요하다. 과도한 태동에 의한 제대 관련 사고, 파수 때의 제대탈출, 산후 이완출혈에도 주의한다. 제대궤양·출혈로 인한 태아의 급변도 예상되며, 가능한한 태아심박수모니터 소견, 중대동맥혈류속도 등에 주의해야 하지만 예방·예측은 불가능한 경우가 많다. 태아 치료에 대한 보고는 없다.

회장 및 공장 폐색증 및 협착증(jejunoileal atresia and stenosis)

분류 · 빈도 · 발생 · 병태

1. 분류

　I형: 막에 의한 내강이 분리되어 있음.

　II형: 입구측, 항문측 모두 맹단이 있고, 그 사이를 밧줄 모양의 물질이 연결하고 있다.

　III형: 두가지 형태가 있는데 양측 모두 맹단으로 장간막도 U자로 결손된 유형(IIIa)과, 광범위한 장막간 결손에 「사과의 껍질 모양」 변형을 동반한 유형(IIIb).

　IV형: 다발성폐색형.

2. 빈도

　약 3,000~5,000 예에 1례의 빈도.

3. 발생

　장관 주변의 혈관 장애가 주요 원인으로 꼽히지만, 축염전, 장중첩, 장 탈장 등도 원인이 된다.

4. 병태

　위장관폐쇄에서 가장 많은 질환이다. 폐쇄증이 협착보다 압도적으로 많다. 호발 부위는 근위 공장과 원위 회장이다.

진단

　소장 폐색부가 항문 쪽에 가까워질수록, 확장장관은 다수의 낭포상을 나타낸다. 공장 폐쇄의 경우 확장장관은 2~3곳이기 때문에, 위를 포함해 triple cyst sign이라고 하며(그림 2), 임신 24주 이후의 연동이 활발해지는 시기부터 눈에 띈다. 소장의 내강이 7mm 이상일 때는 확장으로 판단하고, 17mm 이상일 경우에는 폐색으로 생각한다.[2] 장벽의 두께는 3mm 이상에서 벽비후(장관부

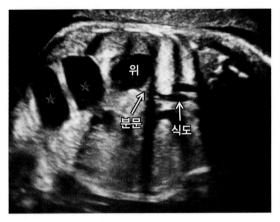

그림 2. 공장 폐쇄 태아의 복부
확장장관(★)은 2∼3곳에서, 위도 포함하여 triple cyst sign으로
불린다.

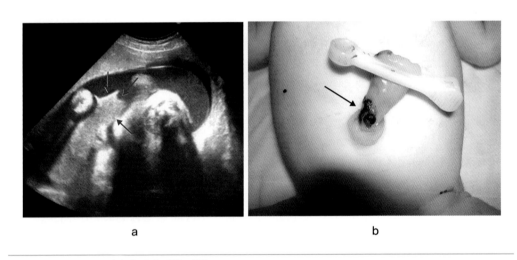

a   b

그림 3. 공장 폐쇄증 태아의 제대 궤양·파열
a: 양수강내에 출혈을 보이는 부정형의 고휘도 음영이 확인된다(화살표). b: 제대부착부에 저명한 궤양 천공부분이 확인된다
(화살표).

종)로 판단하는 것이 좋다. 확장된 루프 장관 안에 액체가 떠다니는 입자모양 물체가 확인되고, 연
동도 항진되는 경우가 많다. 갑자기 복수가 확인된 경우는 천공에 의한 태변성 복막염의 가능성
이 높다. 폐쇄부보다 항문측의 장관은 내용물이 유입되지 않기 때문에 축소되어, 초음파로 그다
지 눈에 띄지 않게 된다.

관리

근위부의 폐쇄는 양수과다가 많고, 원위부 폐쇄에서는 적다. 또 공장의 경우, 십이지장 폐쇄와 같고, 제대궤양·출혈의 위험성이 있어 유의한다(그림 3). 장관의 광범위한 혈액공급장애에 의한 태아기능부전의 소견을 나타내기도 한다. 현저한 복부 팽만에 따른 횡격막 거상 때문에 생후의 호흡에 영향을 받는 경우도 있어 분만 타이밍을 계획해야 한다. 분만방법은 경질 분만이며, 문제는 없다. 태아치료법에 대한 보고는 없다.

태변성복막염(meconium peritonitis)

개념 · 분류 · 빈도 · 원인

1. 개념

태아의 장관이 천공하여, 누출된 태변에 의해 무균성 복막염을 일으킨 상태이다.

2. 분류

단순형: 석회화만 된 유형

복잡형: 석회화 이외에 장관 확장, 위낭포, 복수 등이 확인되는 유형

3. 빈도: 약 3.5만 예에서 1례.

4. 원인

장천공을 일으키는 모든 병태가 원인이 된다. 장관폐쇄·협착, 태변성장마비, 탈장, 장회전이상증, 장중첩, 메켈게실, 낭포성섬유증, 거대세포 감염증 등이 있다.

진단

복강내 석회화가 가장 잘 나타나는 소견이다. 고휘도 장관상의 상태에서 점차 태변복막염으로 이행하는 경우도 있다. 태아복수도 약 반에서 확인되며, 양수 과다를 동반하는 경우도 많다. 확장 장관이 갑자기 변화하여 복수가 발생한 경우에는 본 증상을 강하게 의심한다. 천공하여 시간이 지나면 복수의 저류는 국지성이 되어, 태변성 위낭포를 형성한다(그림 4). 때로 이 낭포가 커질 수도 있다(거대낭포성 태변복막염). 장관의 루프상 확장과 태변성 위낭포와의 구별이 어려운 경우가 있다. 감별 진단으로서 다른 실질 장기내 석회화(담석, 간석회화 등), 장관내석회화(쇄문, 직장뇨관루 등), 나아가 종양내석회화(간아종, 더모이드, 신경아종, 기형종 등)가 있다.

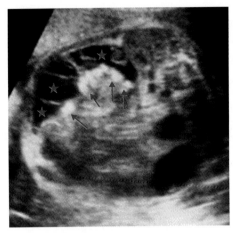

그림 4. 태변복막염을 가진 태아복부
복강내 석회화(화살표)와 태변성 위낭포(★)를 가지고
있음.

관리

　임상양상이 무증상성 복강내 석회화 소견부터 거대한 위낭포를 동반하는 것까지 여러 가지로 복잡하기 때문에 관리는 증상에 따라 다르다. 단순성(복강내 석회화만)에서는 경과를 관찰하면 되는 경우가 많다. 복잡성에서는 상세한 원인을 찾아야 하며 동시에 증상의 증악이나 새로운 이상 소견에 대하여 경과관찰이 필요하다. 장폐색 유래의 태변복막염에서는 광범위한 장관 괴사에 의해 급격하게 태아심박의 이상을 나타냄으로써 태아기능부전에 빠지는 경우가 있다. 일반적으로 출생 전 진단된 단순형 태변 복막염의 예후는 양호하다. 복잡형의 경우에도 복수가 흡수되어 천공부도 자연 복원되는 경우가 있다. 신생아기에 외과적 치료가 필요한 것은 약 50퍼센트 정도이다. 위낭포 형성의 경우, 한번의 수술로 처치 곤란한 경우나 수술 후 잔존 소장이 적어서 단장증후군이 될 수 있으며, 예후에 영향을 미친다.

복벽파열증(gastroschisis)

개념 · 빈도 · 발생 · 병태

1. 개념

　배꼽 주변(臍輪)의 복벽에 복막·복근·근막·피부 결손이 발생하여, 그곳으로 내장이 체외로 탈출하는 질환. 결손구멍은 배꼽 주변 오른쪽이 대부분이며, 탈장낭을 갖고 있지 않다.

2. 빈도

약 3,000예 1례 정도. 흡연 임산부나 젊은 임산부에 많다는 보고가 있다.

3. 발생

복벽결손부가 대부분 배꼽 주변 오른쪽인 경우, 우복벽동맥이나 우제대정맥의 혈류장애가 관련되어 있다고 한다. 또한 전복벽의 내반으로 배꼽주변 폐쇄가 완료되기 전에 제대탈장이 파열되었기 때문이라고도 여겨진다.

4. 병태

태생 6주경, 측벽주름의 폐쇄가 불완전해져, 배꼽부 우측으로 복벽 결손구멍이 생기고, 거기에서 장기 등이 탈출한다. 탈출한 장기는 양수에 자극을 받아 염증 변화가 생긴다.

진단

경질초음파로 임신 12주 진단보고도 있지만, 14주 이후가 일반적이다. 복벽결손부는 대부분 배꼽주변 우측으로 2~3cm 크기의 전층결손이다(그림 5). 탈출장기가 장관인 점이나 탈장낭이 없는 점이 제대탈장과는 다르다. 양수강에서 접촉한 장관루프의 부유상이 특징적이며, 연동이 확인되면 확진 가능하다. 배 주위가 작다는 점이나 결손 구멍을 향한 직선상으로 주행하는 장간막동맥영상도 참고가 된다. 탈출 장관은 양수 자극에 의해 염증 변화가 생겨 부종 상태로 비후해져 있다. 장의 장막면에는 섬유소나 콜라겐을 성분으로 한 얇은 막(peel)을 동반하는 경우가 많다. 감별 진단으로서 장탈장(파열 포함), 양막대증후군, limb-body-wall complex 등이 있다.

관리

복벽 파열은 보통, 장관 이외의 이상은 동반하지 않으며, 염색체 이상 가능성이 낮다는 점에서 제대탈장과 다르다. 태아발육부전 합병이 많아, 탈출장관에서 양수로의 단백질 누출이 지적되고 있다. 탈출장관이 탈장문에서, 조임을 일으키면서 장관괴사로 이어지기 때문에, 장관 직경의 확대, 벽의 비후, 나아가 연동운동의 감소에 주의하고, 컬러 도플러로 장간막동맥혈류 평가를 실시한다. 양수과다는 약 1/3에서 확인되므로, 조산 예방에도 주의가 필요하다. 유효한 태아 치료법은 없다.

분만 방법에서 제왕절개술이 뚜렷한 유효성을 보여주는 증거는 없다. 그러나 제왕절개술을 시행하면, 즉시 태아의 일시적인 폐복술을 실시할 수 있는 이점이 있다는 보고도 있다. 출생 후에는 즉시 깨끗한 보습포로 탈출 장관을 감싸고 신생아 관리실로 옮긴다. 탈출장관을 원통형저장포를

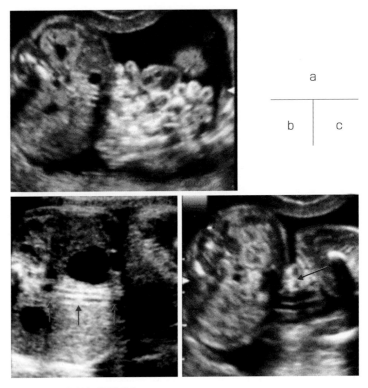

그림 5. 복벽파열 태아복부

a: 양수강과 접촉한 장관루프 부유상이 특징적이며, 연동이 확인되면 확진 가능하다.
b: 결손구멍을 향하여 직선상으로 주행하는 장간막동맥상이 확인된다(화살표).
c: 복벽결손부는 대부분 제대 우측에 있다(화살표).

만들어서 거치하면서 장기의 복강 내 환원을 기다려, 복벽 폐쇄술을 하는 경우가 많다. 예후에 대해서는 복벽 파열은 다른 합병기형이 적기 때문에 일반적으로 좋다. 그러나 탈출 장관에 대한 양수 자극이나 혈액 순환 장애로 인한 부종·괴사가 진행된 경우에는 광범위한 장 절제가 필요하며, 예후가 불량해지는 경우도 있다.

제대탈장(omphalocele)

개념 · 발생 · 빈도 · 병태

1. 개념

제륜을 중심으로 한 복근·근막·피부의 결손부에서 복막과 양막으로 덮인 형태로 복강내 장기가 탈출한 상태. 탈장낭을 가짐.

2. 발생

임신 3~4주에 체절이 접히는 과정에서 생긴 이상.

3. 빈도

4,000~7,000예에 1례. 산모의 노화와도 관계된다고 한다.

4. 병태

임신 3~4주에 체절 굴곡으로 인해 3가지 주름이 생긴다. 이중에서 가운데 주름의 장애로 복벽중앙에 결손구멍이 생기고, 일반적인 제대탈장이 생긴다. 또한 머리쪽 주름의 결손으로 Cantrell 5증후 대표로 하는 상복부제대탈장이, 꼬리쪽 주름의 결손으로 배설강외반증 등의 하복부제대탈장이 생긴다.

진단

생리적 제대탈장에서 장관복원은 임신 12주까지 완료되므로 진단은 이 이후가 된다. 단, 약 20%는 12주에 이르러도 생리적 제대탈장이 확인되었다는 보고도 있다.[3] 탈장은 제륜부에 일치하며(그림 6), 탈장낭 내에는 소장을 비롯해 위, 간, 방광 등이 탈출하는 경우도 많아 복벽 파열과는 다르다. 또한 탈출장기는 탈장낭(양막, 와튼제대교질, 복막)에 싸여, 제대는 제륜이 아니라 탈장낭으로 연결되며, 제대혈관이 낭 안을 주행하고 있는 것이 특징이다. 다만 약 10%에서 탈장낭의 파

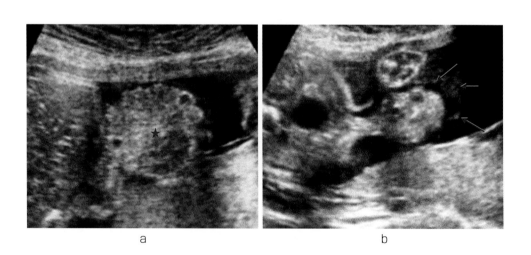

a	b

그림 6. 제대탈장 태아 복부
a: 탈장낭 내에는 소장을 시작으로 위, 간, 방광 등도 탈출할 수도 있다(★).
b: 탈출장기는 탈장낭(양막, 와튼제대교질, 복막)에 쌓여 있다(화살표).

열이 관찰되기도 한다.

관리

제대탈장이 진단되면, 탈장입구의 크기, 탈장낭의 내용, 제대의 부착부위, 양막·복막의 유무를 확인하는 것이 중요하다. 합병기형으로서 중추신경이상이나 척수막류 등 외에 심장기형의 비율도 높아서 심장초음파가 필요하다. 18-트리소미, 13-트리소미 또는 3배체 등 염색체 이상일 가능성도 높고, 추가검사가 필수적이며 충분한 상담이 필요하다. 자궁내 태아사망이나 갑작스러운 태아 기능 부전도 생기기 쉬우므로, 사전 설명 후 관리를 엄격히 한다. 이는 합병기형이 많기 때문이기도 하지만, 제정맥 등의 사고도 생각할 수 있다. 관리방침으로서는, 재태주수의 연장을 목표로 한다.

분만방식으로는 탈장문이 작을 경우 경질분만해도 무방하다. 5cm 이상의 경우 제왕절개 분만이 좋다고 하며, 특히 간 탈출 예에서는 권장되고 있다. 예후는 합병기형의 중증도에 따르지만, 중증의 합병기형이 없으면 간 탈출을 동반한 거대 제대탈출증에서도 예후가 양호할 수 있다. 태내치료법은 없다.

복부점거성 병변

태아복부의 점거성 병변을 이하에 나열한다.

1. 낭포성병변

1) 총담관낭종(확장증)(choledochal cyst): 담도계의 낭포상 확장이다. 음영에서 간문부 주위에 낭포상을 나타내고, 담관에 연속되는 부분이 tail모양으로 확인된다(그림 7). 제왕절개 분만의 적응은 없으며, 출생 후에는 대기적 치료 후 수술을 한다.

2) 난소 낭종: 태아에서는 편측성이 많다. 정상인 비뇨기계 장기와 장관을 확인할 수 있으며, 여성태아의 경우에 진단된다. 낭포 내부는 무음영에서 부정확한 고휘도 선상음영, 더하여 액면형성 등 일정하지 않다. 파열·염전의 예방을 위해 4cm 이상에서 천자 흡인을 하는 경우도 있다. 원칙적으로 제왕절개 분만의 적응은 없으며, 출생 후에는 산모로부터의 hCG 자극에서 해방되어 낭종이 작아지는 경우가 많다.

3) 간낭포: 단순 낭포형이 많다. 담관계와의 연속성 없다. 커져서 복강 내를 점거하기도 한다. 여자태아에게 많다.

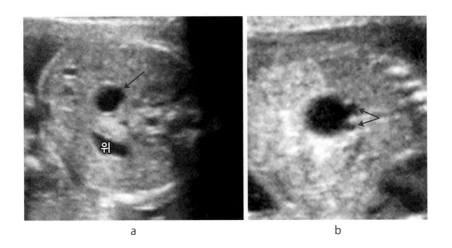

a

b

그림 7. 총담관낭종(확장증)의 태아복부
a: 간문부 근처에 낭포상이 확인된다(화살표). b: 담관과 연속하는 부분이 tail모양으로 확인된다(화살표).

　　4) 비낭포: 비장의 상극에 많다. 단순 낭포형.

　　5) 췌낭포, 부신낭포: 드물어서 감별이 어렵다. 췌낭포는 다발성인 경우도 많다.

　　6) 장간막낭포, 대망낭종: 단방성낭포인 경우가 많다. 복강내에 크게 점거한 경우도 있다.

　　7) 요막관낭포: 방광과 탯줄부를 연결하는 요막관이 낭포상으로 커진 것.

　　8) 소화관중복증: 낭포에 연동운동이 보이는 경우가 있다.

2. 충실성병변

　　간종양으로 혈관종, 과오종, 간아종 등, 신장종양으로는 신아종(Wilms종양)나 중배엽성신종양 등, 부신에서는 신경아종(주로 부신수질) 등을 들 수 있다.

복강내 정맥 이상

　　제정맥, 정맥관, 하대정맥 등의 복강내 정맥은 비교적 관찰하기 쉬운 혈관이며, 컬러 도플러를 사용하면 자세히 관찰할 수 있다. 이들 복강 내 주요 정맥의 이상은 태아의 예후에 중대한 영향을 미치는 경우가 많다. 또한 태아기능부전의 조기 진단이나 심장에 대한 preload의 평가에도 이용된다.

1. 제정맥류(정맥확장)

제정맥은 탯줄 부분에서 복강내로 들어가서, 담낭의 왼쪽을 상행하면서 문맥제부(왼쪽)로 이행하는 정맥이다. 있다. 정맥류의 중요한 병태에 정맥확장(그림 8)이 있다. 제정맥 지름 9mm를 초과하거나, 간내정맥의 1.5배가 넘는 경우에 제정맥류라고 진단된다. 확장된 정맥류는 파열이나 혈전·색전, 나아가 제대동맥으로의 압박이나 preload 상승에 의한 과도한 심부하 등 2차적인 영향을 태아에게 초래한다. 합병기형이 없는 제정맥류 단독 예에서도 8.1%에 자궁내 태아 사망이 발생하고, 특히 정맥류 내에 혈전이 형성된 경우는 그것이 이동하여 간내정맥이나 정맥관에 색전을 일으킬 가능성이 있으며, 자궁내 태아 사망률은 80%에 달한다.[4] 파열이나 색전증을 빌병하는 시기는 정맥 순환량이 증가한 임신 27~30주에 많은 것으로 알려져 있다. 심장의 구조이상이나 기능이상, 거기에 태아수종, 빈혈 등의 선천성 이상이 약 30%로 확인되며, 21-트리소미, 18-트리소미, 염색체 이상도 10%로 확인된다. 자궁내태아사망을 피하기 위해서는 자연진통을 기다리지 않고 분만으로 전환할 수도 있다.

2. 정맥관결손·문맥결손과 제정맥 개구부 이상

정맥관은 제정맥에서 시작하여 우심방으로 들어가기 직전의 하대 정맥에 이르는 우회선으로 괄약근에 의한 preload 조절 기능을 가지고 있다. 또한 문맥은 비정맥, 장간막정맥과 합류하여, 간문부에서 간 내로 들어간다. 이 부분에 생기는 주된 이상으로 정맥관결손, 문맥결손이 있다. 전자는 단순히 정맥관이 결손된 경우(문맥 제부는 있음)가 있지만, 제정맥의 개구부 이상을 동반하는 경우도 많다. 주요 제정맥 개구부 이상으로는 내장골정맥, 간정맥, 하대정맥, 신정맥, 우심방, 및 흔치 않지만 좌방이나 관상정맥동 등이 있다. 한편, 문맥결손의 경우는 제정맥은 문맥으로 나

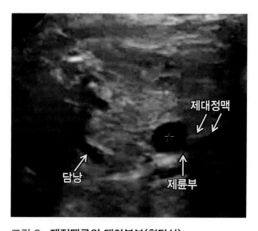

그림 8. 재정맥류의 태아복부(횡단상)
제대정맥이 탯줄주위 부분을 통과한 부분부터 저명하게 확장
하고 있다(★).

뉘지 않고, 확장된 정맥관으로만 이행하여 하대정맥으로 연속된다. 간으로의 혈액 공급은 문맥이 없기 때문에 간동맥만이 된다. 또 비정맥·장간막정맥은 측부로를 통해 하대정맥이나 좌신정맥으로 들어간다. 이러한 이상에서는 preload 증가에 의한 심부전이나 태아수종, 심장기형(양대혈관우심실기시, 대혈관전위증, 방실중격결손증, 좌심저형성증후군, 총동맥간증 등), 심장외기형(십이지장폐쇄, 식도폐쇄, 좌상대정맥존치 등)의 합병이 많고, Turner증후군이나 Noonan증후군의 보고도 있다. 원인불명의 우심부하(삼첨판역류 등)가 확인되면 반드시 본 질환을 검색할 필요가 있다.

참고문헌

1) Bendon, RW. et al. Umbilical cord ulceration and intestinal atresia : A new association? Am. J. Obstet. Gynecol. 164, 1991, 582-6.
2) Nyberg, DA. et al. Fetal bowel : normal sonograph findings. J. Ultrasound Med. 6, 1987, 3-6.
3) Green, JJ. et al. Abdominal ultrasound examination of the first trimester fetus. Am. J. Obstet. Gynecol. 159, 1988, 165-75.
4) Ipek, A. et al. Prenatal diagnosis of fetal intra-abdominal umbilical vein varix : report of 2 cases. J. Clin. Ultrasound. 36, 2008, 48-50.

≫ 青木昭和

형태이상 ⑤ 신장 · 비뇨기계

설명

태아의 신장비뇨기계의 이상은 폐색성에 의한 것과 발생이상에 이한 것 두 가지로 그게 나뉜다. 폐색성 신요로질환은 폐색 부위보다 위에 요로 확장상으로 초음파에서 쉽게 확인되므로, 전체 임신 사례의 13%라는 높은 빈도로 발견된다. 약 80%는 일과성이라고 말하지만, 종종 고도의 신기능 장애나 무기능신장, 양수과소의 원인이 될 수도 있다. 폐색 또는 협착 부위에 따라 신우요관이행부협착(수신증), 방광요관이행부 협착, 방광류(중복신우요관), 후부요도판 등이 있다. 신장발생 이상은 일찍이 Potter 증후군의 이름으로 불리었던 일련의 질환으로 신장무형성(renal agenesis), 다낭성이형성신장(multicytic dysplastic kidney ; MCDK), 다낭신장(polycystic kidney disease) 등이 대표적이다. 또한 희귀한 질환이지만, 발생 이상의 일종으로서 선천성 신장종양이 있다.

폐색성 신장요로질환

진단

1. 신우요관이행부폐쇄(협착)

신우에서 요관에 걸친 폐쇄 협착으로 신우 · 신배의 확장이 확인된다. 신우 확장만 있으면 등급 I, 확장된 신배가 몇 개 관찰되면 등급 II, 모든 신배가 확장되면 등급 III, 등급 III에 추가로 실질의 얇아짐이 확인되면 등급 IV로 분류한다.[1]

2. 방관요관이행부폐쇄(협착)

거대 요관증을 보인다. 즉 신우에서 요관방광 접합부까지 확장되고, 늘어난 요관이 있지만 거대 방광이 동반되지는 않는다.

3. 중복신우요관(방광류)

일반적으로 한쪽의 수신증을 동반한다. 중복신우뇨관의 확장된 상부신우와 정상적으로 확인되는 하부신우가 특징적 소견이다(그림 1). 요관은 똑같이 신장 상극까지 확장하며, 장기간 고도의

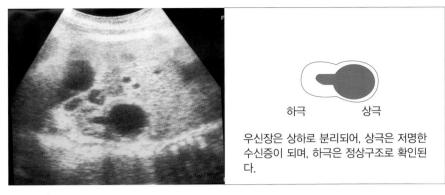

우신장은 상하로 분리되어, 상극은 저명한 수신증이 되며, 하극은 정상구조로 확인된다.

그림 1. 중복신우요관

폐색으로 인하여 낭포상 이형성을 보인다.

4. 후부요도판(posterior urethral valve)

지속되는 현저한 방광확장과 방광벽의 비대나 육주 형성이 확인된다. 방광요관역류(vesicoure-teral reflux ; VUR)로 인해 종종 요관 확장이나 신우 확장이 발생한다.

관리

1. 신우요관이행부폐쇄(협착)

태아기에 발견되는 신요로계 이상으로, 가장 빈도가 높으나, 80% 이상은 일과성으로 병적 의의는 드물다고 여겨진다. 합병 기형에 주의할 필요가 있다. 신우요관이행부폐쇄 단독으로는 예후가 양호한 경우가 많으며, 임신 중의 경과 관찰이 필요하다. 신우전후지름이 15mm 이상인 경우에는 출생후에 비뇨기과적인 치료가 필요할 수 있다. 고도의 양측 폐쇄 경우나 신장무기능을 합병한 한쪽의 폐색 경우에서는 신장 기능이 소실되기 전에 태아 치료를 고려해야만 하는 경우도 있다. 초음파 유도 하에 신우에 더블바스켓카테터를 유치하고, 자궁 단락술을 하는 방법을 고려할 수 있다.[2]

2. 방광요관이행부폐쇄(협착)

상기의 신우요관이행부폐쇄(협착)와 거의 같은 관리가 된다. 방관뇨관역류를 보이는 증상이 포함되므로, 방광요도조영 등의 출생후 정밀검사와 추적관찰이 필요하다.

3. 중복신우요관(방광류)

완전중복신우요관에서는 상방신우에서의 요관이 방광 내로 비정상적 이소성으로 개구되어, 종종 요관류를 동반하므로 요관폐색을 일으킨다. 장기간에 걸친 중증 폐색 때문에 일반적으로 상방신장은 형성 이상으로 기능 부전이 존재하지만, 하방신장의 기능이 유지되고 있으면 예후는 양호하다. 임신 중에는 경과 관찰만 하면 된다. 출생 후에는 역류에 따른 상행성 감염과 이차적인 신기능 부전이 발생할 수 있다. 소아 신장 전문가의 상담이 필요하다.

4. 후부요도판

방광출구부 폐색은 신장이형성, 양수과소, 폐저형성을 발생시켜 태아의 생명예후를 불량하게 할 수 있으므로 적극적인 관리가 필요하다. 12%에서 염색체 이상이 있으므로 검사가 필요하다. 임신 26주 미만의 양수과소 경우에는 전술한 자궁내 단락술 카테터 유치술을 선택할 수 있다. 태아소변을 채취하여 태아신기능평가를 위한 전해질측정을 하는 것이 유용하다.

신장발생이상

진단

1. 신장무형성(renal agenesis)

임신 16주 이후에 확인되는 양수과소 및 태아의 양쪽신장과 방광이 확인되지 않음에 의해 진단한다. 단 양수가 없으면 초음파 진단의 정확성은 상당히 떨어지므로 주의가 필요하다. 컬러플로어 매핑법에 의한 신장동맥의 확인이 보조진단이 된다.

2. 다낭이형성신(MCDK)

태아 복부에서 확인되는 종류로 연속되지 않고 불균일한 다수의 낭포가 확인된다(그림 2). 진단은 용이하나, 수뇨관증에서 확장되고, 늘어난 요관과의 감별에 주의한다.

3. 다낭포성신(polycystic kidney disease)

초음파 음영이 현저히 증가하여 양측성으로 증대된 신장이 특징적이다(그림 3). 발병시기는 증례에 따라 다르지만, 신장종대와 양수과소는 서서히 진행되는 경우가 많다.

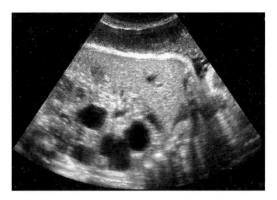

그림 2. 다낭포성이형성신
서로 연속하지 않고 불균일한 다수의 낭포가 확인된다.

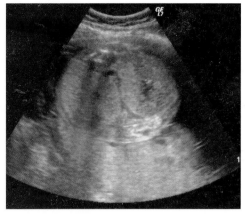

그림 3. (상염색체열성형) 다낭포성신
초음파음영이 현저하게 증가하여, 양측성에 증대한 신장이 확인된다.

4. 선천성신종양

선천성신종양으로는 중배엽성신장종(mesoblastic nephroma), 윌름스종양(Wilms' tumor)이 있으며 모두 피포성 종양으로, 내부는 낭포상 부분과 실질성 부분이 혼재된 소견을 나타낸다(그림 4). 부신 유래의 신경아세포종(neuroblastoma)도 커지면 비슷한 상을 나타내지만, 외하방으로 압박된 정상 신장을 확인할 수 있다.

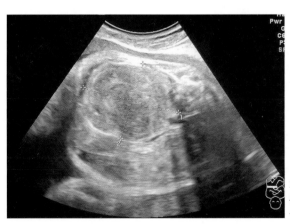

피포성 종양으로 내부는 낭포성부분과 실질성부분이 혼재된 소견을 보인다. 병리조직진단에서는 중배엽성신종양이다.

그림 4. 선천성신종양

1. 신장무형성

신장무형성의 예후는 불량하므로 적극적으로 개입하는 것에 대한 적응은 없다. 단, 진단에 의심이 남는 경우는 소아과 의사 입회하에 출산하여, 신장형성이나 폐저형성의 유무와 소생술 적응을 판단할 필요가 있다.

2. 다낭이형성신(MCDK)

합병기형의 유무를 정밀검사할 필요가 있다. 양쪽에 MCDK가 있으며, 양수과소의 소견이 있을 때는 예후가 불량하다. 그러나 반대측 신의 기능이 유지되고 있는 경우에는 예후는 양호하며, 일반적 임신관리를 시행한다. 임신중의 경과에서 종류가 증가되거나 반대로 축소될 수 있다.

3. 다낭포성신

일찍이 유아형이라 불린 상염색체 열성유전의 autosomal recessive polycystic kidney disease (ARPKD)와 성인형으로 불리는 상염색체 우성유전의 autosomal dominant polycystic kidney disease (ADPKD)의 2종이 존재한다. 태아기에 발견되고 있는 것은 보통 ARPKD이나 ADPKD의 태아기 발병 예도 드물게 존재한다. 초음파 소견만으로 양자를 감별하기는 어렵다. 출생 후 호흡부전, 신부전에 대처하기 위해 소아과 의사와의 면밀한 협의가 필요하다.

4. 선천성신종양

신종양이 의심되면 합병 기형의 상세한 평가가 필요하다. 양수과다를 합병하는 경우가 많으며, 파수나 조기진통에 의한 조산에 주의한다. 종양으로 인해 경질분만이 방해되는 되는 일은 거의 없다.

─● 참고 문헌 ●─

1) Fernbach, SK. et al. Ultrasound grading of hydronephrosis : Introduction to the system used by the Society for Fetal Urology. Pediatr. Radiol. 23, 1993, 478-80.
2) Freedman, AL. et al. Fetal therapy for obstructive uropathy : Diagnosis specific outcome. J. Urol. 156, 1996, 720-3.

≫ 室月 淳

형태이상 ⑥ 사지 골격계

설명

　연골이나 뼈의 형성부전으로 특징 지어지는 질환에는 매우 많은 종류가 존재하고, 그 원인이나 표현형은 다양하다. 하나하나의 질환은 상당히 드물면서도 전체적으로 보면 1,300분만에 1례 정도의 빈도라고도 하며, 태아 진단에 있어서 무시할 수 없는 이상 중 하나이다. 본 글에서는 『산부인과 진료가이드라인: 산과 편 2014』[1]에 의거해, 대퇴골 길이(FL)의 단축이 의심되었을 경우의 대응을 간단히 정리했다. 또한 태아기에 발견되는 골계통 질환을 발병 빈도 순으로 정리하고(표 1),[2] 빈도가 높은 일곱가지 질환의 진단과 관리에 대해 알아보자.

진단

　FL의 3~−4SD 이하의 단축이 확인될 때는, 태아 발육지연(FGR), 염색체 이상, 골계통 질환 등을 의심한다. 태아 골계통 질환으로 장관골 단축이 경도인(FL이 − 3SD보다 긴 것) 예외적인 것으로는 골형성부전증의 경증, 굴곡사지이형성증 등이 있다. 중증 태아발육부전에서는 임신 24주 이전부터 FL의 성장이 늦어졌으며, 최종적으로는 −4SD 전후의 단축을 나타냈으나 발육부전과 장

표 1. **골계통질환의 발증빈도** (문헌2에서 일부개편)

	출생빈도 (출생 10,000 당)	주산기사망에서 차지하는 비율
타나토폴릭 골이형성증	0.69	1:246
연골무형성증	0.37	–
연골무발생증	0.23	1:639
골형성부전증 II 형	0.18	1:799
골형성부전증 그 외	0.18	–
호흡부전성흉곽이형성증	0.14	1:3,196
점상연골이형성증	0.09	–
기타	0.56	1:533
총계	2.44	1:110

관골 단축 이외에는 특별히 이상을 보이지 않는다. 염색체 이상 사례에는 FL 단축이 현저하거나, 사지의 기형 등을 확인할 수 있으나 임신 후기에는 −4SD보다 짧아지는 일은 없다. 태아 정밀초음 파검사, 양수 염색체검사, 태아 CT 등을 통해 감별을 할 수 있다.

질환 각론

1. 타나토폴릭 골이형성증(thanatophoric dysplasia ; TD)

2010년 국제분류[3]에서 지금까지의 「치사성골이형성증」에서 현 병명으로 변경되었다. 두드러진 사지단축, 큰머리, 좁고 작은 흉부와 팽만한 복부 등의 외모를 가진다. 사지는 항상 신전되어 있으며, 이른바 꼭두각시 형의 자세를 취한다. X선 소견으로 장관골의 단축과 만곡, 골간단의 잔 모양 변형, 장골저형성이 확인된다(그림 1). 대퇴골 소견은 중요한 감별점으로, 「수화기」("telephone receiver") 모양변형으로 불린다. 초음파 검사에서는 대퇴골, 상완골 모두 두드러지는 단축이 확인 되지만, 아두대횡경(BPD)은 태아연령에 비해 반대로 크다. 대퇴골의 '수화기' 모양변형은 X선상에 서는 진단적인 소견이지만, 초음파 상으로는 항상 관찰 가능하다고는 할 수 없다. 양수 과다를 보 인다.

2 연골무형성증(achondroplasia ; ACH)

생명예후 양호한 사지단축형 소인증의 대표이다. 아두가 크고 앞머리가 돌출되며, 비근부가 함 몰된 특징적인 용모를 보여주며, 근위지절을 중심으로한 사지의 단축이 인정된다. X선상에서는 사 지의 관상골은 굵고 짧고, 골간 끝의 cupping이 두드러진다(그림 2). 진단적소견은 대퇴골경부의 U 자형의 투량상으로, 이것은 전자부 cupping을 정면에서 본 것이다. 초음파 진단은 빠르면 임신 21 주경부터, 늦어도 임신 27주까지는 사지의 단축을 확인하게 된다. 근위장관골의 단축이 확인되 지만 골화는 정상으로, 골절, 만곡 등은 확인되지 않는다. 머리둘레는 확대되지만, 흉곽저형성은 분 명하지 않고 양수량에는 이상이 없다.

3. 연골무발생증(achondrogenesis ; ACG)

심하게 단축된 사지와 불균형적으로 큰 머리, 짧은 목과 체간, 복부 팽만 등의 외모를 나타낸 다. X선 소견에서는 척추, 좌골, 치골의 골화가 안 된 것이 확인된다. 흉곽은 통모양으로 늑골은 수평으로 뻗고 그 앞쪽 끝은 확대된다. 사지는 두드러지게 단축되고, 골단 끝은 톱니 모양으로 변 형된다. 장골, 장관골 변형이 심한 type Ⅰ(그림 3)과, 변형이 중등도의 type Ⅱ로 나뉜다. 초음파 진 단에서는 극단적으로 짧은 사지가 확인되며, 경우에 따라 대퇴골은 거의 확인되지 않는 일도 있 다. 머리는 극단적으로 크고, 두개골은 경도의 골화부전을 나타낸다. 척추 또는 장골도 잘 관찰되

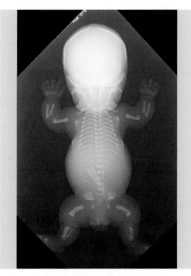

그림 1. 타나토폴릭 골이형성증
두개관은 크고, 척추골은 편평화되어, 역U자 혹은 H자 모양으로 모인다. 장관골은 단축되어 현저하게 만곡되어있기 때문에, 대퇴골이 수화기 모양 변형의 특징적 소견을 보인다.

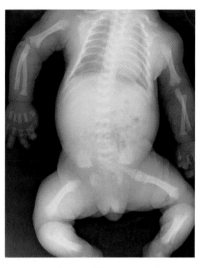

그림 2. 연골무형성증
사지의 관상골은 굵고, 골간단의 cupping가 현저하다. 대퇴골 근위에 타원형의 투량상이 확인되는데, 이는 전자부의 cupping을 정면으로 본 것이다. 장골익은 저형성에 의해 사각형이 된다.

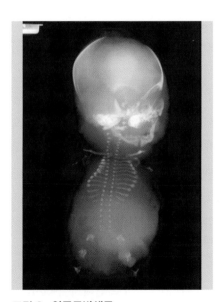

그림 3. 연골무발생증
큰두개와 장간골의 현저한 단축과 변형이 보인다. 추체의 골화가 발달 안되었다. 흉곽은 원추상으로 늑골은 수평으로 보인다. 늑골 골절이 있는 것을 ⅠA형, 없는 것을 ⅠB형이라 한다.

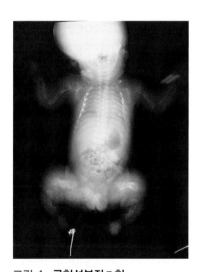

그림 4. 골형성부전 Ⅱ 형
많은 자궁내 골절로 인하여 사지장관골이 아코디언 모양의 변형을 초래한다. 늑골도 골절 흔적이 염주 모양으로 되어 있다.

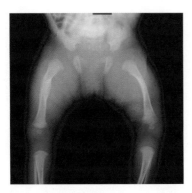

그림 5. 골형성부전증 Ⅳ형
자궁내골절과 치유의 흔적을 가진 우대퇴
골과, 가벼운 만곡의 좌대퇴골이 확인된다.

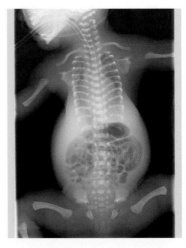

그림 6. 호흡부전성흉곽이형성증
경도의 사지 단축에 비해 늑골은 매우 짧고
수평으로 뻗기 때문에, 흉곽이 저형성을 나
타낸다.

지 않는다. 현저한 발육 부전과 양수과다를 보여 태아 수종이 발생하는 경우도 많다.

4. 골형성부전증Ⅱ형(osteogenesis imperfecta type Ⅱ ; OI Ⅱ)

자궁내 다발골절로 인한 두드러지는 사지의 변형과 종 모양의 흉곽저형성이 확인된다. 청색의 강막을 종종 동반한다. X선 소견으로는 사지, 늑골 등의 장관골에 다발성 골절이 있고, 리본모양, 아코디언 모양으로 불리는 변형, 단축이 확인된다(그림 4). 초음파 소견에서는 대퇴골, 상완골에 명료하게 확인되는 골절, 굴곡, 단축, 이차적인 비후 등이 특징이다. 두개골은 골화불량으로 막모양으로 부드럽고, 초음파 탐촉자의 압박에 의해 쉽게 변형되는 것을 알아챌 수 있다. 경도의 태아발육부전이 확인되지만, 일반적으로 양수과다는 초래하지 않는다.

5. 골형성부전증 Ⅰ형, Ⅲ형, Ⅳ형(osteogenesis imperfecta other type)

주산기 예후 불량의 Ⅱ형을 제외한 Ⅰ, Ⅲ, Ⅳ형의 빈도는 총 25,000명 당 한명 정도로 여겨진다. Ⅰ형은 청색의 강막과 비교적 가벼운 골변화를 보이며 영유아기에 쉬운 골절성향 때문에 진단되는 경우가 많다. 장관골은 overmodeling 때문에 가늘고, 골절로 인해 구부러져 있다. Ⅲ형은 자궁내 다발성 골절과 막양두개골을 보인다. Ⅱ형과 유사할 수 있으나, 형태는 장관골의 형태를 유지하고 있으며, 약간 경증이라고 할 수 있다. 그러나 생후에도 골절을 반복함으로써 중증의 사지변형이 나타날 수 있다. Ⅳ형은 백색의 강막을 보이며, 일반적으로 경증이지만 증상의 폭이 넓

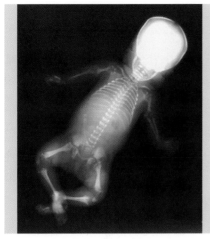

관상골골단부와 그 주위에 특징적인 점상석회화가 확인된다. 근위지절인 상완골과 대퇴골의 두드러진 단축과 골간단의 splaying 횡경발육(말단확대)이 보인다.

그림 7. 근위지절형 점상연골이형성증

으며, 자궁내 골절이 확인되는 사례도 있다(그림 5).

6. 호흡부전성흉곽이형성증(asphyxiating thoracic dysplasia ; ATD)

2010년 국제분류[3]부터 지금까지의 「질식성골이형성증」에서 현재의 병명으로 변경되었다. 흉곽의 저형성이 특징적이지만, 신생아기에 심한 호흡부전을 일으키는 것으로부터 거의 무증상인 경우까지 증상의 격차가 크다. X선상에서는 늑골의 현저한 단축 때문에 종모양을 나타내는 협소한 흉곽과 짧은 손발가락이 특징적이다(그림 6). 초음파에서는 흉곽저형성과 양수과다가 눈에 띈다. 장관골의 단축은 경도이다.

7. 점상연골 형성증(chondrodysplasia punctata ; CDP)

근위지절 우위의 현저한 장관골 단축을 나타내는 rhizomelic chondrodysplasia punctata(근위지절 점상연골이형성증)이 대표적이다. 임상 양상은 근위지절의 현저한 사지 단축이 특징이다. 단축은 특히나 상완에서 눈에띈다. 안면 중앙부의 평탄함, 림프 부종과 같은 용모 이상이 있다. X선상에서는 관상골 골단부와 그 주위에 특징적인 점상석회화가 확인된다(그림 7). 근위지절에서 상완골과 대퇴골은 현저한 단축과 골간단의 횡경발육(말단이 넓어짐)을 보인다. 점상석회화는 초음파로도 관찰 가능하며, 진단적 소견이라고 할 수 있다. 근위지절장관골의 단축은 상완골에서 특히 두드러지게 관찰된다. 양수과다를 합병하는 경우가 많다.

관리

연골무형성증은 예후뿐만 아니라 지능적으로도 문제가 발견되지 않으며, 출생아에게도 거의 특별한 의학적 관리가 필요 없다. 일반 임신분만 관리로도 무방하지만, 큰머리로 인한 아두골반 불균형 때문에 제왕절개술이 필요할 수도 있다.

연골무발생증에서는 사산 또는 출생 초기에 사망하게 된다 타나토폴릭 골이형성증에서는 수개월 생존한 경우도 보고되고 있으나, 대부분은 호흡부전에 의해 신생아가 조기사망한다. 임신관리에서 가장 중요한 것은 진단이며, 만약 임신 22주 미만에 진단이 되었다면, 임신 지속 유무도 포함하여 부모와 충분히 의논하여 방침을 결정해 간다.

골형성부전증Ⅱ형은 과거에 치사적인 선천이상으로 여겨져 왔으나, 호흡장애를 초래하는 경우는 적고, 적절한 케어로 장기 생존 경우도 보고되고 있다. 방침을 정하기 위해 부모와의 충분한 상담과 논의가 필요하다. Ⅱ형 이외의 경우, 아이의 예후는 여러 가지로 갈리지만, 출생 후의 골흡수 억제제 사용 등 치료의 발전이 계속되고 있다는 것을 유의해야 한다. 호흡부전성 흉곽이형성증 및 점상연골이형성증은 각각 단독 질환이 아니라, 유사한 질환이 모인 패밀리이다. 그 중에는 예후가 불량인 경우가 많은 반면, 생명에는 지장이 없는 사례도 있어 태아기 평가는 매우 어렵다. Homotygote(동형) 예라면 비슷한 예후를 추측할 수 있지만, heteoygote(이형)에서는 판단이 어려운 경우가 많다. 그 사실을 부모에게 솔직하게 설명하고 방침을 정한다.

─ 참 고 문 헌 ─

1） 日本産科婦人科学会・日本産婦人科医会 編集・監修. 産婦人科診療ガイドライン：産科編2014. 2014.
2） Papadatos, C.J., Bartsocas, C.S. eds. Skeletal dysplasia. New York, Alan R. Liss, 1982, 441-4.
3） 芳賀信彦ほか. 委員会報告2010年版骨系統疾患国際分類の和訳. 日本整形外科学会雑誌. 87, 2013, 587-623.

≫ 室月　淳

g **태아수종**

개념 · 정의 · 분류

태아수종은 태아의 피하부종, 흉·복수 및 심낭액 저류를 주된 특징으로 하는 증후군의 총칭으로 모체태아간 혈액형부적합임신에 기인한 **면역성태아수종**(immunologic hydrops fetalis ; IHF)과 기타 원인에 의한 **비면역성태아수종**(non-immunologic hydrops fetalis ; NIHF)으로 크게 구분된다. 태아수종과 공수증은 종종 혼동되는 명칭이나, 전자는 피하부종에 공수증을 동반하는 상태인 반면, 후자는 체강으로의 수분 저장이 초래된 상태로 구분된다. 현재는 태아수종의 명칭은 피하부종, 흉수, 복수, 심낭액 중 2개 이상이 있는 경우에 사용되는 경우가 많다.

기존에 본 증후군의 대부분은 IHF였으나, 일본 Rh 음성임산부가 0.5%로 낮은 비율이었으며, 또한 항Rh (D) 면역글로불린의 투여에 의한 감작예방법이 확립됨에 따라 IHF 빈도는 낮아져 현재 대부분은 NIHF이다. NIHF의 빈도는 3,000~4,000 분만당 1례로 보고되고 있다.

1. 병인·병태

IHF는 모아간 혈액형부적합임신으로 인해 초래되는 태아 용혈성 빈혈의 극단적인 형태이며, 가장 빈도가 높은 것은 Rh (D)형 부적합이다. 그 밖에 Rh (E)형, Rh (C)형 부적합이 알려져 있지만, Rh (D)형에 비해 이들 항원 활성은 낮다. IHF는 태아 적혈구에 대한 IgG 항체가 태반을 통과하여 태아에게 용혈성 빈혈을 야기하고, 태아의 간에서 골수외 조혈의 증가와 문맥압·제정맥압의 상승, 태반부종에 기인한 물질수송능력의 장애 및 간에서의 알부민 생성기능의 저하가 중첩되어 생긴다.

한편 모자간 혈액형부적합에 기인하지 않는 NIHF의 배경 질환은 다방면에 걸쳐 있다(표 1).[1] 배경질환과 원인은 반드시 일치하지 않는다는 점에 주의해야 한다. 예를 들어 태아 부정맥을 배경질환으로 한 태아 빈맥이 심부전을 초래하고 태아 수종이 발병하는 기전은 쉽게 인과관계를 이해하기 쉽다. 그러나 21-트리소미가 있는 아이가 공수증이 발병해도 염색체 이상이 직접 원인이라 할 수 없다. NIHF의 진단, 치료에 관해서는 각각의 증례에서 발견된 배경 질환과 본증 발생에 관한 병태 형성 순서를 정리하면서 대처하는 것이 중요하다. 일반적으로 태아수종의 주요 병태로 혈관내 정수압 상승 또는 혈장교질 삼투압 저하, 여러가지 원인에 의해 혈관 투과성의 항진(혈관벽 파손을 포함), 혹은 림프 환류 장애에 의한 림프액 누출 등을 들 수 있다.

1) **교질삼투압의 저하(빈혈 또는 저단백혈증)**: 파보바이러스 B-19감염증, 낭상림프관종, 유미흉복수, 간질환, 모아간수혈증후군, 태아출혈 등.

2) **정맥계 정수압 상승(고심박출성 심부전, 울혈성심부전 포함)**: 태아부정맥, 쌍태간수혈증후군 (twin-twin transfusion syndrome ; TTTS), 폐 congenital cystic adenomatoid malformation (CCAM),

표 1. 비면역성태아수종 원인 및 관련질환[1)]

태아형성이상

1. **두개내**
   두개내 출혈
   Gallen 정맥류
   뇌종탕

2. **흉부**
   1) **심장**
      심방중격결손
      완전방실차단 및 isomerism을 동반한 심방·심실중격결손
      삼첨판이형성(Ebstein기형을 포함)
      우실유출로이상(PS. PA. 동맥관 조기 폐쇄)
      심내막섬유탄성증
      폐동맥결손
      총동맥간유잔
      난원공 조기폐쇄
      좌실 유출로 이상(대동맥판협착, 대동맥폐쇄)
      심장종양
      심근증
      심근염
      심근경색
      부정맥
         빈맥성(상실성빈맥, 심방조동, 심실성빈맥)
         서맥성(완전방실차단)
      특발성동맥석회화
   2) **폐·종격**
      유미흉수
      특발성흉수
      (폐)선천성낭포성선종양기형(CCAM)
      폐분화증
      후두폐쇄
      종격종양
      횡격막탈장
      폐림프관증

3. **소화관**
   횡경막탈장
   태변성복막염
   장천공
   간질환(간염, 간섬유증, 간변화)
   난소낭종(염전)

4. **신장**
   신증후군
   장관파열(요도폐쇄)
   다낭포신장
   신정맥혈전

5. **종양**
   기형종
   신경아종
   간아종
   과오종
   신장아종

6. **혈관성**
   동정맥기형(혈관종, 혈관종증 포함)
   하대정맥혈전
   신정맥혈전

전신질환

1. **혈액질환(태아빈혈)**
   무효조혈(빈혈·이상헤모글로빈)
      α-탈라세미아
      효소이상
      적혈구막이상
      Kasabach-Merritt증후군
      모아간수혈증후군

   태아출혈
   쌍태간수혈증후군
   적혈구생식성저하
      골수증식성질환
      백혈병
      파보바이러스 B-19감염

2. **감염증**
   파보바이러스 B-19 감염
   거대세포
   톡소플라즈마
   단순헤르페스바이러스
   아데노바이러스
   콕사키바이러스
   수두바이러스
   A형간염바이러스
   풍진바이러스
   리스테리아
   Chagas 병
   렙토스피라

3. **골계통 질환**
   연골무형성증(Ⅰ형. Ⅱ형)
   연골형성부전 Ⅱ형
   타나토폴릭골이형성증
   기타

4. **대사성 질환**
   당원병
   뮤코다당증
   태아갑상선기능저하증
   태아갑상선기능항진증

5. **증후군**
   상염색체우성유전
      Opitz-Fruias증후군
      근긴장성 디스트로피
      Cornelia de Lange증후군
      Noonan증후군
      결절성경화증
   상염색체열성유전
      Pena-Shokeir증후군
      다비증
      Mohr증후군
      Neu-Laxova증후군
      경부낭상 림프관종
      Hypophosphatasia
   Klippel-Feil-Trenaunay증후군
   Beckwith-Wiedemann증후군

6. **염색체 이상**
   21-트리소미
   18-트리소미
   13-트리소미
   Turner증후군
   15-트리소미
   16-트리소미
   Triploidy
   Tetraploidy
   기타

7. **태반·제대이상**
   혈관종
   융모막하혈종
   태반혈관염
   융모내정맥혈전
   제대동·정맥혈전
   제대혈관점액종
   제대동맥류
   제대과염전

붉은 글씨는 이환된 태아에게 태아 수종이 발생하는 빈도가 높다고 보고된 것

폐분화증, 폐림프관증, 흉수증(유미흉 포함), 고도의 유입로·유출로 협착 또는 판역류를 초래하는 심장 형태 이상, 심근질환, 동정맥기형, 기형종, 혈관종 등.

   3) **혈관투과성 항진**: 종양성 병변, 폐분화증, 태변성복막염, 염증성질환(TORCH증후군 포함) 등.

   4) **림프환류장애**: 낭상림프관종, 유미흉복수.

진단

1. 태아수종 진단

   태아수종 진단은 태아 초음파 검사를 이용하여 피하부종 및 공수증을 확인하는 것이다.

1) 피하부종

   진단은 두부와 흉벽에서 용이하고, 피하의 두께가 5mm 이상인 경우에 부종으로 진단한다. 머리부분에서는 두개골과 두피의 이개에 의해서, 두부윤곽이 double ring(이중윤곽)으로 그려진다. 피하부종이 저명한 증례에서는 두개골 주위에 halo(후광효과)이나 안면이 Buddha-face를 나타내기도 한다. 흉벽에서는 갈비뼈와 표피 사이 간격이 넓어지고, 이중윤곽 상으로 확인된다.[2]

2) 흉수

   흉벽 단면에서 폐와 흉벽, 혹은 횡격막의 사이에 에코프리 스페이스가 확인되면, 흉수라고 진단한다. 흉수가 증가한 증례에서는 폐가 심박동에 일치하여 흉강내에서 진동하고 있는 영상이 관찰된다.

3) 복수

   복벽과 복강내 장기와의 사이에 에코프리 스페이스가 있으면 복수로 진단한다. 복수의 저류가 30mL를 넘으면 초음파에서 복강 내용물의 대조가 증가하며, 60mL 이상에서는 복수의 저류가 명확하게 관찰된다고 한다.

4) 심낭액

   심장 단면에서 심장 주위의 에코프리 스페이스를 심낭액으로 진단한다. 심외막과 장측흉막과의 거리가 2mm 이상 있을 경우, 심낭액으로 진단할 수 있다고 한다.[3]

2. 배경·원인질환 진단

[면역성태아수종: IHF]

IHF에서는 중증 빈혈일 가능성이 높으나, 초음파 소견과 실제 태아 Hb 값과의 상관관계가 낮은 것으로 나타났다. 따라서 진단에 있어서는 실제 태아 Hb 값을 간접 또는 직접으로 구할 필요가 있다.[4~6] 상세 내용은 「용혈성질환」 항목 참조(p.270).

[비면역성태아수종: NIHF]

NIHF의 원인은 여러가지에 걸쳐 있으므로 병인·병태 진단을 정확하게 하는 것이 중요하다.

검사는 원칙적으로 태아에 대한 침습도가 적은 것부터 실시한다. 먼저 모체의 혈액형(ABO, Rh 등) 및 불규칙 항체의 유무로 면역성 태아수종이 있는지 여부를 진단한다. 이어서 본 증상의 관련 질환에 대한 검색을 실시한다(표 2).[2] 주요 원인 질환의 진단방법은 다음과 같다.

1) 파보바이러스 B-19 감염증

임신 중기 이전의 태아에 대한 바이러스 감염으로 조혈간세포의 장애에 의한 급성적혈구생산장애(aplastic crisis) 및 심근염을 일으킨다. 파보바이러스 B-19 감염이 의심되었을 경우에는 우선 모체 PB-19-IgM 측정을 실시하고, 양성인 경우에 양수에서 B-19-DNA를 증명한다. 또한, 바이러스 항원 및 태아 빈혈을 진단한다.

2) 태아 부정맥

M모드법 또는 펄스도플러법을 사용하여 부정맥의 종류를 진단한다. 빈맥성에서는 상실성 빈맥, 심방조동 혹은 심실성빈맥, 서맥성에서는 완전방실차단의 보고가 많다.

3) 쌍태간수혈증후군(TTTS)

일융모막일양막쌍태에서 양수량의 차이가 확인되면 본 증상을 의심한다. 양수과다(최대양수깊이≥ 8cm) 또한 양수과소(≤2cm)를 동시에 확인하면 본증으로 진단한다. 양수과다·과소가 확인되지 않아도, 양쪽 태아의 순환지표 관찰로 수혈아 및 공혈아로 진단되면 본증을 강하게 의심한다.

4) (폐) 선천성낭포성선종양기형(CCAM)

흉강내의 낭포성 내지 충실성점거성병변 및 흉강내 장기의 편위로부터 본 증상을 의심한다. 감별 진단으로서 폐분화증 및 횡격막탈장이 있으며, 전자는 분지영양혈관의 존재(대동맥 기시가 많다), 후자는 복부 장기와의 연속성을 관찰할 필요가 있다.

표 2. 비면역성 태아수종에 대한 진단적 접근[1]

기왕력
  기왕질환(빈혈, 감염, 당뇨병, 교원병)
  근친혼
  가족력
  임신·분만력(태아수종기왕, 유산·조산·사산 유무)

모체 검사
  혈액형
  간접 쿰스검사
  말초혈분석(Kleihauer-Betke염색, HbF분획)
  TORCH 스크리닝

태아 검사
  초음파검사 B모드
            M모드
            도플러혈류진단(컬러도플러, 펄스도플러: 동맥계, 정맥계)

태아심박수 진통도(정상성, 부정맥〈빈맥·서맥〉)

양수 검사 태아염색체
        α-페토프로테인
        TORCHI에 대한 항원성(PCR법)
        필요에 따라 태아 세포 배양, 효소활성검사

태아혈채취 혈액형
        혈구수(망적혈구수, 혈구도말, 백혈구분획)
        직접 쿰스검사
        알부민 농도
        간기능검사
        항원특이적 IgM, IgA(PCR법)
        기타(적응이 있을 때)
           적혈구전기영동
           삼투압측정
           효소활성측정

융모채취 태아 염색체
        기타(적응있을 때)
        세포형태 진단(당원병, 무코다당증 등)
        세포성분분석
        효소활성측정

5) 심형태 이상, 심근질환

B모드에 의한 심구조 이상 및 M모드에 의한 심장 수축기능의 변화를 파악한다.

6) 낭상림프관종

후경부에 대칭성 낭포상을 형성한다.

7) 유미흉·복수

흉수저류에 좌우차이가 있는 경우가 적지 않다. 자궁 내에서의 확정진단은 어렵지만, 흉·복수 성분에서 림프구가 80% 이상이면 본 증후군으로 진단된다고 한다.

8) 태변성 복막염

복강 내의 석회화 소견 혹은 장관 확장상을 동반하는 경우가 많다. 채취한 복수 중에 태변 성분이 검출되면 본 증세로 확진된다.

9) 모아간수혈증후군

모체혈중 HbF분획증의 증가, 태아 적혈구의 증명(Kleihauer–Betke염색)에 의한다.

관리

1. 태아관리·태아치료

IHF, NIHF 모두 임신주수 및 태아건강 상태의 좋고 나쁨에 따라 출생 후 관리가 가능하다면 신생아 치료를, 반면 태아가 미숙한 경우나 태아치료 가능한 시설이면 태아치료에 의한 병태 개선 후 분만을 고려한다. 태아가 자궁 밖 생활 가능한 상태에 이르렀을 때, 태아치료의 효과가 확인되지 않을 때 또는 태아 건강 상태의 악화가 의심될 때에는 신생아 치료로 전환한다.

태아치료는 실험적 치료의 측면이 있으므로 원칙적으로 입원관리 상 모체·태아의 집중 감시하에 이루어져야 한다. 이하 주요 배경질환 별로 태아관리 포인트를 열거한다.

1) 태아빈혈에 대한 태아수혈

천자술을 통해 태아에게 O형 Rh 음성의 농축적혈구를 수혈하여 빈혈의 개선을 도모하는 방법으로, 유효성은 확립되어 있다. Nicolaides 등은 태아 수혈의 적응을 각각의 임신 주수에서 정상 태아의 Hb 평균치보다 2g/dL 이상 저하된 경우로 하고 있다[7] 수혈부위에 대해서는 태아의 복강 및 혈관 두 가지 방법이 있는데, 후자가 사용되는 경우가 많다. 적절 투여량은 [수혈량(mL)= 목표Ht – 치료 전Ht]/수혈용 혈액Ht×태아 추정 체중(kg)×150]으로 나타난다(Kaufman and Paidas, 1994).

2) 파보바이러스 B–19 감염증

제대천자를 통한 수혈, 디곡신의 제대혈관 내로 직접 투여같은 것이 효과적으로 보고된 바 있다. 본 증세에 의한 태아 빈혈은 일과성이므로 급성기의 빈혈성 저산소증을 수혈로 일시적으로 극복할 수 있으며, 태아수종이 개선되면 자궁 내 관리를 지속한 후 정상 분만이 가능하다.

3) 빈맥 부정맥

경태반적 약물치료에 적응하여, 태반 통과성이 양호한 디곡신이 제1선택약으로 사용된다. 디곡신 단순치료에서 45~52% 증례가 정상 맥박수로 개선된 한편, 태아수종 합병 경우에는 치료효과가 떨어지는 것도 보고되고 있다. 디곡신 무효 사례에 대하여 소타롤염산염, 플레카이니드 초산염, 베라파밀염산염을 이용하여 양호한 결과를 얻었다는 보고도 있다.

4) 완전방실차단

심장구조 이상이 확인되지 않고 완전방실차단이 단독으로 존재하고 있는 증례(약 50%)에서는 모체의 자기항체(항SS-A항체, 항SS-B항체 등)가 본 증상의 발병과 관련되어 있다. 이행항체에 의한 태아 심근 장애를 예방할 목적으로 모체에게 스테로이드나 γ글로블린 투여, 혈장교환 치료도 시도되고 있으나 뚜렷한 유효성을 나타낸 보고는 없다. 경태반적으로 리토드린염산염 등의 β자극제를 투여하여 태아 심박수 증가를 도모했다는 보고도 있으나 본 치료법의 유효성도 명확하지 않다. 현재 태아 수종이 확인된 서맥성부정맥에 대해서는 우선 신생아 치료로의 이전을 검토해야 한다.

5) 쌍태간수혈증후군(TTS)

양수 제거, 태아간 난막절개 및 혈관문합차단술의 3가지 방법이 있다. 임신 28주 미만의 증례에 대한 양수 제거 치료 후 생존율은 58%였다는 보고[8]가 있다. 난막절개는 양태아를 나누는 난막에 인공적으로 열공을 만들어 각각의 양수강의 양수압교차 및 삼투압교차를 경감시킴으로써 순환부전을 개선하는 치료법이다. 혈관문합차단술은 태아경을 이용하여 직접 발견한 혈관문합을 YAG레이저를 이용하여 차단하는 외과적 치료법으로, 임신 28주 미만을 대상으로 한 치료 후 아기 생존율은 58%로 높은 비율이며, 본질환에 대한 효과적인 치료법이라고 생각되고 있다. 상세한 것은 「TTTS」 항 참조(p.377).

6) CCAM

태아 치료의 적응증으로 생각되며, 단방성 낭포에 대해서는 초음파 유도 하에, 낭포천자, 낭포-양수강 단락술 및 open surgery에 의한 자궁내 폐엽 절개술 등이 보고되고 있다. 낭포천자를 통한 낭포액 제거만으로도 증후 개선 되었다는 보고도 있으므로 현재는 먼저 낭포천자를 시도하고, 효과가 없는 증례에서는 낭포-양수강 단락술을 시도하는 수순이 일반적이다.

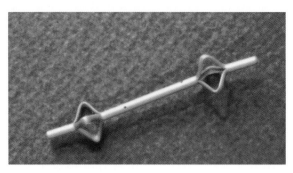

그림 1. 더블바스켓카테터
태아수종에서의 복강-양수강 단락술, 폐색성요로질환에서의 요로-
양수강 단락술 등에 사용된다.

7) 유미흉, 특발성 흉수증

폐의 발육·성숙을 확보할 목적으로, 초음파 유도하에 흉강천자를 시행하여 흉수 제거를 반복하는 방법 또는 흉강-양수강 사이에 유치 카테터를 설치하는 치료법이 보고되고 있다. 현재 전용 카테터로서 더블 피그 테일과 더블 바스켓 카테터가 사용되고 있으며, 모두 형상기억수지를 이용하여 체강내와 피부 안쪽으로 양쪽에서 카테터를 유치 고정하고, 태동에 의한 일탈을 방지하도록 고안되어 있다(그림 1). 본 치료법은 폐확충 공간을 유지함으로써 폐저형성을 예방할 뿐만 아니라, 흉강 내압을 감소시켜 정맥환류량 및 심박출량의 증가를 유도하여서 순환 부전을 개선하는 효과가 있다고 보고되고 있다.

2. 태아 분만 타이밍

출생 직후부터 고도·집중적인 순환 관리를 실시할 필요가 있음을 염두에 두고, 신생아과의 관리 수준과 태아의 안녕을 모두 고려한 분만 시기를 결정한다. 통상 다음과 같은 소견이 인정된 경우에는 분만의 적응증이 된다.

1) 초음파 단층상에서의 강수증의 악화

태아 치료 중 또는 자연경과 중에 강수증의 정도가 악화되어 온 경우.

2) 태아 안녕의 악화

태아 심박NST도 상, non-reassuring fetal status로 판단되는 경우. 특히, 이전에 reactive pattern을 나타낸 태아가 본 소견을 보이는 경우에는 신생아 치료로의 이행을 고려해야 한다.

3) 태아순환동태의 악화

도플러 혈류계측에서의 제대동맥 혈류파형의 확장기 단절·역류, M모드 심초음파법에서의 태아심장 수축기능 저하 또는 태아 요생성 저하가 확인되는 경우에는 태아순환동태의 악화를 의심한다. 또한 양수과소·양수과다가 진행성으로 악화되는 경우도 순환동태의 악화를 간접적으로 나타내는 소견으로 주의해야 한다.

4) 태아 빈혈의 악화

경과관찰 중 제대천자에 의해 직접적으로, 혹은 양수천자를 이용한 양수 흡수(광)도 측정에 따라 간접적으로 빈혈의 악화가 확인된다고 판단되는 경우에는 신생아 치료의 적용증이 된다. 빈혈의 원인에 관계없이 태아 Hb값을 간접적으로 평가하는 지표로서, 태아중대뇌동맥에서의 최고 혈류속도 측정이 유용하다.[9]

상술한 악화 소견이 분명치 않고, 자궁 내에서 임신유지가 가능하다고 판단되는 경우에는 신생아 치료를 안정적으로 유지하기위해 가급적 임신을 계속하고 소아과의 관리수준에 따라 분만 시기를 결정한다. TTTS, CCAM 등의 외과계 질환에서는 신생아 심부전의 치료 성적 또는 소아외과 수술의 가능여부로 분만 시기를 고려할 필요가 있기 때문에 소아과의 관리수준 또는 주산기의 호흡·순환관리 능력뿐만 아니라 소아외과술기 수준도 포함하여, 사례에 따라 신중하게 고려할 필요가 있다.

참고문헌

1) Gembruch, U., Holzgreve, W. "The fetus with nonimmune hydrops fetalis". The Unborn Patient. 3rd ed. Harrison, MR. et al. eds. Philadelphia, WB Saunders, 2001, 525.

2) 前田博敬ほか. 非免疫性胎児水腫と胎児採血. ペリネイタルケア. 12, 1993, 233.

3) Shenker, L. et al. Fetal pericardial effusion. Am. J. Obstet. Gynecol. 160, 1989, 1505-7.

4) Liley, AW. Intrauterine transfusion of foetus in haemolytic disease. Br. Med. J. 2, 1963, 1107.

5) Nicolaides, KH. et al. Have Liley charts outlived their usefulness? Am. J. Obstet. Gynecol. 155, 1986, 90.

6) Moise, KJ Jr. Management of rhesus alloimmunization in pregnancy. Obstet. Gynecol. 100, 2002, 600.

7) Nicolaides, KH. et al. Fetal haemoglobin measurement in the assessment of red cell isoimmunization. Lancet. 1, 1988, 1073.

8) Fisk, NM., Taylor, MJO. "The Fetus with twin-twin transfusion syndrome". The Unborn Patient. 3rd ed. Harrison, MR. et al. eds. Philadelphia, WB Saunders, 2001, 341.

9) Moise, KJ Jr. Management of rhesus alloimmunization in pregnancy. Obstet. Gynecol. 100, 2002, 600-11.

≫ 佐藤昌司

1. 개념·정의: 임신기간을 불문하고, 자궁 내에서 태아 생존이 일단은 확인된 이후에 모체, 태아, 태아 부속불등 어떤 원인으로 인하여 태아 발육이 정지하고 태아의 심박동, 운동 등의 생명현상이 완전히 소실되어 사망한 것을 말한다.[1]

2. 빈도: 후생 노동성의 인구 동태 통계에 의하면 2012년 일본에서 임신 12주 이후의 자연 태아사망(사산)률(출산 1,000쌍)은 22.9이고 임신 22주 이후의 후기 태아사망(사산)율은 3.0이다. 1980년의 각각의 태아 사망(사산)률은 30.0과 8.3였으며, 감소하고 있으나 몇 년 동안은 각각의 사망(사산)률은 대체로 보합세를 보이고 있다. 또한 일본산과부인과학회 주산기등록위원회의 등록시설 192곳의 2011년 집계에서는 출산 수 116,569쌍에 대하여 후기 태아사망(사산) 수는 917이었으며, 사산율은 7.9였다. 같은 기간 2011년 일본의 후기 태아 사망(사산)률은 후생노동성의 인구동태 통계에서는 3.3으로, 이것은 등록참가 시설이 2차, 3차 주산기센터이기 때문이다. 체중별 사망률은 499g 이하: 438.9, 500~999g 이하: 110.1, 1,000g 이상: 4.0, 주수별 사산율은 임신 22~27주: 160.0, 임신 28주 이후: 5.20이며, 태아의 체중이 작을수록, 분만 주수가 빠를수록 사산율이 높다. 전체태아 사망의 80%가 정기출산 이전에 생기고, 약 50%가 임신 28주 이전에 발생한다고 하는데,[2] 일본산과부인과학회 주산기등록위원회의 집계에서는 임신 22~27주의 태아 사망은 308 례로 전체의 33.6%로, 오히려 임신 28주 이후 태아 사망률이 높았다. 태아체중에 관련된 태아 사망의 절반 이상이 1,000g 미만인 것으로 나타났으며 같은 집계에서도 1,000g 미만 태아의 수는 461례로 전체의 약 50%였다.

쌍태아의 출생아 사망은 0.5~6.8%로 보고되었다.[3] 태아의 성별이 동성인 경우가 이성의 경우보다 태아사망의 빈도가 높고, 두 아이 모두 태아가 사망하는 것도 동성인 경우가 높은 빈도로 보고되었다.[4] 융모막 수에 따른 태아사망 빈도에 관해서는, 일융모막일양막쌍태가 더 높다는 보고[5]도 있으나, 차이가 없다는 보고[6]도 있다.

3. 원인: 태아사망의 원인은 다양한다. 태아 및 부속물의 이상에 기인하는 경우가 많지만 원인이 불분명한 경우도 많다(표 1).[7] 일본산과부인과학회 주산기등록위원회의 등록시설 192곳의 2011년 집계에서 태아 사망의 원인은 기타·불명이 917례 중 281례(30.6%)로 가장 많고, 이어 기형 150례(16.4%), 제대이상 130례(14.2%), 상위태반조기박리 111례(12.1%)이었다. 다태임신 및 쌍태간수혈증후군(TTTS)과 그 밖에 원인이상을 제외한 566례에서 보면 기형, 제대이상, 상위태반조기박리가 약 70%를 차지하고 있다.

쌍태임신에 있어서, 한쪽 태아사망의 쌍태 임신에서는 태아 형태 이상의 빈도가 높고 특히 일융모막쌍태에서 이융모막쌍태에 비해 그 빈도가 높다고 한다.[8] 일융모막일양막쌍태 임신에서는 태반에서의 혈관문합이 거의 100% 존재하며, TTTS에서는 제대의 변연 부착이나 난막 부착이 많이 나타날 수 있기 때문에, 일융모막 쌍태 임신에서 태아 사망의 원인은 혈관문합에 의한 TTTS와 제대의 부착 이상이나 제대염전이 크게 관여하고 있다.[9]

표 1. 태아 사망 512례의 원인(중복 있음) (문헌 7에서 인용)

산과합병증: 상위태반조기박리, 다태, 임신20주~24주 전기파수	29%
태반이상: 자궁태반순환부전; 모체혈관성질환	24%
태아기형: 다기형, 염색체이상	14%
감염: 태아 및 태반	13%
제대이상: 제대탈출, 제대협착, 혈전	10%
고혈압 관련 질환: 임신고혈압증후군, 만성고혈압증	9%
내과합병증: 임신당뇨병, 항인지질항체증후군	8%
원인불명	24%

예측과 예방

태아사망 예측이나 예방으로 아기의 구명이 가능한지 여부에 대해 구마모토시민병원에서의 태아사망을 대상으로 검토했다. 2004년 1월 1일부터 2013년 12월 31일까지 10년간 본원에서 임신 22주 이후에 사산이 된 84례에 대해 검토하였다. 이 기간의 총 분만수는 5,530례로, 본 시설의 사산율은 1.5%였다. 이 중 염색체 이상 8례, 고도의 태아발육부전 4례(그 중 심각한 기형을 합병한 것은 3례), 태아수종 2례, 바이러스성 심근염 1례, 무심체 1례, 임신 22주 및 임신 23주의 사산 12례, 태아체중이 400g 미만 12례는 분명히 예후가 불량하다고 생각된다. 이상은 중복이 있기 때문에 실제는 38례(45%)가 된다.

제대인자에 의한 태아사망은 19례(23%)였다. 상호 꼬임에 의한 3례도 여기에 포함되어 있으나, 예측, 예방이 어려울 것으로 생각된다. 또 TTTS에 의한 태아사망은 7례였으나, 그 중 5예는 급성 TTTS에 의한 것이었다.

태반조기박리의 진단으로 산모가 전원이 되었던 8례(10%)에 대해서는 발병에서 진단, 분만까지의 시간에 따라서 태아 사망을 피할 수 있었을 가능성은 남지만, 반드시 구명할 수 있었다고 단정할 수는 없다. 또 사망 원인이 불분명한 것은 10례(12%) 였다.

이번 검토에서는 급성 TTTS가 아니었던 2례, 중증임신고혈압증후군 1례, 모체의 우발 합병증

1례를 합한 4례에 대해서는 엄중한 관리와 더 일찍 분만했다면 구명했을 가능성은 있지만, 이러한 증례는 전체의 5%(84례 중 4례)에도 미치지 못했다.

지금까지 일융모막일양막쌍태에서 TTTS가 조기 발병한 경우 치료를 하지 않은 아기의 예후는 매우 불량하였다. 그러나 최근 TTTS를 조기 발견하고, 태아경하태반혈관문합레이저 응고술을 시행함으로써 태아사망을 피할 수 있게 되었다.[10] 임신 10주 전후까지 막성진단, 임신 16주까지는 태반의 제대 부착부위를 확인하고, TTTS의 조기진단을 위해 임신 16주 이후부터 분만종료시까지 초음파검사를 매번 할 것을 권장한다.

관리

태아사망이 된 경우 사망아로부터 모체혈로 조직 트롬보플라스틴이 유입되어 모체에 응고장애를 일으킬 수 있다. 그러나 단태임신의 경우 그 발생은 사망 후 4주 이내에서는 드물고, 그 이상 사태아가 자궁에 머물러 있으면 약 25%에서 응고 장애가 생긴다고 한다.[1] 태아사망 시 많게는 2주 이내에 진통이 일어나는 것으로 알려져 있지만, 모체의 정신적인 면을 고려하면 진통이 유발되고 가능한 한 빨리 분만을 하는 것이 바람직하다. 그러나 태아 사망은 임신부와 가족들에게 상당히 충격적이고 정신적 스트레스가 크다. 이런 상황에서 임산부는 자궁 내 처치와 진통을 견뎌야 하며 정신적인 도움이 필요하다.

분만에 관해서는 임신 12주 이후는 입원 관리로 하고, 전 처치로서 라미셀정®이나 다이라판®을 이용하여 자궁 경관을 충분히 확장한다. 임신주수가 이른 시기의 진통 유발에 관하여 옥시토신이나 프로스타그란딘 F2α로는 유효한 진통 유발이 어려운 경우가 많으므로 게메프로스트(프레그란딘 질좌제®)를 사용한다. 그러나 질좌제이므로 혈관 내 투여 약제에 비해 자궁수축 조절성이 떨어지고 과강진통으로 인한 자궁 파열이 발생할 수 있으므로 자궁 수축을 면밀히 관찰할 필요가 있다. 임신 20~21주 이후의 경우에는 우선 메트로이린텔로 충분한 자궁경관 숙화를 실시하고, 조절성이 좋은 옥시토신의 지속 투여를 통해 진통을 유발시키고 있다.

태아사망 원인이 태반조기박리인 경우에는 적혈구농축액, 신선동결혈액인자 등의 준비 하에 파종성혈관내응고증후군의 발병에 주의하면서 조기 분만을 한다. 사산아 분만 후에는 면회 희망 유무를 포함해 부모의 의사를 충분히 존중해 아이와 함께 보낼 수 있는 시간과 공간을 확보하도록 유의한다. 임신 12주 이후라면 사산증명서를 작성해, 사산신고서와 함께 기초자치단체에 제출한다.

단유를 원하는 경우, 도파민 작동제인 카벨고린정 1mg 정을 투여한다. 단 임신고혈압증후군 등 고혈압 질환이나 심장판막의 병변이 확인되었거나, 과거력이 있는 경우에는 사용할 수 없다.

사산 후 입원 기간에 대해서는 이상질출혈, 감염 의심 소견 등이 없는 한 조기에 퇴원하도록 하고 있다.

쌍태 임신 중 한쪽 태아사망 관리에 관하여, 이융모막쌍태임신에 있어서는 큰 문제는 없다고 생각되고 있으나, 일융모막이양막쌍태 임신에서는 문제가 많다. Morikawa 등[12]은 임신 22주 이후에 한쪽 태아사망으로 인한 일융모막이양막쌍태 임신은 이융모막쌍태 임신에 비해 생존아의 태아사망 또는 7일 이내에 출생아 사망이 높은 비율이었다고 보고했다. 일본산과부인과학회 주산기위원회의 집계에서는 일융모막이양막쌍태 임신에서 한쪽 태아사망에서 아기의 분만까지의 기간과 생존아의 뇌병변 발생률과의 상관관계는 없었으며, 나아가 한쪽 태아사망에서 분만까지의 기간과 생존아의 예후에는 관계가 없었다는 보고가 있는 한편, 정맥−정맥문합이 있는 일융모막일양막쌍태 임신의 한쪽 태아사망 사례에서, 사망 확인 또는 사망 추정 시기부터 분만까지의 기간이 4일 이상인 생존아의 예후는 불량하다는 보고[13]가 있다.

분만 시기에 대하여 태아사망의 원인이 TTTS가 아니면 주의 깊게 관찰하면서 임신을 유지하지만, 그 원인이 TTTS에 의한 것이라면 임신 26주 이후에는 뇌장애를 피하기 위한 조기분만을 실시해야 한다는 보고나,[14] TTTS의 한쪽 태아사망에서는 주수가 적어도 임신 28주라면 즉시 분만시켜야 한다는 보고,[15] 임신 31주까지는 기다려도 된다는 보고 등이 있다. 현시점에서는 일융모막쌍태 임신은 태아사망이 발생했을 때 생존아의 예후가 정해져 있는 경우가 많기 때문에 생존아를 조기에 분만해도 아기의 예후를 크게 개선하는 것은 아니라는 의견이 많다.

Shek 등[17]이 발표한 쌍태임신에서 한쪽 태아가 사망한 경우, 임신, 분만 및 분만 후의 처치에 대해 표 2가 보여주고 있다. 일본에서는 아직 명확한 진료 지침은 제시되어 있지 않으며, 특히 일융모막이양막쌍태에서 한쪽 태아사망 처치에 대해서는 적극적 분만에 있어서, 예후를 개선하는 증거가 없기 때문에 현재에서는 태아 안녕을 면밀히 감시하면서 대기요법이 실시된다.

원인검색

Kewtoreg 등[18]은 태아사망의 원인 검색 가이드라인 설정에 있어서 기본적인 검사 항목으로 태아의 병리해부, 태반병리, 염색체검사를 들고 있다. 태반병리조직학적 검색에서는 태아사망의 원인을 모체측의 이상(태반혈종 등), 태아측 이상(제대정맥혈전 등), 감염(융모막양막염 등)의 3가지 범주로 나눌 수 있다.[19]

실제 원인 검색에서는 보다 정확한 사망 시기(임신 주수, 임신중, 분만중 구별)를 특정해 둔다. 태아, 태반, 제대의 육안적 검색에서 가능한 한 상세한 기록과 사진에 의한 데이터 보존에 유의한다. 또한 태반, 제대의 병리조직학적 검사를 실시한다. 태아의 병리 부검으로부터 얻을 수 있는 정보는 많지만, 슬픔속에, 특히 갑작스런 죽음을 받아 들이는 것이 쉽지 않은 가족에 대한 충분한 배려가 요구된다. 가능하면 태아혈, 태반 및 탯줄로부터 염색체 검사를 고려한다. 골계통 질환이

표 2. 쌍태임신 한쪽 태아사망 시 임신 중 및 분만의 처치　　　　　　　　　　　　　(문헌17에서 인용)

임신중 관리
　임신주수 확인과 막성진단
　생존아 발육평가 및 양수량 확인
　모체 고혈압증, 임신고혈압증후군, DIC의 발병에 주의한다.
　임신 34주 미만인 경우, 폐성숙을 목적으로 코르티코스테로이드를 사용한다.
　일융모막일양막쌍태의 경우, 생존아의 조산, 태아사망, 허혈성 뇌장애의 가능성에 유의한다.
　초음파 도플러법을 통한 태아 중대뇌동맥혈류속도 측정(태아빈혈 확인*)
　초음파, MRI를 통한 태아 뇌구조 이상 확인
분만 시기와 분만 방법
　이융모막이양막쌍태의 경우, 다른 산과적 적응이 일어나지 않는 한, 임신 38주까지는 임신기간을 연장한다.
　(분만 시기에 대해 일융모막 쌍태의 경우, 정해진 견해는 아직 없다.)
　경질분만은 금기가 아니나, 일융모막일양막쌍태에 대해서는 twin anemia-polycythemia sequence (TAPS)의
　리스크를 고려한다.
분만 후 관리
　막성 진단
　태반혈관문합 여부 확인
　생존아 정밀조사와 장기적인 신경학적 추적
　부모의 슬픔의 정도는 단태에 비해 과소평가되기 쉽다는 점에 유의한다.
*태아 수혈은 태아 사망을 예방할 수 있으나, 신경학적 장기 예후 개선에 기여하는지는 확인되어 있지 않다.

의심되는 경우에는 태아의 X선 검사를 한다. 모체 측 검색 항목으로 당뇨병, 갑상선 질환, 항인지 질항체증후군의 스크리닝 채혈을 비롯하여, 태아수종을 일으킬 수 있는 질환에 대한 검사(혈액형 부적합임신, 파보바이러스B-19 감염), 매독을 포함한 TORCH 감염을 검사한다. 또 모아간수혈 증후군이 의심되는 경우에는 Kleihauer-Betke 테스트, 헤모글로빈 F, α페토프로테인을 측정한다.

이상의 원인 검색은 임신중의 태아 초음파 검사 소견, 산모의 과거 및 금번 임신 분만의 경과, 사산아의 상태 등을 종합적으로 감안하여 계통적으로 이루어져야 한다.

원인을 밝혀낼 수 있다면 부모에게 적절한 상담을 할 수 있고, 또 다음 번 임신에 대비해 예방 적인 조치를 취하는 것이 가능하다.[20]

다음 임신에 관하여

사산의 재발률은 사산의 과거력이 없는 임산부보다 약 2~10배로 높으며, 그 재발률은 인종에 따라 다르다고 알려져있다.[21] Goldenberg 등[22]은 임신 13~24주에 사산의 기왕력이 있는 95개 증 례에 대해, 다음 번 임신에서 사산 5%, 신생아 사망 6%, 조산 39%로, 30%는 34주 이전의 조산이 며, 지난번 사산 주수가 임신 13~18주인 사례에서는 만삭 기왕력의 증례에 비해 조산율은 2배였 지만, 임신 19~22주인 증례에서는 조산률이 5배였다고 보고한다.

또한 Maignien 등[23]에 의하면 임신 제 2삼분기, 제3삼분기에 사산한 기왕력이 있는 임신부 87례에서, 금번 임신이 사산이 된 것은 3례(6%)로 낮은비율 이었으나 조산 22례(25%.), small for gestational age infant 5례(6%), 임신고혈압증후군, HELLP증후군, 상위태반조기박리 등의 maternal vascular complication 6례(7%)였다고 보고한다. 이 중에서 특히 태반인자에 의한 사산 50례 중 27례(54%)가 항인지질항체증후군을 포함한 다양한 응고기능 이상을 일으키는 질환으로 분류되어 있었다.

이상과 같이, 사산의 증례에서는 다음 임신에서 태아사망뿐 아니라 조산, 태아발육부전, 임신고혈압증후군과 같은 관련 질환의 발병에 주의하여 관리할 필요가 있다.

참고문헌

1) 日本産科婦人科学会編. 産科婦人科用語集・用語解説集. 改訂第 3 版. 2013, 211-2.

2) Copper, RL. et al. Risk factors for fetal death in white, black, and Hispanic women : The Collaborative Group on Preterm Birth Prevention. Obstet. Gynecol. 84, 1994, 490-5.

3) Enbom, JA. Twin pregnancy with intrauterine death of one twin. Am. J. Obstet. Gynecol. 152, 1985, 424-9.

4) Pharoah, PO. et al. Consequences of in-utero death on a twin pregnancy. Lancet. 355, 2000, 1596-602.

5) 水上尚典. 双胎一児死亡の取り扱い. 周産期医学. 35, 2005, 978-81.

6) Baghdadi, S. et al. Twin pregnancy outcome and chorionicity. Acta. Obstet. Gynecol. Scand. 82, 2003, 18-21.

7) Stillbirth Collaborative Research Network Writing Group. Causes of death among stillbirths. JAMA. 306(22), 2011, 2459-68.

8) Kilby, MD. et al. Outcome of twin pregnancies complicated by a single intrauterine death : a comparison with viable twin pregnancies. Obstet. Gynecol. 84, 1994, 107-9

9) 進純郎ほか. 双胎一児胎児死亡の統計学的検討とその取り扱い方. 周産期シンポジウム. 11, 1993, 99-106.

10) Sago, H. et al. The outcome and prognostic factors of twin-twin transfusion syndrome following fetoscopic laser surgery. Prenat. Diagn. 30, 2010, 1185-91.

11) Visentin, L. et al. Management of patients with intrauterine fetal death. Clin. Exp. Obstet. Gynecol. 23, 1996, 263-7.

12) Morikawa, M. et al. Prospective risk of stillbirth : monochorionic diamniotic twins vs. dichorionic twins. J. Perinat. Med. 40, 2012, 245-9.

13) 末原則幸. 双胎一児死亡例の児の予後は不良か ? 産婦人科の実際. 51, 2002, 631-40.

14) Saito, K. et al. Perinatal outcome and management of single fetal death in twin pregnancy : A case series and review. J. Perinat. Med. 27, 1999, 473-7.

15) van Heteren, CF. et al. Risk for surviving twin after fetal death of co-twin in twin-twin transfusion syndrome. Obstet. Gynecol. 92, 1998, 215-9.

16) Ishimatsu, J. et al. Twin pregnancies complicated by the death of one fetus in the second or third trimester. J. Maternal Fetal. Invest. 4, 1994, 141-5.

17) Shek, NW. et al. Single-twin demise : pregnancy outcome. Best Pract. Res. Clin. Obstet. Gynaecol. 28, 2014, 249-63.

18) Korteweg, FJ. et al. Evaluation of 1025 fetal deaths : proposed diagnostic workup. Am. J. Obstet. Gynecol. 206, 2012, 53:e1-12.

제 **4** 장

태아이상

19) Kidron, D. et al. Placental findings contributing to fetal death , a study of 120 stillbirths between 23 and 40 weeks gestation. Placenta. 30, 2009, 700-4.

20) Nijkamp, JW. et al. Subsequent pregnancy outcome after previous foetal death. Eur. J. Obstet. Gynecol. Reprod. Biol. 166, 2013, 37-42.

21) Puza, PS. et al. Is race a determinant of still birth recurrence? Obstet. Gynecol. 107, 2006, 391-7.

22) Goldenberg, RL. et al. Pregnancy outcome following a second trimester loss. Obstet. Gynecol. 81, 1993, 444-6.

23) Maignien, C. et al. Outcome of pregnancy following second- or third-trimester intrauterine fetal death. Int. J. Gynaecol. Obstet. 127, 2014, 275-8.

≫ 蔵本昭孝, 石松順嗣

쌍태간수혈증후군(TTTS)

개념 · 정의 · 병태

1. 역학

쌍태간수혈증후군(twin-twin transfusion syndrome ; TTTS)은 일융모막이양막(monochorionic diamniotic ; MD) 쌍태의 5~10%에 발병하는 것으로 추측된다.[1~3] 일융모막일양막(monochorioni c monoamniotic ; MM) 쌍태에서 발병하는 경우는 드물다(빈도 불명).[4]

2. 정의

MD 쌍태에서 다뇨에 의한 양수과다(태아 방광이 크고, 최대 양수깊이 8cm 이상)과 핍뇨에 의한 양수과소(태아 방광이 작거나 보이지 않음, 최대 양수깊이 2cm 이하)를 동시에 충족하는 것을 TTTS라 정의한다.[5] 양수 과다·과소를 초래하는 태아 이상이나 전기 파수 등은 제외한다.

3. 병태

태반에서 양쪽 태아 간 혈관문합에서의 혈류 이동량의 불균형이 원인으로 여겨지고 있다. 공혈아(donor)는 만성적인 혈액공급에 의한 순환부전을 일으키며, 빈혈, 순환용량 감소, 저혈압, 요량감소(핍뇨), 양수과소, 태아발육부전, 신부전을 주증상으로 한다. 한편, 수혈아(recipient)에서는 반대로 만성적인 용량 부하로 인해 다혈, 순환용량 부하, 고혈압, 요량증가(다뇨), 양수과다, 심부전, 태아수종을 주증상으로 한다. 두 태아 모두 최종적으로는 태아사망을 초래하며, 생존아의 신경학적 후유증의 빈도도 높다(그림 1).[6] 특히 임신 22주 미만 발병에서는 더 심각하고, 치료 없이 생존할 수 있는 비율이 매우 낮다. 또 TTTS는 어느 한쪽에만 증상이 나타나는 것이 아니라 두 태아 모두 중증화되는 것이 특징이다.

공혈아에서는 액성 인자로서 레닌-앤지오텐신계의 관여가,[7] 수혈아에서는 hANP(심방성 나트륨이뇨호르몬)나 BNP(뇌성 나트륨이뇨호르몬)의 관여가 추측되고 있다(그림 2).[8]

진단

초음파로 진단한다. 진단 기준은 상술한 바와 같이, ① 일융모막일양막쌍태이며, ② 다뇨에 의한 양수과다(양수깊이 ≥ 8cm)와 핍뇨로 인한 양수과소(양수깊이 ≤ 2cm)를 동시에 만족한다(그림 3). 양수과다·과소를 초래하는 질환(태아 위장관 이상, 신장 비뇨기계 이상, 전기 파수 등)이 제외되어야 한다. 일융모막일양막쌍태에서는 양수과다·과소 진단을 할 수 없으므로, ① 양수과다

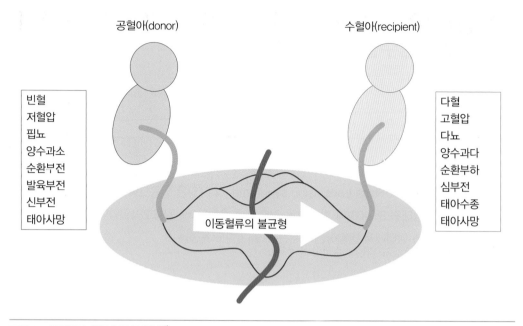

그림 1. 쌍태간수혈증후군의 병태[6]

공유 태반에서의 혈관문합을 통한 이동혈류의 불균형으로 인하여, 양태아간의 이동의 불균형이 발생하는 것이 원인이라고 생각된다. 어느 쪽 태아도 병태의 최종은 태아 사망이다

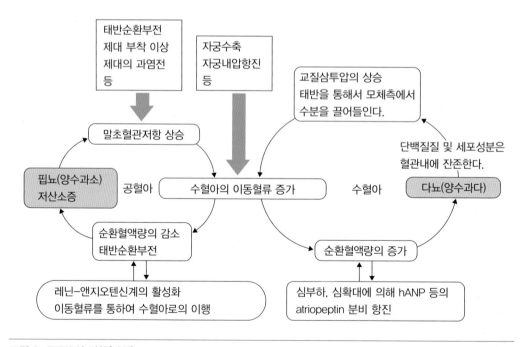

그림 2. TTTS의 진행(가설)

TTTS가 발병한 경우에는 혈류의 불균형 이외에도 사이토카인 등 여러 요인으로 악순환이 진행될 것으로 여겨진다. 또한 hANP나 BNP 이외에도 레닌-앤지오텐신계의 관여도 추측되고 있다.

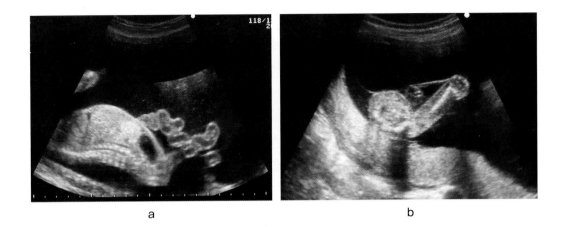

a   b

그림 3. 쌍태간수혈증후군에 의한 양수과다·양수과소

양수과다 태아(수혈아)는 다뇨로 인해 방광이 크다(a). 양수과소 태아(공혈아)는 자궁 태반벽에 stuck 하고 있으며, 양막은 태아 부분에 텐트상으로 펴져 있다(b).

표 1. TTTS의 stage분류(Quintero)[9~11]

증상 ＼ Stage	I	II	III classical	III atypical	IV	V
양수과다·과소	+	+	+	+	+	+
공혈아의 방광이 보이지 않음	－ (보임)	+ (보이지않음)	+ (보이지않음)	－ (보임)	+ or －	+ or －
혈류이상	－	－	+	+	+ or －	+ or －
태아수종	－	－	－	－	+	+ or －
태아사망	－	－	－	－	－	+

주1: stage1은 「공혈아의 방광이 보이는 경우」 동시에 「혈류이상이 없는 경우」
주2: 혈류이상은 ① 제대동맥확장기단절역류, ② 정맥관역류, ③ 제대동맥의 연속한 파동의 어떤 것을 공혈아 및 수혈아 중 어느쪽이든 한쪽에서 확인되면, stage III로 진단한다.
주3: 혈류이상이 확인되지만 공혈아의 방광이 보이는 경우는 stage III atypical로 아분류하고, 방광이 보이지 않는 stage III classical과 구별한다.
주4: 공혈아 및 수혈아의 어느쪽이던 한쪽에 태아수종이 확인되면 stage IV로 진단한다. 혈류이상 및 공혈아의 방광의 확인은 불문한다.
주5: 공혈아 및 수혈아 중 어느 한쪽이 태아사망한 경우는 stage V 로 진단한다. 혈류이상, 태아수종의 유무, 방광의 확인은 불문한다.

(최대 양수깊이 ≥ 8cm)가 확인되고, ② 태아의 방광이 크고, 또한 한 태아의 방광이 작거나 보이지 않을 때에 TTTS로 진단해도 좋다고 생각된다.

　진단이 확정되면 중증도 분류를 Quintero 분류에 준하여 실시한다(표 1).[9~11] stage III에 관해서는 혈류 이상이 있으면서 공혈아의 방광을 확인할 수 있는 것을 stageⅢ atypical로 하며 공혈아의 방광이 보이지 않는 stageⅢ classical과 구별한다(예후가 다르다).[9,10]

임상 증상

모체의 임상 증상으로는 양수 과다에 의한 복부둘레·자궁저의 급격한 증대가 확인되어 상복부 압박감이나 자궁수축 등이 확인된다. 또한 수혈아는 다뇨 때문에 혈관 내의 교질삼투압이 상승하여 융모간공을 통해 모체에서 수분을 흡수하기 때문에, 배둘레가 증가함에 따라 모체가 구갈증상(갈증)을 나타내는 경우도 많다. TTTS 발병 전에는 모체의 체중 증가가 두드러지는 점도 참고가 된다.[12] TTTS가 중증화된 경우는 모체의 폐부종, 복수, mirror syndrome[13] 등과 같은 심각한 합병증에 주의한다.

태아의 증상으로는 공혈아 및 수혈아 각각 다양하고 특징적인 증상이 확인된다. 공혈아에게는 stuck twin, 태아발육부전, 제대동맥혈류 이상(확장기 단절·역류) 등 순환 부전에 기인하는 증상이 확인되고 진행된 경우는 심부전이나 태아수종이 된다. 수혈아에서는 양수과다에 더해 정맥계의 혈류 이상이나 심확대·방실판역류, 폐동맥협착[14,15] 등이 확인되고 진행되면 결국 태아수종이 된다. 태아수종이 되는 빈도는 수혈아 쪽이 더 많다. 어떤 경우라도 최종은 태아 사망이다.

관리 · 예방

TTTS는 빠르면 임신 16주 이전부터 발병하기 때문에, MD 쌍태로 진단되면 항상 TTTS의 위험을 고려하여 관리가 필요하다. TTTS의 진단은 양수량을 기준으로 하고 있으므로, 임신 경과에서도 양수량의 차이(및 방광 크기)에 주목하여 평가한다(그림 4). 양쪽 태아의 격막 요철 상태에 주의한다. 펄럭펄럭 움직여 보이는 경우는 걱정없으나, 격막이 구부러져 있어 folding이 확인되거나, 또한 격막이 도출되기 어려운 경우에는 주의할 필요가 있다. 임신 15~17주의 격막 folding이 나타

정상 양수량   양수량의 차가 나타남   양수과다 과소 · 과소   Stuck(진공팩모양)

그림 4. **양수량의 변화와 TTTS**

난 증례에서는 43% 정도로 TTTS가 발병하고, folding이 확인되지 않는 증례에 비해 4.2배의 위험이 있었다는 보고가 있다.[1] 양수량의 차이나 체중차이·복부둘레의 차이가 확인되는 경우에도 TTTS의 발병에 주의하여 양수량이나 방광의 크기, 태아혈류 등을 확인한다. MD 쌍태에서 임신 14주 이후에는 적어도 2주마다 초음파 검사가 권장된다.[16]

양수량의 차이가 확인되지만, TTTS의 진단 기준을 충족시키지 않는 경우도 고위험 MD 쌍태로서 신중한 관리가 필요하다. 특히 태아의 발육 부전이나 제대동맥혈류 이상을 동반하는 경우에는 예후가 불량하다.[17]

TTTS는 태반의 이상(혈관문합)에 기인하는 질환이므로 예방법은 확립되어 있지 않다. TTTS 증례에서 양수 제거를 실시함으로써 일부 증례에 TTTS가 개선되는 보고가 있으나[18] 자궁수축 억제로 인해 자궁 내압을 감소시킴으로써 TTTS의 진행을 더디게 할 수 있지만 자궁수축 억제나 안정이 TTTS 발병을 예방한다는 증거는 없다.

치료 · 예후

TTTS 진단을 받으면 임신 주수 및 중증도에 따라 치료법을 고려한다. TTTS의 원인이 혈관문합에 의한 혈류 이동인 것을 감안하면, 자궁 밖 생활이 충분히 가능한 주수라면 분만시켜 신생아 치료로 이행하는 것이 근본적인 치료라고 생각되어 진다(분만함으로써 질환의 원인인 혈관문합의 영향을 제거할 수 있음). 적어도 28주 이후에 stageⅢ 이상이면, 신생아 치료가 제1선택으로 생각된다. 출생 후 치료가 어려운 시기에서는 분만시켜도 미성숙으로 인해 구명이 어렵기 때문에 태아 치료가 선택된다. 시행 시설은 제한되지만, 26주 미만의 TTTS 증례에 대해서는 태아경하 태반혈관문합레이져응고술(fetoscopic laser photocoagulation for communicating vessels ; FLP)이 첫 번째 선택이다(2012년부터 보험 적용이 되었다). 또한 증례에 따라 적극적 양수 제거도 선택된다. TTTS로 진단한 경우 중증도 판단 및 해당시설에서의 대응 상황(신생아 관리, 태아 치료 등)에 따라, 상급 시설과의 연계를 통해 관리하는 것이 중요하다.

1. 태아경하 태반혈관문합레이저응고술(FLP)

TTTS의 원인인 태반의 혈관문합을 레이저 응고하여, TTTS의 원인을 제거하는 근본적인 치료이다. 1990년대부터 구미에서 개시되어,[5, 10, 19~21] 일본에서는 2002년부터 본격적으로 도입되었다.[22] FLP는 초음파 유도하에 피부에서 자궁 안으로 트로카(약4mm)를 수혈아의 양수강에 삽입하여 시행한다. 태아경으로 태반 혈관문합을 관찰하여, 모든 혈관문합(동맥–동맥, 정맥–정맥, 동맥–정맥)을 Nd : YAG 레이저(혹은 반도체 레이저)로 응고하여, 두 아이의 순환을 완전히 독립시킨다. 치료가 성공하면 수술 후 1~2주 내에 TTTS는 개선된다. 적응과 요약을 표 2에 나타낸

표 2. TTTS에 대한 태아경하태반혈관문합 레이저응고술(FLP)의 적응과 요약[22~26]

적응:	TTTS이다(MD쌍태, 양수과다 ≥8cm, 양수과소 ≤2cm) 임신 16주이상, 26주미만이다. Stage Ⅰ~Ⅳ이다. 26주 이상 28주 미만에서는 양수과다 ≥10cm
요약:	미파수이다. 양막천공, 양막박리가 없다. 명확한 절박유산증후가 없다(경관길이 20mm이상을 원칙으로 한다). 중증의 태아기형이 없다. 모체가 수술에 견딜 수 있다(위독한 합병증이 없다). 모체감염증이 없다(HIV는 금기).

(Japan Fetoscopy Group)

다.[22~26] 2014년부터 임신 26주, 27주 TTTS에 대해서도 최대 양수 심도가 10cm 이상의 양수과다를 충족한 증례에 FLP의 적응 확대가 실시되었다. 일본(JFG〈Japan Fetoscopy Group〉)의 성적은 생존율 80%, 신경학적 후유증 5% 정도이며, 구미의 성적과 비교해도 손색없다.[22~26] 양수제거와 비교한 성적에서는 중증도(stage) 별로, stageⅢ 및 Ⅳ 에서 생존율 및 신경학적 후유증에서 FLP가 더 의미있었다.[10]

또한, Eurofetus에 의한 RCT 보고에서는 모든 stage에서 FLP가 양수 제거에 비해 생존율 및 신경학적 후유증면에서 우수 성적을 보였다.[27] Cochran 리뷰에 있어서도, 모든 stage의 TTTS에 대하여 주산기 예후를 개선하는 치료로서 FLP를 고려한다고 결론짓고 있다. 한편, 미국에서 무작위 비교시험을 통해 FLP가 양수 제거와 비교하여 예후를 개선하는 증거가 없다고 보고[29]되었으나, 이 보고에서는 증례수가 적고 FLP의 치료 성적이 다른 시설의 보고에 비해 매우 나쁘므로, 결론에 대한 해석에 신중해야 한다. 이러한 보고 및 일본에서의 성적으로부터 26주 미만의 TTTS에 대한 FLP는 첫 번째 선택으로 고려된다.

임신 26주 이상이나 16주 미만의 TTTS에 대한 FLP도 16~26주 미만과 동일한 치료 성적이었다는 보고도 다수 보이고 있다.[30~32] 일본에서도 기술한 바와 같이 임신 26주와 27주 양수 심도가 10cm 이상인 TTTS에 적응 확대가 이루어졌다.

2. 적극적 양수 제거(amnioreduction)

양수과다를 개선함으로써 모체증상의 경감과 임신기간 연장을 주목적으로 한 치료방법이다. 적극적으로 양수를 제거함으로써 임신 기간을 신생아 관리 가능한 주수까지 연장시킨다. TTTS에 대한 근본 치료법은 아니나, 일부 증례에서는 진행을 늦추거나 증상을 개선(stage의 개선)시키는 효과도 알려져 있다.[18] 임신중기 발병의 중증 예후는 생존율 37~78%, 신경학적 후유증은

10~25%이다.[6, 33~35)] 임신 26주 이후의 TTTS나 앞서 기술한 FLP의 적응과 요약을 충족하지 못하는 증례에 대해서도 시행되는 치료이다.

18~20G의 양수천자바늘을 이용하여 초음파 유도 하에 국소마취로 시행한다. 공혈아의 격막을 손상시키지 않도록 가능한 한 공혈아로부터 떨어진 곳에서 천자한다. 양수제거는 자연배액이나 흡인기 사용[36)]을 해도 가능하다. 보통 1회에 1~2L 정도(양수심도로 6~8cm를 목표) 제거한다. 파수, 자궁내 감염, 자궁수축에 주의한다.

격막에 구멍을 뚫는 양막천공·절개술은 양수제거를 웃도는 성적이 되지않고,[37)] 오히려 제대의 상호단락(얽힘)으로 인한 태아 사망 위험을 높이기 때문에 적극적으로 실시하지 않는다.

TTTS 이외의 MD 쌍태에 특징적인 질환

1. TAPS (twin anemia polycythemia sequence)

TTTS가 혈관문합을 통한 혈액의 volume 이동이 주체인 병태인데 반해, TAPS는 혈관의 숫자가 적고(통상적으로 1~2개), 미세혈관문합을 통해 혈액량(volume)의 이동은 일어나지 않지만 적혈구의 이동만 일어나는 상태라고 생각된다.[39)] 양수과다·과소를 동반하지 않는 양쪽 태아 간의 헤모글로빈 차이로 진단된다. 태아 빈혈상태 및 중대뇌동맥최고혈류속도(MCA-PSV)를 기준으로 출생 전 진단기준으로는 ① 한쪽 태아가 MCA-PSV > 1.5MoM이면서 다른 태아의 MCA-PSV < 1.0MoM, ② 양수과다·과소를 동반하지 않는 것으로 나타났으며, 출생 후 진단 기준에서는 ⓐ 양쪽 태아의 헤모글로빈 차이 > 8.0g/dL, 동시에 ⓑ 망상적혈구비 > 1.7 혹은 미세혈관문합(<1mm)만 존재하는 것으로 여겨진다.[40)] 즉, 만성적인 양쪽 태아 간의 헤모글로빈차이(망상적혈구의 차이)나 미세혈관문합만의 존재로 인해, 급성쌍태간수혈(혈류이동)을 제외하는 것이 포인트이다. TTTS의 FLP후 합병증으로 최초 보고되었지만,[39)] FLP 과는 관계없이 자연스럽게 TAPS가 되는 빈도는 1.6~4% 정도로 보고된다[38,41,42)] TAPS에 대한 명확한 치료 지침은 없다. 경증 예에서는 자연 경과로 예후가 좋은 것도 많이 존재하지만, 중증 예에서는 예후 불량 예[43,44)] 도 있기 때문에, FLP 후의 TAPS에 대해서는 태아 수혈[45,46)] 혹은 자연 TAPS에 대해서는 FLP[47)]가 시도되고 있다.

2. Selective IUGR (intrauterine growth restriction)

MD 쌍태에서 한쪽 태아만이 발육부전이 되는 것을 selective IUGR로 진단한다.[48,49)] 단태의 태아발육부전의 리스크에 더해, 태반혈관문합에 기인한 주산기 뇌장애의 위험이 존재한다. 일융모막쌍태에서는 태반혈관문합(특히 동맥-동맥문합)의 존재에 따라, 한쪽 태아의 혈압 변동이 다른 태아의 혈압을 변동시킨다는 가능성이 지적되고 있어,[9,48)] 불안정한 혈압변동의 반복이 주산기 뇌장애 발병의 한 요인으로 추측되고 있다. 특히 smaller twin의 제대동맥확장기 단절역류를 동반한

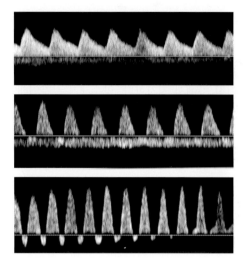

type Ⅰ
　확장기가 항상 순행성

type Ⅱ
　확장기가 항상 끊기거나 역류

type Ⅲ
　확장기가 주기적으로 끊어지거나 역류를 반복한다.

그림 5. Selective IUGR의 제대동맥확장기에 따른 병형분류

selective IUGR 은 예후가 좋지 않으며, smaller twin뿐만 아니라 larger twin에서도 주산기 뇌장애 발병 리스크가 증가한다.

　selective IUGR은 smaller twin의 제대동맥혈류파형을 이용하여 병형 분류한다[48](그림 5).

　Type Ⅰ: 제대동맥혈류 이상이 확인되지 않음. type Ⅱ: 확장기 혈류가 항상 끊기거나, 역류. typeⅢ: 확장기 혈류가 주기적으로 끊기거나 역류를 반복하는(intermittent pattern) 것으로, 병형에 따라 질병양상과 예후가 다르다. Type Ⅰ은 비교적 예후 양호하며, smaller twin에 대한 태아사망 등 병세 악화 빈도는 적다. Type Ⅱ에서는 smaller twin의 태아사망 등 병세 악화 빈도나 신생아 사망, 신경학적 후유증의 빈도가 높다. 또한 typeⅢ에서는 larger twin의 신경학적 후유증의 빈도가 높은 것이 특징이다.

참고문헌

1）Sebire, NJ. et al. Hum. Reprod. 15(9), 2000, 2008-10.
2）村越毅ほか. 多胎妊娠の短期および長期予後の検討. 日本周産期・新生児医学会雑誌. 41(4), 2005, 750-5.
3）Nakayama, S. et al. J. Obstet. Gynaecol. Res. 38(4), 2012, 692-7.
4）Murata, M. et al. J. Obstet. Gynaecol. Res. 39(5), 2013, 922-5.
5）Quintero, RA. et al. Obstet. Gynecol. Surv. 53(12 Suppl), 1998, S97-103.
6）Mari, G. et al. Am. J. Obstet. Gynecol. 185(3), 2001, 708-15.
7）Mahieu-Caputo, D. et al. Fetal. Diagn. Ther. 16(4), 2001, 241-4.
8）Ville, Y. Ultrasound Obstet. Gynecol. 10(2), 1997, 82-5.
9）Murakoshi, T. et al. J. Matern. Fetal Neonatal. Med. 14(4), 2003, 247-55.
10）Quintero, RA. et al. Am. J. Obstet. Gynecol. 188(5), 2003, 1333-40.
11）Quintero, RA. et al. J. Perinatol. 19(8 Pt 1), 1999, 550-5.
12）Morikawa, M. et al. Acta. Obstet. Gynecol. Scand. 90(12), 2011, 1434-9.
13）Hayashi, S. et al. Fetal Diagn. Ther. 21(1), 2006, 51-4.
14）Zosmer, N. et al. Br. Heart. J. 72(1), 1994, 74-9.
15）Murakoshi, T et al. Croat. Med. J. 41(3), 2000, 252-6.
16）日本産科婦人科学会・日本産婦人科医会 編集・監修. "CQ702 1絨毛膜双胎の取り扱いは？". 産婦人科診療ガイドライン：産科編2014. 2014, 344-7.
17）Huber, A. et al. Ultrasound Obstet. Gynecol. 27(1), 2006, 48-52.
18）Dickinson, JE. et al. J. Matern. Fetal Neonatal Med. 16(2), 2004, 95-101.
19）De Lia, JE. et al. Obstet. Gynecol. 75(6), 1990, 1046-53.
20）Hecher, K. et al. Am. J. Obstet. Gynecol. 180(3 Pt 1), 1999, 717-24.
21）Ville, Y. et al. N. Engl. J. Med. 332(4), 1995, 224-7.
22）村越毅ほか. 双胎間輸血症候群における胎児鏡下胎盤吻合血管レーザー凝固術の有用性・合併症に関する臨床的検討. 日本周産期・新生児医学会雑誌. 40, 2004, 823-9.
23）中田雅彦ほか. 多胎妊娠胎児治療. 日本周産期・新生児医学会雑誌. 41(4), 2005, 736-40.
24）左合治彦ほか. 双胎間輸血症候群に対する胎児鏡下胎盤吻合血管レーザー凝固術の現状と将来. 周産期医学. 35(7), 2005, 961-5.
25）Murakoshi, T. et al. Ultrasound Obstet. Gynecol. 32(6), 2008, 813-8.
26）Sago, H. et al. Prenat. Diagn. 30(12-13), 2010, 1185-91.
27）Senat, MV. et al. N. Engl. J. Med. 351(2), 2004, 136-44.
28）Roberts, D. et al. Cochrane Database Syst. Rev. 23(1), 2008, CD002073.
29）Crombleholme, TM. et al. Am. J. Obstet. Gynecol. 197. 2007, 396. e391-9.
30）Baud, D. et al. Am. J. Obstet. Gynecol. 208(3), 2013, 197.e1-7.
31）Middeldorp, JM. et al. BJOG. 114(6), 2007, 694-8.
32）Valsky, DV. et al. Fetal. Diagn. Ther. 31(1), 2012, 30-4.
33）Elliott, JP. et al. Obstet. Gynecol. 77(4), 1991, 537-40.
34）Mahony, BS. et al. Am. J. Obstet. Gynecol. 163(5 Pt 1), 1990, 1513-22.
35）Saunders, NJ. et al. Am. J. Obstet. Gynecol. 166(3), 1992, 820-4.
36）横内妙ほか. 急速羊水除去の安全性. 日本周産期・新生児医学会雑誌. 49(4), 2013, 1272-5.
37）Moise, KJ Jr. et al. Am. J. Obstet. Gynecol. 193(3 Pt 1), 2005, 701-7.
38）Lopriore, E. et al. Obstet. Gynecol. 112(4), 2008, 753-8.
39）Lopriore, E. et al. Placenta. 28(1), 2007, 47-51.

제 **4** 장

태아이상

40) Slaghekke, F. et al. Fetal Diagn. Ther. 27(4), 2010, 181-90.
41) Mabuchi, A. et al. Ultrasound Obstet. Gynecol. 44(3), 2014, 311-5.
42) Yokouchi, T. et al. J. Obstet. Gynaecol. Res. 2014 (in press).
43) Lopriore, E. et al. Ultrasound Obstet. Gynecol. 41(6), 2013, 702-6.
44) Robyr, R. et al. Am. J. Obstet. Gynecol. 194(3), 2006, 796-803.
45) Groussolles, M. et al. Ultrasound Obstet. Gynecol. 39(3), 2012, 354-6.
46) Weingertner, AS. et al. Ultrasound Obstet. Gynecol. 35(4), 2010, 490-4.
47) Ishii, K. et al. Fetal Diagn. Ther. 35(1), 2014, 65-8.
48) Gratacos, E. et al. Ultrasound Obstet. Gynecol. 30(1), 2007, 28-34.
49) Quintero, RA. et al. Am. J. Obstet. Gynecol. 185(3), 2001, 689-96.
50) Gratacós, E. et al. Ultrasound Obstet. Gynecol. 24(2), 2004, 159-63.
51) Gratacós, E. et al. Ultrasound Obstet. Gynecol. 23(5), 2004, 456-60.
52) Ishii, K. et al. Fetal Diagn. Ther. 26(3), 2009, 157-61.

≫ 村越　毅

태아 치료

개념 · 정의

　태아사망 가능성이 높거나, 출생 후 치료가 늦어 치사적이거나, 심각한 장애를 초래할 수 있는 질환에 대한 태아치료의 효과가 기대되고 있다. 다양한 질환에 대하여 시도되고 있으나(표 1), 대상 증례가 적고 치료의 유효성이 과학적으로 증명된 것은 아직 일부이다. 태아치료는 반드시 모체를 경유한 치료가 되기 때문에, 모체에 대한 침습이나 조산의 리스크가 발생한다. 그러므로 새로운 치료를 시작할 때에는 유효성과 안전성을 과학적으로 검증하는 것이 중요하며, 질환의 자연경과, 출생 후 치료 성적, 과거의 연구, 윤리적 문제, 기술적 문제 등을 충분히 검토할 필요가 있어 임상연구를 통해 시작하는 것이 바람직하다. 이미 쌍태간수혈증후군에 대한 태아경하레이저 수술과 태아 흉수에 대한 태아 흉강–양수강 단락술에 관해서는 일정한 견해를 얻어 보험 처리되고 있다. 표 2에 주요한 질환의 일본 상황을 나타낸다. 태아 치료법의 임상 응용을 추진하기 위한 연구 그룹 「일본 태아치료그룹」이 존재하며, 홈페이지(http://fetusjapan.jp/)에서 치료의 개요를 소개하고 있다.

내과적 치료

　내과적 치료는 모체에서 경태반적으로 투여되는 약물요법으로 서맥성부정맥, 빈맥성부정맥, 선천성 부신피질과형성 등이 대표적인 대상 질환이다.

■ 빈맥성 부정맥에 대한 항부정맥약 투여

개요: 태아 빈맥성부정맥은 심박수가 180/분 이상으로, 모체 발열, 동성빈맥, 모체 갑상샘기능항진증 등의 요인을 제외한 경우에 진단된다. 대부분은 상실성 빈박(SVT), 심방조동(AFL)이며, 예후는 자연적으로 호전되는 경우부터 심부전, 태아수종, 태아사망에 이르는 것까지 다양하다. 태아심부전, 태아수종으로 진행되는 증례에서는 조기 분만하여 신생아에서의 치료가 필요하지만, 태반통과성이 있는 항부정맥제 치료를 경태반적으로 투여하는 치료가 시도되고 있다. 치료 성적에 대해서는 다양한 보고가 있는데, 태아수종 비합병 예에서는 약 80% 이상에서 동조율로의 개선이 이루어지고 있다. 또한 태아수종 합병경우에도 유효하다는 보고가 많다.

일본에서의 상황: 2007년도 후생노동과학연구 「태아빈맥성 부정맥에 관한 앙케이트에 의한 전국조사」에서는 41례의 치료 사례 중 37례가 빈맥의 개선을 보였으며(유효율 90%), 태아수종 11례에

표 1. 침습도에서 본 태아 치료법　　　　　　　　　　　　　　　　　　　　　　　　(문헌1 에서)

침습도	치료법
저 ↓ 고	**경태반적 약물치료** 　항부정맥약: 태아빈맥성 부정맥(상실성빈맥, 심방세동) 　부신피질스테로이드: 선천성 부신피질과형성
	초음파 유도하 치료 　천자·흡인술: 양수과다, 흉수, 난막낭종 　양수강내 약물투여: 갑상선기능저하증 　태아수혈: 빈혈 　단락술: 흉수, CCAM (macro cyst), 부분요로폐색 　고주파응고술: 무심체쌍태 　풍선판 확장술: 중증대동맥협착
	태아경하수술 　레이져응고술: 쌍태간수혈증후군 　풍선 기관폐색술: 횡격막탈장
	직시하수술(자궁절개) 　절개술: CCAM(micro cyst), 선미부기형종 　수복술: 척수수막암

표 2. 주요 질환 태아 치료의 일본 상황　　　　　　　　　　　　　　　(2015년 2월 현재)

질환	치료법	일본 시설
빈맥성 부정맥	경태반적 약물요법	임상 연구
태아흉수	태아흉강–양수강단락술	보험적용
쌍태간수혈증후군	태아경하레이저수술	보험진료(2013년 4월부터)
무심체쌍태	고주파응고술 태아경하제대절단술	임상 연구
선천성 횡격막탈장	태아경하기관폐색술	임상 연구
선천성 심질환	초음파 유도하 풍선판 확장술	임상연구 준비중
척수수막암	직시하 수복술	미실시

서도 9례가 개선을 나타냈다(유효율 82%). 이를 통해 후생노동과학연구「태아빈맥성 부정맥에 대한 경태반적 항부정맥약 투여에 관한 임상연구」가 이루어지고 있다(증례등록기간: 2010년 10월에서 2015년 12월까지). 이것은 비무작위 단상 개입 시험으로, 태아에 대한 치료의 유효성, 안전성, 모체의 안전성을 검토하고 있다.

치료적응기준: (1) 태아 심박수 180/분 이상이 지속되는 심방세동 또는 상실성빈맥, (2) 임신 22주 이후 37주 미만, (3) 단태이다.

진단: 초음파M모드, 초음파도플러에서 시행한다.

치료법: 치료에 사용되는 항부정맥약은 디곡신, 소타롤, 프레카이니드 등.

외과적 치료

외과적 치료는 ① 초음파 유도 하에 시행하는 태아 흉수나 난소낭종에 대한 천자흡인술, 태아흉수나 하부요로폐쇄에 대한 단락술 , 무심체쌍태 등에 행하는 고주파응고술 등, ② 태아경하에서 시행하는 쌍태간수혈증후군에 대한 태아경하레이저응고술, 선천성 횡격막탈장에 대한 태아경하기관폐색술, ③ 개복직시하수술은 척수수막암, 선미부기형종에 행해지고 있다.

1. 초음파 유도하 치료

1) 원발성 태아흉수에 대한 태아흉강–양수강 단락술(thoraco–amniotic shunting ; TAS)

개요: 원발성 태아흉수(유미흉)는 흉수의 저류에 의해 심장이 압박되어 순환장애를 초래하고, 중증 예에서는 태아수종으로 진행된다. 태아수종이 없는 경우의 사망률은 20%인데 반해, 태아수종을 합병했을 경우의 사망률은 69%[2]로, 예후가 좋지 않다고 보고되었다. 원발성태아흉수의 태아치료는 흉강천자와 태아흉강–양수강 단락술이 효과적이라 생각되며, Deurloo 등의 리뷰에서는 태아 흉강–양수강 단락술을 시행했을 경우의 생존 비율이 61%, 흉강 천자 후 단락술을 실시한 증례의 생존율은 67%로 보고되었다.[3]

치료법: 대량의 흉수를 확인한 경우, 먼저 진단과 치료를 겸하여 흉강 천자를 시행하고, 1주일 이내에 재저류하는 경우에는 단락술을 시행한다. 초음파 유도 하에 모체 복벽을 통해서 자궁 내 태아흉강과 양수강을 연결하는 카테터를 삽입하여 흉수를 지속적으로 양수강 내로 배액한다(그림 1c). 치료의 효과는 다양하나, 효과가 두드러지는 사례에서는 태아 수종이 개선된다. 합병증은 조산, 파수, 출혈, 단락의 폐색, 단락의 탈출 등이 있다.

일본의 상황: 단락술 카테터는 여러나라에서는 1980년대부터 double pigtail catheter라고 불리는 양끝이 구부러져 있어 빠지기 어려운 카테터가 사용되고 있지만, 일본에서는 보다 침습성이 낮은 더블 바스켓 카테터로 불리는 단락술 튜브가 개발되어(八光 회사제품) 사용되고 있다(그림 1a, b). 이것을 이용한 전향적 임상연구가 실시되었으며, 전체 생존율은 79%, 태아수종 예에서는 71%, 태아 수종이 확인되지 않은 예에서는 100%(7/7)로, 이 치료의 유효성이 나타났다.[4] 2011년 10월에 더블 바스켓 카테터가 태아 치료를 위한 의료기기로 정식 승인되었으며, 2012년 7월부터는 태아흉수에 대한 TAS가 정식으로 보험 적용되었다.

이 단락술 카테터는 폐분획증에 따른 속발성 태아흉수나 macrocyst type의 CCAM (congenital cystic adenomatoid malformation), 또는 하부요로 폐색에서의 태아방광–양수강 단락술에서

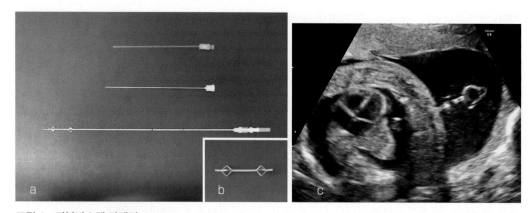

그림 1. 더블바스켓 카테터
a, b: 더블 바스켓 카테터(八光 회사제품 태아 단락술)
c: 태아 흉수증례에서의 태아 흉강-양수강 단락술

도 응용되고 있다.

2) 하부 요로 폐쇄에 대한 태아방광-양수강 단락술

개요: 방광출구부, 요도폐쇄(협착)를 하부요로폐쇄(Lower urinary tract obstruction ; LUTO)라고 부른다. 후방요도판, 요도폐쇄증, Prune belly증후군 등이 LUTO의 원인이 되어, 하부 요로 폐쇄가 심한 경우에는 신부전 그리고 양수과소로부터 폐저형성을 초래하므로, 신기능 유지와 양수량 유지의 목적으로 태아방광-양수강 단락술이 고안된다. 치료의 유효성은 일정한 견해를 갖고 있지 않으나, 단락술 후의 생존율이 40%, 신장기능이 개선되지 않은 증례는 생존아의 50%로 보고되고있다.[5] 2013년에는 무작위 비교시험인 PLUTO trial이 보고되어,[6] 태아 치료로 인한 생존율이 상승하는 경향이 있었으나 확정적인 결과는 얻지 못했다고 한다.

치료적응·치료법: 적응은 일반적으로는 남아에서 후부요도판이 의심된 증례에 한정되며, 방광천자에 의한 요생화학검사에서 나트륨 100mEq/L 미만, 크롤라이드 90mEq/L 미만, 삼투압 300mOsm/L 미만, β_2 마이크로글로블린 6mg/L 미만이면 신장 기능이 유지된다고[7] 판단되어 한 번 뿐 아니라 여러 번을 천자하여 평가한다. 단락술에 의한 합병증은 방광에서의 션트 탈출, 요복수, 복벽파열, 조산 등이 있다.

3) 무심체쌍태에 대한 태내치료

개요: 무심체쌍태(acardiac twin)는, 전체출생의 1/35,000~ 1/40,000, 일융모막일양막쌍태의 1%의 발생빈도로 한 아이는 정상아이지만, 이미 다른 한쪽은 심장 구조가 무형성이거나 작고 기능을 가지고 있지 않은 상태의 심장을 가진 태아이다. 따라서 정상아로부터 제대동맥, 태반상의 동맥-

동맥문합 혈관을 통해 무심체아로 혈류가 유입된다. 즉 무심체아의 제대동맥은 역류하는 상태이며, 무심체쌍태를 twin reversed arterial perfusion sequence (TRAP sequence)라고도 부른다. 정상아의 심장은 무심체태아에게도 혈류를 보내기 때문에, 용량 부하가 과중하고 심할 경우 심부전이 된다. 태내에서 치료하지 않는 경우 생존율은 35~55%로 보고된다.

치료법·성적: 무심체 쌍태의 태내 치료는 여러 가지 방법이 보고되었으나, 제대혈류를 차단하는 방법(cord occlusion)과 무심체 내의 혈류를 차단하는 방법(intrafetal ablation)으로 나뉜다. Cord occlusion은 초음파 유도 하에서 monopolar 혹은 bipolar에 의한 제대혈류에 열응고를 가하는 방법과 태아경하에서 제대 결찰이나 레이저로 혈류 차단을 하는 방법이 주로 행해지고 있다. Tan 등의 리뷰에서는 전자의 수술 완수율이 67%이고 생존율이 62%, 후자가 각각 36%와 72%로 나타났다.[8] 2006년의 Hecher 등의 보고에서는 태아경을 이용한 레이저 수술의 생존율은 80%, 수술 완수율은 88%라고 한다.[9]

intrafetal ablation은 알코올을 이용한 방법 또는, monopolar, 레이저를 이용한 방법, 고주파응고술(radio frequency ablation : RFA)이 보고된다. RFA 시행 후의 태아 생존율은 71~92%로 보고[10~13]되고 있다.

일본의 상황: 일본에서 가장 많이하는 수술은 고주파응고술이다.

4) 중증 대동맥협착 등에 대한 태아 심장 카테터 치료

개요: 선천성 심질환에 대한 태아치료의 대상은 중증 대동맥협착, 폐동맥협착·폐쇄, 좌심저형성증후군에 따른 난원공폐쇄 등이며, 주로 대상이 되는 것은 중증 대동맥협착이다. 중증 대동맥협착은 좌심저형성증후군에 이르는 것이 많고, 최종적으로 단심실의 혈행 동태인 폰탄 수술을 하게 된다. 폰탄 수술은 확립된 수술법이나, 장기예후에는 다양한 문제가 보고되고 있다. 중증 대동맥협착에 대한 태아 치료는 좌심저형성증후군으로 진행되는 것을 예방하는 치료이다. 치료법은 초음파 유도 하에 관상동맥용 풍선 카테터를 대동맥 유출로에 삽입하여 확장시키는 것이다.[14,15]

일본의 상황: 현재, 일본태아심장병학회를 중심으로 임상연구를 시작하기 위한 준비 중이다.

2. 태아경하 수술

1) 쌍태간수혈증후군

쌍태간수혈증후군 항목을 참조할 것.

2) 선천성 횡격막탈장

개요: 선천성 횡격막탈장(CDH)의 중증례는 아직도 예후가 좋지 않으며, 생존례에서도 폐기능 장애, 성장발달장애·정신발달지연, 난청, 위식도 역류증, 측만, 누두흉 등의 출생 후 합병증이 존재한다. 태아치료로 예후가 개선될 것으로 기대된다.

　CDH의 태아치료 원리는 기관을 폐색 함으로써 폐포액이 저류되어 폐가 확대·팽창하는 것을 이용한다. 현재는 기관 내 풍선 유치에 의한 태아경하기관폐색술(fetoscopic endoluminal tracheal occlusion ; FETO)이 이루어지고 있다. FETO의 유용성에 대한 보고는 2003년 미국의 Harrison 등이 표준적 치료(출생 후 치료)와 FETO와의 무작위 비교시험을 NEJM에 보고하여 생존율, 유병률에 유의차는 없었다고 말하였다.[16] 그 후 유럽의 FETO 연구 그룹은 치료적응을 보다 중증 예에 한정하고, 내시경 기기도 저침습한 것을 이용한 결과, LHR 1.0이하의 중증 왼쪽CDH의 생존율이 출생 후 치료의 24.1%에서 49.1%로 개선되었다고 보고하였다.[17] 이에 따라 유럽을 중심으로 FETO의 무작위 비교시험인 TOTAL trial이 이루어지고 있다.

중증도의 평가: CDH의 중증도 평가는 간 거상의 유무, 폐와 흉부의 면적 비(폐흉부 면적비: L/T 비)[18]와 폐 면적/머리 둘레비(Lung to head Ratio ; LHR), Kitano의 위 위치의 분류[19] 등이 알려져 있다. 그 중에서도 구미에서는 재태주수마다 정상아에서의 LHR을 표준으로한 비율인 observed expected LHR (o/e LHR)이 사용되고 있다. o/e LHR의 계산은 TOTAL의 홈페이지(www.total-trial.eu) 또는 perinatology.com에서 인터넷상으로 가능하다

일본의 상황: 2013년 10월부터 임상시험으로 조기 안전성 시험이 개시되었다.

치료적응·방법: Kitano 등의 다기관공동연구의 예후 해석으로부터 간 거상(liver up)의 좌측 CDH와 함께 위장의 절반 이상이 오른쪽 흉강내로 탈출되어 있는(Kitano의 분류: Grade3) 례에서 실시된다. FETO의 실시 임신주수는 TOTAL의 기준을 따라서, o/e LHR 25% 미만은 27주 0일~29주 6일, o/e LHR 25% 이상 45% 미만은 30주 0일~31주 6일이다. 풍선 제거술은 34주 0일~34주 6일에 시행한다. 풍선 제거는 초음파 유도 하 천자 또는 태아경 하에서 실시한다. 긴급시에는 EXIT 또는 출생 후에 내시경으로 시행한다.

3. 척수수막암에 대한 직시하 수복술

개요: 척수수막암(myelomeningocele ; MMC)은 개방형 신경관결손증 중 하나이다. 하지의 운동 감각장애 또는 방광 직장 장애를 가져온다. 또한 증례에 따라서는 키아리 기형 Ⅱ형에 의한 호흡 장애 등 중추성 증상, 수두증으로부터 발달장애도 생긴다. 출생 후 치료는 출생 직후에 척수수막류의 폐쇄와 뇌실 배액을 실시하고, 그 후에 뇌실－복강 단락술(V-P 단락술)을 실시하는 것이 일반적이다.

　MMC의 병태가 완성되기 위해서는 "two hit theory"라고 불리는 2단계 신경학적 손상이 원인

으로 생각된다. "first hit"은 개방성 척추의 이분 발생 이상에 의한 것으로, "second hit"은 만성적으로 양수에 노출되어 있는 것 또는 자궁수축에 의해 자궁벽에 접촉하는 것으로 인한 장애와 염증이다.[20] 태아수술은 "second hit"에서의 장애를 예방한다는 원리이다.

치료법: 태아치료는 내시경 하에 이식편 등으로 임시로 병변을 가리는 저침습 방법과 개복 및 자궁절개에 의한 출생 후 수술에 가까운 직시하 수복술이 있다.

MOMS trial: 2011년에 MMC에 대한 태아 직시하 수복술의 유효성을 평가하기 위한 무작위 비교시험이다. MOMS (Management of Myelomeningocele Study)가 보고되어,[21] 태아의 사망률과 션트설치 발생률은 출생 후 수술을 받은 그룹의 98%에 비해, 출생 전 태아수술 그룹에서는 68%로 뚜렷이 감소했다. 생후 30개월 시점에서의 종합평가는 정신 발달에서는 차이를 보이지 않았지만, 운동 기능에서는 차이가 확인됐다. 그러나 출생 전 수술에서는 조산, 자궁절개창의 얇아짐이나 해리, 양막박리, 폐수종, 양수과소 발병이 높아졌다. MOMS에 의해 치료의 유효성이 일정한 평가를 받아, 구미를 포함한 몇몇 시설에서는 적극적으로 이루어지고 있다.

일본의 상황: 현재 진행되지 않는다.

참고문헌

1 ） 中並尚幸ほか. 胎児治療の変遷と現状. 周産期医学. 43(12), 2013, 1489-93.
2 ） Weber, AM. et al. Fetal pleural effusion : a review and meta-analysis for prognostic indicators. Obstet. Gynecol. 79(2), 1992, 281-6.
3 ） Deurloo, KL. et al. Isolated fetal hydrothorax with hydrops : a systematic review of prenatal treatment options. Prenat. Diagn. 27(10), 2007, 893-9.
4 ） Takahashi, Y. et al. Thoracoamniotic shunting for fetal pleural effusions using a double-basket shunt. Prenat. Diagn. 32(13), 2012, 1282-7.
5 ） Ruano, R. Fetal surgery for severe lower urinary tract obstruction. Prenat. Diagn. 31(7), 2011, 667-74.
6 ） Morris, RK. et al. Percutaneous vesicoamniotic shunting versus conservative management for fetal lower urinary tract obstruction （PLUTO）: a randomised trial. Lancet. 382(9903), 2013, 1496-506.
7 ） Vanderheyden, T. et al. Fetal renal impairment. Semin. Neonatol. 8(4), 2003, 279-89.
8 ） Tan, TY. et al. Acardiac twin : a systematic review of minimally invasive treatment modalities. Ultrasound Obstet. Gynecol. 22(4), 2003, 409-19.
9 ） Hecher, K. et al. Twin reversed arterial perfusion : fetoscopic laser coagulation of placental anastomoses or the umbilical cord. Ultrasound Obstet. Gynecol. 28(5), 2006, 688-91.
10) Livingston, JC. et al. Intrafetal radiofrequency ablation for twin reversed arterial perfusion （TRAP）: a single-center experience. Am. J. Obstet. Gynecol. 197(4), 2007, 399.e1-3.
11) Bebbington, MW. et al. Radiofrequency ablation vs bipolar umbilical cord coagulation in the management of complicated monochorionic pregnancies. Ultrasound Obstet. Gynecol. 40(3), 2012, 319-24.
12) Cabassa, P. et al. The use of radiofrequency in the treatment of twin reversed arterial perfusion sequence : a case series and review of the literature. Eur. J. Obstet. Gynecol. Reprod. Biol. 166(2), 2013, 127-32.
13) Lee, H. et al. The North American Fetal Therapy Network Registry data on outcomes of radiofrequency ab-

lation for twin-reversed arterial perfusion sequence. Fetal Diagn. Ther. 33(4), 2013, 224-9.

14) Arzt, W. et al. Intrauterine aortic valvuloplasty in fetuses with critical aortic stenosis : experience and results of 24 procedures. Ultrasound Obstet. Gynecol. 37(6), 2011, 689-95.

15) Freud, LR. et al. Fetal aortic valvuloplasty for evolving hypoplastic left heart syndrome : postnatal outcomes of the first 100 patients. Circulation. 130(8), 2014, 638-45.

16) Harrison, MR. et al. A randomized trial of fetal endoscopic tracheal occlusion for severe fetal congenital diaphragmatic hernia. N. Engl. J. Med. 349(20), 2003, 1916-24.

17) Jani, JC. et al. Severe diaphragmatic hernia treated by fetal endoscopic tracheal occlusion. Ultrasound Obstet. Gynecol. 34(3), 2009, 304-10.

18) Usui, N. et al. Reliability of the lung to thorax transverse area ratio as a predictive parameter in fetuses with congenital diaphragmatic hernia. Pediatr. Surg. Int. 27(1), 2011, 39-45.

19) Kitano, Y. et al. Re-evaluation of stomach position as a simple prognostic factor in fetal left congenital diaphragmatic hernia : a multicenter survey in Japan. Ultrasound Obstet. Gynecol. 37(3), 2011, 277-82.

20) Meuli, M. et al. The spinal cord lesion in human fetuses with myelomeningocele : implications for fetal surgery. J. Pediatr. Surg. 32(3), 1997, 448-52.

21) Adzick, NS. et al. A randomized trial of prenatal versus postnatal repair of myelomeningocele. N. Engl. J. Med. 364(11), 2011, 993-1004.

» 和田誠司

5 이상분만의 관리와 처치

a. 미약진통·과강진통

b. 산도이상

c. 태아골반불균형(CPD)

d. 태세의 이상, 회선의 이상, 진입의 이상

e. 태위의 이상

f. 다태분만

g. 지연분만·분만정지

h. 자궁파열

i. 자궁내반증

j. 자궁경관열상

k. 질·회음 열상

l. 치골결합분리

m. non-reassuring fetal status (태아기능부전, NRFS)

n. 제대의 이상

o. 유착태반

p. 분만 후 이상출혈

q. 산과 쇼크

r. 과다환기증후군

s. 흡인분만·겸자분만

t. 제왕절개술

u. 수혈의 실제

v. 자간증·경련·의식장애

w. 임산부 사망

5 이상분만의 관리와 처치

a 미약진통·과강진통

미약진통(저긴장 자궁수축 기능장애)

정의·병태

1. 정의: 『산부인과용어집·용어 해설집』(개정 제3판)에서 아래의 진단으로 정의된다. 분만 개시후 진통이 자각적, 혹은 타각적으로 미약하고, 통증의 지속이 짧다. 또한 주기가 길고 분만이 진행되지 않는 상태를 말한다. 분만 개시 때부터 진통이 약한 원발성, 분만 도중에 2차로 미약해지는 속발성으로 나눌 수 있다.

2. 병태: 분만은 「분만력」, 「분만물」, 「산도」의 3요소가 복잡하게 관련되어 있다. 3요소 자체도 분만 경과에 따라 변하기 때문에 진통의 이상을 정확히 진단하는 것은 매우 숙련이 필요하다. 분만이 진행되지 않는 원인은 「분만물」 즉 태아 및 태아 부속물과 「산도」 즉 골반, 연산도가 저마다 다양하고 그 위에 자궁내 감염, 피로, 분만에 대한 불안 등 모체의 상태도 고려할 필요가 있다.

분만 개시시기를 정확히 판단하여 분만의 어느 시기에 지연되었는지를 진단함으로써 증례에 따른 적절한 대응이 가능해진다. 경우에 따라 자궁수축제의 사용도 고려하는 의료개입(진통촉진, 흡인분만 등)이 필요한지 판단이 중요하며, 잘못된 개입으로 인한 의료사고는 있어서는 안 되지만 그 반대 또한 피해야 한다. 지연 분만의 진단, 즉 정상으로부터의 일탈을 진단하기 위해서는 항상 정상 분만의 이해가 요구된다.

또한 자궁수축제를 사용할 때에는 일본산과부인과학회, 일본산부인과의회에서 가이드라인[3]을 제시하고 있으며 그 준수가 필수적이다.

진단

진통을 객관적 평가하기 위해 자궁 내압이 이용된다. 내압측정법은 양수압의 변화를 직접 측정하는 방법으로 경질로 압력 트랜스듀서(변환기)에 접속시킨 카테터를 자궁 내(양수강 내)에 삽입 하여 내압을 측정한다.

외부 압력측정법은 자궁수축에 의한 모체 복압 압변화를 압력 센서로 측정하는 방법으로, 내압측정법에 비해 비침습적이기 때문에 분만감시장치로 현재 범용되고 있다. 실제로는 자궁 내압 측정 대신에 진통주기와 진통 수축지속 시간으로 표현되는 것이 많다(표 1).[1]

미약진통은 자궁입구 4~6cm일 때 10mmHg 미만, 7~8cm일 때 10mmHg 미만, 9cm 이상 2기 때 40mmHg 미만으로 알려져 있다.[1] 임상적으로는 자궁수축 부전으로 분만이 진행되지 않는 상황을 말한다. 원인에 따라 원발성과 속발성으로 분류된다. 또 Friedman 자궁개대곡선(p.23참조)에서는 제1기 완서기(잠복기) (분만 개시부터 자궁입구가 약 2.5cm 열릴 때까지)가 초산모에서 20시간 이상, 경산모에서 14시간 이상인 경우를 prolonged latent phase, 활동기(자궁입구 2.5cm 개대 이후)에서 초산모에서 자궁입구개대가 1시간에 약 1.2cm 이하(경산모에서 1.5cm 이하), 또는 선진부 하강이 1시간에 1cm 이하(경산모에서 2cm 이하)인 경우를 protracted active phase dilata-

표 1. 진통 세기의 판정 기준[1]

자궁내압			
자궁입구	4~6cm	7~8cm	9cm이상, 제2기
평균	40mmHg	45mmHg	50mmHg
과강	70mmHg 이상	80mmHg 이상	55mmHg 이상
미약	10mmHg 미만	10mmHg 미만	40mmHg 미만

진통주기				
자궁입구	4~6cm	7~8cm	9~10cm	제2기
평균	3분	2분 30초	2분	2분
과강	1분30초 이내	1분 이내	1분 이내	1분 내외
미약	6분30초 이상	6분 이상	4분 이상	초산 4분 이상 경산 3분 30초 이상

그림 1. **자궁수축곡선**

표 2. 미약진통의 원인

원발성 미약진통
- 자궁에 원인이 되는 것(자궁발육부전, 자궁 기형, 자궁 근종 등)
- 태아에 원인이 되는 것(골반위, 횡위 등)
- 태아 부속물에 원인이 되는 것(전치태반 등)
- 자궁 내 감염
- 분만에 대한 두려움, 불안
- 기타, 모체의 불면, 쇠약 등에 의한 내인성 옥시토신, 프로스타글란딘의 저하 또는 자궁근의 감수성 저하로 분만 시작 때부터 진통이 약한 상태

속발성 미약진통
- 협골반, 골반 내 종양, 연산도 강인 등의 산도 이상
- 태아의 거대 및 기형
- 태위·태세의 이상
- 방광·직장의 충만
- 마취·피로 등에 의한 2차적인 전신성 또는 자궁근의 피로로 초래된 진통이 약화된 상태

tion, protracted descent로 하고, 마찬가지로 활동기에서 자궁입구개대가 2시간 이상 정지한 경우를 arrest of dilatation, 1시간 동안 이상 선진부 하강이 보이지 않는 경우를 arrest of descent라고 정의하고 있다. 미약 진통의 원인을 표 2에 나타낸다.

분만 경과는 Friedman 곡선으로 설명된다. 진통 주기가 10분 이내 또는 1시간에 6번의 빈도가 된 시점을 분만개시로 하여, 평균 분만 소요시간은 초산모에서 12~16시간, 경산모에서 5~8시간이 보통이다. 초산모에서 30시간, 경산모에서 15시간 경과해도 태아 분만에 이르지 않는 경우를 분만의 지연이라고 한다.

진통이 약하고 분만이 진행되지 않는다고 판단되면 우선 정확한 분만을 시작하는 시기를 확인해야 한다. 그리고 분만개시부터의 시간과 분만의 어느 단계에서 미약한지를 충분히 검토한다. 진통평가는 분만감시장치의 외측법에 의한 기록뿐만 아니라, 때로는 직접 복부를 촉진할 필요도 있다. 또한 반드시 정기적인 내진(자궁입구개대, 선진부의 높이)을 하여 정확한 대응을 하지 않으면 안 된다(표 3).[4]

주 : 「지연분만·분만정지」의 정의는 2014년 ACOG Obstetric Care Consensus #1 : Safe Prevention of the Primary Cesarean Delivery (Obstet. Gynecol. 123, 2014, 693-711)에서 대폭 변경되었다. 기존의 Friedman 곡선을 부정, 변경하는 개념이라고도 할 수 있는 것이다. 「지연분만·분만정지」의 정의 변경은 일본에서는 아직 검토되지 않았으나, 향후 검토될 것으로 생각된다. 제5장 「지연분만·분만정지」의 해설을 참조하기 바란다.

표 3. 진통이상 진단과 치료　　　　　　　　　　　　　　　　(문헌4, p465에서 일부 개편하여 인용)

Labor pattern	초산부	경산부	우선할 치료	특별한 치료
Prolongation disorder (Prolonged latent phase)	>20시간	>14시간	치료적 휴식	옥시토신 혹은 응급시에는 제왕절개술
Protraction disorders 1. Proracted active phase dilatation	<1.2cm/시간	<1.5cm/시간	Epectant and support	CPD에 의한 제왕절개술
2. Protracted descent	<1.0cm/시간	<2.0cm/시간		
Arrest disorders 1. Prolonged deceleration phase	>3시간	>1시간	CPD가 없으면 옥시토신	피로가 심하면 휴식한다.
2. Secondary arrest of dilatation	>2시간	>2시간		
3. Arrest of descent	>1시간	>1시간	CPD가 있으면 제왕절개술	제왕절개술
4. Failire of descent	No descent in deceleration phase or second stage of labor			

CPD: cephalopelvic disproportion, 아두골반불균형

관리

1. 분만 1기 미약진통

　파수되지 않은 잠복기에는 의료개입이 불필요한 경우가 많다. 가진통이 예상되는 경우는 입원하지 않고 관리 및 대처가 가능할 수도 있다. 충분한 수면과 수분, 영양을 공급하여 불안을 해소하고 긍정적으로 출산을 맞이할 수 있는 환경을 정비한다.

　파수 예에서는 경우에 따라 항균제를 투여하고, 증례에 따라 적절한 때에, 자궁수축제 투여를 시작한다.

　활동기 이후에 진행이 되지 않는 경우에는 분만촉진의 적응이 된다. 촉진제 개시 전에는 반드시 경질분만의 적응증에 충족하는 것을 확인하는 것이 중요하다(표 4).[5] 또 자궁수축제의 적절한 사용으로 유해현상 예방에 힘쓰고, 개시 후에는 엄격한 관찰을 필요로 한다. 진통이 증강되었음에도 불구하고 아두의 하강이 나타나지 않는 경우에는 임상적 CPD나 회전 이상도 고려하여 제왕절개술도 염두에 둔다. 태아의 안녕에도 유의한다. 태아기능부전 징후가 긴급 제왕절개술의 적응이 된다.

표 4. 분만유발의 확인점·유의점 (문헌 5. p.71에서 인용, 일부 개편)

분만 유발에 있어서 확인해야 할 것
1. 태아가 모체 밖에서 생존이 가능할 것
2. 경질분만이 가능할 것
   - 자궁 파열을 일으킬 가능성이 높은 상처가 없다.
   - 전치 태반이 없다.
   - CPD나 산도 통과 장애가 되는 병변이 없다.
   - 산도에 헤르페스 같은 감염소가 없다.
   - 산모와 태아가 분만을 견딜 수 있다.
   - 횡위나 경질분만이 위험한 태아 기형이나 현저한 거대아가 아니다.
3. 모체가 분만준비 상태인 점(경관숙화)
4. 임산부 및 가족에게 충분한 설명을 하여 동의를 얻을 것
5. 분만 감시장치 등을 이용하여 충분한 감시를 할 것

자궁 수축제 사용 시의 유의점
1. 경질 분만유발을 시도할지, 제왕절개술에 맡겨야 하는지를 판단한다.
2. NST를 시행하여 태아안녕에 주의한다.
3. 분만유발을 시도하는 경우에는 반드시 분만감시장치를 장착하여, 태아 심박수와 자궁 수축 상태를 관찰한다.
4. 유발 개시 후에도 태아 심박수, 자궁입구 개대도, 아두하강도 등에 대하여 항상 감시하여 제왕절개술로 전환하는 것도 의식한다.
5. 자궁수축제를 사용할 때는 임산부와 남편 또는 가족에게 시행방법, 예상되는 결과에 대해 충분한 설명을 함과 동시에 동의를 얻어야 한다.
6. 최초 분만 유발이 성공하지 못할 경우, 경관숙화도나 자궁입구 개대도를 재평가하여, 다음 분만을 생각한다.

---

2. 분만 2기 미약진통

제1기의 감속기부터 제2기로 진행이 정지되었을 때는 산모의 피로, 태아에 대한 스트레스를 고려하여 가능한 한 빨리 임신을 종료할 필요가 있다. 진통을 촉진하고 분만을 유도한다. 자궁 수축제를 사용하기 시작한다. 파수되지 않은 경우, 인공파막이 유효할 수도 있으나, 아두가 고정되어 있어야 한다(스테이션2에서 아두가 하강하고 있는 상태).[3] 흡인분만 등 기계적 조작도 때때로 유효하나, 아두가 함입되어 있어야 한다(스테이션 0).[3] 모두 『산부인과 진료가이드라인: 산과 편 2014』을 준수한다.

3. 자궁수축제의 사용법

진통촉진에 사용되는 자궁수축제에는 옥시토신, 프로스타글란딘F_2a, 프로스타글란딘E_2가 있다. 분만관리상 이 약들의 유익성은 매우 크고, 적절하게 사용되면 환자에게 이점이 크다. 그러나 투여 대상과 투여법이 잘못되면 모체·태아에게 치명적인 유해현상으로도 이어지기 때문에 담당의사는 올바른 사용법을 알아야 한다. 또한 실제 진료 시에는 적절한 투여라도 예기치 않은 이상사태를 초래하는 것도 있어, 진통 촉진 전에 반드시 문서로 설명하는 것과 동의를 얻어 놓아야 한다. 분만 경과 중에는 정기적으로 환자와 접촉하여 진행 상황을 파악하도록 노력하는 것도 중요

표 5. 옥시토신의 유해현상 (문헌6에서 인용)

① 쇼크 ② 과다진통, 자궁파열, 경관열상, 미약진통, 이완 출혈 ③ 태아기능부전	
과민증	과민증상
신생아	신생아 황달
순환기	부정맥, 정맥 주사 후 일과성 혈압 상승·하강
소화기	구역질·구토
기타	수분중독 증상

표 6. PGF$_{2\alpha}$의 유해현상 (문헌6에서 인용)

중대 부작용	① 과다진통, 자궁파열, 경관열상 ② 태아기능부전(양수혼탁, 서맥, 빈맥) ③ 심실세동, 호흡곤란, 천명	
기타 부작용	순환기	심계항진, 안면홍조, 혈압상승·하강, 빈맥, 흉강통증, 부정맥
	과민증	발진 등
	소화기	오심·구토, 복통, 설사, 복부팽만감·장음 항진
	주사부	혈관통, 정맥염, 발적
	기타	발한, 저림, 냉감, 구갈, 두통, 발열

표 7. PGE$_2$ 경구정의 유해현상 (문헌6에서 인용)

중대 부작용	① 과다진통, 자궁파열, 경부열상 ② 태아 기능 부전(양수 혼탁, 서맥, 빈맥) ③ 심실 세동, 호흡 곤란, 사망	
기타 부작용	소화기	오심·구토, 설사
	순환기	안면홍조, 혈압상승, 혈압하강
	기타	두통, 머리 무거움, 현기증

하다.

모니터만으로 판단하는 것은 위험하다.

표 5~7에 각 약제의 유해현상, 표 8에 분만유발 또는 촉진의 적응, 표 9에 자궁수축제의 금기와 신중투여에 대해 열거하였다.[6]

PGE$_2$는 경구투여. 그 외는 수액펌프 등으로 지속 정맥 내 투여를 실시한다. 또한 다른 자궁수축제와 동시 병용 투여는 절대 해서는 안 된다. 자궁수축제의 금기와 신중 투여에 대해 표 10에 나타낸다.[2]

표 8. 분만유발 혹은 촉진의 적응 (문헌6에서 인용)

의학적 적응

태아 측의 인자에 의한

태아 구명을 위하여, 태아에 대해 외과적 처치가 필요한 경우, 태반기능부전, 과기임신, 당뇨병 합병임신, 자궁내 태아사망, Rh 부적합임신, 태아발육부전, 융모막양막염, 거대아 등

모체 측 인자에 의한

전기파수, 임신고혈압증후군, 양수과다증, 모체의 내과적 합병증, 임신유지가 모체의 위험을 초래할 우려가 있는 것, 추락 분만기왕 등

비의학적 적응

임산부 측의 희망

표 9. 자궁수축제의 금기와 신중투여 (문헌6에서 인용)

금기

전치태반, 전치혈관, 태위이상(횡위), 제대하수, 고전적 제왕절개기왕, 성기 헤르페스 활동기, 골반변형, 아두골반 불균형, 진행자궁경부암, 자궁내강을 개복했던 근종 절제술 기왕력

신중 투여

다태임신, 양수과다증, 임신고혈압증후군, 모체심장질환, 반드시 긴급 제왕절개를 요하지 않는 태아심박수패턴 이상, 골반위, 제왕절개 기왕, 태아선진부가 골반 입구부보다 상부에 위치할 경우, 아두골반 불균형 의심 있는 경우

신중 투여 예의 대응

긴급 제왕절개 가능한 상태로 시행한다. 모체의 활력징후를 자주 측정하여 변화가 확인되는 경우에는 신중하게 평가한다. 자궁 수축, 태아 심박수는 연속적으로 모니터 한다.

---

4. 투여법의 실제

『산부인과 진료가이드라인: 산과 편 2014』의 준수가 필수이다. 각 약제의 사용방법을 표 11에 나타낸다.[3] 또한 자궁수축제의 용해액으로 5% 당액에 더하여 물중독을 방지하기 위해 링거액 또는 생리식염수 용해가 권장된다.

자궁경관이 미숙하여 경관 확장이 필요한 경우 자궁수축제가 적용되지 않으며 라미나리아 등의 경관 확장재나 프로스테론 황산나트륨(상품명 마이리스®, 레보파스®, 아이리스트머® 등)의 사용을 고려한다.

자궁 수축제 2제를 동시에 병용해서는 안 된다.

PGE_2 최종 내복 후, 1시간 이상 지나면 다른 약제의 사용이 가능하지만 과강진통에 주의한다.

정맥 내 투여에서는 반드시 정밀 지속 링거 장치(수액 펌프 등)를 사용한다.

각 약제 모두 투여 개시 전에 분만 감시 장치를 장착한다.

옥시토신은 자연 진통에 가까운 자궁 수축을 얻을 수 있는 장점이 있지만, 투여 후 조기 과강진통에 주의해야 한다. 30분간 진통, 태아 심박 감시를 충분히 한다. 또한『산부인과 진료가이드라

표 10. 자궁수축제(옥시토신, PGF$_{2\alpha}$, PGE$_2$)의 금기와 신중투여 (문헌6에서 인용)

자궁수축제	금기	신중투여
세 약제 공통		1. 아두골반 불균형이 의심되는 경우
1. 해당 약제에 과민증		2. 다태임신부
2. 제왕절개 기왕 2회 이상		
3. 자궁체부에 절개를 가한 제왕절개 기왕 (고전적 제왕절개, T자 절개, 저부절개 등)		
4. 자궁근 전층 또는 그에 가까운 자궁절개 (자궁경하근종 핵출술 포함)		
5. 다른 자궁 수축제와의 동시 사용		
6. 흡습성 경부 확장제(라미나리아 등)와의 동시 사용		
7. 전치태반		
8. 아두골반 불균형이 뚜렷한 경우		
9. 골반 협착		
10. 횡위		
11. 상위태반조기박리(태아 생존 시)		
12. 중증 태아기능부전		
13. 과강진통		
옥시토신		1. 이상 태아 심박수 발생
1. PGE$_2$ 최종 투여에서 한 시간 이내		2. 임신 고혈압증후군
		3. 태위 태세 이상에 의한 난산
		4. 심장·신장·혈관 장애
		5. 제왕절개 기왕 횟수 1회
		6. 금기에 있는 것 이외의 자궁절개
		7. 상위 태반 조기박리(태아 사망 시)
PGF$_{2\alpha}$		1. 이상 태아 심박수 출현
1. PGE$_2$ 최종 투여에서 1시간 이내		2. 고혈압
2. 제왕절개 기왕(단회라도) ·자궁 절개 기왕		3. 심질환
3. 기관지 천식 및 그러한 기왕력		4. 급성 골반강 내 감염증 및 그 기왕력
4. 녹내장		5. 상위 태반 조기 박리(태아 사망 시)
5. 골반위 등의 태위 이상		
PGE$_2$		1. 녹내장
1. 자궁수축제 정주 종료 후 1시간 이내		2. 천식
2. 제왕절개 기왕(1회라도)·자궁 절개 기왕		
3. 이상 태아 심박수 출현		
4. 상위태반조기박리(태아 사망 시에도)		
5. 골반위 등의 태위 이상		

표 11. 자궁수축제의 사용법 (문헌6에서 인용)

1. 옥시토신: 정밀지속 수액투여 장치(수액펌프 등)를 이용한다

옥시토신	개시시 투여량	유지량	안전 한계
	1~2밀리 단위/분	5~15밀리 단위/분	20밀리 단위/분
5단위를 5% 당액 또는 생리식염수 또는 링겔액 500mL에 용해 (10밀리 단위/mL)	6~12mL/시간	30~90mL/시간	120mL/시간

증량: 30분 이상 경과한 후 시간당 수액량을 6~12mL(1~2밀리 단위/분) 늘린다.
주의점: PGE_2 정 내복 후 옥시토신 링거 정주는 최종 내복 시부터 1시간 이상 지난 후 개시하고, 과다진통에 주의한다. 예외적 투여법은 본문을 참조.

2. $PGF_{2\alpha}$: 정밀지속 수액투여 장치(수액펌프 등)를 이용한다

$PGF_{2\alpha}$	개시시 투여량	유지량	안전 한계
	1.5~3.0µg/분	6~15µg/분	25µg/분
3,000µg을 5% 당액 또는 생리식염수 또는 링거액 500mL를 용해(6µg/mL)	15~30mL/시간	60~150mL/시간	250mL/시간

증량: 30분 이상 경과한 후 시간당 수액량을 15~30mL(1.5~3.0µg/분) 늘린다.
주의점: PGE_2 정 내복 후의 $PGF_{2\alpha}$ 링거정주는 최종 내복 시부터 1시간 이상 지난 후 시작하고, 과강진통에 주의한다. 기관지 천식, 녹내장, 골반위 및 제왕절개 자궁절개 기왕시에 $PGF_{2\alpha}$를 사용하지 않음

3. PGE_2정(경구) 사용법

PGE_2	1회 1정, 다음 복용에는 1시간 이상 비운다 하루 최대 6정까지

주의점: 다른 자궁수축제와 마찬가지로 투여 개시 전부터 분만감시장치를 장착하고, 투여 중에는 원칙적으로 연속적 모니터한다. 제왕절개·자궁절개 기왕 및 골반위에는 PGE_2를 사용하지 않는다. 자궁수축제 정맥 투여 종료 후 1시간 이내에는 사용하지 않는다.
또한 이상 태아 심박 패턴을 확인하면 투여 중지 한다.

인: 산과 편 2014』에서는 옥시토신의 예외적 투여법으로 사전동의를 취득한 후, 다음과 같은 경우에 고용량(4밀리 단위/분)을 처음 투여하고, 30분 이상 간격을 두고 추가로 ~4밀리 단위/분으로 증량이 가능하다.

1) 자궁입구완전개대 후 2시간 이상 경과하였으며 제2기 지연 원인이 미약진통으로 판단된 경우

2) 옥시토신에 대한 감수성이 극히 낮아서 48시간 이상 반응이 없는 경우

3) 쌍태 첫째 아이 분만 후로 둘째 아이 분만을 위한 진통이 미약하다고 분석된 경우

$PGF_{2\alpha}$에 의한 진통은 옥시토신과 달리 완만하고 내압은 낮게 진행된다. 녹내장, 기관지 천식을 기존에 가지고 있는 경우는 금기이므로 주의한다. PGE_2는 경관숙화작용이 있다. 단점으로 링거

투여와 달리 조절성이 없기 때문에 일률적으로 투여를 계속하면 과강진통을 초래할 수 있다. 이 경우에는 일단 투여를 중지하고 관찰할 필요가 있다. 일본에서는 현재 경질투여는 금기이다.

어떤 약제도 분만의 진행으로 볼 수 있는 유효한 진통의 발생이 나타난 시점에서의 투여량을 유지하면서 분만 감시를 계속한다. 원칙적으로 연속적인 분만 감시장치에 의한 자궁 수축과 태아 심박 모니터를 실시한다. 경과는 진료기록에 그때마다 기록해 두는 것도 중요하다. 이상 수축이나 회복에 시간을 필요로 하는 레벨 3 이상의 태아 심박 이상이 확인되었을 때에는 즉시 투여를 반 이하로 줄이거나 중지하고, 적절한 방법으로 회복을 촉구하여 그 원인을 규명하기 위해 노력한다. 경질분만이 불가능하다는 진단이 나오면 시도하지 않고 제왕절개술을 준비한다. 자궁수축제를 일 단 중지하고 안전을 확인하고 투여를 재개하는 경우에는 처음의 I/2 양으로 시작한다.[3]

과강진통(고긴장 자궁수축 기능장애)

정의 · 병태

1. **정의:** 자궁근의 과도한 수축 상태이다.
2. **병태:** 진통유발·촉진에 의한 경우가 많다. 산도저항의 증대도 원인이 된다. 산도저항을 증대시키는 원인을 검색하고, 경질분만이 가능한지를 검토한다. 상위태반조기박리나 자궁파열의 원인이 될 수 있 다.

강한 자궁수축과 쉼없이 지속되는 진통양상의 복통이 있어, 과강진통을 호소할 때에는 상위태반조 기박리를 염두에 두고 즉시 초음파로 확인하도록 한다.

진단

과강진통은 자궁입구 4~6cm 때 70mmHg 이상, 7~8cm 때 80mmHg 이상, 9cm 이상, 2기 때 55mmHg 이상으로 알려져 있다.[1] 임상적으로는 수축이 비정상적으로 강하고 그 지속이 비정 상적으로 긴 것을 말한다. 45초 이상 지속되는 것을 긴 진통으로 한다. 원인은 ① 산도저항의 증 대(협골반, 아두골반불균형, 연산도 강인, 수두증, 태위·태세의 이상, 회선의 이상), ② 상위태반 조기박리, ③ 자궁수축제의 부적절한 사용, ④ 체질, 정신적 요인 등이다. 크게 분류하면 자궁수 축제 투여에 기인하는 것과 산도저항의 증대에 기인하는 것으로 생각해도 좋다.

① 과잉수축횟수(자궁수축횟수)5회/10분) 혹은 ② 레벨 3이상의 태아심박동수도 이상파형 출현의 경우 과강진통을 의심하고 원인을 신속히 진단한다. 자궁수축을 약화시킴으로써 경질분만이 가능한지를 검토한다. 자연 진통으로도 발생할 수 있지만 자궁 수축제를 사용하고 있는 경우 과다진통이되면, 일단 1/2 양 이하로 감량 또는 투여 중지를 고려해야한다. 긴급한 경우에는 수액 라인 내의 약제를 제거하기 위해 라인을 교환한다.

옥시토신은 혈중 반감기(3~5min)가 짧지만, $PGF_{2\alpha}$의 경우 반감기가 더 길다는 것을 고려해야 한다. 반복되는 강한 진통으로 인하여 제대 압박 등으로 인해 이상태아심박동 패턴이 확인되는 경우에는 아래 조치를 취하고 긴급 제왕절개술도 고려한다.

모체 산소 투여: 마스크로 산소를 부여한다(10~15L/분).[3]

모체 체위 변환: 옆으로 눕게 함으로써 임신 자궁에 의한 대정맥 압박이 감소되고 정맥 환류가 증가한다.

자궁 수축 억제제의 투여: 염산리토드린 또는 황산마그네슘을 정맥 내 투여한다.

산도 저항의 증대가 의심될 경우에는 각각에 대응한 관리가 필요하며, 내진 기술은 진단의 핵심 이다. 초음파나 X선 진단, 혈액 생화학데이터도 추가하여 판단이 요구된다. 임산부를 안정시켜도 개선되지 않으면, 원인에 따라 긴급 제왕절개술의 적응이 된다. 이 밖에 태반조기박리는 항상 의심할 필요가 있다. 비전형적인 태반조기박리도 있으므로 진단을 하려면 먼저 의심하는 것이 중요하다.

참고문헌

1) 日本産科婦人科学会編. 産科婦人科用語集・用語解説集. 改訂第3版. 2013.
2) 日本産科婦人科学会編. 産婦人科研修の必修知識2011. 2011, 279-83.
3) 日本産科婦人科学会・日本産婦人科医会 編集・監修. "CQ404-406". 産婦人科診療ガイドライン：産科編2014. 2014, 408-12, 415.
4) Cunningham, FG. et al. Williams Obstetrics. 23rd ed. 2010, 465.
5) 日本産婦人科医会編. 分娩管理（よりよいお産のために）. 研修ノート. No.68. 2002, 71.
6) 日本産科婦人科学会, 日本産婦人科医会. 子宮収縮薬による陣痛誘発, 陣痛促進に際しての留意点. 改訂2011年版.
7) 日本産婦人科学会・日本産婦人科医会 編集・監修. "CQ405". 産婦人科診療ガイドライン：産科編 2011. 2011, 178-80.

＞＞ 山本浩之

산도이상

개념 · 정의

경질분만에서는 태아와 그 부속물·분만력·산도의 이른바 분만의 3요소가 서로 관련되어 분만이 진행되고, 3요소 중 어느 하나에 이상이 있으면, 분만진행은 방해를 받아서 이상분만이 된다. 산도이상에서는 골산도와 연산도의 이상이 있다. 골산도의 이상에서는 ① 협골반, ② 골반입구 형태의 이상 ③ 선골형태의 이상이 있고, 연산도의 이상에서는 자궁경부숙화부전, 산도의 강인을 열거할 수 있다.

골산도의 이상

진단

골산도 이상은 엑스레이 검사로 진단되지만, 모체와 태아에 방사선 노출을 가능한 피하려는 관점에서, 쉽게 실시하기는 어렵다. 실제로 진통 발생 후의 분만 진행 평가에 따라 X선 검사가 고려되지만, 골산도의 이상을 염두에 두어야 할 사항을 표 1에 나타내었다. 골산도의 이상이 의심된 경우, 먼저 기능적 진단을 실시하고, 추가 확진의 필요가 있을 경우에만 골반 X선 계측을 실시한다. 1997년 Cochrane Database review에서 골반 X선 계측은 골반 X선 계측을 하지 않은 군에 비해 제왕절개 분만을 2.17배 증가시켰으나 주산기 예후에는 유의한 차이가 확인되지 않았다고 한다.[1]

1. 진단법

1) 기능적 진단법

① Seitz법

치골결합전면과 아두와의 높낮이 차이를 복벽위에서 촉진하여 비교한다. 아두가 치골결합 전면보다 낮게 만져질 경우 Seitz (−), 동일 높이의 경우 Seitz (±), 아두 쪽이 높게 만져지는 경우 Seitz (+)로, floating head로 판정된다(그림 1).

② Leopold촉진법 제4단

선진 아두의 골반으로의 진입 정도를 보는 수기로, 복벽상에서 아두의 아래쪽이 촉지되지 않으

표 1. 골산도의 이상을 염두해 두어야하는 사항

1) 임신말기에 접어들어도 아이가 골반에 진입되지 않는다.
2) 모체 신장이 150cm 이하, 특히 145cm 이하의 작은 키.
3) 골질환이나 골반 골절 등의 병력이 있다.
4) 모체가 돌출된 복부양상으로 보인다.
5) 기왕분만이 원인불명의 난산.
6) 태아의 체중은 정상 범위로 추정되며, 유효한 진통이 발생했음에도 불구하고 분만이 지연되고 있다.

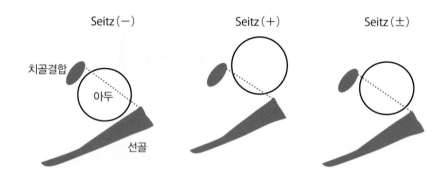

그림 1. Seitz법

면 진입(engagement: 아두의 최대 횡경이 골반입구부를 통과한 상태)으로 판정된다. 아두하반구면이 촉지되면 미감입이라고 판정한다.

③ Müller법

손가락을 사용하여 모체복벽에서 아두를 골반 안으로 밀도록 압박하고, 내진손가락으로 아두가 하강하여 내려오는지 여부를 판정한다.

2) 골반 X선 계측법

골반 X선 계측법에는 측면촬영(Guthmann)법, 입구면촬영(Martius)법 및 골반정면촬영(Colcher-Sussman)법이 있다. X선 피폭을 고려하여 측면촬영법과 입구면촬영법 또는 골반정면촬영법의 두가지로 진단한다.

① Guthmann법

피검자를 옆으로 눕게하고, 진결합선을 필름과 평행하게 촬영하여, 산과적 진결합선, 골반활부전후경, 협부전후경, 출구부전후경계의 계측 및 선골의 형태를 관찰한다. 계측에 있어서는 필름상의 실측값에서 삼각비례법으로 계산하거나(그림 2), 금속제 스케일(Guthmann scale)을 끼워서

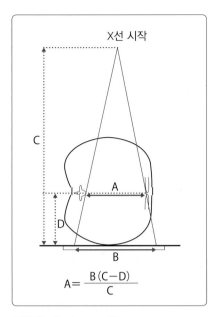

$$A = \frac{B(C-D)}{C}$$

그림 2. Guthmann법

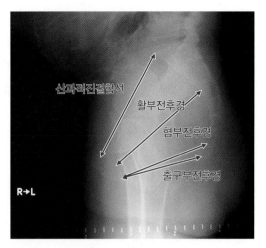

그림 3. Guthmann법에 따른 경선계측

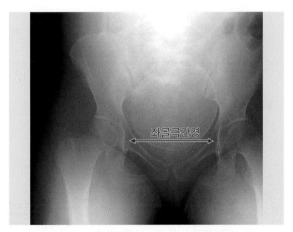

그림 4. Colcher-Sussman법에 따른 경선계측

촬영하여 필름에 찍힌 스케일(그림 3)을 이용하여 필름상의 각각의 경선을 계산한다. 삼각비례법은 X선 시작과 필름면까지의 거리(C)와 피검자의 골반입구부 높이에서의 허리폭(D)에 따라 확대율이 다르므로 Ghthmann scale를 끼고 촬영하는 것이 편하다.

② Martius법

치골결합상연과 제5요추극돌기가 같은 높이가 되도록 피검자를 반좌위로 하여 골반입구면을 필름과 평행하게 촬영하여 골반입구부 횡경을 측정한다.

③ Colcher−Sussman법

피검자를 위로 눕히고 고관절, 무릎관절을 굽히고, 양허벅다리를 약간 열린 자세로 전후 방향으로 촬영한다. 이 방법으로 계측 가능한 횡경은 좌골극간경이다(그림 4).

좌우극간경은 평균 10.5cm이며, 9.5cm 이하일 때, 골반협부에서의 산도 협착이 의심된다.

2. 판정

1) 협골반

골반 X선 계측 값에 기초한 협골반 진단을 표 2에 나타낸다.

2) 골반 입구 형태의 이상

Caldwell과 Moloy는 여성 골반형태를 4가지 기본형으로 분류했다.[2] 그에 따른 Martius법에 의

표 2. 협골반의 판정기준 (일본산과부인과학회)

	정상골반	비교적협골반	협골반	평균값
산과적진결합선	10.5cm 이상	10.5~9.5cm	9.5cm 미만	11.5cm
입구부횡경	11.5cm 이상	11.5~10.5cm	10.5cm 미만	12.3cm

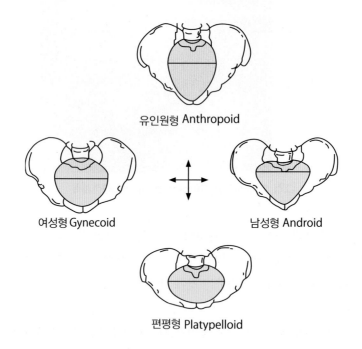

유인원형 Anthropoid

여성형 Gynecoid

남성형 Android

편평형 Platypelloid

그림 5. Caldwell-Moloy 분류 (문헌3에서 옮김)

해서 얻어진 골반입구의 형태는 유인원형(전후경이 횡경보다 길다), 여성형(원형 내지 하트형), 남성형(복측 V자이고 등측이 편평), 편평형(횡경이 길고 전후경이 짧다)으로 크게 구분된다. 많은 골반 입구 형태는 이들 혼합형이지만, 남성형과 편평형이 분만장애가 많다고 알려져 있다(그림 5).

3) 선골형태의 이상

선골형태는 Guthmann법에 따라 평가한다. 제5 요추가 선골에 끼인 것처럼 보여서 선골이 6개로 되어 있는 골반(Kirchhoff의 장골반)이나 선골이 편평에서 산과적 진결합선보다 짧은 전후경이 골반활부에 보이는 편평선골이 분만 진행에 영향을 미치는 것으로 알려져 있다.[3,4]

관리

협골반에서는 제왕절개술로 분만하는 방법을 택한다. 비교적 협골반이면 시험분만의 결과, 아두골반불균형(CPD)으로 진단되면 제왕절개술의 적응이 된다(자세한 내용은 「아두골반불균형」 p.327을 참고). 골반 입구 형태나 선골 형태의 이상은 분만 진행에 세심한 주의를 기울이며, 분만 정지로 진단되는 경우에는 제왕절개술을 선택한다.

연산도의 이상

자궁경관숙화부전(자궁하부 · 경부 강인)

진단

임신말기가 되면 자궁하부, 경관은 숙화하는데 그 변화가 진행되지 않는 상태이다.

일반적으로 경관 숙화 판정법은 내진을 통한 Bishop 점수3가 범용되며, 임신 38주 이후의 임신부에서 Bishop 점수가 4점 이하인 경우 자궁경관숙화부전으로 진단되고 있다. 그러나 검사자의 주관에 좌우되는 내진소견에 의하지 않을 수 없고, 그 객관성에 대한 의문이 있어왔다. 일본 임산부의 임신 말기에 Bishop 점수의 변화와 분만 경과에 관하여 다기관 공동연구가 이루어졌고,[6] 그 결과 초산모 경산모 모두 경부숙화는 임신 38~40주 사이에 급속도로 진행되며, 임신 37주의 Bishop 점수가 3점 이상인 사례는 2점 이하의 증례에 비해, 분만이 원활하게 진행될 가능성이 높다는 점, 또한 초산모에게서는 38주에 Bishop 스코어 0~2점의 증례는 40주에 이르러도 점수가 낮고 숙화가 지연됨이 시사되었으며, 일본 임산부의 Bishop 점수의 추이와 임신·분만의 연관성에 대한 객관적인 지표를 처음으로 얻었다.

관리

1. 기질적 원인에 따른 원인에 대하여

경관숙화부전의 기질적 원인으로는 경관의 수술·처치에 의한 반흔성 경축, 분만시 경관열상의 반흔, 인공임신중절, 자궁경부종양(근종 합병이 많다), 고령초산 등을 들 수 있으며 상기 원인의 유무를 파악한 다음 임신 분만 경과를 관찰한다.

■ **관리의 요점**

① 임신 40주까지는 산책 등 운동요법을 지도하고 경관숙화를 요한다. 또한 외래 진찰 때 난막 용수박리에 의한 자궁수축을 촉진하여 경관숙화의 진행을 도모하기도 한다.

② 전기파수예나 과기임신에 따른 위험을 배제하는 목적 등으로 분만을 유도하는 경우가 있으나, 경관숙화가 극도로 불량하다면, 분만 유발 전에 메트로일리제(미니메트로®)를 시도하거나 라미나리아관 혹은 다이라판®, 라미셀®의 경관 내 삽입에 의한 경관 확장법을 고려한다. 그러나 경관 열상의 반흔이 있으면 경관확장법을 시행하지 말아야 한다. 또한 메트로일리제는 제대 하수나 제대탈출의 위험이 있기 때문에 충분한 사전동의를 얻은 후에 실시한다.

③ 진통 발생 후 산모에게 위험이 없는 한 자연스럽게 분만 경과를 관찰하고, 미약 진통이 확인되지 않는 한 자궁수축제를 너무 쉽게 사용하는 것은 피한다.

④ 진통이 미약하면 충분한 사전동의를 얻은 후에 자궁수축제를 투여한다.

2. 기능적 원인에 따른 원인에 대하여[7]

정신적 불안 등에 수반되는 자궁입구 경련이 나타날 수 있다. 분만 제1기에서는 외자궁입구에, 분만 제2기에서는 해부학적 내자궁입구에 보여지고, 이 때문에 자궁경관의 신전·확장이 방해되어, 자궁입구가 충분히 열리지 않고 분만이 지연되며, 속발성 미약진통이 된다. 반대로 진통이 심하면 자궁파열이나 경부열상의 위험이 있으므로 주의한다.

■ **관리요점**

① 산전교육, 분만시 호흡법 지도 등을 통한 정신적인 지원을 하고, 임산부의 정신적 불안을 제거하고, 자궁입구 경련 유발을 예방한다.

② 진통에 대한 긴장이 강한 산모의 진정, 진통을 도모함으로써 분만 진행이 기대된다. 분만동통, 불안완화에 대한 비오피오이드약(NSAIDs, 진경제, 진정제, 항히스타민제 등)의 검토에서는 히

드록시딘(아탈락스®-P)의 유효성이 시사되지[8]만, 일본의 약제 첨부문서상은 출생 후 신생아의 기면, 근긴장도 감소 등의 보고가 있기 때문에, 임산부에게는 사용 금기가 되어 있으므로 사용에 대해서는 주의가 필요하다. 또, 펜타조신(펜타딘®)도 신생아호흡 억제에 대한 주의가 필요하다. 병원에 따라 대응 가능 여부는 다르지만, 증례에 따라 음부신경 차단이나 방경관 차단, 경막 외 무통분만이 유효하다(무통분만에 대해서는 제8장 b무통분만 참조).

질·외음의 원인·협착

진단

원인으로는 고령 초산, 질중격·질횡격·협착 등의 선천적 이상, 염증·질형성술, 분만손상의 반흔 등에 의한 후천적 협착, 골반저근군의 강인, 질혈종 및 주변장기종양의 압박에 의한 경우 등이 있다. 문진이나 육안적 진찰로 임신중에 진단이 가능한 것도 많지만, 선천적 이상이나 반흔 등 육안적 진단이 곤란한 경우, 내진에 의한 연부조직의 저항이나 분만 제2기의 지연 등으로 판단한다.

관리

임신 시 또는 분만 제1기에는 별다른 장애가 없다. 질·외음의 신전 불량이나 협착 때문에 분만 제2기가 지연된다.

■ 관리요점
① 질협착의 대부분은 분만 중 아두 하강에 의해 확대된다.
② 질중격·질횡격은 자연적으로 파열될 수도 있으나, 때로는 질·외음부 큰 열상이 발생할 수 있으며, 경과를 관찰하면서 필요하면 절단한다.
③ 음부 신경 차단을 목적으로 한 국소 마취로 인해 골반 저근군이 이완될 수 있다.
④ 태아분만에 즈음해서는 충분히 회음을 보호하고, 회음의 신전이 불량한 경우 회음부 절개술을 실시한다.
⑤ 흡인분만이나 겸자분만을 할 때도 고도의 회음·질벽열상을 막기 위해 회음부 절개술을 한다.

참고문헌

1）Pattinson, RC. Pelvimetry for fetal cephalic presentations at or near term. Cochrane Database Syst. Rev. 1997, 4:CD000161.

2）Caldwell, WE. Moloy, HC. Anatomical variations in the female pelvis and their effect in labor with a suggested classification. Am. J. Obstet. Gynecol. 26, 1933, 479-505.

3）山崎裕充. 産道と難産―CPDの判定. 産科と婦人科. 62, 1995, 323-34.

4）鈴村正勝ほか. 仙骨の異常. 産科と婦人科. 44, 1977, 151-5.

5）Bishop, EH. Pelvic scoring for elective induction. Obstet. Gynecol. 24, 1964, 266-71.

6）森川肇ほか. 前方視的な手法による妊娠末期の子宮頚管熟化と分娩経過に関する研究：第 2 報；妊娠末期のBishop scoreと分娩経過ならびに新生児所見. 日本産科婦人科学会雑誌. 53（12）, 2001, 1800-18.

7）高木耕一郎. 異常分娩の管理と処置. 日本産科婦人科学会雑誌. 61(10), 2009, 484-90.

8）Othman, M. et al. Non-opioid drugs for pain management in labour. Cochrane Database Syst. Rev. 2012, 7:009223.

≫ 林　和俊

태아골반불균형(CPD)

개념 · 정의

1. 개념[1]: 단순히 골반의 크기로 분만의 예후를 진단하는 것보다 아두와 골반의 양쪽을 비교하여 아두의 골반 통과 여부를 판정하는 것이 합리적이라고 하여, 아두골반불균형(cephalopelvic disproportion ; CPD)이라는 개념이 생겼다.

2. 정의[2]: 아두골반불균형이란 아두와 모체골반의 사이의 크기에 불균형이 있어 정상적인 진통임에도, 아두가 골반입구부에 고정되지 않거나, 골반이 좁아서 장애가 되는 부위 아래로 더 이상 아두가 하강하지 않아 분만이 진행되지 않는 상태를 말한다.

협골반, 골반내종양, 연산도 강인, 거대아, 수두증, 중복기형, 태위·태세의 이상, 태아두개산류부전, 짧은제대, 제대권락, 전치태반 등이 분명한 경우에는 각각의 진단명을 이용한다.

진단

1991년의 일본산과부인과학회교육·용어위원회보고[3]는 「CPD 라는 진단은 원칙적으로 아두와 골반의 크기에 관한 적합성경계 예에 대하여 시험적으로 분만경과를 관찰하여, 결과적으로 경질분만을 완수하지 못한 경우에 붙여져야 한다」고 하고 있다. 분만의 진행은 임상적으로는 아두나 골반의 크기뿐만 아니라 진통의 강도나 아두의 molding기능 등 다양한 인자에 의해 영향을 받으므로, 분만 개시 전에 CPD를 판정하는 것은 곤란하다. 기능적 진단법 등으로 CPD가 의심되는 경우 X선 골반계측 촬영 등, 다음 단계로 진행하게 되지만 분만 개시 전의 X선 골반계측의 의의는 제한된 것임을 강조하고 싶다.

1. 기능적 진단법

임신 말기에 실시하는 진찰법으로 다음과 같은 것이 있다.

1) Leopold 진찰법: 제3단, 제4단을 이용하여 아두의 떠있는 정도를 본다.

2) Seitz법: 치골결합보다 아두전면이 낮으면 Seitz법 (−), 같은 높이라면 (±), 아두전면이 융기해 있으면 (+)으로 한다. (+) 및 (±)의 경우에 CPD를 의심한다.

3) Müller법: 모체의 복벽 위에서 손가락으로 아두를 골반강내로 밀어내리면서, 내진 시 손가락

으로 아두의 아래 하강 정도를 본다. 아두의 하강이 보이지 않을 경우에 CPD를 의심한다.

2. CPD의 판정에 있어서의 X선 골반 계측의 의의

1) X선 골반 계측과 CPD의 예측

X선 골반계측의 경선만으로 CPD를 분만 전에 예측하는 것은 어렵다고 되어 있다. 谷[4]는 신장 150cm 이하, 임신 38주 이후 아두의 부동, 골반형태 이상이 없는 임신부에게, X선 골반 계측을 실시한 294개 예를 검토하여, 산과 진결합선이 9.5cm 미만의 협골반 예는 1례도 없었다고 보고하였다. 또, 비교적 협골반 예가 6례 있었지만, 그 중 4례는 경질분만 가능하며, 골경선만으로 CPD 예측이 어려움을 보여주고 있다. 谷는 X선골반계측으로 얻은 각 측정치가 분만방법에 따라 차이가 있는지 여부를 검토하고 있으나, 제왕절개 분만 예의 골반경선이 극단적으로 짧은 것은 아니며, 역시 골반경선만으로 CPD를 예측하는 것은 곤란한 듯하다(표 1).[4]

초음파단층법으로 계측한 아두대횡경과 X선골반계측의 경선을 조합하면, 어느 정도 제왕절개술의 예측이 가능해진다(표 2).[5] 일반적으로는 골반 최단 전후경과 아두 대횡경과의 차이가 1.5cm 이상이면 CPD는 없다고 하고, 1.0~1.5cm가 경계, 1.0cm 미만에서 CPD의 발생률이 매우 높다고 생각된다. 그러나 반대로 말하면 차이가 1.0cm 미만으로 역시 24%는 경질분만이 가능했으므로,

표 1. 분만방법과 각 측정값 (문헌4에서 옮겨실음)

	정상분만 (n=130)	흡인분만 (n=108)	겸자분만 (n=7)	제왕절개분만 (n=49)
산과진결합선	12.6±1.0	12.4±1.0	13.0±1.1	12.0±0.9
활부전후경	12.9±1.0	12.8±0.9	12.9±0.7	12.3±0.9
협부전후경	11.9±0.9	11.7±1.0	11.5±0.7	11.2±0.9
중간부후시상경	6.1±0.7	6.0±0.6	6.4±0.3	5.9±0.6
산과진결합선-대횡경	3.4±1.0	3.2±0.9	3.6±1.0	2.7±0.9
활부전후경-대횡경	3.7±1.0	3.5±0.8	3.5±0.7	3.1±1.0

표 2. 골반 최단전후경 과 아두 대횡경의 차이와 제왕절개분만율

최소전후경-아두대횡경(cm)	제왕절개분만의 빈도(%)
≤1.0	76
1.1~1.4	43
1.5~1.7	13
≥1.8	2

(문헌5에서 옮겨실음)

어떠한 방법으로도 CPD를 완전히 예측하는 일은 불가능하다 것을 알 수 있다.

Williams Obstetrics』제23판에도 「X선 골반계측 단독으로 경질분만 가능 여부를 판단할 수 없고, 두위 분만의 취급에 있어서 X선 골반계측 의의는 한정된 것이다」 라고 기재되어 있다.

2) X선 골반계측과 모아의 주산기 예후

그렇다면, X선 골반계측이 주산기 예후에 미치는 효과는 어떨까? X선 골반 계측을 실시하지 않으면, 뭔가 유해한 현상이 발생하는 것일까?

Pattinson 등[7]은 1,000명 이상의 임산부를 대상으로 4가지 연구를 리뷰하여, 「X선 골반계측을 받은 환자에서는 제왕절개 분만이 되기 쉽다(오즈비 2.17)는 경향이 있었지만, 주산기 사망률·이환률, 모체이환률 등 기타 주산기 예후에는 차이가 없었다」 고 보고하고 있다. 그 결과 「현 시점에서는 두위 분만에 있어서는 X선 골반계측의 유용성을 뒷받침할 증거는 없다」고 결론짓고 있다.

3) 방사선 피폭과 발암성[8]

태아의 방사선 피폭으로 소아암 발생빈도는 미미하나마 상승한다[9]는 것을 알아야 한다. 10mGy의 피폭으로 암의 자연발생 리스크는 40% 높아지지만, 이는 소아암의 자연발생빈도 0.2~0.3%를 0.3~0.4%로 상승시키는 정도의 것이다.[10] X선 골반계측에는 Guthmann법과 Martius법이 사용되며, 구체적인 태아의 피폭선량은 각각 0.5mGy와 0.3mGy정도이다.[11] 2방향을 촬영해도 1mGy 정도의 적은 선량이기 때문에, 각각의 레벨에서의 발암 리스크는 지극히 낮다고 생각해도 된다. 그러나 이론상으로는 피폭선량이 증가할수록 작지만 산모·태아 쌍방의 위험성이 증대하는 것도 사실이며, 안이한 측정은 삼가야 한다.

관리

X선 골반계측에서 변형 골반 등이 판명된 경우에는 제왕절개술을 하게 되지만, 전술한 바와 같이 이러한 사례는 매우 드물며 현실적으로는 대부분의 증례가 시험 분만의 대상이 된다고 생각된다.

■ 시험분만

『산부인과 연수의 필수지식 2013』에는 시험분만에 대해 다음과 같이 기재되어 있다. 「진통이 규칙적이며, 자궁입구 완전개대에 가깝고 특히 파수 후의 경과에서 아두가 골반 내로 진입되지 않거나 또는 고정된다해도 그 후의 진행이 나타나지 않고, 초산부에서 분만 제1기 12시간, 제2기에서 3시간이 경과해도 아두 하강이 없으면, 시험분만의 한계로 생각하고 제왕절개술을 생각해야 한다」[2]

당연히 경과 시간에만 얽매이지 말고, 태아 심박 모니터 소견이나 모체 상태를 포함한 종합적인 분만 진행의 평가가 보다 중요하며, 세밀한 평가를 하면서 분만 방법을 결정해야 한다.

● 참 고 문 헌 ●

1) 日本産科婦人科学会編. "児頭骨盤不均衡". 産科婦人科用語集・用語解説集. 改訂 3 版. 東京, 日本産科婦人科学会, 2013, 221.

2) 日本産科婦人科学会編. "CPD（児頭骨盤不均衡）". 産婦人科研修の必修知識2013. 東京, 日本産科婦人科学会, 2013, 293-4.

3) 浜田宏ほか. 教育・用語委員会報告：児頭骨盤不均衡（CPD）について. 日本産科婦人科学会雑誌. 43, 1991, 379-80.

4) 谷昭博. CPDと帝王切開. 周産期医学. 26(7), 1996, 935-8.

5) 佐藤郁夫. CPD：cephalopelvic disproportion. 周産期医学. 増刊. 26, 1996, 229-31.

6) Cunningham, FG. et al eds. "Fetopelvic disproportion". Williams Obstetrics. 24th ed. New York, McGraw Hill, 2014, 463-70.

7) Pattinson, RC. et al. Pelvimetry for fetal cephalic presentations at or near term. The Cochrane Library 2006, Issue 4. The Cochrane Collaboration and published.

8) 日本産科婦人科学会・日本産婦人科医会 編集・監修. "CQ103 妊娠中の放射線被曝の胎児への影響についての説明は？". 産婦人科診療ガイドライン：産科編2014. 東京, 日本産科婦人科学会事務局, 2014, 58-61.

9) ACOG Committee on Obstetrics Practice. ACOG Committee Opinion. Number 299, September 2004（replace No. 158, September 1995）. Guidelines for diagnostic imaging during pregnancy. Obstet. Gynecol. 104, 2004, 647-51.（Committee report）

10) Pregnancy and medical radiation. Publication 84. Ann. ICRP. 30, 2000. (Committee report)

11) 谷口一郎. 産婦人科医師からみた「放射線と胎児」. 助産雑誌. 58(11), 2004, 40-3.

≫ 多田克彦, 熊澤一真

태세의 이상, 회선의 이상, 진입의 이상

태세의 이상(제1회선의 이상)

개념·정의·분류·병태

1. 개념·정의

태세(fetal attitude)란 「태아 각 부분의 위치적 상호관계 즉 태아의 자세」[1]라고 정의된다. 두위에서 태아의 등뼈가 가볍게 앞으로 구부러져서 아래턱 부위가 흉벽에 가깝고, 후두가 선진하고, 팔꿈치관절, 고관절, 무릎관절에서 다리(四肢)가 굴곡된 자세를 굴곡태세 「flexion attitude」라고 하는 정상태세이다 (그림 1).

2. 분류

태아의 아래턱 부위가 점차 흉벽을 벗어나 아두나 척추가 신전하는 반굴태세(deflexion attitude)라는 이상태세가 되었으며, 그 빈도는 1.5∼2.5%로 알려져 있다. 선진부에서 전두위(경도반굴: 그림 2a), 액위(중등도 반굴: 그림 2b), 안위(강도 반굴: 그림 2c)로 분류된다.

3. 병인·병태

아두의 제1회선이 방해됨으로써 반굴위가 된다.

1) 태아 측 병인: 양수 과다·과소증, 다태, 거대아, 태아기형, 태아전경부의 종양 등.
2) 모체 측 병인: 다산부, 자궁기형, 골반내 종양, 협골반 등

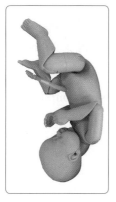

그림 1. **굴위**

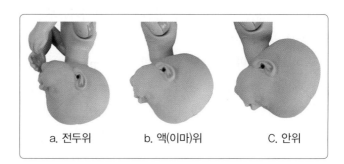

a. 전두위   b. 액(이마)위   c. 안위

그림 2. **반굴위**

1. 전두위(bregmatic presentation)

전체 분만의 약 1%로, 제1회선에 굴곡이 일어나지 않고 대천문이 선진하는 태세이다. 뒤통수이마평면(occipitofrontal plane)이 통과면(전후경 주위 33cm)이 된다. 분만이 진행되면서 전방후두위(occipitoanterior position of vertex)가 되는 경우가 많은데, 후두 위에 비해 아두의 최대주위면이 커지기 때문에 분만이 지연되기 쉽고, 산도 열상, 이완출혈, 태아기능부전, 신생아장애 빈도 증가한다.[2]

기본적으로 분만은 대기적으로 취급하나, 태아골반불균형이 없고 분만 제2기에서 미약진통이 확인되는 경우, 진통 촉진을 실시하는 것을 검토한다.

2. 이마태위(brow presentation)

600~1,500 분만에서 1례의 빈도[3]로 되어 있어, 반굴위 중에서는 드물다. 내진에서 선진부에 이마가 촉지되면 진단되지만, 분만 제2기까지 진단되는 것은 약 50%에 지나지 않고, 나머지는 태아분만까지 진단되지 않았다. 분만의 진행에 따라 전두위, 후두위 등으로 변화될 수 있으나, 반굴이 진행되어 안위가 되는 경우가 많으며, 33~50%에서 분만이 지연되어 분만 정지가 된다.

액위에서는 이후두평면(mentooccipital plane)이 통과면이 되며, 대사경주위(35cm)는 반굴위 중에서는 아두의 산도 통과면이 최대가 되므로, 가장 예후가 나쁘고 경질 분만이 된 액위의 주산기 사망률은 16%라는 보고도 있다.[4] 분만이 진행되는 도중 액위 진단이 되었을 경우 진통 촉진 없이 제왕절개술을 선택한다.

3. 안면위(face presentation)

200~500분만에 1례의 빈도[3]로 여겨지며 가장 고도의 반굴위가 된다. 이하대천문평면(submentobregmatic plane)을 통과면으로 하고 아두골반 불균형(cephalopelvic disproportion : CPD)을 일으키기 쉽고 분만 지연이 된다. 안위에서는 태아기능부전의 빈도가 전방후두위에 비해 10배 증가한다고 보고되고 있다.[6]

아래 턱이 모체 복벽을 향하는, 이전방안위(mentoanterior face presentation)와 모체 등측을 향하고, 이후방안위(mentoposterior face presentation)로 분류된다.

안위의 70~80%는 경질 분만이 가능하다고 하며, 이전방안위인 경우에는 경질분만을 시도한다. 이후방안위의 경우 성숙아는 경질분만이 불가능하다. 경질적으로 안위를 굴위로 교정하거나, 후방액을 전방으로 회전하는 시도는 유효하지 않고, 태아기능부전이 의심되는 경우나 분만이 지연되는 경우는 제왕절개술을 선택해야 한다.

회선의 이상

개념 · 정의 · 분류 · 병태

1. 개념·정의

태아의 분만기전에서의 2회선은 소천문은 치골결합측 을 대천문은 후방으로 향하여 회전하고, 골반 출구부에서 시상봉합은 전후경에 일치한다'고 정의된다. 이 기전이 장애를 받으면 회선이상을 보인다.

2. 분류·병태

1) 후방 후두위(occipitoposterior position of the vertex)

전체 분만의 1.3%. 정상 전방 후두위와 마찬가지로 제1회선이 실시된 후, 아두의 하강에 동반하여, 후두(소천문)가 모체 등측(후방선골측)을 향해 거꾸로 선회하는 상태(그림 3).

시상봉합은 횡경에 일치하나, 대천문은 전방, 소천문은 후방에 닿는다.

이대로 진행되면, 강한 굴곡자세로 3회선을 맞이하게 되며, 분만이 지연된다. 지속적으로 후방 후두 위가 되는 것은 0.5%, 약 70%는 최종적으로 역회전하여 전방후두위가 되어 분만에 이르기 때문에 대기적 치료가 제1선택이 된다.

미약진통으로 분만이 진행되는 경우에는 자궁수축제가 적용된다. 분만이 지연되는 경우에는 보조 경질분만(겸자, 흡인)을 검토한다.

2) 고재종정위(high sagittal presentation)

골반입구부에서 진통이 있음에도 불구하고, 아두의 시상봉합이 골반전후경에 일치하여 분만 진행 이 안된 상태. 자궁기형이나 자궁근종, 협골반 등이 원인이 된다.

아두골반불균형 등의 절대적 제왕절개술의 적응이 없으면 대기요법을 제1선택으로 하되, 회선이 일 어나지 않으면 제왕절개술이 필요하다.

3) 저재횡정위(deep transverse arrest)

골반저에서 태아 머리 부분의 시상봉합이 골반 횡경에 일치하여 분만이 지연된 상태(그림 4). 전두위 분만의 0.2% 정도의 빈도. 미약진통이나 골반 모양, 연산도의 과도한 이완(경막 외 마취 시행 시 등)이 원인이 된다.

진단 · 관리

후방 후두위의 경우 시상봉합은 골반종경에 일치하지만, 6시 방향에서 소천문, 12시 방향에서 대천문이 만져진다. 저재횡정위의 경우 시상봉합이 횡경에 일치한다.

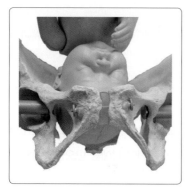

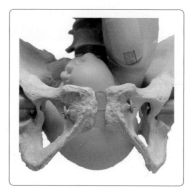

그림 3. **후방 후두위**   그림 4. **저재횡정위**

치료

① 자연스러운 회선을 기대하고, 태아기능부전이 발견되지 않으면 관찰한다.

② 진통 미약의 경우는 진통 촉진을 실시한다.

③ 아두가 충분히 하강하고 있는 경우, 보조 경질분만(겸자·흡인)을 시도한다.

④ 보조 경질분만이 어렵다고 판단되는 경우, 제왕절개분만을 선택한다.

진입 이상

개념 · 정의 · 분류 · 병태

1. 개념·정의

부정축진입(asynclitism)이란, 분만 시에 아두가 골반강으로 진입해올 때, 시상봉합이 앞, 또는 뒤쪽으로 기울어져 하강하는 상태이다.

2. 분류

시상봉합이 앞으로 어긋나면 후두정골진입(posterior asynclitism, Litzmann 경사), 그 반대는 전두정골 진입(anterior asynclitism, Naegele 경사)이라 한다(그림 5).

3. 병태

부정축진입은 아두가 골반 안으로 진입할 때의 적응기전인 molding기능의 표현이다. 편평 골반의 경우에 생기기 쉬워 아두골반불균형이 의심된다.

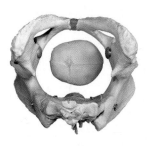
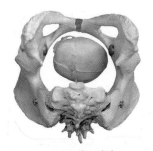
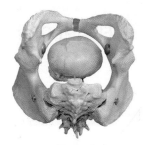

a. 정축진입　　　　　　b. 전두정골진입　　　　　　c. 후두정골진입

그림 5. 아두의 골반진입

관리·치료

① 전두정골진입의 경우, 분만 경과를 대기적으로 관찰하여, 전재의 두정골이 치골결합 후면을 넘고, 이어서 후재두정골이 갑각을 넘어 골반강에 진입하면 아두는 하강하나, 유효진통에도 불구하고 분만 진행되지 않는 경우에는 제왕절개 분만을 선택한다.

② 후두정골진입의 경우 전재의 두정골이 치골결합 후면에 해당하며, 아두의 하강은 어려우므로, 진단이 되는 대로 제왕절개 분만을 선택한다.

참고문헌

1） 日本産科婦人科学会編. "胎勢". 産科婦人科用語集・用語解説集. 改訂第 2 版. 東京, 金原出版, 2008, 237.
2） 小西英喜ほか. 胎勢異常（反屈胎勢）. 異常分娩. 寺尾俊彦編. 東京, 中山書店, 1999, 113-23,（新女性医学大系26）.
3） Steer, J. et al. High risk pregnancy, management options. 4th ed. St. Louis, Elsevier Saunders, 2011, 1123-37.
4） Johnson, CE. Abnormal fetal presentations. Lancet. 84, 1964, 317-23.
5） 平松祐司. 異常分娩の管理と処置. 日本産科婦人科学会雑誌. 60, 2008, N50-3.
6） Salzmann, B. et al. Face presentation. Obstet. Gynecol. 16, 1960, 106-12.

》 堤　誠司

e 태위의 이상

개념 · 정의 · 분류 · 병태

태위란 모체(자궁) 세로축과 태아 세로축의 관계를 말한다. 양자가 병행하는 것을 종위, 직행하는 것을 횡위, 비스듬한 것을 사위로 한다.

1. 발생 기전

원인은 알 수 없으나 위험 요인으로 자궁근종, 자궁기형, 양수과소 등 자궁용적 좁은 것, 무뇌증, 수두증, 천미부 기형종 등 태아 기형으로 태위 교정이 저해된 것, 전치태반, 양수과다 등 태위가 고정되지 않은 것이 있다.

2. 분류 · 빈도(그림 1~3)

1) 종위

① **두위**(vertex presentation)

② **완전둔위**(breech presentation)[1]: 골반위 빈도는 임신 주수의 진행과 함께 감소하며, 분만 시에는 전체 분만의 5~6%를 차지한다.

　a. **진둔위**(frank breech): 양쪽 고관절이 굴곡되고, 양쪽 무릎 관절이 신전된다. 전골반위의 50~70%

　b. **완전둔위**(complete breech): 양쪽 고관절, 무릎 관절 모두 굴곡된다. 전골반위의 5~10%

　c. **기타 골반위**: 전골반위의 10~40%

　　• **족위**(footling breech): 한쪽 혹은 양쪽 다리가 선진된다. 정기산에서는 드물지만, 조산에서는 비교적 확인된다.

　　• **슬위**(kneeling breech): 한쪽 혹은 양쪽 고관절이 늘어나며 무릎 관절이 굴곡되고 무릎이 선진한다. 극히 드물다.

2) 횡위(transverse lie): 전체분만의 0.3%

횡위는 등쪽 상방 횡위('back up' transverse lie)와 등쪽 하방 횡위('back down' transverse lie)로 분류된다. 임신 20~25주에 횡위로 진단된 증례의 2.6%만이 임신 37주 이후에 여전히 횡위이며, 더하여 임신 37주 이후에 횡위였지만 11%가 분만 시에도 횡위 상태였다는 보고와 같이, 임신 초기에 진단되는 횡위의 대부분은 임신 37주 이후에 두위 또는 골반위가 된다.

3) 사위(oblique lie): 극히 드물다.

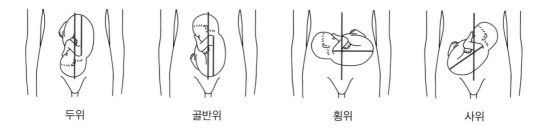

그림 1. **Presentation 분류**

두위　　　골반위　　　횡위　　　사위

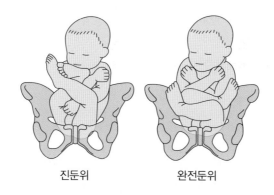

진둔위　　　완전둔위

그림 2. **골반위 분류**

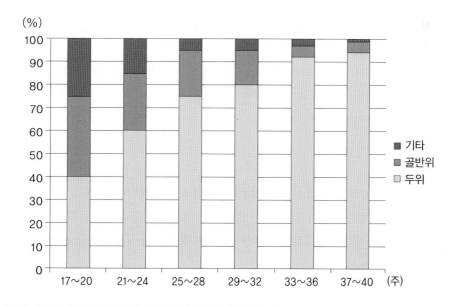

그림 3. **임신주수와 태위 비율**

골반위

진단

1. Leopold 외진법

태위, 태향, 선진부를 진단한다.

2. 초음파 검사

상기 이외에 팔의 신전 상태. 제대의 위치나 감김, 양수량을 확인한다.

3. 내진(분만시)

자궁 경구 개대, 선진부, 제대탈출 유무를 진단한다.

관리

사전동의 후에 환자 및 가족의 의향을 존중하여 방침을 결정한다(그림 4). Hannah 등의 보고[2]에서는 예정 제왕절개 분만은 경질 분만에 비해 이환율, 사망률의 단기 예후(6개월 이내)를 감소시키지만, 2세 때까지의 사망, 정신발달지체에 대한 유의차는 확인되지 않고 있으나, 현재로서는 「골반위는 제왕절개 분만」인 경향이 있다.

[대위 교정]
1. 자연회전(흉슬위)

임신 30주 지날 경에서 흉슬위를 지도하는 경우가 많은 듯하나, 아무것도 하지 않고 관찰만 한 군과 흉슬위를 지도한 사이에 두위로 변환한 것에 대하여 유의차가 없다고 하며, 임신 36주 이후에도 25%가 자연 교정된다고 보고되었다.

2. 외회전술

제왕절개 분만과 골반위 경질 분만을 안전하게 감소시키는 방법이며, 태아가 성숙해진 임신 37주 이후의 시기에 시행하는 것이 원칙이다. 임신 37주 미만의 시술 유효성은 확증이 없다.[3]

1) 금기: 제왕절개 분만의 절대적 적응, 이미 파수된 상태, non-reassuring fetal status (NRFS), 아두과신전, 상위태반조기박리

2) 실패요인: 미산모, 태반전벽부착, 양수감소, 저체중아, 선진부하강, 모체 비만, 태아 등이 산

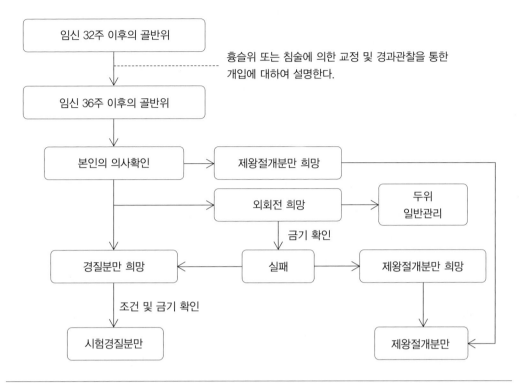

그림 4. 골반위 취급 알고리즘

모등쪽에 위치, 진둔위(flank type)

3) 전처치

① 자궁수축억제제(리토드린염산염, 니트로글리세린, 이속수프린염산염 등)의 병용은 성공률을 향상시킨다.

② 진동 음향 자극, 경막 외 마취, 양수 주입, 모체 수분 부하 등도 시행되고 있으며 유효하다는 보고가 있다.

4) 시술방법

① 수술자는 태아 복부쪽에 서서, 태아 등쪽의 모체복부를 약간 거상시킨다.

② 치골결합과 태아골반 사이에 손가락 끝을 삽입하여, 태아 골반을 모체골반 밖으로 유도한다.

③ 태아 골반을 유지하면서, 아두 또는 몸체 상부를 태아 아래쪽으로(전회전 방향) 유도하고, 회전을 촉진한다(그림 5). 시술 중에는 적절한 초음파 검사로 태아의 상태를 체크하여 임신부가 동통을 호소하는 경우나, 태아 심박동에 이상이 있는 경우에는 즉시 중지한다.

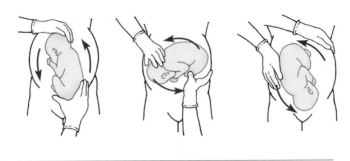

그림 5. **외회전술**

④ 종료 후 초음파 검사로 태반, 태아 관찰, 태아 심박수 모니터링으로 이상 소견이 없음을 확인한다.

주) Rh 음성의 임신부에서는 항D면역글로불린을 투여한다.

5) 합병증: 외회전시행 후에 일시적인 일과성빈맥의 소실이나 태아서맥 등의 NRFS가 5%정도로 출현한다고 보고되고 있다. 드물게 상위태반조기박리, 전기파수가 일어날 수 있다.

3. 침구

Bladder 67이라는 점(지음, 중국명: Zhiyin, 발 제5지선단)을 1일 1~2회, 1~2주간 자극하면 비두위가 감소한다고 여겨진다.

경질분만의 분만관리

분만양식에서는 장기 예후에 유의한 차이는 인정되지 않지만, 제왕절개 분만이 단기예후불량 사례를 감소시키므로 예정 제왕절개 분만을 권장하는 문헌이 많다. 본인 및 가족이 위험을 충분히 인식하고 경질분만을 강하게 원할 경우에는 아래의 조건을 충족하는 것을 확인하여 사전동의를 얻는다.

1. 경질분만의 필요조건

① 골반위 경질 분만 기술을 충분히 습득한 의사가 시행하고 언제든지 긴급 제왕절개술이 가능한 체제가 확립되어 있다.

② 전치태반, 아두골반불균형 등의 경질분만의 금기가 없다.

③ 임신 36주 이후로, 추정체중이 2,000g 이상, 3,500g 미만

④ 단전위 또는 복전위이며, 머리가 굴위(flexion)하여 과신전이 없다.

⑤ 파수 및 분만 개시 시에 제대 하수가 없다.

2. 분만시 관리

1) 진통 발생, 파수시

① 내진과 초음파 검사로 선진부, 제대하수의 유무 진단을 실시한다.

② 태아 심박수 모니터링으로 지속적으로 관찰, 평가하여 NRFS가 아님을 확인한다.

2) 분만 제1기

① 분만은 일반적으로 두위와 마찬가지로 별다른 장애 없이 진행된다. 진통 시작시 활동기에서의 분만 진행의 지연은 아두골반불균형을 의심케 하는 소견이며, 제왕절개술을 고려한다.

② 연속 태아심박수 모니터링을 실시하고, 변동 일과성서맥이 출현하는 경우에는 제대하수, 탈출이 없음을 재확인한다.

3) 분만 제2기

태아둔부가 충분히 하강하여 회음부가 신전된 시점에서 분만 방침으로 한다. 필요에 따라 회음절개를 시행한다.

① 하지, 둔부의 분만: 진통과 배에 힘을 줌에 의해 하지, 엉덩이가 튀어나온다. 상황에 따라 하지 분만을 돕는다.

② 몸의 분만(그림 6a): 아이의 등이 모체 01시(복측), 복부가 6시 방향(부측)으로 한다. 술자의 양손으로 골반과 대퇴골을 잡는다. 제륜이 보인 시점에서 제대를 부드럽게 한다. 흉부까지 자연스럽게 나오게 되지만, 분만이 곤란한 상황에서는 최소한의 견인으로 돕는다.

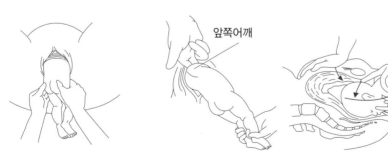

앞쪽어깨

a. 하지, 둔부의 분만   b. 어깨 및 상지분만   c. 후속아두분만

그림 6. 골반위 경질분만 보조

③ 어깨 및 상지 분만(그림 6b): 몸통이 어느 정도 분만한 시점(겨드랑이가 보이는 정도)에서 90도로 회전시켜, 아이를 약간 아래쪽(태아의 등쪽)으로 견인함으로써 어깨를 분만하고, 동시에 상지가 자연분만한다. 분만하지 않는 경우에는 술자의 손을 태아복측에 넣어서 상지를 분만한다.

④ 후속 아두분만(그림 6c): 마지막에 아두를 Veit-Smellie법으로 분만한다. Veit-Smellie법은 후속 아두 분만법의 하나이다. 원래는 구강내 검지를 삽입하여 굴위를 유지하지만, 턱관절 탈구의 보고가 있어, 현재는 좌우의 상악골 혹은 광대뼈에 손가락을 V자로 벌린 검지와 중지로 유지하고 굴위로 하는 방법을 취하고 있다.

횡위

합병증

빠른 임신 주수, 전치태반, 다산모, 협골반, 자궁기형, 자궁근종, 다태, 양수 과다 등이 발병 관련 인자가 된다. 제대 탈출이나 분만 시 손상의 원인이 된다. 또한 진통 발생 후에 횡위 상태로 방치하여 지연횡위가 되면, 자궁파열이 되어 모체사망, 신생아 사망의 원인이 된다.

관리

1. 분만방침
횡위는 경질 분만이 불가능하며 제왕절개 분만의 적응이다.

2. 제왕절개술시의 유의점
① 태아의 등이 자궁 아래에 있는 경우에는 자궁하부를 횡절개하여 태아 머리 혹은 태아 발을 유도하여 분만한다.

② 태아 등이 자궁 경부 측에 있는 경우, 자궁하부 횡절개로는 다리를 잡을 수 없어서, 분만이 어려워 질것이 예상된다며, 자궁체부 종절개를 하는 것을 고려한다.[4]

참 고 문 헌

1) Cunningham, FG. et al. eds. "Breech Presentation and Delivery". Williams Obstetrics. 23rd ed. New York, Mc-Graw Hill, 2010, 527-43.

2) Hannah, ME. et al. Planned caesarean section versus planned vaginal birth for breech presentation at term : A randomised multicentre trial. Lancet. 356, 2000, 1375-83.

3) Hutton, EK. The Early External Cephalic Version (ECV) 2 Trial : an international multicentre randomised controlled trial of timing of ECV for breech pregnancies. BJOG. 118, 2011, 564-77.

4) Cunningham, FG. et al. eds. "Abnormal labor". Williams Obstetrics. 23rd ed. New York, McGraw Hill, 2010, 464-89.

5) Hofmeyr, GJ. "Delivery of the fetus in breech presentation". UpToDate, 2011.

6) Hofmeyr, GJ. "External cephalic version". UpToDate, 2012.

7) Belogolovkin, V. et al."Umbilical cord prolapse". UpToDate, 2011.

8) Bowes, WA. "Management of the fetus in transverse lie". UpToDate, 2010.

 鈴木　真

제 5 장

이상분만의 관리와 처치

다태분만

개념

쌍태 분만은 태위 이상을 보이기 쉽다. 첫째와 둘째 아이(후속아)의 편성의 빈도는, 두위-두위 42%, 두위-둔위 27%, 두위-횡위 18%, 첫째 둔위 11%이다.[1] 임신 중 및 분만 시에는 두위 -두위는 비교적 안정된 상태를 유지하지만, 기타 조합에서는 태위가 불안정한 경우가 많다. 특히 태아가 작을 경우나 양수 과다증의 경우, 또한 임산부가 경산모일 때는 안위, 액위, 족위 등의 태위, 태세 이상을 일으키기 쉽다. 따라서 제대탈출 등도 드물지 않다. 이 때문에 분만 전 초음파 검사를 통해 ① 추정 체중, ② 태위, 태세, ③ 양수량, ④ 제대 부착부, 제대 하수 유무, ⑤ 태아 이상, 형태 이상의 항목을 다시 확인하는 것이 중요하다.

분만 개시에 있어서, 두 아이 모두 태아 심박수 모니터링을 연속적으로 시행하여 태아기능부전의 조기 발견과 진통 이상 유무를 감시한다. 첫째 아이 분만 후에 태위이상, 제대탈출, 태아 심박 이상, 태반조기박리가 일어나기 쉬우므로 주의가 필요하다. 또한 신생아과 의사, 마취과 의사와 긴밀히 연락하여 언제든지 제왕절개술을 할 수 있도록 모두 준비한 상태로 환자를 관리한다.

관리

다태임신은 단태임신에 비해 조산이나 태위이상, 분만 중의 미약진통, 제대하수나 탈출, 상위 태반조기박리, 분만 후 이완출혈 등 합병이 많다. 따라서, 다태분만 시에는 이러한 합병증의 발병을 예측하면서 관리한다.

1. 분만관리상의 주의점[1]

① 분만 개시부터 종료까지 항상 감시한다. 두 아이 모두 태아 심박수 모니터링을 연속적으로 실시하고, 태아기능부전의 조기발견과 진통이상 유무를 감시한다. 원칙적으로는 간접모니터링을 하지만 선진아에서 이미 파수가 있어 자궁입구가 개대되었다면 직접 모니터링이 가능하다.

② 분만 시작 시에는 수액라인을 확보 한다. 급격한 출혈에 대비하여 수혈이 즉시 가능하도록 수혈 준비를 한다. 분만 시에는 탈수가 되지 않도록 주의하고 충분한 수액을 한다.

③ 분만 시, 특히 후속아 분만시, 태위 이상이나 변화에 대비하여 자궁 내 조작에 숙련된 산과 의사가 입회해야 한다. 또한 태위 확인이나 후속아의 유도를 용이하게 하기위하여 초음파기기는

필수불가결이며, 즉시 사용할 수 있는 위치에 설치해 둔다. 이를 위해서는 적어도 2명의 산과 의사가 필요하다.

④ 태아회전술이나 긴급제왕절개술에 대비하여, 마취과 의사에게 연락해 대기시키거나, 긴급대응의 가능성이 예상되는 경우에는 분만에 입회해야 한다.

⑤ 저체중출생아나 신생아 가사에 대비하여 신생아과 의사가 필요하다. 더하여 조산사, 간호사의 작용도 중요하며, 모든 인력이 갖추어지는 것이 긴급시의 산모와 아이의 예후를 좌우한다.

⑥ 이 분만팀이 효율적으로 움직일 수 있는 충분한 크기의 분만실이 필요하다. 또한 모체, 태아·신생아의 급변에 대해서 즉시 처치할 수 있는 기기(소생기, 마취기, 약제 등)가 있어야 한다.

2. 분만유도, 진통촉진

다태에서는 조산이 되는 경우가 많고, 분만이 예정일을 넘는 경우는 적다. 쌍태 임신의 주산기 사망률은 37~38주가 가장 낮고, 평균 분만 주수는 37주로 되어 있다.[2] 이 시기를 초과하면 자궁내 사망 및 조기 신생아 사망(주산기사망)이 증가하므로, 쌍태에서 37주 이후의 증례는 태아 안녕에 주의해야 한다. 임신 37주를 쌍태 임신 예정일로 파악하고, 이후를 과숙 임신으로 한 관리가 필요할지도 모르나, 쌍태를 몇 주에 유도분만 해야 할지에 대한 근거는 아직 없다.[3] 경질분만이 가능하고, 산과적인 적응이 있다면, 자궁수축제에 의한 분만 유도는 가능하지만, 『산부인과 진료가이드라인: 산과 편 2014』에서는 신중 투여로 하고 있다.[4] 일반적으로 쌍태분만에서는 단태에 비해 latent phase는 짧고, active phase는 길다.[1] 이것은 분만개시 때의 자궁입구 개대에 차이를 보이기 때문이다. 또한, active phase의 지연은 물리적인 자궁 과신전에 의한 미약진통 때문이며, 분만 경과에 맞추어 옥시토신에 의한 진통 촉진이 필요한 경우가 많다.

3. 분만양식의 결정

쌍태 특유의 문제를 제외하고, 아기의 예후를 개선하기 위해 보다 적절한 분만양식의 선택은 중요하다. 쌍태라는 이유만으로 제왕절개분만의 적응은 없다. 제왕절개 분만에 의해 확실히 주산기 예후가 개선되는 병태로서 결합쌍태와 일양막성 쌍태를 들 수 있다. 일양막성 쌍태에서는 임신 기간 내내 제대 인자에 의한 태아 사망 가능성이 있다. 일양막성 쌍태의 분만 시기에 관하여 일정한 견해는 없지만, 태아의 폐성숙이 확인되거나, 임신 32주를 초과한 경우에는 적극적으로 분만을 권유하는 의견도 있다.[1] 쌍태아간수혈증후군에서의 분만양식에 대한 보고는 없었으나, 태아혈행 동태를 더욱 악화시키지 않기 위해 제왕절개술을 선택하는 것이 일반적이라고 생각된다. 생식의료가 발달함에 따라 다태의 증가는 현저하나, ART (assisted reproductive technology, 생식보조 의료), 다태가 모두 위험인자로 여겨지는 병태에 전치혈관이 있다. 임신 중기의 자궁경관길이 스크리닝 시의 진단이 중요하다. 전치혈관이 진단된 경우에는 폐성숙 후 또는 35주 전후 제왕절개

술이 장려되고 있다.[5]

태위 이상은 경질분만인지 제왕절개분만인지 분만양식을 선택할 때 큰 문제가 된다. 정설은 없지만 이하의 방법을 참고한다.[3] ① 첫째 아이가 두위이고, 후속아가 두위인 경우는 경질분만을 선택하는 경우가 많다. ② 첫째 아이가 두위이고, 후속아가 비두위인 경우, 의견이 나뉘어 결론은 나지 않았다.[1] 단태 둔위 분만법[6]에 준하거나, 각 시설의 능력에 따라 결정되어야 한다. ③ 첫째 아이가 비두위(골반위, 횡위 등)이면 제왕절개 분만의 선택이 일반적이다.

신생아 예후에 대한 태위와 분만양식의 영향을 검토하기 위해 Rossi 등[7]은 2001년부터 2010년에 영문으로 보고된 논문의 meta-analysis를 실시하였다. 첫째 아이의 사망률, 이환율은 태위와 분만양식에 영향을 받지 않고 양호하였다. 그러나 둘째 아이의 이환율은 비두위 15.7%, 두위 4.6%로 비두위가 높은 경향이 있었다. 분만 양식이 신생아 예후에 미치는 영향은 경질분만과 예정 제왕절개분만에서 차이가 확인되지 않았다. 그러나 첫째 아이 경질분만 후 둘째 제왕절개분만에서는 둘째 아이의 이환율이 19.8%로 경질분만의 9%, 제왕절개분만의 7.2%에 비해 유의하게 높았다. 이러한 제왕절개분만은 긴급한 상태로 시행되었으며, 아이의 질병도 심각한 경우가 많았다고 보고되었다. 원인으로는 상위태반조기박리나 제대탈출 등 분만 전에 예상이 어려운 질환이 거론되고 있다.

일반적으로는 첫째 아이의 경질분만 후 후속아 긴급 제왕절개술 발생 위험은 4~7%로 보고[7~9]되어 있다. 그러나 둘째 아이가 비두위인 경우 이 위험은 약 23%로 증가하는[9] 것을 알아야 한다.

4. 분만의 실제

분만 중에는 두 아이 동시에 태아 심박수 모니터링이 필수적이며, 특히 후속아에서 태아기능부전을 조기에 발견하기 위해 중요하다. 첫째 아이 분만 후, 즉시 후속아의 선진부나 태위를 확인한다. 제대 하수 확인에는 초음파(컬러도플러)가 유용하다. 선진부가 고정되어 있으면, 술자는 파막하여, 제대탈출이나 상위태반조기박리에 의한 출혈이 없음을 확인한다. 태아 심박 이상이 없으면 분만을 서두를 필요는 없지만, 진통이 시작되지 않은 경우, 옥시토신에 의한 촉진이 필요한 경우가 있다. 또한, 첫째 아이와 후속아의 출생 시간차와 후속아의 제대동맥혈 pH에는 마이너스 상관관계가 보인다는 보고[10]도 있어, 후속아의 분만 제2기를 가능한 한 단축하도록 유의한다. 만약 선진부가 고정되어 있지않을 경우, 자궁저를 천천히 압박하여 골반아래로 유도한다. 이때 후속아가 비두위라면 초음파 관찰하에 외회전을 하여 두위로 분만시키는 방법도 있다. 아이가 골반 내에 진입하지 않은 상태나, 태반박리로 인한 출혈이 증가한다면 빠른 분만을 요한다. 숙련된 산과의사가 있으면 충분한 자궁근 이완 후, 내회전(internal podalic version, 그림 1)[11]을 하고, 골반위 견인술을 시행하여 분만시킬 수 있으나, 숙련된 의사가 없으면 제왕절개술을 주저하지 않아야 한다.

다태임신에서는 제왕절개술을 시행할 때, 앙와위 저혈압을 일으키기 쉽기 때문에 몸을 좌측으

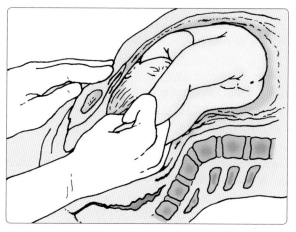

그림 1. internal podalic version
치골위에서부터 아두를 들어올려, 발을 견인한다.
(문헌1, p.883에서 개편하여 작성)

로 기울여 자궁으로 인한 복부대혈관의 압박을 피할 필요가 있다. 자궁절개 시에는 횡위 등의 경우 자궁경부가 개대외었다 하더라도 횡절개보다 종절개로 하는 것이 안전할 수 있다. 첫째 아이 분만 후의 제왕절개술의 적응은 후속아에서 확실하게 분명한 비두위일 경우나, 자궁입구가 수축하여 물리적으로 분만이 불가능한 상태에서 태아서맥(태아기능부전) 등이 발생한 경우이다.

삼태 이상의 분만

분만 시의 태아 심박수 모니터링이 어려운 점, 태위 이상에 의한 분만 수기가 쌍태보다 더 복잡해지는 점, 제대탈출이나 태반조기박리의 빈도가 더욱 증가하는 점 등으로 인해 대부분 제왕절개분만을 하게 된다.[1] 임신 24주 이상 검토[11]에서도 제왕절개분만에 보다 경질분만에서 아이의 사산, 신생아 사망, 영아 사망의 상대 위험도는 5.70, 2.83, 2.29로 보고되었으며 경질분만은 권장되지 않는다.

참고문헌

1） Cunningham, FG. et al. eds. "Multifetal Gestation". Williams Obstetrics. 24th ed. New York, McGraw Hill, 2014, 859-89.

2） Minakami, H. et al. Reestimating date of delivery in multifetal pregnancies. JAMA. 275, 1996, 1432-4.

3） 日本産科婦人科学会・日本産婦人科医会 編集・監修. "CQ705　双胎の一般的な管理・分娩の方法は？". 産婦人科診療ガイドライン：産科編2014. 2014, 355-8.

4） 前掲書3）. "CQ415-1　子宮収縮薬（オキシトシン，プロスタグランジンF2α，ならびにプロスタグランジンE2錠の三者）投与開始前に確認すべき点は？". 266-9.

5） Oyelese, Y. et al. Placenta previa, placenta accreta, and vasa previa. Obstet. Gynecol. 107, 2006, 927-41.

6） 前掲書3）. "CQ402　単胎骨盤位の取り扱いは？". 213-5.

7） Rossi, AC. et al. Neonatal outcomes of twins according to birth order, presentation and mode of delivery：a systematic review and meta-analysis. BJOG. 118, 2011, 523-32.

8） Suzuki, S. Risk factors for emergency cesarean delivery of the second twin after vaginal delivery of the first twin. J. Obstet. Gynaecol. Res. 35, 2009, 467-71.

9） Wen, SW. et al. Occurrence and predictors of cesarean delivery for the second twin after vaginal delivery of the first twin. Obstet. Gynecol. 103, 2004, 413-9.

10） Leung, TY. et al. Effect of twin-to-twin delivery interval on umbilical cord blood gas in the second twins. BJOG. 109, 2002, 1424-5.

11） Vintzileos, AM. et al. Mode of delivery and risk of stillbirth and infant mortality in triplet gestations：United States, 1995 through 1998. Am. J. Obstet. Gynecol. 192, 2005, 464-9.

≫ 上塘正人，前田隆嗣

지연분만 · 분만정지

개념

1. 정의

지연분만·분만정지는 일본산과부인과학회편 『산과부인과용어집·용어해설집 개정 2판』에 다음과 같은 해설이 되어있다.

지연분만(prolonged 〈protracted〉 labor): 분만 개시 후 즉, 진통 주기가 10분 이내가 된 시점부터 초산모는 30시간, 경산모는 15시간을 경과하여도 태아분만에 이르지 못한 것을 지연 분만이라고 한다. 분만 소요 시간이 초산모는 30시간을 넘으면 흡인·겸자술, 제왕절개술, 태변에 의한 양수혼탁 및 신생아 가사가 유의하게 증가하고, 경산모는 15시간 초과 시 흡인·겸자수술, 제왕절개술 및 신생아 가사의 빈도가 유의하게 증가한다.

분만정지(arrest of labor, arrested labor): 한순간에 진통이 시작되고 분만이 진행되었지만, 자궁 경부가 거의 완전개대가 된 이후부터 지금까지 같은 진통이 계속되고 있음에도 불구하고, 2시간 이상에 걸쳐 분만의 진행(자궁입구의 개대나 아두의 하강)이 확인되지 않는 상태. 아두의 회선 이상에 의한 저재횡정위나 골반협부 CPD 등이 원인이 되는 경우가 많다.

2. 병태

분만의 3요소인 분만력(power), 분만물(passenger), 산도(passage)의 1개 또는 복수의 이상에 의해 지연분만·분만 정지가 발생한다. 단, 분만정지는 분만력의 이상을 수반하지 않는 것이 진단의 요건이다.

분만력의 이상: 자궁수축의 이상, 효과적이지 못한 호흡
분만물의 이상: 부정축 진입, 회선이상, 거대아, 태아형태 이상 등
산도의 이상: 연산도 강인, 골반변형 등

3. 지연분만·분만정지의 위험 인자[1~3]

제1기: 분만유도, 모체연령 35세 이상, 거대아, 고혈압성질환, 양수과다, 불임치료 증례, 모체의 불안 등

제2기: 경막외마취, 회선이상, 제1기 지연, 초산모, 모체저신장, 자궁입구 완전개대시의 아두 높이, 모체당뇨병, 거대아, 임신고혈압증후군, 융모막양막염 등

분만의 3요소를 재평가한다. 원인으로서 미약진통, 아두골반불균형, 산도이상, 회선이상 등이 의심되면, 그에 대한 검사·관리·치료를 실시한다(구체적인 관리 방침에 대해서는 각 질환의 항목을 참조할 것).

「지연분만·분만정지의 원인을 검색해, 즉시 적극적인 의료개입을 실시한다」는 생각의 한편으로, Ness 등은 지연분만에 관한 총설[4]에서 다음과 같은 의견을 기술하고 있다.

「"obstetrics"의 어원은 라틴어의 "in front of" 또는 "near"의 의미를 가진 "ob"와 "stay"나 "stand"를 나타내는 "stare"에서 왔으며, 분만관리의 기본은 이 말대로 분만 진행중인 임산부에 붙는다. 최종적인 목표가 모자 모두에게 안전한 경질분만이라고 한다면, 인내야말로(예를 들어 분만의 정상적인 진행이라는 것에 충분한 시간을 채울 것) 최대의 협력자라는 것을 기억하지 않으면 안 된다」

지연분만·분만정지에 대해 적절한 시기에 적절한 의료개입을 하는 것은 모아의 예후를 악화시키지 않기 위해서 중요하다. 그러나 의료개입 자체가 모아에게 유해할 수도 있기 때문에 적절한 시기를 판단하기 위해서는 의료개입을 하기 이전에 어느 정도 시간의 경과도 필요하다.

이러한 관점에서 본 최근의 보고나 관리 방법을 이하에 언급한다.

1. 미국산과부인과학회(ACOG)의 새로운 권고

현재 일본에서의 지연분만 관리는 상기 「개념」에서 나타낸 것과 같이 일본산과부인과학회의 정의를 참고로 하여, 개별 환자의 분만경과에 관해서는 분만경과표(파토그램partogram)와 정상 분만경과(Friedman 곡선)와의 차이를 인식하면서 분만관리가 이루어지고 있는 것으로 생각된다.

ACOG에서는 2003년에 "Dystocia and Augmentation of Labor"이라는 제목의 Practice Bulletin[5]이 공개되었으나 현재는 삭제되었으며, 2014년에 새롭게 "Safe Prevention of the Primary Cesarean Delivery"이라는 제목으로 ACOG Obstetric Care Consensus[6]가 지연분만·분만정지의 관리방법으로 제안되었다. 이는 Zhang 등 Consortium on Safe Labor[7] 이 2002년부터 2008년의 단태정기출산, 자연진통유래, 두위, 경질분만, 주산기 예후 정상이었던 62,415 례의 분만 경과에 대해 검토한 결과에 기초한 권고로 각 권장 항목의 권장도가 높아지고 있다.

Zhang 등의 보고[7]의 특징은 Friedman이 보고한 50년 전의 분만관리가 아니라 현재 미국에서 행해지고 있는 표준적인 분만관리에 의한 분만 곡선을 밝힌 점이다. 따라서 증례의 약 절반에 옥시토신에 의한 분만 촉진과 약 80%에서 경막외 마취가 시행되고 있다.

Freidman 곡선에는 경관개대도 3~4cm가 굴곡점이 되어 그 이전이 잠복기, 이후를 활동기로 하고 있었지만, Zhang 등의 분만곡선은 그림 1과 같이, 경산모에서는 경관 개대 6cm가 굴곡점이 되며, 초산모에게서는 명확한 굴곡점이 나타나지 않고 있다. 또한 표 1에 경산회수별로 각 자궁경관개대도 별로 1cm개대가 진행되기 위한 소요시간의 중앙값과 95 백분위 값을 보이지만, 4cm에서 5cm로 개대하려면 95퍼센트 값으로는 6시간 이상을 요하고, 5cm에서 6cm까지는 3시간 이상 소요되며, 이는 초산모뿐 아니라 경산모도 마찬가지였다. 6cm 개대 이후에는 경산모가 초산모에 비해 분만 진행이 빨라졌다. 즉, 기존의 자궁경관 4cm 개대가 아닌, 6cm 개대를 가진 활동기가 되었다고 하는 것이 보다 적절하다고 하였다. 또한 초산모의 분만 제2기 소요시간의 95 백분위 값은 경막외 마취 시행 예 3.6시간, 미시행 예 2.8시간이며, 기존 분만 2기의 이상으로 정의되어 있던 각각 3시간 이상, 2시간 이상을 웃도는 것이었다.

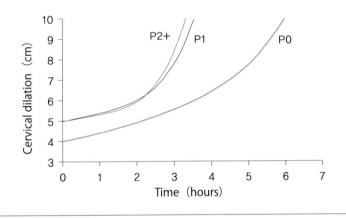

그림 1. 경산 횟수별 평균적 분만곡선 (문헌7부터 개편)

단태정기산, 자연진통유래, 경질분만, 신생아예후 정상증례.
P0: 초산모, P1: 1회경산모, P2: 2회 이상의 경산모

표 1. 자연진통 유래 증례에서 경산 횟수별 자궁경관개대 소요시간 (문헌7에서 개편)

자궁경관개대(cm)	초산모 (n=25,624)	경산1회 (n=16,755)	경산2회 이상 (n=16,219)
3~4	1.8 (8.1)	–	–
4~5	1.3 (6.4)	1.4 (7.3)	1.4 (7.0)
5~6	0.8 (3.2)	0.8 (3.4)	0.8 (3.4)
6~7	0.6 (2.2)	0.5 (1.9)	0.5 (1.8)
7~8	0.5 (1.6)	0.4 (1.3)	0.4 (1.2)
8~9	0.5 (1.4)	0.3 (1.0)	0.3 (0.9)
9~10	0.5 (1.8)	0.3 (0.9)	0.3 (0.8)
분만 제2기(경막 외 마취 있음)	1.1 (3.6)	0.4 (2.0)	0.3 (1.6)
분만 제2기(경막 외 마취 있음)	0.6 (2.8)	0.2 (1.3)	0.1 (1.1)

수치는 중앙값(95 백분위)

표 2. 첫 제왕절개를 안전하게 피하기 위한 권고 (문헌6에서 일부발췌 , 개편)

Recommendations	Grade of Recommendations
분만 제1기	
잠복기 지연(예를 들어 초산모 20시간 이상, 경산모 14시간 이상)에서 제왕절개술 적응을 해서는 안 된다.	1B
제1기에서는 느리지만 분만이 진행되는 경우에는 제왕절개 적응을 해서는 안 된다.	1B
대부분의 경우에는 자궁입구의 개대가 6cm가 되면, 활동기가 되었다고 생각된다. 그러므로 6cm에 도달하기 이전에는 표준적인 활동기의 진행경과의 적응은 안 된다.	1B
분만 제1기 활동기의 분만정지에 따른 제왕절개의 적응은 자궁입구가 6cm 이상 개대하고, 파수되어, 충분한 자궁수축에도 불구하고, 4시간 이상 진행되지 않거나, 6시간 이상 옥시토신에 따른 촉진을 하였어도 충분한 자궁수축과 경관의 변화가 없는 증례에 한다.	1B
분만 제2기	
분만 제2기에서 어느 시간을 넘으면, 기계분만을 해야한다는 절대적인 최대시간은 특정되어 있지 않다.	1C
분만 제2기의 분만정지로 진단하기 전, 모체 및 태아의 상태가 좋으면 이하를 시행해도 좋다: • 경산모에게 적어도 2시간의 노력을 가함(1B) • 초산모에게 적어도 3시간의 노력을 가함(1B) 경막 외 마취 및 회선 이상 등 각각의 증례의 상태에서 분만 진행이 확인된다면, 더하여 시간을 더 들이는 것도 적절하다(1B).	1B
분만 제2기에서 경험 많고 숙달된 의사에 의한 기계분만은 제왕절개를 대신해 안전하고 수용할 수 있는 수단이다. 또한 기계분만에 관한 기술의 연습과 그 유지는 권장된다.	1B
분만 제2기의 회선이상(occiput position)에 대해서, 기계분만 및 제왕절개에 이행하기 전에 손으로 회선을 시행하는 것은 적절한 개입방법이다. 회선이상의 경우, 안전하게 제왕절개술을 방지하기 위해, 분만 제2기에서 특히 아두의 하강이 이상할 경우에는 회선의 평가를 하는 것이 중요하다.	1B

Grade of Recommendations
  1B: Strong recommendation, moderate quality evidence
  1C: Strong recommendation, low quality evidence

ACOG Obstetric Care Consensus; Safe Prevention of the Primary Cesarean Delivery에서 Zhang 등의 결과를 인용하여, 표 2에 나타낸 것과 같은 권고를 내놓고 있다. 차후, 일본에서도 이 권고를 참고하여 선연분만·분만정지의 진단과 관리가 이루어져 나갈 것으로 생각된다.

2. 탈수보정

『산부인과 진료가이드라인: 산과 편 2014』에 지연분만에 대한 대응으로 경구 수분섭취 또는 수액을 통해 탈수를 보정하는 것이 명시되어 있다. 또한 분만 시 250mL/h 또는 125mL/h의 수액으로 분만시간이 단축되었다는 보고[8]나, 경구 수분 섭취를 제한하지 않으면 분만 소요 시간은 수액군과 같다는 보고[9]도 있어 적당한 수분 공급은 지연 분만을 피하는 데 중요하다고 여겨진다.

3. 진통 중 자세 · 보행

진통 중인 임산부에게 가장 쾌적한 체위를 취할 것을 권장한다. 서있거나 앉거나, 네 발로 뛰기, 스쿼트 등이 권장된다.

최근 보도에서는 진통이 진행되는 동안 보행이 분만을 촉진하는 효과가 있는 것으로 확인되지 않았다. 그러나 보행 자체가 산모에게 해가 되지 않기 때문에 보행까지 해서 산모가 가장 편안한 자세를 취하는 것이 결과적으로 고통을 덜 줄 수도 있다.

4. 분만체위

입위 또는 스쿼트 체위는 앙와위나 쇄석위에 비해 분만 제 2기의 소요시간이 단축될 것인지의 여부는 확실치 않다. 그러나 측와위나 좌위 등의 앙와위 이외의 체위에서는 회음절개율 및 3도 이상의 회음열상의 빈도가 적어 분만의 만족도가 높았다고 보고되고 있다.[10,11]

5. 목욕 · 족욕

목욕은 임신부를 편안하게 함으로써 효과적인 진통이 이루어지게 하여 의미가 있다. 입욕제나 아로마 오일을 사용하여, 보다 편안한 효과를 촉진하는 것도 이루어지고 있다. 목욕 자체에 분만시간의 단축효과는 없고 분만방법에도 차이가 없다. 또한 융모막양막염이나 자궁내막염 발병에도 영향을 주지 않는다.

6. 계속적인 임산부 지원

간호사, 조산사 또는 전문가 이외의 사람이라도 산모를 계속 지원하는 것은 산모 및 신생아에 대해 많은 이익을 가져온다. 지속적인 지원으로 진통 약의 사용률, 기계분만이나 제왕절개술 시행률, 5분 후의 아프가점수 7점 미만의 증례의 출현율은 저하되고, 분만에 대한 만족도는 높았다고 보고된다.[12]

7. 환자 가족의 지원

지연분만의 경우, 분만경과가 장시간에 걸치기 때문에 환자뿐만 아니라 보호하고 있는 환자 가족에게도 피로감과 초조감이 오는 경우가 많다. 이러한 불안을 없애기 위해서는 환자 및 가족에게 지금까지의 분만경과, 현재의 모체 및 아이의 상태, 향후 예상되는 경과 및 대응 등에 대해 충분히 설명하는 것이 중요하다.

8. 출산체험 되돌아보기

지연 분만에서는 그 분만 경과가 환자 자신의 예상과는 다른 것이며, 더욱 결과적으로 의료 개입을 필요로 한 경우 환자가 스스로 분만을 끝내지 못한 실패감이나 상실감이 동반되는 경우가 많다. 이러한 감정을 계속 가지면 아이를 받아들일 수 없고 육아에 주체적으로 임하는 것 곤란하게 된다고 한다. 그렇기 때문에 간호사·조산사와 함께 출산 체험의 회고를 하고, 산모 자신이 산욕기에 출산체험을 떠올리고, 언어로 표출하는 것으로 그로 상실체험의 의식화와 비탄작업을 지원하는 것으로, 부정적이었던 출산체험을 긍정적으로 받아들일 수 있다고 한다.

참고문헌

1） Satin, AJ. et al. Chorioamnionitis : a harbinger of dystocia. Obstet. Gynecol. 79, 1992, 913-5.
2） Sheiner, E. et al. Risk factors and outcome of failure to progress during the first stage of labor : a population-based study. Acta Obstet. Gynecol. Scand. 81, 2002, 222-6.
3） Sheiner, E. et al. Obstetric risk factors for failure to progress in the first versus the second stage of labor. J. Matern. Fetal Neonatal. Med. 11, 2002, 409-13.
4） Ness, A. et al. Abnormalities of the first and second stages of labor. Obstet. Gynecol. Clin. N. Am. 32, 2005, 201-10.
5） ACOG Practice Bulletin. Number 49. December 2003. Dystocia and augmentation of labor. Am. J. Obstet. Gynecol. 102, 2003, 1445-53.
6） American College of Obstetricians and Gynecologists ; Society for Maternal-Fetal Medicine. Obstetric care consensus No.1 : Safe prevention of the primary cesarean delivery. Obstet. Gynecol. 123, 2014, 693-711.
7） Zhang, J. et al. Contemporary patterns of spontaneous labor with normal neonatal outcomes. Obstet. Gynecol. 116, 2010, 1281-1.
8） Kavitha, A. et al. A randomoized controlled trial to study the effect of IV hydration on the duration of labor in nulliparous women. Arch. Gynecol. Obstet. 285, 2012, 343-6.
9） Coco, A. et al. A randomized trial of increased intravenous hydration in labor when oral fluid is unrestricted. Fam. Med. 42, 2010, 52-6.
10） De Jong, PR. et al. Randomised trial comparing the upright and supine positions in the second stage of labor. Br. J. Obstet. Gynecol. 104, 1997, 567-71.
11） 木戸道子ほか. フリースタイル分娩は有用か？ 周産期医学. 34（増刊号）, 2004, 349-51.
12） Hodnett, E. et al. Continuous support for women during childbirth. Cochrane Database Syst, Rev. 2003, 3.

 高木　剛

자궁파열

개념 · 병태

1 정의: 자궁파열(uterine rupture)이란 주로 분만주변기, 때로는 임신 중에 일어나는 자궁의 열상으로 정의된다. 대부분 돌발적이고 빠른 속도로 출혈성 쇼크를 일으키기 때문에, 신속한 진단과 적절한 치료가 요구되는 중요한 산부인과 응급질환이다.

2 병태: 자궁근의 강도와 자궁근에 가해지는 부하의 강도와의 균형이 깨진 경우 발병하기 때문에 자궁벽의 과도한 신장(난산), 자궁벽의 취약부의 존재(반흔자궁), 자궁벽에 과도한 부하(과강진통) 등이 관여한다.

열상은 자궁체 하부 및 자궁경관의 상부에 많고, 자궁체 상부 파열은 자궁수술 후의 반흔 등의 경우에 한한다. 파열창의 주행은 자궁종경·사경에 따라 발생하는 경우가 많다.[1] 일반적으로 외출혈은 적지만, 복강 내에서의 내출혈은 다량이다. 자궁 동정맥이 파열된 경우가 많고, 또 태반 부착부에서 발병한 경우 출혈이 심하게 나타날 수 있다. 그러나 후벽 파열 또는 파열 부분이 태아로 압박되거나 또는 태아가 완전히 복강 안으로 탈출하여 자궁이 심하게 수축되어 있을 때는 피가 소량만 관찰될 수 있다.

합병증으로 자궁원인대의 손상, 방광·뇨관 손상, 후복막혈종을 형성하는 경우가 있다.

3. 분류: 열상의 정도에 따라 2종류로 분류된다.

전자궁파열: 자궁벽의 전층이 파열되어, 자궁내강과 복강이 교통하는 것.

부분자궁파열: 자궁근층의 일부, 또는 전층에 걸쳐서 파열되지만, 장막은 파열되지 않고 머물러 있는 것.

4. 빈도: 일반적으로 전체 분만의 0.02~0.1%로 비교적 드물지만,[2] 전회 제왕절개분만 후의 시도분만 (trial of labor after cesarean delivery ; TOLAC) 때에 약 0.15~1.10%로 보고된 바 있다.[3]

5. 원인: 표 1에 나타낸다.

진단

1. 임상증상

자궁파열의 임상증상은 파열의 원인·시기·정도·부위·출혈량 등에 따라 다르며, 다방면에 걸친다. 제왕절개분만 기왕 임산부에 대하여 경질분만을 시도하는 것을 trial of labor after cesarean

표 1. 자궁파열의 원인

1) 자궁벽 취약부의 존재
   a. 반흔자궁: 제왕절개술 기왕(특히 고전적 제왕절개술, 역T자 제왕절개술), 자궁수술의 기왕(자궁근종핵출술),
     반복자궁내막소파, 자궁파열 기왕
   b. 자궁기형
   c. 선천성 발육부전
   d. 태반이상: 전치태반, 유착태반(특히 감입태반 〈placenta increta〉, 천공태반 〈placenta percreta〉)
   e. 융모성 질환

2) 자궁벽의 과도한 신장
   a. 협골반, CPD, 거대아
   b. 태위·태세의 이상 등

3) 자궁벽 과잉 부하
   a. 과다진통
   b. 부적절한 산과 처치(흡인·겸자분만, 내외회전술, 골반위견인술, 태아압출술 등)
   c. 부적절한 자궁 수축제 사용
   d. 우발사고(넘어짐, 교통사고 등)

4) 다산모
   다산모는 자궁파열 발병이 많다. 원인은 명백하지 않지만 아마도 기왕 분만시에 불현성 열상이 생겨, 이로 인해 자궁벽이 취약해진 것으로 생각된다.

delivery (TOLAC)라고 하며, 그것이 성공한 결과를 vaginal birth after cesarean delivery (VBAC)이라고 한다. VBAC 후 자궁파열 발병도 많아서 모체의 엄중한 감시가 중요하다.

또한 부전자궁파열의 경우에는 전자궁파열에 비해 전형적인 증상이 나타나지 않는 경우도 많기 때문에 주의가 필요하다.

1) 임신 중 자궁파열

쇼크 증상, 하복부통증도 심해지면서 태아가 복강 내 또는 질내에 분만되지 않는 한, 자궁 수축도 지속된다. 출혈은 내출혈이 주류를 이루지만 외출혈을 동반하기도 한다.

2) 분만시 자궁파열

① **절박자궁파열**: 과강진통, 경련진통 때문에 산모는 불안 상태가 된다. 반흔이 있는 경우, 반흔부의 압통, 자발통도 출현한다. 또한 호흡촉진, 빈맥이나 요의의 호소를 보인다.

수축륜이 출현하기도 하며 분만의 진행이 정지된다.

② **자궁파열**: 진통 발작의 격통이 극한에 달한다. 때때로 파열감을 호소한다. 그 후 진통의 소실과 동시에 일시 안락해질 수도 있으나, 머지않아 출혈과 복막자극증상으로 인해 쇼크증세가 출현한다. 내출혈이 주를 이루며, 소량의 외출혈이 지속적으로 보이는 경우도 있다. 태동의 소실을 호소한다.

3) 분만 후 자궁파열

경질분만 후에 자궁 파열로 인한 증상이 나타나는 경우가 있다. 분만 후 자궁수축이 양호하고 질벽열상이나 경관열상이 없음에도 불구하고 지속되는 자궁출혈이 확인될 경우, 외출혈량에 맞지 않는 저혈압 등 모체의 바이탈 사인에 이상이 있을 경우, 자궁파열을 의심하는 것이 중요하다. 또한 분만 2일 후에 장폐색을 주소로 하여 발병한 증례도 있어,[4] VBAC 등의 자궁파열 고위험 증례에서는 경질분만 성공 후의 산모에 대한 엄중감시가 중요하다.

4) 부전자궁파열

그 징후로 태아 심박수 모니터링에서 이상 소견이 확인되기도 하지만 대부분은 자각 증상이 없이(무증상 파열), 분만 후 하복부통 및 지속성 출혈을 일으키는 쇼크상태에 빠지는 경과에 이른다. 일부 부전자궁파열에서는 후복막혈종으로 인한 복부자극 증상으로 상복부통, 흉부통, 호흡곤란 등의 증상이 나타나기도 한다. 혈종의 증대에 따른 후복막강압이 상승하고, 파열 위로부터 양수가 혈중으로 유입되는 경우가 있어, 이 경우에 혈청 Sialyl Tn (STN) 값이 높은 값을 나타낸다.[5]

2. 검사

1) 외진

복벽제대 돌출 또는 그 이상의 부위에 병적 수축륜(Bandl의 구)가 확인된다. 자궁원인대의 과도한 긴장과 과신전이 나타나 유통성의 삭상물로써 촉지되는 경우도 있다. 자궁파열에 의해 태아가 완전히 탈출한 경우는 자궁체부는 딱딱하게 수축되어 있고 한쪽으로 치우쳐, 타측에 탈출한 태아가 만져진다. 또한 부전자궁파열의 경우에는 증대한 혈종이 만져지기도 한다.

2) 내진

절박 자궁파열의 수준에서는 분만 진행의 정지가 확인되는 경우가 많다. 자궁파열 후에는 자궁 경부가 축소되고, 선진부는 후진해서 이동성을 나타낸다. 태아는 복강내에서 탈출하여 닿지 않게 된다. 손가락을 더 깊게 삽입하면, 열구를 통해 장관이나 방광, 복벽까지 더 많이 만질 수 있다.

3) 초음파단층법

자궁 밖의 태아, 축소된 자궁, 복강 내 액체 저류상을 볼 수 있다. 경질적으로 아이가 분만되어 자궁파열상을 입었을 경우, 복부초음파하에 자궁내강을 촉진하여 근층의 연속성을 조사한다. 근층파열과 복강내 액체 저류상이 진단에 유용하다.

4) 복부 단순 X선 촬영

복강 내에 free air가 나타날 수 있다.

5) 태아 심박수 모니터링(CTG)

과다진통에 따른 이상소견(오래 지속되는 태아서맥, 지발일과성서맥, 변동일과성서맥)이 보여지고, 태아가 복강으로 나오면 태아가 사망하며, 진통도 기록은 자궁이 수축되어서 얻을 수 없게 된다.

6) 혈액검사: 빈혈, 응고인자 감소, 혈청 STN 값이 높음.

3. 감별진단

임신 중: 이소성 임신, 난소종양의 줄기염전, 외과질환(충수염 등).
분만주변기: 상위태반조기박리, 전치태반, 질벽·경관열상, 이완성출혈 등.

관리

자궁 파열의 위험이 있는 증례의 임신 분만 관리로서 주의해야 할 것은 임신 중의 평가와 엄격한 분만 경과의 관찰, 긴급시의 처치를 염두에 둔 관리이다.

1. 임신중의 평가

1) 초음파에 의한 자궁하부근층 두께 측정

제왕절개 기왕 증례에 초음파 단층법으로 방광충만하에 자궁하부근층의 두께를 측정하여 고위험군을 추출하는 것이 시도되었으나, 아직 그 유효성은 확립되지 않고 있다. Rozenberg 등[6]은 3.5mm 이상이면, 어느 정도 안전하게 분만을 할 수 있음을 보고하고 있다. 그러나 병리적으로 검토하면 절박자궁파열의 반흔부는 근섬유의 변성이나 괴사를 수반하므로, 계측상의 두께는 기능적인 강도와는 다르다.[7]

2) 골반 X선 계측에 의한 CPD의 유무
3) 초음파에 의한 태아 평가

초음파 단층법으로 태위 이상의 유무와 태아 체중을 추정한다.

2. 분만시의 관찰 관리

① TOLAC 시에는 금식을 고려해 정맥 라인을 확보하고, 더블 셋업한다.

② 지속 태아 심박수 모니터링에서 이상 소견이 없는지 확인한다.

③ 모체의 자각 증상, 혈압, 맥박 등 바이탈 싸인에 이상이 없는지 확인한다.

④ VBAC 후에 증상이 표면화되는 경우도 많기 때문에 분만 후 2시간 동안 모체상태를 엄중히 감시한다.

치료 : 절박자궁파열

치료의 원칙은 자궁내압의 완화와 자궁하부의 신전을 억제하고 가능한 한 신속하게 분만을 종료 하는 것이다.

1. 자궁수축억제제 투여

자궁수축 억제제로는 β_2 수용체 자극제인 리토드린염산염이 권장되는데, 경우에 따라서는 진정작용이 강한 모르핀염산염, 페티딘염산염 등이 필요하다.[8]

2. 급속분만법

제왕절개술이 원칙이며, 흡인·겸자분만이나 태아 압출술 등을 시행하는 것은 금기이다.

치료 : 자궁파열

긴급 개복술에 의한 파열부의 지혈·수복 외에 추가하여 쇼크에 대한 치료가 필요하다.

1. 수술 전 처치

1) 전신상태 평가: 바이탈 싸인 확인, 혈액검사, 심전도

2) 전신상태 유지 및 개선

쇼크 상태가 진행되고 있는 경우에는 수액, 수혈, 산소투여, 순환기약제 투여 등 항쇼크 요법으로 전신 상태의 개선을 도모하면서 수술 준비를 진행한다.

3) 파종성혈관내응고증후군(DIC)에 대한 대책

자궁파열에서는 대량출혈에 의해 소모성 응고장애를 초래하거나, 또는 파열창으로 양수 성분이 혈중으로 유입되어 양수색전증을 일으킬 위험이 있으므로 DIC (disseminated intravascular coagulation syndrome)를 병발하는 경우가 많다. 산과 DIC 점수가 8점 이상이 된 경우에는 DIC로 진단하고 치료를 시작한다.[9]

2. 긴급개복수술

수술 요법에는 몇 가지 방법이 있지만, 우선 지혈 조작을 우선하고 전신 상태, 임신가능성 여부, 수술까지의 경과 시간 등을 고려하여 술식을 선택한다.

1) 자궁파열부 봉합술

봉합은 제왕절개술에서의 절개창봉합과 마찬가지로, 일부 조직 으스러져 손상된 조직이 심한 경우, 손상된 조직을 제거한 후 봉합한다. 조직이 부종 때문에 취약하여, 연속봉합은 적절하지 못한 경우가 많다.

Mokgokong 등[10]은 335 사례의 검토로부터 파열부의 주행이 자궁하부로 횡주하는 경우는 보존적인 봉합술을 실시하는 것도 가능하지만, 종주하는 경우에는 자궁적출을 하는 것을 권하고 있다. 한편 전신상태가 불량한 경우는 반드시 자궁적출을 하는 것이 좋다고 말할 수 없으며, 오히려 수술적 침습이 적은 보존 수술이 좋을 수도 있다. 또한 보존적인 봉합술을 시행한 Sheth[11]의 66 사례를 검토한 결과, 이후 21례에서 임신이 성립했으며, 그 중 4례에서 자궁파열이 재발했다. 이때문에 자궁파열에 대해 자궁보존을 한 경우에는 다음 번 임신의 관리에도 충분한 주의가 필요하다.

2) 지혈[12]

출혈부위 확인이 어렵거나 지혈 불능인 경우 아래의 방법으로 지혈을 시도한다

① 복부 대동맥 압박법: 신동맥 분기부 이하를 압박하여 혈류를 차단한다. 1~2시간 이내라면 모체는 대동맥의 압박에 견딜 수 있다.

② 내장골동맥 결찰술: 양쪽내장골동맥을 결찰하면, 자궁혈류량은 약 50% 저하된다. 수술 수기는 골반복막을 절개하여, 총장골동맥 안, 외장골동맥 분기부까지 골반복막을 박리하여, 총장골동맥분기부에서 2~3cm 말초 내장골동맥을 그 후방에 있는 정맥이 손상되지 않도록 주의하면서 노출시켜 결찰한다. 양측내장골동맥 결찰 후에도 임신이 가능하다는 것이 보고된 바 있다.[13]

3) 자궁적출술

자궁파열부 봉합술 및 내장골동맥결찰술로 지혈되지 않거나 유착태반에 의한 자궁 파열의 경우, 이완출혈이 동반된 자궁 파열의 경우, 경관에서 시작되는 인대의 손상이 심한 경우, 자궁내 감염이 심한 경우 등이 적응이 된다.

술식으로 단순 전자궁적출술이 바람직하나, 전신상태에서 단시간의 수술이 요구되는 경우에는 질상부 절단술을 선택할 수도 있다.

4) 타장기 손상부위 복구, 후복막혈종 제거

제왕절개 기왕 경질분만 후의 자궁파열 등과 같이 흉터부에 방광이 근접해 있는 경우는 방광손상이 동반될 수 있다. 또한 자궁파열부가 측방하부에 있어 파열상부 봉합술을 하는 경우와 자궁보존이 어려운 전자궁적출술을 하는 경우에는 요관손상을 일으키기 쉬우므로 주의가 필요하다.

자궁측벽의 파열과 부전자궁 파열의 경우 후복막혈종을 형성할 수 있으므로, 보통 더글러스와 및 후방복강, 질 절단부에 드레인을 거치한다. 그러므로 폐복 후의 지혈 확인도 가능하다.

3. 수술 후 관리

수술 후의 문제로서 대량출혈에 의한 DIC의 발병, 복막염 등 감염증의 발병, 나아가 중증인 경우에는 다장기부전(multiple organ failure ; MOF)으로 진행하는 경우가 있다. 중증 예에서는 ICU 관리가 필요하다.

예후

파열 정도, 출혈 등 여러 조건에 따라 예후는 다르지만, TOLAC 중, 자궁파열에 의한 태아심박수 모니터링 이상 출현에서 태아분만까지의 소요시간이 17분 이내이면 아이의 예후는 양호하다는 보고가 있다.[14]

과거의 보고에서 모체사망률은 약 1~2%로, 태아사망률은 20~80%로 예후불량이다.[12] 임신부 사망원인에 관한 조사(후생성연구반)에서도 자궁파열은 중요한 요인인 것으로 보고되고 있다(표 2).[15]

표 2. 임산부 사망에 이르는 출혈성 쇼크의 원인[15] (1991년~1992년)

1. 자궁파열	14 (18.9)
2. 이완출혈	11 (14.9)
3. 상위태반조기박리	10 (13.5)
4. 수술 후 출혈	8 (10.8)
5. DIC	8 (10.8)
6. 자궁 외 임신	8 (10.8)
7. 전치태반	6 (8.1)
8. 경관열상·질벽열상	5 (6.8)
9. 원인불명	4 (5.4)
합계	74례 (%)

참 고 문 헌

1） 日本産科婦人科学会編. 産婦人科用語解説集. 第2版. 東京, 金原出版, 1997, 79.

2） Phelan, JP. Uterine rupture. Clin. Obstet. Gynecol. 33(3), 1990, 432-7.

3） 水上尚典. VBAC（帝切既往妊婦の経腟分娩）. 産婦人科治療. 86(1), 2003, 57-60.

4） 山崎輝行ほか. 帝王切開後の経腟分娩（VBAC）で発生した子宮破裂の3症例. 産婦人科の実際. 54(5), 2005, 845-9.

5） Nishiguchi, T. et al. A retrospective study of uterine rupture:evaluation of its etiology and associated factors. Jpn. J. Obstet. Gynecol. Neonatal Hematol. 11(2), 2002, 33-41.

6） Rozenberg, P. et al. Ultrasonographic measurement of lower uterine segment to assess risk of defects of scarred uterus. Lancet. 347(8997), 1996, 281-4.

7） 有澤正義. 産道裂傷. 産科と婦人科. 78(2), 2011, 202-7.

8） 越野立夫. "子宮破裂". 産婦人科救急. 武谷雄二編. 東京, 中山書店, 1999, 226-33, (新女性医学大系8）.

9） 真木正博, 寺尾俊彦, 池ノ上克. 産科DICスコア. 産婦人科治療. 50, 1985, 119-24.

10） Mokgokong, ET. et al. Treatment of the ruptured uterus. S. Afr. Med. J. 50(41), 1976, 1621-4.

11） Sheth, SS. Results of treatment of rupture of the uterus by suturing. J. Obstet. Gynecol. Br. Commonw. 75（1）, 1968, 55-61.

12） 坂元正一ほか編. プリンシプル産婦人科学2. 第2版. 東京, メジカルビュー社, 1998, 593-7.

13） Mengert, WJ. et al. Pregnancy after bilateral ligation of the internal iliac and ovarian arteries. Obstet. Gynecol. 34(5), 1969, 664-8.

14） Leung, AS. et al. Uterine rupture after previous cesarean delivery：Maternal and fetal consequences. Am. J. Obstet. Gynecol. 169(4), 1993, 945-50.

15） 長屋健. 妊産婦死亡の原因究明に関する研究（総括）. 厚生省心身障害研究「妊産婦死亡の防止に関する研究」. 平成8年度研究報告書. 1997, 5-85.

瀧川恵子, 菊池昭彦

자궁내반증

개념 · 정의 · 분류 · 병태

1. 개념: 자궁내반증은 『산과부인과용어집·용어해설집』에서는 「자궁의 내막면이 바깥쪽으로 반전된 상태를 말하며, 자궁저가 함몰 또는 하수반전, 때로는 자궁내벽이 질내 또는 외음에 노출 되는」병태라고 정의되어 있다.[1] 태아 분만 후, 특히 태반 분만 시에 자궁이 반전되어, 태반이 박리 또는 미박리 상태로 자궁 내막면이 질내 또는 질외에 노출되는 산부인과 응급질환이다.

2. 분류: 탈출 정도에 따라 다음과 같이 분류된다(그림 1).[2]

　1) **자궁압흔(자궁함몰·자궁감돈):** 자궁저부의 함몰이 자궁내강에 머물러 경부에 도달하지 않는 상황(제1도).

　2) **불완전자궁내반증:** 자궁 반전으로 자궁저부가 경부에 이르거나 넘지 않는 것(제2도).

　3) **완전자궁내반증:** 자궁 반전에 의해 자궁 저부가 경부를 넘는 것. 그 중 자궁저부가 질내에 머무는 것을 제3도, 질외로 탈출하는 것을 제4도라고 한다. 또한 시간 경과에 따라 다음과 같이 분류된다.

　　① 급성: 분만 후 24시간 이내에 진단된 것

　　② 아급성: 분만 24시간 후에서 산욕 4주까지 진단된 것

　　③ 만성: 분만 후 4주 이후에 진단된 것

3. 발증시기와 발병 빈도: 자궁내반증은 2,000~20,000 분만당 1례라고 말해지며,[3~6] 비교적 드물기는 하다. 상기 분류에서 제1도는 거의 없으며, 제2도는 73.2%, 제3도는 26.8%로 급성이 83.4%, 아급성이 2.62%, 만성이 13.9%라는 보고가 있다.[7]

4. 원인: 태반분만 시의 제대를 당기거나, Crede 태반압출법 등 인위적 요인이 관여하는 예가 많다고 되어 있으나, 통계학적으로는 명백하다고는 할 수 없다.[8,9] 위험인자로는 태반의 자궁저부 부착, 탯줄이 극도로 짧은 경우, 유착태반, 자궁과신전, 자궁경부 이완, 자궁기형, 초산모 등이다. 기침이나 재채기 등의 복압 관여도 추측되고 있다. 제왕절개 분만 시에 제대 견인에 의해 발생하기도 한다.

진단

1. 임상 증상

분만 제3기의 대량 출혈이 대개 첫증상이다. 항상 자궁내반증을 염두에 두는 것이 매우 중요하다. 자궁 지지조직의 신전·복막자극 증상으로 인한 격렬한 동통이 있으며, 미주신경반사에 의한 혈압하강, 이완출혈·태반박리면의 대량출혈로 인한 쇼크가 절반에게서 확인되며 치사적인 경우도 있다.

2. 진찰소견

1) 외진

손으로 자궁저부가 촉지되지 않거나 그 높이가 비정상적으로 낮다. 또는 함몰된 자궁상단이 촉지된다.

2) 내진

분만 제3기에 태반에 부착한 큰 근종이 분만된 것 같은 출혈성 종류가 확인된다. 또는 태반 분만 후 내반한 암적색 자궁저를 근종이 분만된 것 같은 종류가 질내 또는 외음부에 확인되고 내진으로 촉지된다.

3. 검사

1) 초음파단층법

자궁저부가 통상의 자궁저부와 같은 둥근 부분이 없고, 하부는 부풀어 있어, 전체적으로 다소 뾰족한 형태를 나타낸다. 또한 자궁의 중앙에 내반한 저휘도의 근층이 있고, 그 바깥쪽에 고휘도의 내막이 겹쳐져, 더욱이 가장 외측에 저휘도의 근층이 확인되기 때문에, 전체적으로 세 겹의 구

1. 자궁함몰 (1도) 2. 불완전자궁내반증 (2도)
3. 완전자궁내반증 (3도) 4. 완전자궁내반증 (4도)

그림 1. **자궁내반의 진단, 정도의 평가**　　　　　　　　　　(문헌2에서 인용·개편)

조를 이룬다. 컬러 도플러에서는 내반한 자궁의 중앙부에 본래 자궁의 바깥쪽에 있어야 할 인대 등의 혈류가 확인되는 경우가 있다.[10]

2) CT, MRI
본 질환은 신속한 진단과 대응이 필수이며, 초음파로 충분하며 보조진단법으로서 대응이 가능하다. 또한 전신상태가 안정되지 않은 상황 하에 CT, MRI를 실시하는 것은 어렵다.

3) 혈액검사
분만 제3기의 대량 출혈 시에는 출혈성 쇼크와 DIC 발생을 염두에 두고, 신속하게 혈액 검사를 실시한다.

관리

1. 일시조치
인원을 모아 수혈준비, 출혈성 쇼크에 대한 치료, 자궁근 이완과 자궁 정복 시행한다. 수혈이 필요한 증례도 많고, 심지어 자궁내반에 의한 자궁근의 이상 신장에 따른 부교감신경반사에 의해서 쇼크 상태와 같이 복잡해질 수 있다.[2,3]

① 내반이 발생한 후부터 정복시기가 빠를 수록 성공률이 높다. 직후라면 무마취로 비교적 쉽게 정복할 수 있는 경우가 많다.

② 원칙적으로 태반 박리는 대량출혈에 대한 대응이 가능해진 후에 실시한다. 유착태반 가능성도 부정할 수 없는 상황 하에서, 내반한 태반 박리면에서의 대량 출혈을 피하기 위해서이다.

위와 같은 자궁내반증 발생 직후의 정복이 성공하지 못한 경우에는 마취 하에 이하의 방법을 시도한다. 이 시점에서는 출혈성 쇼크에 대한 대응과 인원 확보는 필수이다.

2. 정복법
1) 비관혈적 용수정복
태반이 자궁내에 남아있는 경우에는 박리를 하지 않는다. 태반이 자궁 내에 있으면 태반째 내반한 자궁저부를 손을 벌려서 감싸듯이 잡고, 가급적 높게 머리쪽으로 밀어올려 그대로 5분간 유지한다. 당초 접힌 부분이 있어도 자궁내반부위를 손으로 압박한 채 3~5분 정도 보존하면 접힌 부분이 퍼져 자궁저부가 올라간다. 다음에 손을 주먹을 쥐고 자궁저부를 윗쪽으로 거상하는데 자궁천공에 유의한다. 이는 산욕자궁을 윗쪽으로 신전·이동을 억제하고 정복을 용이하게 하기 위해서이다.

 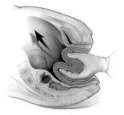 

A. 반전된 자궁저를 손으로 감싸듯이 잡는다.

B. 감싸고 있는 손을 탯줄 높이보다 위쪽을 향해 밀어 올리듯이 하여 정복한다.

C. 거의 정복되면 내진 손을 주먹 쥐고, 탯줄 방향으로 계속 압박하여 완전히 정복한다.

그림 2. johnson법 (문헌15에서 인용개편)

① Harris법[10,11]: 반전된 자궁내막면 끝에 손을 대고, 다른 손으로 자궁의 위치를 확인하면서, 천천히 질의 장축 방향을 따라서 되밀어낸다.

② Johnson법(그림 2)[12]: 반전된 자궁내막면을 감싸듯 잡고, 자궁강 내에 되밀어낸다. 이 수법에서 중요한 것은 자궁저부를 갑자기 정복하려고 하는 것이 아니다. 자궁경부에서 가장 가까운 부분부터 순차적으로 정복해 나가는 것이다.

2) 관혈적 정복

① Huntington법(그림 3)[13,14]: 배를 열어서 시행하는 정복술로 함몰된 내반 깔때기의 부분을 걸어 올리듯 조금씩 겸자로 함께 잡으면서 머리쪽으로 끌어올리는 방법. 동시에 조수가 경질적으로 손으로 내반한 자궁저를 거상한다.

② Hualtain법[14,15]: Huntington법으로 정복할 수 없을 때, 내반된 원형의 뒷쪽으로 자궁 후벽을 종절개하여, 내반부분을 끌어올려 정복한 후 봉합하는 방법.

③ Küstner법(그림 4)[14]: 경질적으로 더글라스와를 개방하여, 자궁 후벽 중앙을 자궁 저부까지 절개하는 방법.

④ Spinelli법[14] : Küstner법과 반대로, 내반된 원형의 앞쪽을 횡절개하고, 자궁전벽 중앙을 자궁경부까지 절개하는 방법.

3. 전자궁적출술

정복이 완수되지 못하거나, 자궁에 허혈성 변화를 보이거나, 자궁내반증이 반복된다거나, 정복된 자궁수축이 불량하여 지혈되지 않는 경우에는 전자궁적출술을 시행한다. 이 때 분만 직후이기 때문에 자궁 질부의 동정이 어렵고, 내반증으로 인해 주위조직이 울혈되어, 조직박리가 곤란한 경우가 있으므로 주의가 필요하다. 平松 등이 제창하고 있는 역행성 전자궁적출술은 자궁질부가

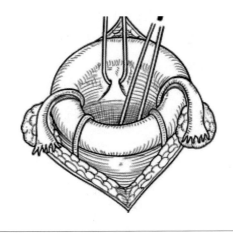

(개복하여 깔때기처럼 된 내반자궁 안쪽의 전후
혹은 좌우에 겸자를 걸어 끌어올리고,
안쪽을 밀어올림으로 수복한다.)

그림 3. Huntington법 　　　　　　　　　　　　　　　　　　　　(문헌14에서 인용)

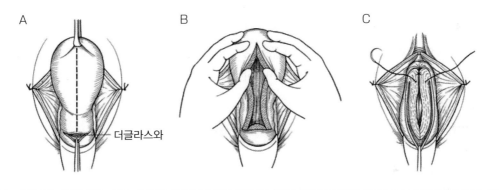

더글라스와

그림 4. Küstner법 　　　　　　　　　　　　　　　　　　　　(문헌14에서 인용)

A: 곧창자자궁오목을 열고, 자궁 후벽 중앙을 종절개한다.
B: 손으로 자궁을 반전한다.
C: 자궁근층을 봉합한다.

남는 것을 피할 수 있는 등의 장점이 있어 고려할만하다.[14]

4. 마취법, 보조약제

발병 직후라면 무마취로 정복할 수 있다. 조금 시간이 경과하여 환자가 강한 동통을 호소하는
경우에는 마취가 필요하게 된다. 수혈준비, 충분한 수액과 전신관리에 힘쓴다. 전신 마취제로는
자궁이완 작용을 가진 세보플루란이 권장된다. 자궁수축제의 투여는 중지한다.

■ 자궁근 이완 방법

접힌부분이 형성되어 이완이 불충분하면 자궁근의 이완을 강구한다. 근래에는 니트로글리세

린의 유효성이 주목 받고 있다. 근이완이 발현되기까지 1분 즉효성이 있으며, 동시에 반감기가 2분으로 짧고 3~5분의 자궁근 이완이 가능하며 지속시간이 짧다. 이 때문에 자궁 정복 후에 자궁수축촉진제를 사용하기 쉽게 바뀌게 된다(100~200μg를 정주).[16,17]

일시적인 혈관 확장에 따른 혈압 강하에 대해서는 에페드린이나 네오시네딘 등의 승압제를 준비한다. 염산리토드린이나 황산마그네슘의 자궁이완 효과의 발현은 완만하다. 염산리토드린은 출혈 쇼크 시에는 사용할 수 없기 때문에 주의가 필요하다.

5. 정복 후의 관리

가장 우려되는 것은 자궁내반증의 재발이다. 자궁정복 후 자궁 수축 촉진을 시작할 때까지는 자궁 내에 손을 잠시 그대로 두는 것이 중요하다. 자궁수축촉진제(메틸에르고메트린 정주, 옥시토신이나 프로스타글란딘 F2α 점적 등)는 수축 상황에 따라 며칠 동안 사용하는 것도 고려된다. 그러나 회복이 불충분한 상황에서 자궁수축촉진제의 사용은 재발 조장뿐 아니라 내반한 자궁저부가 전후의 자궁에 접혀서 끼게되어 동통으로부터 쇼크를 초래하거나 재정복이 어려워진다. 그러므로 전신 상태를 파악하면서, 정복 후 자궁근층의 상태변화를 초음파 단층법으로 자주 관찰해야 한다. 또한 항균제의 사용도 적당하게 고려되어야 한다.

예후

Baskett[3]의 보고에서는 자궁내반증의 치사율은 약 15~40%라고 보고하고 있으나, 적절히 진단하고 대응한다면 그렇게 높은 것은 아니다. 그러나 모체사망률이 매우 낮은 일본에서도 모체사망 원인의 하나로 될 수 있듯이 급속하게 발병하여 단시간으로 산부인과 응급 출혈에 이르는 질환이며, 항상 본 질환의 발병을 염두에 둔 신속한 진단과 대응(쇼크에 대한 치료, 자궁근 이완과 정복)이 매우 중요하다.

예방

자궁내반증에서 가장 중요한 것은 예방이다. 발병의 대부분은 외인성, 특히 태반 박리 전 제대의 과도한 견인이라고 한다. 태반박리 징후에는 여러 가지가 있으나, 이들 징후는 확실하지 않으므로, 태반박리의 확인은 내진으로 태반이 자궁입구까지 하강하고 있는 것을 촉진 확인 후, 안전성을 더욱 높이기 위해 Brandt-Andrews법을 이용해 태반을 분만한다(그림 5).[12] Crede 태반압출법의 쉬운 사용은 삼가야한다.

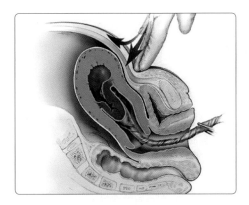

그림 5. Brandt- Andrews법 (문헌12에서 인용·개편)

참고문헌

1) 日本産科婦人科学会編. 産科婦人科用語集・用語解説集. 改訂3版. 2013, 461p.
2) Cunningham, FG., et al. Williams Obstetrics. 24th ed. New York, McGraw-Hill Professional. 2014.
3) Baskett, TF. Acute uterine inversion : a review of 40 cases. J. Obstet. Gynaecol. Can. 24(12), 2002, 953-6.
4) Rana, KA. et al. Complete uterine inversion : an unusual yet crucial sonographic diagnosis. J. Ultrasound Med. 28(12), 2009, 1719-22.
5) Ogah, K. et al. Complete uterine inversion after vaginal delivery. J. Obstet. Gynaecol. 31(3), 2011, 265-6.
6) Witteveen, T. et al. Puerperal uterine inversion in the Netherlands : a nationwide cohort study. Acta. Obstet. Gynecol. Scand. 92(3), 2013, 334-7.
7) Dali, SM. et al. Puerperal inversion of the uterus in Nepal : case reports and review of literature. J. Obstet. Gynaecol. Res. 23(3), 1997, 319-25.
8) Deneux-Tharaux, C. et al. Effect of routine controlled cord traction as part of the active management of the third stage of labour on postpartum haemorrhage : multicentre randomised controlled trial (TRACOR). BMJ. 346, 2013, f1541.
9) Pena-Marti, G. et al. Fundal pressure versus controlled cord traction as part of the active management of the third stage of labour. Cochrane Database Syst. Rev. 2007, (4) : CD005462.
10) Pauleta, JR. et al. Ultrasonographic diagnosis of incomplete uterine inversion. Ultrasound Obstet. Gynecol. 36(2), 2010, 260-1.
11) Harris, BA Jr. Acute puerperal inversion of the uterus. Clin. Obstet. Gynecol. 27(1), 1984, 134-8.
12) Anderson, JM. et al. Prevention and management of postpartum hemorrhage. Am. Fam. Physician. 75(6), 2007, 875-82.
13) Robson, S. et al. A new surgical technique for dealing with uterine inversion. Aust. N. Z. J. Obstet. Gynaecol. 45(3), 2005, 250-1.
14) 平松祐司. 子宮内反症整復術. 産婦人科治療. 94, 2007, 6.
15) Sangwan, N. et al. Puerperal uterine inversion associated with unicornuate uterus. Arch. Gynecol. Obstet. 280(4), 2009, 625-6.
16) Vinatier, D. et al. Utilization of intravenous nitroglycerin for obstetrical emergencies. Int. J. Gynaecol. Obstet. 55(2), 1996, 129-34.
17) Axemo, P. et al. Intravenous nitroglycerin for rapid uterine relaxation. Acta. Obstet. Gynecol. Scand. 77(1), 1998, 50-3.

≫ 西 健, 大槻克文

j 자궁경관열상

개념 · 정의 · 분류 · 병태

1. 정의

자궁경관 열상(cervical laceration)이란 자궁질부에서 경관에 국한된 열상을 말한다.

2. 역학(빈도)

작은 열상도 포함하면 경질분만의 50% 이상이 생긴다는 보고도 있지만,[1] 실제로 조치가 필요한 것은 약 2~5%이다. 3시, 9시 방향에 생기는 경우가 많고, 양측성인 경우도 있다.

3. 성인

분만의 급격한 진행, 자궁입구 전개대 전의 과정, 경관의 용수개대, 흡인분만·겸자분만·압출분만 등의 급속 분만에 따른 것이 많다. 또한 자궁수축제로 인한 급격한 진통 증가 시에도 주의가 필요하다. 태아 측의 원인으로는 거대아·태위 이상 등이 생각된다. 더하여 경관 봉합 술 후 증례나 경관 열상 기왕증례, 고령 임신 등에서는 경관의 신전성이 부족하여 열상을 일으키기 쉽다.

4. 합병증

열상이 연장되어 자궁 협부에서 질벽에 이르렀고, 자궁파열이나 방광손상, 후복막혈종이 동반될 수 있다. 또한 적절한 봉합이 이루어지지 않으면 다음 번 임신 시 자궁경관 무력증의 원인이 될 수 있다.

진단

질원개부에 이르는 깊은 경관 열상을 제외하면, 일반적으로는 경관열상의 진단 및 처치는 용이하다. 정확한 진단을 위해서는 분만 후 출혈이 적었더라도 항상 경관열상의 유무를 확인하는 것이 중요하다.

1. 증상

교과서에는 「경관열상의 경우는 지속적인 선홍색의 출혈, 이완출혈의 경우에는 간헐적인 암적색의 출혈」 등으로 기재되어 있는 경우도 있으나, 경관열상이 있어도 출혈이 없는 증례도 있고, 이완출혈을 동반한 경관열상의 증례도 있으며, 증상만으로 진단할 수 없다.

또한 경관열상으로 자궁파열이 발생한 경우에는 쇼크상태가 되는 경우가 많으며, 후복막혈종

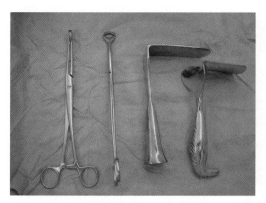

그림 1. 겸자, 질벽압정갈고리, 다양한 질경
(왼쪽부터)

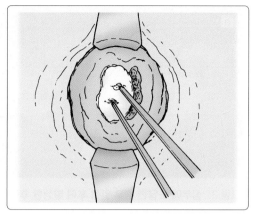

그림 2. 경관열상의 유무를 직시하에 확인

이 생겼을 경우에는 강한 요통을 호소하거나 출혈량에 걸맞지 않는 바이탈 싸인의 악화를 나타내거나 한다.

2. 시야의 확보

출혈이 지속될 경우에는 신속한 진단이 필요하다. 다만 난폭한 조작으로 인해 새로운 열상이 발생하지 않도록 주의해야 한다.

그림 1에 겸자, 질벽압정갈고리, 다양한 질경을 나타낸다. 먼저 산욕용 질경이나 일반 질경을 이용하여 경관을 관찰한다. 거즈로 혈액을 닦으면서 경관 전체를 확인한다. 긴 핀셋으로 거즈를 쥐고 경관의 바깥쪽(질원개부)에서 안쪽으로 혈액을 닦으면서 이동함으로써, 대부분의 부위를 눈으로 볼 수 있다(그림 2). 경부 후순 관찰이 어려운 경우에는 질경을 가볍게 경관 내에 삽입하여 위쪽으로 견인하면 쉽게 관찰할 수 있는 경우가 많다. 아무래도 관찰이 어려운 경우에는 겸자로 경관을 잡고 앞으로 견인하면서 주위를 확인한다. 조수가 있는 경우, 자궁저압박도 유용하다. 자궁저압박에 의해 자궁 경부가 하강하여 관찰이 쉬워지며, 봉합이 필요할 경우 질외에서 조작 가능해지는 경우가 많다.

눈으로 경관을 확인할 수 없을 때에는 검지와 가운뎃손가락을 경관에 넣고 전체를 확인하는 방법(Gruber법)도 있지만, 얇게 신전된 경관에서는 확인하기 어려운 경우도 있다. 때문에 원활하게 진행된 출혈이 많지 않은 분만이라도 가능한 한 직접 눈으로 확인하는 것이 바람직하다.

열상이 질원개부나 질벽까지 도달한 경우에는 자궁파열이나 후복막혈종(그림 3)에 주의한다. 자궁파열이 강하게 의심되는 경우에는 초음파 검사를 통해 복강 내 혈액 저류 여부를 확인하고, 혈액 저류가 의심되는 경우에는 망설이지 않고 개복수술을 시행하는 것이 마땅하다. 또 후복막혈종

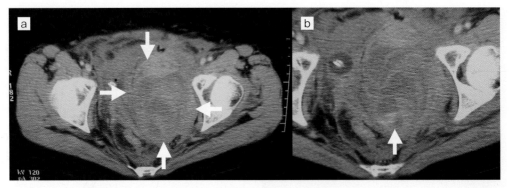

그림 3. 심부에 도달한 경부 열상 후에 발생한 후복막혈종
a: 왼쪽 후복막강에 장경 11cm의 혈종이 확인된다.
b: 혈종내에는 활동성 출혈도 확인될 수 있다.

이 의심되는 경우에는 초음파 검사나 CT 검사를, 혈종증대 또는 바이탈 싸인 악화 가 생겨난 경우에는 경질적 배액이나 개복술, IVR (interventional radiology) 등을 시행한다.

3. 봉합 필요여부의 판단

작은 열상이라도 출혈이 동반된 경우에는 당연히 지혈 봉합이 필요하고, 출혈이 없더라도 파열상이 큰 경우에는 봉합할 필요가 있다. 봉합을 하지 않으면 자궁 경부의 변형, 손상부의 흉터화에 의해 다음 번 임신에 영향을 줄 수 있다. 또한 경부 점막의 외반에 의한 질분비물 증가 등의 문제가 발생할 수 있다. 경관에 점상출혈이 생긴 경우에는 출혈점이 확실하면 지혈봉합을 하지만, 거즈 압박만으로 끝나는 경우도 많다.

치료

처치에 정신을 빼앗겨 이완출혈이나 외음열상부위에서의 출혈, 바이탈 싸인의 악화를 놓치지 않도록 처치를 진행하는 것이 매우 중요하다.

심부에 도달한 경부열상의 경우, 항상 자궁파열, 후복막혈종 등을 염두에 두고, 의심될 경우에는 인력을 확보하고 충분한 혈액준비를 하여 개복수술 준비 진행하면서, 초음파나 CT를 이용하여 진단을 시행한다. 확정 진단을 얻지 못해도, 전신 상태 상태가 악화될 경우에는 개복 수술이나 IVR을 고려한다.

1. 혈관확보

출혈 증량, 바이탈 사인의 변화, 진통제 투여에 대응하기 위해 빨리 혈관 확보를 해 둔다.

2. 진통 진정

환자가 동통을 호소하여 충분한 시야를 확보할 수 없을 때는 바이탈 싸인에 주의하면서 진통제·진정제의 사용도 고려한다. 디아제팜(10mg)이나 펜타조신(15~30mg)을 사용하는 경우가 많다. 질벽이나 후복막의 혈종 형성에서도 동통(요통)의 증강이나 배변감을 호소할 수 있으므로 주의가 필요하다.

3. 봉합

조직이 취약해져 있기도 하여 굵기 1-0 또는 2-0 합성흡수사를 사용하여 봉합한다. 출혈점이 있는 경우 지혈봉합을 한다.

봉합 시에는 산욕용 질경나 쿠스코식 질경보다 지몬씨 질경처럼 분리된 질경 쪽이 시야를 더 확보하기 쉽다. 열상의 방향과 수직으로 질경과 질벽압정갈고리를 대고, 겸자를 손상부의 양쪽을 잡고 앞쪽으로 견인한다(그림 4). 많은 출혈이 발생하는 경우에는 지혈을 겸하여 링포셉 등으로 쥐는 경우도 있으나 조직의 손상을 초래하기 쉽기 때문에 주의가 필요하다. 만약 겸자가 없는 경우에는 림프절 겸자나 스펀지 겸자 등으로 대용 가능하다. 지혈을 겸해 장시간 링포셉으로 잡게 되면, 압력이 강하기 때문에 조직의 괴사, 봉합 부전, 창상 치유의 지연을 초래할 우려가 있으므로 신중하게 사용한다.

손상부 끝단에 혈관이 매몰되어 있는 경우가 있으므로 거기서 1cm 정도 윗쪽부터 봉합을 시작하는 것이 중요하다(그림 4). 그 후에는 손상부를 약 1cm 간격으로 단결찰 혹은 연속 봉합한다.

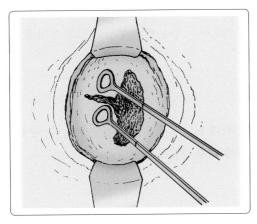

겸자로 열상부위의 상하를 잡고, 가볍게 앞쪽으로 견인한다. 열상부위 상부 약 1cm 부터 봉합을 시작한다.

그림 4. 경관열상 봉합

표 1. 자궁경관 열상 예방의 포인트

자궁입구 완전개대를 위해 무리한 자극을 피한다.
경관을 손으로 벌리는 것을 피한다.
분만 유도 시 충분히 모니터링하고, 급격한 진통 증강에 주의를 기울인다.
자궁입구 전개 후에 흡인분만·겸자분만을 할 때, 경관이 끼이지 않도록 충분히 주의한다.
경관 봉축술의 적응을 지키고, 진통 발생 전 실밥을 제거한다.

봉합간격이 너무 좁으면 조직의 파열을 초래하므로 약 0.5~1cm가 이상적이다. 반대로 봉합간격이 너무 넓으면 경부 협착을 초래할 가능성이 있다. 또한 결찰을 지나치게 강하게 하면 조직 파열을 초래할 수 있다. 제왕절개술 시 자궁절개창의 봉합과 마찬가지로 경부측과 질부 단면이 각각 맞도록 바늘을 꿰는 것도 중요하다.

어떻게 해도 손상끝을 확인할 수 없는 경우에는 가급적 먼저 한바늘 봉합하여 그 실을 앞쪽으로 견인하여 그 안쪽으로 향하여 봉합해 나간다.

명백한 박동성 출혈이 확인되는 경우에는 자궁동맥 하행지의 파열이 의심되므로, 가능한 한 혈관을 발견하여 결찰지혈을 실시하거나 잠정적으로 출혈측의 질원개부에 일시적 결찰을 함으로써 출혈이 적어질 수 있다. 보다 고위, 자궁동맥 본체 가까이의 파열이 예상될 경우에는 요관이 말려들 가능성도 있으므로, 함부로 심부에서 결찰봉합 처치는 하지 않도록 주의한다.

4. 바이탈 사인 확인

외출혈이 그리 많지 않아도 열상이 심부까지 도달해 있을 수 있다. 바이탈 사인의 악화를 초래하는 경우에는 전신 상태에 주의하면서 신속히 자궁파열이나 후복막 혈종의 검색을 진행시킨다.

5. 봉합 후 확인

경관 열상 봉합 후에는 다시 처치부위 출혈이나 혈종형성이 없다는 것을 확인한 후, 질벽, 외음 열상의 봉합으로 이행한다. 특별히 큰 혈종이 없는 경우에는 항균제는 통상의 산후 투여에 준한다.

6. 퇴원시의 진찰

퇴원 진찰 시에는 경관 열상 봉합부를 시진·촉진하며 나아지고 있음을 확인한다. 환자에게는 다음 분만시에 다시 한번 경관열상을 일으킬 가능성에 대해 충분히 설명해 둔다.

■ 특수한 경관열상

경관봉축술 후 분만증례로 자궁경부 일부가 원형의 열상을 일으키는 경우가 있으며, 중앙 경관열상이라고도 한다.[2] 이 경우는 흉터부를 제거한 후에 봉합을 한다.

예방

자궁경관 열상은 급속 분만시의 발생 등, 산과의료상 부득이한 경우가 많으나, 발병 예방을 위한 주요 유의점을 표 1에 나타낸다.

참고문헌

1) Cunningham, FG. et al. "Common complication of pregnancy". Williams Obstetrics. 23rd ed. New York, Mc-Graw-Hill, 2010, 782-3.
2) 工藤隆一ほか. "頸管裂傷の処置". 産科小手術. 東京, メジカルビュー社, 1994, 138-47 (図説産婦人科VIEW 8).

≫ 田中幹二, 山本善光, 尾崎浩士

제 5 장

이상분만의 관리와 처치

k 질·회음 열상

개념 · 정의 · 분류 · 빈도 · 병태

질열상(vaginal laceration)은 분만 시의 손상으로 보여진다. 질벽의 열상은 주로 질의 아래쪽 1/3 부위의 후벽에 종주하여 일어나는 경우가 많으며, 회음열상(perineal laceration)과 합병하는 경우가 많다. 또한 질원개부에 발생하는 경우도 있으며, 이 경우 경관열상과 합병하여 일어날 수 있다. 아두가 외자궁입구를 통과한 후 질관의 강인 등 원인이 된다. 회음 열상은 회음 조직의 열상을 말하며, 정도에 따라 4종류로 분류된다(표 1).

회음열상의 빈도는 자연분만의 약 30%, 흡인·겸자 분만의 약 70%에 확인되며, 초산모에게 많다. 제 3도 이상의 회음열상 빈도는 0.5∼5.0%이다.

■ 원인

1) 아두의 크기가 거대한 경우: 거대아, 액위, 안위

2) 질입구가 협소한 경우 초산부, 특히 초산부 및 치골궁이 좁은 사람

3) 회음부 신장이 잘안되는 경우: 고령 초산부, 반흔, 부종

4) 분만이 급격한 경우: 과강진통, 넓은 골반, 머리 노출시 과도한 복압, 급속분만(특히 겸자분만), 골반위 견출술, 태아 압출법

5) 태아의 회선 이상: 후방후두위[1]

6) 미숙한 회음 보호

제3∼4도 회음열상은 초산부, 거대아, 옥시토신 사용, 정중앙 회음부 절개, 급속분만(operative vaginal delivery), 특히 겸자분만·양수혼탁(급속 분만을 필요로 하는 기회가 많기 때문에), 분만 제2기 지연으로 발병 위험이 높아진다.[2,3]

표 1. **회음 열상의 분류**

제1도 회음열상: 가장 가벼운 수준의 열상으로 회음부 및 질점막에만 국한된 열상. 음순소대, 처녀막, 음순, 질, 외음 등의 열상을 말한다.
제2도 회음열상: 회음부 피부뿐만 아니라 근층 열상을 동반하며, 항문괄약근은 손상되지 않은 경우. 회음절개 후의 회음근, 질근의 열상도 포함된다.
제3도 회음열상: 회음, 피부는 물론 복벽, 심부근층 더하여 열상이 심층에 미치며, 항문괄약근과 질직장중격 일부가 파열된 경우.
제4도 회음열상: 열상이 항문 점막 및 직장 점막에 미친 것을 말한다. 음순소대, 항문 주위는 건전하며, 그 중간 회음부가 파열되어 질과 교통하는 열상을 중앙회음열상이라고 한다.

표 2. 질벽 열상의 분류

비천공성 열상: 회음열상에 따른 질벽열상으로, 아래 1/3의 종주열상이 많다.
천공성열상: 대부분이 겸자분만에 의한다.
열상의 종류 1) 경관열상을 동반하여, 질원개 및 질의 상반부에 생긴다.
2) 질의 전체에 걸쳐 세로로 생기며, 질 주위 조직, 뼈에 달한다.
3) 질전벽 요도구 하부에 생긴다.
4) 좌골극 등의 돌기와 아두와의 사이에 끼어 생긴다.
5) 횡주하며, 때로는 고리 모양으로 질 전체 주위에 생겨, 자궁을 질로부터 떨어뜨린다.

진단

발병 직후에 출혈을 일으키지만 심각한 것은 아니다. 회음 열상은 표 1과 같이 회음부 조직의 열상의 정도에 따라 4종류로 분류된다. 복벽 열상은 천공의 유무에 따라 두 가지로 분류된다(표 2).

천공성 열상은 직장측면강을 따라 깊게 손상되는 경우가 있다.

관리

1. 예방 : 회음 보호방법

질·회음 열상을 예방에는 회음보호방법이 있다. 회음 보호방법은 태아를 출산할 때 회음부 열상을 방지하기 위한 목적으로 시행하는 조작이다. 그 요령은 ① 회음 및 질입구의 신전을 돕는 동시에 ② 아두의 정상회전(제3회선)을 도와 ③ 외음부 통과를 가능한 한 서서히 한다는 점에 있다.

프리스타일 분만에서는 앙와위 분만과 비교하여 골반 하방이 압박되지 않고, 회음부에 가해지는 힘은 분산되어 열상은 일어나기 어렵다고 되어 있다. 회음 보호는 강하게 하지 않고, 골반 유도선을 따라 손이 따라가면서 보호한다.

2. 회음절개

회음절개는 1942년 아일랜드의 조산부 Fielding Ould에 의해 처음 소개되었다. 일반적으로 회음절개는 외음절개와 동일하게 사용된다. 아이의 분만을 용이하게 추진하기 위해 질입구를 벌리고, 밑에 있는 근막과 근육을 보호하는 목적으로, 회음과 질에 들어가는 절개이다. 방법으로는 다음과 같은 방법이 있다.

1) 정중 회음 절개: 음순소대부터 회음의 중앙선에 시행한다. 이 방법의 장점은 회음부 확대 효과가 뛰어나고, 출혈량이 적다는 것이다. 단점은 질입구의 개대가 불충분하면 외항문 괄약근이 찢

표 3. 회음부 절개의 strict episotomy

1) 회음부가 단단하고 신전이 불량하며, 아두의 출산이 지연될 것으로 예상되는 경우
2) 이전 회음부 절개부의 흔적으로 회음부 신전이 불충분한 경우
3) 급속분만의 필요가 있는 경우
4) 저체중아 출산으로 아두에 가해지는 압박을 피할 필요가 있는 경우
5) 거대아나 회선 손상이 의심되며, 고도의 열상이 예상되는 경우
6) 골반위 분만으로 후속 아두를 분만할 때, 회음부의 저항이 강할 것으로 예상되는 경우

어져, 3~4도의 회음부 열상이 일어날 수 있다는 것이다. 이 3~4도의 열상을 방지하기 위한 방법으로서 정중 3단 절개법이 있다.[4]

2) 중·측회음 절개: 음순소대에서 약 45°의 각도로 시행한다. 회음의 확대 효과는 약하고 절개가 커지는 것이 단점이지만 절개창이 길어졌어도, 항문 괄약근을 해치지 않는 것이 이점이다.

3) 측회음 절개: 회음의 측면에서 좌골결절의 방향 또는 정중선에 직각으로 시행한다. 회음 및 골반저의 근육군을 손상시키는 일은 적지만 견인통이 강한 것이 단점이며 적용되는 일은 거의 없다.

전체 경질분만의 60~70%, 초산모에서는 90% 이상으로 한다는 생각과 회음절개는 대부분 필요하지 않다는 생각이 있다. 따라서 산부인과 의사로서 다음과 같은 사실을 이해하고 있지 않으면 안 된다. 회음 절개의 적응에는 엄격한 규칙인 strict episiotomy(표 3)과 회음부가 단단하고 회음부 열상의 발생이 예상되므로 자유로운 판단으로 행하는 liberal use로 분류된다.

또한 회음절개는 제3도 이상의 심각한 회음 열상을 피하는 처치로 인식되고 있다. 하지만 절개 시행의 유무의 상대 위험도를 보면, 회음 절개 미시행군에 비해, 제3도 이상의 회음열상은 절개 시술 시행에서는 약 3배의 리스크가 되고, 정중 절개에서는 약 5배의 리스크 인자로 되어있다.[5] 이러한 상황을 바탕으로 필요에 따라 회음 절개술을 하는 것이 중요하다.

Myers들은 회음 절개로 분만시 출혈량의 증가, 분만 후 통증, 성교시 통증이 상승, 제3~4도 회음열상의 증가가 확인되지만 신생아의 예후에는 차이가 없으며, 급속분만, 견갑난산, 태아기능부전의 경우 이외 회음부 절개의 필요성은 없다고 보고했다.[6] 또 최근 Paris 등은 회음 절개와 회음 열상에는 상관없다고 보고했다.[7] 미국에서의 회음 절개율은 1983년에는 70%였던 것이 2000년에는 40%까지 내려갔다. ACOG도 2000년 회음 절개는 피하는 것이 바람직하다고 권고하고 있다.[8]

3. 주의를 요하는 합병증

질·회음 열상이 일어난 경우, 세균 감염을 일으키기 쉽고 산욕열을 초래할 수 있다. 제2도 이상의 열상, 특히 심부손상, 항문거근각의 박리파열을 방치하면 자궁탈이나 자궁하수를 일으킨다.

또한 질·회음 혈종이 생길 수 있는 질·회음에 분포하는 영양 혈관은, 질상부는 자궁 동맥 하행지, 중앙에서 하부는 중직장동맥, 질입구부는 질전정구동맥, 외음부는 내음부동맥이다. 게다가 동맥을 따라 정맥은 넓게 분포하고 그 정맥의 면적은 두 배가 된다.

연산도에 관련된 것은 음부, 방광, 자궁질, 직장의 정맥총으로 서로 통하고 있다. 이처럼 풍부한 혈관에 지배되고 있으므로 혈종을 형성하기 쉽다.

분만 후 1~2시간만에 매우 강한 허리 및 회음부 동통을 호소한다면, 질이나 회음부의 혈종을 의심하여 내진을 한다. 큰 혈종은 종류가 만져지므로 진단이 용이하고, 골반혈관이 찢어지면 질벽 하 또는 외음피하가 팽창하고, 그것을 외음혈종이라고 부른다. 항문거근의 아래에 생기면 회음부가 팽창하고 그것을 회음혈종이라고 부른다. 골반격막상부에 발생하는 질혈종은 확대되면, 후복막강에 혈종을 형성하는 경우가 있는데, 증상이 비교적 심하지 않은 강도의 빈혈부터 쇼크에 이르는 경우도 있다. 혈관의 파열에서 대혈종 발현까지 몇 시간 걸리는 경우도 있다. 1,500~2,000분만당 1회의 비율로 일어난다. 원인은 질벽의 과도한 신전, 질벽의 신전 불량, 정맥류를 동반한 취약한 혈관 봉합 부전 등이다.

치료

산도 수복술(회음봉합)의 원칙은 표 4와 같으며, 정도에 따라 다음과 같은 치료를 한다.

1. 제1도 열상

청결하게 유지하고 멸균 거즈로 압박한다. 필요시, 합성흡수성 봉합사로 결절봉합을 행한다.

표 4. 회음봉합의 원칙

1) 해부학적으로 가능한 한 완전한 수복을 도모한다.
2) 수기가 간단해야 한다.
3) 수술 후의 불쾌감이나 진통이 적다.
4) 성교장애 등 기능적 장애를 남기지 않는다.
5) 다음 임신, 분만 시 불이익이 없다.
6) 미용상의 문제를 남기지 않는다.

포인트
1) 창상부의 형상: 열상이 크며, 깊을수록 치료 경과는 지연된다.
2) 창상 부위와 국소 안정: 열상은 특히 질 전정, 바깥 요도구 주위나 처녀막 윤주근, 소음순 안쪽에 발생하기 쉽다.
3) 창면 밀착과 유합: 열상은 창면의 요철이 있고, 2차 유합 치유의 형태를 띤다
4) 창부의 혈행: 창부의 혈행 장애는 치유 기전을 방해하므로 강하게 조여서는 안 된다.
5) 창부 청정화와 감염 방어: 창면의 감염은 치유 과정에 중대한 영향을 미친다.
6) 봉합재료: 감염이 발생하지 않도록, 이물감이 없는 합성흡수성 봉합사를 사용한다.
7) 봉합에 의한 조직의 수복과 빈공간의 제거: 봉합이 너무 느슨하면 빈공간이 생겨, 체액이 쌓이기 쉽다.

2. 제2도 열상

제2도 열상 이상은 태반분만 후 가능한 한 신속하게 봉합한다. 이 경우 표층의 열상 뿐만 아니라 심부의 항문거근의 손상도 잘 찾아내어 봉합한다. 질열상부 최상부 5~10mm 상향에서 연속봉합을 시작하여 처녀막륜까지 오면 일단 결찰한다. 회음·피부 봉합은 단결절로 봉합한다. 빈공간을 만들지 않도록 충분히 열상부의 바닥을 빠지지 않게 봉합한다. 창상부가 깊은 것은 질벽을 2층으로 나누어 봉합한다. 직장에 관통하면 직장질루의 원인이 되므로 적절한 직장 진단으로 창부를 확인한다.

직장으로 관통되는 실이 3-0인 합성흡수사의 경우, 직장질루는 우선 일어나지 않는다고 생각되지만 주의가 필요하다. 봉합사는 폴리그랙틴(polyglactin) 봉합사를 사용하고, 마취는 0.5~1% 리도카인염산염, 프로카인염산염 또는 1% 메피바카인염산염을 사용한다. 열상이 깊고, 보다 강한 수준의 동통 관리가 필요한 경우에는 척추 마취나 정맥 마취를 병용한다.

3. 제3도 열상

분만 종료 즉시 회음부 성형술을 시행한다. 항문괄약근이 파열된 경우, 파열이 정중앙에 존재하고 있는 것은 거의 없고 한쪽이 퇴축하여 숨어 버린다. 그 끝부분을 겸자로 끄집어 내어 양쪽 끝을 겸자로 쥔다. 겸자로 잡은 양쪽 끝을 서로 끌어당기듯이 견인하면, 항문주위 조직이 동일하게 당겨져 괄약근의 움직임을 확인할 수 있다. 지연성흡수사 모노필라멘트 등으로, 2~3 침단결찰 봉합으로 양측을 맞춘다. 한쪽 끝에서 다른 끝을 경유하여 U자로 운침·결찰하는 방법이나, 양쪽 끝을 따로따로 Z봉합하여, 그 실끼리를 합치면서 결찰하는 방법이 있다(그림 1). 또한 꽤 깊은 곳까지 열상이 진행되어 직장장막의 봉합이 어려운 경우 등에서는 일시적으로 간단히 봉합하고, 2~3개월 후에 완전한 회음형성술을 실시하는 일도 있다.

4. 제4도 열상

직장열상봉합은 봉합부를 소독하여, 직장 근층 표면을 넓게 노출한다. 3-0 폴리글리코루산 봉

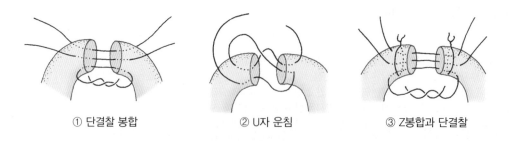

① 단결찰 봉합   ② U자 운침   ③ Z봉합과 단결찰

그림 1. 항문괄약근 봉합법

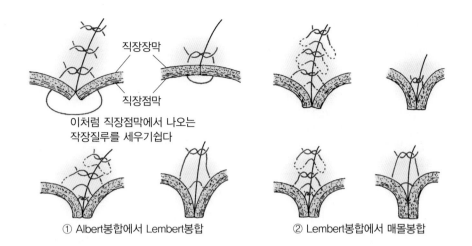

① Albert봉합에서 Lembert봉합   ② Lembert봉합에서 매몰봉합

직장장막
직장점막
이처럼 직장점막에서 나오는
작장질루를 세우기쉽다

그림 2. 직장벽 봉합

합사(오페폴릭스®)로 2층에서 봉합한다. 직장 열상 최상단보다 5mm 위쪽에서 봉합한다. 직장 점막, 점막, 근막, 장막전층을 단결찰봉합(Albert봉합)으로 실시하고, 다음으로 점막면에 실이 나오지 않도록 장막과 근층을 여러 번 묶는 봉합(Lembert봉합)을 5mm 간격으로 실시하고, 제 3층은 1cm 간격으로, 1층째의 봉합의 긴장이 느슨해지도록 직장근층에서부터 직장질중격을 봉합한다(그림 2). 이후에는 항문 괄약근 봉합, 회음부·질 봉합을 시행한다. 1층째 Albert 봉합은 직장 열상의 정도에 따르지만 실시하지 않아도 되는 경우가 많다(그림 2). 직장 내부를 공허하게 하는 편이 빨리 감염의 위험 없이 치유할 수 있으므로 산후 4일 정도 금식 또는 저잔류물 식이로 하고, 설사약과 항균제를 5~7일 투여한다. 몇몇 시설들은 절식을 위해 중심정맥영양을 제공한다.

제3~4도 열상으로 부적절한 치료가 되었을 때 직장질루가 형성된다. 그 때는 3개월 이내는 재수술을 하지 않는다. 직장벽의 유리가동성이 충분히 확보되는 상태로 폐쇄한다.

5. 질·회음 열상에서 혈종이 형성된 경우

진단이 이루어졌을 때 커지는 경향이 없는 경우 및 증상이 심하지 않을 경우에는 질내에 탐폰이나 콜포이린텔을 삽입하여 압박지혈을 실시하고 대기한다. 1주일 후에 혈종이 남는 경우에는 절개하여 응혈을 제거하고 봉합한다고 되어있는 교과서도 있다. 그러나 많은 문헌에서는 진단이 이루어진 경우는 충분히 마취(척추마취 또는 전신마취를 선택할 수 있음)를 하고 절개, 혈종을 제거해서 봉합지혈을 한다고 되어 있다. 혈종이 커지면, 주위의 조직으로 혈액이 침윤되어 명백한 출혈부위를 알 수 없게 되어버리는 경우가 많다.

이런 경우 기저부부터 꼼꼼하게 봉합한다. 출혈부가 불분명하면, 우선 절개부분의 위쪽에서 약간 깊게 흡수사로 Z 봉합한다. 멈추지 않으면 출혈이 많은 부분을 Z 봉합하여 결찰한다. 그래

표 5. 회음 절개 봉합 부전의 유발 원인

1) 회음 절개창이 크고 깊다.
2) 창면의 밀착이 불충분하다.
3) 보행시 창부에 압력이 걸린다.
4) 창부의 봉합이 너무 강해서 혈액 순환 장애가 있다.
5) 봉합이 너무 헐거워 빈공간을 일으키고 있다.
6) 창부의 지혈이 불충분하여 혈종을 일으키고 있다.
7) 창면에 감염을 합병하고 있다.
8) 부적절한 봉합사를 사용했다.

도 멈추지 않으면, 그 앞뒤로 출혈이 멈출 때까지 봉합지혈을 해야 한다.

혈종 내에는 배액관을 유치한다. 배액관이 유효한 경우의 유치기간은 2~3일로 한다. 질내에 거즈를 채울 경우에는 요오드포름 거즈를 가능한 사용하고, 24시간 이내에 제거한다. 빈공간을 남기면 또 혈종을 만들 수 있기 때문에, 빈공간은 만들어지지 않게 봉합한다.

머리쪽으로 생긴 질혈종이나 후복막강까지 확대된 혈종에 대해서는 초음파 검사나 CT로 진단하고, 경질조작으로 지혈이 어려운 경우에는 개복수술을 실시한다. 혈종의 범위를 보고 광간막을 절개하여 직장측강, 방광측강을 전개, 혈종을 제거한다. 출혈부위를 확실히 확인할 수 없는 경우는 방광측강과 질내에 거즈를 충전하여 30분 정도, 복측과 질측에서 손으로 압박을 하고, 출혈을 감소시킨 후에 다시 지혈한다. 또한 내장골동맥을 결찰하여, 출혈양을 감소시키는 경우도 있다.

이 방법으로도 지혈이 어렵다면 요오드포름 거즈를 방광측강, 직장측강, 질내에 채우고, 폐복 1~2일 후 재개복이나 동맥색전술을 시행한 후 거즈를 제거한다. 수술 후에는 세균 감염에 의한 농양형성 패혈증에 주의한다. 배액관은 반드시 삽입하여 세척, 소독하여 항균제를 투여한다.[9]

그러나 개복 수술에 의한 지혈은 광범위한 자궁전적출술을 숙지한 수술자라면 가능하지만, 산부인과 분야의 세분화가 진행되고 있는 최근에는 경카테터적 동맥색전술(transcatheter arterial embolization ; TAE)이 선택되는 경우도 많다. 2014년 12월 현재, TAE 등을 포함한 interventional radiology (IVR) 전문의수련인정시설은 320개 시설이 있어, IVR 시행 가능한 시설에 대한 정보를 제공하고, 그러한 시설로의 반송도 고려한다.

혈종제거 후에는 혈액배양과 마찬가지로 세균이 번식하기 쉬워 강력한 항균요법이 필요하다. 또한 봉합 부전에 대한 재봉합이 필요할 수도 있다. 회음절개 봉합 부전의 유발·원인을 표 5에 나타낸다.

봉합 부전이 발생한 경우, 회음절개 봉합 후 5일 이내에 절개부에 박리가 생긴 예는 절개부에 아무것도 하지 않고 재봉합한다. 1주일 이상 경과한 후, 절개부가 벌어진 경우는 절개부가 흡수 및 혼합되어 죽은 조직 제거를 해도 봉합 부전을 일으킬 가능성이 높아진다. 재봉합 시에도 봉합이 잘 되지 않는 경우는 3개월 이상 경과를 관찰하여, 절개부위의 반흔화가 되는 것을 기다려 재봉합을 한다. 이 경우에는 국소의 염증을 충분히 제거하고, 반흔 조직을 충분히 절제한다. 1차적인 유합치료를 기대될 수 있는 상태를 만들어서, 봉합 부전의 원인이 되는 것에 충분히 유의하여 처치한다.

참고문헌

1) Wu, JM. et, al. Occiput posterior fetal head position increases the risk of anal sphincter injury in vacuum-assisted deliveries. Am. J. Obstet. Gynecol. 193, 2005, 525-8.
2) Nakai, A. et al. Incidence and risk factors for severe peritoneal laceration after vaginal delivery in Japanese patients. Archives of gynecology and obstetrics. 274, 2006, 222-6.
3) Williams, MK. et al. Risk factors for the breakdown of perineal laceration repair after vaginal delivery. Am. J. Obstet. Gynecol. 195, 2006, 755-9.
4) 荒木勤, 進純郎. 会陰正中三段切開縫合法. 東京, 金原出版, 1994, 154p.
5) Argentine Episiotomy Trial Collaborative Group. Routine vs. selective episiotomy : A randomized controlled trial. Lancet. 42, 1993, 1517-8.
6) Myers, V. et al. Episiotomy : An evidence-based approach. Obstet. Gynecol. 61, 2006, 491-2.
7) Paris, AE. et al. Is an epigiotomy necessary with a shoulder dystocia? Am. J. Obstet. Gynecol. 205, 2011, 217.
8) Kudish, B. et al. Operative vaginal delivery and midline epigiotomy : a bad combination for the perineum. Am. J. Obstet. Gynecol. 195, 2006, 749-54.
9) 板倉称ほか. 腟・会陰血腫除去術. 産婦人科の実際. 50(11), 2001, 1435-8.

≫ 大浦訓章

치골결합분리

개념 · 정의 · 분류 · 병태[1~3]

1. **개념**: 치골결합부는 해부학적으로 좌우의 치골결합면이 얇은 유리연골에 덮여 가깝게 이어져 있으며, 그 사이를 섬유 연골성 치골간 원판이 연결하고 있다. 그 위에 가장자리에서 좌우의 치골을 묶는 형으로 인대가 존재하여 이를 상치골인대라고 부른다. 또한 아래 가장자리에서 좌우의 치골하지를 연결하고, 치골궁을 만드는 것이 치골궁인대(하지골인대)이다(그림 1). 임신 중에는 그 생리적 변화로 인하여, 치골결합의 결합직은 부드러워져서 이완되어 간다. 이 때문에 생리적으로도 벌어짐이 발생하는데, 그 정도는 통상 10mm 이하다. 이 벌어짐이 생리적 범위를 넘어서 아래에 제시한 증상을 보이는 경우, 치료가 필요한 치골결합분리라고 진단된다. 임신과 관련된 것 같은 유증상 벌어짐의 대부분은 분만 시 발병한다. 벌어진 폭이 25~35mm를 넘으면 인대가 파열될 수도 있다고 한다.

2. **역학**: 치료가 필요한 치골결합 벌어짐의 발생빈도에 대해서는 보고에 따라 다양하며, 전체 분만의 1/600로 보는 것부터 1/30,000로 보는 것까지 있다.

3. **요인**: ① 선천성 뼈 형성 부전, 결핵, 관절염, 골반외상의 기왕 등 골반 이상이 있는 경우, ② 협골반, 거대아, 회선 이상 등 골산도에 대하여 아두의 저항이 큰 경우나 과강진통 등 강력한 분만력이 더해진 경우, ③ 흡입·겸자 분만, 자궁저압박법(크리스텔 태아압출법) 등과 같은 산부인과 처치를 한 경우 등을 들 수 있는데, 이들의 원인이 전혀 없는 정상 분만에서 발생하는 경우도 적지않다.

4. **증상**: 치골 결합부의 **압통과 지속되는 통증**이 전형적인 증상이다. 중증 예에서는 보행이나 서있기가 어려워진다.

진단[1,2,4]

1. 촉진

치골결합부의 현저한 국지성 압통이 특징이다. 벌어짐의 정도에 따라 결합부에 함몰구를 촉지할 수 있는 경우가 있다. 한쪽 다리씩 밀어 올렸다 내렸다 하면서 촉진하면, 치골 결합의 이완, 파열에 수반하는 움직임을 확인할 수 있다.

2. 내진

내진에서 치골 결합부를 끼워 한쪽 발목을 견인함과 동시에 반대쪽 다리를 거상시키면, 치골결

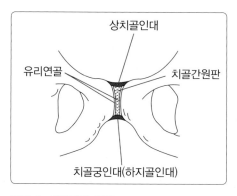

그림 1. **치골결합 구조**

상치골인대

유리연골

치골간원판

치골궁인대(하지골인대)

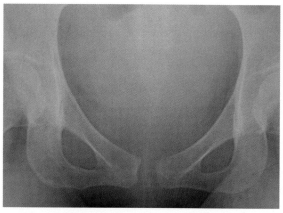

그림 2. **치골결합벌어짐 증례의 골반 X선 촬영 정면상**

합의 가동성을 촉지할 수 있다. 중증 예에서는 치골이 서로 겹치기도 한다.

3. X선 촬영

골반 X선 촬영 정면상이 진단에 이용된다. 이개의 유무와 그 간격을 쉽게 진단할 수 있다(그림 2). X선 촬영에 의한 치골결합의 간격은 비임산부에서는 통상 5mm 이하지만, 임신 후기에는 7~10mm이다. 분만시에 더 넓어지게 되어도, 분만 후 통상 며칠 이내에는 10mm 이하로 회복된다고 되어 있다. 보통 벌어진 폭이 클수록 강한 증상을 호소하지만, X선상의 벌어진 폭이 작다고 해서 증상이 경미하다고는 할 수 없다. 약간의 벌어짐이라도 강한 증상을 호소하는 일이 있어 치료가 필요한 일도 드물지 않다.

골반 X선 촬영 정면상에서 치골결벌어짐이 노출되지 않은 경우에는 하지를 한쪽씩 띄워 기립 X선촬영정면상을 촬영함으로써 치골결합상연의 교차가 확인 될 수 있다.

덧붙여 치골 결합상벌어짐이라고 진단받았지만, 결과적으로는 치골 골절이었다는 증례도 보고되었으며, 임상 증상으로 틀림없다고 생각되어도 가능한 한 X선 촬영으로 확인하는 것이 바람직하다.

치료[1,2,5,6]

환자의 동통을 완화하고 일상생활에 지장이 최소화 되도록 관리한다. 분만시 발병한 경우 대부분의 증례는 다음의 치료로 회복된다.

1. 안정

치료의 기본은 안정이다. 증상이 가벼운 것은 수일간 침상 위 안정으로 회복될 때가 많다. 골반을 단단히 감싸 안도록 폭 넓은 탄성 붕대니 복대로 복부를 감으면 된다.

2. 국소 냉찜질이나 소염진통제 투여

환자의 동통 경감에 유용하다.

3. 골반벨트 또는 연제 코르셋에 의한 골반고정

보행시 통증이 강한 40~50mm의 벌어짐인 경우에는 골반 벨트 혹은 부드러운 코르셋으로 골반을 고정한 후, 동통의 정도를 보면서 앉거나 보행을 진행한다. 골반 벨트는 10일에서 2주간 착용한다.

4. 정형외과적 치료

이상의 1~3으로도 증상의 개선을 보이지 못한 경우에는 정형외과적 치료가 필요하며, 전문의와 상담해야 한다. 정형외과 치료로는 골반거상견인이나 관혈적 수술이 있다.

1) 골반거상견인: 침대 위에 누운 상태에서 골반 현수대를 사용하여 골반을 위로 들어올려 골반을 위로 견인고정한다. 이 고정법에 의해 양쪽의 장골익과 대전자를 끌어당김으로써, 골반주위를 원래대로 되돌리는 것이 목적이다. 약 2~3주간의 누워있는 것이 필요하다.

2) 관혈적 수술(플레이트 고정술): 벌어짐이 25mm 이상인 경우이며, 보존적 치료를 해도 전혀 증상의 개선이 확인되지 않는 증례나 장기간 장치를 사용하고 있어도 벗으면 증상이 재발되는 증례에서는, 관혈적으로 치골결합부를 플레이트로 고정하는 수술이 고려된다. Pfannenstiel 절개로 치골결합에 이르러, 정복 겸자로 벌어진 부위를 정복 후, 플레이트로 고정한다. 일반적으로 수술 후 외고정은 필요로 하지 않으며, 수술 다음날부터 침대 위에 앉을 수 있게 된다.

예후[2,7]

일반적으로 증상은 약 6주 이내에 소실되고 예후는 양호하나, 장기간에 걸쳐 증상이 지속된 증례의 보고도 있다. 재발에 관한 보고는 적지만, Culligan 등은 과거의 문헌을 검색하여 분만시 치골결합 벌어짐의 기왕이 있는 여성의 경질분만의 보고 19개의 사례를 모아 검토하였다. 이에 따르면 19례 중 11례에서 치골결합벌어짐의 재발이나 증상의 재발이 있었다고 하며 치료가 필요한 치골결합벌어짐이 확인된 경우에는 다음 분만 시, 환자에게 제왕절개분만을 제안하는 것이 합리적이라고 말한다.

참고문헌

1） 高橋諄, 野嶽幸正. 恥骨結合離開. 周産期医学. 26(8), 1996, 1135-8.

2） 山田浩子, 中井章人. 恥骨離開. 周産期医学. 36(11), 2006, 1393-5.

3） Cunningham, FG. et al. eds. "Musculoskeletal Injuries". Williams Obstetrics. 24th ed. New York, McGraw-Hill, 2014, 677.

4） 小林和克ほか. 妊娠・分娩で発生した恥骨骨折の１例. 整形外科. 60(2), 2009, 142-4.

5） 新藤正輝. 恥骨骨折, 恥骨結合離開に対する手術. 新OS NOW. 19, 2003, 145-50.

6） Nitsche, JF. et al. Peripartum pubic symphysis separation：a case report and review of the literature. Obstet. Gynecol. Surv. 66 (3), 2011, 153-8.

7） Culligan, P. et al. Rupture of the symphysis pubis during vaginal delivery followed by two subsequent uneventful pregnancies. Obstet. Gynecol. 100 (5), 2002, 1114-7.

≫ 濱田洋実

non-reassuring fetal status
(태아기능부전, NRFS)

1. 개념

이른바 "fetal distress" 라는 용어는 애매하며 비특이적 용어이기 때문에 1998년에는 ACOG로부터 임신, 분만 중 진단 용어로 사용하지 않는다는 권고가 내려졌다.[1] 같은 해, ICD-9에서도 "fetal distress'라는 용어는 제거되었다.

실제, 태아 심박수 모니터링의 소견이 이른바 "fetal distress"라고 진단되어도, 그 위양성률(제대동맥혈 pH 낮은값, 낮은 Apgar값, 신경학적 후유증에 관한다)은 약 98%로 굉장이 높은 것으로 알려져 있다.[2]

지금까지 "fetal distress"에는 두 가지 의미가 포함되어 있었다. 한가지는 normal, stress, distress, death 순으로 악화되는 일련의 병세 중에서 죽기 일보 직전 asphyxia의 상태를 시사하는 병태로서이다. 다른 하나는 단순히 모니터링 소견의 해석으로 이용되는 경우이다. 이 양자간에는 낮은 상관관계 밖에 없으나 그 사실이 사회적으로는 잘 받아들여지지 않았기 때문에 의료 소송에 영향을 미쳤다.

이러한 경위로부터 전술한 바와 같이 태아심박수 모니터링이나 biophysical profile scoring에서 이상으로 해석한 경우 "fetal distress"라는 용어를 사용하지 않게 되었다. 이런 경우 사용하게 된 용어가 non-reassuring fetal status이다.[1] 「태아기능부전」이라고 국역하는 것이 일본산과부인과학계에서 제시되고 있다.

2. 정의

ACOG가 제창하는 non-reassuring fetal status는 제시된 자료(태아심박수 모니터링 등)에 대한 의료종사자의 해독·해석이며, 그 소견에 대해 「안심할 수 있는 없는, not reassured」라고 판단한 것을 나타내고 있다. 중요한 점은 종래의 "fetal distress"가 태아의 병적 상황을 시사하고, 또는 함축한 것에 대하여, non-reassunng fetal status는 모니터링 소견의 해독으로 한정하고 있다는 점이다.

2006년 3월 일본산과부인과학회 주산기위원회는 ACOG의 권고를 받는 형태로 non-reassuring fetal status를 번역하여 다음과 같이 정의했다.

[「태아기능부전」이란 임신 중 또는 분만 중에 태아의 상태를 평가하는 임상검사에서 「정상적이지 않은 소견」이 존재하고 태아 건강에 문제가 있거나 장래 문제가 발생될지도 모른다고 판단되는 경우를 말한다].[3]

그 후 2008년에는 「태아심박수 파형의 판독에 기초한 분만 시 태아관리지침」을 제안하고, 2009년에는 일부 개정하여,[5] 『산부인과 진료가이드라인: 산과 편 2011』[6]에 그 골자가 정리되어 있다. 『산부인과 진료가이드라인: 산과 편 2014』에 최신판에 해설과 함께 기재되어 있다.[7]

용법

의료자가 「안심할 수 없다」라고 판단하기 위해서는, 해석하기 위한 통일된 지침이 필요하다. 태아심박수 모니터링의 해독기준은 NICHD의 따른다.[8,9] 여기에서는 non-reassuring fetal status 후에 반드시 자신의 해석 이유를 추가하도록 강조하고 있다. 예를 들어 non-reassuring fetal status (recurrent late deceleration, tachycardia 180bpm, minimal variability)와 같이 기재한다.

일본산과부인과학회 2008년의 보고에서는 태아기능부전의 패턴으로서 태아심박동수파형 레벨 분류의 3~5를 들고 있다.[6,7]

태아 심박수 모니터링 해독 가이드라인과 non-reassuring-fetal status

태아심박수 모니터링의 해석에 관해서는 1997년 2008년의 NICHD 가이드라인과 2003년, 2008년 일본산과부인과학회 주산기위원회 보고 및 2012년 「태아심박수도 관련 용어 ·정의」의 개정에 관한 제안을 참조하기 바란다.[3,4,8~10]

대개 비슷한 내용이지만 몇 가지 차이점이 있다. 자세하게 해설되어 있으니 숙독해 주시기 바란다.

non-reassuring fetal status의 판단에는 기선, 기선세변동, 일과성 빈맥, 일과성 서맥의 4인자를 조합하여 종합적으로 실시한다. 특히 중요한 점은 각 인자의 시간적 변화이다.[8] 실제로 과거의 모니터와 비교하여, 시각적 변화에 대해 판단하는 것이 바람직하다.

NICHD 가이드라인 중에서 태아의 산소화와 심박수 패턴에 관하여, 위원회의 의견 일치가 거의 얻어진 소견 두 가지가 제시되어 있다[8](그림 1).

하나는 기선이 정상이고 기선세변동이 정상(moderate)으로, 일과성 빈맥이 있고, 일과성 서맥이 없는 패턴이며, 태아의 병태 생리로부터 보면, 태아의 산소화가 정상인 것이 추측된다(그림 1). 이 패턴은 물론 reassuring으로 해석된다.

이 반대 끝으로 태아가 acidosis에 빠져 있을 위험성이 높다고 판단하는 패턴도 제시되어 있다. 자궁수축의 50% 이상에서 반복적인 지발 일과성 서맥 또는 변동 일과성 서맥이나 기선 일과성 서맥이 출현하고 그 위에 기선세변동의 소실을 동반하는 패턴과 또 하나는 서맥이 지속되어 기선세변동이 소실된 패턴이다(그림 1). 또한 sinusoidal도 이 범주에 들어간다.[4,9]

태아 심박수 모니터링					태아 산소화
정상변동성	최소변동성	일과성빈맥	일과성서맥	경시적변동	
normal	moderate	present	absent	정상	정상
non-reassuring fetal status					hypoxemia ~ hypoxia ~ acidemia ~ acidosis 1대1의 관계는 불명료
bradycardia	absent				acidosis
	absent		variable, late		

그림 1. non-reassuring fetal status와 태아의 산소포화

이 두 양극단의 사이에는 여러 가지 패턴이 존재한다. reassuring 이외의 패턴은 어떤 의미로, non-reassuring이다. 그러나 그 해석에는 개인차도 있기 때문에 자신의 해석을 추가하는 것이 중요하다.

non-reassuring의 내용을 바탕으로, 그 후에 일본산과부인과학회가 제창하고 있는 태아 심박수 파형 레벨 분류의 3~5에 해당하는 경우, 일본산과부인과학회에서는 태아기능부전으로 진단한다.[4,6]

이상의 경위로부터 태아기능부전 혹은 non-reassuring 소견으로 판단해도 당연히 출생아에 이상이 없는 경우도 있다. 모니터링 소견으로는 안심할 수 없는 패턴으로 해석하였으나, 병태로서는 경도의 저산소혈증만이며, 제대혈 pH의 저하도, Apgar 값의 저하도 없을 수 있다. 또한 적절한 산과 관리로 하여, 중증화를 미연에 예방하였을 가능성도 있다. 이는 태아기능이 부족하거나 non-reassuring이라는 해석과 모순되지 않는다. 따라서 태아 기능 부전, non-reassuring으로 판단하여 출생한 아이에게는 제대혈 pH 측정, Apgar 수치, 기타 필요한 검사들을 실시하고 결과를 기재하는 것도 중요하다.

종합적인 판단의 중요성

의료진의 해석으로 non-reassuring이라고 해설하고, 일본산과부인과학회가 제창한 태아 심박수 파형 레벨 분류의 3~5에 해당하는 경우를 태아기능부전이라고 진단하나, 최종적으로는 고위험 인자에 근거해 모체·태아의 병태생리를 고려하여 종합적으로 판단한다. 모니터링의 해석은 개별 임신이 가진 위험 인자 또는 재태주수 등과 같이, 종합적으로 판단하기 위한 하나의 자료이다.

예를 들어 정상발육아의 태아심장박동수 모니터링과 태아발육부전(FGR)의 모니터링은 같은

소견이더라도 대한 해석이 다르다. 정상적으로 일과성 빈맥이 확인되지만, 자궁수축의 약 30%에 late deceleration이 출현하고 있는 경우를 예로 들어 본다. 소견 자체는 태아기능부전 non-reassuring이지만, 분만 제2기이면 태아의 hypoxemia의 상태는 경도이며, 그대로 경질분만이 가능하다라고 종합적으로 평가할 수 있다. 한편, 임신 32주의 중증 태아발육부전의 경우라면 태아의 병태 생리를 종합적으로 평가하여 제왕절개술을 실시할 필요가 있다. 이와 같이 모니터링의 해석과 태아의 병태 생리를 가미한 최종적인 종합 평가를 명기하는 것이 중요하다.

대처

태아 기능 부전 non-reassuring이 지속될 때의 일반적인 대처 방법을 표 1에 나타낸다.

태아 기능 부전, non-reassuring의 원인이 체위성이고, 탈수가 있는 경우에는 그 원인을 제거하기 위해 체위변환이나 수액보충을 시행한다. 과다진통이 있으면 진통촉진제를 중지 혹은 감량한다. 이 경우, 리토드린염산염과 같은 자궁수축 억제제의 유효성을 나타내는 논문도 보고되고 있다. 파수 후의 양수 감소에 따른 variable deceleration이라면 양수 주입을 고려한다(『산부인과 진료가이드라인: 산과 편 2014』CQ312 참조[11]). 모체에 산소 투여도 일상적으로 행해지고 있지만 과학적 근거가 부족하다.

상기의 대증 요법으로 개선되지 않고 경과에 따라 악화되는 소견이 확인되거나, 매우 심각한 패턴이 확인된 경우에는 재태주수나 고위험 인자, 현재 시설의 의료 사정을 종합적으로 고려하여 모체 전원도 포함하여 분만 방법을 결정한다.

표 1. persistent non-reassuring fetal status 시의 대응과 관리

1) 가능한 한 원인을 검색하여 조속하게 판단한다.
2) 원인을 제거 혹은 개선을 도모하고, 태아의 산소포화도와 태반혈류의 개선을 시도한다.
3) 개선되지 않은 경우, back-up 시험을 시행할지 분만을 시행할지 고려한다.
4) 임신주수나 위험 인자 등을 포함한 종합적 판단을 통해 분만을 하는 경우, 긴급도를 검토한다.
5) 구체적인 대증요법 　　산소투여 　　모체체위 변환 　　수액보충 　　진통대책: 옥시토신 중지 또는 감량, 자궁수축억제제 　　양수주입 　　경막외 마취에 대응

non-reassuring fetal status와 태아 선천이상

non-reassuring 소견은 병태의 결과로서 출현할 뿐만 아니라, 태아의 선천적 이상이 원인이 되어 나타날 수도 있다. 염색체 이상, 심장기형, 중추신경계기형, 사이토메갈로바이러스 감염증 등이 있다. 태아의 산소화가 정상적이더라도 non-reassuring 소견이 출현한 경우가 보고된 바 있다. 따라서 급속 분만을 결정하기 전에 초음파 영상으로 기형이나 선천 이상 등 유무를 단시간에 재확인하는 systematic review가 중요하다.

참고문헌

1) ACOG Committee Opinion No.326. Inappropriate use of the term fetal distress and birth asphyxia. December, 2005 (Replaces ACOG Committee Opinion No.197, February 1998).
2) ACOG Practice Bulletin No.70. Intrapartum fetal heart rate monitoring, December, 2005.
3) 日本産科婦人科学会周産期委員会報告. 胎児心拍数図の用語及び定義検討小委員会. 日本産科婦人科学会雑誌. 55(8), 2003, 1205-16.
4) 日本産科婦人科学会周産期委員会. 胎児心拍数波形の分類に基づく分娩時胎児管理の指針(2010年版). 日本産科婦人科学会雑誌. 62, 2010, 2068-73.
5) Okai, T. et al. Intrapartum management guidelines based on fetal heart rate pattern classification. J. Obstet. Gynecol. Res. 36, 2010, 925-8.
6) 日本産科婦人科学会・日本産婦人科医会 編集・監修. "CQ411 分娩監視モニターの読み方・対応は?". 産婦人科診療ガイドライン:産科編2011. 2011, 199-205.
7) 日本産科婦人科学会・日本産婦人科医会 編集・監修. "CQ411 胎児心拍数陣痛図の評価法とその対応は?". 産婦人科診療ガイドライン:産科編2014. 2014, 245-51.
8) Electronic fetal heart rate monitoring : Research guidelines for interpretation. National Institute of Child Health and Human Development Research Planning Workshop. Am. J. Obstet. Gynecol. 177, 1997, 1385-90.
9) Macones, GA. et al. The 2008 NICHD workshop report on electronic fetal monitoring. Obstet. Gynecol. 112, 2008, 661-6.
10) 日本産科婦人科学会周産期委員会 胎児機能不全診断基準の妥当性検討に関する小委員会 (委員長:池田智明). II.「胎児心拍数図に関する用語・定義」の改定に関する提案. 平成24年6月13日.
11) 前掲書7). "CQ312 人工羊水注入については?". 195-7.

鮫島　浩

n | 제대의 이상

제대 이상은 종종 분만뿐 아니라 임신 중 태아기능부전의 원인이 된다. 제대는 태아에게 있어서 출생할 때까지의 유일한 생명줄이며, 이러한 이상을 진단하여 임신·분만관리에 도움이 되는 것이 중요하다.

전치혈관 · 제대탈출

개념 · 정의 · 분류 · 병태

양막파수 전에 제대가 태아의 선진부보다 내자궁입구 쪽에 존재하는 상태를 전치혈관, 파수로 인해 자궁 밖으로 제대가 나온 상태를 제대탈출이라고 정의한다. 제대가 탈출하면 제대 압박이 급격히 일어나, 태아 기능 부전 및 중증 신생아 가사를 일으킨다.

진단

전치혈관은 양막파수 전에 초음파검사(주로 경질)에서 제대가 태아의 선진부보다 내자궁입구 측에 존재하는 경우(그림 1), 제대탈출은 내진으로 제대를 촉지하는 것으로 진단된다. 전치혈관은 양수가 터지며 제대가 탈출하면서 급속히 태아기능부전으로 이행될 수 있는 위험한 상태이다. 선진부와 산도 간의 간격이 좁은 두위에는 발생이 적고, 선진부와 산도에 여유가 있는 횡위, 둔위, 쌍태아 임신 등에 많다. 제대탈출이 일어날 경우, 선진부의 단단한 머리가 제대를 압박하면 태아 기능부전의 위험이 높다. 또한 제대의 부착부위가 자궁 하부인 증례는 전치혈관이 되기 쉬우며, 자궁수축억제제의 사용으로 선진부와 산도 사이에 틈이 생겨 전치혈관이 되는 경우도 있다. 양수 과다에서도 태아 선진부가 떠서 움직이고 있기 때문에 선진부와 자궁벽 사이의 간격에 제대가 끼어들기 쉬워 전치혈관 및 제대탈출이 일어나기 쉽다. 또한, 이른 주수에 조산의 위험이 있는 경우나 자궁경부무력증의 제대탈출 경우에서도 마찬가지다. 이러한 증례에서는 전치혈관, 제대탈출을 염두에 두고, 경질초음파로 주의 깊은 관찰을 실시해야 한다.

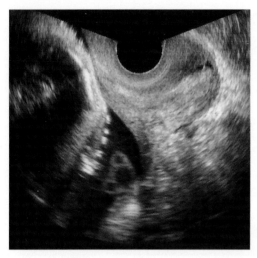

경질초음파에서 태아 선진부(두위)와 내자궁입구의
사이의 양수강에 제대가 확인된다.

그림 1. **전치혈관**

관리

전치혈관이 존재하는 경우, 가벼운 자궁 수축이라도 태아 선진부로부터의 압박을 받기 쉬우며, 태아심박수(FHR) 이상을 나타내는 경우가 있기 때문에 자주 태아심박수 모니터링을 할 필요가 있다. 반대로 태아심박수 모니터링에 의해 원인 불명의 variable deceleration이 발생한 경우에는, 본 질환의 존재를 의심하고 경질초음파를 시행해야 한다. 태동에 의해 전치혈관이 자연적으로 해소되는 경우도 있지만 경과관찰을 하여도 제대의 위치가 바뀌지 않거나 태아심박수 이상이 있을 때, 파수의 위험성이 높을 때 등은 제대탈출을 일으키기 전에 제왕절개술을 고려한다. 제대탈출이 발생한 경우 제대가 압박을 받거나 경련을 일으키기 때문에 손으로 환원을 시도해서는 안 되며, 내진한 손으로 태아 선진부를 밀어 올리면서(아두거상), 가급적 신속하게 응급 제왕절제술을 실행해야 한다.

제대 양막부착(velamentous insertion)

개념 · 정의 · 분류 · 병태

제대 양막부착은 제대가 태반 실질이 아닌 양막부위에 부착되어 와튼젤리에 보호되지 않은 제대혈관이 태반까지 양막 위를 주행하는 상태며, 전체 분만의 1~4%, 쌍태임신에서는 약 0.1%에서 나타난다고 보고되었다. 와튼젤리에 보호되지 않고 노출된 제대혈관은 주위로부터 압박을 받기 쉬우며 태아기 능부전을 야기한다. 또한 양막에 부착된 혈관이 내자궁입구 부근에 존재하여 전치혈관이 동반된 경우에 질식 분만을 시도하면 양막파수시에 전치혈관이 파열될 수 있고 대부분의 증례에서는 태아가 사망하게 된다. 분만 전 진단과 파수 전에 예정 제왕절개술을 하는 것이 태아를 위하는 유일한 방법이다. 전치혈관은 드문 이상이라고 생각되기 쉽지만, 낮은 태반 위치 등의 다른 적응으로 우연히 제왕절개 분만이 이루어지고 있는 증례도 많고, 최근의 상세한 초음파 검사로 진단이 많아져 1/500 정도의 빈도로 확인된 바 있다.)

진단

제대 양막부착은 초음파 검사로 양막에서 제대 부착부를 확인하거나 와튼젤리에 보호되지 않는 제대혈관이 양막 위를 주행하는 것을 확인할 때 진단한다(그림 2). 임신 주수가 늘어남에 따라 제대 부착부위를 확인하기 어려워지는데, 임신 중기(임신 20주경)까지는 많은 예에서 확인이 가능하다. 제대 양막부착이 발견된 사례에서는 상세한 초음파 검사를 시행하여 태반과 양막혈관의 위치관계를 파악하기 위해 노력하고, 경질초음파로 전치혈관의 유무도 반드시 확인한다. 중기의 경질초음파에서 자궁경부 길이나 전치태반을 확인할 때 전치혈관의 유무도 같이 확인해 두는 것이 유용하다. 제대 부착 부위는 분만 전에 한 번만 확인하면 되므로, 확실하게 확인될 때까지는 모체의 체위를 바꾸거나 날짜를 바꾸거나 하는 등으로 끈기 있게 검사하는 것이 바람직하다. 태반이

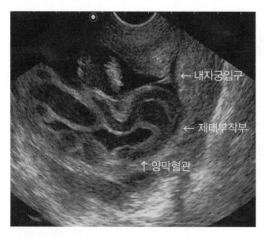

그림 2. 전치혈관

경질초음파로 내자궁입구 부근 제대 양막부착 및 양막 위를 주행하는 전치혈관을 확인한다.

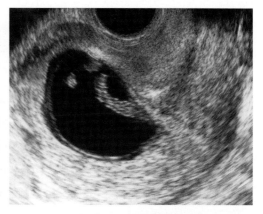

그림 3. 임신 초기(임신 10주)의 자궁 하부 제대부착

제대 부착부가 내자궁입구 부근에 확인된다. 이러한 증례에서는 후에 양막부착, 전치혈관을 포함한 제대·태반 이상이 생기는 경우가 있어, 추적관찰이 필요하다.

자궁 위쪽에 있거나 제대부착 부위가 태반 실질에 있는 것을 확인하는 것만으로 대부분의 전치혈관을 부정 할 수 있기[2] 때문에 제대부착 부위가 확인되지 않은 임신 말기라고 하더라도 분만 전에 태반과 제대부착 부위가 정상인지 확인하는 것이 바람직하다.

또한 임신 초기의 경질초음파에 의해 제대부착 부위가 내자궁입구 부근에 존재하는(low cord insertion ; low CI)증례에서는(그림 3), 분만 시에 제대 양막부착 및 전치혈관을 포함한 제대·태반 이상을 보이는 사례가 많다.[3] 제대 양막부착 증례의 45%는 초기 low CI 증례이다.[1]

관리

와튼젤리에 보호되지 않는 취약한 노출 제대혈관이 양막 위를 주행하기 때문에 임신·분만 중에 문제가 많고, 태아발육부전, 양수혼탁, 태반조기박리, 태아발육부전, 급속분만, 낮은 아프가점수, 태아사망과의 관련이 있으므로 이에 유의하여 임신·분만 관리를 하는 것이 중요하다. 특히 전치혈관은 질식 분만을 하는 경우 양막혈관이 압박되거나 파열되면서 많은 증례에서 태아사망에 이르기 때문에 조기에 계획된 제왕절개술을 한다. 또한 전치혈관이 아니더라도 양막혈관이 자궁하부에 부착하고 있는 증례에서는 태아기능부전과 응급 제왕절개율이 높기 때문에,[4] 기관에 따라서는 전치혈관과 마찬가지로 계획된 제왕절개술을 실시하기도 한다.[4] 제대 양막부착 임신부에서 자궁수축이 증강되거나 양막파수 되는 경우 태아심음의 급격한 이상이 보이는 경우가 많기 때문에 임신 36주 이후에는 내원 시마다 태아심박수 모니터링을 실시하고, Double setup을 통한 분만 관리도 행해진다.

제대과염전(hypercoiled umbilical cord)

개념 · 정의 · 분류 · 병태

제대의 생리적 꼬임은 가동성을 해치지 않고 견인이나 압박 등 외력이 제대혈류에 미치는 영향을 완화하기 위해 존재한다. 생리적인 범위를 넘는 꼬임이 있는 상태를 제대과염전이라고 정의한다.

태아에 전혀 영향을 주지 않는 경우부터 자궁내태아사망을 일으키는 경우까지 예후가 다양하며, 일률적으로 위험한 상태라고 할 수는 없으나 상세한 경과관찰이 필요하다.

진단

초음파검사에 의한 과염전 진단 방법에는 여러가지 의견이 있지만 제대의 종단면에서(그림 4) Coiling Index(회전수/cm)가 0.5 이상일 경우, 제대과염전이라 정의하는 방법이 이용된다. 제대 자체의 성장이나 태동에 의해 꼬임이 심해지거나 완화될 수 있으므로 진단하는 시기는 제3삼분기가 바람직하다.

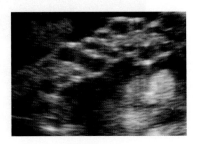

그림 4. 제대과염전
경질초음파로 제대의 종단면에서 과염전을 확인한다.

관리

초음파검사에서 제대과염전 진단을 받은 경우에도 병적 의의가 있는 증례는 그 중 일부이다. 그러나 제대과염전에 의하여 혈류의 정체가 일어나면 제대혈관 내의 혈전생성, 태아성장제한, 태아기능부전 등이 일어날 수 있으며 심한 경우 드물게는 갑자기 태아사망에 이를 수도 있으므로 주의가 필요하다. 이와 같이 제대과염전 증례는 경과와 예후가 천차만별이다. 때문에 관리방침에 대해 일정한 견해가 없는 실정이다. 그러나 증례마다 정밀 분석 후, 적절한 출산 시기를 결정해야 예후가 개선될 것으로 예상된다.

경부제대(nuchal cord)

개념 · 정의 · 분류 · 병태

경부제대는 전체 분만의 약 30%에서 볼 수 있으며 분만 전에 진단하기 쉽다. 1회의 경부제대가 임상상 문제가 되는 경우는 적으며 그것이 원인이 되어 심각한 variavle deceleration을 일으키는 일은 드물다. 2회 이상 감긴 경우 낮은 아프가점수나 낮은 제대동맥혈 pH값을 나타내는 빈도가 증가하며, 감긴 횟수가 많을수록 분만 시 이상이 증가한다.[5]

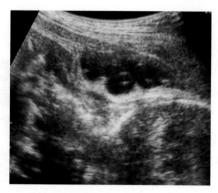

경질초음파로 태아 등부위를 앞뒤로 관찰한다.

그림 5. **경부제대(4회)**

진단

양수량이 많고 태아의 움직임이 많은 제2삼분기까지는 진단은 보류하고 어느 정도 태동이 제한되는 제3삼분기에 초음파로 진단하는 것이 좋다. 제대의 감김은 몸통과 사지에도 발생할 수 있지만 실제로는 경부제대 말고는 진단이 어렵다. 경부권락의 진단은 태아의 등쪽을 앞뒤로 관한다. 움푹 패인 경우는 제대를 확인하여, 그것이 경부 주위를 감고 있는 것을 확인하고 진단한다(그림 5). 컬러 도플러를 병용하면 더욱 진단하기 쉽다. 제대의 감김이 심한 경우 제대동맥의 박동이 제대정맥으로 전달되어 정맥압이 상승하고 이에 의해 우심방압의 변화가 생기기 때문에 펄스도플러 검사에서 제대정맥혈류속도의 파형에 박동이 관찰되는 경우도 있다. 제대정맥에 박동이 존재하는 경부제대 증례에서는 의미있는 심한 variavle deceleration이 출현하기 쉬우며, 감김의 강도를 예측하는 데 도움이 된다고 여겨지고 있다.

관리

경부제대는 다른 제대 이상과 비교해 빈도가 높고, 초음파로 확인이 쉽기 때문에 분만 전에 진단된 경우가 많다. 그러나 분만 시에 의료적인 개입이나 특별한 관리가 필요한 경우가 많은 것은 아니기 때문에 환자에게 불필요한 걱정을 끼치지 않도록 유의해야 한다. 단, 초산에서 2회 이상의 감김, 경산에서 3회 이상의 감김,[6] 혈류 이상이나 태아발육부전 을 동반하는 중증 감김, 다른 제대·태반 이상을 합병하는 증례에서는 엄중하게 분만관리를 할 필요가 있다. 경부제대가 독립인자로서 분만 시에 어느 정도의 위험이 있는지는 불분명하지만 분만양식의 선택에 관해서는 감김의 정도, 합병증 등을 바탕으로 종합적으로 판단해야 한다고 생각된다.

참고문헌

1） Hasegawa, J. et al. Prediction of risk for vasa previa at 9-13 weeks' gestation. J Obstet. Gynaecol. Res. 37, 2011, 1346-51.

2） Hasegawa, J. et al. Analysis of the ultrasonographic findings predictive of vasa previa. Prenat. Diagn. 30, 2010, 1121-5.

3） Hasegawa, J. et al. Cord insertion into the lower third of the uterus in the first trimester is associated with placental and umbilical cord abnormalities. Ultrasound Obstet. Gynecol. 28, 2006, 183-6.

4） Hasegawa, J. et al. Velamentous cord insertion into the lower third of the uterus is associated with intrapartum fetal heart rate abnormalities. Ultrasound Obstet. Gynecol. 27, 2006, 425-9.

5） Larson, JD. et al. Multiple nuchal cord entanglements and intrapartum complications. Am. J. Obstet. Gynecol. 173, 1995, 1228-31.

6） 大瀬寛子ら. 臍帯巻絡の分娩経過に与える影響の部位・回数別検討. 日本周産期・新生児医学会雑誌. 49, 2013, 256-60.

 長谷川潤一

유착태반

개념 · 정의 · 분류 · 병태

1. 정의·분류

유착태반이란 융모가 탈락막 없이 직접 자궁근층에 부착 또는 침입한 상태이다.

유착태반은 침윤 정도에 따라서 유착 태반(placenta accrete, 융모가 탈락막 없이 직접 자궁근층에 붙어 있는 상태), 감입태반(placenta increta, 융모가 자궁근층에 침윤한 상태), 천공태반(placenta percreta, 융모가 자궁근층을 관통하여 자궁표면에 도달한 상태)으로 분류된다(그림 1).[1] 유착의 범위에 따라 국소유착태반(placenta accreta focal), 부분유착태반(placenta accrete patial), 완전유착태반(placenta accrete total)으로 분류되기도 한다. 진단은 자궁근층과 태반의 병리조직학적 검토에 의해 이루어지므로, 분만된 태반만으로 진단해서는 안 된다.[2]

2. 위험 인자와 발병 빈도

제왕절개술이나 자궁근종절제술, 자궁경수술, 자궁소파술, 자궁동맥색전술(uterine arterial embolization ; UAE) 등의 과거력이 있는 경우에 자궁내막의 결손 부위에 태반이 부착되어 유착태반을 일으킬 위험이 높아진다.

자궁에 반흔이 존재하지 않고 전치태반을 동반하지 않는 경우에 유착태반이 존재하는 빈도는 1% 미만으로 보고되고 있다.[3] 제왕절개술의 과거력이 없는 전치태반에 유착태반이 합병되는 빈도는 4%이지만 한번의 제왕절개술을 받았던 경우 전치태반에 유착태반이 합병되는 빈도는 10∼25%이며 2회 이상 제왕절개술을 받았다면 전치태반에 유착태반이 합병되는 빈도는 67%로 보고되고 있다.[4]

진단

유착 태반의 영상 진단으로서 초음파와 MRI 검사가 유용하다. 최근 초음파 기술이 진보하면서 자궁근층과 태반의 경계를 선명하게 도출하는 것이 가능하게 되었다. 자궁근층과 태반의 관계를 직접적으로 평가하는 것은 초음파 영상에서 더 많은 정보를 얻을 수 있다.

초음파 영상에서 태반과 자궁근층의 관계를 평가할 수 있는 직접적인 소견으로는 태반과 근층 사이의 초음파투과구역(sonolucent zone) 소실, 근층으로의 태반감입, 태반 부착 부위 근층의 불연속성 혈류, 방광 경계음영(bladder line)의 소실 등을 들 수 있다. 한편, 간접적인 평가지표로서 얇아진 태반부착 부위의 근층 태반부착 부위 근층 혈류 RI 저하, 태반부착 부위 근층의 현저한

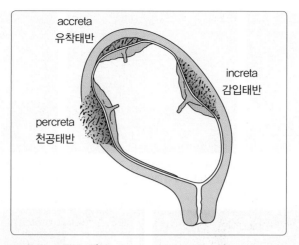

그림 1. **유착태반**[1]

와류(turbulent lacunae flow), 경관이나 자궁하부 근층의 스펀지모양의 음영, 태반 내의 초음파투과구역(placental lacunae)의 존재, 태반 내의 현저한 회오리모양의 혈류(tornado blood flow) 등을 들 수 있다. 이러한 소견은 유착태반을 동반하지 않는 전치태반 증례에서도 종종 확인된다(그림 2).

좁은 의미의 전치유착태반이라도 유착의 광범위하게 있는 경우 태반박리 시에 대량 출혈을 피할 수 없는 경우가 많으며, 감입태반이나 천공태반이라도 유착의 범위가 좁고 혈관 증식 소견이 결여된 증례에서는 태반박리 시 출혈을 쉽게 제어할 수 있는 경우도 있다. 수술 중의 출혈량은 태반 침윤의 정도만으로는 상관되지 않기 때문에, 현재의 영상진단으로 수술 중 출혈량의 많고 적음이나 제왕자궁절제술의 필요성까지 예측하기는 어렵다.

임신 관리

전치태반에서는 자궁경부길이가 짧거나 소량출혈이 반복되었던 경우 조산 또는 분만시 대량출혈의 위험이 높아진다. 이러한 증례에서는 내자궁입구 근처에 세균감염에 의한 염증이 생기는 경우가 많기 때문에, 안정이나 자궁수축억제제의 투여에 더하여 항생제의 전신투여나 국소투여를 적극적으로 고려하고 있다.

경험적으로는 전치유착태반이 강하게 의심되며 임신 20주 무렵까지 자궁경부길이 25mm 이하로 짧은 경우 분만시 출혈량, 재태주수 등의 예후가 좋지 않았다. 일본에서는 최근 짧은 자궁경부 증례 몇 예에 대하여 치료적 경관봉축술을 시행하여 재태주수의 연장에 기여한 경우가 있었으나 예후를 개선한 근거는 없다.

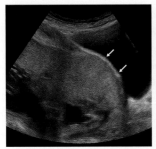
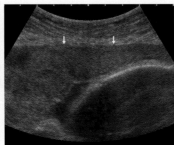
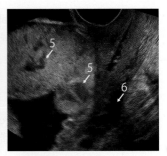

1. 근층의 얇아짐
2. 방광으로의 팽창

3. 근층으로의 태반감입
4. 초음파투과구역의 소실

5. 태반열공(lacunae)
6. 스펀지 모양 음영

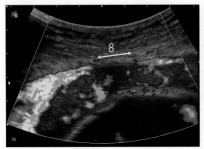
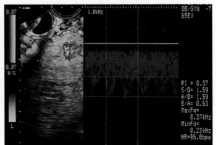

7. 근층의 저명한 혈류
8. 근층 혈류의 불연속성

9. 혈관저항감소 (RI≤0.4)

그림 2. 유착태반이 의심되는 초음파 영상 진단

전치유착태반이 강하게 의심되는 증례에서는 첫번째 경고성 출혈을 확인한 이후에는 분만까지 입원 관리하며, 경고 출혈이 확인되지 않아도 임신 30주 전부터 입원하여 관찰한다. 전치유착태반의 제왕절개술은 가능한 응급 수술을 피해서 수혈이나 인력을 충분히 확보한 뒤에 수술할 필요가 있다. 자가혈액을 1,200mL를 미리 보관하거나, 농축적혈구 20단위와 동결혈장 20단위를 준비하여 임신 34~36주에 제왕절개술을 실시하는 것도 하나의 방법이다.

전치태반을 동반하지 않는 유착태반 증례에서는 반드시 입원관찰이 필요 없을 것으로 생각되며, 천공태반으로 인해 복강내출혈 가능성이 있는 경우 입원관찰도 분만 전에 복강출혈을 일으켰다는 사례 및 보고는 확인되지 않았다.

전치유착태반 수술 중 출혈량을 줄이기 위한 연구

1. 유착태반이 강하게 의심되는 개복 소견

이전 자궁절개부위 주위로 신생혈관이 광범위하게 발달한 경우나 혈관 증가와 함께 태반이 팽창 혹은 투영될 경우, 감입태반 이상의 유착태반이라고 생각해도 좋다(그림 3). 수술 전 영상진단에 더해, 이 개복 소견으로 자궁적출을 결정한다.

국소적인 유착 태반에서는 이러한 자궁 표면의 소견이 결여된 경우가 있다. 그 경우, 태반의 자연 박리 징후의 여부를 보고 자궁적출을 할지 판단하는 것이 타당하다고 생각한다. 태반이 부분 유착되어 있는 경우에는 대략적으로 태반을 박리한 후 태반박리면 전체를 수술패드로 압박하면서 자궁적출에 임하는 것이 좋다.

2. 수술 중 출혈량 줄이기 위한 연구

전치유착태반으로 제왕자궁절제술을 시행할 때 태반을 용수박리하거나 천공태반인 경우 수술 중 출혈량이 증가한다.[5] 태반의 유착 범위가 매우 좁다면 결찰지혈이나 자궁 내 충전(packing)에 의해 자궁적출을 피할 수 있으나, 유착범위가 광범위하며 신생혈관이 발달한 증례에서 태반박리를 시도하면 단시간에 수습이 안 되는 대량 출혈을 일으켜 위험한 상황에 빠진다.

전치유착태반 증례의 수술중 출혈량 감소를 위한 연구로 내장골동맥의 혈류를 차단한 뒤 제왕

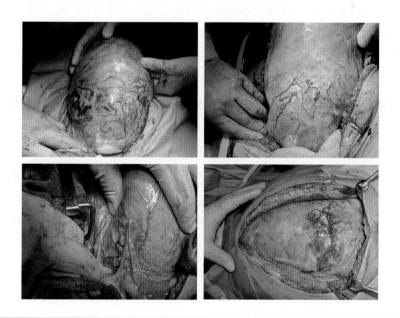

그림 3. 전치유착태반이 강하게 의심되는 자궁소견
전부 다른 증례의 개복소견. 모든 증례에서 자궁적출을 시행하고, 병리조직진단에서 감입태반 혹은 천공태반을 진단했다.

자궁절제를 시행하는 방법이나 두차례에 걸쳐 자궁을 적출하는 방법, 총장골동맥 balloon occlusion 하에 제왕자궁절제술을 시행하는 방법의 유용성이 보고되고 있다.

전치유착태반의 제왕절개술은 수술 전에 도뇨관을 유치해 두면 자궁 적출을 보다 안전하고 신속하게 시행할 수 있다.

1) 내장골동맥 balloon occlusion

수술 전 balloon catheter를 내장골동맥에 유치하여 자궁적출 시 내장골동맥의 혈류를 차단하는 방법은 수술중에 내장골동맥을 결찰하는 것에 비해 빠른 혈류 차단이 가능하고, 출혈량을 더 낮출 수 있을 가능성이 높아 보이지만, Shrivastava 등은 수술 중 출혈량을 유의하게 저감할 수 없다고 보고하였다.[6]

내장골동맥의 혈류를 차단한다고 해서 반드시 수술 중 출혈이 감소하지 않는 원인은 총장골동맥이나 외장골동맥에서 자궁으로 가는 측부혈행이 풍부한 것에 의한다고 생각된다.[5]

2) 2차 적출술

수술 전의 영상진단과 수술 중 소견으로 전치유착태반을 진단한 경우, 태아 분만 후 태반을 박리하지 않고 자궁내에 남겨둔 채로 배를 닫은 다음 자궁혈류의 감소를 확인한 후 나중에 자궁을 적출하는 방법이다. 수술 직후 UAE를 추가로 시행하여 수술중 출혈량을 크게 줄일 수 있었다는 보고도 있다. 2차 자궁적출은 특별한 시설이나 수기를 필요로 하지 않으므로, 시설의 제약이 적다고 하는 이점이 있다. 그러나 수술 중에 태반 박리 출혈이 많은 경우, 결과적으로 제왕자궁적출을 피할 수 없는 경우가 있어, 불확실한 요소를 내포하고 있다고 할 수 있다.

3) 총장골동맥 balloon occlusion (common iliac artery balloon oclusion ; CIABO)

수술 전에 balloon catheter를 총장골동맥에 유치하여 자궁적출 시에 총장골동맥의 혈류를 차단하는 방법이다. 이 방법에 의해 수술 중 출혈의 유의한 감소가 확인되었다.[5]

그림 4에 CIABO를 병용한 전치유착태반 수술의 알고리즘을 제시한다. 4개의 증례에서 CIABO 하에 태반을 박리후 태반박리면을 장막 측에서 크게 결찰 지혈하여 자궁적출을 피한 보고가 있으며 임상적으로는 유착 태반이긴 했지만 적출한 태반의 병리 조직 진단에서는 유착 태반의 소견은 얻을 수 없었다.

수술 전 환자의 희망에 따라서는 자궁보존을 고려해도 무방할 것으로 생각되나, 유착의 정도가 심하지 않더라도 유착 범위가 넓은 경우에는 대량출혈을 초래하므로 출혈이 많을 때는 자궁적출을 주저해서는 안된다. 태반박리면의 출혈은 정맥출혈의 비율이 많으므로, CIABO 하였어도 동맥 출혈만큼 출혈량이 감소하는 것은 기대할 수 없다.

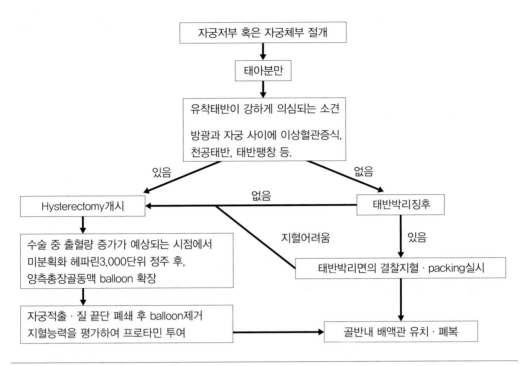

```
                    ┌──────────────────────────┐
                    │  자궁저부 혹은 자궁체부 절개  │
                    └────────────┬─────────────┘
                                 ↓
                          ┌───────────┐
                          │  태아분만   │
                          └─────┬─────┘
                                ↓
              ┌─────────────────────────────────┐
              │  유착태반이 강하게 의심되는 소견      │
              │                                 │
              │  방광과 자궁 사이에 이상혈관증식,      │
              │  천공태반, 태반팽창 등.              │
              └─────────────────────────────────┘
            있음 ↙                              없음 ↘
┌──────────────────────┐   없음   ┌──────────────────────┐
│  Hysterectomy개시      │◄────────│  태반박리징후           │
└──────────┬───────────┘          └──────────┬───────────┘
           ↓                  지혈어려움              ↓ 있음
┌──────────────────────────┐        ┌──────────────────────────┐
│  수술 중 출혈량 증가가 예상되는   │        │  태반박리면의 결찰지혈·packing실시 │
│  시점에서 미분획화 헤파린3,000   │        └──────────┬───────────────┘
│  단위 정주 후, 양측총장골동맥    │                   ↓
│  balloon 확장              │                   │
└──────────┬───────────────┘                   │
           ↓                                    │
┌──────────────────────────┐        ┌──────────────────────┐
│  자궁적출·질 끝단 폐쇄 후        │───────►│  골반내 배액관 유치·폐복  │
│  balloon제거 지혈능력을        │        └──────────────────────┘
│  평가하여 프로타민 투여          │
└──────────────────────────┘
```

그림 4. 총장골동맥 balloon occlusion (CIABO)를 범용한 전치유착태반 증례 수술의 알고리즘

질식분만 후 유착태반

질식분만 후에 태반이 만출되지 않을 수 있다. 태반박리 전에 자궁 하부의 근층이 수축하면서 태반이 자궁체부에 잡혀 분만할 수 없게 되어 버리는 상태를 감돈태반(incarcerated placenta)이라고 한다. 질식분만 후의 잔류태반의 대부분이 감돈태반이지만, 자궁내조작이나 자궁수술, UAE 등의 기왕력 증례에서는 유착태반을 합병하는 경우가 있다.

유착태반의 유무를 진단하는 데 중요한 것은 태반부착 부위의 자궁근층이 얇아진 소견만으로 유착태반을 진단해서는 안 된다는 것이다. 태반이 박리되지 않은 부분의 자궁근층은 수축이 잘 일어나지 않아 태반이 박리된 부분의 근층에 비해 얇게 관찰된다. 초음파 영상으로 자궁근층과 태반의 경계가 도출될 수 있는(초음파투과구역의 소실이 확인되지 않는다) 증례에서는 근층이 얇아진 소견이 확인되어도 유착 태반의 존재는 부정적이다.

자궁체부의 유착태반(상위 유착 태반)에서는 자궁수축에 의한 생물학적 결찰 지혈을 기대할 수 있으므로 자궁 하절에 태반의 부착된 전치유착태반과는 임상 양상이 다르며, 자궁절제를 필요로 하지 않는 경우도 많다. 어느 정도의 유착 범위와 침윤도로 자궁절제를 피할 수 있는가에 대해서는 결정된 사항이 없다.

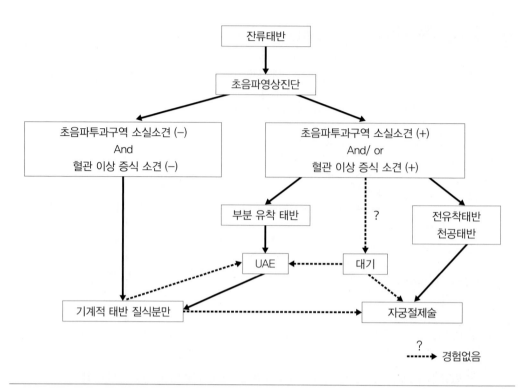

그림 5. **잔류태반의 진단과 치료 strategy**

먼저 초음파 검사를 실시해 치료 방침을 결정한다(그림 5).

① 자궁근층과 태반 경계가 명료하게 확인되며, 태반부착부 자궁근층 혈류의 이상증가가 확인되지 않은 증례에서는 영상의학과에 UAE(자궁동맥색전술)를 의뢰하고, 태반을 기계적으로 질식분만하는 것을 원칙으로 한다.

② 유착을 의심하는 범위가 한정되었거나 또는 현저한 혈관 증식이 확인되는 증례에서는 개복수술 준비를 한 후에, gelatin sponge에 의한 UAE를 시행 후, 태반을 기계적으로 질식분만 한다. 그림 6의 사례(31세 초임부)는 질식분만 후 유착태반이 강하게 의심되는 잔류태반의 예로 UAE 후 태반을 질식분만하고 자궁절제술을 피하였다.

③ 천공태반이나 전유착태반이 강하게 의심되는 증례에서는 hysterectomy를 원칙으로 하고 있다. 이전에 UAE를 받았던 임신 증례와 여러번의 자궁 내 조작 과거력이 있는 다산부 증례에서 광범위한 유착태반을 진단하고 자궁절제술을 실시한 경험이 있는데, 태반을 용수박리하거나 유착태반과 근층을 한덩어리로 절제하는 것을 고려하였으나, 남은 자궁에 임신기능을 기대할 수 없었어 자궁절제를 시행하였다.

④ 질식분만 후 복벽복막으로 천공태반을 확인한 증례에서 태반을 박리하지 않고 메토트렉세

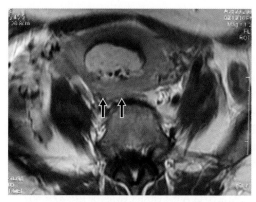

태반이 자궁체부 후벽의 자궁근층에 경계가 불분명하게
부착되어 있다.
태반부착 부위의 근층은 두껍게 수축하고 있다.

그림 6-1. 질식분만 후 3일차의 MRI영상진단

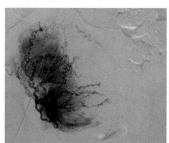 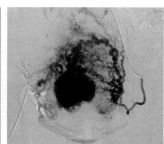 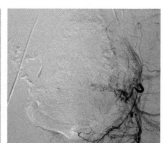

오른쪽 자궁동맥(UAE 전)　　　왼쪽 자궁동맥(UAE 전)　　　왼쪽 자궁동맥(UAE 후)

그림 6-2. UAE 전후의 혈관조영 소견(산욕 7일)
좌우의 자궁동맥에서 발달한 이상 혈관이 확인되며, 그 말단에 태반이 강하게 조영되어 있다.
Gelatin sponge에 의한 UAE로 태반으로의 혈류는 소실되고, 이상출혈이 확인되지 않으며 태반의 질식분만이 가능하였다.

이트에 의한 화학요법을 시행한 결과 분만 후 40일에 자궁과 복벽의 유착이 해소되었고, 분만 후 56일에는 hCG가 음성화, 분만 후 8개월 후에 실시한 자궁경에서 천공 부위의 반흔화를 확인했다는 보고가 있다.[7] 메토트렉세이트의 필요성에 대해서는 여러 의견이 있지만 상위 유착태반에서는 감염에 주의하며 보존적 치료를 한다는 의견이 존재한다. 질식분만 후 잔류태반에 대해 보존적 치료를 시행한 경험은 없지만, 상위 유착태반이 강하게 의심하는 증례에서는 대기를 선택하는 것도 가능하다는 취지의 정보를 제공하고 있다.

참 고 문 헌

1) McKEOGH, RP. et al. Placenta accreta : clinical manifestations and conservative management. N. Engl. J. Med. 245(5), 1951, 159-65.

2) Benirschke, K. et al. eds. Pathology of the Human Placenta. 4th ed. New York, Springer, 2000, 554.

3) To, WW. et al. Placenta previa and previous cesarean section. Int. J. Gynaecol. Obstet. 51(1), 1995, 25-31.

4) Clark, SL. et al. Placenta previa/accrete and prior cesarean section. Obstet. Gynecol. 66(1), 1985, 89-92.

5) 村山敬彦. 当センターで経験した前置癒着胎盤症例における術中出血量低減に関する手術手技の臨床的検討：従来法の有用性に関する検討と総腸骨動脈Balloon Occlusionを併用したCesarean Hysterectomyの有用性に関する検討. 日本産科婦人科学会雑誌. 61, 2009, 2136-48.

6) Shrivastava, V. et al. Case-control comparison of cesarean hysterectomy with and without prophylactic placement of intravascular balloon catheters for placenta accreta. Am. J. Obstet. Gynecol. 197, 2007, 402.

7) Legro, RS. et al. Nonsurgical management of placenta percreta : a case report. Obstet. Gynecol. 83, 1994, 847-9.

≫ 村山敬彦

p 분만 후 이상출혈

개념 · 정의 · 분류 · 병태

　분만 후 이상출혈(postpartum hemorrhage)이란 질식분만 후 500mL 이상, 제왕절개분만 후 1,000mL 이상 출혈 또는 헤마토크리트 값이 분만 후에 10% 이상 감소하게 되는 출혈[2]로 여겨져 왔으나 임신에 따른 생리적인 혈액성분의 변화나 분만 전부터 존재한 빈혈, 탈수 등으로 달라질 수 있어서 반드시 들어맞지는 않는다. 일본에서의 분만 시 출혈량의 90퍼센트 값을 표 1에 나타내었다(일본산부인과부인과학회 주산기위원회 조사 결과, 2008년).

1. 분류

　1) **조기 분만 후 이상출혈(primary postpartum hemorrhage)**: 분만 후 24시간 이내에 발병하는 이상출혈로 분만시 이상출혈의 대부분을 차지한다.

　2) **만기 분만 후 이상출혈(secondary postpartum hemorrhage)**: 분만 후 24시간에서 12주까지의 이상 출혈이다.

2. 역학: 전체 임신의 4~6%에 발병한다. 그 80%가 이완출혈(atonic bleeding)에 의한다.

3. 원인(발생기전): 태반박리 · 분만 후의 박리면 출혈에 대한 지혈 메커니즘은 ① 자궁근의 수축에 의한 태반으로 혈류를 공급하는 혈관의 폐쇄, ② 국소 탈락막 유래 지혈인자, ③ 체순환 혈액 내의 응고인자(혈소판, 내인자) 등을 들 수 있다.[3] 이러한 과정들에 복합적인 장애가 일어나면서 출혈이 발생하는데(표 2) 예로서 자궁근의 수축 부전에서는 이완출혈이, 탈락막 형성 부전으로는 유착태반, 다른 원인으로서 응고 장애가 있는 경우, 소모성응고장애, 내인자결핍, 혈소판감소증을 유발하게 되어, 궁극적으로 분만시 이상 출혈을 초래한다.

4. 위험인자

　1) **자궁근의 과신전**: 거대아, 다태임신, 양수과다증

　2) **자궁근 피로**: 진통 유도 · 촉진, 난산(분만진행의 지연), 급속진행 분만, 융모양막염

　3) **자궁수축억제제의 사용 등**: 자궁수축억제제의 장기간 투여 후 분만, 흡입 마취제의 투여

　4) **기타**: 이완출혈의 기왕력, 임신고혈압신증

5. 합병증

　1) **출혈성 쇼크로 인한 합병증**: DIC(파종혈관내응고), 다장기부전(급성호흡곤란증후군 〈acute respiratory distress syndrome ; ARDS〉, 신부전 등), Sheehan증후군

　2) **지혈수기에 따른 합병증**: 자궁 내용물 제거에 따른 자궁 천공, 동맥 결찰술에 따른 혈관 · 요관 손

상, 응급 자궁적출술에 동반되는 혈관, 방광·요관 손상, 불임

특히 중증 DIC에 빠져서 시행하는 내장골동맥 결찰이나 전자궁적출술은 수술 중·수술 후의 합병증도 높아진다.

표 1. 분만시 출혈량의 90퍼센트 값

	경질분만	제왕절개분만
단태	800mL	1,500mL
다태	1,600mL	2,300mL

표 2. 분만 후 이상출혈의 원인

조기 분만 후 이상출혈	이완출혈, 양막·태반잔류 (특히 유착태반의 부분박리) 소모성응고장애, 자궁내반증
만기 분만 후 이상출혈	자궁수축부전, 양막·잔류태반, 자궁내막염

진단

1. 촉진

태반 분만 후 평소와 다른 출혈량을 확인했다면 즉시 자궁저부를 마사지하면서 자궁수축을 확인한다. 또한, 분만된 태반에 결손이 없는지를 확인한다.

자궁수축 불량에서 마사지에 반응 하지 않는 경우에는 이완출혈을 생각한다. 태반에 결손이 있고 자궁수축 불량의 경우는 태반 잔류를 생각할 수 있다. 자궁수축이 양호하지만, 이상출혈이 지속되는 경우에는 산도 열상(j. 자궁경관열상, k. 질·회음열상 참조)을, 자궁저부가 촉지되지 않는 경우는 자궁내번증(i. 자궁내반증 참조)을 생각한다.

2. 내진

질경으로 자궁경부 열상, 질벽 열상의 유무를 확인한다. 자궁체부가 비교적 수축이 양호해도 자궁강 내에서 출혈이 지속되는 경우는 자궁 하부의 수축 불량이나 경부 내 다수의 미세한 열상에서 출혈되고 있을 가능성이 있다.

3. 초음파

자궁강 안의 혈괴, 잔류태반의 유무를 확인한다. 자궁강 조직·후복막강의 혈종형성 여부를 확인하고, 자궁 파열의 감별을 시행한다. 방광이 가득찬 경우는 자궁 하부의 수축 불량을 의심한다.

관리

이완출혈의 진단 및 치료는 동시에 진행되어야 한다.

1. 정맥선 확보

가능한 굵은 정맥유치침(18G)을 양팔에 확보하는 것이 바람직하다.

2. 출혈량 추정

1) 측정하는 실혈량에 양수가 포함되고 생리적으로 빈혈, 탈수 등이 생기기 때문에 정확하게 출혈량을 추측하는 것은 쉽지 않다. 생체징후, 증상 등으로부터 종합적으로 판단한다. 일반적으로 혈압 저하, 현기증, 두근거림 등의 증상이 출현하는 경우, 순환혈액량을 10~15% 이상 잃는 출혈이 존재한다(표 3).[4]

2) **쇼크 지수(shock index ; SI)** = 맥박수/분 ÷ 수축기 혈압 mmHg

임신고혈압증후군에 의한 순환혈액량 감소나 생리적 탈수 등의 영향을 고려하여, 최근에는 순환혈액량 감소의 평가를 맥박수 상승과 수축기 혈압 저하로 평가하는 SI값을 이용하는 것이 추천되고 있다. 비임산부는 SI값과 출혈량(L)을 1:1로 환산한다. 예를 들어 SI값이 1.5라면 출혈량은 1.5L로 하나, 임산부는 생리적 순환혈액량이 증가하기 때문에 SI 값 1.0으로 출혈량이 약 1.5L, SI 값 1.5로 약 2.5L로 추측한다.

3. 수액보충 · 수혈

1) 질식분만에서는 1.0L, 제왕절개분만에서는 2.0L 이상 출혈하는 경우, SI값이 1.0을 초과하는 경우, 수액을 개시하고 동시에 수혈을 준비한다.

2) 세포외액제제를 2L 정주하여도 생체징후가 안정되지 않으면, 수액 보충만 단독으로 하지 않

표 3. **출혈에 따른 생리적 변화**[4]

출혈정도	급성 출혈량	혈액상실량(%)	생리적변화
1	900mL	15%	무증상
2	1,200~1,500 mL	20~25%	빈맥, 과호흡 맥압감소, 기립성저혈압
3	1,800~2,100 mL	30~35%	빈맥, 과호흡 증가, 혈압저하, 사지냉감
4	2,400 이상 mL 이상	40%	쇼크, 핍뇨·무뇨

총순환혈액량: 6,000mL

고 수혈을 시작한다. 콜로이드수액을 대량으로 주입하면 출혈 경향을 일으키기 때문에 1L정도를 기준으로 한다.

3) 출혈이 지속되고, SI값이 1.5 이상, 산과 DIC 점수 8점 이상, 생체징후 이상(핍뇨, 말초 순환 부전을 포함한다) 중 어느 하나가 존재하는 경우는 「산과위기적 출혈」이라고 판단하여 즉시 수혈을 시작하고 상급병원으로 이송한다(5장-q 그림 1「산과위기적 출혈에 대한 대응 프로차트」 p.509 참조).[5]

4. 혈액검사

CBC, PT, aPTT, 피브리노겐, 혈액교차검사 등을 시행한다.

Clot observation test: 응고능을 아는 간편법으로 채혈 검체를 응고저해제 등의 첨가제가 들어 있지 않은 채혈관에 5mL 분주하여 방치, 관찰한다. 응고능이 정상이라면 8~10분 이내에 응고하며 피브리노겐 값이 150mL/dL 이하이면 응고되지 않거나 응고해도 30~60분 이내에 용해되어 버린다.[6]

5. 지혈 조작

이완출혈로 진단하면 즉시 자궁수축제의 투여와 자궁저부 마사지를 시작한다. 출혈량이 감소하지 않으면 양손 압박법을 시도하고 그래도 만일 지혈되지 않는다면, 심각한 사태이며 외과적 지혈법을 시행할 필요가 있다.

6. DIC 대책

신속하게, 항쇼크요법(수액보충, 수혈), 지혈(약물요법, 외과적 지혈 요법)을 행한다.

치료

1. 자궁수축제 투여

다양한 용법·용량이 보고되고 있는데, 일본에서는 적응 외의 투여 방법도 있다. 일반적으로 쇼크 상태인 경우, 정맥 투여로는 약물 동태적인 즉효성을 기대할 수 없다고 판단하여, 직접 자궁근에 근주하는 경우도 있으므로 용법·용량에 대해서 숙지해 둔다(표 4).

2. 외과적 지혈법 선택
1) 자궁소파술

양막·태반 잔류에 의해 자궁수축이 좋지 않으면 자궁소파술을 한다. 이때 초음파 유도 하에

표 4. 이완출혈에 대한 자궁수축제의 투여

약제	용량 및 요법	투여횟수	비고
옥시토신	a) 5~10단위의 근주 혹은 5~20단위를 500mL 정질액에 희석하여, 600mL/시간으로 개시, 자궁수축을 확인했으면 60~120mL/시간으로 감량.[7~9] b) 10~20단위를 500mL 정질액에 희석하여, 150mL/시간으로 투여.[7~9]	정주: 지속투여	비희석 원액을 정주하지 않는다. 저혈압을 일으킨다. 고농도로 장시간 투여하는 것에 따른 중독에 주의.
메틸에르고메트린말레산염 (메틸긴®, 팔탄M®)	1회 0.2mg 근주 (유럽과 미국에서는 자궁근주도 가능)	2~4시간 마다	고혈압증, 임신고혈압증후군(PIH)에는 금기, 정맥투여는 관상동맥 경련에 주의
트라넥사민산	4g을 50~100mL생리식염수로 희석하여, 1시간에 점적 정주. 그 후, 1g/시간으로 6시간.	지속투여	
미소프로스톨	경구, 설하, 경직장 600~1,000μg	단회투여	발열, 오한전율(이완출혈에는 보험적용 외)

※ 분만후의 자궁수축촉진을 목적으로한 PGF$_2$$\alpha$ 자궁근층내 주입은 원칙적으로 실시하지 않는다.

선단이 크고 둔한 큐렛이나 태반겸자를 사용하여 자궁 천공을 예방한다.

2) 눌림증 치료술기(Tamponade technique)

질식분만 후의 이완출혈로 자궁수축제 투여, 양손 압박법으로 지혈되지 않는 경우에 시도하는 방법이다. 그러나 극적으로 개선이 확인되지 않으면, 주저하지 않고 개복술을 포함한 다른 방법을 행한다. 출혈 지속시간이 길어지면 DIC에 빠지게 된다.

① 자궁내 거즈 충전·압박: 링겸자를 이용하여 연결된 거즈를 앞뒤로 접듯이 자궁강의 바닥부터 자궁경부까지 충전한후 질내로 끝단을 꺼내 놓는다. 12~24시간 후 제거한다.

② 폴리 카테터 자궁내 유치 압박: 26F 폴리 카테터를 2개 이상, 자궁 내에 유치하고, 생리식염수60~80mL로 풍선을 부풀려 압박한다. 초음파를 이용하여 적절한 위치에서 압박하고 있는지 확인한다. 카테터에서 출혈이 지속되고 있는지 여부를 관찰할 수 있다.

③ Bakri 풍선®: 이완출혈에 대한 전용 풍선이다.[11]

3) 자궁동맥색전술(UAE)

영상의학과 의사(interventional radiologist)의 협력을 얻어 실시한다. 동맥결찰 수술 후에는 색전술 시행이 어렵고 효과도 기대할 수 없으므로, 개복 하 지혈술에 앞서 행해진다. 성공률이 90%

이상, 합병증은 6% 정도이며 색전술 후 가장 흔한 합병증은 발열이다. 드문 합병증으로서 천자부위 혈종 형성, 대전근 괴사, 혈관천공, 감염증 등이 있다.[12]

시술 직전까지 응고이상을 교정하는 것이 이상적이며, 색전술 대기중이나 시술 도중에 생체징후가 흔들리는 경우 주저 없이 개복에 의한 지혈을 결정한다. 색전술이 실패하면 개복술로 변경하는데, 그 때 총장골 혹은 대동맥에 벌룬 카테터를 부풀려 놓음으로써 일시적으로 수술 중 출혈량을 감소시키는 것이 가능하다.[3]

4) 자궁동정맥 결찰술

① O'Leary stitch: 요관의 주행을 확인한 후, 1-0 폴리글리커프론 봉합사(모노크릴®) 등의 흡수실로 구부러짐이 큰 바늘을 이용하여, 경관 근처를 자궁근층을 포함하여 양쪽 결찰시킨다.[w] 충분하게 자궁근층에 바늘실을 거는 것이, 요관·혈관손상의 예방이 된다(그림 1).

② 자궁-난소 혈관 문합부의 결찰: O'Leary stitch 시행 후, 지혈효과가 불충분하면, 그 위에 위쪽 방향으로 난소동정맥과 자궁동정맥의 문합에 자궁근층을 포함하고, 똑같이 결찰한다(그림 2).

5) 압박봉합지혈(compression suture)

① B-Lynch suture: 제왕절개수술 후, 자궁절개창 봉합 전에 자궁전벽과 후벽에 루프형으로 봉합사을 높음으로써, 손으로 압박지혈하는 것과 똑같은 상태를 만드는 지혈방법이다.[16] 모노크릴® 1호의 90cm 길이 등의 흡수사를 사용한다(그림 3). 제왕절개술 후의 이완출혈에 대하여 용이한 시행이 가능하며 대단히 효과적이다.

② Square suture: 자궁벽의 전후를 직침 등으로 꿰매서, 정사각형으로 봉합하고, 압박한다.[17] 자궁내번의 관혈적 정복(Huntiongton법) 시행 후의 이완출혈, 재내번 방지 목적으로 시도한다(그림 4). 합병증으로 자궁류농양 및 Asherman증후군 등이 보고되고 있다.[18]

6) 내장골동맥결찰술

수기적으로 어렵고 성공률 50% 이하라는 보고도 있으며,[19] 이전만큼 행해지지 않게 되었다. 자궁넓은인대를 절개한 후, 후복막강을 전개하여, 총장골동맥에서 더듬으면서 내외장골동맥 분기부를 확인한다. 요관의 위치를 확인하고 나서, 외장골동맥과 분기한 부위에서 아래 방향으로 약 2cm로 후방지가 갈라진 하부를 노출시켜, 0호 봉합사로 이중 결찰한다. 결찰목표의 동맥을 박리할 때 내장골 정맥이 손상되지 않도록 겸자류의 삽입 방향에 매우 주의한다. 결찰 후에는, 발등동맥 등의 박동을 확인하고, 외장골 동맥을 잘못 결찰하지 않았나 확인한다.

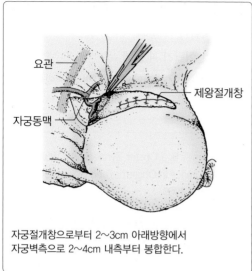

요관

제왕절개창

자궁동맥

자궁절개창으로부터 2~3cm 아래방향에서
자궁벽측으로 2~4cm 내측부터 봉합한다.

그림 1. O'Leary stitch

난소고유 인대

자궁·난소혈관
문합부의 결찰

난소동맥분지

자궁동맥

O'Leary stitch

그림 2. **자궁-난소 혈관 문합부의 결찰**

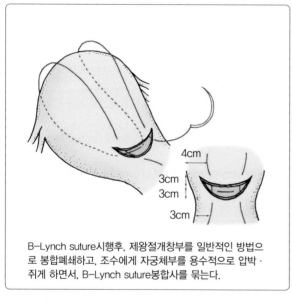

4cm

3cm
3cm

3cm

B-Lynch suture시행후, 제왕절개창부를 일반적인 방법으
로 봉합폐쇄하고, 조수에게 자궁체부를 용수적으로 압박·
쥐게 하면서, B-Lynch suture봉합사를 묶는다.

그림 3. **B-Lynch suture**

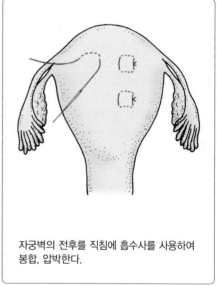

자궁벽의 전후를 직침에 흡수사를 사용하여
봉합, 압박한다.

그림 4. Square suture

7) 자궁절제술

전분만의 0.05~0.1%로 시행된다. 지혈이 어려운 산후출혈 구명의 최후 수단으로 「너무 이르지
도, 너무 늦지도 않게 적출의 결정을 내리는」 것이 중요하다. 자궁적출을 결정하다 시간이 늦어지
면 응고이상이 악화되어 수술 중 지혈이 매우 어렵다.

분만 후의 자궁에 의해 수술시야가 가려져 요관과 혈관이 손상될수 있으므로 충분한 수술시야 확보를 위해 복벽절개창의 확대 및 적절한 개복도구를 선택한다.

분만 후 자궁은 복부에서만으로는 자궁경부를 확인하기 어렵기 때문에, 동시에 조수의 협력을 얻어 경질적으로 실시하거나 질관에 진입할 때에 종절개를 시행하여 경관과 질원개부를 확인한다.

참고문헌

1) Gilbert, L. et al. Postpartum hemorrhage : A continuing problem. Br. J. Obstet. Gynaecol. 94, 1987, 67-71.
2) American College of Obstetrics and Gynecology. Quality Assurance in Obstetrics and Gynecology. Washington DC, American College of Obstetricians and Gynecologists, 1989.
3) Lockwood, CJ. Regulation of plasminogen activator inhibitor 1 expression by interaction of epidermal growth factor with progestin during decidualization of human endometrial stromal cells. Am. J. Obstet. Gynecol. 184, 2001, 798-804.
4) Baker, R. Hemorrhage in obstetrics. Obstet. Gynecol. Annu. 6, 1977, 295.
5) 日本産科婦人科学会ほか. 産科危機的出血への対応ガイドライン. 2010.
6) Poe, MF. Clot observation test for clinical diagnosis of clotting defects. Anesthesiology. 20, 1959, 825-9.
7) WHO. WHO recommendations for the prevention and treatment of postpartum haemorrhage. 2012. http//apps.who.int/iris/bitstream/10665/75411/1/9789241548502_eng.pdf [2015. 5. 29.]
8) Cunningham, FG. et al. "Normal Labor and Delivery". Williams Obstetrics. 23 rd ed. Stanford, Appleton & Lange, 2010, 374-409.
9) Leduc, D. et al. Active manangemnet of the third stage of labor : preventation and treatment of postpartum hemorrhage. J. Obstet. Gynecol. Can. 31, 2009, 980-93. PMID : 19941729 (Guideline) .
10) 日本産科婦人科学会, 日本産婦人科医会 編集・監修. "CQ404". 産婦人科診療ガイドライン : 産科編 2011. 2011, 173-7.
11) Bakri, YN. Balloon device for control of obstetrical bleeding. Eur. J. Obstet. Gynecol. Reprod. Biol. 86, 1999, S84.
12) Vedantham, S. et al. Uterine artery embolization : an underused method of controlling pelvic hemorrhage. Am. J. Obstet. Gynecol. 176, 1997, 938.
13) Oei, SG. et al. Arterial balloon occlusion of the hypogastric arteries : A life-saving procedure for severe obstetric hemorrhage. Am. J. Obstet. Gynecol. 185, 2001, 1255.
14) O'Leary, JL., O'Leary, JA. Uterine artery ligation in the control of intractable postpartum hemorrhage. Am. J. Obstet. Gynecol. 94, ,1966, 920-4.
15) O'Leary, JL., O'Leary, JA. Uterine artery ligation for control of postcesarean section hemorrhage. Obstet. Gynecol. 43, 1974, 849-53.
16) B-Lynch, C. et al. The B-Lynch surgical technique for the control of massive postpartum haemorrhage : an alternative to hysterectomy? Five cases reported. Br. J. Obstet. Gynaecol. 104, 1997, 372-5.
17) Cho, JH. et al. Hemostatic suturing technique for uterine bleeding during cesarean delivery. Obstet. Gynecol. 96, 2000, 129-31.
18) Wu, HH., Yeh, GP. Uterine cavity synechiae after hemostatic square suturing technique. Obstet. Gynecol. 105 (5) , 2005, 1176-8.
19) Clark, AL. et al. Hypogastric artery ligation for obstetric hemorrhage. Obstet. Gynecol. 66, 1985, 353-6.

≫ 橋口幹夫

개념 · 정의 · 분류 · 병태

1. 개념 · 정의

쇼크는 「급성 전신성 순환장애로 중요 장기 조직의 기능을 유지하는데 충분한 혈류를 얻을 수 없게 된 상태」로, 지연되면 다장기 부전을 일으켜 생명이 위태롭게 된다. 산과 쇼크란 넓은 의미로는 우발 합병증에 의한 것도 포함하여 임산부가 쇼크 상태에 빠진 경우 모두를 말하는데, 일반적으로는 임신 혹은 임신에 동반하여 발생한 병적 상태에 기인하는 쇼크를 산과 쇼크라고 칭한다. 출혈성 쇼크가 주 체이며, 그 외 자간증·양수색전증, 패혈유산 등이 그 기저 질환이 될 수 있다. 또 앙와위저혈압증후군, 산과수술 시 척추마취에 의한 쇼크 등도 이에 포함된다(일본산과부인과학회, 2013).[1]

2. 분류 · 병태

1) 출혈성 쇼크

출혈성 쇼크의 병태는 ① 순환혈액량 감소성 쇼크(hypovolemic shock)이다. 그 밖에 쇼크의 병태 로는 ② 혈액분이상성 쇼크(distributive shock; 아나필락시스, 패혈증 등), ③ 심원성 쇼크(cardiogenic shock; 심근경색 등), ④ 폐색성 쇼크(obstructive shock; 폐색전, 긴장성 기흉 등)가 있다.

2) 파종성 혈관내 응고(DIC)

「어떤 기저 질환에 의하여 혈액의 응고·용해 균형이 무너지고, 혈액의 과응고와 2차 용해가 번갈아 반복되어, 전신적인 미세혈전의 형성과 출혈 경향을 초래하는 병태이다. 산과 영역에서의 기저 질환에 는 실혈성 쇼크, 태반조기박리, 양수색전증, 자간증, 자궁내태아사망, 패혈유산 등을 포함한 중증 감염 증 등이 있다.」(일본산과부인과학회, 2013).[1]

출혈성 쇼크에서는 우선 희석성 응고장애(dilutional coagulopathy; 출혈로 응고인자가 체외로 상실 되어 결핍되는 상태로 세포외액 보충액으로 희석됨)에 빠지고, 출혈성 쇼크 상태가 지연되면 전신의 혈관내피장애가 일어나, DIC 즉 소모성응고장애(consumptive coagulopathy; 응고 인자가 혈관 내 응 고로 소비되어 결핍되는 상태)에 빠진다. 태반조기박리, 양수색전증에서는 처음부터 DIC에 빠진다.

DIC에는 출혈 증상이 주된 타입과 장기 증상이 주된 두 가지 타입이 있다. 태반조기박리, 양수색전 증의 DIC에서는 용해계 항진도 현저하며 출혈 경향성이 주요 증상이다. 한편 패혈유산을 포함한 중증 감염증의 DIC에서 용해계는 억제된 상태이므로, 미세혈전 형성에 의한 장기 부전이 주요 증상이 된다.

3) Sheehan증후군

분만 시 출혈성 쇼크에 의해 뇌하수체의 경색성 괴사가 발생하여, 뇌하수체 기능저하증에 이르는 것을 Sheehan증후군이라고 한다.

1. 산과 쇼크

쇼크의 임상 징후는 5P 즉 pallor(안면창백), prostration(탈진), pulselessness(맥박촉지곤란), perspiration(냉한), pulmonary in insufficiency(호흡부전)이다. 생체징후로는 수축기혈압 90mmHg 이하가 쇼크 진단기준이 된다. 수축기 혈압 80mmHg 이하면 신혈류량의 저하, 요골동맥이 만져지지 않게 된다. 60mmHg이하로 되면, 뇌혈류량 저하가 발생한다. 맥박수 100bpm 이상도 지표가 된다. 대체로 혈압에 눈을 빼앗기기 쉽지만, 쇼크인덱스(shokc index ; SI) = 맥박수/수축기혈압은 쇼크 진단에 유용하다(1 이상은 쇼크를 시사). 방광유치카테터에서 시간당 소변량을 측정하는 것도 참고가 된다(0.5~1mL/kg/시간 ≒ 30~60mL/시간 이상이 정상).

임산부 산욕기 쇼크의 대부분은 순환혈액 감소성 쇼크인 출혈성 쇼크이다. 그 밖에 혈액분포 이상에 의한 쇼크로 산욕기 패혈증성 쇼크가 있으며 이는 warm shock로 MRSA 산후자궁내막염에 동반되는 독소성 쇼크 증후군이나 급성 A군 용혈성 연쇄구균 감염증에 의한것이다. 전신발적, 두드러기, 안면부종, 후두부종, 기관지경련이 특징적인 아나필락시스 쇼크도 혈액분포이상성 쇼크이다. 최근 증가 추세에 있는 갑작스런 호흡 곤란으로 발병하는 혈전성 폐색전증은 심각한 경우 폐색성 쇼크를 일으킨다. 고전적 양수색전증의 초기 병태는 폐색성 쇼크로, 생존한 환자에게서 다음 단계에 심원성 쇼크, 혈액분포이상성 쇼크, DIC로부터 출혈에 의한 순환혈액량 감소성 쇼크의 병태가 종합적으로 얽힌다.[2]

2. 출혈성 쇼크

순환혈액량은 체중의 약 7퍼센트이다. 환자는 순환혈액량의 10~15%의 출혈·상실을 견딜 수 있으며, 유일한 타당 소견은 빈맥이다. 15~30%의 출혈로 인해 안정감이 떨어지고 불안하게 된다. 30~40%의 출혈로 혈압은 저하되고 정신 상태도 혼란스러워진다. 40%를 넘는 출혈에서는 저혈압이 현저해져, 기면·의식소실에 빠진다. 40% 이상의 혈액량 상실이 2시간 이상 지속되면 소생이 어려워진다.

비임신 시 체중 50kg인 임산부의 만삭시 순환혈액량은 50kg×0.07(7.0%)×1.4(임신에 의한 증가)로 대략 5,000mL로 계산된다. 20%의 출혈량은 5,000×0.2 = 1,000mL로 여기까지는 견딜 수 있다. 40% 이상의 출혈량(5,000×0.4 = 2,000mL)에서 중증 쇼크에 빠진다.

산과 출혈에서 출혈량 측정은 믿을 수 없고, 때때로 측정량의 배가되는 양의 출혈이 있다고 한다. 출혈성 쇼크 발병 초기에는 혈액검사 Hb 값도 믿을 수 없다. 외출혈이 분명하지 않은 내부출혈에 의한 출혈성 쇼크(내출혈이 주된 자궁 파열, 후복막 출혈 등)의 진단에는 SI가 경고지표로서 유용하다고 생각된다. 『산과 위기적 출혈의 대응 가이드라인』에서도 SI:1.5 이상을 수혈개시의 기준으로 삼고 있다.

3. 파종혈관내응고(DIC)

졸졸 솟아나는 외출혈, 정맥 등의 천자 부위에서 지혈이 불가능한 삼출성출혈(oozing) 등은 출혈을 주요 증상으로 하는 DIC의 전형적인 임상 징후이다. 혈액검사에서 혈소판수 10만/μL이하로 저하, 혈장 피브리노겐 150mg/dL이하로 저하, 프로트롬빈 시간(PT) 50%이하의 저하, 혈중 안티트롬빈(AT) 60% 이하의 저하, 혈청 피브린·피브리노겐 분해산물(FDP) 100μg/mL 이상의 상승이 모이면, 태반조기박리나 양수색전증 등에 따른 응고·용해계 모두 항진된 DIC이다. 출혈성 쇼크만으로는 희석성 응고장애(dilutional coagulopathy)에 의해 혈소판수, 혈장 피브리노겐, PT, AT의 저하는 발생하나, FDP의 상승은 경미하다. 출혈성 쇼크가 지연되어 처음으로 DIC에 빠지고 FDP가 상승한다. 미세혈관 내의 혈소판 혈전을 병태로 하는 HELLP증후군에서는 혈소판수 저하를 보이지만, 응고계 검사의 결과는 보통 정상 범위 내에서 FDP 상승도 경미하다.

급성간부전(응고인자생산부전)을 병태로 하는 급성임신지방간에서는 혈장 피브리노겐, PT, AT의 저하는 현저하지만, 일반적으로는 혈소판수 저하나 FDP 상승은 경미하다. 패혈증에 따른 DIC는 응고항진·용해저하 상태에서 임상 징후로서 장기 장애가 주를 이루며, 혈소판수 저하는 있지만 혈장 피브리노겐은 오히려 수치가 높다.

4. Sheehan증후군

주요 증상은 성선자극호르몬 분비 부전에 의한 무월경, 성욕저하, 음모·겨드랑이털 탈모, 프로락틴 분비부전에 의한 유즙 분비부전, ACTH 분비부전에 의한 전신권태감, 저혈압, 저혈당, 저나트륨혈증, TSH 분비부전에 의한 추위, 피부건조, 정신적 무기력, 탈모 등이다. 산욕기 초기에 저혈압, 저혈당, 저나트륨혈증의 부신 위기로 발병한 Sheehan증후군 보고도 있지만, 많은 초기 증상은 산욕기의 유선 위축과 동반된 유즙 분비 부전과 무월경이다. 그리고 대부분의 증상은 서서히 나타나므로 진단 확정까지의 기간은 수개월에서 수십년으로 여겨진다.

확정 진단은 혈액 내분비 검사와 MRI·CT 화상 검사에서의 empty sella 소견에 따른다.

치료

1. 산과 쇼크

인간은 산소화(Ventilation)된 혈액(Infusion)을 심박출(Pump)하여 생명을 유지하고 있다. 쇼크 치료의 골자는 맥박산소측정기 VIP대책으로 요약된다.

1) V(산소화)

맥박산소측정기에 의한 SpO_2 90~92% 이상의 유지가 쇼크 치료의 목표이다. SpO_2는 맥박산소측정기에 의한 동맥혈의 산소포화도이다(SpO_2 90 ≒ PaO_2 60mmHg). 5~7L/분의 100% 산소마스크 투여 하에라도 SpO_2 80 ≒ PaO_2 50mmHg 이하, $PaCO_2$ 60mmHg 이상, 의식이 감소되는 경우 기관 삽관, 인공 호흡 관리의 적용이 된다.

2) I(수액 부하)

수액 부하에는 세포외액보충액(링거젖산용액 등)이 권장되고 있다. 세포외액보충액 1,000mL를 수액한 경우, 세포간질액:혈관내액 = 3:1로 분포 때문에, 혈관 내에는 250mL가 잔류한다. 따라서 예를 들어 1,000mL의 출혈에는 약 4,000mL의 세포외액보충액의 수액이 이론적으로는 필요하다. 콜로이드용액(6% 히드록시에틸전분용액 등)은 교질삼투압을 가진 물질(히드록시에틸 전분, 분자량 6만)을 포함하고, 혈관내 투여하면 약 4~6시간 혈관 내에 체류하여, 수분을 끌어와 순환혈장량을 증가시키기 때문에 매력적이지만, 실제로 이것에 의존하면 간질액 결핍으로 사망률이 상승한다. 수액 상한은 약 1,000mL, 다량 투여로 인한 응고 기능의 저하가 지적되고 있다. 등장 알부민 제제(5% 알부민)도 이 범주의 수액에 따른다. 수액은 이상적으로는 Swan-Ganz 카테터 삽입 하의 폐동맥압 18mmHg 이하를 지표로 하여 주는 것이 안전하다.

3) P(혈관수축제, 카테콜아민)[4]

수축기혈압 100mmHg이상을 목표로 한다. 혈관수축제로 널리 쓰이고 있는 도파민염산염은 노르아드레날린의 전구물질로 용량에 따라 다르게 작용하는데, 2~5µg/kg/분에서 신혈류량의 상승 (말초혈관도파민수용체- 심장·신장·뇌의 동맥확장), 5~10µg/kg/분에서 β작용(심장 β1수용체- 심박수, 심근 수축성 상승)보다 심박출량 상승, 10µg/kg/분 에서 α작용 (말초 혈관 α수용체-혈관수축)보다 말초혈관수축을 나타낸다.

도부타민염산염은 5~20µg/kg/분에서 β작용 (심장β1수용체- 심박수, 심근 수축성의 상승)보다 심박출량을 증가시킨다. 도파민염산염 10µg/kg/분, 도부타민염산염 10µg/kg/분이 자주 사용된다. 아드레날린은 최강의 α, β작용을 가지고 있으며, 심정지 환자에게 1앰플(1mg) 정주 (수액 회로 안에 머물지 않도록 수액 20mL로 뒷받침)를 3분마다 반복한다.

2. 출혈성 쇼크(그림 1)[3,5]

상기의 쇼크에 대한 일반적 VIP 치료에 더해 출혈성 쇼크에서는 수혈 요법이 요점이 된다. 후생노동성의 「혈액제제 사용지침(개정판)」(2005년)에 의하면 순환혈액량의 20% 미만의 출혈에는 세포외액보충액에 의한 대응이 권장된다. 투여 후 1시간에 20~25%만이 혈관 내에 머무르기 때문에

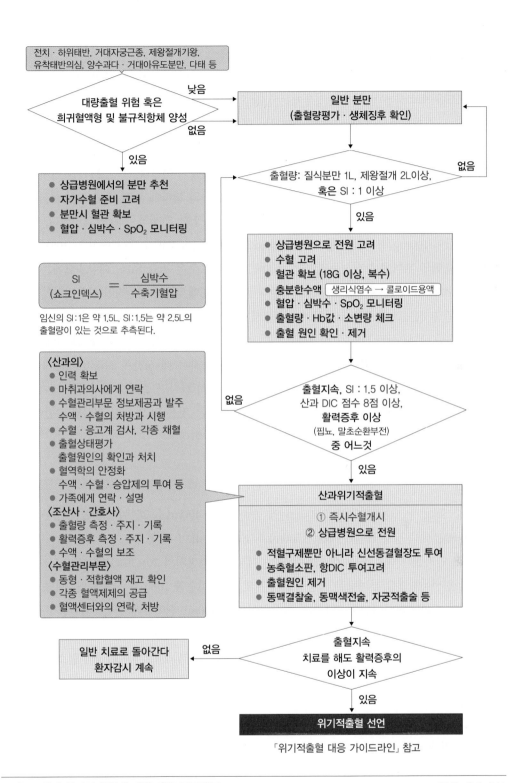

그림 1. 산과 위기적 출혈에 대한 대응 프로차트 (문헌3에서 인용)

추정 상실 출혈량의 2~3배량을 수액을 공급한다. 순환혈액량의 20~50% 출혈, 또는 Hb 6g/dL 이하에서는 삼투압 유지를 위한 콜로이드용액(6%히드록시에틸 전분액 등) 1,000mL(신기능 장애로 콜로이드용액의 사용이 어려운 경우에는 등장 알부민 제제를 투여함)와 적혈구 농축액의 수혈이 권장된다. 순환혈액량의 50~100% 출혈로는 혈청 알부민 농도 3.0g/dL 미만이 되어 세포외액 보충액, 콜로이드 용액 및 농축적혈구의 투여만으로는 혈청 알부민 농도의 저하에 의해 폐부종이나 핍뇨가 출현할 위험성이 있기 때문에 등장 알부민 제제를 투여한다. 또한 24시간 이내에 순환혈액량의 100%이상의 대량 출혈에는 응고인자나 혈소판수의 저하에 의한 출혈 경향(희석성 응고장해와 혈소판 감소)가 발생하므로, 신선동결혈장, 농축혈소판 제제의 투여를 고려한다. 혈장 피브리노겐 값이 100mg/dL 미만, 혈소판수 5만/μL 미만이 투여 지표가 되며 통상 5~10단위까지의 적혈구 농축액의 투여에는 신선동결혈장, 농축혈소판의 보충은 필요 없다. 대량출혈에는 가능하면 혈구회수기(cell saver)를 시도하도록 노력한다. 이상이 혈액제제의 일반적인 사용지침이지만, 산과출혈에 관해서는 그 특징을 고려하여 적혈구제제뿐만 아니라 신선동결혈장도 조기에 투여하는 것이 중요하다. 특히 산과 DIC가 선행하고 있다고 생각되는 경우에는 적혈구 제제보다 먼저 신선동결혈장을 투여해도 무방하다. 또한 신선동결혈장은 해동하는 데 시간이 걸리기 때문에 빨리(피브리노겐 값이 150mg/dL 혹은 200mg/dL 이하로 떨어지려 한다면)준비를 시작하는 것이 중요하며 수혈을 주저하지 않는다. 응고 인자의 보충만이 늦어지는 것을 막기 위한 최선의 수단이며, 신선동결혈장 투여의 중요성을 인식하고 조기 개시에 힘써야 한다.

■ 메모

(a) 체중 50kg 성인(순환혈액량: 3,500mL)에 농축적혈구 400mL를 2단위 수혈했을 경우(투여 Hb량: 60g) 예측 상승 Hb값은 60g/3,500mL × 100=1.7g/dL이 된다.

(b) 응고 인자를 지혈효과를 기대할 수 있는 최저농도(정상치의 20~30%)까지 상승시키는데 필요한 신선동결혈장 투여량은 보충응고 인자의 혈중 회수율 100%로 산출하면, 체중 50kg 성인에서는 400~600mL(3.5~5단위)의 혈장량이 된다(200mL 혈액유래 신선동결혈장 1단위는 120mL).

(c) 체중 50kg 성인(순환혈액량: 3,500mL)에 농축혈소판 10단위(2.0×10^{11} 이상의 혈소판 함유) 투여로 38,000/μL이상 증가가 예상된다.

---

3. 파종혈관내응고(DIC)

보충요법과 효소저해요법으로 대응한다. 보충요법은 신선동결혈장, 농축혈소판의 투여를 혈장 피브리노겐값 150mg/dL 미만, 혈소판수 5만/μL 미만을 지표로 하여 개시한다. AT 70% 미만은

AT제제(안티트롬빈Ⅲ 3,000단위=6vial 정주/일)도 보충한다. 효소저해요법은 세린단백질가수분해효소저해제에서 항응고 작용을 갖는 가벡세이트 2,500mg=5vial/일의 지속 점적정주 또는 나파모스타트 250mg=5 vial/일 지속 점적정주를 실시한다. 출혈경향이 뚜렷한 DIC 상황에서 중심정맥관을 잡으면 천자부위에서 출혈이 있을 수 있으므로, 출혈이 생길 때 압박이 가능한 대퇴정맥 혹은 내경정맥을 선택하는 것이 적절하다. 일본에서 가장 보편화된 쇄골하정맥천자법은 출혈경향이 많은 산과구급에서 선택하지 않는 편이 좋으며 기흉·혈흉의 합병은 치명적이다.

4. Sheehan증후군

뇌하수체 호르몬의 투여가 이상적이지만 주사제로 시행이 어려워, 각각의 표적 내분비선 호르몬의 보충을 지속적으로 시행한다.

◆참고문헌◆

1) 日本産科婦人科学会編. 産科婦人科用語集・用語解説集. 改訂第3版. 東京, 2013, 461p.
2) Moore, J. et al. Amniotic fluid embolism. Crit. Care. Med. 33(S), 2005, S279-85.
3) 日本産科婦人科学会, 日本産婦人科医会, 日本周産期・新生児医学会, 日本麻酔科学会, 日本輸血・細胞治療学会. 産科危機的出血への対応ガイドライン. 2010.
4) 心肺蘇生法委員会. ACLSトレーニングマニュアル. 日本医師会, 2005.
5) 厚生労働省医薬食品局血液対策課. 血液製剤の使用指針（改定版）. 2005.

≫ 古橋　円

제5장 이상분만의 관리와 처치

r 과다환기증후군

개념 · 정의 · 병태

과다환기증후군은 정신적·신체적 스트레스 등이 원인이 되어 발작적으로 과다환기 증상을 일으키는 기능적질환으로 그 결과로 인하여 호흡성 알칼리증과 그에 동반한 다양한 신체증상을 일으킨다.

일본의 일반적 보고에서는 이 증상은 20세 전후의 젊은 여성에게 많고, 남녀비율은 대략 1:2이다.[1]

이 증상은 피로, 통증, 발열, 구역질, 운동 등의 신체적 요소 및 불안, 공포, 긴장, 흥분, 화남, 슬픔 등의 심리적 요소가 관여하는 것이 많다. 발작적인 환기가 항진, 지속하여 $PaCO_2$ 저하(보통 30mmHg 이하)와 호흡성 알칼리증(pH 7.50 이상)을 일으키거나 카테콜라민 분비 및 β수용체의 기능항진에 의하여, 호흡기계, 순환기계, 소화기계, 신경·근육계에 대양한 임상증상을 일으킨다(표 1).

현저한 빈호흡을 하고 있음에도 불구하고 「공기를 들이마실 수 없음」같은 호흡곤란감이나 공기기아 감을 호소하며, 공포감과 질식감을 동반하고 있는 경우가 많다. 흉통은 과호흡에 따른 호흡근 피로, $PaCO_2$ 저하에 의한 늑간근의 경련, 공기 들어마심에 의한 횡경막의 압박에 기인한다. 카테콜라민 분비 및 β수용체의 기능항진에 의해, 빈맥, 심계항진, 발한이 생긴다. 때로는 관상동맥 경련에 의한 협심증 형태의 통증을 호소하는 경우가 있어, 허혈성의 심전도 패턴을 일으키는 경우도 있다. 과호흡에 의한 구강내 수분 증발에 의한 구갈, 공기 들어마심에 의한 복부팽만감, 구역, 구토가 생긴다. $PaCO_2$ 저하는 흉부 혈관의 경련을 일으키고, 의식장애나 실신을 일으킨다. 알칼리증은 혈중 Ca·P이온, 세포내의 K이온을 감소시켜, 근육경직, 저림, 강직이 생긴다.

표 1. **과다환기증후군의 임상증상**

전신증상	쉽게 피로감
호흡기증상	호흡곤란감, 공기기아감, 빈호흡, 가슴압박감
순환기증상	빈맥, 심계항진, 흉통
소화기증상	구갈, 복부팽만감, 구역, 구토
신경 근증상	의식장애, 실신, 두통, 현기증, 사지·안면·구순 저림, 강직성 경련, 근경직, 근육통, 진전
정신증상	불안, 긴장, 공포

진단

진통이 올 때 자궁수축에 의한 통증 또는 불안은 과호흡의 유발 요인이 될 수 있다. 과다환기증후군의 진단은 급성 과호흡발작과 다양한 증상(표 1 호흡곤란증, 사지저림, 경직성 경련 등)에서 비교적 용이하나, 기질적 질환(표 2)을 제외하는 것이 중요하다. 감별진단과 합병증 유무의 확인을 위하여 활력징후(의식, 맥박, 혈압, 체온 등)의 확인, 동맥혈가스분석은 필수적이다.

1. 동맥혈가스분석

동맥혈가스분석에서 호흡성 알칼리증($PaCO_2$ 저하 〈30mmHg 이하가 많다〉), pH 상승 〈7.50 이상이 많음〉), $PaCO_2$ 정상, 대사성 산혈증이 없는 것을 확인한다.

2. 맥박산소측정기

강한 호흡곤란감에도 불구하고 산소포화도는 정상인 것이 특징적이며, 많은 중증 타질환을 제외하는데 유용하다.

3. 심전도

발작시에 일과성으로 동성 빈맥(sinus tachycardia), T파 역위, ST 저하를 보이는 경우가 있다. 회복되면 정상이다.

4. 기타 검사

CBC, 생화학, 흉부X선, 두부CT·MRI, 흉부CT는 발작시와 회복 후에 모두 정상이다. 과호흡을 일으키는 다른 중증 질환을 감별하기 위해서 필요에 따라 시행한다.

5. 감별진단

활력징후의 불안정, 저산소혈증, 대사성산혈증, 쇼크 중 하나라도 합병하는 경우에는 과환기를 일으키는 중증의 기질적 질환(표 2)를 생각해야 되며, 즉시 전문의에게 정밀치료를 의뢰한다. 임신 후기에서 분만시, 산욕기에 걸쳐서 특히 주의해야하는 기질적 질환은 뇌혈관장애(특히 임신고혈압증후군), 폐부종(특히 임신고혈압증후군 발병 또는 조기진통의 치료로서 염산리도트린을 사용한 경우), 폐혈전색전증이다. 뇌혈관장애, 폐부종은 각각 두부CT·MRI, 흉부X선검사로 진단이 가능하다. 저산소혈증을 보이는 경우에는 항상 폐혈전색전증을 염두에 두어야한다. 동맥혈가스분석, 심전도, 심장초음파검사, 흉부조영CT 등에서 진단가능하지만, 병태가 급격히 악화되는 경우가 많으므로 신속하게 전문의에게 진찰을 의뢰해야 한다.

표 2. 과호흡을 보이는 기질적 질환

호흡기질환	폐부종, 패혈전색전증, 기관지천식, 기흉, 폐렴 등
순환기질환	심부전, 협심증, 심근경색, 심막염, 심근염 등
신경계질환	뇌혈관장애, 뇌염, 수막염, 간질 등
내분비·대사성질환	대사성산혈증(당뇨병, 신부전), 갑상선기능항진증, 간부전 등
정신질환	히스테리, 공황장애 등
약물중독	아스피린염, 메틸크산틴유도체, β자극제 등
기타	발열, 패혈증 등

6. 발작시 과다환기증후군 진단에 필요한 사항

1) 발작성 과호흡과 호흡곤란감이 있다.
2) 동맥혈가스 소견이 일치한다(앞서 기술).
3) 과호흡을 일으킬만한 기질적 질환이 없다.

관리 · 치료

이 질환의 치료에서는 환자의 불안을 없애는 것이 가장 중요하다. 우선 중증 기질적 질환의 가능성이 낮은 점, 생명에 위험을 미치는 병이 아니라는 점을 설명하고, 불안, 스트레스 등의 심리적 요인을 경감시키고, 복식호흡을 의식하면서 천천히 호흡할 수 있도록 지도한다.

이러한 처치로도 증상이 나아지지 않을 때는 진정제 투여(디아제팜 5~10mg을 근주 혹은 천천히 정주)가 효과가 있다. 사지의 경련이 강한 경우에는 8.5% 글루콘산칼슘 10mL를 천천히 정주한다.[2]

진정제 투여시에는 저산소혈증의 위험이 있기 때문에 경피적 산소포화도 모니터에서 SpO_2를 모니터링하면서 시행해야 한다. 진정제 투여시 저산소증에 대해서는 산소투여, 두드러지는 호흡억제에 대해서는 기관삽관·인공호흡이 필요한 경우도 있다.

봉지 재호흡법(paper bag법)은 과다환기발작에 대한 대처법으로 일반적으로 보급되어 있다. 그러나 과호흡 후에 일어나는 무호흡에서 저산소증을 초래하는 post-hyperventilation apnea가 발생할 수 있기 때문에 최근에는 추천되고 있지 않다.[3]

저산소혈증, 대사성산혈증, 쇼크를 합병하는 경우는 기질적 질환을 생각해야 하며, 치료는 산소투여, 인공호흡, 수액, 승압제 등이 우선된다. 이러한 경우에는 진정제 투여 등 과도환기증후군

의 치료를 안이하게 해서는 안 된다.[4]

예후

과도환기증후군의 지속은 보통 10분에서 1시간으로 짧고, 예후가 양호하다.[4] 발작이 반복적으로 생기는 환자에서는 공황장애, 불안증, 우울장애 등을 합병하고 있는 가능성이 있기 때문에 신경과·정신과에 진찰·치료를 의뢰한다.

모체의 과호흡에 의한 극단적인 호흡성 알칼리증은 태아의 저산소상태·산혈증·태동감소를 초래할 가능성이 있다.[5] 그 기전으로서는 국소적 혈관경련에 의한 자궁태반순환혈액량의 감소, 모체CBC소친화성의 증강에 의한 태아의 산소이행량의 감소 등이 열거되고 있다. 한편 분만 중의 모체 PCO_2와 태아의 PO_2와의 사이에는 관련이 없다는 보고도 있어, 모체의 과호흡이 태아에게 미치는 영향에 대해서는 명확하게 밝혀진 내용이 없다.

참고문헌

1) 小林隆夫ほか. "過換気症候群". 異常分娩. 寺尾俊彦担当編集. 東京, 中山書店, 1999, 395-8, (新女性医学大系, 26).
2) 田坂定智ほか. 日常病にどう対応しますか? 頻度順に考える症状/疾病の対処法, その他で比較的多い健康問題の対応, 過換気症候群. 治療. 86 (3) 増刊, 2004, 1133-4.
3) 古川智一ほか. 疾患編III. 呼吸器疾患, 過換気症候群. 診断と治療. 102 (増刊), 2014, 263-6.
4) 行岡秀和. 主要疾患の救急対応：呼吸器系；過呼吸症候群. 綜合臨床. 53 (増刊), 2004, 1098-100.
5) Huch, R. Maternal hyperventilation and the fetus. J. Perinat. Med. 14 (1), 1986, 3-17.
6) Lumley, J. et al. Hyperventilation in obstetrics. Am. J. Obstet. Gynecol. 103 (6), 1969, 847-55.

渡辺　尚

S 흡인분만·겸자분만

개념

분만진행의 정체 및 모체 측 혹은 태아 측의 어떠한 이유가 있어 자연적인 분만진행을 기다리지 못하고 인공적인 조작에 의한 분만을 종료하는 것을 수술적 분만이라고 한다. 이 경우의 수단으로서 흡인분만, 겸자분만, 제왕절개술이 있다. 기원전의 책에 이미 분만에서 어떠한 기기를 사용하였다는 기술이 있는데, 당시는 사망한 태아의 분만에 사용된 경우가 많았을 것으로 보인다. 태아의 분만을 목적으로한 근대적인 겸자는 1600년 정도에 Chamberlin에 의하여 개발되었다고 한다. 그 후 여러가지 개선, 연구가 더하여져 700개 이상의 종류가 고안되어 왔는데, 현재까지 사용되고 있는 것은 몇가지이다. 흡인분만은 Malstrom이 흡입펌프에 연결한 금속 컵을 사용했다는 사실을 1954년에 최초로 보고한 바 있다.[2] 그 후 흡입 컵의 소재나 형태가 개선되어 왔다.

수술적 분만이 필요한 상황에서 제왕절개술과 흡인·겸자분만 중 어느 것을 선택할지는 모체, 태아의 예후·합병증의 위험과 직결되므로 그 판단은 산과의사로서 매우 중요하다. 20세기 이후, 항균제의 개발, 수액법의 확립, 수술 자재의 질 향상, 마취법의 진보 등 여러가지 요인에서 모체에 대한 제왕절개술의 안전성이 향상되었다. 따라서 현대의 산과 진료에서는 아두의 위치가 높은 경우나 아두의 회전이 잘 안되는 경우 흡인·겸자분만의 어려움이 예측되는 상황에서는 제왕절개술이 우선되는 비율이 늘고 있는 것으로 추정된다. 그러나 흡인·겸자 분만은 결정에서 준비, 분만까지 걸리는 시간이 제왕절개술보다 짧기 때문에 급격하게 모체나 태아의 상태가 나빠지는 경우 시행가능하다면 흡인·겸자분만을 시행하는 쪽이 합리적이며, 모체와 태아의 예후도 더 낫다. 그렇기 때문에 흡인·겸자분만의 이론적인 이해와 기술의 습득은 산과의사로서 필수적이다.

요약

흡인·겸자분만의 시행에 앞서 반드시 충족해야할 조건에 대해서『산부인과 진료가이드라인: 산과 편 2014』의 CQ406에 의한 흡인·겸자분만의 적응, 요약을 표 1에 나타내었다. 또한 American College of Obstetricians and Gynecologist (ACOG)의 2001년의 Practice Bulletin[3]에 따르면 ① 자궁경부의 완전개대, ② 파막상태, ③ 아두가 골반내에 진입, ④ 태아 머리의 위치(태향, 태세, 축진입) 확인, ⑤ 태아의 추정몸무게 확인 및 아두골반불균형 없음, ⑥ 모체 충분한 마취, ⑦ 모체의 방광이 비워진 상태, ⑧ 사전설명, ⑨ 제왕절개술로 이행가능한 준비가 되어있다. 일본과 미국

표 1. 흡인·겸자분만의 요약과 적응

조건 내용	추천레벨
요약(흡인분만)	
34주 이후	C
아두골반불균형의 임상소견이 없음	A
자궁완전개대 동시에 파수상태	B
아두가 진입하고 있음	B
요약(겸자분만)	
출구부, 저위, 중위에 대하여, 동시에 모체 전후 지름과 화살 모양 봉합이 이루는 각도가 45도 미만, (이상이 겸자적위)	B
아두골반 불균형의 임상 소견이 없다. 자궁완전개대 동시에 파수상태.	–

적응	추천레벨
적응	
분만 제2기 지연, 분만 제2기 정지	B
모체합병증(심장질환 합병 등), 모체피로	B
태아기능부전(non reassuring fetal status)	B

『산부인과 진료가이드라인: 산과 편 2014』에 따라 기재

의 차이 한가지는『산부인과 진료가이드라인: 산과 편 2014』에서는「34주 이후」라는 주수에 따른 조건이 있다는 것이다. 부가설명으로「33주까지의 흡인분만은 뇌내출혈의 위험이 높아질 가능성이 있기 때문에 34주 이후를 원칙으로 하지만, 34주 미만이어도 응급 대응으로서 제왕절개술보다도 흡인·겸자분만이 적절한 경우가 있을 수 있다」라고 기재되어 있다.

또한 겸자분만에 대해 임신주수 제한에 대한 합의는 아직 없지만 겸자와 아두의 사이즈의 적합성 또는 두개골의 골화의 정도에서, 조기진통이나 자궁내성장제한을 수반한 태아에 대한 사용은 신중할 필요가 있다. 흡인·겸자분만이 금지가 되는 경우로는 골형성부전증과 같은 태아의 두개골의 취약성이 예측되는 경우나 태아의 혈소판감소, 선천성응고장애 등의 출혈성 소인으로, 두개내출혈의 위험이 높은 경우를 들 수 있다.

적응

분만 제 2기의 진행의 지연 또는 정지가 있거나 모체 혹은 태아측의 요인에 따른 분만시간의 단축의 적용으로 나뉜다(표 1). 제2기 정지의 판단기준은 초산모는 2시간(경막외 마취하에서는 3시

간), 경산모는 1시간(경막외 마취하에서는 2시간)의 사이에 진행의 변화가 없는 경우로 되어 있다.[3] 그러나 분만의 진행은 개인차가 크기 때문에, 모체의 상태 또는 태아의 안녕에 문제가 없다면 그 이상의 시간경과가 있어도 관찰을 진행해도 좋다. 기다린 후에 결과적으로 기계분만이 되는 경우에도, 아두의 하강 및 산도의 형성이 조금이라도 진행됨으로써 보다 안전하게 시행할 수 있다. 모체의 고혈압, 심장질환, 뇌혈관질환 등의 이유로부터 심각한 탈진이나 분만시간의 단축이 바람직하다고 판단되는 경우에는 내진소견상 시행이 가능하다고 판단된 시점에서 겸자·흡인 분만을 검토한다. 태아의 안녕이 불확실한 상태(nonreassuring fetal status)인 경우 즉시 내진을 시행하고, 흡인·겸자분만이 가능한지 여부를 판단하여, 적당하지 않는 경우에는 제왕절개술의 준비를 진행한다.

흡인·겸자분만의 적절한 태아의 위치

흡인·겸자분만의 진행의 판단에서 가장 중요한 요소는 정확한 내진 소견이다. 자궁완전개대, 양막의 파막상태는 필수 전제조건이며, 이에 더해 아두의 최대 직경의 골반 내에서의 위치와 회전 이상 유무에 대한 판단이 흡인·겸자분만의 적합성을 결정하기 위해 필요하다. 그러기 위해서는 시상봉합의 방향과 소천문, 대천문의 위치를 확인하고 아두 선진부의 높이, 산류, 아두변형 상태 등을 파악한다. 산류의 형성이나 골중첩에 의해 판단이 곤란한 경우에 복식초음파법에 의해 안와의 위치와 척추의 위치 등을 관찰하는 일도 중요하다. 회전 이상이 없는 경우에 흡인·겸자 분만의 난이도에 관련된 큰 요소는 아두 최대 직경의 위치이다. 이에 대해 국제적으로 통일된 기준은 없지만, 일본산과부인과학회의 소골반강의 구분(그림 1)과 그에 대응하는 아두 최대 직경의 위치 표현을 표 2에 나타내었다.

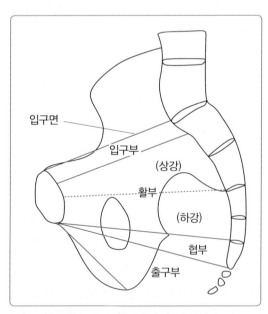

그림 1. 일본산과부인과학회의 소골반강의 구분

입구면
입구부
(상강)
활부
(하강)
협부
출구부

표 2. 흡인·겸자분만에 적절한 아두 최대직경의 위치와 내진소견과의 비교 (위치 그림1 참고)

아두최대 직경의 소골반강내 위치	내진에서의 표현	대략 동경대식 station의 기준*	치골결합 이면을 만지는 법
입구면보다 위	부동~가동	~-1	전부촉지~2/3촉지
입구면~ 입구부	진입, 높은 위치	0	1/2촉지
활부상강의 상향	높은 중간 위치 상향	+1	1/3촉지
활부상강의 하향	높은 중간 위치 하향	+2	하연
활부하강	낮은 중간위치	+3	불촉지
협부	낮은 위치 상향	+4	불촉지
출구부	낮은 위치 하향	+5	불촉지

*전방후두위에서 진행되는 회전이상이 없는 경우의 기준

표 3. ACOG의 겸자분만의 분류 (문헌3에서 발췌)

분류명	선진부 위치, 판단의 기준	일반적으로 예상되는 시상봉합의 방향
Outlet forceps	골반저에 도달해있다. 회음부로에서 아두가 보인다. 아두가 회음에 접해있다.	45도 이내
Low forceps	Station≤+2로, 골반저에 도달하지않음	45도 이내
		45도를 넘는다
Mid forceps	아두가 감입하고 있으나 (station≥0) 선진부는 Station+2보다 높음	기재없음
High forceps	Mid forceps보다도 높음	기재없음

ACOG의 Practice Bulletin[3]에서는 겸자분만을 outlet forceps, low forceps, mid forceps, high forceps로 분류하고 있다(표 3). 다만 거기에 포함된 많은 표현은 앞서 기술한 일본의 아두최대직경의 위치 표현과는 일치하지 않으며, 일본의 높은 중간 위치, 낮은 중간 위치 겸자는 대부분의 경우 ACOG에서의 low forceps에 해당하며, 낮은 위치 및 출구부 겸자는 outlet forceps에 해당한다고 지적되고 있다.[4] 겸자 적절한 위치에 관해서는 『산부인과 진료가이드라인: 산과 편 2014』 CQ406의 Answer9에 게재되어 있듯이, 회전이상이 없고(전방후두위), 시상봉합이 골반종단면에 일치하거나, 거기에 가까운 경우(45도 이내)이며, 또한 아두최대주위 직경이 낮은 중간 위치, 낮은 위치 혹은 출구부인 것이 겸자분만 시행의 원칙이다. 한편 높은 중간 위치나 전방전두일 경우나 전방 후두위여도, 시상봉합이 골반종경에 대하여 45도 이상의 횡향에 가까운 상태에서는 겸자가 적절한 위치에 장착될 수 없는 가능성이 높아지고, 또한 보다 강한 견인력이 필요해져, 모체와 태아의 손상 발생 위험이 증가한다. 때문에, 기술에 숙련된 자가 시행 혹은 지도하는 것이 필요하다

고 여겨지고 있다. 흡인분만에서는 아두의 위치가 높아도 장착할 수 있는 경우도 있으며, 흡인에 적절한 아두의 위치에 대한 명확한 규정은 확립되어있지 않다. 그렇기 때문에『산부인과 진료가이드라인: 산과 편 2014』에서는 흡인에 적절한 높이에 관해서는 아두진입(아두최대 직경이 골반입구부를 통과한 상태에서 일반 station0 이하 정도)만을 필요조건으로하고 있다. 또한 흡인분만에서는 견인 도중 자연적으로 아두가 회전할 수 있기 때문에 소천문이 진행되는 경우에는 시상봉합의 방향에 관한 제약은 없다. 다만, CQ406의 answer 8에 있는것처럼 총 견인시간 20분 이내, 빠지는 횟수를 포함한 흡인횟수는 5회까지로 추천하고 있다. 이 조건을 넘어서 계속하면, 태아의 두개내, 외의 손상위험이 높아지는것으로 알려져 있다.[5,6] 흡인분만의 견인력이 겸자분만보다도 약한 것을 고려하면, 겸자분만에서도 고난이도가 되는 높은 중간 위치 이상의 높이 및 회선이상의 상태에서는, 이 조건의 범위내에서 분만할 수 없는 가능성이 높다고 알고 있을 필요가 있다. 급속분만이 필요한 경우에는 사전에 흡인·겸자분만의 적절한 위치가 아니라도 판단되면, 응급제왕절개술을 선택하는 것이 당연하며 시험적인 시행은 하지 않는다.

아두최대 직경의 위치를 판단할 경우 station은 하나의 기준에 불과하다는 것을 염두에 둘 필요가 있다. 그 이유로는 아두의 선진부의 위치에서 결정되는 station이 동일한 경우에도 아두의 적응상태나 산류 형성의 정도에 따라, 실제 아두의 최대면의 위치가 다른 경우가 있다. 또한 회전이상이 있는 경우에서는 전방후두위에 의한 station과 최대 직경의 위치의 대응과 비교해서, 같은 station이라도 최대 직경의 위치는 보다 높은 경우가 많다. 또한 임상에서는 객관적으로 station을 판단하는 것이 어렵다는 근본적인 문제도 있다. 미국에서는 아두의 하강도는 Hodge의 골반평해 평면 구분의 제3평면(좌골극을 지나는 평면)에 선진부가 있는 상태를 station ± 0이라고 규정하고, 골반평행평면의 수직선 방향의 거리에 선진부의 위치를 규정한다는 DeLee의 station의 개념에 의해 평가된다. 그러나 아두의 선진부가 통과하는 산도의 중심선인 골반유도선은 곡선이기 때문에 station이 플러스가 될 위치 근처까지 아두의 선진부가 내려오면, 아두가 선진하는 방향은 골반평행평면의 수직 방향과 차이가 커져서 모체의 전방으로 향하게 된다(그림 2).

그렇기 때문에 station이 0를 넘으면, 내진시에 인식되는 선진부의 이동거리와 station의 변화가 일치하지 않는 것이 DeLee의 station의 임상적인 관점에서 하나의 결점이 된다. 사실, 분만시뮬레이터를 사용한 station의 정확성을 검증한 보고에 의하면, 경험이 쌓인 의사라도 50% 전후-station의 판정에 실수가 생긴다는 것이 나타나있다.[7] 이러한 문제점을 개선하기 위해서, 일본에서는 골반유도선에 따라 선진부의 이동거리를 station으로하여 평가하는 개념(동경대식station, 그림 2)이 있다. 흡인·겸자분만의 시행의 적부를 판단함에 있어서는 station이 플러스로 된 시점보다 정밀도가 높은 평가가 요구되는 것을 생각하면, 이 동경대식station은 실천면에서의 이점이 크다. 또한 최근에 경회음초음파를 사용하여 골반내의 아두의 위치를 평가하는 시도도 행해지고 있으나,[9,10] 자세한 것은 이곳에서는 생략한다.

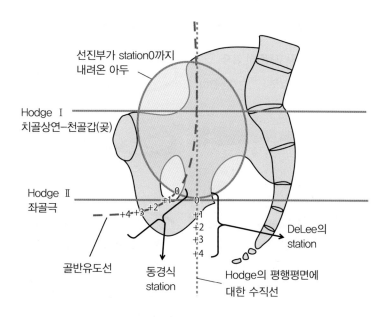

선진부가 station0까지
내려온 아두

Hodge Ⅰ
치골상연−천골갑(곶)

Hodge Ⅱ
좌골극

+4 +3 +2 +1 0

0
+1
+2
+3
+4

DeLee의
station

골반유도선

동경식
station

Hodge의 평행평면에
대한 수직선

그림 2. DeLee의 station과 동경대식station의 비교

실제 수기

1. 겸자분만

현재 임상에서 사용되는 분만겸자의 종류는 나라에 따라 차이가 있지만 몇종류로 한정되어 있다. 일본에서는 Naegele(내글레)겸자(동경대식)가 일반적으로 사용되고 있다. 또한 아두회전용의 Kielland(키런)겸자, 골반위의 후속아두분만용 Piper(파이퍼)겸자도 있지만 이들 겸자의 사용빈도는 극히 드물며, 사용하는 기능을 습득하고 있는 산과의도 적어지고 있다(그림 3). Naegele겸자는 좌엽, 우엽의 2개의 부분으로 이루어져, 양엽을 접합부에서 합치시킴으로써 일체화하여 양엽이 어긋남없이 아두를 쥘 수 있는 상태가 된다. 아두를 감싸는 겸자 수저 부분은 아두를 끼우기 위한 아두만곡과 골반유도선에 맞춘 골반만곡이라는 두개의 곡선적 입체구조를 가지고 있다. 한편 Kielland겸자에서는 아두만곡이 있지만 골반만곡이 없는 점, 양엽을 서로 활주할 수 있는 접합부 구조로 되어 있는 점 등, 회전겸자라는 용도에 맞추어 견인을 목적으로한 Naegele겸자와는 다른 특징을 가지고 있다.

이하는 전방후두위에서 아두최대 직경이 중재이하의 높이, 실상 봉합이 골반전후 직경과 거의 일치한 상태라는 점(겸자 적정 위치)이 이미 확인된 상태를 상정한 Naegele겸자를 이용한 겸자분만의 수순에 관하여 설명한다.

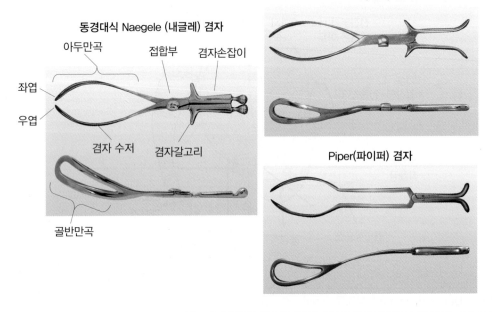

동경대식 Naegele (내글레) 겸자

아두만곡

접합부

겸자손잡이

좌엽

우엽

겸자 수저

겸자갈고리

골반만곡

Kielland(키런) 겸자

Piper(파이퍼) 겸자

그림 3. 분만 겸자의 종류와 부위 명칭　　　　　　　　　(사진제공: 아톰메디칼사)

1) 시행 준비

모체를 쇄석위로하고 방광에 소변이 차있으면 도뇨를 실시하여 방광을 비운다. 골반저근의 이완, 회음절개를 목적으로 마취(음부신경 차단, 국소 마취, 혹은 경막외마취가 시행되고 있는 경우는 그 조절)를 시행한다. 겸자의 양엽을 서로 합치시켜서, 좌엽 우엽의 크기가 일치하고 있는지 적절하게 합치 가능한지를 확인한다.

2) 겸자의 삽입(그림 4, 그림 5)

진통간격 사이에 삽입을 시행한다. 접합부의 구조에서 좌엽, 우엽의 순으로의 삽입이 원칙이다. 술자의 오른손을 모체의 좌질벽과 아두의 사이에 삽입한다. 좌엽의 겸자손잡이를 왼손으로 들고 겸자의 선단을 삽입한 오른손과 아두의 사이에 삽입한다. 그 후 오른손은 삽입한채로 오른손의 엄지손가락으로 겸자 수저를 안쪽으로 가져간다. 오른쪽손은 겸자손잡이를 가볍게 받치기만 하며, 강한 힘으로 밀어넣으면 안된다. 좌엽이 삽입되는 과정에서 겸자손잡이는 위쪽수직방향에서 반시계방향으로 모체의 우대퇴부내측면을 따라 이동하여, 대략 수평, 정중의 위치에 오도록 한다. 여기서 일단 양손을 떼고, 계속하여 술자의 왼손을 모체의 우질벽과 아두의 사이에 삽입한다. 오른손에서 좌엽의 겸자손잡이를 쥐고 선단부를 좌엽과 아두의 사이에 삽입하고, 좌엽과 대

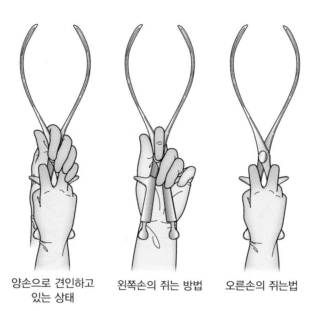

| 양손으로 견인하고 있는 상태 | 왼쪽손의 쥐는 방법 | 오른손의 쥐는법 |

그림 4. Naegele 겸자 쥐는 방법 (문헌8에서 인용하여 개제)

칭적인 움직임에의해 똑같이 삽입한다.

3) 겸자의 접합

양엽의 접합부를 합치시킨다. 합치시키기 어려운 경우에는 겸자손잡이를 조금 누르면서 양엽을 안쪽으로 가져가는 것으로 합치가 가능해진다. 보통, 아두최대직경이 저중재, 저재라면 겸자손잡이는 대략 수평위, 고중재라면 대부분 아래를 향하고, 출구부라면 대부분 상향이 된다. 접합하기 위해서는 겸자에 강한 힘을 가하면 안된다. 가벼운 힘으로 접합하지 않는 경우는 아두의 위치가 높고 겸자가 적절 위치가 아닐 가능성이 있기 때문에 중지한다.

4) 견인

접합후에 재차 내진을 시행하여, 시상봉합이 세로인 것이나 아두의 높이를 확인한다. 견인에 있어서는 그림 4처럼 양손으로 겸자를 쥔다. 우선 진통 간격 사이에 경도의 견인을 시행한다(시험견인), 겸자가 떨어지는 것 없이 아두가 따라오는 것을 확인한다. 시험견인의 후에는 일단접합을 해제하고 아두에 대한 겸자의 압박부터 아두를 해방하고 진통을 대기해도 좋다. 진통 시작에 맞춰서 양엽을 접합하여 견인을 개시한다. 술자는 모체의 정면에 서고, 골반유도선을 따라 정중방향으로 견인하고, 좌우 대각선이 되지 않도록 주의한다. 견인을 시작하는 방향은 아두의 높이에 따라 다르지만, 후두결절이 치골결합 아래에 오기까지는 경사 아래방향(Ⅰ위), 후두결절이 치골결

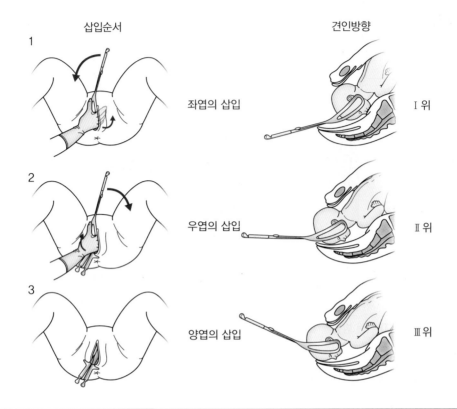

삽입순서   견인방향

1   좌엽의 삽입   Ⅰ위

2   우엽의 삽입   Ⅱ위

3   양엽의 삽입   Ⅲ위

그림 5. Naegele 겸자의 삽입순서와 견인방향의 명칭   (문헌8에서 인용하여 게재)

합의 아래를 통과하면서 아두가 골반저에 도달까지 수평방향(Ⅱ위)으로 조금씩 견인방향을 바꾸며 나아가 후두결절이 치골하연을 넘을 무렵부터 비스듬히 위쪽 방향(Ⅲ위)으로 견인한다(그림 5). 견인은 되도록 천천히 행하여 후두 결절이 치골을 넘어 견인을 풀어도, 자연스럽게 아두가 돌아오지 않는 상태가된 시점(겸자손잡이가 위쪽 45도 정도를 향하는 위치 부근인 경우가 많다)에서 종료한다. 견인 중에 진통이 종료된 경우에는 견인을 중단하고 다음 진통을 기다린다. 견인시에 아두를 집는 힘은 겸자가 골탈하지않는 최소한으로 하고, 겸자 양엽사이에 끼운 왼손의 검지(혹은 겸지와 중지 2개)에 전해지는 압력에 의해 아두에 대한 압박의 강도를 느낄 필요가 있다. 또한 견인 중에는 아두 선단에서 접합부까지의 거리에 주의해서, 그것이 넓어지게 되는 경우는 골탈이 발생해서 위험하므로 일단 견인을 중단하고 겸자를 안쪽으로 하여 적절한 위치로 재조정한다.

회음 절개는 견인 개시 전에 하는 것보다 견인 중에 회음이 어느 정도 신전된 시점에서 일단 견인을 느슨하게 하는 편이 최종적으로 절개부위의 확대가 적게 되는 경우가 많다. 그러나 이 경우는 절개 타이밍을 놓쳐 Ⅲ~Ⅳ도의 열상이 생기지 않도록 주의해야 한다.

5) 겸자 제거

후두결절이 치골을 넘어 아두가 안으로 돌아가지 않는 시점에서 겸자를 제거한다. 삽입 시와 반대의 순서로 우엽, 좌엽의 순으로 제거한다. 이 때 우엽의 제거에서는 겸자손잡이가 반시계방향으로 회전하면서 최종적으로는 겸자손잡이가 모체의 머리측으로 향하는 형태에서 제거된다. 좌엽에서는 이와 대칭적인 움직임이 된다. 아두가 완전하게 분만되기까지 견인을 계속하면, 질벽, 회음의 열상이 크게될 가능성이 높기 때문에 주의가 필요하다. 또한 겸자의 제거시에 아두가 급격히 튀어나오는 일이 없도록 술자 혹은 조수가 아두를 가볍게 누르면서 회음을 보호한다. 제거시에 저항이 있어 어려운 상황에서는 제거없이 그대로 아두를 분만한다. 강한 힘으로 무리하게 제거하면 모체, 태아에게 예상치 못한 손상을 초래할 위험성이 있다.

2. 흡인분만

흡인 컵의 재질로서 실리콘제의 소프트컵, 금속컵, 플라스틱컵 등이 있다. 형태로서 Discoid형, Bell형이 있으며, 일본에서 일반적으로 사용되는 금속컵은 Discoid형, 소프트컵은 Bell형이다. 금속컵은 흡인력이 강하지만 태아피부의 손상이 생기기 쉽고, 소프트컵은 손상위험은 적지만 비교적 흡인력이 약하다는 특성이 있다. 흡인컵은 호스를 통해 흡인기와 연결한다. 흡인에서의 압력의 설정은 50~60cmHg (65~80kPa)로, 이것을 넘는 강한 음압은 피한다. 또한 키위 분만 흡입컵® 에서는 음압미터의 값을 기준으로 수동으로 음압을 가한다.

이하에서는 후두부가 선진하고 있어 아두 최대 직경이 중재 이하의 높이인 경우의 흡인분만의 순서에 대해 설명한다.

1) 시행 준비

시행에 앞서 흡인컵, 흡인장치가 올바르게 접속되어 있는지를 확인한다. 그리고 흡인컵을 술자의 손바닥에 대고 흡인장치를 작동시켜, 적절한 강도의 음압 50~60cmHg (65~80kPa)이 되는 것을 유지한다. 또한 모체의 방광이 비워있지 않는 경우는 도뇨를 시행한다.

2) 흡인컵의 장착

진통간격 사이에 컵을 아두에 장착한다. 컵 장착 위치의 중심을 소천문에서 2~3cm 전방 시상봉합 위(flexion point, 굴곡점)로 한다. 이것에 의해 아두가 굴위를 유지한 상태에서 작은 사경주위의 최소면에서의 견인이 가능해진다. 소프트컵의 경우는 컵을 구부려 질내에 삽입해서, 태아 머리 앞에서 펼쳐 장착하는 것이 가능하다. 흡인컵이 대천문에 걸리지 않을 것, 흡인 컵과 아두의 사이에 자궁경관이나 질벽이 끼워지지 않는 것을 내진으로 확인한다. 간헐기에 경도의 흡인압을 가하여, 아두와의 접착을 확실히 해두어도 좋다.

3) 견인

진통개시에 맞춰 흡인기를 작동시켜, 흡인압이 상승한 것을 확인한 뒤 견인을 개시한다. 술자의 오른손으로 견인 핸들을 들고, 다른쪽 손은 컵에 붙여 이탈되지 않도록 아두와의 접착상태를 확인해가면서 견인을 시행한다. 견인방향은 겸자분만과 동일하게 골반유도선을 따라서 정중방향이며, 아두의 높이가 하강함에 따라 I위, II위, III위로 차례로 변화시켜 간다. 되도록 천천히 견인하고, 상하 좌우에 강하게 흔드는 동작은 아두의 두피의 손상 위험을 높이기 때문에 행하지 않도록 한다. 회음절개에 대해서는 겸자분만의 순서에서 기재된 것과 동일하게 아두에서 회음이 충분히 신전된 시점에서 일단 견인을 중단하고 아두를 가볍게 누르면서 시행하는 편이 바람직하다.

4) 흡인컵의 제거

후두결절이 치골을 넘고 견인하지 않아도 아두가 돌아가지 않는 상태가 된 시점에서 음압을 해제하고 흡인컵을 뗀다. 이 단계에서는 아두가 급격하게 분만되어 질벽, 회음열상이 커지지 않도록 회음 보호, 경도의 아두압박을 시행하면서 조작하는 것이 중요하다.

3. 회전이상에 대한 대응

아두가 중재 이하까지 하강하고 있는데, 시상봉합이 가로방향으로 있는 상황에 대한 대응으로 ① 흡인분만을한다, ② 용수적으로 소천문이 전방으로 오도록 아두를 회전하고, 시상봉합을 골반 세로지름과 일치시킨 후 네글레겸자를 이용하여 견인한다, ③ 키런겸자로 전방후두위가 될 수 있도록 회전한다, 등을 선택지로 들 수 있다. 그러나 ①에 대해서는 시상봉합이 세로에 가까운 경우와 비교하여 흡인이 어려울 가능성이 높은 것에 대한 유의가 필요하며, ②, ③에 대한 구체적인 방법은 이미 출판된 책을 참고하길 바란다. 이러한 수기는 기능에 숙련된 자가 행해야 한다. 즉 술자의 기능에 따라 응급제왕절개술의 선택 기준은 다르게 될 수 있지만, 내진 소견을 적절하게 잘 파학하는 기술이 가장 중요하다.

전방전두위로 대천문쪽이 선진되어 있는 경우, flexon point가 질의 뒤아래쪽에 있어, 올바른 위치에 일반적인 흡인컵을 장착하려고 하면, 호스가 꺾여서 음압을 가할 수 없는 경우가 생긴다. 한편, 아두 정면에 장착하면 대천문에 직접 음압이 가하게 되어 위험하다. 그 때문에 견인부와 컵의 각도에 관계없이 음압을 가할 수 있는 타입의 흡인컵이 필요하다. 전방전두위에서의 겸자분만의 구체적 방법에 대해서는 역시 이미 출판된 책을 참고해 주었으면 하지만, 전방전두위 그대로 Naegele 겸자를 사용하는 경우에는 최대 직경이 아두 전후 직경이 되어 소사경보다 크기 때문에 강한 견인력이 필요하다. 또, 전방전두위를 포함한 회전이상에서는 station이 낮은 경우라도 아두 최대 주위 직경의 위치는 높은 경우가 많다는 것도 염두에 둘 필요가 있다. 즉, 대천문이 선진할 경우에는 흡인·겸자 분만 모두 난이도가 높은 것을 고려하여 제왕절개술과의 선택을 신중하게

t 제왕절개술

개념·적응·빈도

1. 개념

제왕절개술은 태아를 안전하게 분만할 수 있는 방법 중 하나로 최근 증가 경향에 있다. 제왕절개술의 증가요인으로는 늦은 결혼, 출산의 고령화, 적은 출산, 조산의 증가 등이 있으며, 또한 둔위태아의 질식분만 및 기왕제왕절개술 후의 질식분만(VBAC)의 회피에 의해 더욱 늘어나고 있다. 산부인과 의사에게 있어서 가장 가깝고 최초로 경험하는 개복 수술이지만, 그 난이도는 여러가지이며 고도의 응용기술을 요구할 수도 있는 수술이기도 하다. 일반적인 술식과 응용편에 대해 기술한다.

2. 적응

제왕절개술이 필요되는 상황은 다양하다. 크게 모체적응과 태아적응으로 나뉜다. 모체적응은 모체의 상황이 질식분만에 부적절하다고 판단되는 경우로, 태아적응으로는 태아기능부전이나 태아발육부전 등 질식분만에 태아가 견디기 어렵다고 판단되는 경우이다. 이처럼 분명하게 나뉘는 것이 가능하지 않은 경우도 있다. 예를 들어 임신고혈압증후군인 임신부의 신기능이 악화되고 동시에 태아발육부전이나 태아기능부전이 있는 경우는 양자를 고려해서 제왕절개술을 적응하게 된다. 또한 시설에 따라서도 적응증이 달라질 수 있으며, 적응의 일례를 표 1에 나타내었다.

3. 빈도

그림 1은 1984년 이후의 제왕절개분만율의 추이를 나타낸 것이다.[1] 당초 10% 미만이었으나, 2012년에는 20% 정도로 증가하고 있다. 병원에서의 제왕절개분만율은 실제 25% 정도이며, 4명에 1명은 제왕절개술로 출산하고 있다. 분만장소가 자택에서 진료소가 되고, 병원으로 옮겨온 시대의 흐름 속에서, 출산률이 낮아지고 한자녀에 대한 기대가 매우 커진 것 등 사회적인 가치관의 변화에 의한 것이 커졌다고 느낀다. 또한 둔위태아의 질식분만이 ACOG의 2001년의 권고 이후 급격하게 감소하여 제왕절개률이 높아졌다.[2] 그 후 질식분만과 제왕절개분만의 태아의 장기예후에 차이가 없으므로 2006년에 ACOG는 Committee Opinion을 변경하여, 동의를 얻은 후에 경험이 있는 산부인과 의사가 질식분만을 행하는 것은 정당한 일이라고 하고 있다.[3] 그러나 이제와서 둔위분만을 할 수 있는 의사를 찾는 것이 어려울 정도다. VBAC이 감소하는 것 또한 제왕절개술을 늘리는 요인이다. 미국에서 실시된 조사에서도 2000년부터 2002년에 걸쳐, VBAC이 급격히 감소하고 있으며, 2009년에는 단지 7.8% 밖에 시행되지 않았던 것이 보고되어, 제왕절개분만율의 상승 요인으로 거론되고 있다.[4] ACOG는 2010년에 Practice Bulletin을 개정하여, 일정 기준을 만족한 VBAC을 정당화하고 있다.[5] 제왕절개분만율이 약 40%로도 올라간 미국의 당황한 모습이 잘 보이나, 그것을 따라온 일본 역시 웃을 일이 아니다.

1. 개복

피부절개는 하복부 정중 절개(종절개) 또는 횡절개로 이루어진다. 정중절개는 간편하며, 시야도 충분히 확보가능하기 때문에 일반적이지만, 미용상 횡절개가 시행되는 경우도 증가하고 있다. 그러나 응급 제왕절개술로 신속하게 태아의 분만을 해야하는 때에는 정중절개(종절개)를 행해야 한다.

정중절개에서는 치골상연부터 손가락 한마디 상부에서 머리쪽으로 약 10cm 절개를 한다. 피하지방, 근막을 동일하게 절개하고, 복막에 이른 후, 복막을 절개하여 복막내에 이른다. 2회차 이후의 개복시에는 복직근이 유착되어 분리되지 않는 경우가 있으나, 관계없이 정중의 반흔부를 메스

표 1. 제왕절개술의 적응

1. 모체적응증	2. 태아적응증
전치태반	태아기능부전
태위이상	아두골반불균형
(횡위·둔위)	태아발육부전
중증임신고혈압증후군	제대탈출·하수
분만정지	조산
태반조기박리	

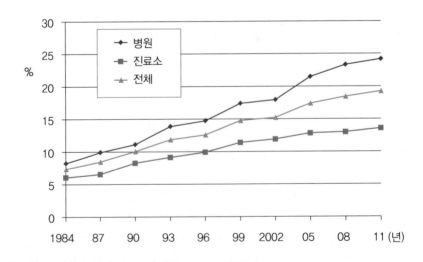

그림 1. 일본 제왕절개분만율의 추이　　　　　　　　　　　　　(문헌1에서 인용)

제왕절개분만율은 매해 상승하고 있다. 특히 병원에서의 제왕절개분만율은 25%에 이르고 있다.

로 예리하게 절개한다. 머리쪽에서 가능한 얕고 넓게 절개를 행하고, 복막에 이르기까지 메스를 사용해 절개를 진행시킨다. 개복한 후에 근막과 복막의 절개를 위아래로 벌림으로써 신속하게 복강 내에 도달할 수 있다.

2. 방광자궁와 복막의 절개

복강내에 이르면 자궁 전면의 관찰이 가능해진다. 유착의 유무는 다양하게 나타날 수 있지만, 기왕제왕절개술의 경우에는 방광자궁와 복막이 올라가서, 방광이 자궁전면에 유착되어 있는 경우가 있기 때문에 주의한다. 우선 자궁의 정중부분이 어딘가를 판단한다. 양측 원인대의 부착 부위 혹은 자궁동정맥의 팽창을 관찰하면 자궁이 어느쪽으로 회전하고 있는지 알 수 있다. 자궁동정맥의 손상을 피하기 위해서는 자궁절개창을 정중으로 두는 것과 복강내에서의 자궁의 상태를 파악하고 있는 것이 중요하다.

방광자궁와 복막은 집게로 집어올리면 여유가 생겨 위로 들리기 때문에 이 부위를 절개한다. 계속하여 쿠퍼로 복막을 자궁전면에서 박리한 후, 양측은 약간 머리측을 향하도록 절개하고, 예정 자궁근층절개부위에 일치하여 근층을 노출시킨다. 이어서 방광을 자궁전면에서 박리하여 아래쪽으로 밀어낸다.

제왕절개술 기왕이 있어, 방광이 자궁벽에 유착되어 있는 경우에는 무리하지않고 방광의 위쪽(머리족)에서 자궁을 절개하고 방광자궁와 복막의 절개는 시행하지 않는다.

3. 자궁근층의 절개

보통 제왕절개술에서는 자궁하부의 횡절개가 행해진다. 이때에 중요한 것은 근층에 수직으로 메스를 넣는 것이다. 수술자가 한 손으로 절개부위의 머리쪽을 압박함으로써 근층의 방향을 조정하고, 메스가 근층에 수직으로 닿을 수 있도록 한다(그림 2). 어슷하게 메스가 들어간 경우에는 자궁내강까지의 거리가 길어져 출혈량이 많아지게 된다.

절개시의 출혈은 조수가 흡인관으로 흡인한다. 큰 혈관에 닿아 손상된 경우는 손가락으로 눌러 지혈하면서 절개를 계속한다. 양막에 이르면, 절개창에 양검지를 삽입해서 절개창을 확대한다. 이때 좌우 균등하게 확대시키지만, 팽창된 자궁동정맥은 손상되지 않도록 주의한다.

자궁근층이 두껍고 양 검지로 확대하기 어려운 경우, 팽창된 혈관을 피하고 싶은 경우, 조산으로 자궁하부가 좁은 경우에는 쿠퍼를 이용해 J 혹은 U자, 혹은 역T자로 자궁근층을 잘라 절개창을 확대할 필요가 있다(그림 3).

또한 조기진통, 자궁내성장제한 등으로 이른 주수에 제왕절개술을 시행하는 경우에는 종절개(고전적제왕절개술)이 필요한 경우가 많다. 절개창이 하부로 진전하고 방광이 손상될 우려가 있는 경우는 방광을 박리하여둔다. 자궁전면의 절개예정부위를 메스로 종절개한다. 넓고 얕게 절개를

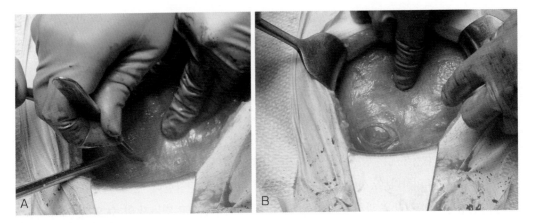

그림 2. 자궁하부 절개

A: 술자는 자궁 근층을 한 손으로 눌러, 메스가 자궁근층에 수직으로 닿도록 조정한다. 조수는 흡인관으로 절개 시의 출혈을 흡인한다.

B: 근층의 절개가 종료되고, 양막이 팽창하는 것을 볼 수 있다.

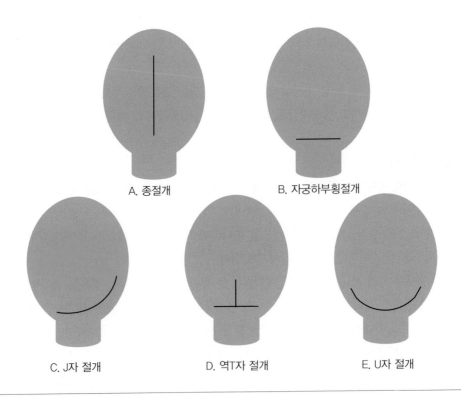

그림 3. 자궁근층 절개

진행하다가 자궁강내에 이르면 파막하지 않도록 쿠퍼로 상하로 절개를 넓힌다. 양막을 자궁벽에서 박리하면 팽창하기 때문에, 자궁저를 가볍게 마사지하면 자연히 배출된다. 태아가 자궁내로 이동하는 것을 예방하기 위해 파막을 시행하기도 하지만, 재태주수 20주경의 태아 피부는 연약하기 때문에 분만을 위해 파수하고 견인하면서 피하출혈이 생길 수 있다. 미숙아 제왕절개술에서는 이러한 분만에 따른 태아의 피부의 손상도 피할 수 있다고 생각된다. 덧붙여 자궁근층 절개 전에 니트로글리세린 100μg을 정맥 내 투여하여, 자궁을 이완시킴으로써 태아의 분만이 용이해진다.

4. 태아 분만

양막이 팽창하면 산모의 꼬리뼈쪽으로 손을 삽입하여 양막을 자궁벽에서 박리한다. 이는 선진부분의 확인이기도 하다(그림 4). 두위이라면 이 때에 양막과 함께 아두를 약간 거상하여 파막한다.

둔위라면 선진부분과 태아의 등 및 다리의 위치를 확인한 뒤에 파막한다. 파막과 함께 자궁은 수축하기 때문에 선진부분이 자궁근층에 끼여 있는 상태가 되기 때문에 사전에 태위를 파악해두면 출산이 용이해진다. 또한 조산의 경우에는 파막과 함께 선진부가 자궁 내로 올라가서 출산이 어려워지는 경우도 있기 때문에 선진부를 쥔 채로 파막하는 것은 유용하다고 생각한다. 둔위나 족위에서는 다리를 난막위에서 잡은 상태에서 파막하는 것도 한 방법이다.

두위라면 흡인컵을 이용해 아두의 분만을 도모하고, 앞쪽 어깨, 계속하여 뒤쪽 어깨의 분만을 시행한다. 아두가 나온 단계에서 안면의 양수는 닦아주고 몸통 분만 후에 탯줄을 클램프하여 절단하고, 소아과의사 및 조산사에게 건네준다.

아두가 골반내에 깊이 감입하여 있는 때는 다리를 벌리거나 구부린 자세로 수술을 시행하고, 필요에 따라 질측에서 조수가 아두를 손위로 밀어올려 아두의 분만을 도울 수 있다.

응급 제왕절개분만 시 태아 분만까지는 시간과의 싸움인 것은 말할 필요도 없다. 선택적 제왕

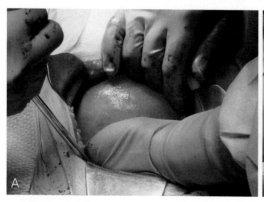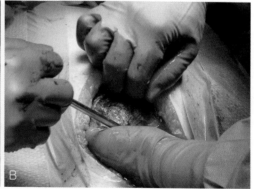

그림 4. 선진부 확인
A: 자궁내에 도달하면 손을 넣어 선진부 확인을 한다.
B: 두위에서는 조금 거상하여 파막한다.

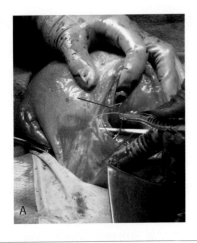
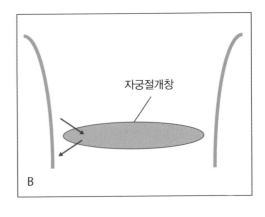

그림 5. 자궁근층 봉합

A: 실제 수기 모양새 B: 바늘 방향(화살표)

절개분만이어도 시간을 염두해 두면서 시행함으로써 응급 제왕절개분만에서도 대응할 수 있게 될 것으로 생각된다.

제대혈을 채취한 뒤에는 태반의 분만을 시도한다. 기관에 따라서는 태반분만 전에 제대 말단에 알칼로이드 링거를 주는 것과 동시에 자궁근층에 옥시토신 10 단위를 근주하고 있다. 자궁저를 마사지하면서 제대를 가볍게 견인하여 자연박리를 기다리고 박리되지 않는 경우에는 손으로 박리를 시행한다.

태반분만 후에는 절개창의 양쪽 끝과 하연을 겸자로 잡는다. 그 외, 활동성 출혈이 보여지는 부위를 다시 촘촘히 잡는다. 자궁내를 거즈로 닦은 뒤, 양막이나 태반의 잔류가 있으면 제거한다. 자궁입구의 개대도 확인하여 개대되지 않은 것 같으면 검지를 삽입하여 개대시켜둔다.

5. 자궁근층 봉합, 방광자궁와 복막봉합

자궁근층의 봉합은 시설에 따라 다양하며 일정한 기준은 없다. 중요한 것은 양쪽 끝이 빠지지 않도록 단단히 결찰 지혈하는 것과 상하 자궁근층의 창면을 꼭 합치는 일이다.

우선 양끝이 빠지지 않기 위해 겸자로 끼운 부분을 단결찰로 확실히 지혈한다. 절개부 바로 바깥쪽에는 자궁동정맥이 있으므로 양끝을 결찰할 시에는 이 혈관들이 손상되지 않도록 세심한 주의를 기울인다. 바늘의 방향은 자궁근층에서 자궁내강으로 향하고, 꼬리쪽은 자궁내강에서 자궁근층으로, 절개면에 대하여 수직으로 함으로써 엉뚱한 곳을 결찰할 위험은 감소할 것으로 생각된다(그림 5). 술자가 모체의 오른쪽에 위치해 있는 경우는 봉합 방향은 자연히 반대가 된다. 즉 꼬리쪽의 자궁근층에서 자궁내강, 머리쪽은 자궁내막에서 자궁근층으로 봉합한다. 나머지는 연속봉합으로 닫아간다. 이때 탈락막은 봉합하지 않고, 근층만을 전층 확실히 골라낸다. 이에 따라 다음 제왕절개 반흔부 임신은 피할 수 있을 것으로 생각된다. 두번째 층은 Z자 봉합 혹은 연속 봉합을 행한다.

방광 자궁와복막의 봉합 시행에 대해서도 시설에 따라 다르나, 바이크릴 3-0으로 연속 봉합을 하는 것도 하나의 방법이다.

기관에 따라서는 세로 절개를 했을 경우에는 자궁근층을 흡수사로 세층으로 나누어 단결찰로 봉합하고 있다. 2층에는 1층 실의 사이를 봉합하고, 3층에서는 2층 사이에 결찰 실을 놓고, 매트리스 봉합함으로써 빈공간 없이 봉합할 수 있어, 지혈 효과가 더 클 것이라고 생각한다.

6. 폐복

방광자궁와 복막의 봉합 후, 복강 내를 생리식염수로 충분하게 세척한다. 파수시간이 길었던 증례나 양수혼탁이 있는 증례에서는 수술 후 감염증을 예방하기 위해서도 충분히 세척할 필요가 있다.

세척 시에 양쪽의 난소와 난관에 이상이 없는지 확인한다. 필요에 따라 유착방지를 위해 합성 흡수성유착방지제(세프라필름®, 인터시드®)를 방광자궁와에서부터 자궁전면에 부착한다.

수술 중 출혈에 대한 대응

태반박리 후에 자궁에서의 출혈이 많아 대응에 어려움을 겪을 때가 있다. 기본적으로는 태반박리면에서 출혈은 자궁이 수축하면서 혈관이 물리적으로 폐색되어 지혈되지만, 자궁수축이 잘 안되는 경우 치명적인 출혈이 될 수도 있다. 자궁수축제를 이용하여도 지혈이 어려운 이완 출혈에

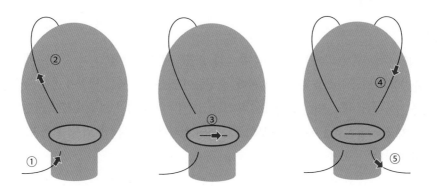

그림 6. B-Lynch suture: 이완출혈에 대한 봉합
90cm의 흡수사를 사용하여 그림의 번호순으로 바늘을 이동하고, 강하게 묶음으로써 자궁내강을 압박시켜 지혈된다.

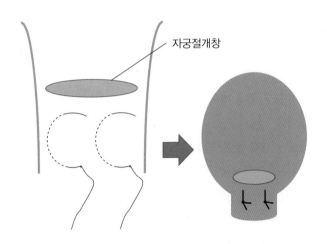

그림 7. vertical compression suture
전치태반에서의 태반박리면에서 출혈이 멈추지 않을 때는 자궁하부의 전벽과 후벽이 맞처지도록 봉합하고 결찰한다.

대해서는 B−Lynch 봉합이 유용하다고 보고되고 있다.[6]

그림 6과 같이 90cm의 흡수사로 봉합한 후 강하게 봉축하면 내강이 압박된 상태로 고정되어 지혈될 수 있다고 생각된다. 또, 전치태반 증례에서 자궁하부의 태반이 박리된 자리에서 출혈이 많아 지혈이 어려울 경우에는 우선은 압박, 이어서 출혈 부위의 봉합·지혈을 시도한다. 차가운 생리식염수에 담근 거즈를 접어 자궁하부 전후에 끼우고, 잠시 압박을 시도하는 것도 한 방법이다. 이와 같은 방법으로 지혈이 안되는 경우에는 vertical compression suture가 유용하다(그림 7). 또 압박 전용의 바카리 카테터®도 판매되고 있어 제왕절개술에서도 사용 가능하다.[8]

수술 후 관리

1. 출혈
일반적인 수술 후 관리에 더해, 자궁 수축과 출혈을 관찰해야 한다. 수술 직후에 자궁입구로부터의 출혈량과 자궁수축을 확인해야 한다. 출혈량이 많은 경우에는 병실에 돌아온 직후부터 더욱 주의를 기울여야 하고, 병실에 돌아온 후의 혈압, 맥박의 추이와 외부 출혈량 사이의 어긋남이 생긴다면, 자궁근 절개부나 복벽 절개부의 혈종이 의심되기 때문에 Hb 검사, 초음파, CT 등을 통해 확인해야 한다.

2. 진통 관리
병원에서의 제왕절개분만의 경우, 수술 후 통증 조절로 경막외마취가 사용되고 있다(산과 마취

참조).

3. 감염 예방

수술 후 감염 예방을 위하여 단기간 동안 항생제 투여가 이루어진다. 수술 전부터 자궁 내 감염이 있었던 것과 같은 증례에는 광범위 항생제를 충분히 투여해야 한다.

합병증

수술로 인한 최대의 합병증은 방광 손상이다. 특히, 제왕절개술의 과거력이 있는 제왕절개수술 시에는 방광이 위로 올라가 자궁근층에 유착되어 있는 경우도 많다. 이러한 경우 이전의 절개술보다 더 머리쪽에서 절개하는 것도 하나의 해결책이다. 또한 태아의 머리가 하강하고 있는 경우에는 방광견인기구에 의해서도 쉽게 방광 손상이 일어나므로 주의가 필요하다.

수술 후의 합병증으로서 최대의 주의를 기울여야 할 것은 폐색전 혈전증이다. 산과 영역에서의 정맥혈전 예방지침에서는 제왕절개술 자체가 위험요인이기 때문에 압박스타킹이나 간헐적 공기 압박법의 적응이 된다. 조기보행과 조기퇴원을 격려하며 각각 증례의 적응에 맞춰 대응이 필요하다 (제6장 참조).

참고문헌

1） 母子衛生研究会編. 母子保健の主なる統計 平成24年度. 母子保健事業団, 2013. 127.
2） ACOG Committee opinion. number 265. December 2001. Mode of term singleton breech delivery. Obstet. Gynecol. 98, 2001, 1189-90.
3） ACOG Committee opinion : number 340, July 2006. Mode of term singleton breech delivery. Obstet. Gynecol. 108, 2006, 235-7.
4） Barber, EL. et al. Indications contributing cesarean delivery rate. Obstet. Gynecol. 118, 2011, 29-38.
5） ACOG Practice Bulletin. number 115. Vaginal birth after previous cesarean delivery. Obstet. Gynecol. 116, 2010, 450-63.
6） B-Lynch, C. et al. The B-Lynch surgical technique for the control of massive postpartum haemorrhage : an alternative to hysterectomy? Five cases reported. Br. J. Obstet. Gynecol. 104, 1997, 372-5.
7） Hwu, YM. et al. Parallel vertical compression sutures : a technique to control bleeding from placenta praevia or accreta during caesarean section. BJOG. 112, 2005, 1420-3.
8） Doumouchtsis, SK. et al. Systematic review of conservative management of postpartum hemorrhage : what to do when medical treatment fails. Obstet. Gynecol. Surv. 62, 2007, 540-7.

》 南　佐和子

u 수혈의 실제

개념

분만시 대량출혈에 대해서 수혈하게 될 경우, 수혈에 의해 중대한 유해현상이 생길 수 있기 때문에 임산부의 충분한 이해와 동의를 얻은 후 시행한다.

■ 포인트

1) **사전설명**: 수혈의 필요성과 부작용에 대해 설명한다.

2) **수혈 전 검사와 자가혈 저장**: 부적합수혈을 막기 위하여, ABO 혈액형·RhD형의 검사, 불규칙 항체 스크리닝, 교차 시험으로 이루어진 적합시험을 실시한다. 또 대량출혈의 가능성이 있는 임산부의 경우 자가혈의 저장을 준비한다.

3) **수혈의 실제**: 안전하고 효과적인 수혈을 실시하기 위하여 수혈 전 준비, 수혈량이나 수혈 시간, 수혈 중·후의 관찰 등 주의하여 실시한다.

4) **수혈의 부작용·합병증**: 수혈의 부작용도 크게 용혈성과 비용혈성으로 나뉘며, 다시 면역성과 비면역성으로 나뉜다. 그 중에는 수혈 후 이식편대숙주병 등의 치명적인 합병증도 있어 주의가 필요하다.

사전동의(informed consent)

수혈이나 특정 생물유래제품을 투여하는 경우, 우선 환자 또는 환자 가족에게 수혈의 필요성이나 목적, 제제의 종류, 일어날 수 있는 부작용 등에 대하여 문서에 근거하여 설명하고 그에 대한 동의를 얻는다. 단, 긴급한 경우에는 수혈 이후에 동의를 얻을 수 있다.

■ 종교적 수혈거부자

18세 이상의 환자가 수혈 거부를 문서로 나타냈을 경우, 설사 치명적이더라도 그 의사는 완전히 존중된다(그림 1). 15세 미만의 환자에게는 본인이나 부모가 거부해도 생명의 위험이 있다고 판단될 경우, 아동상담소에 통보하여 수혈을 포함한 최선의 치료를 실시한다.[1] 부모가 아동의 수혈 치료를 거부하는 것은 본질적으로 학대에 해당한다.[1] 15세 이상 18세 미만에서는 본인 또는 한 부모가 동의하는 경우, 수혈이 가능하다. 그러나 본인과 부모가 모두 거부하는 경우 수혈을 할 수 없다.

수혈거부와 면책에 관한 증명서

(처치, 수술 등) 에 관하여

설명일   년   월   일

설명자 _____ 과

주치의 (서명) _____

주치의 (서명) _____

ABC 병원장   전

저는 저의 건강과 적절한 치료를 위해 다음과 같은 종류의 혈액제제를 다음과 같이 수혈 가능성 및 필요성이 있음을 설명 받았습니다.

(수혈제제의 종류, 투약량등 구체적으로 기입)

    그러나, 저는, 신앙상의 이유에 입각해, 나의 생명이나 건강에 어떤 위험성이나 불이익이 발생해도 수혈을 받지 않도록 요청합니다.

    저는 수혈을 거부함으로써 생기는 어떠한 사태에 대해서도, 담당 의사를 포함한 관계 의료 종사자 및 병원에 대하여 절대 책임을 묻지 않겠습니다.

    또한 제가 거부하는 수혈에는 (동그라미 표시) 전혈, 적혈구, 백혈구혈소판, 혈흔, 자가혈(술전저혈식, 술중희석식, 술중회수식, 술후회수식), 혈장분획제제 (알부민, 면역글로블린, 응고인자제제, 기타_____) 가 있습니다.

수액이나 혈장증량제에 의한 처치는 무방합니다.

서명일

년   월   일

환자성명 (서명) _____

대리인성명 (서명) _____   환자와 혈족 ____

그림 1. **수혈거부와 면책증명서 견본**

수혈 전검사

1. ABO 혈액형 검사·RhD형 검사

ABO 혈액형 검사는 적혈구막에 발현하고 있는 A, B 항원의 유무를 확인하는 「표준검사」와 혈청 중 항A, 항B 항체를 확인하는 「항체검사」 모두를 통해 판정을 하는 것이 원칙이다. 그러나 신생아를 포함한 소아에게는 미성숙한 면역기능이 영향을 미친다. 소아의 A, B 항원은 2~4세 정도까지는 성인의 1/3 정도로 미발달된다. 또, 혈청 중의 항A, 항B항체도 생후 3~6개월 무렵부터 생산을 시작하기 때문에 1세까지는 정확성이 떨어진다. 신생아에게 모체유래항체가 있다는 점과 생후 4개월 이내의 영아는 혈청 중의 항A 및 항B의 생산성이 불충분하다는 점에서 ABO혈액형은 표준검사만의 판정으로 괜찮으며, 반드시 항체검사를 실시하지 않아도 된다.

이러한 경우 말고도 간혹 표준검사와 항체검사 결과가 일치하지 않아 혈액형을 쉽게 판정할 수 없는 경우도 있다.

RhD형 검사에서는 D항원이 태아에서 이른 시기에 발현하며, 신생아기에도 발현되므로 성인과 동일하게 취급한다.[2]

2. 불규칙항체 스크리닝 검사

불규칙항체 양성자는 2~3%이나 임상적으로 의미 있는 항체 보유율은 약 1퍼센트이다.[3] 신생아의 불규칙한항체는 모두 산모에게서 유래한 것이므로, 생후 4개월 미만의 유아에 대한 불규칙한 항체 검사는 환아의 혈액형에 관계없이, 산모 혈액을 사용하여 실시할 수 있다.[1]

3. 교차적합시험

환자 혈청과 수혈적혈구의 조합의 반응을 응집이나 용혈의 유무로 판정하는 「주시험」과 환자적혈구와 수혈팩 혈장의 조합의 반응을 판정하는 「부시험」을 행하여, 이상반응이 없는 수혈용 혈액을 사용한다. 생후 4개월 미만의 영아라도 원칙적으로 ABO 동형혈을 사용하는데, O형 모친에게 출생한 아이에 대한 수혈에는 주의를 요한다. 쉽게 아이와 동형의 적혈구(A형이나 B형)를 수혈하면 고도의 용혈을 초래하는 일이 있다. 불규칙항체가 음성이어도, 모친 유래의 항A, 항B가 강한 경우에는 적합한 O형 적혈구를 사용한다.[2,4]

4. Type & Screen법(혈액형 검사와 불규칙 항체 스크리닝)

즉시 수혈할 가능성이 적은 경우에 미리 환자의 ABO 혈액형·RhD형, 임상적으로 의의가 있는 불규칙항체의 유무를 검사하고, D항원이 양성으로 불규칙항체가 음성인 경우에는 사전에 혈액을 준비하지 않는다. 수혈용 혈액이 필요한 경우에 수혈용 혈액이 ABO 동형혈액인지, 주시험적합을 확인하고 수혈한다.[4] Type & Screen법은 분만 전 3일 이내에 실시하는 것이 바람직하다.

5. 자가혈 수혈

자가혈 수혈요법 중 수술전 혈액저장이 범용되어 안전하게 시행되고 있다. 자가혈 저장의 적응은 전치태반증례가 주를 이루나, 자궁근종합병 임신, 다태임신, 분만시 대량출혈의 기왕, 제왕절개술기왕, 고령임산부, 3회 이상의 다산부 등도 대량출혈의 빈도나 수혈의 위험이 높아지는 것으로 여겨지고 있다.[5,6] 자가혈 저장 시, 임산부의 혈관미주신경반사(vasovagal reflex ; VVR), 태아심음의 변동성 소실 또는 서맥 등이 확인될 수 있다. 임산부의 조건으로는 전신상태가 양호하고, 자가혈 저장의 동의를 얻은 환자로 체중 45kg, Hb농도가 10g/dL 이상, 지속성 출혈이 없는 것이

기준이 된다. 채혈 시작 예정의 2주 전부터 철분제 복용을 시작하고 혈액저장 시에는 앙와위 저혈압증후군 방지를 위해, 좌(반)측 와위를 취하고, 모체감시와 분만 감시 장치에 의한 태아심장모니터링을 시행한다. 임산부의 혈액은 응고하기 쉬우므로 채취량으로서 400mL용 팩에 300mL 채취가 권장되고 있는데, 채혈시에 보존액과 채취혈을 충분히 혼합함으로써 응고를 예방할 수 있다. 대부분의 임산부에게 주 1회, 200~400mL의 반복 혈액저장이 시행가능하다.[5,6]

수혈의 실제

1. 혈액제제의 보존

적혈구 제제는 2~6℃ 냉장고 안에서 보존하며, 유효 기간은 채혈 후 21일이다. 혈소판 제제는 20~24℃로 진탕보존하고 유효기간은 채혈 후 나흘간이다. 적혈구와 혈소판은 반드시 방사선 조사된 것을 사용한다. 신선동결혈장은 −20℃ 이하의 냉동고에 보관하며, 유효기한은 채혈 후 일년이지만, 6개월간 보관 후 공급되고 있다.

2. 기구

1) 주사 바늘: 본래는 23G보다 굵은 주사 바늘이 바람직하다고 여겨지지만, 신생아나 유아에서는 용혈에 주의하면서 24G침으로 실시하는 것도 가능하다.

2) 백혈구 제거필터: 기존의 농축적혈구 및 농축혈소판에는 109개 이상의 백혈구가 혼입되어 있어 수혈 발열 부작용, 사이토메갈로바이러스(CMV) 감염이나 응집 형성의 원인이 되었었다. 그러나 2007년 1월부터 혈액센터에서 보존전 백혈구 제거필터를 사용함으로써 1팩에서 백혈구 106개 이하로 감소시켜, 발열 부작용이나 CMV 감염은 감소하고 있다.[2]

3) 수혈용 가온기: 급속 대량수혈인 경우에는 체온저하로 부정맥이나 심장정지가 발생할 가능성이 있으므로 수혈용 혈액을 가온한다. 저체온에서는 Hb의 산소 해리 곡선을 왼쪽으로 편위시켜서, 조직으로의 산소공급을 감소시킨다. 또한 신생아나 유아에서도 가온되지 않은 수혈은 저체온이나 무호흡, 저혈당 등의 원인이 된다.[7]

4) 칼륨 흡착 필터: 급속 대량수혈, 미숙아나 신생아의 교환수혈이나 소아의 체외순환인 경우에는 치사적인 고칼륨혈증의 예방을 위하여 칼륨 흡착 필터를 사용하는 일이 있다. 수혈제제제 중의 유리 칼륨을 90% 이상 흡착·제거할 수 있다.

5) 무균적 접합장치: 수차례의 소량 수혈이 필요할 것으로 예상되는 경우에는 병원 내에서 혈액 팩을 무균적으로 소단위 제제로 분할 제작할 수 있다.

3. 수혈량과 수혈시간

1) 적혈구: 성인은 적혈구 2단위를 보통 2~4시간에 걸쳐 수혈한다. 신생아는 1회의 수혈은 보통 10~20mL/kg로 하며, 1~2mL/kg/시간 속도로 수혈한다.[8]

2) 혈소판: 성인은 보통 혈소판 10단위를 2시간에 걸쳐 수혈하는데, 소아는 10mL/kg의 혈소판을 약 2시간에 수혈한다.[8] 이 때, 주사기에 넣고 정속 수혈하면 혈소판 기능이 급격히 저하된다. 산소 공급이 중단되기 때문이다.

3) 신선동결혈장제: 보통 1회당 10~15mL/kg를 해동 후 3시간 이내에 투여한다.

실제로 수혈에 있어서는 일본수혈·세포치료학회(http://www.yuketsu.jstmct.or.jp/) 등의 순서를 참고하여 안전하게 시행한다.

4. 긴급시 수혈

순환혈액량의 15%까지 출혈로는 거의 생리적 변화는 볼 수 없지만, 20%이상이 되면, 하품, 전신의 발한, 구역, 구토, 실신이라는 일련의 증상이 나타나다 순환혈액량의 30% 이상(약 1,000mL 이상) 출혈로는 쇼크 상태가 된다.[3] 출혈성 쇼크로 긴급 수혈을 행하는 경우에는 혈액형 확정 전에는 O형 적혈구와 AB형 신선동결혈장을 사용하고, 혈액형 확정 후에는 ABO 동형혈 액 사용을 원칙으로 한다.

또 RhD형 검사로 D항원 음성으로 판단된 환자에게 이미 RhD 항원 양성의 혈액이 수혈된 경우에는 구명 후에 환자 또는 가족에게 설명을 한다.

임상적으로 의의가 있는 불규칙항체(Rh계, Kell, kidd, Diego 등) 보유자에게 적합한 항원 음성 적혈구를 맞출 수 없어서, 부적합수혈을 실시한 경우에도 구명 후에 용혈성 부작용에 주의하며 관찰과 치료를 한다.[4] 불규칙항체 보유자에게 예기치 못한 대량출혈이 일어나 수혈이 필요해진 경우로, 항원 음성 적혈구의 준비가 늦어져 ABO 동형 적혈구를 이용한 경우, 직접 교차반응을 행하여 반응이 약한 혈액을 선택한다. 구명 후에는 용혈현상에 주의하여 충분한 대응책을 취할 수 있도록 경과 관찰한다. 항P1, 항Lea, 항Xga 등의 항체는 잘 검출되지만, 용혈반응을 초래하지는 않는다.

5. 신생아의 적정한 수혈

신생아에 대한 수혈을 피하거나 줄이기 위해 채혈 제한·미량 측정기기의 도입이 진행되고, 제대혈 수혈, 제대를 천천히 결찰하거나 제대를 쥐어짜는 방법도 사용된다.[6]

수혈에 의한 유해 현상

1. 용혈성 반응

1) 면역반응: 항A나 항B의 규칙항체, 항D 등의 불규칙항체등에 의한다. 수혈 전 검사가 정확히 행해지고 있다면 수혈과오에 의한 ABO 혈액형부적합수혈(이형수혈)이 원인의 대부분을 차지한다.

① 급성 용혈: 항A, 항B, 항Kidd, 항PP$_1$P^{k}에 의한 혈관내 용혈, 보체의 활성화에 의한다. 때로는 치사적이다.

② 지연성 용혈: Rh나 Kell 등의 혈액형 부적합에 의한 혈관외 용혈, 수혈된 적혈구에 대한 이차 면역반응에 의한 것으로 수혈 후 3~10일 후에 생긴다. 신부전이 생기는 일도 있다.

2) 물리적 요인: ① 가열: 적혈구 제제는, 2~6℃에서 냉장 보관한다. 수혈 시에 50℃ 이상으로 가열하면 용혈한다.

② 가압: 수혈 펌프나 실린지펌프에 의한 수혈에서는 가압에 의한 용혈을 보이는 일이 있어, 24G 바늘 사용 시에는 0.3mL/초 이하의 수혈 속도가 바람직하다.[2]

2. 비용혈성 반응

1) 면역반응: 비용혈성 반응 중, 「두드러기 등」이 약 40%로 가장 많은데, 「아나필락시(형) 쇼크」「아나필락시스(양) 반응」「호흡곤란」「혈압저하」「수혈관련 급성 폐장애(transfusion-related acute lung injury ; TRALI)」 등의 심각한 알레르기 반응도 약 40%를 차지하고 있다.[9]

① 알레르기 반응: 혈액제제 내의 혈장단백에 대한 반응으로 판단된다. IgA 결손증 환자에 대한 항IgA 관여가 잘 알려져 있다. C4와 C9 등의 보체성분, 합토글로빈, 트랜스페린, α2 마크로글로불린, 셀룰로플라스민 등의 혈장단백에 대한 항체의 관여도 보고되고 있다.[10] 세척적혈구로 대응한다.

② 수혈 후 이식편대숙주병(graft-versus-host disease ; GVHD): 수혈 후 10일경에 발열, 발진, 설사 등으로 시작되어 빈혈, 간비대, 범혈구감소로 진전되어, 다장기 장애로 사망하는 심각한 유해 현상이다. HLA형이 동종접합체 공혈자의 혈액과 그 일배체형(haplotype)의 이형 접합체 수혈자라는 HLA 조합(HLA의 일방향 적합)이 가장 중요한 발병 요인이다. 치료법은 없으며, 신선동결혈장을 제외한 세포제제에 15~50Gy의 방사선을 조사하는 것이 확립된 예방법이다.[2]

③ 수혈관련 급성 폐장애(TRALI): 항백혈구항체에 의한 백혈구나 혈소판 응집에 의해, 폐에서 모세혈관의 누출이 일어나, 비심원성 폐수종이 생긴다. 대부분의 경우 수혈 후 2~6시간 이내에 오한·발열에 이어서, 기침, 천명, 호흡곤란이 나타나며, 심각한 경과를 나타내는 경우도 있다. 치

사율은 5~10%이다.[2]

④ 고칼륨혈증: 급속 대량수혈에서는 드물게 고칼륨혈증을 일으켜 위독한 경우 사망할 수 있다.

2) 감염: 일본적십자사에서는 B형간염 바이러스(HBV: HBsAg, HBcAb, NAT), C형간염바이러스(HCV: HCVAb, NAT), 사람면역결핍바이러스(HIV: HIV-1/2, NAT), 성인T세포백혈병 바이러스(HTLV-1) HTLVAI-b), 파보바이러스 B19(바이러스 항원), 매독(TP항체)에 대하여 스크리닝을 실시하고 있다.[2] 수혈 후 2~3개월 시에는 HBV, HCV, HIV를 보험 진료로 검사할 수 있다.

① 간염 바이러스: 수혈에 따라 A형간염 바이러스(HAV), E형간염 바이러스(HEV), G형간염 바이러스(HGV), TT 바이러스 등의 감염도 알려져 있지만, 임상적으로 중요한 것은 HBV와 HCV이다. 최근 두가지 모두 감소 추세에 있다. 3세 이하가 HBV에 감염되면 모자감염과 마찬가지로 보균자가 될 가능성이 높다.[1]

② HIV와 HTLV-I(레트로바이러스): 일본적십자사에서 HIV 항체검사를 개시한 이후, 지금까지 5사례의 수혈 후 HIV 감염이 보고되고 있다.[2] HTLV-I는 1986년 이후, 수혈로 인한 감염 보고는 없다.

③ 파보바이러스B19: 고농도의 바이러스항원 양성 혈액은 배제되지만, 저농도의 양성 혈액에 의한 감염이 일어날 수 있다.

④ 거대세포바이러스(CMV)와 Epstein-Barr바이러스(EBV)(헤르페스바이러스): CMV는 신생아, 특히 미숙아 또는 장기이식 후의 수혈에 의한 감염 등의 경우에 발열, 간염, 폐렴, 혈소판감소, 발진 등의 전신증상이 보여지며, 때로는 중증화되는 일도 있다. 임산부가 CMV미감염의 경우 태아에게 이행된 항체는 없어 감염될 가능성이 높다. 또한 면역저하자의 경우 EBV 감염이 중증화될 가능성이 있다.

⑤ 기타: 극히 드물게 세균(예르시니아균이나 녹농균 등), 매독, 원충(말라리아, Babesia microti) 외에, 해외에서는 웨스트·나일바이러스나 프리온단백 등의 감염이 보고되고 있다.

3) 기타 비용혈성 합병증: 수혈 후 자반병, 울혈성 심부전, 헤모시데로시스 등이 있다.

참고문헌

1） 宗教的輸血拒否に関する合同委員会報告. 宗教的輸血拒否に関するガイドライン. 日本輸血細胞治療学会誌. 54, 2008, 345-51.

2） 輸血によるHIV感染事例を受けて～日本赤十字社からのお願い
http://www.jrc.or.jp/activity/blood/news/131213_001189.html〔2015. 6. 10.〕

3） 稲葉頌一. "緊急輸血, 大量輸血（熱傷を含む）". 輸血学. 改訂第3版. 遠山博ほか編. 東京, 中外医学社, 2004, 807-18.

4） 厚生労働省医薬食品局血液対策課. 輸血療法の実施に関する指針. 改訂版. 2005.

5） 山田隆司. "産科領域の自己血輸血実施上の留意点：周産期妊婦および胎児への負担に対する配慮". 自己血輸血実施上のマネジメント. 高橋孝喜編. 大阪, 医薬ジャーナル社, 2003, 65-9.

6） 周産期学シンポジウム. No. 25. 日本周産期・新生児医学会周産期学シンポジウム運営委員会編. 東京, メジカルビュー社, 2007, 104.

7） Roseff, SD. et al. Pediatric Transfusion：A Physician's Handbook. 2nd ed. AABB, Bethesda, 2006, 208p.

8） 大戸斉. "産科・小児科の輸血". 前掲書3）, 792-806.

9） 日本赤十字血液センター. 輸血情報（0610-103）. 東京, 2006.

10） 前田平生ほか. "輸血副作用・合併症". 輸血学. 改訂第3版. 遠山博ほか編. 東京, 中外医学社, 2004, 529-634.

≫ 大戸　斉, 大塚節子

자간증 · 경련 · 의식장애

개념 · 정의 · 빈도 · 병태

1. 정의

자간증은 임신 20주 이후에 처음으로 경련발작을 일으켜, 간질이나 이차성 경련을 배제할 수 있는 것으로 정의된다.

2. 역학·빈도

아이치현 주산기의료협의회 연구사업으로서 시행한 「아이치현내 전체분만 취급시설대상의 임신관련 뇌혈관장애 실태조사」(회답률100%)에 따르면 2005~2009년의 322,599 분만중 자간증 발병은 126례(0.04%)로 보고되고 있다. 1차시설에서는 50증례(총분만수 221,602), 대학병원, 주산기센터, 종합병원 등의 고차의료기관에서는 75증례(총분만수 110,997)로, 1례는 자택에서 발생했다. 자간증의 발생시기는 임신 중 16.7%, 분만 중 39.7%, 분만 후 43.6%였다.[1] 분만 후의 자간증은 48시간 이내의 발생이 많다고 되어 있는데, 분만 후 48시간 이후의 산욕후기에도 발생한 증례가 있다.[1,2] 「2004년 중에 일어난 임산부사망을 포함한 중증관리 임산부에 관한 앙케이트조사」및 아이치현주산기의료협의회연구사업으로서 시행된 「아이치현내 전체분만 취급시설대상의 임신관련 뇌혈관 장애 실태조사」에서는 자간에 따른 모체사망의 보고는 없었다.[1,3]

자간증의 위험인자로서, 초산부, 10대임신, 자간증 과거력, 임신고혈압증후군, HELLP증후군, 임신단백뇨, 다태임신 등이 있다.[3,4,5] 일본에서 단태임신에서의 자간 54례의 검토에서는 자간발작에 선행한 임신고혈압증후군을 확인한 증례는 44.4%이며, 자간증과 동시에 HELLP증후군을 합병한 증례가 26%로 존재했다.[3] 기타, 안티트롬빈 III활성도가 65%이하의 증례에서는 그 이상을 보였던 증례에 비하여 50배 이상 자간이 되기쉽다는 보고가 있다.[5]

자간증과 같이 경련·의식장애를 발병하는 뇌졸중(뇌출혈, 뇌경색)은 일본에서는 0.008%~0.01%이며,[1,3] 자간증에 비해서는 빈도가 낮으나, 모체사망에 관해서는 23~38.9%로 보고되고 있다. 뇌졸중의 발생은 급격하게 모체와 태아의 상태를 악화시켜, 치사적인 상태에 이르게하기 때문에, 신속한 감별진단이 필요하다.

3. 발생기전 및 병태

자간증의 발생기전은 충분하게 설명되어 있지 않다. 지금까지 고혈압성 뇌병증은 「혈관 수축에 의한 허혈」과 「뇌혈류 자동조절능의 손상에 따른 혈관성 부종」 2가지로 고려되어 있었는데, 확산강조 MR 영상 진단에 의해, 후자가 주된 병태로 생각되고 있다. 자간의 경우, 급격한 고혈압에 의하여 뇌관류압이 증가하여, 뇌혈류 자동조절능이 손상되기 때문에 혈관성 부종을 일으킨다. 신속하게 혈압이 정상화되면 혈관성 부종은 개선되지만 고혈압이 지속되었을 경우에 부종이나 뇌경색이 발병한다. 임신 후 MRI에서 가역적후뇌병증증후군(posterior reversible encephalopathy syndrome ; PRES)이 확인되는 증례가 많으며, 이는 혈관성 부종에 의한 발병 메카니즘의 근거의 하나이다.[6] 일부 증례에서는 MRI에서 가역적인 뇌혈관 수축을 관찰하였으며, 뇌혈관 수축에 의한 부종도 발병 메카니즘의 한 요인으로 생각된다.

이러한 기저 상태에서 유발요인이 더해지면 경련이 발생할 것으로 생각된다. 자간의 유발요인은 표 1과 같은 것이 있다.

전조증상

자간증의 전조증상으로서 두통, 머리가 띵하고 무거움, 불안감, 건반사항진, 시각이상(흐리게 보임, 따끔따끔하는 등), 위장증상(심와부통, 오심, 구토) 등의 호소가 60~75%의 환자에게 확인되었다는 보고가 있다.[2] 또한 약 44%는 자간증이 생기기 전에 임신고혈압증후군이 확인되는 것으로 보아 혈압의 급격한 상승이나 단백뇨도 전조증상으로 생각된다.

진단

자간증으로 인한 경련은 돌발성, 전신성이며, 전형적으로 강직성에서 간대성 경련으로 이행하기 때문에 진단은 비교적 용이하다. 자간증은 가역적이고 신경마비를 일으키는 일은 거의 없다. 임산부에게 경련이 발병한 경우에는 우선 자간증에 대한 치료를 개시한다. 감별진단으로서 간질, 히스테리, 과환기증후군, 저혈당, 뇌졸중(뇌출혈, 뇌경색) 등을 들 수 있으며, 특히 뇌졸중과의 감별이 중요하나 쉬운일은 아니다.

뇌졸중의 진단은 FAST(신속함)가 요구된다. 경련발작이 소실된 후에도 Facial weakness(얼굴 비대칭), Arm weakness(상하지 운동마비), Speech deficit(언어장애)가 지속되는 경우 Timely(시간을 놓치지말고) 뇌졸중을 의심해 대응한다.[7] 기타 임신 20주 이전 혹은 분만 후 48시간 이후에 발병하는 두통, 황산마그네슘 투여로 개선되지 않는 것 등도 뇌졸중과의 감별 포인트가 된다.

표 1. **자간증의 유발요인**

1. 광자극
2. 부교감신경차단제(항콜린제; 부스코판®, 아트로핀® 등)
3. 관장, 도뇨, 내진
4. 정신적 스트레스
5. 급격한 사지 한랭자극 등

경련이 반복되는 경우나 뇌졸중이 의심되는 경우에는 두부 CT 또는 MRI 등을 환자가 안정된 후 시행한다. 자간후 DIC, HELLP증후군, 다장기부전을 병발하기도 하며, 이학적 소견 및 영상진 단에 맞추어 혈액검사(혈소판을 포함한 헤모글로빈, AST, ALT, LDH 등의 생화학검사, FDP, AT III 등의 응고계 검사)를 행한다.

관리 · 치료

1. 초기 대응

경련을 확인한 경우에는 임산부의 구급 처치를 우선하여 시행한다. 인력 확보, 생체징후 확인, 기도 확보와 산소 투여, 정맥 확보, 기타 낙상 예방책을 강구하고, 교감신경의 흥분을 피하기 위 해 광자극이나 격렬한 소리를 가능한 피한다. 분만 전일 경우에는 태아심박수의 확인도 동시에 실시한다. 적절한 항경련제, 항고혈압제를 사용하여 환자의 상태가 안정된 후에 적절한 방법으로 태아의 조기분만을 도모한다.

2. 항경련 치료

1) 황산마그네슘

WHO recommendations for prevention and treatment of pre-eclampsia and eclampsia (2011)에서는 임산부의 사망이나 경련 재발에 관해 황산마그네슘이 페니토인보다 우수하다고 하 여 사용을 권장하였다. 구체적인 투여 방법은 첫 회량으로서 황산마그네슘 4g을 20분 이상 걸쳐 서, 정맥 내 투여한 후 1~2g/시간 지속점적을 행한다. 투여 기간은 적어도 24시간, 최종 발작 후 의 24시간 지속 투여가 바람직하다. 황산마그네슘 투여 중에는 혈압, 호흡수, 소변량, 근육반사를 관찰하며 혈중 Mg 농도의 측정도 실시한다. Mg 유효혈중농도는 4~7mEq/L (4.8~8.4mg/dL 혹 은 2.0~3.5mmol/L)이다. Mg중독 시에는 글루콘산칼슘 1g을 천천히 정맥 내 투여한다.[8,9]

2) 항경련제(디아제팜, 페니토인, 페노바비탈)

난치성 경련 또는 경련 반복시에는 항경련제의 사용이 필요하다. 1차 약제는 디아제팜으로 디 아제팜은 5~10mg을 희석하지 않고 정주한다. 효과가 없을 경우에는 5~10분 후에 다시 투여하며 이 경우 호흡억제에 충분히 주의한다. 디아제팜을 정주한 경우의 경련억제효과는 20분으로 알려 져 있으며, 이 때문에 추가로 작용 시간이 긴 페니토인 5~20mg/kg을 정주(최대 투여 속도 50mg/ 분)한다. 디아제팜은 눈앞에서 일어나고 있는 경련발작억제에 사용하고, 발작이 멈춰지고 있을 경 우에는 페니토인·페노바비탈의 사용이 권장되고 있다.[10]

3. 항고혈압제

혈압을 어느정도로 조절해야 하는지는 명확한 기준이 있는 것은 아니지만, 경증 고혈압 정도인 140~150/90~109mmHg까지 혈압을 강하시키고, 160/110mmHg 이상의 경우에는 경련예방을 위해 황산마그네슘의 사용을 고려한다.[1]

「응급성 고혈압증」은 뇌심혈관의 급성장애가 의심되는 급격한 혈압 고도상승(180/120mmHg 이상)으로 정의되며 신속하게 항고혈압제에 의한 치료개시가 필요하다. 그러나 이러한 병태에서는 뇌혈류량 자동조절능 장애의 합병이 지적되었으며, 너무 빠르거나 지나친 혈압강하는 뇌허혈을 유발할 수도 있다. 특히 혈량저하 경향이 있는 중증례에서는 과도한 혈압강하가 태아 태반 순환의 악화를 초래하기 때문에 태아기능부전을 초래하기 쉽다. 따라서 용량을 조절하기 쉬운 정맥주사 약으로(지속정맥주사) 치료를 개시한다.

항고혈압제는 PIH의 경우와 동일하게 히드랄라진과 니카르디핀 주사제를 사용한다. 히드랄라진은 두개내압 상승작용이 있기 때문에 뇌출혈 미지혈시에는 사용을 주의해야 하므로 니카르디핀의 지속적인 정주로 혈압을 강하시킨다.[8]

4. 분만시기

경련발작은 모체의 저산소, 고이산화탄소를 초래하여 FHR, 자궁수축에 변화를 일으킨다. 그 변화는 발작 종료 후 약 3~10분이면 가라앉으므로 제왕절개 분만을 서두를 필요가 없고 태아의 저산소증, 고이산화탄소혈증도 자궁내에서 회복되는 것을 기다리는 것이 바람직하다. 모체의 상태가 안정된 후, 적절한 방법으로 조기분만을 준비하며, 모든 치료에도 불구하고 태아 서맥이나 늦은태아심장박동감소(late deceleration)이 10분 이상 지속되는 경우에는 태아기능부전이나 태반조기박리의 합병증도 고려하여 대응한다.[9]

5. 산욕기 관리

자간증 환자의 분만 후 48시간 동안은 생체징후를 엄격하게 감시해야한다. 분만 후에는 이미 투여한 수액과 세포외액이 혈관내로 이동하여 급격한 혈압 상승이나 폐부종 등이 발생할 위험이 있으므로 SpO_2나 폐청진, 투입량/배출량 확인, 소변량의 측정도 중요하다.

황산마그네슘, 항고혈압제 치료는 계속하지만, 황산마그네슘은 최종 발작으로부터 24시간 지속 투여가 바람직하다. 자간증에 의한 경련이 반복되었을 경우에는 DIC, 다장기부전, HELLP증후군이 동반될 위험성이 높기 때문에 혈액검사, 혈액가스검사 등을 확인하여 질환을 조기발견, 조기치료하도록 한다. 분만 후의 정맥혈전증(VTE)의 예방은 일반적인 분만 후 VTE 위험인자에 따라 행한다.

경련, 의식장애

1. 빈도

임신 중의 경련, 의식장애에 대해 명확한 빈도를 나타낸 보고는 없다. 기저질환의 증상으로서 발병하는 경우에는 비임신시와 같은 빈도로 생각된다.

2. 경련, 의식장애를 초래하는 질환

경련, 의식장애를 초래하는 기저질환은 비임기와 같다. 임신 중에 경련이나 의식장애 등의 증상이 처음으로 나타나는 경우, 임신에 따른 생리적 변화때문에 기저질환을 감별하기 어려울 수 있다. 또한 임신 전부터 치료 중인 간질, 당뇨병 등의 질환이 임신 중에 잘 조절되지 않아 경련, 의식 장애를 일으키는 경우도 있다.

경련, 의식장애를 초래하는 임신 합병증으로서 자간증, 양수색전증, 급성지방간, 당뇨병케톤산증, 임신 입덧에 이어서 발병하는 베르니케뇌병증이 있다. 임신 중에 발병하는 뇌졸중(뇌출혈, 뇌경색)은 모체 사망이나 심각한 후유증을 일으키므로 신속한 진단과 대응이 필요하다(표 2).

표 2. 임신중에 경련, 의식장애를 일으키는 질환

우발합병증	임신합병증
뇌혈관장애(뇌출혈, 뇌경색, 일과성뇌허혈발작)	자간
뇌종양, 수두증, 뇌실복강션트부전	양수색전증
두부외상	HELLP증후군
간질	중증임신고혈압증후군
심혈관질환(부정맥, 대동맥박리, 심부전, 판막증 등)	급성지방간
간기능장애, 간부전	베르니케뇌병증
폐색전증	
갑상선중독증	
신질환	
당뇨병(케톤산증, 저혈당발작)	
기타, 내분비·대사이상증(OTC결손증, 포르피린증, 테타니 등)	
정신질환(조현병 등)	
과다환기증후군, 히스테리	
기립성저혈압	
중금속중독, 약물중독, 약물이탈증상	

진단

진단은 실제로 경련이 일어나고 있는 상태를 눈으로 보고 시행한다. 수족을 강직시키는 강직성 경련, 덜덜 손발의 굴곡과 신전을 반복하는 간대성 경련, 혹은 양자를 합친 강직간대성 경련의 3 증상은 응급치료의 대상이되며, 많은 경우 의식장애를 동반한다. 이러한 전신 경련을 보이는 이외에도 경련이 일부의 근육에 국한된 경우나 일부 근육에서 시작해 전신으로 넓혀진 경우도 있다. 내원시, 이미 경련이 소실되어 있는 경우에는 목격자로부터 정보가 진단에 유용한 경우도 있다. 예를 들어 간대성 경련의 경우는 자간증, 간질을 우선적으로 고려할 수 있다.

경련 원인의 감별을 위해서는 과거력, 가족력이 유용한 정보이다. 또한 활령징후, 의식상태(기면 경향, 몽롱한 상태 등), 두통, 구역, 구토, 복통, 사지냉감, 안구돌출, 아세톤냄새, 감기증상의 유무도 확인할 필요가 있다. 신경증상(안면비대칭, 사지의 운동마비 등)의 유무는 뇌졸중의 진단에 중요하다.

혈액검사(혈소판을 포함한 헤모글로빈, 생화학검사, 혈당, 응고계 등), 동맥혈가스분석, 심전도, 소변검사, 영상진단(두부CT, MRI, 흉부X선, CT)을 증상에 맞게 시행한다.

관리치료

임신 또는 분만 중에 강직성 혹은 간대성 경련이 확인되는 경우에는 우선 자간증의 초기 대응을 실행한다(자간증의 치료 참조). 디아제팜 투여로 경련이 개선되지 않는 경우나 저혈압을 나타내는 경우에는 갑상선중독증, 양수색전증, 부정맥 등의 심장질환의 가능성을 고려하여 관련 각 과와 연계하여 신속하게 치료한다(각 질환에 관해서는 별장 참조). 임신 중인 경우에는 태아심박수를 확인하고, 태아 기능부전, 태반조기박리 등에 주의하여 경과관찰을 한다. 모체 상태를 안정시킨 후 태아의 분만 시기를 고려한다.[13]

제 **5** 장

이상분만의 관리와 처치

■ 참고문헌

1） Ohno, Y. et al. Questionnaire-based study of cerebrovascular complications during pregnancy in Aichi Prefecture, Japan （AICHI DATA）. Hypertens. Res. Pregnancy. 1, 2013, 40-5.
2） Sibai, BM. Diagnosis, prevention, and management of eclampsia. Obstet. Gynecol. 105, 2005, 402-10.
3） 日本産科婦人科学会周産期委員会報告（水上尚典ほか）. 早剝，HELLP症候群，ならびに子癇に関して. 日本産科婦人科学会雑誌. 61，2009，1539-67.
4） Morikawa, M. et al. Risk factors for eclampsia in Japan between 2005 and 2009. Int. J. Gynecol. Obstet. 117, 2012, 66-8.
5） Yamada, T. et al. Risk factors of eclampsia other than hypertension : pregnancy-induced antithrombin deficiency and extraordinary weight gain. Hypertens. Pregnancy. 31, 2011, 268-77.
6） 日本妊娠高血圧学会編. 妊娠高血圧症候群（PIH）管理ガイドライン2009. 東京，メジカルビュー，2009，62-7.
7） Kothari, RU. et al. Cincinnati prehospital stroke scale : reproducibility and validity. Ann. Emerg. Med. 33, 1999, 373-8.
8） 日本産科婦人科学会・日本産婦人科医会 編集・監修・産婦人科診療ガイドライン：産科編2014. 2014，173-7.
9） 日本妊娠高血圧学会編. 前掲6. 70-2.
10） 日本神経学会てんかん治療ガイドライン作成委員会. てんかん治療ガイドライン2010. 東京, 医学書院, 2010，72-85.
11） 日本妊娠高血圧学会編. 前掲6. 90-6.
12） 日本神経学会てんかん治療ガイドライン作成委員会. てんかん治療ガイドライン2010. 東京, 医学書院, 2010，1-16.
13） 水上尚典. 症例・プライマリー・ケア（救急）分娩時の痙攣. 日本産科婦人科学会雑誌. 57，2005，N28-33.

≫ 髙木紀美代

임산부 사망

임산부 사망이란 「임신 중 또는 임신 종료 후 만 42일 미만의 여성 사망으로, 임신 기간 및 부위에는 관계없으나, 임신 또는 임신의 관리와 관련된, 또는 임신에 의해 악화된 모든 원인에 의한 것을 말한다. 다만 부주의 또는 우발의 원인에 의한 것은 제외한다」고 정의되어 있다. 임산부의 사망은 원인에 따라 두가지로 나뉘는데 ① 임신, 분만, 산욕의 산과적 합병증에 의해 사망하는 직접 산과적 사망과 ② 임신 전부터 존재한 질환이나 임신 중에 발병한 질환이 임신의 생리적 작용으로 악화되어 사망에 이른 간접 산과적 사망이 있다. 또한 임신 종료 후 42일~1년에 발생한 것을 「후발 임산부 사망」이라고 부른다. 일본에서는 연간 40~50례 정도의 임산부 사망이 발생하고 있다. 아래에 임산부 사망이 발생한 경우의 대응에 대해서 설명한다.

「원내사례조사위원회」 등의 원내 신고 · 조사 시스템에 따른 대응

임산부 사망 발생 시에 의료 현장에서는 우선적으로 담당의사가 유족에게 사망의 경과를 설명해야 하고 성의를 가지고 유족을 위로해야 하며, 의무기록을 가능한 상세하게 작성해야한다. 그러나 임산부 사망은 출산이라는 행복과 가족의 죽음이라는 최악의 사태의 간극과 예측하지 못한 죽음이라는 이유로 의료분쟁으로 발전할 가능성이 있다. 최근 의료안전위원회, 리스크 매니저, 원내사례(사고)조사위원회 등이 정비되어 진료관련 사망 발생 시의 신고, 조사 시스템도 사전에 정해져 있는 곳이 많아졌으므로 해당 시설의 시스템에 따라 대응한다.

일본 산부인과의사회와 도도부현 산부인과의사회에 임산부 사망 연락표 제출

산부인과의사회에서는 2010년부터 「임산부 사망 보고 사업」을 실시하고 있으며, 모자보건통계에서 보고되는 수와 동등한 사례가 이 사업에 보고되고 있다. 보고된 사례는 임산부사망증례검토 평가위원회(위원장: 이케다 도모아키)에서 심의하고, 그 결과 보고서는 해당 의료기관에 보내진다. 또 재발 예방을 위해서 사례를 수집해, 매년, 「모체 안전에 대한 제언」으로 발표하고 있다.

보고 대상은 임신 중 또는 분만 후 1년 미만의 후발 임산부 사망을 포함한 임산부 사망의 전례로, 임신과의 관련이 없는 교통사고 등의 우발적인 임산부 사망을 포함한 전 임산부 사망이다. 사례가 실제로 발생했을 경우에는 일본 산부인과의사회와 각 도도부현 산부인과의사회에 보고하며,

보고시 「임산모 사망연락표」를 일본산부인과의사회 홈페이지에서 다운로드하여 이용한다(www.jaog.or.jp/sep2010/youshi/maternal_d/renraku_01.pdf). 보고가 있을 경우, 일본산부인과의사회는 임산부 사망조사표를 의료기관에 송부한다. 의료기관은 그 서식을 바탕으로 사례의 대략적인 내용을 조사표에 기재하여 의사회에 제출한다. 의사회에서는 보고된 조사표를 바탕으로 증례검토평가위원회에서 사례의 원인과 문제점을 검토하여 보고서로 정리하고, 동시에 재발 방지를 위한 검토도 하고 있으며, 임산부 사망의 재발 방지를 위한 제언의 작성 등에 활용하고 있다.

원인 규명을 위한 부검

임산부 사망의 원인을 규명하기 위해서는 부검이 매우 중요하다. 부검에는 병리해부, 사법해부, 행정해부의 3종류가 있다. 병리해부는 병인 규명과 의료와의 관계를 밝히는 것을 목적으로 해부보존법에 따라 체계적으로 진행된다. 임상의의 의뢰에 따라 유족의 승낙을 얻은 후, 병리의가 실시해 병리해부 보고서가 작성되고, 임상의 및 유족에게 그 결과가 보고된다.

한편 사법해부는 형사소송법의 규정에 의거하여, 범죄성이 있는 사체 또는 그 의심이 있는 사체의 사인 등을 구명하기 위해서 행해진다. 부검 결과가 형사 사건의 진상 규명이나 범인 특정 등에 중대한 영향을 미치므로, 법의학자가 촉탁을 받아 행하는 것이 원칙이며 유족의 동의는 불필요하다. 그러나 보고서의 입수는 기본적으로는 불가능하며, 장기 보존의 법적 의무는 없다.

행정해부는 전염병, 중독, 재해 등 공중위생 향상을 목적으로 행해지는 것이며, 도쿄 23구, 요코하마시, 나고야시, 오사카시, 고베시의 감찰의사 제도가 있는 지역에서 경찰에 신고를 함에 따라 유족의 동의없이 할 수 있다. 사법해부나 행정해부는 병리해부에 비해 조직 검사가 적고 장기도 보존되지 않는 경우가 많아, 현재 상황에서는 사망 원인 분석의 관점에서 질적으로 열악하다는 것을 부인할 수 없다.

임산부 사망이 발생 했을 경우에는 사인 규명의 관점에서 특히 병리해부를 실시할 수 있다.

병리해부의 실시에 있어서는 「임산부 사망부검 매뉴얼(www.jaog.or.jp/all/document/bouken_2010.pdf)」 등을 참고하여, 임산부 사망의 특수성을 고려한 부검이 권장된다.

상세한 의무기록 기재 및 의무기록 사본 보관

임산부 사망은 피해 감정이 있으면, 유족측에서 경찰에게 조사를 의뢰하여 경찰의 수사 대상이 될 가능성이 있다. 진료기관 측에서는 사망 후 24시간 이내에 가능한 한 사실관계를 정확하게 파악하는 것이 중요하다. 진료기록이나 엑스레이 등의 영상은 경찰에 원본 제출을 요구받으므로, 모두 복사해 둘 필요가 있다. 기록이 없다면 원내에서의 원인 검토나 유족에 대한 설명, 경찰 이외의 각 관계기관 등에 대한 보고를 할 수 없게 되기 때문이다.

혈청 중 양수색전증 표지자 검사

심폐허탈을 주증상으로 발병하는 양수색전증(고전적·심폐허탈형)과 산후 대량자궁출혈에서 시작되는 양수색전증(자궁형·DIC 선행형)을 합하면, 임산부 사망의 가장 큰 원인은 양수색전증이다. 출혈량에 걸맞지 않은 피브리노겐의 현저한 저하·출혈 경향 등이 나타날 경우에는 양수색전증을 의심할 필요가 있다.

이와 같은 사례에서는 임신부의 혈청에서 양수 내에 특이물질을 검출함으로써, 양수색전증의 보조 진단이 가능한 경우가 있다. 양수 내에 특이물질로서 아연 코프로포르피린과 STN 항원이 있다. 모체 혈청 중에서 이들이 고농도로 검출됐을 경우에는 양수 색전증이 강하게 의심하게 된다. 검사는 혈청 성분을 분리 후 별도 용기에 옮겨서 알루미늄호일로 차광한 후에 냉장(동결보존도 가능)하여 하마마츠 의과대학에 송부할 수 있다. 자세한 내용은 하마마츠 의과대학 산부인과 교실 홈페이지(http://www2.hama-med.ac.jp/w1b/obgy/afe2/top.htm)를 참조하기 바란다.

임산부 사망 통계

2010~2014년 6월까지 임산부사망보고 사업에 보고된 사례의 총수는 215 예이며, 연간 평균 47.8건 이었다. 2010년 이후에 일본산부인과의사회에 보고된 임산부 사망사례 중, 평가결과 보고서가 작성되어 의료기관에 송부된 146개 사례에 대한 해석 결과를 나타낸다.

146건의 임산부 사망 사례에 대한 검토에서, 사망 사례 중 63퍼센트가 직접 산과적 사망, 32%가 간접 산과적 사망으로 분류되었다. 2010~2012년의 직접·간접 산과적 사망 비율의 연차 추이를 그림 1에 나타냈는데, 직접 산과적 사망의 비율은 감소 경향에 있는 반면, 간접 산과적 사망은 증가 경향에 있다. 임산부 사망의 원인으로서 가장 가능성이 높은 질환(단일)을 집계한 결과를 표 1에 나타낸다. 원인으로 가장 많았던 것이 산과 위기적 출혈로 26%를 차지하고 있었다. 그 다음으로 뇌출혈이 18%, 폐질환(고전적 양수색전증 13%, 폐혈전색전증 8%를 포함) 21%, 분만전후심근병증 등의 심장질환과 대동맥박리를 포함한 심혈관질환이 10%, 감염증(중증 A군용혈성연쇄구균 감염증 등)이 8%, 악성질환, 4% 등으로 나타났다.

산과 위기 출혈 중에서는 자궁형·DIC 선행형 양수색전증(36%)이 가장 많았고, 그 다음으로 자궁 파열이 13%, 이완출혈, 상위태반조기박리가 합쳐 10% 등으로 나타났다(표 2). 양수색전증은 심폐허탈형과 DIC 선행형을 합하면 33례(전체 사망 원인의 23%)까지 이르러, 원인으로 최다였다.

각 원인 질환 발생률 추이를 그림 2에 나타낸다. 산과 위기적 출혈과 폐혈전색전증에는 감소 경

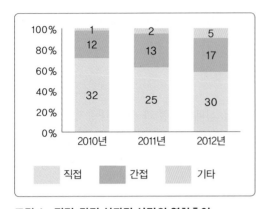

그림 1. 직접·간접 산과적 사망의 연차추이

임산부사망에서 차지하는 직접 산과적 사망은 감소하고 있다.
숫자는 사례수, 3년간의 총사례수는 137례

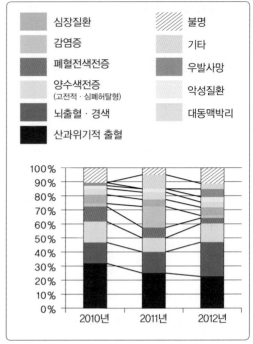

그림 2. 임산부 사망 원인별 연차추이

향이 관찰되는 한편, 뇌출혈·뇌경색이나 악성질환이 증가 추세에 있다. 임산부 사망자의 연령 분포는 19세부터 45세까지에 이르러, 환자 연령별로는 31~35세가 가장 많으며, 그 다음으로 36~40세였으며 전체 출산연령 분포보다 고령에서 더 많이 발생하였다.

또한 초산모가 약 50%를 차지하였으나 6회, 8회의 분만 경력을 가진 다산부의 사망도 있었다. 분만 경력 5회 이상의 경산모의 사망 4례 중 2례는 진료를 받지 않던 임산부로, 진료가 지연되는 사례이며, 나머지는 심근경색, 유착태반으로 인한 사망이었다.

처음 증상이 발생한 시기는 임신 중 분만 시작 전이 38%로 가장 많았다. 분만 시작 후의 발병에서는 분만 제2기(9%)와 태반분만 후 분만 제4기(10%), 제왕절개 중(5%) 발병이 많았다. 분만 시작 전 임산부 사망 사례에서 발병 시기는 제3삼분기에 61%로 가장 많았으며, 제2삼분기에 34%, 제1삼분기에 5% 발병하였으며, 제1삼분기에도 사례가 발생 하였다. 폐혈전색전증 사례에서는 임신 초기 인공임신중절수술 후 발생한 사례도 있었는데, 이는 임신 초기 입덧으로 인해 탈수 경향이 있는데다가 수술을 위해 금식하면서 혈액농축이 일어났기 때문으로 생각되며 인공임신중절술에서 수술전 수액보충의 중요성을 보여주는 사례이다.

초기증상으로 가장 많았던 것은 질출혈로 18%, 다음으로 의식장애가 16%, 흉통·호흡 곤란이 13%이며, 발열·두통·쇼크 등이 나타날 수 있다. 초기 증상이 발생하는 곳은 의료 시설 밖이

표 1. 임산부사망의 원인질환 (n=146)

	%	(사례수)
산과위기적출혈	26%	(38)
뇌출혈·경색	18%	(26)
폐질환		
고전적양수색전증(심폐허탈형)	13%	(19)
폐혈전색전증	8%	(11)
심장·대혈관질환	10%	
심근경색·심부전		(3)
분만전후심근병증		(2)
심근염		(1)
QT연장증후군		(2)
대동맥박리		(6)
감염증	8%	
감염증·패혈증		(2)
중증GAS감염증		(7)
폐결핵		(1)
세포성수막염		(1)
악성질환	4%	
위암		(3)
요관암 등		(3)
외상	3%	
자살		(2)
교통사고		(2)
기타	2%	(3)
불명	10%	(14)

표 2. 산과위기적출혈에 따른 임산부사망의 원인질환 (n=38)

	%	
양수색전증 (자궁형·DIC선행형)	36%	(14)
자궁파열	13%	(5)
태반조기박리	10%	(4)
이완출혈	10%	(4)
산도열상	8%	(3)
자궁내번증	8%	(3)
유착태반	5%	(2)
불명	8%	(3)

32%이다, 진료소 23%, 산과 병원 12%, 종합병원 34%였다. 대부분이 시설 내에 입원 중에 발생하였다.

초기증상 출현에서 심정지까지의 시간을 산과 위기적 출혈에 의한 사례와 그 이외의 비산과 위기적 출혈 사례로 나누어 해석하였다. 비산과 위기적 출혈의 경우는 초기 증상 출현으로부터 30분 이내에 심정지에 이르는 것도 많다.

한편 산과 위기적 출혈에 의한 심장정지는 초기증상 발병으로부터 3시간 이전에 일어나는 일이 많았으나, 반대로 30분 미만에 발생하는 일은 없었다. 이는 산과 위기적 출혈 시에 신속한 지혈 처치, 수혈 등의 집중적 관리를 통해 생명을 보존할 수 있는 사례가 있음을 시사한다.

시설간 전원은 53%에서 이루어졌으며 전원 사례 중 산과 위기적 출혈과 그 이외의 비산과 위기적 출혈의 사례를 비교해보았을 때 전원까지 소요되는 시간에는 유의한 차이가 없었다.

≫ 関沢明彦

6 산욕이상의 관리와 처치

CHAPTER

6 산욕이상의 관리와 처치

a 자궁수축부전

개념 · 정의 · 분류 · 병태

분만 직후의 자궁수축부전은 이완성출혈이며, 일반적으로 정산 산욕경과보다도 자궁의 수축이 늦어지는 자궁수축불량 또는 오로가 길게 지속되는 경우는 오로 저류증을 말한다.[1]

1. 분류·원인

기질성 질환에 의한 것과 기능성에 의한 것으로 분류된다.

1) 기질성: 태반·난막의 자궁내 잔류, 오로의 자궁내 저류, 자궁근종, 자궁내 감염.

2) 기능성: 다태·거대아·양수 과다에 의한 자궁근의 과신전, 미약진통, 방광·직장의 과도한 팽창.

자궁 수축 부전의 원인으로 가장 많은 것은 자궁내 잔류이다. 일반적으로 다산모가 초산모보다, 비수유부가 수유부보다 빈도가 높다.

2. 합병증

자궁 내 잔류나 오로의 저류에서는 자궁 내 감염으로부터 산욕열이 발병할 수 있다. 태반 잔류에서는 태반 폴립을 형성하여, 후기 산욕기에 대규모 출혈을 초래하는 경우도 있다.

진단

1. 증상 및 촉진·내진

산욕기에 자궁수축정도와 오로의 상태를 진단한다. 자궁수축의 정도는 자궁저의 위치에 따라 추측 가능하다. 정상 산욕과정에서는 분만 직후의 자궁저는 배꼽아래 세손가락 마디이나, 분만 12시간 후에 자궁고는 재상승하여 배꼽위치가 된다. 이는 이완되었던 골반저근이 긴장을 회복하고, 방광의 팽만 등으로 자궁의 위치가 상승하기 때문이다. 이 후 자궁근의 수축에 의한 자궁저는 하강하여, 산욕 1일째에는 배꼽아래 한 손가락 마디, 2일째에는 두 손가락 마디, 5일째에는 배꼽과 치골상연의 중간, 7일째에는 치골상연에서 두 손가락 마디, 9~10일째에는 치골아래까지 하강하여 복벽에서는 만져지지 않게 되고, 거의 6주 내에 정상대로 회복된다. 한편 자궁경관은 분만 후 점진적으로 폐쇄되며, 내자궁구는 산욕 3일째에는 3cm정도가 되고 산욕 7일째에는 약 1cm 개대, 산욕 4~6주 안에 폐쇄된다. 오로란 분만 후 자궁벽에서 박리된 탈락막 조직에 혈액이나 림프액이 혼입되어 질에서 배출되는 분비물을 말하는데, 산욕 2~3일째까지는 혈액혼입이 많은 혈성으로 이것을 적색오로라고 한다. 3~10일째에서는 혈액성분이 감소하기 때문에 갈색오로가 된다. 산욕 10일째 이후에는 오로의 주성분은 장액성의 창상액과 백혈구가 되며, 황색오로로 불린다. 산욕 4주째 이후에는 투명한 자궁분비물이 주체가 되어 백색오로라고 한다. 오로의 총배출량은 500~1,000g이고, 대부분은 산욕 4일째까지 배출된다.

이상의 산욕에서 생리적인 자궁수축 경과와 오로의 추이로 보아, 산욕 2주일 이후에도 복벽에서 자궁고가 촉진된다면, 수축부전으로 자궁이 단단하지 않거나, 출산 후 6주 이내의 내진에서 자궁이 오리알 크기이고, 내자궁구가 1cm이상 개대되어 있으면 자궁수축부전이라 진단한다. 오로의 상태는 산욕 1일째에 100g 이상, 2일째 이후 30g 이거나, 2주 이상 지속되는 적색오로는 비정상이며,[2] 자궁수축부전으로 진단할 수 있다.

2. 초음파 단층법과 MRI

자궁수축과 오로로부터 자궁수축부전으로 진단했다면, 다음으로 그 원인을 검색한다. 우선 복부 혹은 질식초음파 단층법으로 자궁의 크기, 자궁근종의 유무, 자궁내 저류물의 유무와 성상을 관찰한다. 자궁수축부전의 원인으로서 가장 많은 것이 태반이나 난막이 자궁강 내에 남아있는 자궁내 잔류이다. 초음파단층법에 의해 자궁내 저류물이 액체를 주체로 한 오로저류증인지, 난막·잔류태반인지는 쉽게 판정할 수 있다. 잔류태반이 의심되는 경우에는 제거 시 다량의 출혈을 초래하는 일이 있으므로 진단에 신중을 기해야 한다. 초음파단층법에서 잔류태반은 자궁 내의 고휘도 음영의 종물로 동정되지만,[3] sonohysterography로 종물의 존재부위나 크기가 보다 명확하게 구분될 수 있다. 유착태반의 진단에는 초음파 도플러법이 유용하고, 잔류태반과 자궁근층과의

사이에 혈류가 확인된다면 그 의심해야 한다.

잔류태반의 진단에는 MRI 검사도 유용하다. MRI의 T1강조상에서 고신호, T2강조상에서 고신호와 저신호의 혼재가 나타나면, 잔류태반 조직에 변성이 일어나고 있는 것이 추측된다. 또한, 다이내믹 MRI에 의한 조영에서는 자궁근층의 혈류신호와 태반의 자궁근층 내 침윤을 판정할 수 있어, 유착태반의 진단에 도움이 된다.[4]

3. 자궁 · 질분비물 배양

내진에서 자궁에 압통이 확인되거나 오로에 악취가 있는 경우는 자궁 내 감염을 의심하여, 원인균의 동정(同定)과 항균제에 대한 감수성을 검사한다. 모체에 발열 등의 감염 징후가 나타나는 경우는 말초혈 백혈구수나 CRP를 측정하여 감염 정도를 추정하고, 이후의 치료 효과 판정에 참고한다.

관리

1. 예방

자궁수축부전의 예방의 첫째는 분만 시의 무균적 조작과 자궁 내용물의 완전한 제거이다. 태반 배출 후에 골반내진으로 자궁 내에 잔류가 없는지 확인한다. 또한 난막의 잔류가 없는지 확인하기 위해서 배출된 태반과 난막에 결손이 없는지 육안적으로 검사하는 것이 중요하다. 산욕 조기보행과 수유 시작, 자궁 마사지·냉찜질 실시, 방광의 과도한 팽창과 변비를 예방하도록 지도하는 것도 자궁수축부전을 예방하는 데 도움이 된다.

2. 자궁 수축제와 지혈제의 투여

오로의 자궁내 저류의 경우, 저류 오로의 배출을 촉진하고 자궁 수축을 촉진하기 위해 맥각 알카로이드를 내복 혹은 주사로 투여한다. 오로의 배출 촉진에는 맥각 알카로이드 투여와 함께 기계적인 자궁경관 확장을 병용하면 한층 효과적이다. 혈성오로의 증가를 막기 위해서 지혈제의 투여나 저류오로에 의한 감염을 막기 위한 항균제의 예방적 투여도 고려한다.

3. 자궁내 잔류물 제거술

자궁내 잔류가 의심되는 경우 자궁잔류물을 제거한다.[5] 이 때, 산욕자궁은 근층이 연약하여 저항이 없기 때문에 천공을 일으키기 쉬우므로 신중한 수기가 요구된다. 천공을 방지하기 위하여 초음파 단층법하에 자궁내 잔류물 제거술을 시행하는 것이 바람직하다. 제거한 자궁잔류물은 병리검사를 보내어 진단한다. 자궁내막염이나 근육염 등의 자궁내 감염이 존재 할 때 자궁내 잔류물 제거술은 금기이며 원칙적으로 항균제의 수술 전 투여에 의해 감염이 소실된 것을 확인하고 나서 시행한다. 수술 후 맥각 알카로이드를 투여하여 자궁수축을 도모하고 항균제를 투여하여 감염 예방에 힘쓴다.

4. 태반 잔류에 대한 처치

태반 잔류에 대하여는 상기의 자궁내 잔류물 제거술도 적용되기는 하나, 잔류태반의 혈류가 풍부한 경우에는 다량의 출혈을 초래할 수 있으며, 특히 유착 태반에서는 제거술에 의하여 지혈이 곤란한 대량 출혈을 초래하는 경우도 있다. 보다 안전한 방법으로서 자궁경을 이용한 내시경적 잔류태반 제거술이 있다. 자궁경하 경관적 절제법(transcervical resection ; TCR)은 점막하근종에 대한 내시경 수술로서 정착되어 왔으나, 잔류태반의 제거에도 효과적이며, 과거의 자궁잔류물제거술에 비해 완전절제가 가능하며, 출혈부위의 확인이나 지혈도 할 수 있는 이점이 있다.[6]

초음파도플러법이나 다이내믹 MRI로 잔류태반의 혈류가 풍부하다고 추측되는 경우에는 갑자기 수술 조작을 행하지 않고, 매토트랙세이트(MTX)의 전신 투여(1회 20mg 근주, 연속 5일간)하여 혈류의 저하 또는 소실을 확인한 후, 자궁잔류물 제거술 혹은 TCR을 실시하는 것이 바람직하며, 유착태반의 경우는 우선 고려해야 할 방법이다. 태반 잔류에 대한 수술 조작으로 대량 출혈이 예상되는 경우는 수술 전에 자궁 동맥의 색전술이나 내장골 동맥의 balloon occlusion을 하면 출혈량이 대폭 경감된다고 보고된 바 있다. 또한 잔류태반에서 변성된 유착 태반이 의심되고 출혈이나 하복통 등의 증상이 없으며 감염 징후도 나타나지 않을 경우에는 혈중 hCG치의 저하를 확인하고, 경과를 관찰하는 것도 고려된다.

참고문헌

1) 日本産科婦人科学会編. 産科婦人科用語集・用語解説集. 改訂第3版. 2013, 213.
2) 喜田伸幸ほか. "産褥の管理と検診". 臨床エビデンス産科学. 第2版. 佐藤和雄編. 東京, メジカルビュー社, 2006, 554-9.
3) Viries, JI. et al. Predictive value of sonographic examination to visualize retained placenta directly after birth at 16 to 28 weeks. J. Ultrasound Med. 19, 2000, 7-12.
4) Nagayama, M. et al. Fast MR imaging in obstetrics. Radiographics. 22, 2002, 563-80.
5) 日本産科婦人科学会 編集・監修. "産褥異常の管理と治療". 産婦人科研修の必須知識2013. 2013, 354-62.
6) Cohen, SB. et al. Hysteroscopy may be the method of choice for management of residual trophoblastic tissue. J. Am. Assoc. Gynecol. Laparosc. 8, 2001, 199-202.

≫ 岩下光利

1. 개념

산욕이란 분만 후에 산모가 임신 전의 상태로 회복하는 기간을 가르키며, 약 6개월로 되어있다.

산욕기의 출혈은 분만 후 24시간 이내에 발생하는 조기출혈과 24시간 이후 6주 동안 발생하는 만기출혈이 있다.

또한 분만 후 출혈(postpartum hemorrhage ; PPH)은 경질분만 후(분만 제4기까지)의 500mL 이상, 제왕절개분만 후의 1,000mL 이상의 출혈이다.

만기출혈의 원인으로는 태반잔류(태반폴립), 태반박리면 회복부전, 혈전탈락, 자궁내막염, 드물지만 자궁내 가성동맥류, 자궁동정맥기형, 혹은 융모성질환 등이 있다.

만기출혈에 대한 안일한 자궁내용제거술은 때때로 다량출혈을 일으킬 수 있기 때문에, 상기의 원인을 염두에 둔 진단에 유의할 필요가 있다.

2. 분류

1) 산욕조기출혈(early PPH) 제5장 분만시 이상출혈 참조.

2) 산욕만기출혈(late PPH)

3. 역학

전체임신의 약 4~6%에서 발병, 만기출혈은 약 1%로 여겨진다.

태반 잔류

산욕기의 다량 출혈의 원인으로 태반 잔류는 흔히 경험하는 질환이다.

분만 제3기에서 약 30분이 경과해도, 태반 배출이 완전하게 되지 않을 때 태반잔류라고 하며, 원인으로서 유착태반을 의심한다.

진단

컬러도플러를 병용한 초음파 단층법이나 MRI 등으로 비교적 간단하게 진단이 가능하다. 태반 잔류의 초음파 소견은 자궁내강의 고휘도 음영이 특징적이다. 또 태반잔류는 기본적으로 분만 직후 발생하며, 도플러에서는 혈류가 부족하고 MRI로는 발견되지 않는 일이 많아, 태반폴립과의 감별이 가능하다.[1] 또 혈중 hCG가 계속 높은 경우도 많다.

증상은 분만 후 계속되는 질출혈, 통증, 그리고 경과에 따라 자궁 내막염이 확인된다. 특히 자궁내막의 두께가 1cm 이상인 경우에는 특이적인 소견이 된다.[2] (일본에 있어서는 태반잔류와 태반폴립을 구별하나, 구미에서는 일괄적으로 retained placenta로서 취급하고 있다).

치료

태반잔류가 의심되는 분만 직후 다량 출혈에 대하여 상황에 따라서 용수박리, 자궁수축제의 투여 및 양손압박을 실시하고, 지혈이 불충분한 경우에는 자궁내강에 거즈 충전이나 압전법(tamponade) 등 가능한 일차 지혈을 시도한다.

지혈의 확인이 어려운 경우, 태반의 결손을 확인할 수 없어도, 소량의 잔류 가능성을 고려하여 초음파로 자궁의 내강을 관찰한다. 잔류된 태반이 작은 경우, 1차 지혈이 되지 않으면 무리한 박리는 계속할 수 없다. 태반잔류로 진단되어, 분만 후의 출혈이 지속되어 1차 지혈을 얻지 못하는 증례에 관해서는 일정한 관리 방침이 없는 것이 현실이다.[3] 태반잔류 중에서도 특히 혈류가 존재하는 태반잔류 증례는 산욕 만기출혈의 위험이 높다. 최근 태반잔류나 유착태반에 대한 치료로서 카테터 동맥색전술(transarterial embolization ; TAE)이나 경경관적 절제(transcervical resection ; TCR)를 시행한 보고가 있어, 유효성이 인정되고 있다.

그러나 잔류태반의 대부분은 시간 경과와 함께 혈류가 감소, 소실하여, 자연소실, 배출을 기대할 수 있다는 보고도 있다(보존적 치료 적응의 제안).

■ 대기요법의 적응[4]

① 분만 후의 일정시간 지혈이 되면서, 전신 상태가 안정되고 있다.

② 영상에서 천공태반의 가능성이 적다.

③ 자궁 보존을 희망하고 있다.

④ 감염징후가 보이지 않는다.

⑤ 자택에서 다량 출혈이 있을 때, 신속하게 내원 가능하다.

태반폴립

태반폴립이란 분만 후나 낙태, 유산 후에 잔존한 태반 잔류 조직에 혈관이 침윤하여 종양을 형성하여 커진 폴립상 구조물을 이루는 것이다. 발병 빈도는 0.05~5.3%로 낮고 드문 질환이지만 때로는 산욕만기에 대량 출혈을 일으키는 질환으로 진단·치료에 충분한 고려가 필요하다.[5] 발병기전은 태반 잔류 조직에 의한 것, 심층 탈락막 정맥에 들어간 융모 조직에서 발생하는 것, 산욕 자궁 내면의 태반박리면에 혈괴가 자궁 수축 불량과 겹쳐져 발생하는 등 여러 설이 있다. 조직학적으로는 잔류된 태반편이 피블린 침착 또는 유리화, 염증성 변화를 동반한 괴사상을 나타낸다.

발병 시기에 관해서는 분만 며칠 후부터 몇 주 후에 일어나는 경우가 많으나, 수개월부터 몇 년 동안 증상이 나타나지 않다가 갑자기 발병될 수도 있다. 또, 갑작스런 대규모 출혈로 발병하는 경우가 많은데, 태반 폴립의 표면이 박리되면서 심한 출혈을 일으키는 것으로 생각된다. 안이한 자궁내용제거술 등에 의해 치사적 출혈이 초래되거나, 나아가 외과처치가 필요한 경우도 드물지 않게 나타나기 때문에 출혈을 일으키는 산부인과 응급질환의 하나임을 일상진료에서 항상 염두에 두어야 한다.

진단

화상진단이 매우 유효하며, 확정진단이 된다.

1. B모드 에코: 자궁강 내에 돌출되는 불균일한 고휘도 종물로 그려진다.

2. 컬러도플러: 종물 내부에 풍부한 혈류신호가 나타난다. 특히 기저부에 보이는 강한 혈류의 존재가 특징적이다.

3. CT소견: 단순에서는 불명료하며 다이내믹CT 동맥상에서는 강한 음영이 확인되고, 강한 혈류가 보인다. 지연상에서는 자궁근층과 같은 정도의 밝기로 보이지만, 자궁강내로 조영제의 혈관 외 누출은 없으며, 출혈을 시사하는 증거가 없다.

4. MRI 소견: T1강조 이미지는 저신호, T2강조 이미지에서는 높은 신호를 나타내는 종물상으로 나타나는 일이 많다. 조영에서는 강한 증강 소견이 확인되어, 그 발생 부위는 용이하게 진단이 가능하다. 또, 그 기저부에 보여지는 풍부한 혈류에 의한 혈류공동이 특징이다(근층 내 동맥 혈류로 진단되었던 보고도 있다).[6]

5. 감별진단: ① 잔류태반에서는 초음파 컬러플러법에서 혈류가 감소한 점, MRI에서 조영되지 않는 것에 따라 감별이 가능하다. ② 융모성종양에서는 hCG값으로 감별한다. ③ 점막하 근종, 자궁내막 폴립은 화상진단으로 감별한다. ④ 자궁체암, 난막잔류, 자궁내막염 등은 임상 경과부터 감별이 가능하다.

치료

태반 잔류에 준하지만, 출혈량, 병변의 크기, 임신 희망의 유무, 의료기관으로의 접근 등을 증례별로 고려하여 방침을 세운다.[7,8]

① TAE+TCR

TAE는 95%라는 높은 치료 효과를 가진 효과적인 치료법이며, TAE 시행 가능한 시설에서 자궁 보존의 희망이 있으면 TAE로 혈류를 차단하고, TCR로써 자궁 내를 살피면서 잔류태반(태반 용종)을 절제하는 것이 기본적인 관리이다.

문제점으로서 색전이 난소에 영향을 주어 난소 기능의 저하 또는 앞으로의 임신에 미치는 영향이 있다.

② 자궁적출술(가장 확실한 방법): 더 이상 출산을 원하지 않는 경우

③ 자궁내용제거술(dilatation & curettage ; D&C) / TCR : 혈류가 저하된 경우

④ 대기요법(적응은 잔류태반과 동일)

⑤ 메토트렉세이트(MTX)

자궁내 가성동맥류 (uterine artery pseudo aneurysm ; UAP)

자궁내 가성동맥류는 드문 질환이지만, 파열될 경우에는 치명적인 출혈을 일으키고 자궁내용제거술도 다량 출혈을 일으키므로, 만기산욕출혈로 진단하고 관리하는 것이 중요하다.

원인

자궁동맥의 손상과 관련되어 있으며, 제왕절개술이나 근종핵출술, 또 자궁내 조작 후(자궁내용 제거술)에 많다는 보고가 있다.[9]

이와 같은 자궁조작은 혈관벽에 손상을 줄 수 있으며, 임신에 의한 호르몬이나 순환동태의 변화에 따른 혈관벽의 취약화와도 관련되어 손상된 혈관에 가성동맥류가 형성된다.

자궁내의 동맥벽이 손상되어 그 손상 부위에서 동맥혈이 누출되었을 때, 인접 조직으로 혈종이 형성되어 정상적인 혈관벽과는 다른 외벽으로 덮인 동맥류가 된다. 조직학적으로 동맥의 3층 구조가 존재하지 않기 때문에 가성이라고 불리며 구별된다.[9]

증상

가성동맥류는 미파열이면 무증상이지만, 일단 파열되면 갑자기 대량 출혈을 일으킨다.

기전으로는 자궁내 가성동맥류에서 소량의 출혈이 지속되었던 것이 자궁 내에 고여 있다가 일시에 분출된 경우 가성동맥류의 파열 등을 생각할 수 있다.[10]

진단

1. 화상진단

초음파 단층법에서는 특히 컬러도플러가 유용하다. 주위를 고휘도 영역으로 덮은 작은 무음영 지역이 확인된다(고휘도 음영 일부분은 coagula로 생각된다).

① 무음영부위에 컬러도플러를 대면 혈류가 확인된다. 소용돌이 모양의 박동성 혈류를 확인되는 경우도 있다.

② 자궁내 하부 형상이 tear drop형.

조영 MRI에서는 다이내믹 초기에 강하게 나타나는 조영 효과. T2강조 화상에서는 혈류공동. 조영 CT에서는 다이내믹 초기에 강한 조영 효과를 나타낸다. 지연상에서도 조영 효과가 증강하고 있다. Wash out의 느린 부분을 확인 할 수 있다. 자궁 동맥의 영역에 조영제의 저류가 보이며, 동맥류가 이미 파열되어 있는 경우에는 조영제의 주변으로의 누출이 확인된다.[11]

2. 감별진단

경과 관찰 중 태반폴립이 의심되는 경우가 많지만, 초음파 단층법으로 종류 내부에 소용돌이 모양 음영과 주위에 풍부한 혈류가 보이며, 조영 CT검사에서 강한 조영 효과가 확인되는 종류 형태의 병변을 확인하는 것으로 감별한다.

치료

기본적으로는 TAE가 첫 번째 선택이다. 산욕출혈에서는 원인에 따라 지혈이 곤란할 경우, 외과적 처치보다 안전하고 성공률은 9할 이상으로 높아, 가임력 보존을 기대할 수 있다.[12~14] 합병증으로서 수술 후 동통, 발열, 감염, 패혈증, 천자부 혈종 등이 있다.

TAE 후의 임신과 분만에 대한 보고가 늘고 있지만, 난소 기능이 저하되었다는 보고도 있다. 난소 기능 저하는 색전 물질이 주로 자궁 난소 문합 혈관을 통해 난소의 혈류를 저하시킴으로써 생긴다고 생각된다.[11]

또한 자궁내막에 미치는 영향에 대해서도 빈도 불명이면서, 자궁내막의 위축·유착·괴사 등의 보고도 있다. 현시점에서는 아이를 희망하는 예에서 TAE를 실시하는 경우에는 임신력 저하나 임신 합병증의 증가 등에 대한 설명이 필요하다.

더 이상 출산을 원하지 않는 경우는 자궁적출술, 또는 개복 자궁동맥결찰술이 선택사항이 된다. 무증후성 자궁가성동맥류에 대한 적극적인 치료에 대해서는 논의 중이다.

자궁동정맥기형 (uterine AVM)

자궁내소파술이나 임신, 감염을 계기로 형성되어, 과다월경이나 부정출혈의 원인이 된다. 특히 충분한 준비가 없는 자궁내 조작으로 인해 예기치 않은 출혈을 일으킬 위험이 있지만 드문 질환이다.[15]

진단은 화상진단, 특히 컬러도플러가 유효하다.[16]

초음파도플러로 자궁근층에서 내막으로 이상 혈류를 확인한다. 조영 CT검사에서는 자궁근층에서 자궁내막에 걸쳐 동맥성과 정맥성의 혈류가 얽혀 혼재하는 이상한 혈류가 확인된다. 조영 MRI 검사에서는 혈류공동이 근층에서 내강으로 돌출하는 것이 확인된다.

치료는 근본적으로는 자궁적출술이나, 가임력 보존을 위해서는 TAE, 약물요법(맥각알카로이드, GnRH 호르몬 요법)이 있다.

융모성 질환(태반부착 융모성암)(placental site trophoblastic tumor ; PSTT)

PSTT는 융모성 질환의 약 1~2%를 차지하는 극히 드문 종양이다. 자궁내막에서 근층에 걸쳐 단절된 종류를 형성하는 중간형 트로포블라스트로 이루어진 발육의 완만한 종양이다. 융모형태를 나타내지는 않고, 융모암과의 감별이 문제가 된다.[17,18]

PSTT는 통상적으로 정기분만 후나 자연유산 혹은 인공중절 후에 발병하나, 드물게 포상기태 후에도 발병한다.

증상은 출혈 또는 무월경이며, 선행 임신 후, 몇 주에서 수 년에 걸쳐 발병한다. 종양 마커로는 종양 크기에 비해 hCG 수치가 낮은 것이 특징이다.

자궁 내에 제한적으로 발병하는 것에 대해서는 예후가 양호하다. 치료는 자궁적출술이 기본이나 가임력 보존을 희망하는 경우, 내막소파, 종양핵출술, 화학치료도 검토된다.

참고문헌

1）亀田隆ほか．胎盤ポリープの画像診断：超音波，カラードップラー，MRIの比較．産婦人科治療．76，1998，607-11.

2）Durfee, SM. et al. The sonographic and color Doppler features of retained products of conception. J. Ultrasound Med. 24(9), 2005, 1181-6.

3）奥田靖彦ほか．胎盤遺残，胎盤ポリープ．産科と婦人科．79(9)，2012，1102-8.

4）Kitahara, T. et al. Management of retained products of conception with marked vascularity. J. Obstet. Gynaecol. Res. 37(5), 2011, 458-64.

5）亀田里美ほか．胎盤ポリープの4症例．仙台市立病院医学雑誌．34，2014，25-30.

6）Achiron, R. et al. Transvaginal duplex Doppler ultrasonography in bleeding patients suspected of having residual trophoblastic tissue. Obstet. Gynecol. 81(4), 1993, 507-11.

7）貞森理子ほか．子宮鏡下手術で治療し得た胎盤ポリープ9例の検討．日本産科婦人科内視鏡学会雑誌．22（2），2006，371-4.

8）小林博．産後の出血の原因としての胎盤ポリープについて．助産婦．44，1990，5-10.

9）Kwon, HS. et al. Rupture of a pseudoaneurysm as a rare cause of severe postpartum hemorrhage：analysis of 11 cases and a review of the literature. Eur. J. Obstet. Gynecol. Reprod. Biol. 170(1), 2013, 56-61.

10）奥野さつきほか．子宮内仮性動脈瘤．産科と婦人科．79(9)，2012，1097-101.

11）小島学ほか．帝王切開術後1か月で子宮仮性動脈瘤破裂をきたし子宮動脈塞栓術（Uterine Artery Embolization；UAE）で止血しえた1例．日本農村医学会雑誌．62(2)，2013，135-9.

12）金子由佳ほか．帝王切開後に発症した巨大仮性動脈瘤の診断と動脈塞栓治療．栃木県産婦人科医報．36，2010，71-3.

13）Cooper, BC. et al. Pseudoaneurysm of the uterine artery requiring bilateral uterine artery embolization. J. Perinatol. 2(9), 2004, 560-2.

14）Yeniel, AO. et al. Massive secondary postpartum hemorrhage with uterine artery pseudoaneurysm after cesarean section. Case Rep. Obstet. Gynecol. 2013, 2013：285846.

15）Kim, TH. et al. Presenting features of women with uterine arteriovenous malformations. Fertil. Steril. 94(6), 2010, 2330-e7.

16）Rajab, KE. et al. Postpartum Hemorrhage Caused by Pseudoaneurysm Associated with Malformations of the Uterus. Bahrain Medical Bulletin. Vol.35, No.3, 2013.

17）今昭人ほか．難治性の転移性臨床的絨毛癌の一症例．青森県臨床産婦人科医会誌．22(1)，2007，15-9.

18）西村隆一郎．絨毛性疾患の基礎知識．日本産科婦人科学会雑誌．56(9)，2004，660-5.

≫ 玉田さおり，北川道弘

C 산욕열

개념 · 빈도 · 원인

1. 정의: 분만 후 자궁을 중심으로 발생하는 감염증 중, 분만종료 후 24시간 이후, 산욕 10일 이내에 2일 이상, 38도 이상의 발열이 지속되는 것[1] 임상적으로는 자궁을 중심으로한 골반감염증과 거의 동의어로 사용된다. 유선염이나 신우신염 등 자궁 및 그 주위 이외에 생겨난 감염증은 제외한다.

2. 빈도: 발생 빈도는 몇 퍼센트 정도. 역사적으로 보면 감염증은 임산부 사망의 주된 요인이었다. 현재는 위생상태나 영양의 개선, 소독법이나 항균제의 진보에 따라 현저하게 감소했다.

3. 원인: 위험인자로서 분만 전·중·후 인자가 있다. 일반적으로는 산욕기에 질내의 세균이 자궁 내에 상행 감염됨으로써, 자궁내부 및 골반내 감염이 성립한다. 산도손상이나 난막잔류, 오로의 저류 등, 분만이나 산욕기에는 감염의 진행을 조장하는 요소가 생긴다. 빈번한 내진이나 경관 확장, 태반용수박리 등의 산과 처치가 감염을 유발하는 일도 있다. 분만이나 수유에 의한 신체적인 피로나 출생아에게 즉시 치료를 요하는 상황 등의 정신적 피로도 관여한다. 전기파수나 융모양막염 등 임신 중에 이미 자궁 내 감염의 위험을 가지고 있는 경우, 태반 등 감염원의 분만이 완료된 산욕기에 감염 징후가 표면화되는 일이 있다(표 1).

임상 증상

산욕 2~5일경 저녁에 발열하고 아침에는 회복하는 형태를 보이는 경우가 많다. 갑작스런 오한, 떨림과 함께 고열을 보이는 예도 있다.

자궁내 감염은 자궁 내막(탈락막)에서 시작하여 자궁 근층, 자궁부속기, 자궁방결합조직, 골반복막과 자궁내강을 중심으로 감염이나 염증이 주변으로 파급되어, 패혈증으로 진행된다. 패혈증성 골반정맥혈전증에서는 태반박리면의 세균 감염으로부터 정맥혈전이 생기고, 난소정맥에서 신정맥, 하대정맥으로 정맥염이 진전한다. 이들 감염의 진전에 따라 다양한 증상을 보인다.

자궁내 감염의 징후로서 하복통 및 오로 이상이 보인다. 하복통은 특히 내진으로 자궁 및 자궁 부속기의 압통이 확인되는 경우, 감염이나 염증이 자궁 내막(탈락막)을 넘어 자궁 근층이나 자궁 부속기, 자궁 방결합조직에까지 퍼져 있는 것을 나타낸다. 나아가 골반복막염으로 진행되면,

표 1. 산욕열의 원인

1. 산과처치, 산과수술	• 자궁수축부전·오로 저류
• 빈번한 내진	**3. 모체감염증**
• 난막박리	• 세균성질염·세균성질증
• 경관확장(라미나리아 등)	• 자궁경관염(클라미디아 등)
• 흡인분만, 겸자분만, 제왕절개분만	• 융모양막염
• 태반용수박리	**4. 모체합병증**
• 연산도·회음봉합부전	• 당뇨병
• 거즈 잔류	• 자기면역질환
2. 산과이상	• 혈액질환
• 전기파수	• HIV감염
• 지연분만	• 부신피질스테로이드 장기내복
• 산도열상·혈종	• 자궁근종, 자궁선근증
• 분만시 대량 출혈	• 저영양 상태
• 태반·난막 잔류	

복부촉진에서 근성방어가 나타난다. 오로는 악취를 띄고 농처럼 되면서 오렌지색의 오로가 배출된다.

그러나 하복통이나 오로 이상이 나타나지 않는 경우가 종종 있으며, 자궁 주위 조직의 감염이나 염증이 표면화되기 전에 패혈증으로 진행되는 경우도 있다. 국소 증상이 없다는 것을 근거로, 미리 자궁 내 감염의 존재를 부정하는 일은 신중해야 된다. 패혈증으로 진행된 경우, toxic shock syndrome (TSS)나 전신성염증반응증후군(systemic inflammatory response syndrome ; SIRS)이 생겨, 패혈증성 쇼크로 사망에 이르는 경우도 있다.

원인균

이전에는 그램 양성균(포도상구균, 연쇄상구균, 장구균)이 주체였으나, 최근에는 항균제의 범용에 따른 균 교대현상으로 그램 음성균(대장균, 크레브시엘라, 녹농균)이나 혐기성균(박테로이데스균, 세라티아균)에 의한 감염증이 증가하고 있으며, 복수의 균이 검출되는 일도 많다.

황색 포도상구균(Staphylococcus aureus), 특히 메티실린내성황색포도상구균(methicillin resistant Staphylococcus aureus ; MRSA) 감염에 있어서는 균에서 생성되는 외독소에 의해 TSS가 발병하여, 중증화될 수 있다.

중증의 경과를 보이는 것으로 구강내 또는 피부의 상재균인 A군 β-용혈성연쇄구균(Group A Staphylococcus ; GAS)에 의한 감염증이 있다. 급격한 사지·요추부의 동통(심한 근육통)을 호소하는 것이 특징적이며 연부조직의 괴사가 진행되는 경우도 있다. 중증 GAS 감염증은 streptococ-

표 2. 전신성염증반응증후군(SIRS) 의 진단기준

1. 38도 이상의 발열 혹은 36도 이하의 저체온
2. 심박수 90/분 이상
3. 호흡수 20/분 이상 혹은 $PaCO_2$ 32mmHg 이하
4. 백혈구수 12,000/μL 이상, 혹은 4,000/μL 이하, 혹은 구상구 10% 이상

이상의 4항목 중 2항목 이상의 소견이 있을 시

표 3. TSS의 진단기준

발열: 체온이 38.9도 이상
발진: 미만성반상성홍반증(손바닥, 발바닥에 1~2주 후에 낙설(표피의 각질 떨어짐))
저혈압: 수축기혈압 90mmHg 이하, 확장기혈압 저하가 15mmHg 이상의 기립성 저혈압 혹은 기립성 실신
　　　 다장기장애 아래 중에 3개 이상 항목에 해당한다.
- 소화관: 구토 혹은 설사
- 근육: 급격한 근육통 혹은 혈청CPK가 정상상한의 2배 이상의 값
- 점막: 질, 구강인두, 안검결막의 충혈
- 신장: 혈청BUN 혹은 클리아티닌이 정상상한의 2배 이상의 값
- 간: 총빌리루빈, GOT 혹은 GPT가 정상 상한의 2배 이상의 값
- 말초혈: 혈소판수 10만/μL 이하
- 중추신경: 분별력장애, 의식장애

표 4. 중증 GAS감염증(STSS)의 진단기준

Ⅰ. A군 연쇄구균의 분리　A. 원래 균이 없던 부위에서
　　　　　　　　　　　　 B. 상재균이 존재하고 있던 부위에서

Ⅱ. 임상소견　A. 저혈압: 수축기혈압이 90mmHg 이하
　　　　　　 B. 하기 2항목 이상의 증상
　　　　　　　 1. 신장기능장애: 혈청 클레아티닌 2mg/dL 이상
　　　　　　　 2. 응고계: 혈소판 10만/μL 이하 혹은 혈액응고 시간단축,
　　　　　　　　　 피브리노겐 저하, FDP양성 등에 따른 DIC의 존재
　　　　　　　 3. 간기능장애: GOT, GPT, 총빌리루빈 값이 정상값의 2배 이상
　　　　　　　 4. 성인호흡부전증(ARDS)의 존재
　　　　　　　 5. 전신성홍반양피부발진
　　　　　　　 6. 괴사성근막염 또는 근염을 동반한 연부조직괴사

Ⅰ A 및 Ⅱ(A와 B)를 만족시킬 때는 확진, Ⅰ B 및 Ⅱ(A와 B)를 만족시킬때는 의심진단

cal toxic shock syndrome(STSS)라 불리고,[2] 치료가 늦어지면 죽음에 이를 가능성이 높다.

그 밖에 반코마이신 내성 장구균(vancomycin resistant Enterococcus ; VRE)이나 대장균 등의 그람음성구균에서 볼 수 있는 기질 확장형 β 락타마제(extended spectrum β-lactamase ; ESBL) 생산균 등의 약제내성균이 임상상 문제가 된다.

진단

우선 발열 원인을 찾는다. 하복통(특히 내진에 의한 압통)이나 악취를 동반하는 오로의 배출이 있으면 자궁내 감염이나 자궁주위의 감염이라는 진단이 가능하다. 산욕기에는 유선염이나 신우신염이 발병하기 쉽기 때문에 감별이 필요하다. 그 외 호흡기 감염증이나 맹장염, 자가면역질환의 재발 등을 감별로 들 수 있다. 신속하게 오로, 소변, 인두액(咽頭拭), 가래, 혈액 등의 검체에서 세균배양검사를 시행한다. 이 때 항균제의 감수성 검사를 반드시 실시하고, 항균제 선택이 치료 경과를 통해 최적화될 수 있도록 정보를 수집한다.

발열에 거의 동시에 나타나는 미만성 홍반이 확인된 경우에는 TSS나 STSS를 생각한다. 이 홍반은 1~2주일 사이에 소실된다.

영상진단도 필수이다. 경질 내지 복부초음파단층법검사에서 자궁 내의 오로저류나 태반잔류(육안 소견으로 태반이 완전 배출되었다고 판단돼도, 태반 폴립의 형태로 잔류하고 있을 수 있다)가 있으면, 감염원이 되었을 가능성이 있다. 부속기 영역에 소시지 모양으로 종양이나, 구불구불한 관상 구조가 확인된다면 난관내 농양을 생각한다. 더글라스와 천자로 액체 저류가 확인되면 골반내 농양의 형성을 생각한다. 단 제왕절개수술 후의 증례에서는 혈액이나 복강내 세정액의 저류와 구별이 어려운 일이 있어 더글라스와 천자를 통해 저류액의 성상을 확인하는 것이 유용하다. 제왕절개술후 증례에서는 방광자궁절개창 주위나 방광자궁와에 넓게 저음영이 확인된다면, 자궁창부 농양이 형성되었을 가능성이 있다. 복막염으로까지 진행이 되었다면 부풀어오른 대망이 관찰되기도 한다.

초음파 단층법 검사는 간편하지만 나타내는 범위에 한계가 있다. 간농양이나 횡격막하 농양 등 골반 밖에서의 농양 형성까지 염두에 두고, 적어도 상복부에서 골반부까지의 CT를 시행하여, 복강내·골반내 농양의 존재 유무를 신속하게 확인한다.

패혈증의 진단에는 SIRS의 진단 기준을 이용한다(표 2). TSS 및 STSS의 진단 기준은 다음과 같다[3](표 3,4).

치료

항균 요법, 감염원의 제거가 원칙이다.

1. 항균요법

원인균의 동정 및 약제 감수성에 근거한 적절한 항균요법을 시행하는 것이 큰 원칙이다. 하지만 결과가 판명될 때까지의 며칠 동안은 광범위 스펙트럼의 항균제를 이용한다.

일반적으로 세파계 항균제에서 제1세대는 그램 양성균에 대한 항균력이 강하지만, 그램 음성균에 약하고, 제3세대는 그램 음성균에 강하지만 그램 양성균에 다소 약하다(제2세대는 제1세대의 특징에 그램 음성균에 대한 항균력이 가해진 것)는 특징이 있다. 제4세대는 그램 양성균·그램 음성균 모두에 강한 항균력을 나타낸다. 혐기성균은 제2세대 이후가 유효하며, 녹농균은 3세대 이후가 효과가 있다.

카바페넴계는 그램 양성균, 그램 음성균, 혐기성균과 같이 폭넓고 강력한 항균력을 가진다. 린코마이신계인 크린다마이신은 혐기성균에 대해 첫 번째 선택지가 된다. 아미노글리코시드계의 겐타마이신은, 녹농균 등의 그램 음성균에 강한 항균력을 가진다.

이들 항균제의 특징 및 자궁내 감염 원인균의 다양성을 고려하여, empiric therapy로서, 산욕 자궁내막염에 대해서는 크린다마이신과 겐타마이신의 정맥 투여가 first line으로 권장된다.[4] 제3 내지 제4세대 세파, 또는 카바페넴계를 투여해도 된다. 세균 배양 검사에 의해 원인균으로서 황색 포도상구균이 의심되어, 상기 항균제 투여에 의해서도 증상이 개선되지 않는 경우는 MRSA를 고려하여 반코마이신을 병용한다.

항균제 선택에 있어 자체 시설에서 빈번히 검출되는 세균의 감수성을 고려하는 것이 유용하다. 원내 감염을 포함하여 자가 시설에서의 검출 세균 정보를 파악하고 공유하는 시스템의 확립과 유지가 중요하다.

2. 감염원의 제거

오로 저류가 있는 경우나 난막 잔류가 의심되는 경우 자궁내용제거술을 한다. 경관 확장술이나 배액술도 유효하나 응혈괴(덩어리)나 점성이 높은 농이 저류되어 있으면 효과를 보이지 않는 경우도 있다. 산욕 자궁임을 고려하여 경관이나 자궁강내 처치를 할 때는 경관 손상이나 자궁 천공에 특히 주의한다. 자궁수축제를 투여하여 자궁내용물의 배출과 함께 자궁 수축을 촉진한다.

태반 잔류의 경우, 자궁내용제거술이 원칙이기는 하나 유착 태반이나 줄기가 굵고 깊은 태반폴립에서는 쉽게 제거할 수 없는 경우도 있다. 이 경우 외과적으로 제거 시도는 중단되고 자궁내 세정(0.1~0.5% 정도로 희석한 포피돈요오드나 생리식염수)을 계속 주입해서 감염소를 가능한 한 청결하게 유지하고, 기간을 두고 다시 자궁내용제거술을 실시하거나 자궁경에 의한 제거 및 메토트렉세이트 투여 등을 고려한다. 또한 자궁내 세정 시, 과도한 압력으로 인해 자궁내 저류물이 난관 안이나 복강 내에 밀려나가지 않도록 주의한다. 골반내 또는 복강내에 농양이 형성되어, 항균요법이 유효하지 않는 경우, 개복 세정을 시행한다. 혐기성균 감염을 염두에 두고, 세정 후에는 복벽에 배액관을 유치한다. 난관내 농양이나 자궁방 결합조직농양을 제거 적출하는 경우, 본래 혈관 주행이 조밀한 부위인 데다가 염증에 의한 혈관의 취약화나 조직의 유착이 가해져 지혈에 어려움을 겪을 수 있다. 이 때문에, 술식의 선택(외과적 절제, 절개배농·단순세정)이나 수술 조작은 신중하게 시행한다.

3. 중증례에 대한 치료

패혈증 쇼크는 전신 관리가 필요하다 호흡관리나 순환관리, 항DIC 요법 등을 시행한다. 감염에 대해서는 면역글로불린 투여, 혈장교환, 엔도톡신 흡착 요법 등을 시행한다.

참고문헌

1) 日本産科婦人科学会編. 産科婦人科用語集・用語解説集. 改訂第2版. 東京, 金原出版, 2008, 176.
2) 真島実ほか. 妊娠とA群β溶血性レンサ球菌感染症. 産科と婦人科. 78, 2011, 455-460.
3) 日本産科婦人科学会. "産科感染症の診断と治療：産褥熱". 産婦人科研修の必修知識2013. 東京, 日本産科婦人科学会, 2013, 367-71.
4) French, LM. et al. Antibiotic regimens for endometritis after delivery. Cochrane Database Syst. Rev. 2004 Oct 18, (4), CD001067.

≫ 吉田志朗

심부정맥혈전증

개념 · 정의 · 분류

정맥혈전증에는 심부정맥혈전증(deep vein thrombosis ; DVT)과 표재성정맥혈전증(superficial venous thrombosis ; SVT)이 있다. 심부근막에서 더 깊은 곳을 주행하는 정맥을 심부정맥이라고 부르며, 이 정맥에 혈전이 생겨 정맥환류에 장애를 주는 병태가 DVT이다(분만주변기의 폐혈전색전증[PTE]를 포함한 심부정맥혈전증에 대해서는 p.267 참조). 표재성 정맥혈전증은 DVT 이외의 것을 나타낸다.

■ 병태

정맥혈류의 울혈(정체) 또는 임신중의 과응고상태, 감염 등이 원인이 되어, 발병하는 것으로 생각된다. 대퇴정맥압 항진의 원인으로, 앙와위에서, 대퇴정맥압이 임신 초기에는 약 $8cmH_2O$인 것이 임신 10주 무렵부터 점차 증가하여, 임신 말기에는 약 $24cmH_2O$로 상승함에 따른 것으로 생각된다.[1] 대퇴정맥압의 상승은 측와위로 체위를 바꾼 경우, 분만 후에 신속하게 정상화되는 것으로부터, 주로 증가한 임신 자궁에 의해 골반 내의 정맥이 지속적으로 압박되는 경우나 하대정맥이 압박됨에 따라 발생한다.

진단

제3장 그림 1 「심부정맥혈전증·폐혈전색전증의 진단·치료」 참조.

표재성 정맥혈전증의 경우에는 정맥의 주행에 일치하여 압통을 나타내는 반면, DVT의 경우에는 하지의 동통과 부종이 주를 이룬다. 과도한 혈류의 울혈을 동반한 정맥류에 SVT가 발병하거나 발적, 동통, 발열과 같은 임상증상을 나타나는 경우도 있다. SVT에서 DVT로 진전될 가능성은 낮다.

특히 허벅다리 등의 말초 DVT에서는 주로 왼쪽 하지의 Homans 징후(다리를 뒤로 굽힐 때에 허벅지 동통)나 Lowenberg 징후(허벅다리에 혈압측정띠를 감아 100~150mmHg 가압하면 동통)와 같은 허벅지의 운동통, 압통이 특징적이며, SVT와의 감별은 어렵지 않다. 단, 피하정맥의 팽창, 확장이 보이는 하지정맥류에 부종과 동통이 동시에 합병한 경우에는 임신 자체로 과응고 상태이기 때문에, DVT 발병을 염두에 두고 진단을 추진할 필요가 있다.

관리·치료

기본적으로 DVT의 감별을 생각하여 관리를 진행한다.

치료의 기본은 보존적 대증요법이다. 장시간 서있는 것을 피하고, 누운 상태에서 안정 및 하지 거상이 효과적이다. 또한 피하정맥의 팽창, 확장이 보이는 하지정맥류에 대해서는 안정·하지거상 과 함께 탄성스타킹의 착용을 권장한다. 국소 냉습포나 아세토아미노펜 내복에 의해 진통을 피하 는 경우도 있다.

참고문헌

1) McLennan, CE. Antecubital and femoral venous pressure in normal and toxemic pregnancy. Am. J. Obstet. Gynecol. 45, 1943, 568-73.
2) 杉村基ほか. "血液疾患 血栓症". 産褥. 荻田幸雄, 武谷雄二編. 東京, 中山書店, 2001, 257-60 (新女性医学大系, 32).
3) 杉村基. 妊産婦における深部静脈血栓肺塞栓症発症の血液凝固学的メカニズム. 産婦人科の世界. 56, 2004, 169-75.
4) 杉村基. 妊産婦における深部静脈血栓肺塞栓症：血液凝固系に関与する諸因子. 産科と婦人科. 73, 2006, 293-9.

≫ 杉村　基

e 양수색전증

개념 · 정의 · 빈도 · 병태

　양수색전증(amniotic fluid embolism ; AFE)은 양수성분이 모체혈중에 유입됨으로써 발생되는 「폐모세혈관의 폐색에 의한 폐고혈혈압증과 호흡순환장애」를 병태로 하는 질환이다.

1. 빈도: 60,000~80,000분만 중 1례로 생각된다.

2. 병태: AFE는 쇼크, 파종성 혈관내응고증후군(DIC)과 같은 산과응급과 밀접하게 연관된 병태이다. 분만중 혹은 분만직후에 어떠한 원인에 의하여 양수내의 태아성분(태변, 체모, 태지 등)과 액상 성분(태변 중의 프로테아제 · 조직트롬보플라스틴 등)이 모체 혈중으로 유입됨으로써 발병한다. 유입된 양수성분 중 태아성분이 폐내의 모세혈관에 기계적 폐색을 일으키는 것과 동시에 액성성분의 케미칼메디에터가 ① 폐혈관의 수축 ② 혈소판 백혈구 및 보체의 활성화 ③ 혈관내피장애 ④ 혈관내응고 등을 일으킨다. 이 ①~④의 기전에 의해 폐고혈압증, 급성폐성심장, 좌심부전, 쇼크, DIC, 다장기부전 등을 일으켜, 많은 경우 사망에 이른다(조기 · 급성기 반응). 급성기에 구명가능한 경우라도, 호중구에서 에라스타제, 활성산소, 류코트리엔 등의 발생 · 방출이 일어나면 급성호흡긴박증후군(acute respiratory distress syndrome ; ARDS)을 발생하여 예후가 좋지 않다(며칠 후, 아급성기 반응). AFE의 확정진단은 사망후의 부검함으로써 폐혈관내에 양수성분을 증명한 것에 따른다. 과거 부검 예에서는 폐의 조직학적 검토도 이루어지고 있으며, 발병 조기 사망 사례에서 폐포 구조는 유지되고 있어 호중구의 침윤은 경도에서 중등도이며, 사망 원인은 폐포순환부전에 의한 돌연사라고 생각되며, 아나필락시스 쇼크일 가능성도 시사되고 있다. 한편 발병 며칠 후 사망한 예에서는 폐포 구조가 파괴되고 있고, 호중구의 침윤은 강도이며, 사망 원인은 고사이토카인혈증에 속발한 ARDS나 다장기부전증후군(multiple organ dysfunctional syndrome ; MODS)을 일으켰기 때문이라고 생각된다.

진단

　일본에서 임산부 사망의 주요 원인으로는 출혈과 함께 폐색전증을 들 수 있다. AFE 발병 예에서 임산부 사망률은 60~80%로 높다. 후생노동성 통계에서는 임산부 사망원인으로서 폐혈전색전증, AFE를 합쳐서 폐색전증으로서 분류하고 있으며, 과거는 분류가 명확하지 않았다. 그러나 근년의 진단 기술의 향상으로부터 최근에는 그 분류가 점차 분명해지고 기본적인 대응도 검토되고 있다.

표 1. 양수색전증의 진단　　　　　　　　　　　　　　　　　　　　　　　　　　　　　　　　(문헌5에서 개정)

부검례	구명례, 비부검례
확정 양수색전증	**임상적 양수색전증**
조직학적으로 부검조직내에서 태아성분을 확인한 증례	① 임신중 혹은 분만후 12시간 이내에 발증한 경우 ② 하기에 나타낸 증상 질환(1개 혹은 그 이상의 것)에 대해서 집중적인 의학치료가 시행된 경우 　A) 심정지 　B) 분만후 2시간 이내에 원인불명의 대량출혈(1,500mL 이상) 　C) 파종성혈관내응고증후군(DIC) 　D) 호흡부전
기타 질환	③ 관찰된 소견 및 증상이 다른 질환으로 설명 불가능한 경우
등록시설에서 보고	

전형적인 증상은 분만 중 혹은 분만 후, 특히 파수 후에 발병하는 호흡곤란, 혈압저하, 청색증, 흉부통증, 흉내고통, 경련, 지속적인 자궁 출혈과 같은 임상 증상을 동반한다. 호흡장애는 경도 경증에서 부터 중증까지 볼 수 있으나, AFE의 중증도는 쇼크·DIC·다장기부전 등의 정도에 의하여 결정된다.[2] 초발 증상이 DIC에 의한 자궁출혈인 경우도 있기 때문에, 분만 후 출혈이 많은 경우, 경증 AFE로 간주하여 조기치료가 필요한 경우도 있다.[3]

임상 진단은 호흡 부전, 원인 불명의 대량 출혈, 혈압 저하 등과 같은 전형적인 증상에서 어느 정도 가능한데, 확진은 사후 부검 혹은 환자 동맥혈중에서의 태아성분 또는 뮤신 성분의 증명에 의할 수 밖에 없다.[4] 폐조직에 양수나 태아성분(태아편평상피·태지·취모 등)이 증명된 확정적(established) AFE와 비부검 예에서 구명된 예에서, 임상 경과에서 관찰된 소견이나 증상이 다른 질환으로 설명할 수 없는 경우, 임상적(potential) AFE로 분류할 것이 제언되고 있다(표 1).[5] 최근에는 원인불명의 이완출혈의 적출자궁병리조직학적 검토에서 말초혈중에 코프로포르피린, SialylTN (STN)의 상승이 확인되지 않음에도 불구하고, 자궁근층정맥내에 양수성분이 확인되는 예에 대한 보고도 있어서, 자궁형 양수색전증이라고 제언하는 보고도 있다.

1. 폐동맥혈 소견

Swan-Ganz 카테터에서 폐동맥혈을 채취하여, 태아성분, 뮤신 성분을 검출한다. 뮤신에 대한 항체인 Sialyl TN (STN)항체를 이용하거나 아르시안블루 염색이 보다 민감도가 좋다고 한다.

2. 말초혈 소견

환자 말초혈중 아연 코프로포르피린 또는 Sialyl TN 항원을 측정한다.[6,7] 또한 환자 말초 혈중 C3, C4, CH_{50}의 저하와 같은 보체계 지표 및 염증성 사이토카인 IL-8 값의 상승은 중요한 참고

표 2. 임상적 양수색전증의 스코어링

스코어2 (10점 중) 스코어1 (6점 중)	점수
① 임신 중 혹은 분만 후 12시간 이내에 발병한 경우	1
② 아래에 나타낸 증상 질환(1개 또는 그 이상도 가능)에 대한 집중적인 의학치료가 시행된 경우)	
A) 심정지	1
B) 분만후 2시간 이내에 원인불명의 대량출혈(1,500mL이상)	1
C) 파종성혈관내응고증후군(DIC)	1
D) 호흡부전	1
③ 관찰된 소견 및 증상이 다른 질환으로 설명 불가능한 경우	1
④ STN이 46U/mL이상	1
⑤ Zn-CPⅠ이 1.6pmol/mL이상	1
⑥ C3, C4이 정상값 이하	1
⑦ IL-8이 20pg/mL이상	1

검사 소견이다.

2003년 8월 이후, 일본 산부인과의사회의 사업으로 하마마츠 의과대학 산부인과교실에서 혈청검사 사업이 개시되어, 몇 가지 혈청학적 항목을 측정하고 있으나 현재까지 단독으로 유효한 지표는 발견되지 않았다. 태변·양수 중에 많이 포함되는 물질인 Zn-CPⅠ(아연 코프로포르피린Ⅰ)과 STN을 측정하여 점수화 하여 보조적 진단법으로 하고 있다(표 2). 스코어 1의 경우 3점(6점 중) 이상인 경우를 임상적 AFE로 하고 있다. 스코어 2에 대해서는 6점(10점 중) 이상을 역시 임상적 AFE로 추측하고 있다.

관리

AFE는 쇼크, DIC와 같은 산과구급과 밀접하게 관련된 병이다. 초기의 임상 증상부터 의심하는 것이 가장 중요하다. 산모사망 또는 후유장애의 원인이 될 수 있다. 그러므로 적절한 초기대응이 필요하다. 다만 최근 AFE로 진단되어도 적절한 항DIC요법이 요구되고 있다. 그 때문에 임상적으로 출혈량과 일치하지 않는 혈청피브리노겐 수치저하(100mg/dL 이하)가 확인된 경우, 신속히 항DIC 요법으로 이행해야 한다. 또, 대량 출혈 시에는 산과 위기 발생 시의 대응 지침에 준한 대응이 요구된다.

1. 일차조사

치료의 기본은 응급치료 ABC이다(표 3).[8,9] 발증이 의심되었을 경우, 18게이지 이상의 굵은 바늘로 루트를 확보한다. 세포외액을 급속 투여한다. 호흡 곤란에 대해서는 기도 확보 후, 즉시 리저버 부착 마스크로 산소 투여(5~6L/1분)를 한다. 호흡곤란이 강하고, 중증의 경우는 주저하지 말

표 3. 양수색전증의 치료(ABCD)

A&B: 호흡곤란 시, 마스크로 산소 투여(5~6L/분)
　　중증 경우는 기관 삽관 후에 고농도 산소로 양압환기를 한다.
C: 가능한 굵은 바늘로 혈관 확보(18게이지 이상).
　　또는 중심 정맥 카테터를 유치한다.
　　세포외액(젖산링겔액, 아세테이트링겔액 등)을 급속보충.
D(약제 투여):
　　발병이 의심되면 즉시 미분획 헤파린 5,000~10,000 단위 정주.
　　1) 항충격요법
　　　　부신피질스테로이드대량투여
　　　　히드로코르티손 에스테르나트륨, 메틸프레도니졸론 에스테르나트륨 500~1,000mg 정맥 투여
　　2) 저혈압·급성순환부전증
　　　　도파민염산염(1~5μg/kg/분)
　　　　도브타민염산염
　　　　⇒ 도브타민염산염: 체중 50kg의 경우, 10mL (200mg)를 200mL에 희석
　　　　　　　　　　　　6.3mL/h=2μg/kg/분이 된다.
　　　　우리나스타틴(10만 단위 1일 3회 링거정주)
　　3) 항DIC요법
　　　　가벡서트메실산염 20~39mg/kg/일
　　　　나파모스탯메실산염 0.06~0.2mg/kg/시간
　　　　AT제제(건조농축인 안티트롬빈Ⅲ) 1,500~3,000단위/일
　　4) 기타(응고인자 보충으로서 가장 중요하다)
　　　　혈액제제(MAP·FFP·농축혈소판)는 검사 데이터를 보면서 적절히 투여한다.
　　　　혈청 피브리노겐 수치를 100mg/dL 이상으로 상승시킨다.

고 기관삽관을 시행한다. 심전도장착 및 활력증후를 확인한다.

2. 2차 조사: 항충격요법

다음으로 관리의 기본은 항쇼크 항DIC요법이다. 쇼크로 판정된 경우에는 1차 대응 후에 그 정도에 따라 상세한 진단과 이차 대응으로 이행한다. ICU에서 관리를 해야 한다. 2차 대응으로 이행한 후에는 ① 펄스 옥시미터, ② 동맥가스 분석, ③ 중심정맥압 측정, ④ Swan-Ganz 카테터에 의한 혈행동태 평가로 병태와 중증도를 상세 파악한다.

분만 전에 발병한 경우, 모체의 구명처치를 하면서 급속분만이 필요하며, 자궁구 완전개대 이전이면 제왕절개 분만, 완전개대가 되었다면 겸자·흡인 분만을 고려한다.

치료

1. 기초질환의 제거

순환동태가 안정되어 있는 한 신속한 분만이 기초질환의 제거가 되며, 경질적 급속분만 또는

제왕절개술의 적응이 된다. 순환동태가 불안정한 경우는 항쇼크, 항DIC요법을 선행하여, 임신종료를 도모한다. 분만 후 DIC가 선행하고, 동시에 이완출혈을 동반한 임상적양수색전증의 경우, 자궁압박, 자궁수축제의 투여에 의해서도 개선이 되지 않을 경우는 자궁내 풍선(바크리법)을 유치한다. 30분 관찰하여도 개선이 되지 않는 경우는 일본 IVR학회편『산과 위기적 출혈에 대한 IVR 시행의사를 위한 가이드라인 2012년』에 준거하여 신속하게 자궁동맥색전술을 선택한다. IVR가 바로 행해지지 않는 경우는 항DIC요법하에 자궁전적출술을 시행한다.

2. 항DIC 요법(그림 1)

1) 신선동결혈장(FFP)

피브리노겐을 포함하는 응고 인자의 보충에 유효하며, 지혈불량 등의 2차 혈전형성불량을 나타내는 임상증상이 발현되는 피브리노겐값 100mg/dL 이하의 상태 또는 비정상 PT값, aPTT값의

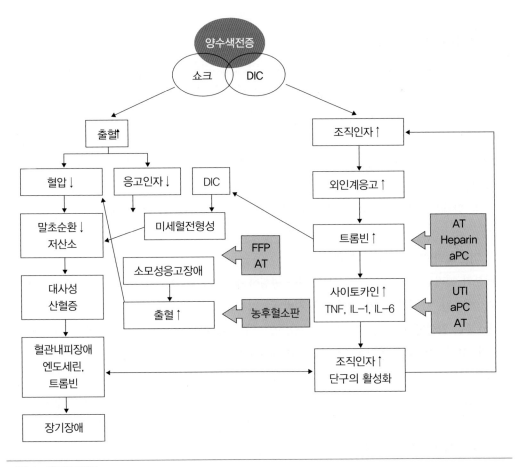

그림 1. **항DIC요법**

예에서는 즉시 투여를 개시한다. 소모성 응고장애, 희석성 응고 장애 예에서 사용한다. 20단위 이상의 사용에서는 포함되는 구연산나트륨과 같은 칼슘킬레이트제에 의한 저칼슘혈증에 주의한다. 원내에서 클리오제제를 작성하고 있는 경우 대량출혈 DIC예에서 투여한다. 또, 항DIC치료에 의해 급성기를 벗어날 경우, 자기 자신의 피브리노겐 생성 항진으로 과응고 상태가 되어 정맥성혈전색전증(venous thromboembolism ; VTE)의 위험이 상승하기 때문에 주의가 필요하다.

2) 농축혈소판

1차 혈전인 혈소판혈전 형성불량에 따른 출혈 경향에 의하여, 응고인자를 더 소비하는 것을 피하기 위하여 투여한다. 외과적 치료가 필요 없는 환자라도 혈소판수의 급격한 1만/μL 이하로의 감소는 출혈 경향을 나타낸다는 것이 알려져 보충을 할 필요가 있다. 특히 제왕절개술에서는 외과적 수기에 따른 출혈로 응고인자나 혈소판의 대량소비가 예상되어, 5만/μL 이하에서는 충분한 보정이 필요하다.

3) 안티트롬빈

DIC의 원인인 트롬빈의 생산으로 안티트롬빈이 대량 소비되고 있을 가능성이 높고, 트롬빈 생산을 억제하기 위하여 투여할 필요가 있다. 안티트롬빈에 의한 LPS 자극 단구에서 IL-6 생산 억제도 보고되고 있어서 항사이토카인 요법제로서의 측면도 있다. 1,500~3,000 단위/일의 점적정주를 시행하지만, DIC에서는 소비가 항진하고 있고 반감기도 단축하고 있으므로 활성100% 이상을 목표로 보정한다. 보험진료상은 혈중 활성 70% 이하로 투여되고 있으나, 안티트롬빈 활성의 측정은 시간을 필요로 하는 일도 많아, 투여 전 채혈 후에는 DIC라고 진단된 시점에서의 투여가 권장된다. 본 약제는 부작용이 거의 없고 유효성이 높으므로 주저하지 않고 사용한다.

4) 미분획화 헤파린, 저분자헤파린

미분화 헤파린은 안티트롬빈과 복합체를 형성하여 트롬빈 및 Xa 인자의 억제작용을 나타낸다. 저분자헤파린은 트롬빈 저해 작용은 낮지만 Xa 인자를 선택 적으로 저해한다. 산과 DIC와 같은 안티트롬빈 활성의 50% 이하의 감소가 동반될 가능성이 있는 경우에는 안티트롬빈의 투여가 필요하다. 고선용 상태나 충분한 안티트롬빈의 보정이 이루어지지 않은 상태에서 헤파린을 투여하는 것은 출혈 경향을 더욱 조장할 가능성이 있다.

또, AFE에서는 짧은 시간에 고선용 상태가 되는 경우도 있어, 응급시 헤파린의 투여에 대해서는 의견이 나뉜다. 선용항진형 DIC에서는 출혈증상이 특히 두드러지고, 임상 관리가 어려울 경우에는 헤파린류의 병용사용에서는 DIC에 통상 금기로 여겨지고 있는 항선용 요법이 적응이 될 수 있다. 단 DIC에 대한 트라넥삼산(트란사민®) 등의 항선용요법은, VTE나 다기관장애의 발생 보고가 있어 적응이나 사용방법을 잘못하면 중대한 합병증을 초래하게 되므로, 전문의의 관리하에 판단할 필요가 있다.

5) 다가효소억제제: 우리나스타틴, 가벡서트메실산염

우리나스타틴은 트립신 저해, 백혈구 에라스타아제 저해 등의 작용으로 항 쇼크, 신장혈류 개선을 꾀한다. 10만 단위 1일 3회 링거 정주가 권장된다.

가벡서트메실산염은 항트롬빈작용, 항Xa인자작용, 항플라스민작용, 항트립신작용을 가진다. 20~39mg/kg/일 지속 링거 정주가 권장된다.

6) 활성화 프로테인 C

트롬빈에 의해 활성화된 Va응고인자, VⅢa응고인자를 보효소인 프로테인S로 활성 억제시켜, 응고를 억제한다. 상위태반조기박리 DIC예에서의 새로운 치료 및 중증 패혈증에서의 유효성이 보고된 바 있다.

7) 유전자변형 인활성화VⅡ인자

충분한 응고인자가 보충되었음에도 불구하고, 출혈점이 명확하지 않은 예에서 지혈이 어려운 경우, 활성화 VⅡ인자의 투여를 고려한다. 투여 후의 VTE에 주의한다.

8) 유전자 변형 인트롬보모듈링

트롬빈 생성에 따라 프로테인C를 활성화하기 때문에, 활성화 프로테인C 자체보다 출혈이 적을 것으로 생각된다. 응급 영역에서는 항DIC 치료제로 그 유효성이 확인되고 있다. 산욕기간 동안 사용하는 것에 대해 검토가 이루어지고 있다.

3. 항쇼크요법(그림 2)

쇼크의 합병증 및 후유증 예방과 치료를 염두에 두고 대응해야 한다. 특히 신부전, 폐수종은 치료 과정에서 나타나기도 하지만 항상 그 발생가능성을 예견하면서 경과를 관찰할 필요가 있다.

1) 기도 및 체위 확보

조직산소분압의 저하를 방지하기 위해서 기도 확보와 산소 투여를 시행한다. PaO_2 80~280mmHg, $PaCO_2$ 30~50mmHg, pH7.3~7.45, BE−5~5를 관리 기준으로 한다.

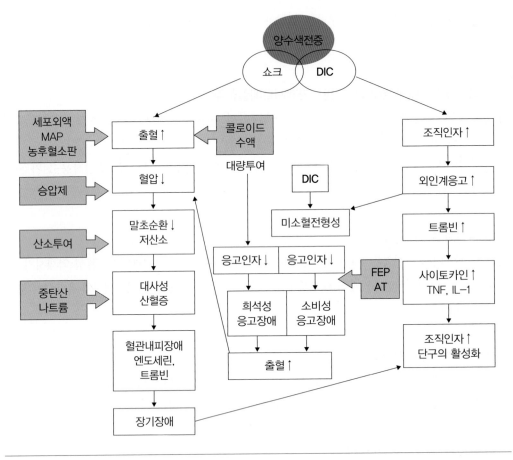

그림 2. **쇼크치료**

2) 수액, 카테콜라민 투여

카테콜라민 투여는 원인 확정 전에 일시적으로 뇌, 심근의 혈류와 순환 유지를 위해 이용한다. 출혈성 쇼크에서는 말초혈관을 수축시키고 말초순환을 저하시키므로, 즉시 지혈과 적당한 수액 보충을 실시한다. 단 DIC로 진단된 경우에는 대량수액의 결과, 응고인자를 희석하여 더 응고장애가 악화되지 않도록 끊임없이 혈청 피브리노겐 값 등의 추이를 체크한다.

3) 산혈증보정

산혈증(BE-7 이하)는 중탄산나트륨으로 보정하는데, 알칼로시스를 피하기 위하여 혈액 가스 검사를 참고하여 추가 투여해 간다.

참고문헌

1） 石川睦男. 妊産婦死亡と肺血栓塞栓症. 妊産婦死亡に関する研究. 平成８年度厚生省心身障害研究報告書. 123-8.

2） 大井豪一ほか. "羊水塞栓症：産科ショックとその対策". 周産期の出血と血栓症その基礎と臨床. 鈴木重統監修. 東京, 金原出版, 2004, 247-59.

3） 寺尾俊彦. 羊水塞栓症とそのニアミス. 日本母性保護産婦人科医会報. 50, 1998, 10-1.

4） 厚生労働省 乳幼児死亡と妊産婦死亡の分析と提言に関する研究 妊産婦死亡に対する剖検マニュアル作成小委員会. 妊産婦死亡剖検マニュアル. 2010.

5） Benson, MD. Nonfatal amniotic fluid embolism：Three possible cases and a new clinical definition. Arch. Fam. Med. 2(9), 1993, 989-94.

6） Kanayama, N. et al. Determining zinc coproporphyrin in maternal plasma：A new method for diagnosing amniotic fluid embolism. Clin. Chem. 38, 1992, 526-9.

7） Kobayashi, H. et al. A simple, non invasive, sensitive method for diagnosis of amniotic fluid embolism by monoclonal antibody TKH-2 that recognizes NeuAc α 2-6GalNac. Am. J. Obstet. Gynecol. 168, 1993, 848-53.

8） 真木正博. 産婦人科領域の救急診療：ショック治療方針ABC. 日本医師会雑誌. 100, 1988, 717.

9） 社団法人日本産婦人科医会. 母体救急疾患：こんな時どうする. 研修ノート. No.62. 1999.

⟫ 杉村　基

제 **6** 장

산욕이상의 관리와 처치

유즙분비부전

1. 개념

신생아·유아가 필요하는 모유가 분비되지 않는 상태.

1일의 모유 필요량은 신생아기 1주 후반에서 100mL/kg, 유아기 초기에 200mL/kg 전후이다.

2. 유즙분비의 기전[1]

1) 임신 전기: 임신황체에서의 에스트로겐과 프로게스테론의 작용에 의해, 유관과 선엽의 증식이 일어나 선방을 형성한다.

2) 임신 중기: 프로게스테론 분비의 증가에 따라 선방의 형성 발달이 촉진된다.

3) 임신 후기: 태반에서 에스트로겐, 프로게스테론, hPL분비증가와 뇌하수체성 프로락틴의 증가로 인해 다수의 종말선방이 생겨, 샘세포는 유즙을 분비하게 된다. 임신 말기로 갈수록 프로락틴은 급속히 증가해 가지만, 더 높은 농도의 에스트로겐과 프로게스테론이 유선 단계에서 프로락틴 작용을 억제하고 있다.

4) 산욕기: 분만 후 대사속도가 빠른 에스트로겐이나 프로게스테론이 급격하게 감소해 가는데 대하여, 하수체에서 분비되고 있는 프로락틴은 증식하고 있던 분비 세포의 퇴축에 시간이 필요하므로 점진적으로 감소한다. 이 때문에 스테로이드 호르몬 억제가 없어지고 프로락틴의 작용에 의해 본격적인 유즙 분비가 시작된다.

3. 분류[2]

1) 중추성 유즙분비부전: 뇌하수체기능장애(정신적스트레스, 이상출혈, Sheehan증후군 등)에 의한 프로락틴 수치 저하.

2) 말초성 유즙분비부전: 유선조직의 발육부전으로 인한 유즙생산 억제. 함몰·편평유두 등에 의한 유관에서의 유즙 배출 장애.

3) 아성유즙분비부전: 아동의 흡입력 부전과 구강 이상으로 인한 포유 장애.

4) 사회성유즙분비부전: 사회적 원인(일의 형편 등)에 의한 모유 수유의욕 저하.

진단[3]

다음을 진단의 기준으로 한다.

① 모유 분비량이 산욕 4일차 이후에도 100mL 이하.

② 산욕 4일째 이후에도 유방 팽만이 없고, 유즙 분비가 개시되지 않음.

③ 수유 후 31시간이 경과해도 유방 팽만이 나타나지 않음.

④ 20분 이상 수유해도 아이가 울거나 유두를 떠나지 않음.

⑤ 모유로만 보육해, 생후 1주일 이상 지나도 출생체중으로 돌아오지 않음.

⑥ 혼합 영양에서 분유의 비율이 많을 때.

치료

1. 임신중

유두의 형태를 평가하여 함몰 유두나 편평 유두가 있으면 임신 말기부터 산욕기에 걸쳐 바로 잡는다. 유두를 늘려 유두를 부드럽게 하고, 유륜 부분을 상하 혹은 좌우로 견인하여 유륜 부분을 유연하게 하는 호프만법이 유명하다. 하루에 수차례 손으로 행한다.[4]

2. 산욕기

1) 물리적 방법

① 분만 후에는 첫회 포유를 30분 이내에 시작(조기 수유)하고, 자주 수유를 시도한다. 산욕기의 프롤락틴의 기초 분비량은 수유하지 않으면 거의 1개월만에 급격히 하강하지만, 수유부에서는 3~4개월에 걸려서 완만하게 하강한다(그림 1).[5] 30분간 포유를 통해서 포유종료 시점을 정점으로

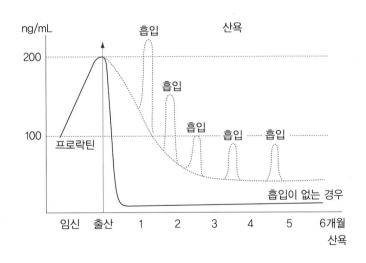

그림 1. 출산 후 혈중 프롤락틴 농도의 변동   (문헌5에서 인용)

하여 2시간 동안 프롤락틴 농도의 상승이 일어난다. 수유 횟수에 따라 정점이 형성되어, 다음회 포유에 대비한 유즙 생산 촉진이 일어난다. 산욕후기에는 프로락틴의 반응성은 저하되지만, 유선의 감수성이 좋아 유즙분비가 유지된다.[1]

② 수유 전에는 유두 마사지 및 소량의 착유를 하여 유두를 흡입하기 쉬운 상태로 한다.

③ 포유하는 사이에는 유륜부까지 깊게 물린다.

④ 스트레스는 옥시토신 분비 억제를 일으키므로,[6] 편안하게 수유할 수 있도록 노력한다.

⑤ 유방마사지는 말초성 유즙분비부전의 치료 및 중추를 자극하여 프롤락틴이나 옥시토신의 분비를 촉진하는 데 효과가 있다.

⑥ 포유 종료 후에 착유를 해서 유관 및 유관동의 유즙을 제거하고, 유관내압을 저하시킨다. 유선내압의 상승은 유선방세포를 압박하여, 모세혈관의 혈액순환 저하와 과잉 생산된 유즙성분(유즙생산억제인자)이 유당(락토오스)과 단백질(카제인)의 생성을 억제한다. 유즙을 정체된 상태로 방치하면 며칠 내에 유즙 분비가 정지될 수 있다.[5]

2) 약물요법[2]

프롤락틴 분비 증가 작용이 있는 도파민 길항제가 사용된다. 모체에 대한 부작용이 있기 때문에 기본적으로는 추천되지 않는다. 또, 약물이 유즙 속으로 이행되기 때문에 약물요법을 행해서는 안 된다는 견해도 있다.[7]

① 술피리드

위·십이지장 궤양, 우울증, 정신 분열증의 치료제 100mg/일 투여로 유즙분비량을 20~50%까지 증가시키는 효과가 있다.

처방례: 술피리드(50mg) 2정, 분2, 7일분, 식사사이

② 돔페리돈

메토클로플라마이드에 비해 유즙 이행량이 적다(치료량의 2,000분의 1 정도).[8]

처방례: 돔페리돈(10mg) 3정, 분3, 7일분, 식전

③ 메토클로플라마이드

메토클로플라마이드 10~15mg/일 투여를 통해 유즙 분비량을 60~100%로 증가시키는 효과가 있다. 설사, 경련, 우울증 등의 부작용.

처방례: 메토클로플라마이드(5mg) 3정, 분3, 7일분, 식전

④ 옥시토신

미국에서는 비강내 투여에서 쓰이며, 아기의 흡입 부전이나 모체의 유즙배출 치료에 효과가 있다고 되어 있다. 일본에서는 수유 개시 5분 전에 0.5~1.0단위을 근주 또는 피하주사하여 사용되고 있다.

⑤ 십전대보탕

유즙 분비 효과가 보고된 바 있다.[9]

처방례: 십전대보탕(2.5g) 3포, 분3, 7일분, 식전(효과가 인정되면 2주간 계속한다)

🅟고🅕헌

1) 青野敏博. "乳房の変化と乳汁分泌". 産褥. 武谷雄二総編集. 東京, 中山書店, 2001, 27-38（新女性医学大系 32）.
2) 日本産科婦人科学会 編集・監修. "産褥異常の管理と治療". 産婦人科研修の必修知識2013. 2013, 354-62.
3) 西田欣広ほか. 乳汁分泌不全とホルモン分泌. 産科と婦人科. 67, 2000, 197-200.
4) 松崎利也ほか. 乳汁分泌の異常. 臨床婦人科産科. 53, 1999, 1473-5.
5) 杉本充弘. 乳汁分泌機序. 周産期医学. 36, 2006, 255-7.
6) Ueda, T. et al. Influence of psychological stress on sucking-induced pulsatile oxytocin release. Obstet Gynecol. 84, 1994, 259-62.
7) 安藤一道ほか. 乳汁分泌不全, 乳汁分泌抑制. 臨床婦人科産科. 59, 2005, 655-7.
8) 伊藤真也ほか. 薬物治療コンサルテーション：妊娠と授乳. 東京, 南山堂, 2010, 557p.
9) 河上祥一ほか. 乳汁分泌不足感に対する漢方療法. 産婦人科漢方研究のあゆみ. 20, 2003, 140-3.

≫ 佐世正勝

g 유선염

개념 · 정의 · 분류 · 병태

유즙분비를 촉진하는 프로락틴은 분만 시를 정점으로 하여 이후 점차 저하되는데, 임신 후기에 프로락틴의 작용을 억제하던 태반에서 분비되는 에스트로겐 및 프로게스테론이 태반 분만 후에 급속하게 저하되므로, 프로락틴의 효과가 현성화되어 유즙분비가 촉진된다. 수유기 유방에 생기는 문제의 대부분은, 유즙정체(유방팽만) → 울혈성 유선염(무균성 유선염) → 화농성 유선염 → 농양형성과 같은 경과를 거친다. 증상이 진행될수록 악화되고 치료가 장기화된다. 산욕부가 유방종창, 동통, 발열 등을 호소하는 경우에는 유방팽만, 유선염, 유선농양의 가능성을 생각할 필요가 있다.

1. 유선구조[1]

유방내에는 15~20개의 유선엽이 존재하고, 유선엽은 집합된 다수의 유선소엽으로 구성되어 있다. 유선엽은 독립된 유관을 가지고 있으며, 유즙을 유두로 분비하고 있다. 유즙은 유선소엽의 선단의 유선방에서 분비되어, 유선방으로 이어지는 포상관에서 유관동을 거쳐 유관으로 모아진다(그림 1).

2. 분류·병태[2]

1) 울혈성 유선염: 유즙배설(수유, 착유)이 잘되지 않아서, 유즙이 유선에 저류함으로 인해 생기는 무균성의 물리적 염증.

2) 화농성 유선염: 정체된 유즙에 세균 감염을 일으켜, 유관 및 유선실질, 유선간질에 급성 염증이 초래된 상태. 분만 후 1~3주 동안 많으며, 원인균은 황색포도상구균이 많다. 손가락 혹은 아이를 통해 감염되어, 세균이 유관부터 역행성으로 침입하여, 유관 및 유선실질을 침범하는 화농성 실질성유선염과, 유두 균열 등에서 림프를 따라서 유선간질부를 침범하는 화농성간질성유선염이 있다.

3) 유선농양[3]: 화농성 염증이 진전하여, 피하, 실질 내 또는 유선 후부에 농양이 형성된 상태(그림 1). 초기에는 유선의 말초에 형성되어 격벽을 가진 다방성인 경우가 많다. 또한 유관을 통해 광범위하게 진전하여, 다발성 농양를 형성하기도 한다. 항균제의 투여에 의해서도 압통과 피부의 발적이 나아지지 않을 때는 농양 형성을 의심한다.

울혈성 유선염

진단

유즙 분비가 증가하는 3~4일째에 많다. 증상으로서 유방 긴장감, 동통, 압통, 유관폐색 부위의 경변 등이 보인다. 유즙 안의 백혈구와 세균수는 진단에 유용하다(표 1).[3]

관리

1. 예방

유선염은 예방이 중요하다. 수유 전후에 깨끗한 면 혹은 거즈, 수건으로 유방, 유두를 깨끗이 닦는다. 적극적으로 유두나 유방 마사지를 실시하여 유관 개구를 촉진한다. 젖가슴이 너무 많이 뻣뻣하거나 수유 후에도 유방 당김이 가벼워지지 않을 때는 착유를 하여 유즙을 배출시킨다.

2. 수유

포유 직전에 유륜부를 마사지하고, 포유하기 쉽게 한다. 유륜부가 부드럽고 신전성이 좋지 않으면, 아이가 유두 및 유륜부를 충분히 물지 못하여 유효한 흡입을 할 수 없다.

3. 냉찜질, 진통제, 소염제

염증이 있을 때는 유방 마사지를 하지 않고, 유방을 안정되게 유지한다. 유방의 긴장감이나 동통이 심할 경우에는 소염 진통제를 복용하고 냉찜질을 병용한다.

4. 한약

갈근탕에는 유즙분비 증가, 유선종창 경감, 유선통 경감 작용이 있다. 유관의 개구부전이 있는 유즙 울혈성 유선염에서 유방이 자주 뻣뻣하고, 어깨 결림이 심한 것에 효과적이다.

처방례: 갈근탕(2.5g) 세 포, 분3, 식전 7일분

5. 브로모크립틴 단회(1정) 투여에 의한 유즙분비의 일시적 억제

혈중 프롤락틴 값의 저하에 따라 유즙의 생성이 일과성으로 억제되어, 24시간 이내에 유방종창과 동통이 완화된다. 이 시기를 포착하여 유두, 유방 마사지를 하여 유관을 개통시킨다.[4]

처방례: 팔로델(2.5mg) 1정, 1회

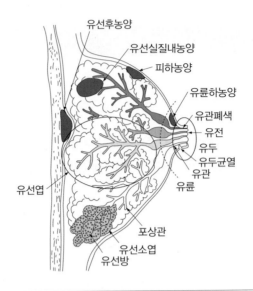

그림 1. 유방의 구조와 염증

표 1. 유즙 내 백혈구와 세균 수

	백혈구 수	세균 수
정상	10^6/mL이하	10^3/mL이하
정체성유선염	10^6/mL이상	10^3/mL이하
화농성유선염	10^6/mL이상	10^3/mL이상

6. 유즙 분비 억제

사산, 신생아 사망, 수유 금기 약제 사용 등으로 수유를 중지하는 경우 프롤락틴 분비억제 효과가 있는 도파민 작동제을 사용한다. 부작용으로서 혈압저하, 구역질·구토·현기증·어지럼증이 유발될 수 있다. 분만 후 수시간에 모체순환 동태가 안정된 때, 식후에 즉시 복용시키면 좋다.

처방례: 카바사르(1mg) 1정, 분만 후 1회만 복용

팔로델(2.5mg) 2정, 분2, 14일분, 식후

텔론(0.5mg) 2정, 분2, 14일분, 식후

(카바사르는 부작용이 적고 복용이 1회이기 때문에 컴플라이언스도 양호하다)

화농성유선염

진단

압통, 열감, 종창이 있는 쐐기 모양의 유방 병변으로, 38.5℃ 이상의 발열, 오한, 인플루엔자 같은 신체 통증이나 전신성 질환 양상의 증상을 동반한다고 정의된다.[5] 또한 환측 겨드랑이 림프절 종대 및 압통을 동반할 수 있다.

관리

1. 항균제

24시간 이내에 유선염의 증상이 개선되지 않는 경우나 급속히 증상이 악화되는 경우에는 항균제를 투여한다. 제1세대를 중심으로 한 세파계 항균제 또는 합성페니실린계통 항균제를 10~14일간 투여한다.[5] 또 소염 진통제를 투여한다. 진통효과만 있는 아세트아미노펜보다 소염효과가 강한 약제가 효과적이다.[5] 일상에서 자주 사용되며 있는 로키소펜(로키소닌)은 유즙으로 이행되지 않기 때문에 사용하기 쉽다.[6] 적절한 항균제라면, 통상 48시간 이내에 증상이 개선된다.

2. 유즙배양

항균제에 의한 치료를 시작하고 2일 이내에 반응이 없거나, 재발했을 때, 원내 감염이 의심될 때, 산모가 일반적으로 사용되는 항균제에 알레르기가 있을 때, 중증례나 경과가 보통이 아닌 예에 대해서는 유즙 배양과 감수성 검사가 필요하다. 유즙의 배양에는 손으로 청결하게 착유한다 ① 채취하기 전에 유두를 닦고 ② 처음에 착유한 유즙을 버리고 ③ 중간의 유즙을 ④ 멸균채뇨용기의 ⑤ 내측에 유두를 접촉시키지 않도록 주의해서 채취한다.

3. 수유, 착유

건강한 만삭 출산 유아에게 수유를 계속하는 것에 위험하다는 증거는 없다.[7] 최근의 보고에서 유선염은 주로 아동의 구강인두의 상주균이 역행성으로 유관을 통해서 유선에 감염됨으로써 일어나기 때문에,[8] 치료를 하면서 환측 유방에서도 수유 가능한 것으로 여겨진다.[9] 또한 장내 세균은 수유 가능하며, 황색포도상구균, 표피포도상구균, 메티실린내성 황색포도상구균, A군 용혈성 연쇄상구균, B군 용혈성 연쇄상구균은 효과적인 치료가 시작되어 24시간 후에는 수유가 가능하다고 여겨진다.[10]

4. 유방처치

수유 직전에 온찜질 등으로 유방을 따뜻하게 하는 것은 유방에서 유즙이 흐르기 쉽게 하는 효과를 기대할 수 있다. 또 수유 혹은 착유 후에는 통증과 부종을 경감하기 위해서 냉습포를 사용하면 좋다. 정체된 유즙은 손으로 착유하여 제거한다. 염증을 일으킨 종창 부위의 마사지는 피하여 폐색부위에서부터 유두 방향으로 마사지를 한다.[5]

5. 아이에 대한 대응

유선염(유선농양)의 감염 경로로부터 원인균이 MRSA (methicillin resistant *Staphylococcus aureus*)라더라도, 아이의 격리나 아이가 무증상인 경우의 예방적 항균제의 필요성은 없다.[11]

예방

화농성 유선염은 유선염 저류가 종종 원인이 되므로 자주 동시에 효과적으로 유즙을 유방에서 빼내는 것이 가장 중요하다. 또한 유두부에 생긴 상처로부터 아이의 구강인두의 상주균이 역행성으로 유관을 통해 유선에 감염됨으로써 발병하는 것으로 생각되기 때문에, 분만 후 조기부터 적절한 수유 지도를 하여 유두부를 건강하게 유지하도록 유의할 필요가 있다.

유선농양

진단

농양이 형성되면 유방표면 피부의 발적·종창은 국한되며 파동이 보이고 오한·전율을 동반하는 38℃이상의 고열, 혈액검사에서 염증소견을 보인다. 또한 환측 겨드랑이 림프절 종대 및 압통을 동반한다. 초음파 단층법이 진단에 유용하고, 정상유선은 표문상 음영을 나타내지만 임신상태의 유선은 두꺼워지면서, 비교적 균일한 hypoechoic한 상이 된다. 초기의 봉와직염에서는 부종때문에 더욱 hypoechoic한 상을 띠는데, 농양의 형성과 함께 hyperechoic하게 되고, 또 조직의 괴사나 고름의 저류에 의해 중심부는 hypoechoic이 된다.[1]

관리

1. 절개 배농

농양은 다방성이며 격벽을 파괴할 충분한 배농이 중요하다. 필요에 따라 드레인(펜로즈 드레인 혹은 거즈 드레인)을 삽입한다. 수술 후 반흔 형성을 예방하기 위해 절개선은 유방 피부선 모양을 따라 넣어야 한다. 농양을 형성하는 경우에는 원인균이 MRSA인 경우가 많기 때문에[12], 적절한 항균제를 선택할 필요가 있다.

2. 초음파 가이드 하 천자 · 배농

초음파 가이드 하에서의 천자는 절개에 비해 용이하다. 단 내용이 충분히 액상화되지 않으면, 천자 바늘이 막혀서 흡인이 어려울 수 있다.

3. 수유

화농성 유선염의 경우와 마찬가지로 환측 유방에서의 수유도 가능하다.[9] 다만 모체나 유방의 상태에 주의를 기울여 염증이 더 악화되지 않도록 주의 깊게 손으로 착유, 배농 등의 처치를 하고 치료한다.

4. 단유

치료가 장기간 지속되거나 유선염을 반복할 경우에는 단유를 고려한다.

감별진단[3]

염증성 유방암(inflammoatry breast cancer)은 유방의 비만성종양, 광범위한 발적, 부종, 열감이 특징인 진행성 유방암이다. 동통은 없거나 경도이다. 부종과 모근이 확장된 돈피상(pig skin), 더하여 발적을 동반하는 오렌지 모양(peau d'orange) 등의 소견이 확인된다. 병리조직학적으로 종류(종괴)주위의 피하 림프관에 광범위한 암세포의 침착된 색전이 보였으며, 소정맥에도 색전이 보인다. 급속히 암이 진전되어 치료에 저항성을 나타내어 특히 예후가 좋지않다. 수유기의 급성 유선염으로 잘못 관리되는 경우가 있으며, 유선염으로 치료하여 개선되지 않는 경우는 유방암의 가능성도 고려해 유방암 전문의에게 소개해야 한다.

참고문헌

1） 大鷹美子. 乳腺炎と母乳保育. 周産期医学. 34, 2004, 1443-5.

2） 大谷徹郎ほか. 乳腺炎. 臨床婦人科産科. 53, 1999, 1476-7.

3） 佐藤信昭ほか. 産褥乳腺炎. 周産期医学. 31, 2001, 274-5.

4） 松崎利也ほか. 乳汁分泌の異常. 臨床婦人科産科. 53, 1999, 1473-5.

5） AMB臨床指針第4号 乳腺炎. 2008年5月改訂版.
http://www.bfmed.org/Media/Files/Protocols/Japanese%20Protocol%204%20revised.pdf ［2015. 5. 25.］

6） 伊藤真也ほか. 薬物治療コンサルテーション：妊娠と授乳. 東京, 南山堂, 2010, 557p.

7） World Health Organization. Mastitis：Cause and Management. Publication Number WHO/FCH/CAH/00.13, Geneva, World Health Organization, 2000.

8） Amir, LH. et al. A case-control study of mastitis：nasal carriage of Staphylocossus aureus. BMC. Fam. Prac. 7, 2006, 57.

9） Spencer, JP. Management of mastitis in breastfeeding women. Am. Fam. Physician. 78, 2008, 727-31.

10） 井村真澄. 授乳中の乳腺炎. ペリネイタルケア. 22（夏季増刊）, 2003, 150-5.

11） 町田捻文. 母体感染症のup to date：乳腺炎, 乳腺膿瘍. 周産期医学. 41, 2011, 258-60.

12） Stafford, I. et al. Community-acquired methicillin-resistant Staphylococcus aureus among patients with puerperial mastitis requiring hospitalization. Obstet. Gynecol. 112, 2008, 533-7.

≫ 佐世正勝

h 산욕정신장애

마타니티블루스

개념 · 정의 · 분류 · 병태

　분만 후 수일 이내 보통 3일차나 4일차에 발병하여, 수시간에서 수일 내에 자연 치유되는 과정을 보이는 정신행동 장애다. 발병률은 구미에서 30~75%로 여겨지지만, 일본에서는 30% 전후이다. 증상은 정서 불안정, 쉬운 자극성, 눈물이 많아짐, 막연한 불안, 수면이나 식욕의 저하 등이다.

　원인은 분명하지 않지만, 분만 직후에 에스트로겐과 프로게스테론 수치가 저하되는 것 등을 배경으로 하여 산후의 심리사회적인 요인이 관여하고 있다고 생각되고 있다.

　발병하면 정신적인 지원이 필요하지만, 며칠 내에 자연 경쾌되기 때문에 약물요법은 필요하지 않다.

진단

　본증의 발병 위험에 임신 합병증, 태아 이상, 신생아 이상, 장기 입원, 조산, 모자분리 등이 있기 때문에 MFICU로 입원 관리를 받는 환자는 발병하기 쉽다. 본증을 스크리닝하는 방법으로서, Stein[1]이 고안한 임산부 자가질문표(표 1)가 유용하다. 분만 후부터 매일 이 질문표를 본인에게 기입하여 합계 8점 이상인 경우에 마티니티블루라고 판정한다.

관리

　정신적인 지원만으로 며칠 만에 자연 경쾌되므로 치료를 필요로 하지 않는다. 다만, 이 증상이 2주 이상 호전되지 않는다면 산후 우울증을 의심한다.

표 1. 마니나티블루스 자가질문표[1]

[선후] _____ 일째 [일시] _____ [이름] _____

오늘 당신의 상태에 대해 해당하는 것에 O를 표시해 주십시오. 27가지 맞을 경우에는 번호가 큰 쪽에 O해주세요. 혹은 질문표 처음에 이름과 일시를 잊지 말고 기입해 주세요.

[질문]

A. 0. 기분은 우울하다
  1. 조금 기분이 우울하다
  2. 기분이 우울하다
  3. 기분이 몹시 우울하다

B. 0. 울고 싶다고 생각하지 않는다.
  1. 울고 싶은 기분이 들지만 실제로는 울지 않았다.
  2. 조금 울기 시작했다.
  3. 몇 분 울었다.
  4. 30분 이상 울었다.

C. 0. 불안이나 걱정은 없다.
  1. 가끔 불안해진다.
  2. 확실히 불안하고 걱정이 된다.
  3. 불안해서 가만히 있을 수 없다.

D. 0. 안정되어 있다.
  1. 조금 긴장하고 있다.
  2. 매우 긴장하고 있다.

E. 0. 침착하다.
  1. 조금 침착할 수 없다.
  2. 매우 침착할 수 없고, 어떡하면 좋을지 모르겠다.

F. 0. 피곤하지 않다.
  1. 조금 기운이 없다.
  2. 하루 종일 피곤하다.

G. 0. 어젯밤은 꿈을 꾸지 않았다.
  1. 어젯밤에 꿈을 꿨다.
  2. 어젯밤은 꿈에서 깼다.

H. 0. 평소와 마찬가지로 식욕이 있다.
  1. 평소에 비해 약간 식욕이 있다.
  2. 식욕이 없다.
  3. 하루 종일 밥맛도 없다.

다음 질문에 대해서는 '네' 또는 '아니오'로 대답해 주십시오.

I. 두통이 있다.   네   아니오
J. 짜증난다.   네   아니오
K. 집중하기 어렵다.   네   아니오
L. 건망증이 있다.   네   아니오
M. 어떻게 해야 좋을지 모르겠다.   네   아니오

배점 방법: A~M의 증상에 대한 득점은 각 번호의 숫자에 해당하고, I~M의 증상에 대한 득점은 '네'라고 대답했을 경우에 1점으로 한다. 합계점이 8점 이상인 경우를 임신부우울증으로 판정한다

산후 우울증

개념 · 정의 · 분류 · 병태

분만 후 2주에서 수개월 이내에 발병하는 정신행동 장애로 마티니티블루와 달리 치료를 필요로 한다. 발병률은 10~15%이다. 증상은 일반적인 우울증과 같으며, 우울한 기분·흥미나 기쁨의 소실, 활력의 저하 또는 자살 염려 등이 있다. 진단은 DSM-5 우울증 진단 기준[2] (표 2)에 의한다. 산후 우울증으로 진단되면 정신과 의사의 치료가 필요하며, 약물 요법과 정신 요법이 시행된다.

원인은 명확하지 않으나 뇌내 신경전달물질이나 호르몬의 변화, 환경, 유전적 요소가 관여하고 있는 것으로 알려져 있다.

산후우울증의 발견과 치료가 늦어지면 가정생활은 물론 육아에 지장을 초래하여 젖먹이 아이의 정신 행동 발달과 정동에 악영향을 미친다. 산후 우울증의 스크리닝과 고위험군 조기 개입을 위해, 에딘버러 산후우울증 자가조사표(Edinburgh Postnatal Depression Scale ; EPDS)[3,4](표 3)가 유용하다.

진단

산후 우울증의 발병 위험[5]을 표 4에 나타낸다. 임신 중 우울증이 발병한 경우나 우울증의 병력이 있는 경우에는 산후 우울증을 겪기 쉽다. 산후 우울증은 육아 피로와 유사하기 때문에 산후 우울증을 조기에 발견하기가 어렵다. 스크리닝하는 방법으로서 EPDS가 사용되고 있다.

표 2. DSM-5에 의한 우울증 진단기준[2]

1. 우울한 기분
2. 흥미 또는 기쁨의 감퇴
3. 식욕의 감소 또는 증가, 체중의 감소 또는 증가(1개월 동안 체중의 5% 이상 변화)
4. 불면 또는 수면 과다
5. 정신운동성 초조 또는 제지
6. 쉬운 피로감 또는 기력의 감퇴 피로감 또는 기력저하
7. 무가치관 또는 과잉 또는 부적절한 죄책감
8. 사고력이나 집중력의 감퇴 또는 결단 곤란
9. 죽음에 대한 반복적인 생각, 반복적인 자살염려, 자살 기도 또는 자살하기 위한 분명한 계획

이 중 5가지 이상이 2주 동안 거의 매일 존재하며, 그로 인해 사회적·직업적으로 장애가 일어나는 경우 우울증으로 진단된다.

표 3. 에딘버러 산후우울증 자기조사표(EPDS)[3,4]

출산을 축하합니다. 출산부터 현재까지의 기간 동안 어떠한 느낌을 받았는지 알려 주십시오. 오늘뿐 아니라 과거 7일간 당신이 느꼈던 것에 가장 가까운 대답에 밑줄을 그어 주십시오. 꼭 10개 항목에 답해주세요.

예) 행복하다고 느꼈다.
　　네, 항상 그랬다
　　네, 대부분 그랬다
　　아니요, 그렇게 자주는 아니었다
　　아니, 전혀 그렇지 않았다
"대부분 그랬다"라고 대답한 경우는 지난 7일간의 일을 말합니다. 이러한 방법으로 질문에 답해 주십시오.

[질문]
1. 웃을 수 있었고, 일상이 이상한 면도 않았다.
　(0) 평소와 같이 할 수 있었다
　(1) 거의 할 수 없었다
　(2) 확실하게 할 수 없었다
　(3) 전혀 할 수 없었다

2. 일상을 기대하고 기다렸다.
　(0) 평소와 같이 할 수 있었다
　(1) 거의 할 수 없었다
　(2) 확실하게 할 수 없었다
　(3) 전혀 할 수 없었다

3. 일상이 나쁘게 되었을 때, 자신을 불필요하게 책망했다.
　(3) 네, 대부분 그랬다
　(2) 네, 때때로 그랬다
　(1) 아니오, 그다지 자주는 아니다.
　(0) 그렇지는 않았다.

4. 뚜렷한 이유도 없는데 불안해지거나, 걱정한다.
　(0) 아니요, 그렇지 않았다
　(1) 대부분 그렇지는 않았다
　(2) 네, 때때로 있었다
　(3) 네, 자주 있었다

5. 뚜렷한 이유도 없는데 공포에 휩싸였다.
　(3) 네, 자주 있었다
　(2) 가끔 있었다
　(1) 아니오, 거의 없었다
　(0) 아니오, 온전히 없었다.

6. 할 일이 많아서 힘들었다.
　(3) 네, 대부분 대처하지 못했다
　(2) 네, 어느 때처럼 잘 대처하지 못했다
　(1) 아니오, 대부분 잘 대처했다
　(0) 아니오, 평소대로 대처했다

7. 불행하기때문에 잠들기 어려웠다
　(3) 네, 거의 언제나 그랬다
　(2) 네, 가끔 그랬다
　(1) 아니오, 그다지 자주는 아니었다
　(0) 아니오, 온전히 없었다

8. 슬프거나 비참해졌다
　(3) 네, 대부분 그랬다
　(2) 네, 꽤 자주 그랬다
　(1) 아니오, 그다지 자주 그러지는 않았다
　(0) 아니오, 전혀 그렇지 않았다

9. 불행하여 울었다
　(3) 네, 대부분 그랬다
　(2) 네, 꽤 자주 그랬다
　(1) 아주 가끔 있었다
　(0) 아니오, 전혀 그렇지는 않았다.

10. 자기 자신을 다치게 하는 생각이 종종이 머물렀다
　(3) 네, 상당히 종종 그랬다
　(2) 때때로 그랬다
　(1) 좀처럼 없었다
　(0) 정말이지 심했다

표 4. 산후우울증의 위험 요인[5]

Strong to Moderate
　임신중 우울증
　임신중의 불안
　스트레스를 동반하는 최근의 삶의 사건(본인이나 가족의 질병, 사별이나 이혼, 경제적 위기)
　사회적 지원의 결여
　우울증 기왕
Moderate
　육아에 대한 높은 스트레스
　낮은 자기 평가
　신경증
Small
　산과적 합병증
　사회경제적 상태
No effect
　모체 연령
　임신 횟수
　교육 수준

일본어로도 번역되었으며 판권상의 주의사항을 지키면, EPDS의 가이드북 부록[4]으로부터의 복사가 허용된다. 과거 7일간의 감정과 가장 가까운 것으로 밑줄을 친 다음, 10개 항목에 모두 답을 받는다. 30점 만점에 일본에서는 9점 이상이 산후 우울증을 앓고 있는 것으로 여겨진다. 2주 이내에 재평가를 실시하여, 적어도 2주 이상에 걸쳐 9점 이상이 지속된 경우 산후우울증 의심하고 정신과 의사에게 소개되어야 한다.

진단기준에는 DSM-V(표 2)가 이용된다. DSM-Ⅳ에서는 산후 우울증의 정의가 '산후 발병'이라고 되어 있었는데, DSM-5에서는 임신 중부터 출산 후 4주의 '출산 전후의 발병'으로 변경되었다.

관리

지지적 정신요법이나 항우울제에 의한 약물요법이 필수적이며 중증례는 입원 치료를 요한다. 중증 산후우울증에서는 자살에 이르는 경우가 있다. 일본의 사인 통계에서는 자살과 산후우울과의 관련성은 명기되지 않으므로 산후우울증에 의한 자살자 수를 파악 할 수 없다. Lindahl 등은 산욕기 사망자의 20퍼센트가 자살이라고 보고했다.[6] 이로 보아, 일본에서도 산후 우울증으로 인한 자살자가 적지 않은 것으로 추정된다. EPDS가 10점 이상인 산욕부의 19.3%는 자기자신에게 상처를 줄 생각을 가지고 있으며, 그 중 68.5%는 산전부터 우울증에 이환되어 왔다는 보고가 있다.[7] 때문에, 산후우울증의 고위험군을 임신 중부터 파악하고, 분만 후에는 EPDS를 이용하여 조기에 발견하여 조기치료를 시작하는 것이 중요하다.

참고문헌

1) Stein, GS. The pattern of mental change and body weight change in the first post-partum week. J. Psychosom. Res. 24(3-4), 1980, 165-71.

2) American Psychiatric Association. Diagnostic and Statistical Manual of Mental Disorders. 5th ed. Arlington, VA. American Psychiatric Association, 2013.

3) Cox, JL. et al. Detection of postnatal depression. Development of the 10-item Edinburgh Postnatal Depression Scale. Br. J. Psychiatry. 150, 1987, 782-6.

4) Cox, J. ほか. 産後うつ病ガイドブック：EPDSを活用するために. 岡野禎治ほか訳. 東京, 南山堂, 2006, 62-3.

5) O'Hara, MW. et al. Rates and risk of postpartum depression : a meta-analysis. Int. Rev. Psychiatry. 8, 1996, 37-54.

6) Lindahl, V. et al. Prevalence of suicidality during pregnancy and the postpartum. Arch. Womens Ment. Health. 8(2), 2005, 77-87.

7) Wisner, KL, et al. Onset timing, thoughts of self-harm, and diagnoses in postpartum women with screen-positive depression findings. JAMA Psychiatry. 70(5), 2013, 490-8.

≫ 髙島　健

주산기감염증의 관리와 처치

주산기감염증의 관리와 처치

임상적 융모양막염

개념

임상적 융모양막염이란 조기양막파수, 조기진통, 또는 양막이 돌출되는 경관무력증에서 자궁내감염이 강하게 의심되는 증상이나 검사소견이 있는 경우 진단한다. 실제로 자궁 내에 병원미생물이 존재하고 있는 것까지 확인하기는 어렵지만 자궁내감염증은 자궁 내에 병원미생물(세균이나 Ureaplasma속, Mycoplasma속)이 실제로 존재하면서 임상적으로도 감염 징후가 확인되는 경우를 말한다. 이 두 개념은 동의어로 취급되고 있는 경우가 비교적 많다고 생각되지만 엄밀하게는 다르다.

다만 어떤 진단명이라도 병원미생물에 의한 감염 위험과 자궁내 염증에 의한 위험이 있다. 자궁내 병원미생물은 패혈증에 의한 조기 신생아사망이나 신생아수막염 등의 심각한 후유증을 남길 수 있으며, 모체에도 감염에 의한 여러 합병증을 일으킬 수 있다. 한편 자궁 내 염증은 자궁 내에 염증세포의 증가와 염증에 의한 높은 사이토카인 분비를 초래하여 자궁내염증반응증후군(intrauterine inflammatory response syndrome ; IUIRS)이라 불리는 상태를 유발하고 이 염증이 태아에 파급되면 태아염증반응증후군(fetal inflammatory response syndrome ; FIRS)을 일으켜 결과적으로 뇌실주위백질연화증(PVL), 만성폐질환(CLD), 괴사성장염(NEC) 등, 다장기 장애의 위험이 높아진다는 특징이 있다.

신생아 예후 혹은 모체 예후에 크게 영향을 미칠 가능성이 있는 임상적 융모양막염, 자궁내감염은 임신주수가 이를수록 미숙 자체가 우선되어야 할지, 감염·염증의 위험을 우선해야 할지 고민하게 한다. 특히 일본에선 미숙의 극복을 목적으로 한 maintenance tocolysis를 기반으로 치료가 이루어지고 있으며, 자궁 내 환경을 정확하게 예측하여, 항균제 투여 등의 필요성을 검토하면서 병태에 따른

tocolysis의 강화↔감량, 분만(termination) 에 대해 판단하고 있다.

진단

1. 임상적 융모양막염

표 1에 나타낸 것과 같이, 임상적 융모양막염이란 38.0℃ 이상의 발열이 있으면서 빈맥 (>100bpm), 자궁의 압통, 질 분비물의 악취, 백혈구수 ≥15,000/mm³의 4항목 중 1항목 이상이 확인되는 경우, 또는 모체에 발열이 없더라도 이들 사항이 모두 확인되는 경우에 진단된다.[1]

자궁 내 병원미생물의 유무는 상관없으므로 진단은 쉽게 할 수 있지만, 신생아 예후가 좋지 않은 경우가 많다. 신생아 패혈증은 유의하게 증가한다고 여겨지며,[3] 기본적으로는 며칠 내에 분만을 고려하게 된다. 하지만 임상적 융모양막염은 이른 임신주수에서 빈도가 높기 때문에 특히 임신 27주 미만에서 진단이 이루어진 경우 태아의 미숙을 고려하여 임신 기간을 연장을 우선시해야 할 수 있다. 이러한 경우 모체에 큰 합병증, 후유증을 남기지 않고 신생아 예후도 최대한 고려한 치료가 필요하며 최선을 다해야 한다.

2. 자궁내감염증

자궁내감염증이란 자궁 내에 병원미생물이 실제로 존재하고 감염 징후가 있는 경우에 진단이 이루어진다는 점에서 임상적 융모양막염과는 다르며, 이론적으로는 최적의 항균제 투여가 가능해진다. 그러나 자궁내감염증으로 진단하기 위해서는 양수천자 등이 필요한데 이는 일반적으로 치료방침을 결정하기 위한 검사로는 흔히 시행되지 않는다. 임상증상(자궁수축이나 양막 돌출 등)이 강할수록 침습성이 강하게 동반되기 쉬운점, 당일에 확인할 수 있는 양수의 그람염색은 민감도가 충분하지 않은 점과 세균배양검사는 결과를 얻기까지 수일~1주일 정도 걸리는 점이 있다.

이 때문에 실제로는 자궁 내 세균감염 유무가 정확하게 판단된 상태에서 치료방침이 세워지기 보다는 임상적 융모양막염의 진단에 그친 상태에서 진료가 이루어지고 있는 경우가 많다. 자궁 내

표 1. 임상적 융모양막염의 진단기준　　　　　　　　　　　　　　　　　　　　　(Lencki등, 1994)

① 모체 발열≥38.0℃
　　이것에 더해, 이하의 4항목 중 1개 이상이 있을 것
　　・모체 WBC≥15,000/mm³
　　・모체 빈맥≥100bpm
　　・자궁 압통
　　・질분비물의 악취
② 발열이 없는 경우는 4항목을 전부 만족시킬 것

의 병원미생물을 정확하게 동시에 신속히 판단하기 위해서는 배양검사보다도 PCR시스템에 의한 방법이 우수하다고 여겨지며,[5] 이러한 검사 방법의 도입이 자궁 내 감염증에 대해 유효할 가능성이다.

3. 자궁 내 염증

출생 전에 자궁 내 염증을 정확히 알기 위한 방법으로 현재 정착된 것은 없으나, 양수검사를 통한 양수 내 사이토카인 값의 평가가 가장 효율적이라고 한다.[6] 그러나 자궁 내의 염증을 평가하기 위해 침습적인 시술을 할 필요가 있는가에 대해서는 의견이 일치하지 않고 있다. 또한, 양수 중 사이토카인 정량은 보험에 등재되어 있지 않다.

그럼에도 임상적 융모양막염이 진단된 경우에는 고도의 조직학적 융모양막염이 존재하고 있을 가능성이 높고, 태아염증반응증후군의 위험이 높은 상태인 점을 염두에 두는 것이 중요하다. 조직학적 융모양막염은 분만 후 태반병리학적 검사로 확진이 되어지며, Blanc 등의 분류에 따르면 Ⅰ~Ⅲ으로 분류 가능하다.[7] Ⅱ 혹은 Ⅲ 정도로 고도가 되는 증례일수록 태아염증반응증후군의 위험이 상승하는 것으로 알려져 있다.[8] 현재로서는 임상적 융모양막염이 진단되었을 때 자궁 내 염증을 정확히 평가하는 것에 대한 의의는 명확하지 않으나, 자궁 내 고도의 염증이 태아염증반응증후군의 위험군인 점을 고려하면 향후에는 어떠한 치료 전략으로 이어질 가능성은 있다.

치료

임상적 융모양막염으로 진단된 경우에 태아에 대한 감염·염증의 위험을 고려하여, 기본적으로는 수일 이내의 분만(temnriation)을 고려하는 것이 원칙이다. 이는 병원미생물이 자궁내감염과 고도의 조직학적 융모양막염을 유발할 수 있는 것을 염두에 둔 전략이다.

가장 주의해야 할 점은 태아의 빈맥이나 심박변동성의 소실이며 이는 태아의 병원미생물 감염을 시사한다. 특히 조기양막파수인 경우 갑자기 태아 감염이 일어날 수 있는 경우도 있지만, 현 시점에서는 태아의 감염을 정확하게 예측하는 것은 어렵고 확립된 평가법도 없다. 태아 심박수의 상승을 확인 후 즉시 분만(termination)하여도 그 후 신생아 패혈증이 발병하여 신생아 사망에 이른 경우도 적지 않게 일어난다.

그러나 임신주수 26주 이전에 임상적 융모양막염으로 진단한 경우에는 태아의 미숙에 더 무게를 두고 싶은 딜레마가 생긴다. 이 경우 각 시설에 따라서 신생아과 의사의 의견도 존중하고 충분히 협의하여 방침을 세워야 한다. 명확하게 태아의 감염을 시사하는 소견이 없는 경우에는 항균제의 선별, 스테로이드, 자궁수축억제제 등의 투여에 대하여 검토한다.

1. 항균제

조기양막파수의 경우 항균제 투여로 모체와 태아의 감염이 예방되므로 암피실린, 에리스로마이신 등의 항균제 사용을 고려한다.[9,10] 재태 34주 이후에 양수가 터진 경우 미세기포법 등으로 태아의 폐성숙을 확인하였다면 자궁수축억제제제 투여를 중지하고 조기분만을 도모한다. 한편, 조기진통에 대한 항균제의 효과는 아직 증명되지 않았으며, 자궁 내 병원미생물 검사에서 음성인 경우 항균제를 투여하면 오히려 임신 기간을 단축할 수 있다는 보고도 있으므로[11] 불필요한 항균제의 투여는 피해야 한다.

2. 스테로이드

조기진통으로 임신 22주 이후 34주 미만의 조산이 1주일 이내로 예상되는 경우에는 베타메타손 12mg을 24시간마다 총 2회 주사하며 이는 태아의 폐 계면활성제를 증가시키고, 뇌, 소화기, 피부 등의 성숙을 촉진하고, 사망률, 호흡곤란증후군(RDS), 두개내출혈(IVH), 괴사성장염(NEC) 등의 발생률을 감소시킬 수 있다.[12]

단 1주일 이내에 분만하지 않으면 그 효과는 소실된다. 분만 시기의 예측은 심각한 임상증상이나 고도의 자궁 내 염증을 평가함으로써 보다 확실하게 추정할 수 있으며,[13] 조기양막파수 시에도 스테로이드 투여는 태아에게 같은 장점이 있고 감염 리스크도 상승시키지 않으므로 명백한 감염징후(임상적 융모양막염, 태아감염을 시사하는 소견 등)가 없으면 스테로이드 투여를 고려한다.

3. 자궁수축억제제제

규칙적인 자궁 수축이 있으며 자궁경부길이의 단축 또는 개대 등의 변화가 있는 경우는 염산리토드린이나 황산마그네슘 등의 자궁수축억제제제가 쓰인다. 염산리토드린은 50μg/분 부터 시작하여 최대 200μg/분까지 가능하나 심각한 부작용으로서 폐부종, 과립구감소증, 횡문근융해증이 있으므로 주의가 필요하다. 염산리토드린 투여 후에는 태아빈맥이 되기 쉬운데 태아감염에 의한 것인지 염산리토드린의 부작용에 의한 것인지 구별하기 어려워, 태아 감염 징후를 간과하지 않기 위해 황산마그네슘으로의 변경을 고려해야 하는 경우도 있다. 그 밖에 염산리토드린은 혈당을 상승시키므로 임신성당뇨병이나 당뇨병 합병 임신 시에는 신중하게 투여해야 하며 황산마그네슘의 선택도 고려한다.

황산마그네슘은 첫 회 4g을 20분 이상 걸쳐 정주하고 그 후 1.0g/1시간에 지속 점적정주한다. 최대 2.0g/시간으로 투여 가능하나 신장기능이 저하되면 혈중마그네슘 농도가 상승하므로 예기치 않은 부작용을 초래하기도 해 주의가 필요하다. 황산마그네슘의 부작용으로 두통, 건반사 저하, 탈진감이 있으나 중증이 되면 호흡마비 등을 일으킨다. 황산마그네슘의 이점으로 단기사용(2일 전후)하였을 때 태아의 뇌성마비나 신경학적 후유증이 유의하게 적은 것이 보고되고 있다.

4. 항염증 치료

일단 파괴된 자궁 내 환경, 즉 조직학적 융모양막염은 치료할 수 없으며 항염증 치료는 근본적인 치료가 될 수 없다. 이 치료는 주로 자궁경부염이 있는 조기진통이나 경부무력증 환자에게 행해지고 있으며, 또 다른 상행성 염증의 파급과 자궁경부의 숙화를 억제하는 작용이 있다고 여겨지고 있어, 임상적 융모양막염에 대한 치료의 의미는 적더라도 검토해볼 수 있겠다. 항염증제로 사용되는 요트립신저해제(urinary trypsin inhibitor ; UTI, 우리나스타딘)는 질정에 의한 질내 삽입이나 희석액이 질내 탐폰에 침윤된 질내 국소 투여방법으로 5,000~10,000단위/일을 투여한다. 양막이 돌출된 중증 사례의 경우 50,000단위/일을 매일 투여하기도 한다. 일반적으로는 자궁경부점액 내의 과립구에스테르분해효소의 활성을 이용하여 자궁경부염을 평가하고 양성인 경우에 치료 대상이 된다.

5. 양수주입술

임상적 융모양막염이 확인되지 않는 조기양막파수 환자에게 양수주입술을 시행하는 것은 현재로서는 근거가 없다고 한다.[15]

6. 제왕절개술시의 위험

주의점으로서 조기양막파수이면서 둔위인 경우 제왕절개시 강한 자궁 수축으로 인해 태아를 분만하기 어려운 경우가 있어,[16] 경험이 많은 산과 의사가 수술에 참여해야 한다.

7. 정신적 지지

특히 극단적인 조산이 예상되는 사례에서는 모체의 정신적인 부담, 스트레스가 크며, 특히 자신에 대한 죄책감, 실망감으로부터 최종적으로 조산아에 대한 애착 형성에 문제를 남기지 않게 하기 위해 정신적인 면에 대한 관리도 중요하다고 생각한다. 산부인과 의사, 조산사의 정서적 지지와 배려 외에도 임상심리사 등의 도움도 필요할 수 있다.

예방

조산 특히 극단적인 조산이 된 경우에는 입원 중 혹은 퇴원하여 태반의 병리검사 결과를 확인 후에 다음 번 임신 시의 대책을 미리 설명해두는 것도 중요하다고 생각한다. 한번 조산을 경험하면 정신적 부담감과 임신, 육아 경험으로 인해 다음 임신에 대한 의욕이 없어지거나, 심한 불안감 때문에 임신계획에 소극적이 될 수 있다.

조산을 예방하기 위해서는 우선 생활습관으로 금연·스트레스를 피할 것, 적절한 체중을 유지할 것 등을 산모에게 조언해준다. 일본 독자적인 조산 위험 인자로서 고용형태가 파트타임인 것, 임신 20~24주의 자궁경관 길이 30mm 미만이 있으므로 이러한 상황을 주의할 것을 설명한다.[17] 아래는 조산을 예방하기 위해 현재까지 알려진 방법을 설명한다.

1. 황체호르몬

조산을 예방하는 방법으로 황체호르몬 투여가 주목받고 있다.[18,19] 과거에 조산력이 있거나 경부길이가 짧아진 경우 임신 18주 전후에서 분만 혹은 36주까지 황체호르몬제제를 주 1회 근육주사 또는 매일 질정삽입하였을때 조산이 감소되었다는 보고가 있어[18] 미국에서는 보험에 수록되어 있다. 프로게스테론 제제는 일본에서도 절박유산/조산 치료약으로서 이미 보험에 수록되어 있으므로(단 17-OHPC의 근주에 관해서는 주 1회 125mg만), 어떤 증례에 대해 사용해야 하는지 추후 검토할 필요가 있을 것이다.

2. 자궁경부원형결찰술

조산의 기왕력 특히 자궁경부부전의 과거력이 있는 경우에 고려되었으나, 그 유효성에 대한 구체적이고 명확한 가이드라인은 없다. 자궁경부원형결찰술에는 임신 확인 후 조기에 시행하는 예방적 자궁경부원형결찰술과 임신 중기 경부길이가 짧아졌을 때 고려되는 치료적 자궁경부원형결찰술이 있다. 2회 이상의 자궁경부부전이 의심되는 조산 과거력, 조직학적 융모양막염이 동반되지 않는 자궁경부부전의 과거력이 있는 경우에는 예방적 자궁경부원형결찰술의 필요성에 대하여 검토해야 한다. 또한 임신 24주까지 경관 길이 15mm 미만이 되는 증례에서는 치료적 자궁경부원형결찰술이 유효하다는 보고도 있어, 그 배경 등을 충분히 파악한 후 최적이라고 생각되는 판단을 해야한다.

3. 상행성 감염의 예방

유·조산의 원인의 약 90%는 상행성 세균감염과 연관이 있으므로 특히 조산 과거력이 있는 경우에는 세균성질증에 대한 대책이 중요하다. 세균성질증은 Nugent점수를 이용함으로써, 간편하게 평가할 수 있다(표 2). 최근의 보고에서는 임신 20주 이전 세균성질염에서 항균제 치료를 해도 조산은 예방하지 못했다고 했으나,[20] 그 대책은 중요하다. Nugent점수에서 중간군, 세균성질증으로 평가되었을 경우에는 메트로니다졸의 복용 또는 질정 7일 투여를 고려한다.

4. 유산균

최근 장내 세균총의 일종인 Clostridium 속은 임신을 유지하기 위해 필요한 세균일 가능성이 지적되고 있다.[21] 임신 중이거나 임신 전부터 Clostridium 속을 포함한 정장제를 투여하는 방법이

표 2. Nugent점수

점수	Lactobacillus형	Gardnerella형(Prevotella 등의 그램음성소간균을 포함)	Mobilunch형
0	>30	0	0
1	5~30	<1	<1, 1~4
2	1~4	1~4	5~30, >30
3	<1	5~30	
4	0	>30	

각형태의 점수를 합산하여 판정한다.
0~3: 정상, 4~6: 중간군, 7~10: 세균성질증(BV)

조산 예방효과를 가질 가능성을 내포하고 있다.

마지막으로

자연조산의 병태에는 「감염·염증」이 크게 관여할 것으로 생각되며[11] 이들의 최종형이 「임상적 융모양막염」으로 생각되기 때문에 임상적 융모양막염을 진단한 이후에 유효한 치료법을 찾는 것은 한계가 있을 수 있다. 한 번 조산을 경험한 임산부는 다음 번 임신에서도 조산할 위험이 크므로 정신적인 면을 포함하여 장기적 추적관찰이 필요하며, 다음 임신에서는 가능하다면 만삭까지 유지할 수 있도록 도와주는 것이 우리의 큰 의무이다.

참고문헌

1) Lencki, SG. et al. Maternal and umbilical cord serum interleukin level in preterm labor with clinical chorio-amnionitis. Am. J. Obstet. Gynecol. 170, 1994, 1345-51.

2) Lieberman, E. et al. Intrapartum maternal fever and neonatal outcome. Pediatrics. 105, 2000, 8-13.

3) Yoon, BH. et al. Intrauterine infection and the development of cerebral palsy. BJOG. 110, 2003, 124-7.

4) Lahra, MM. et al. A fetal response to chorioamnionitis is associated with early survival after preterm birth. Am. J. Obstet. Gynecol. 190, 2004, 147-51.

5) Yoon, BH. et al. The clinical significance of detecting Ureaplasma urealyticum by the polymerase chain reaction in the amniotic fluid of patients with preterm labor. Am. J. Obstet. Gynecol. 189, 2003, 919-24.

6) Yoneda, S. et al. Interleukin-8 and glucose in amniotic fluid, fetal fibronectin in vaginal secretions and pre-term labor index based on clinical variables are optimal predictive markers for preterm delivery in patients with intact membranes. J. Obstet. Gynaecol. Res. 33, 2007, 38-44.

7) Blanc, WA. "Pathology of the placenta, membranes and umbilical cord in bacterial, fungal, and viral infections in man". Perinatal Disease. Naeye, RL. ed. Baltimore, Williams & Wilkins, 1981, 67-132.

8) Hoeven, KH. et al. Clinical significance of increasing histologic severity of acute inflammation in the fetal membranes and umbilical cord. Pediat. Pathol. Lab. Med. 16, 1996, 731-44.

9) Mercer, BM. et al. Antibiotic therapy for reduction of infant morbidity after preterm premature rupture of

the membranes : A randomized controlled trial. National Institute of Child Health and Human Development Maternal-Fetal Medicine Units Network. JAMA. 278, 1997, 989-95.

10) Kenyon, S. et al. Antibiotics for preterm rupture of membranes. Cochrane. Database. Syst. Rev. 8, 2010, CD001058. Review.

11) 米田哲. 妊娠後半期における妊娠維持機構とその破綻/早産の病態解明と新たな治療戦略. 日本産科婦人科学会雑誌. 66, 2014, 2512-21.

12) Roberts, D. et al. Antenatal corticosteroids for accelerating fetal lung maturation for women at risk of preterm birth. Cochrane Database Syst. Rev. 2006, 3 : CD004454. Review.

13) Yoneda, S. et al. Prediction of exact delivery time in patients with preterm labor and intact membranes at admission by amniotic fluid interleukin-8 level and preterm labor index J. Obstet. Gynaecol. Res. 37, 2011, 861-6.

14) Doyle, LW. et al. Magnesium sulphate for women at risk of preterm birth for neuroprotection of the fetus. Cochrane Database Syst. Rev. 2009, 1 : CD004661.

15) Hofmeyr, GJ. Amnioinfusion for preterm rupture of membranes. Cochrane Database Syst. Rev. 2000, 2 : CD000942. Review.

16) Dessole, S. et al. Accidental fetal lacerations during cesarean delivery : experience in an Italian level III university hospital. Am. J. Obstet. Gynecol. 191, 2004, 1673-7.

17) Shiozaki, A. et al. Multiple pregnancy, short cervix, part-time worker, steroid use, low educational level and male fetus are risk factors for preterm birth in Japan : a multicenter, prospective study. J. Obstet. Gynaecol. Res. 40, 2014, 53-61.

18) Fonseca, EB. et al. Progesterone and the risk of preterm birth among women with a short cervix. N. Engl. J. Med. 357, 2007, 462-9.

19) Meis, PJ. et al. Prevention of recurrent preterm delivery by 17 alpha-hydroxyprogesterone caproate. N. Engl. J. Med. 348, 2003, 2379-85.

20) Brocklehurst, P. et al. Antibiotics for treating bacterial vaginosis in pregnancy. Cochrane Database Syst. Rev. 2013, 1 : CD000262.

21) Shiozaki, A. et al. Intestinal microbiota is different in women with preterm birth : Results from terminal restriction fragment length polymorphism analysis. PLoS One. 9, 2014, e111374.

≫ 米田　哲，齋藤　滋

b B형간염 / C형간염

B형간염

진단

B형간염은 B형간염바이러스(Hepatitis B virus ; HBV)가 감염되어 발병하는 질환이다. 일과성 감염은 큰 문제가 없으나, 지속감염에 의한 만성간염은 심각한 간장애를 초래하는 급성악화나간 병변·간암을 일으키는 것으로 알려져 있다. 이런 지속감염의 원인은 대부분 수직감염이기 때문에 산부인과 의사는 보균자 산모로부터 출생한 태아가 수직감염되지 않도록 예방방법을 숙지해 두어 야 한다.

HBV는 DNA형 바이러스이며 외피를 구성하는 단백이 HBs항원이다. 임신초기검사에서 시행 하는 스크리닝은 이 항원의 유무를 확인하는 것이다. 이 검사는 HBV에 감염되었는지 확인할 수 있지만 감염력·활동성의 지표는 되지 않는다. HBV가 간세포내에서 증식할 때 과잉 생산되어, 혈 액 중에 유출되는 것이 HBe항원으로, HBs항원이 양성이면 HBe항원을 조사한다. HBe항원이 양 성이면 감염력이 강한 것을 시사한다. 일본의 임산부의 HBs항원 양성률은 0.2~0.4%이며, HBs항 원 양성 임산부의 약 1/4가 HBe의 항원 양성이다.

관리

임신 중에 HBs 항원이 양성으로 확인되었을 때 검사결과를 남편과 가족에게 알리는 것은 임 산부의 의사를 따라야 한다.

모자감염 예방은 소아과와 함께 관리하는 것이 기본이므로 신생아 출생후 관리하게 될 소아과 의사에게 확실하게 알리고, 산모수첩에 HB모자감염 예방카드를 고정시켜 산모에게 예방의 중요 성을 충분히 설명한다.

이전의 「B형간염 모자감염 방지대책」은 순응도가 좋지 않아 소아기 HBV 감염 사례 중 약 30% 는 예방법을 완수하지 않았다. 그래서 2013년 10월 18일에 세계 표준방식이 새로 인가되어 현재는 새로운 방식만이 의료보험이 되고 있다.

• 모유에 관해서는 모유수유아와 분유수유아 사이에서 보균자 발생빈도의 차이가 확인되지

않기에, 모유수유를 금지할 필요는 없다.

- HBV 부자감염 혹은 가족 내 수평감염이 소아과에서는 문제가 되고 있다. 이 예방에 HBIG 는 불필요하고, 0, 1, 6개월에 HB 백신을 접종한다.

1. 출생 체중 2,000g 이상

① 출생 직후(12시간 이내): HBIG와 HB 백신을 투여.

HBIG는 0.5~1.0mL(100~200단위)를 대퇴전외측부에 근주(HBIG는 혈액 제제이므로, 그 설명 을 부모에게 실시하고 동의를 얻는다). HBIG 1.0mL를 근주하는 경우에는 0.5mL씩 좌우 대퇴전 외측에 근주.

HB 백신은 0.25 mL 상완후외측부, 삼각근중앙부 또는 대퇴전외측부에 피하주사, HBIG와 같 은 부위에는 주사하지 않음.

② 생후 1개월: HB 백신 0.25mL를 피하주사.

③ 생후 6개월: HB 백신 0.25mL를 피하주사.

④ 생후 9~12개월에 HBs항원과 HBs항체검사 실시.

- HBs 항원이 양성인 경우 예방 조치가 성공하지 않았다고 판단한다.
- 생후 7개월에 HBs항체가 양성인 경우 예방조치는 성공했다고 생각해도 무방하다.
- HBs항체 음성 혹은 낮은 값이면 HB백신 추가 접종 또는 백신 변경.
- 이 프로토콜은 세계표준일 뿐만 아니라, HB 백신을 신생아기부터 시작했기 때문에 종래의 프로토콜과 비교하여 순응도가 뛰어나며 높은 완성도가 기대된다.

2. 2,000g 미만 저체중아(일본소아과학회 권장)

출생 체중 2,000g 미만의 저체중아는 HB 백신에 대해 면역반응이 미성숙하기 때문에 3회의 HB백신으로는 수직감염 예방에 충분한 항체 역가를 갖지 못할 것이 분명하다. 그러므로 출생 시, 생후 1개월, 6개월 접종 이외에, 생후 2개월에 추가접종하여 총 4회의 접종이 필요할 것으로 보인다(4차 접종은 보험이 적용되지 않음).

① 출생 직후(12시간 이내가 바람직하며 늦어져도 가능한 한 조기에 실시한다. HBIG 1mL(200 단위를) 두 곳에 나누어 근육내 주사, HB백신 0.25mL를 피하 주사.

② 생후 1개월, 2개월, 6개월에 HB백신 0.25mL 피하 주사.

③ 생후 9~12개월에 HBs 항원과 항체검사를 실시함.

- 출생체중 1,500g 미만의 저출생체중아는 생후 2개월에 0.5~1mL(체중 1kg당 0.16~0.24mL) 의 HBIG 추가 접종을 하는 점도 고려된다.

치료

태아의 수직감염 예방이 가장 큰 치료이다.

모체의 HB 간염에 대해서는 간 기능을 확인하고, 치료는 내과 전문의에게 의뢰한다.

C형간염

HCV (Hepatitis C virus) 감염은 간경화, 간암 등 중증 병태로 발전하는 감염증이며, 수혈 감염이 거의 없어진 상태로, HCV 백신이 없기 때문에 모자 감염 예방에 의한 HCV 바이러스의 박멸이 최대 관심사이다.

진단

통상 임신 초기에 HCV 항체를 측정한다. 만약 양성이라면 HCV-RNA 정량과 간기능검사를 시행한다. HCV-RNA가 검출되지 않으면 임신에 영향을 주는 경우는 적다.

관리

HCV 수직감염의 위험 요소는 출산시 임산부의 혈중 HCV-RNA량이다. 일반적으로 감염이 성립되려면 일정량 이상의 바이러스에 노출되야하며 분만시 산모에서 태아로 이행되는 혈액량은 예정 제왕절개분만의 경우에는 경질분만이나 응급제왕절개 분만에 비해 유의하게 적은 것으로 밝혀졌다. 이것은 진통으로 태반의 장벽이 무너지고, 모체의 혈액이 제대를 통해 아이에게 전달되기 때문이라고 생각된다. 모체 혈액의 높은 HCV 양 이외에 분만 방식이 수직감염의 요인이 될 수 있다.

1. 현 상태에서의 HCV 수직감염에 관한 증거

① 해외에서는 예정 제왕절개 분만에 의한 감염 방지 효과에 대해 긍정적, 부정적인 양자 의견이 있다.

② 해외와 일본의 배경차이에 대해 말하자면, 해외에서는 HIV 감염이 있는 임산부의 분만방식 또한 예정 제왕절개인데, HIV 감염이 있는 임산부가 HCV 감염 조사 대상에 다수 포함되었기 때문으로 보인다. HIV 감염 임산부인경우 HCV도 수직감염률이 유의하게 높은 것으로 나타났다.

③ HCV 수직감염은 바이러스 양이 많고(적어도 HCV-RNA 양성) 유의하게 높은 비율일 때 나타난다.

④ 질식분만에서는 양수파막 후의 시간이 길수록 회음·질 열상으로 산도에서의 혈액 노출이나 상행 감염의 노출 시간이 길수록, HCV 수직감염률이 상승한다는 보고도 있다.

⑤ 출생한 신생아의 HCV-PCR 검사 양성으로 확인되는 시기는 자궁내 감염인 경우도 있지만 대부분은 분만 전후라는 것은 많은 연구에 의해 입증되고 있다.

⑥ 일본의 다시설 연구에서 예정 제왕절개분만에서는 수직감염은 특수한 사례 이외에는 일어나지 않았으며, 수직감염률은 질식분만보다 유의하게 낮은 빈도였다.

⑦ 특히 HCV 바이러스 검출 모체 또는 고바이러스 보유 모체에서의 모자 감염률은 유의하게 높아졌다.

2. 관리의 요점

현재까지 확인된 위에 설명한 증거를 환자에게 충분하게 데이터를 가지고 제시하여, 환자의 의사를 존중하고 분만방법을 결정해야 한다.

3. 제공하는 정보

① HCV-RNA 양성 또는 고바이러스 상태에서는 수직감염이 되기 쉽다. 따라서 HCV항체 양성인 경우에는 HCV-RNA를 측정하고, 음성인 경우 수직감염은 걱정할 필요없다.

② 해외에서는 예정 제왕절개분만으로 수직감염을 낮출 수 있었다는 연구와 차이가 없다는 연구가 있지만, 해외의 연구는 HIV 감염 임산부가 많아 일본의 실정과는 다르다. 일본의 연구에서는 분만방법에 의한 모자감염률은 예정 제왕절개분만 0%(0/21례), 질식분만 17%(17/100례)으로 예정제왕절개 분만에서 유의하게 적었다.

③ 특히 HCV-RNA 양성이며, 고바이러스 산모들은 예정된 제왕절개분만을 통해 태아 감염을 감소시킬 수 있다.

④ 만약 수직감염이 되었다고 해도, 감염된 아동의 30%는 음전화되고, 양성아에서는 인터페론 요법으로 절반은 HCV를 배제할 수 있다.

⑤ HCV가 임상에서 문제가 되는 것은 수십 년 후이므로, 수직감염이 되었다고 하더라도 앞으로 치료법이 개발될 가능성이 있다.

⑥ 제왕절개분만은 질식분만에 비해 출혈이 많아 마취 위험, 수술 후 폐색전 등의 위험성이 있지만, 예정 제왕절개분만의 산모의 위험은 질식분만과 거의 비슷하여, 일본에서는 현재 약 17%의 분만이 제왕절개술로 안전하게 실시되고 있다. 이 대응은 HCV 수직감염, HCV 환자 관리법의 새로운 증거가 확인되게 되면 재검토하여 항상 그 내용을 업데이트할 필요가 있다.

참고문헌

1) 久保隆彦, 花岡正智. HBワクチン接種のスケジュール変更に関する検討. 厚生労働科学研究費補助金肝炎等克服緊急対策研究事業「小児におけるB型肝炎の水平感染の実態把握とワクチン戦略の再構築に関する研究」平成25年度総括・分担研究報告書. 2014, 81-4.
2) 久保隆彦, 花岡正智. HBワクチン接種のスケジュール変更に関する検討. 厚生労働科学研究費補助金肝炎等克服緊急対策研究事業「小児におけるB型肝炎の水平感染の実態把握とワクチン戦略の再構築に関する研究」平成26年度総括・分担研究報告書. 2015, 102-9.
3) 厚生労働省科学研究費補助金肝炎等克服緊急対策研究事業（肝炎分野）.「C型肝炎ウイルス等の母子感染防止に関する研究」平成14年度〜平成16年度総合研究報告書. 2005.
4) 久保隆彦. HCV母子感染防止のための分娩方法についての文献的考察. 厚生労働省科学研究費補助金肝炎等克服緊急対策研究事業（肝炎分野）「C型肝炎ウイルス等の母子感染防止に関する研究」平成17年度総括・分担研究報告書. 2005, 107-12.

≫ 久保隆彦

HTLV-1 감염증

진단

HTLV (human T-cell leukemia virus)-1은 ATL (adult T-cell leukemia, 성인 T세포 백혈병), HAM (HTLV-1 associated myelopathy, HTLV-1 관련 척수증)의 원인 바이러스이며, 수혈·성관계·수직감염이 감염경로로 알려져 있다. ATL 발병은 수직감염 이외의 감염 보고는 없다. ATL은 발병 후 1년 이내에 약 80%가 사망하는 예후가 나쁜 백혈병이지만, 평균 발병 연령은 60~70대 고령으로 감염에서 증상의 발현까지 장시간이 걸린다. 그러나, HAM은 ATL보다 조기에 발병하여, 예후가 좋지 않으므로, 산과의사는 수직감염을 예방하는 것이 가장 중요하다. 수직감염의 주요 경로는 모유를 통한 이행이지만, 자궁 내 감염 가능성도 완전히 배제할수는 없으며, 분유수유를 하는 경우에도 구강을 통한 감염 가능성도 존재한다.

HTLV-1의 진단은 1차 스크리닝으로서 PA법, EIA법을 실시하고, 반드시 WB법으로 확인검사를 실시한다. 스크리닝 검사에는 비특이 반응에 의한 위양성이 적지 않게 존재하기 때문에 확인검사는 필수이다. 판정보류 사례도 존재하기 때문에 PCR법으로 확인할 필요가 있다.

관리

먼저 본인에게 보균자 임산부인 것을 설명하고 가족에게 설명해도 될지 동의를 얻은 후 남편 및 가족에게 설명한다. 내용은 ① ATL, HAM이란 무엇인지, ② 감염 경로(특히 수직감염), ③ 영양법의 선택 등이다.

분유수유는 모유수유에 비해 수직감염률이 낮지만 태내 감염을 배제할 수는 없다.

단기 모유수유(3개월 이내)에서는 중화항체에 의해 수직감염을 방지하는 성과가 endemic area에서 나왔으나, non-endemic area에서는 어떠한지, 얼마 동안 먹여도 안전한가에 대한 데이터는 없다. 이는 모체에서 이행하는 중화항체가 이론상 방어작용을 한다는 생각에서 실행되어 왔으나, 아직도 중화항체가를 측정하는 기술은 확립되어 있지 않고, 입증되어 있지 않다. 또, 3개월만에 단유를 하기가 어려워 결과적으로 장기 모유수유를 하게 될 수 있으므로 수유방법을 결정하기 전에 설명해야 한다.

ATL 발병률은 낮지만 모자 감염 증례에서는 그럴 가능성이 있다. 모유로 기르는 것은 자연스럽고 영아 돌연사 증후군을 저하시키는 등의 장점이 있다. 영양 혹은 면역성분으로는 모유와 분유에는 그렇게 차이가 없다. 하지만 분유는 비타민 K가 풍부하고, 유아 두개 내 출혈 예방에 있어 모유보다 우수하다.

또 모유를 동결·해동함으로써 바이러스의 감염력이 소실된다는 점이 연구를 통해서는 입증된 바 있지만 현재의 급속 동결 냉장고에서 실제로 세포를 파괴하고 감염성을 소멸시키는지는 불분명하다.

수유방법은 이전 설명대로 산모가 최종 결정하게 되지만 가이드라인에서는 ① 분유수유, ② 동결 모유수유, ③ 3개월 이내의 단기 모유수유 순으로 권고하고 있다.

단유를 희망하는 경우에는 약제로 간단히 할 수 있다. 다만 단유한 임산부에 대한 정신적인 보살핌, 가족에 대한 설명 등 세심한 대응이 필요하다.

■ 설명의 포인트
① 수유방법은 임산부 본인이 결정짓는다.
② 수유방법 선택과 관계없이 입으로 옮기기 혹은 음식을 잘게 씹어서 영유아에게 먹이는 일은 금지한다.

참고문헌

1) Kinoshita, K. et al. Milk-borne transmission of HTLV-1 from carrier mothers to thier children. Jpn. J. Cancer. Res. 78, 1987, 674-80.
2) 前濱俊之. 成人T細胞白血病ウイルス. 産婦人科の実際. 55, 2006, 449-56.

>> 久保隆彦

d CMV감염증

개념 · 정의 · 빈도 · 병태

거대세포바이러스(cytomegalovirus ; CMV)는 베타헤르페스로 분류되어 정식 명칭은 인간헤르페스 바이러스5 (HHV-5)이다. CMV는 다양한 세포·조직에 감염될 수 있으나, 숙주범위는 좁고, 사람CMV는 사람에만 감염된다. 감염세포가 부엉이 눈(owl's eye) 처럼 염색되는 것이 병리학적 특징이다. 사람에게는 주로 유아기에 감염되어, 대부분이 불현성 감염의 형태로 생애에 걸쳐 잠복된다. 감염 경로로는 모유, 소아의 타액 및 소변 외에 수혈이나 성행위에 의한 감염도 보인다. 일반적인 증상으로 간기능 장애, 폐렴, 단핵구증 등이 있는데 이는 선천성 감염아, 미숙아, 이식 후, HIV감염, 면역부전 등의 환자에서 나타나며 선천성 감염아 이외는 난청 또는 망막염 등의 신경학적 장애가 발생할 위험이 적다.

TORCH증후군 중에서 가장 빈도가 높은 CMV의 태아감염/선천성감염으로 인해, 일본에서 매해 약 1,000명의 영유아에게 신경학적인 장애가 생긴다. 임신초기에 CMV IgG가 음성인 임신부 중 1~2%가 임신 중에 첫 감염을 일으키고, 그 중 약 40%가 태아 감염에 이른다. 태아 감염 예의 20%가 증후성, 80%가 무증후성 선천성 감염으로 출생한다. 증후성 감염아의 주된 증상은 태아발육부전(FGR), 간비종, 소두증, 두개 내 석회화, 뇌실 확장, 복수 등이다. 증후성의 선천성 CMV 감염아의 90%에서, 무증후성 아이라도 10~15%에서는 정신지체·운동장애·난청 등의 장애가 남는다. 임신 전부터 CMV IgG 양성(기왕/만성감염)인 임산부라도 재활성화 또는 재감염에 의해 선천성 감염이나 태아장애를 일으키기도 한다(그림 1). 임상적으로 유용한 백신은 개발되지 않았다. 일본에서의 임산부 항체 보유율은 1990년경에는 90%대였으나, 최근 70%로 감소하여 임신 중 초기 감염을 일으킬 수 있는 임산부의 비율이 증가하고 있다.

CMV 수직감염 대책을 목적으로 한 2008~2012년도의 2가지의 후생노동과학연구보고[1,2]에 따르면 일본 선천성 CMV 감염 발생 빈도는 여과뇨에 의한 신생아 CMV DNA스크리닝 연구결과 0.31%이며, 신생아 300명당 한 명이 선천성 감염을 일으켜 1,000명 중 한 명이 증후군 감염아로 출생하고 있다고 판명되었다.

임신 중 CMV 감염 진단 및 관리

임신 중에 CMV 첫 감염이 생겨도 모체는 무증상인 경우가 많으며 때로는 감기 증상을 보인다. 항체 스크리닝을 하고 있는 경우를 제외하고, 통상 CMV 감염을 의심하는 것은 태아 초음파

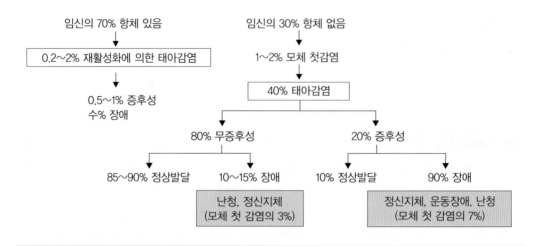

그림 1. CMV의 수직감염과 출생아의 장애 위험

표 1. 선천성 CMV 감염이 의심되는 초음파 소견

빈도가 높은 것	기타 소견
태아발육부전	태반비후
소두증	고에코성 장관
뇌실확장	양수량 이상
두개 내 석회화	뇌실주위 낭포
복수	소뇌 저형성
간비종대	뇌수조 확대

이상이 있을 경우(표 1)이며, CMV 감염의 정밀조사를 실시한다.

1. CMV IgG/IgM

모체의 CMV 감염 진단에는 우선 보험 적용이 있는 혈청학적 검사가 이용된다. CMV IgG는 증상 발현 후 2~3주에 양성으로 나타나며, 통상 평생에 걸쳐 양성이 지속된다. IgM은 증상 발현 후 1~2주에 양성으로 나타났으며 그 후는 수개월 이상 걸쳐서 음성화된다. 그러나 IgM 양성자의 약 70%는 임신 중의 첫 감염이 아니라, 지속, 잔류된 IgM 또는 검사상의 위양성이다. IgG advidi-ty 측정을 실시하여, 낮은 값(≤35~45%, 측정 시기에 의함)일 경우, 첫 감염의 가능성이 높다. IgM 양성자에게서 태아초음파 이상 소견이 있으면, 선천성 감염이 존재할 확률은 60%로 높다.[3] 양수검사를 통내 높은 정밀도로 선천성 감염의 유무를 확인할 수 있다.

임신 전부터 CMV IgG 양성(기왕/만성감염)인 임신부라도 재활성화 내지 재감염에 의해 선천성 감염 또는 태아 장애를 유발할 수 있다. 그러나 선천성 감염의 위험은 초기 감염 임산부가 압도적으로 높다.

2. CMV IgG avidity

IgG avidity는 항원과 항체가 결합할 때 결합력의 총합을 나타내어 감염 후 조기에는 낮은 값이며, 시간이 경과함에 따라 점증한다. 이것을 이용하여 감염 시기를 추정할 수 있다. IgG avidity index (AI)가 높은 수치라면 만성 감염, 낮은 수치(≤35~45%)라면 최근 감염을 시사한다. IgM 양성 임신부에서 임신 28주 미만의 측정에서 AI 40% 미만을 컷오프로 할 때, 선천성 감염 발생에 대한 확진률이 가장 높고, 양성 적중률 27.6%, 음성적중율 99.8%였다.[4] 단 AI 측정은 보험 미등재로 표준화 되어 있지 않다.

CMV IgM 양성, AI 낮은값으로 첫 감염이 강하게 의심되지만 초음파 검사상 태아에게 이상이 확인되지 않은 임산부에게는 아래와 같이 설명한다. 「첫 감염이라도 60%는 태아에게 감염되지 않는다. 40%에서는 태아에게도 감염되지만 현시점에서 태아 이상은 인정되지 않는다. 무증후성 선천성 감염아에게서 어떠한 장애가 발병하는 경우는 10~15%이며, 나머지 85~90%는 거의 정상적으로 발달한다. 증후성이나 증상이 나타나는 선천성 감염아에서는 항바이러스제에 의한 치료를 고려할 수 있다」.

CMV IgM 양성, 태아초음파 이상이 있는 경우, 선천성 감염일 확률은 높다. 임신부가 첫 감염이든지 재활성화이든지 모두 선천성 감염을 일으킬 수 있기 때문에 이러한 경우 AI의 측정은 큰 의의가 없다. 하지만 태아초음파 검사에서 이상이 발견되지 않은 임신부에서는 AI 측정에 의하여 진짜 첫 감염 인지를 추정할 수 있다. AI 저수치이면 부모의 불안이 커질 수도 있지만 AI가 고수치여도 재활성화를 통한 선천성 감염은 일어날 수 있기 때문에 출생아에 대한 정밀 검사가 불필요하다고 단언할 수 없다. CMV IgM 양성 임신부에 대한 AI 측정의 의의는 첫 감염자를 30% 정도로 좁히는 것이다.[3]

3. CMV항원 검사

항원검사에는 말초혈액 백혈구에서 발현하는 CMV항원을 단일클론항체로 검출하는 항원혈증(antigenemia)법이나, CMV DNA를 PCR 방법으로 증폭하여 검출하는 PCR법이 있다. 항원혈증법은 장기이식이나 AIDS와 관련된 경우만 보험이 적용되며 혈액검체에만 한정된다.

선천성 감염의 출생 전 진단에는 양수 중의 CMV DNA PCR법(보험 미등재)을 이용한다. 양수 PCR의 감도는 모체 감염으로부터 6주 이상 경과한 증례에서 높아진다. 임신 22주 미만에서는 위음성이 증가한다는 점에 주의한다. 모체혈 혼합 등 오염에 의한 위양성도 보고되었으나, 양수 PCR법에 의한 선천성 감염의 태아 진단은 정밀도가 높은 검사법이다. 환자는 양수 CMV DNA 음성일 때, 현재보다 안심하고 임신을 계속할 수 있다. DNA 양성인 경우에는 상급병원에 의뢰하여 출생 이후 정밀검사 및 치료를 받을 수 있다.

출생아 검사와 대응

선천성 CMV 감염 진단은 생후 3주까지 채취된 출생아의 소변, 말초혈액이나 타액으로부터의 CMV 검출을 실시한다. 검출의 방법으로서 바이러스 배양동정법이나 PCR법이 있는데, 그 신속성, 간편성, 정확성 등의 이점에 따라 PCR법이 자주 사용되고 있다. 진단이 생후 3주일 이내의 검체로 한정되어 있는 이유는 출생 직후에 아이에게 감염이 성립된 경우와 구별하기 위해서이다. 선천성 감염이 의심되었을 경우에는 신속히 혈액, 소변 등의 검체를 채취하여 PCR 검사를 한다. 계속해서 선천성 감염의 확진이나 증후성·무증후성의 감별을 위해, CBC, 생화학검사, CMV IgG/IgM, CMV항원혈증 등의 검사에 더해 뇌영상검사(두부초음파, CT, MRI), 청력검사(청성뇌간반응, ABR)및 안저검사 등의 정밀검사를 시행한다. 선천성 감염아의 약 절반은 혈청 CMV IgM은 음성이 되고, ABR 이상 증상은 종종 생후 몇 개월 후에 나타나기 때문에, 신생아기에 이상이 발견되지 않아도 정기적으로 추적하고, 재검사가 필요하다.

증상이 있는 경우 간시클로버(ganciclovir, GCV)와 발간시클로버(valgaciclovir, VGCV)를 투여하는 치료에 대해 소아과 전문의와 상담한다.[5] 증후성의 선천성 CMV 감염에서는 출생 시에 증상이 이미 고정되어 있으며, 출생 후 치료에는 효과가 없다고 생각되어 왔다. 2003년에 Kimberlin 등[6]이 증후성의 선천성 감염아를 대상으로 한 무작위 이중맹검 연구에서 GCV 정맥주사 6주간 치료에 의해 난청의 개선 효과를 처음 보고한 이래 항바이러스제 치료가 실시되게 되었다.

GCV의 부작용으로서 골수억제(특히 호중구 감소)외에도 동물실험에서 기형형성, 정자 형성의 저하, 발암성이 보고되었다. 심한 호중구 감소(500/μL 미만)인 경우에는 과립구집락자극인자 또는

표 2. 감염 예방을 위한 임신부 지도와 교육

임신 중에는 거대세포바이러스를 포함하고 있을 가능성이 있는 소아의 타액이나 소변과의 접촉을 가능한 피하도록 설명한다.
• 다음과 같은 행위 후에는 자주 비누와 물로 15~20초간 손을 씻으세요. 기저귀 교환 아이에게 밥을 먹인다 아이의 코나 침을 닦는다 아이의 장난감을 만진다 • 어린이와 음식 음료, 식기를 공유하지 않는다. • 고무 젖꼭지를 입에 대지 않는다. • 칫솔을 공유하지 않는다. • 아이와 키스를 할 때는 타액 접촉을 피한다. • 장난감, 카운터 및 타액, 소변 등 접촉할 만한 장소를 청결하게 유지한다.

큰포식세포집락자극인자를 사용한 골수자극 내지 약물투여의 중단이 필요하다. 비교적 드문 유해작용으로써 발진, 발열, 질소혈증, 간기능장애, 구역이나 구토가 있다. GCV와 VGCV는 선천성 CMV 감염증에 대한 보험 적용이 되지 않는다.

감염 예방을 위한 임산부 지도

많은 임산부는 CMV와 임신 중의 감염이 태아에 미치는 영향에 대한 인식이 부족하다. 임신을 확인하면 조기에 감염 예방책을 설명한다. 증상, 감염 경로, 아이에 대한 영향을 설명한 다음, CMV가 존재할 가능성이 있는 소아의 타액 또는 소변과의 접촉을 되도록 피하도록, 또 충분하게 손 위생에 유의하도록 교육·지도한다(표 2). 항체 음성자에 대한 감염 예방 교육과 지도를 통해서 첫 감염률이 현저하게 저하하였다는 보고가 있다.

참고문헌

1) 古谷野伸（研究代表者）．全新生児を対象とした先天性サイトメガロウイルス（CMV）感染スクリーニング体制の構築に向けたパイロット調査と感染児臨床像の解析エビデンスに基づく治療指針の基盤策定．厚生労働科学研究費補助金（成育疾患克服等次世代育成基盤研究事業）平成20〜22年度総合研究報告書. 2011, 1-188. (http://mhlw-grants.niph.go.jp/niph/search/NIST00.doよりダウンロード可能) [2015.5.20.]

2) 山田秀人（研究代表者）．先天性サイトメガロウイルス感染症対策のための妊婦教育の効果の検討，妊婦・新生児スクリーニング体制の構築及び感染新生児の発症リスク同定に関する研究．厚生労働科学研究費補助金（成育疾患克服等次世代育成基盤研究事業）平成23〜24年度総合研究報告書. 2013, 1-201. (http://mhlw-grants.niph.go.jp/niph/search/NIST00.doよりダウンロード可能) [2015.5.20.]

3) Sonoyama, A. et al. Low IgG avidity and ultrasound fetal abnormality predict congenital cytomegalovirus infection. J. Med. Virol. 84, 2012, 1928-33.

4) Ebina, Y. et al. The IgG avidity value for the prediction of congenital cytomegalovirus infection in a prospective cohort study. J. Perinat. Med. 42(6), 2014, 755-9. doi: 10.1515/jpm-2013-0333.

5) 森内浩幸．先天性CMV感染治療プロトコール．小児感染免疫. 22, 2011, 385-9.

6) Kimberlin, DW. et al. Effect of ganciclovir therapy on hearing in symptomatic congenital cytomegalovirus disease involving the central nervous system : a randomized, controlled trial. J. Pediatr. 143, 2003, 16-25.

 山田秀人

e HIV

개념 · 빈도

인간면역결핍바이러스(human immunodeficiency virus ; HIV)는 레트로바이러스과 렌티바이러스부류에 속하는 단일 가닥 RNA바이러스이며, 후천성면역결핍증후군(acquired immunodeficiency syndrome ; AIDS)의 원인이 된다. 최근 HIV감염증은 신약개발이나 치료법의 진보에 의해 조절가능하게 되어, 반드시 사망에 직결하는 질병은 아니게 되었다. 또한 수직감염에 관해서는 적절한 감염예방 대책을 실시하게 되어, 감염율을 1% 이하까지 억제하는 것이 가능하다. 따라서 임신 전부터 HIV감염이 진단된 임산부에 대한 수직감염 예방대책은 물론, 임신초기에 HIV검사를 실행하여 감염자를 동정하고, 대책을 시행하는 것도 매우 중요하다. HIV양성자는 2011년 말에 전세계에 3,400만명 있다고 추정되고 있으나, 일본 국내에는 2013년, HIV 여성 감염자(국적불문)의 신규 보고수는 46명, 1985년~2014년의 HIV여성감염자(국적불문)의 누적 보고수에서도 2,229명 이며(후생노동성에이즈동향위원회보고 http://www.jfap.or.jp/), 일본에서는 HIV감염 임신과 조우할 기회는 적을 것으로 생각된다. 후생노동성 「HIV모자감염의 역학조사와 예방대책 및 여성·소아감염자 지원에 관한 연구」반이 실시한 HIV 거점 병원에 대한 앙케이트 조사에서 HIV 양성 임산부를 모두 받겠다고 응답한 곳은 51.7% 밖에 안되었지만, 반대로 말하면 환자수가 극히 적은 나라에서는 전문 인력이 충실한 특정 시설에 증례를 집중하는 편이 현실적일 수 있다. 이번 장에서는 HIV수직감염 예방대책에 대하여 「2013년도 HIV모자감염예방대책 매뉴얼 제7판」에 입각하여 기술한다.

HIV 수직감염 예방

수직감염 예방 대책의 요점을 표 1에 나타낸다. 1997년 이후, 이 감염예방 대책이 확실하게 시행된 증례에서 수직감염이 성립되었다는 보고는 없다고 한다.

1. HIV 검사

HIV 스크리닝 검사(1차검사)는 HIV 항원 항체 동시 검사를 원칙으로 한다. 1차 검사가 양성이었을 경우에는 웨스턴블롯법과 HIV-1 RNA 정량검사에 의한 확인검사가 필요하다. 1차 검사의 양성 적중률(2012년도 조사에서는 6.5%)은 매우 낮고, 결과가 양성이어도 실제 감염자는 몇 퍼센트에 불과하므로, 1차 검사가 양성이었던 임신부에 대하여 과도한 불안을 안기지 않기 위해서도

표 1. HIV모자감염예방대책 (HIV 모자감염예방대책 매뉴얼 제 7판에서 개정)

1. HIV검사 (임신초기)
2. 임산부와 신생아에 대한 항바이러스 요법
   임심 중의 ART (antiretroviral therapy)
   분만 시의 AZT 투여
   아이에게 AZT 투여
3. 제왕절개에 의한 분만 (진통시작 전으로 권장함)
4. 단유 (분유수유)

「확인 검사를 할 때까지는 감염되었는지 아닌지 확정할 수 없다」「확인 검사에 의하여 대부분의 증례에서 감염되어 있지 않은 것이 확인되고 있다」고 전한다. 확인검사에서도 양성이 확인되면 아래에 기술하는 감염 예방 대책을 실시한다.

2. 임산부와 신생아에 대한 항바이러스 요법

1) 임신 중의 항바이러스치료(antiviral therapy, ART)

현재로는 약제 내성을 우려하여 HIV 감염자에게는 원칙적으로 다제병용요법(highly active antiretroviral therapy ; HAART)을 사용하며 HIV 감염 임산부에 대해서도, 아이에 대한 안전성에 대한 우려는 있지만 HAART가 이용된다. HAART에서는 핵심약제(단백분해효소억제제 또는 비핵산계역전사효소억제제) 1제와 기본약제(핵산계역전사효소억제제) 2제를 병용한다. 핵심약제로서 로피나비르/니토나비르 합제(LPV/RTV, 칼레트라®), 기본약제로서 지도부딘(AZT, 레트로빌®)+라미부딘(3TC, 에피빌®)이 이용되는 경우가 많다. 실제로는 효과나 약제 내성의 유무, 적합도를 평가하여 감염내과 의사와 상담한 다음 처방을 결정한다.

2) 분만 시 AZT 투여

미국 HIV 수직감염 예방 가이드라인에서는 분만 전의 바이러스 양이 400copy/mL 이상 또는 불분명한 경우는 AZT 정맥 투여가 필요, 바이러스 양이 400copy/mL 미만인 경우는 AZT 정맥 투여는 필요 없는 것으로 여겨진다. 그러나 일본에서는 증례 수가 적었고 확실하게 수직감염 예방을 해야 하므로 바이러스 양이나 분만 방법에 상관없이 모두 AZT 링거를 맞는 것을 권장하고 있다. AZT 링거의 투여법, 조정법의 일례를 표 2에 나타낸다.

3) 출생아에게 AZT 투여

HIV 감염 임신부로부터 출생한 모든 아동에게 AZT 단독 투여 또는 AZT를 포함한 병용요법을 6주간 실시한다. 출생아에 대한 AZT 투여법을 표 2에 나타낸다. AZT는 간에서 글루크론산 포함에 의해 불활성 대사물이 되지만 조산아에서는 그 대사능이 만삭아에 비하여 미숙하기 때문에

표 2. 분만시, 출생 후 AZT 투여의 실제

1) 제왕절개 수술전~ 태아분만 까지 AZT 점적 　　예) 처음 1시간을 2mg/kg/시간. 그 후의 2시간을 1mg/kg/시간, 총 3시간 점적 　　※ 점적용AZT는, 5%포도당액으로 2~4mg/mL 희석해서 사용 　　예) 점적용AZT 2A (400mg/40mL) + 5%포도당액 160mL (=2mg/mL) **2) 출생아에게 AZL 시럽 투여** 　• 재태 35주 이상: 　　생후 6~12시간까지는 4mg/kg 경구투여 12시간 마다 생후 6주까지 　• 재태 30주 이상 35주 미만: 　　2mg/kg 경구투여 12시간 마다 2주간, 이후는 3mg/kg로 증량 　• 재태 30주 미만: 　　2mg/kg 경구투여 12시간 마다 4주간, 이후는 3mg/kg로 증량 주) 점적용 AZT나 AZT시럽은 일본 미허가이기 때문에 후생노동성에이즈치료제연구반에게 공급을 받는다.

임신 주수에 따라 AZT의 감량이 필요하다.

3. 제왕절개 분만

바이러스량이 검출감도 이하인 경우 질식 분만을 하여도 선택적 제왕절개 분만에 비해 수직감염률이 더 높아지지 않는다는 보고가 있었지만,[2,3] 일본에서는 수술비용이 비교적 저렴한 데다 수술 후 합병증도 적기 때문에 수직감염 가능성을 더 줄이고자 하는 의미로 선택적 제왕절개술이 권장된다. 분만시기는 진통 발생 전이 바람직하고, 37주경을 기준으로 한다. 그러나 조기진통의 징후가 있는 증례에서는 37주 이전, 반대로 바이러스량이 충분히 감소하지 않은 증례에서는 38주 이후의 제왕절개술을 검토할 필요가 있다.

4. 단유(분유수유)

모유 속에는 다량의 HIV가 포함되어 있으므로, 모유를 먹임으로써 아기에게 감염될 위험성이 높아 단유를 한다. 단유약(카바사르®, 텔론®, 팔로델®)은 통상의 산욕임부와 동일하게 사용 가능하다.

조기진통, 조기양막파수 증례에 대한 대응

조기양막파수 임신부의 경우 HIV 수직감염의 위험요인은 ① 양막파수에서 분만까지의 긴 시간, ② 항바이러스제 무투여, ③ 항바이러스제 단일제제 투여, ④ 바이러스량 1,000copy/mL이상으로 보고된 바 있다.[4~7] 하지만 조기진통, 조기양막파수 경우라도 이른 주수의 미숙아가 가지는 위험과 HIV에 걸릴 위험을 저울질하여 분만 시기를 결정할 필요가 있다. 즉, 의료기관에서의 신생아 관리 능력과 HIV 치료 능력, 바이러스량, 임신 주수와 태아 발육을 고려하여 필요하면 tocolysis를 하면서 분만 시기를 결정한다.

산전진찰 받지 않은 임산부의 응급 분만에 대한 대응

분만 전에 1차 검사 양성인 경우의 대응이 문제가 된다. 응급 분만의 대부분은 짧은 시간 내에 분만에 이르는 예가 많아 확진검사 결과를 분만 전에 알 수 없고, 제왕절개술을 시행할 때 시간적 여유가 없고 AZT 약품의 입고가 늦는 등의 문제가 있다. 미국 가이드라인에서는 1차검사 양성이라면 항바이러스약의 투여를 권장하고 있는데, HIV 감염 임산부가 매우 적은 일본에서 1차 검사 결과만으로 전체 사례에 AZT를 투여하다 일은 용인되지 않는다. 따라서 1차 검사 양성에만 의한 예방적 AZT 모체 투여는 임산부 본인 또는 파트너가 HIV 감염 다발지역 출신이거나 지극히 HIV 감염의 가능성이 높은 등 특수한 예에 한정된다.

혈액 · 체액 노출 사고(바늘찔림 사고) 발생 시 대응

혈액·체액 노출에 의한 HIV 감염률은 바늘찔림으로 1/300, 점막노출로 0.09%, 피부노출로 0%로 여겨진다.[8] 사고발생 시 신속하게 대량의 흐르는 물과 비누(안구·점막에 대한 노출의 경우는 대량의 흐르는물)로 세정하고, 노출 후 예방 투약(postexposure prophylaxis ; PEP)이 필요하다고 판단되면 신속하게 개시한다. AZT 단독으로 PEP를 하였을 때 감염위험도가 79% 감소한다고 보고되었으며,[9] 3제 이상의 PEP(예: 테노포비르/엠트리시타빈 합제 〈트로바다〉 1회 1정, 1일 1회 + 랄테그라빌 〈아이센트레스〉 1회 1정, 1일 2회를 28일간 내복)으로 감염 위험을 더욱 줄일 수 있다.

마지막으로

HIV 감염의 통보에 의한 환자 본인의 정신면에 대한 배려나 파트너에 대한 통보 등의 가족에 대한 배려도 필요하며, 산과의사, 소아과의사, 감염내과의사 뿐만 아니라 정신적 케어를 실시하는 간호사, 임상심리사를 포함한 팀 의료가 요구된다.

참고문헌

1) Lohse, N. et al. Survival of persons with and without HIV infection in Denmark, 1995-2005. Ann. Intern. Med. 146（2）, 2007, 87-95.

2) Read, JS. et al. Efficacy and safety of cesarean delivery for prevention of mother-to-child transmission of HIV-1. Cochrane Database Syst. Rev. 2005,（4）: CD005479.

3) Forbes, JC. et al. A national review of vertical HIV transmission. AIDS. 26, 2012, 757-63.

4) Cotter, A. et al. Duration of membrane rupture and vertical transmission of HIV : Does the four hour rule still apply? Am. J. Obset. Gynecol. 191（6 supple 1）, 2004, S56.

5) Landesman, SH. et al. Obstetrical factors and the transmission of human immunodeficiency virus type1 from mother to child. The Women and Infants Transmission Study. N. Engl. J. Med. 334, 1996, 1617-23.

6) Van Dyke, RB. et al. The Ariel Project : a prospective cohort study of maternal-child transmission of human immunodeficiency virus type 1 in the era of maternal antiretroviral therapy. J. infect. Dis. 179, 1999, 319-28.

7) Minkoff, H. et al. The relationship of the duration of ruptured membranes to vertical transmission of human immunodeficiency virus. Am. J. Obset. Gynecol. 173, 1995, 585-9.

8) Panlilio, AL. et al. Updated U. S. Public Health Service Guidelines for the Management of Occupational Exposures to HIV and Recommendations for Postexposure Prophylaxis. MMWR Recomm. Care Sttings. 54（RR-9）, 2005, 1-11.

9) Gerberding, JL. et al. Occupational Exposure to HIV in Health Care Settings. N. Engl. J. Med. 348, 2003, 826-33.

≫ 谷村憲司, 山田秀人

f 풍진

개념

　임신 20주 이전에 모체가 풍진에 감염되는 경우 태아에서 선천성풍진증후군(congenital rubella syndrome, CRS)이 발생할 수 있다. 3개의 주요 이상은 감음성 난청, 백내장, 심장질환(동맥관개존, 폐동맥협착, 심실/심방중격결손 등)이며 그 외에도 소두증, 정신지체, 발육지체, 망막증, 소안구증, 간비종대, 혈소판감소, 당뇨병 등을 일으킬 수 있다.

　발생빈도로는 임신부가 감염된 주수에 따라 임신 4~6주에서는 100%, 7~12주에서는 80%, 13~16주에서는 45~50%, 17~20주에서는 6%, 20주 이후에는 0%이다.[1] 성인의 15% 정도에서 무증상 감염이 생길 수 있으므로 모체가 증상이 없더라도 CRS가 발생할 수 있다.[2]

　CRS 발생은 2004년에 10례가 있으며, 후생노동성연구반의 긴급 제언이 발표되었다. 그 후 2011년까지는 매년 0~2례의 출생이었으나, 2012년 4례, 2013년 32례, 2014년 9례로 크게 증가했다. 2012년 3월경~2013년 10월경까지 일본에서 있었던 풍진 대유행이 원인으로 생각된다. 단, 이번 유행에서는 임신 중 현성 첫감염이 있었고, 이는 높은 태내 감염률을 보일 수 있다고 설명하였으나, 임산부가 남편이나 부모 등과 상의하여 양수 진단을 원하지 않고 출산하여, CRS를 합병한 예를 6례 경험하였다.

　필자의 경험으로는 1997~2010년에 있어서는 풍진 HI 역가가 256배 이상이고, 풍진 IgM항체가 양성인 임산부를 연간 20~40례 소개 받았으나, 풍진 현성 감염례가 확인되지 않고, CRS의 보고도 없었다. 그런데 2011~2013년에는 풍진 현성 감염 임산부의 소개 진찰수는 2011년 2례, 2012년 4례, 2013년 13례로 합계 19례가 되었으며, 그 14개 예(74%)가 첫 감염이며, 나머지 5례가 재감염으로 판정되었다. CRS인 아기는 6례 발생했다.[3] 또한 무증상 감염 임신부로부터 CRS의 출생이 확인되지 않았다.

진단

　문진에서는 직업(불특정 다수〈특히 20~40대 남성〉과 접촉하는지 여부), 풍진이환 이력(1976년, 1982년, 1987년, 1992년이 유행연도), 풍진 백신 접종력, 풍진 항체 역가, 임신 중의 풍진 발병 유무, 임신 중 풍진 환자와의 밀접접촉 유무를 확인하고 임신 중의 감염 위험을 평가한다. 2010년까지의 비유행 시기의 풍진 IgM 항체 양성의 문제점은 임신 중 무증상 감염을 제외할 수 없다는 것이다. 특히 소아기에 풍진 백신 접종력이 있는 경우에는, 풍진 IgG항체의 avidity를 측정해도 백신 접종시기를 반영하여 높은 값을 보였고 재감염시기를 추정할 수 없었다. 게다가 감염직전에 풍진

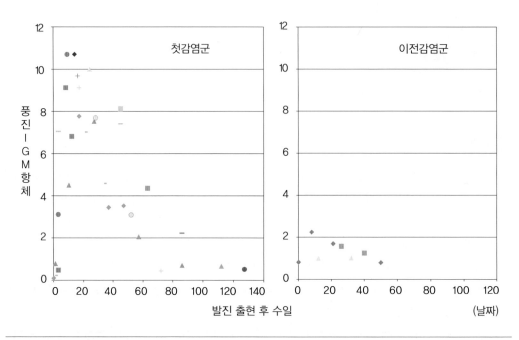

그림 1. 풍진IgM항체의 추이

첫감염군에서는 발진 출현 후 10~30일에 IgM 항체가 7~11 정도로 절정에 이르며, 발진 출현 후 100일 정도면 소실된다. 이전감염군은 1~2로 확실하게 낮은 수치였다.

HI 역가가 32배 이상(=풍진IgG항체 ≥ 8 IU/mL)임을 진단하지 않으면, 재감염에 의한 CRS의 발생을 제외할 수 없어, 1차시설에서는 임신중절을 거부할 근거를 얻지못했다. 따라서 풍진 IgM항체가 양성이 되면 2차 시설에서 상담한다(부록 표16). 소개된 2차 시설에서는 ① 임신 중 풍진 발병 (−), ② 풍진 환자와의 밀접접촉 (−), ③ 주위에서의 유행 (−), ④ 풍진 IgM항체도 낮은 수치(ELISA법에서 2.0이하)에서 제자리걸음(ELISA법으로 2주 이상의 간격으로 ±0.5 이내)이면 임신 중 감염의 가능성은 매우 낮다고 판단하여, 양수 진단을 하지 않고 계속 임신을 권유하는 일이 많고, 미츠이기념병원 산부인과에서도 CRS의 출생을 보지 못했다. ① 의 발병에 대해서는 감기 증상 정도에서는 발병이라고 진단하지 않는다. 림프절 종창의 특징은 귀 뒤쪽에 있다. ②의 농후 접촉이란 동거인이나 직장에서 옆자리의 사원 등이 감염된 경우이다. 하지만 이번 대유행으로 밀접접촉은 확인되지 않았지만 불특정 다수자와의 접촉이 있는 접수업무·수납 업무 종사자나 통근 혼잡 등이 감염 경로라고 생각되는 예도 많았다. 비유행 시기에는 이런 가능성이 낮다. 그림 1에 미쓰이기념병원 산부인과에서 경험한 풍진 현성 감염 임산부의 풍진 IgM 항체의 발병 후의 추이를 나타냈다.[3]

태내 감염의 위험이 있는 경우에는 양수천자를 통해 풍진바이러스의 유전자 진단을 할 수 있음을 임산부에게 설명한다.

신생아 관리

태내감염 위험이 높은 출생아는 제대혈의 풍진 IgM항체의 유무를 진단하여 신생아 인후 세척액·타액·소변·혈액 등으로 풍진바이러스 RNA를 보건소 등에 측정 의뢰한다. 신생아실에 있는 동안 아이는 소아과·안과·이비인후과에서 선천성 감염소견의 유무를 진단한다.「선천성풍진증후군은」전수 보고 대상이며, 진단한 의사는 7일 이내에 가장 가까운 담당 보건소에 신고해야 한다.

수정 전후 풍진백신 접종

임신 전후에 풍진백신 또는 홍역풍진혼합(MR) 백신을 접종한 임신부 45 예와 출생아를 분석하였을 때 자연 유산율이 23%로 약간 높은 경향을 보였으나, 출생아에게는 태내 감염이나 CRS 발병이 확인되지 않았다. 일본의 소수 사례를 검토한 것이기는 하나 풍진백신·MR 백신을 접종하고도 모든 출생아에서 이상이 확인되지 않았음을 접종하는 임산부에게 설명하고, 임신중절을 선택할 필요 또한 없음을 설명해야한다.

마지막으로, 지난 5~10년간 풍진백신을 접종하지 않은 여성이 임신하여, 2012~2013년과 같은 풍진 유행이 일어나면 선천성풍진증후군이 생길 가능성이 있다. 풍진 유행을 방지하기 위하여 사회 전체에서의 풍진 백신 접종을 권장하고 싶다.

참고문헌

1) 日本産科婦人科学会・日本産婦人科医会 編集・監修. "CQ605 妊婦における風疹罹患の対応とその後の児への対応は？". 産婦人科診療ガイドライン：婦人科外来編2014. 2014, 303-7.
2) 国立感染症研究所. 先天性風疹症候群とは. http://www.nih.go.jp/niid/ja/kansennohanashi/429-crs-intro.html［2015.5.13.］
3) 小島俊行. 風疹対策の現況. ラジオNIKKEI「Monthly ワクチン info」. 2014.
http://medical.radionikkei.jp/vaccine/ondemand/vaccine-140519.html［2015.5.13.］

≫ 小島俊行

톡소플라즈마 감염증

개념 · 정의 · 빈도 · 병태

 톡소플라스마는 말라리아와 같은 원충류에 속하는 *Toxoplasma gondii*에 의한 인수공통 감염증의 일종이다. 소아감염증학회의 설문조사를 포함한 추정으로는 연간 10례 정도의 선천성 톡소플라즈마증 아기가 출생되고 있다. 더군다나, 무증상인 선천성 감염아는 10배인 100례 정도가 출생하고 있는 것으로 추정하고 있다. 일반 주산기센터에서도 현성 감염아 출생은 30~100년에 한 명 정도일지도 모른다.

 현재 톡소플라즈마 항체를 임산부 스크리닝 검사에 도입하고 있는 시설은 약 50%이나, 비도입 시설의 임산부가 희망하여 검사하는 경우가 많아졌다.

임산부의 스크리닝 방법의 특징과 감염 예방

 스크리닝 방법으로는 ① 톡소플라즈마 IgG항체, ② 톡소플라즈마 IgM항체, ③ 양 항체 동시측정이 있다. 표 1에 각각의 특징을 나타냈다. 93%의 임산부는 톡소프라즈마 IgG항체 (−)이므로, 스크리닝 비도입 시설에서는 임신 중 첫 감염 예방법을 모든 임신부에게 설명하는 것이 필수이다. 그림 1[1])의 감염 경로에서 알 수 있는 것처럼, 불충분하게 익힌 고기(생햄, 말회, 닭회, 고래회, 레어스테이크 등)의 섭취, 흙만짐, 길고양이 등과 접촉을 피하는 것을 설명한다.

표 1. 임산부 스크리닝 방법의 특징

① 톡소플라즈마 IgG항체
 장점: 음성 임산부를 확인하여 감염예방법을 지도 가능. 비용이 저렴함
 단점: 결과확인까지 소요되는 시간이 IgM항체보다 1주일 길다.
② 톡소플라즈마 IgG항체 ·IgM항체 동시 측정
 장점: IgM항체 (+)를 가장 빠르게 도출. 위양성 도출 가능
 단점: 고가 (93%불필요)
③ 톡소플라즈마 IgM항체
 장점: 비용이 가장 저렴함. IgM항체 (+) 가장 빠르게 도출
 단점: 미감염 임신부를 도출 불가능. 위양성의 존재
어떤 방법으로도 14주 무렵까지 IgM항체의 결과를 알린다.

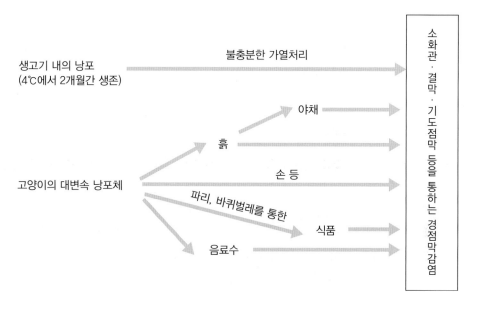

낭포: −20℃의 동결 (24시간), 혹은 66℃ 이상의 가열, 혹은 건조로 사멸한다.
+4℃에서는 2개월간 생존한다. 위 십이지장 내에서는 사멸하지 않으므로 경구 감염이 성립된다.
낭포체: 땅 속에서 1년 이상 감염성이 있다.

그림 1. 톡소플라즈마의 수평감염 경로

톡소플라즈마 IgM항체 위양성

2014년 3월에 톡소플라즈마 PHA항체 측정이 폐지되었다. 그 전까지는 톡소플라스마 항체 (+)의 임산부에 대하여 톡소플라스마 IgM 항체가 측정되고 있어 톡소플라스마 IgM 항체가 위양성인 경우 진단이 어려웠다. 하지만 검토에 따르면 톡소플라스마 IgM항체 (+)의 증례 중 약 10%는 톡소플라스마 IgG항체 (−)로 톡소플라스마 IgM 항체의 위양성이라고 진단되었다. 진단법은 2~3주간의 간격을 두고, 톡소플라스마 IgG항체가 다시 음성으로 나오는 것이다. 또한 류마티스인자가 약 20%의 증례에서 양성으로 나타난다.[2]

진단·관리

톡소플라즈마 감염의 스크리닝으로 늦어도 임신 12주까지는 IgG 검사를 시행한다. 음성이라면 미감염이므로 감염 예방을 지도한다. 양성이라면 이전감염이다. 그러므로 임신 중 첫 감염을 배제한다(그림 2). 배제 방법은 톡소플라스마 IgM 항체를 측정하여, 1주일 후에 임산부 건강 진단과는

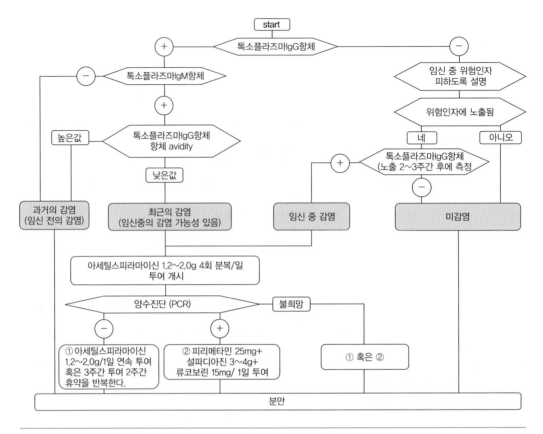

그림 2. 임산부 톡소플라즈마 감염 검사와 관리

표 2. 아세틸스피라마이신 임산부에게 투여 원칙

1) 조기치료에 의한 태아 감염률 감소가 보고되고 있으므로, 임신 중 톡소플라즈마 첫 감염 여부 정해지지 않으면 가급적 조기에 투여를 개시한다.
2) 작용 메커니즘은 태반으로 이행하여 톡소플라스마가 태아에게 감염되는 것을 막는다고 생각되므로 태아감염이 아니라면 분만까지 치료를 계속한다.
3) 작용 지속 시간은 6시간으로 알려져 있으며, 4~6/일 분복이 바람직하다.
4) 발진·발적이 확인되었을 경우, 투여를 중지한다.
5) 태아 감염이 증명된 경우, 효과는 기대할 수 없으므로 피리메타민 제제로 변경한다.
6) 스피라마이신의 70%의 투여량으로 동등한 혈중 농도를 얻을 수 있으므로, 투여량의 상한은 2g/1일 로 한다.

별도로 결과를 전한다. 음성이라면 4개월 이상 전의 첫 감염일 가능성이 높으며 16주 이전에 채혈했다면 임신 전의 첫 감염으로 진단되며 태내 감염의 위험은 없다. 양성이면 평균 2년 이내에 첫 감염으로 진단되어 임신 중 첫 감염을 제외할 수 없다. 임산부에게 설명하고 임상검사기관(SRL, BML 등)에 의뢰하여 톡소플라스마 IgG항체의 avidity를 측정한다. 수치가 높으면 4~5개월 이상 전의 첫 감염으로 태내 감염의 리스크는 감소한다. 낮은 수치이면 1년 이내에 첫 감염 가능성이

표 3. 톡소플라즈마 치료제

1) 아세틸스피라마이신
1,200~2,000mg 하루 4회 3주간+휴약 2주간, 임신 중 첫 감염 가능성이 큰 경우 매일

2) 아지스로마이신
(500mg 하루 1회 3일간+휴약 4일간)x3주 간+ 휴약 2주간, 첫 감염 가능성이 큰 경우 매주

3) 설파디아진 500mg정: 50~ 100 mg/kg/일 (최대 4,000mg/일)이므로, 첫날 4,000mg 하루 2회, 다음날 이후 3,000~4,000mg 하루 2회 및 피리메타민 25mg정, 첫날 50mg 하루 1회, 다음날 이후 25mg 하루 1회 (즉, 첫날 1일 1회 2정, 다음날 이후 1일 1회 1정) 및 류코보린 5mg정 15mg분 하루 3회 매일.
설파디아진은 핵황달의 위험이 있으므로, 28주까지 종료한다. 피리메타민은 16주~분만까지 가능.

있지만, 모든 경우 임신 중에 처음 감염되는 것은 아니다. 낮은 수치 또는 판정 보류의 경우에는 임산부와 상담하여 ① 복약 치료를 하고, ② 전문기관과 상담하며, ③ 양수 천자를 통해 톡소플라즈마 PCR을 시행하여, 태내 감염의 유무를 진단하는 등의 방법을 선택한다.

치료

저위험이며 임신 전의 첫감염으로 진단되었을 경우, 모체 치료는 불필요하나 임산부 또는 그 가족이 불안한 경우에는 표 2,3을 참고하여 치료를 한다.

참고문헌

1) 小島俊行. "トキソプラズマの母子感染". 母子感染. 川名尚, 小島俊行編. 東京, 金原出版, 2011, 136-55.
2) 高橋樹里, 小島俊行ほか. トキソプラズマIgM抗体偽陽性の診断と原因の分析. 日本産科婦人科学会雑誌. 67(2), 2015, 603 (S-369).

≫ 小島俊行

요로감염

개념

임산부의 약 2~7%에게 무증상 세균뇨가 확인된다.[1] 임신 중에는 자궁이 커지면서 요관을 압박하여 요관과 신우신배가 확장된다. 임신 후기에는 방광–요관 역류 현상도 나타난다. 이러한 현상에 의해, 임신 중에는 방광염이나 급성신우신염 등의 요로감염(urinary tract infection) 이 발생되기 쉽다. 무증상 세균뇨는 조산이나 태아성장제한의 원인이 된다고도 알려져 있다. 임신 중의 급성신우신염은 패혈성 쇼크를 일으켜 중증화될 수 있으므로 충분한 관리 및 치료를 시행하며 치료 전에 반드시 세균배양검사를 실시해 두는 것이 기본이다.

증상 · 진단

1. 무증상 세균뇨

요로감염증의 임상증상이 없고, 중간뇨의 정량배양으로 105CFU (colony forming units)/mL 이상, 카테터뇨에서는 102CFU/mL 이상인 경우에 진단이 확정된다.[2] 검출된 세균으로는 대장균이나 Klebsiella 등이 많다.

2. 방광염

빈뇨, 잔뇨감, 배뇨시 통증, 하복부 압통 등의 방광 자극증상이 나타난다. 발열을 동반하지는 않으나 때때로 육안적 혈뇨를 보인다. 소변검사에서 농뇨(무원침뇨로 시야에 10개 이상의 백혈구 수) 및 세균뇨가 확인되면 진단은 확정된다. 세균배양에 의한 원인균의 검색과 항균제의 감수성 시험은 중요하다. 대장균이나 Klebsiella 등 세균에 의한 경우가 많다.

3. 급성신우신염

오한이나 38℃ 이상(때때로 40℃이상)의 발열, 허리통증(특히 늑골척추각의 통증), 전신 권태감이나 구역, 구토 등 소화기 증상을 동반하는 경우도 있다. 또 패혈증 쇼크, 성인호흡곤란증후군이나 용혈성 빈혈을 초래하는 경우도 있다. 진단은 특징적인 임상 증상 및 소변검사와 혈중 염증 표지자의 상승에 따른다.

치료

1. 무증상 세균뇨
원인균을 동정하고 태아에 대한 안전성이 확인된 감수성 높은 항균제를 복용한다. 3~7일간의 사용 후 소변검사로 치료효과를 판정한다.

2. 방광염
대장균 등 그람음성균이 주원인이므로 세균배양검사 결과가 나오기까지 페니실린계 및 세팔로스포린계의 항균제를 선택한다.

3. 급성신우신염
입원 후에 충분한 수액보충과 항균력이 강한 항균제의 정맥주사를 시행한다. 항균제는 제2 또는 제3세대 세팔로스포린계 항균제, 혹은 β락타마제 저해제 배합 페니실린계 항균제를 제1선택으로서 사용하고, 증상이 개선되기 어려운 경우는 카바페넴계의 항균제를 사용한다. 발열 등의 임상증상이 소실된 후에는 경구약으로 변경하고 2주일 정도 치료를 지속한다. 난치성인 경우에는 요로폐색 가능성도 있어 반드시 전문의에게 의뢰하며, 재발이 많으므로 정기적으로 소변 검사를 하여, 세균뇨가 보이면 치료를 할 필요가 있다.

성매개질환(sexually transmitted diseases ; STD)

매독

개념

매독(*Treponema pallidum*)의 수직감염 경로로는 태반을 통한 감염, 산도 감염이 알려져 있다. 태아 성장제한이나 태아사망, 신생아기 및 영아기에 발병하는 조기 신생아매독이나 아동기에 발병하는 지연성 선천매독이 있다. 최근에는 매독 자체가 감소했다. 또한 초기 임산부 건강검진의 스크리닝에서 조기에 발견되어 충분히 치료가 이루어지고 있어 수직감염은 감소하고 있다.

표 1. 매독 진단

VDRL	TPHA	FTA-ABS	판정
(−)	(−)	(−)	비매독
(−)	(−)	(+)	FTA의 특이반응
(+)	(−)	(−)	BFP (조기매독의 가능성도 있음)
(+)	(−)	(+)	매독 (조기, 만성)
(−)	(+)	(−)	매독 (완치 전, TPHA의 특이반응)
(−)	(+)	(+)	매독 (선천성, 성매개질환 후)
(+)	(+)	(−)	? (만성 FTA항체 소실)
(+)	(+)	(+)	매독

BFP: 생물학적 위양성

진단

VDRL법과 TPHA, FTA−ABS에 의해 표 1과 같이 판정한다.

치료

만성 매독 이외에는 신속하게 치료를 한다. 통상은 암피실린(ABPC)이나 아목시실린(AMPC)을 사용하며 제1기 매독에서는 2~4주간, 제2기 매독에서는 4~8주간, 제3기 이후에는 8~12주간 사용한다. 페니실린 알레르기가 있는 경우에는 마크롤라이드계의 아세틸스피라마이신을 2~4주간 사용한다. 치료효과의 판정은 임신 28~32주와 분만시에 VDRL의 정량에 따르며 항체 값의 1/4이상 저하 또는 8배 이하를 기준으로 한다.[3]

임균

개념

페니실린·세팔로스포린계 항균제에 대한 내성균이 증가하고 있다. 임균(*Neisseria gonorrhoeae*)은 산도를 통해 감염되어, 신생아 결막염이나 폐렴의 원인이 된다.

진단

경관 점액의 분리배양 또는 PCR법에 의한다.

치료

세프트리악손나트륨, 세포시튬, 스펙티노마이신염산염이 이용되고 있다.[4] 파트너의 치료를 같이 할 필요가 있다.

클라미디아

개념

클라미디아 트라코마티스(*Chramydia trachomatis*)는 STD 감염에서 가장 많다. 임산부 이환율은 1~6%[5]이며, 산도를 통해 아기에게 감염되어 폐렴, 결막염, 인두감염을 일으킬 수 있어 임산부 건강 진단 시 스크리닝 검사를 실시하고 있는 시설이 많다.

진단

자궁경관 분비물을 검체로 하여, 핵산증폭법, 핵산검출법, EIA법, 분리동정법 등을 통해 진단한다.

치료

아지스로마이신 1,000mg의 1회 또는 클라리스로마이신 400mg(하루 2회, 7일간)을 복용한다. 파트너의 치료를 함께 실시할 필요가 있다.

단순 헤르페스바이러스

개념

임신 중 단순 헤르페스바이러스(herpes simplex virus ; HSV) 감염에 의한 태아 영향은 적다. 산도 감염이 주를 이루며, 신생아에게 미치는 영향으로 중증인 것은 다장기 부전(사망률 30%) 및 뇌염·수막염(신경학적 후유증 60~70%)이 있다.[6] 신생아 헤르페스의 발병률은 산모가 첫 감염인 경우 50%인 것으로 알려져 있다.[6]

진단

외음부의 국소 소견(발적, 수포, 궤양)과 자각증상(소양, 동통)으로 본 질환을 의심하고, 세포진이나 국소 병변 부위로부터의 HSV 분리배양 및 HSV-DNA에 의하여 진단한다.

관리 · 치료

신생아 감염을 예방하기 위하여, 분만 전 항바이러스 요법, 즉 아시클로버(경구나 정맥 투여) 또는 파라시클로버(경구)에 의한 모체 치료를 적극적으로 실시한다. 분만 시 국소 병변이 있으면서 첫 감염으로 발병으로부터 1개월 이내인 경우이거나 재발병 1주일 이내일 경우 제왕절개분만의 적응증이 된다.[6]

콘딜로마

개념

유두종바이러스 감염에 의한다. 산도감염에 의한 소아 재발성 기도유두증(juvenile-onset recurrent respiratory papillomatosis ; JORRP)의 원인이 되어, 경우에 따라 기도폐색을 일으켜 치사적이게 된다. JORRP 발생빈도는 0.7% 정도이다.

진단

시진(외음부나 질점막에 생긴 사마귀)으로 가능하다.

관리 · 치료

분만 전에 적극적으로 콘딜로마를 제거한다. 임신 중에는 약물 요법이 아니라 외과적 치료, 즉 액체 질소에 의한 냉동요법이나 CO_2 레이저 또는 YAG 레이저에 의한 치료를 한다.[7] 제왕절개 분만으로도 수직감염을 완전히 예방하는 것은 불가능하므로 분만 시에 현저한 육안적 병변이 없는 한 질식분만을 원칙으로 하는 경우가 많다.

칸디다증

개념

칸디다속에 의한 진균 감염증으로서, Candida albicans에 의한 것이 많다. 분만시 산도 감염에 의해 신생아에게 아구창 등의 표재성 진균증이 나타날 수 있으며, 양수 내로 상행감염이 되는 경우 심재성 진균증이 되어 태아의 패혈증을 일으킬 수 있다.[8]

진단

외음부의 강한 소양감을 동반하는 요구르트(또는 술지게미) 형태 백색대하가 특징적이다. 대하의 생표본(생리식염수법, 퍼커잉크법, KOH법)에 의한 현미경 검사로 진단은 거의 확정된다. 균종의 동정도 필요하므로 진균 배양도 해야 한다. 간이 신속배양도 유용하다.

관리 · 치료

대부분의 경우 이미다졸계 혹은 옥시코나졸질산염 등의 항진균제가 함유된 질정으로 치료되지만, 균종에 따라서는 난치성인 경우도 있다. 당뇨병 합병 임산부 또는 스테로이드를 복용하고 있는 자가면역질환 합병 임산부의 경우에는 재발을 반복하는 경향이 있기 때문에 끈기 있게 치료를 계속할 필요가 있다.

참고문헌

1） Walzter, WC. The urinary tract in pregnancy. J. Urol. 125, 1981, 271-6.
2） Kass, EH. Asymptomatic infections of the urinary tract. Trans. Assoc. Am. Physicians. 69, 1956, 56.
3） 金栄淳ほか. 妊婦梅毒とその対策. 産婦人科治療. 90（Suppl）, 2005, 168-71.
4） 日本性感染症学会編. 淋菌. 性感染症診断・治療ガイドライン. 2004年版. 日本性感染症学会誌. 15（Suppl）, 2004, 8-13.
5） 日本産婦人科医会. "母子感染各論：クラミジア・トラコマティス". 妊娠と感染症. 研修ノート. No. 70, 2004, 95-6.
6） 日本産婦人科医会. "母子感染各論：単純ヘルペスウイルス". 妊娠と感染症. 研修ノート. No. 70, 2004, 62-4.
7） 日本産婦人科医会. "母子感染各論：ヒトパピローマウイルス". 妊娠と感染症. 研修ノート. No. 70, 2004, 80-1.
8） 平野秀人ほか. 症候から診断・治療へ：外陰部掻痒・帯下. 産科と婦人科. 70, 2003, 1596-9.

≫ 平野秀人

전문의에게 필요한 태반병리

태반검사의 의의

태반은 모체와 태아 사이에 있는 장기로서 임신 초기부터 출생까지 태아의 호흡 및 순환, 내분비, 대사기능 등과 관련되어 임신의 유지나 태아의 발육에 중요한 역할을 하고 있다. 태반 발육에 영향을 미치는 경우가 생기면 태아에게도 이상이 생길 수 있고, 역으로 태아에 이상이 있을 때 태반에도 영향을 미칠 수 있다. 그러므로 태반을 검사함으로써 태반 그 자체의 이상뿐만 아니라 모체나 태아의 이상이나 그 정도를 간접적으로 추측할 수 있으며 진단의 단서가 된다.

이 글에서는 태반 검사법 및 태반 감염증에 대해 설명한다.

태반 검사법

1. 적응·보존

태반은 임신이나 분만 경과에 이상이 확인되지 않는 정상 만삭 신생아의 경우에는 대부분 문제가 없으므로, 표 1과 같이 선택된 증례에서만 태반을 검사하고 있는 것이 일반적이다. 오사카부립모자보건종합의료센터 병리과에서는 모든 태반(반송증례를 포함)을 병리의사가 육안 관찰한 뒤, 육안에서 이상 병변이 의심되는 경우나 임상소견에서 모체 또는 아이에게 이상이 있을 경우에 조직검사를 실시하고 있다. 그러나 산과의 및 병리의가 함께 정보교환을 하면서 육안으로 관찰하고 토의하는 것이 이상적이다. 여기서 주의할 점은 반드시 4℃의 냉장고에서 보관하고, 신속하

표 1. 태반을 검색해야만 할 주요 대상

1. 감염증 의심
2. 태아성장제한(FGR)
3. 다태
4. 기형·증후군
5. 모체 당뇨병
6. 태아수종, 태아적아구증
7. 양수흡인증후군
8. 원인불명의 태아·신생아 가사
9. 원인불명의 태아·신생아 사망

게 검사를 시행하는 것이다. 냉장 보관되어 있으면, 1주일 정도 경과했어도 일반적인 병리진단은 가능하다. 그러나 실온에서 방치되었거나 동결 보관 된 경우 육안으로 관찰하기 어렵고 태반 조직도 손상되기 때문에 검사의 의미가 없어진다(특히 반송 증례는 주의를 요한다).

2. 수순

우선 태반 겉의 양막을 제거하고 태반의 크기(장경 × 단경 × 높이) 및 제대의 길이, 굵기를 측정한다. 제왕절개수술 예에서는 제대는 길이의 합계를 기재한다. 길이를 측정한 제대는 태반에서 분리시키고 태반의 무게를 측정한다. 동시에 제대혈관의 수를 확인하다. 다음으로 태아면 및 모체면을 관찰한 후, 칼로 모체면부터 전층에 걸쳐 절단하고 약 1.0에서 1.5cm 간격으로 자른 다음 분할면을 관찰한다. 그리고 태반 절단면 전체 혹은 일부(병변부 및 정상부)를 약 1일 정도 10% 포르말린으로 고정하고, 다음날 조직표본을 제작한다. 조직표본을 제작하는 기준은 태반의 양막에서 탈락막까지 포함한 전층을 병변부 및 정상 부위를 포함하여 3개 부위 이상, 제대는 2개 부위 이상, 난막은 1개 부위를 만든다. 여기서 병변부와 비교하기 위해서는, 반드시 정상부분도 제작하는 것이 중요하다. 이 때, 변연부에서는 정상이었어도 중앙부에서 이상소견이 확인되기도 하므로, 중앙부(제대부착부) 부근의 조직표본도 함께 만들도록 한다.

3. 육안 소견

태반 검사에서 가장 중요한 것은 육안 소견이다. 여기서의 평가가 진단을 크게 좌우한다. 주수에 따라 태반의 크기나 색조 등이 변하는 것에 주의를 요한다.

1) 태반의 형태 및 크기, 중량에 대해서

태반은 만삭에서는 통상 원형에서 난원형으로, 크기는 19~21cm×16~18cm×2.0cm 정도, 무게는 300~400g 정도, 태반/태아체중비는 0.014 정도이다. 태반의 무게는 일반적으로 임신고혈압증후군이나 만성감염증, 염색체이상에서 크기가 작으며, 태아수종(특히 태아심부전이 동반되는 경우)이나 모체 당뇨병·빈혈에서는 커지는 경향이 있다.

2) 태아면 관찰

색조 이상(융모양막염 유무, 태변착색, 양수 출혈) 및 양막과 융모막의 유착, 양막결절, 편평상피생, 양막대, 융모막낭종, 난황낭흔적, 피브린침착, 융모막하혈종, 제대부착부로부터의 표면혈관의 주행방향이나 혈전, 석회화 등을 관찰한다. 일반적으로 융모막판은 투명하여, 양막을 쉽게 떼어낼 수 있다. 융모막하 피브린침착(subchorionic fibrin deposition)은 임신 말기에는 흔히 볼 수 있는 소견이나 조산의 태반에서는 확인되지 않는다.

3) 모체면 관찰

색조 및 혈종, 가장자리의 출혈의 유무를 관찰한다. 정상이라면 모체면은 10~40개 정도의 태반소엽(placental lobule)으로 나누어져 있으며, 이들 중앙부는 나선동맥의 종말부가 된다. 모체면에서의 색조는 태아의 다혈증 또는 빈혈증을 반영하고 있다. 태반뒤혈종은 모체면, 주로 변연부에 부착되어 있는 암적색의 떼어낼 수 없는 응혈괴가 태반을 압박하여 함몰시키고 있다. 크기는 200mL가 기준이 되며, 이러한 경우 태반조기박로 진단된다.

4) 분할면 관찰

경색 및 혈전, 농양, 혈종, 피브린의 유무를 관찰한다. 정상 태반의 외관은 스펀지양상으로 암적색을 띠는데, 조산의 태반은 부드러운 암적색이다. 정상적으로 만삭에 가까워지면서 (특히 변연부에서) 태반경색이 관찰될 수 있으나, 10%를 넘는 것 같으면 비정상이다.

5) 제대 관찰

정상길이는 약 50cm, 굵기는 1.5cm이다. 제대의 부착 부위 및 색조 이상, 부종, 과염전, 교액을 관찰한다. 원인불명의 자궁내태아사망은 제대륜의 협착과 같은 원인이 많다.

태반의 감염

자궁내감염의 감염경로에는 태반을 통한 감염 및 상행성 감염의 2가지가 있으며(그림 1), 어느쪽이나 태반은 관여한다. 태반을 통한 감염은 혈행성 혹은 탈락막을 통해 감염원이 태반에 들어가 혈류와 함께 융모를 통하여 태아에 도달하는 경로이다. 이 경우 일반적으로 융모염(villitis)이 생기며, 융모양막염(chorioamnionitis)이나 제대염(funisitis)은 확인되지 않는다. 상행성 감염은 외음부에서 자궁경관을 통해 자궁구의 양막이 감염되고, 감염원이 양수강에 들어가 양수를 통하여 태아 및 태반에 도달하는 경로이다. 이쪽의 경우 통상 융모양막염 및 제대염이 생기며 융모염은 확인되지 않는다. 여기에서 융모양막염은 주로 모체로부터의 염증반응을, 제대염은 태아로부터의 염증반응을 반영하고 있다고 생각된다. 융모양막염과 제대염을 모두 가지고 있는 증례나 파보바이러스B19나 B형 및 C형 간염바이러스처럼 태반을 통과할 뿐 염증을 일으키지 않는 경우나, 원인불명의 융모염(villitis of unknown etiology) 등이 있으며, 감염 경로는 태반 소견만으로 생각할 것이 아니라, 임상 소견 등을 포함하여 종합적으로 판단할 필요가 있다.

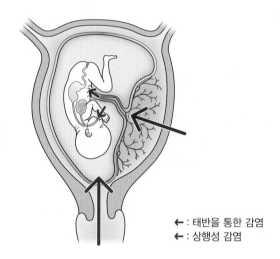

←: 태반을 통한 감염
←: 상행성 감염

그림 1. **자궁내 감염의 경로**

1. 융모양막염, 제대염

1) 육안 소견

융모양막염은 진행과 함께 융모막판을 덮는 막이 불투명하며 칙칙해지기 시작하고, 색조는 흰색, 그리고 황백색이 되고, 양막을 떼어내기 어렵게 된다. 이러한 변화는 막으로의 호중구의 침윤을 반영하고 있다. 또 태변이 부착되면 녹색을 띄고, 출혈을 동반하면 암적색이 된다. 제대염은 진행되면 부종이 생기고 중증례에서는 분할면에서 혈관주위에 원형의 괴사나 석회화를 관찰할 수 있으며, 괴사성제대염(necrotizing funsitis)으로도 불린다. 이와 같이 태반 표면의 색조나 제대를 관찰하는 것으로 융모양막염, 제대염의 유무 또는 중증도를 육안 관찰 단계에서 대략 추측할 수 있다.

2) 조직소견

융모막판 또는 제대에 염증세포의 침윤이 확인된다. 융모양막염이 의심될 경우, 모체 측의 반응과 태아 측의 반응 양방향에서 생각하는 것이 중요하다. 모체 측 염증반응의 소견으로는 모체의 호중구가 융모막강이나 탈락막의 혈관에 침윤되고 융모막판이나 양막으로 파급되어 있는 모습이다. 마찬가지로 태아 측의 염증 반응에서는 태아 유래의 호중구가 융모막판이나 제대의 혈관에서 침윤하여 융모막 혈관벽이나 제대로 파급되어 있는 모습이 관찰된다. 기존에 융모막판에서는 Blanc분류, 제대에서는 나까야마 분류로 병기 분류가 되어 왔다. 그림 2와 같이 염증이 융모막판에서 Ⅰ도는 융모막 아래에 머무르고 있는 것(subchorionic intervillositis), Ⅱ도는 융모막까지 침윤된 것(chorionitis), Ⅲ도는 양막까지 염증이 도달해 있는 것(chorioamnionitis)이라고 한다. 제대염

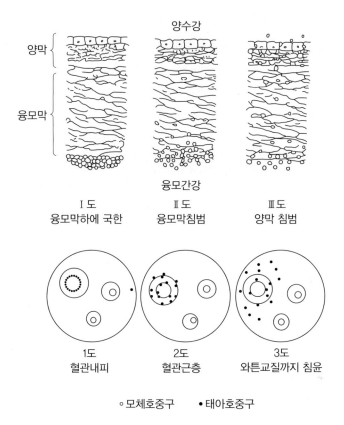

그림 2. **융모양막염의 병기분류**

에서는 1도는 혈관내피에 머물러서 있는 것, 2도는 혈관 근층까지의 것, 3도는 와튼교질까지 염증이 도달하고 있는 것을 말한다. 최근 Redline 등에 의해 병기 분류와 함께 중증도도 고려한 분류가 생겼는데,[1] 표 2와 같이 융모판막 평가에서 Stage1은 융모막하 및 융모막까지만 염증이 머물러 있는 것(acute subchorionitis/early chorionitis), stage2는 양막까지 머무는 것(chorionitis/chorio amnionitis), Stage3는 양막상피가 괴사되거나 변성되어 있는 것(necrotizing chorioamniontis)이고, 제대 평가시 Stage1은 융모막에 혈관염이 생기거나, 제대 정맥염(umbilical phlebitis /chorionic vasculitis)을 초래한 것, Stage2는 제대에 동맥염을 일으키고 있는 것(umbilical arteritis), Stage3는 와튼교질까지 염증이 미쳐, 괴사를 일으키고 있는 것(necrotizing funisitis)을 가리키고 있다. 나아가 모체측 반응으로 융모막하 미세농양(subchorionic microabscesses)이 확인되거나 태아측의 반응으로 융모막혈관의 변성이나 혈전이 확인되는 것(intense chorionic vasculitis)을 중증으로 분류하고 있다. 이 Redline등의 분류는 병기분류에서는 Blanc 분류나 나까야마 분류와는 약간의 차이는 있지만 대체로 동일하다. 그러나 중증도를 추가한 점은 주목할만한 점이다.

표 2. 융모양막염, 제대염의 병기분류·중증도

Maternal response	
Stage 1 early :	acute subchorionitis/early chorionitis
Stage 2 intermediate :	chorionitis/chorioamnionitis
Stage 3 late :	necrotizing chorioamnionitis
Grade severe :	subchorionic microabscesses
Fetal response	
Stage 1 early :	umbilical phlebitis/chorionic vasculitis
Stage 2 intermediate :	umbilical arteritis
Stage 3 late :	necrotizing funisitis
Grade severe :	intense chorionic vasculitis

2. 융모염

1) 육안소견

육안관찰로 판단하기는 어렵다. 그러나 염증의 정도가 심하게 되어 농양을 형성하게 되면 경색과 같은 변화를 보인다.

2) 조직소견

융모간질에서 염증세포가 확인된다. 주로 TORCH 감염증이 확인되는 소견이 있으나, 이 경우 임상소견이 중요하여 조직소견만으로는 스크리닝하는 것이 불가능하다. 일반적으로 바이러스 감염증에서 중요한 것은 봉입체의 동정 및 염증세포의 침윤, 그에 따른 2차성 변화를 증명하는 것이다. 감염된 바이러스는 세포 내 핵 또는 세포질에서 증식하는데 세포내에 최초의 변화로서 출현하는 것은 봉입체이다. 봉입체는 감염되어 있는 세포의 종류 및 시기에 따라 다양하나, 바이러스 특이적인 소견이 있으면, 감염된 바이러스의 종류도 동정할 수 있다. 그러나 봉입체는 극히 조금밖에 확인되지 않는 경우가 많아, 동정이 어려우므로 바이러스 감염증을 의심될 때에는, 표본을 많이 제작하고 가능하면 면역조직화학염색 등의 방법을 함께하는 것이 검출에 도움이 된다.

3. 거대세포바이러스 감염증[2]

거대세포바이러스는 자궁내태아사망 및 저체중 출생아, 간비종대, 소두증, 맥락망염, 두개내 석회화, 유아 간염, 간질성폐렴, 난청 등 여러가지 증상을 유발할 수 있으나 대부분의 경우 무증상이다. 그러나 감염경로, 특히 자궁내감염을 증명하기 위해서는 태반검사가 필수적이다. 태반에서는 핵 내에 halo를 동반하는 즉, owl's eye로 불리는 큰 봉입체가 거대세포바이러스 감염의 대표적인 소견으로, 이 소견만으로 진단이 확정된다. 이 특징적인 봉입체는 태반에서는 20%로 확인되고 있지만, 실제로는 더 많다. 더욱이 림프구 및 형질세포가 침윤하고 있는 융모염에서(lymphoplasmacytic villitis) 더 잘 관찰되며 그 외, 융모출혈 때문에 생기는 헤모시데린 침착, 융모 및 영양막세포(trophoblast)의 괴사, 융모간질의 섬유화 등을 일으킨다.

4. 파보파이러스B19 감염증[2]

소아에게 전신성 홍반을 일으키는 파보바이러스B19는 태아에게는 주로 적아구계 세포에 감염되어 증식, 파괴하여 빈혈을 일으킨다. 태아에게는 태아수종 및 빈혈을 일으키고 태반에서도 심한 부종이 생겨 태반의 크기가 커진다. 조직상에서는 핵내 봉입체를 갖는 적아구계 세포가 융모의 혈관 내에서 확인되는 것이 특징이나, 태반을 통한 감염 시에 보이는 융모염은 확인되지 않는다.

5. Group B *streptococcus* (GBS) 감염증

그람양성구균에서 신생아 패혈증 원인균의 하나인 GBS는 대부분 상행성 감염으로 조기양막파수와 관련되어있다. 증상은 주로 toxin에 의하여 일어나 염증은 비교적 가벼우나, 실제로는 심한 융모양막염을 보이는 경우가 많으며 융모막판이나 양막에서 GBS를 동정할 수도 있다. 신생아 패혈증을 일으키고 있는 경우는 융모염을 동반하는 경우가 많다.

6. 리스테리아 감염증

그람양성구균이며 식중독 원인균이기도 한 *Listeria monocytogenes*는 임산부나 신생아, 면역 결핍자가 감염되기 쉬우며, 수막염이나 패혈증을 일으킨다. 임산부의 경우, 태반을 통해 태아에게 감염되어 유산을 일으킬 수 있으며 주로 상행성 감염으로 세균이 태반에 이르게 되지만, 혈행성 감염도 확인된다. 염증은 융모막판뿐만 아니라 융모간질까지도 이른다. 중증례는 융모사이공간에 미세농양(microabscess)을 형성한다. 육안소견에서는 태반 표면이 칙칙하고, 분할면에서 작은 농양을 관찰할 수 있다. 조직상에서는 중증의 융모양막염과 함께 융모사이공간에서 호중구의 집괴(덩어리) 및 주위 융모에 대한 파급, 융모의 괴사나 피브린 침착이 보인다. 또한 세균의 덩어리도 관찰할 수 있다.

7. 칸디다 감염증

임산부의 1/4 가까이가 질염으로 감염되어 있는 *Candida albicans*는 피부 발진을 비롯해 폐렴, 수막염, 패혈증과 같은 신생아 칸디다증을 일으킨다. 태반에서는 중증의 융모양막염, 제대의 백반, 괴사성 제대염이 특징적으로 나타난다. 제대의 백반에서는 양막상피하에 호중구의 침착이 확인됨과 동시에 칸디다의 균체나 균사를 동정할 수 있다. 제대에 백반이 보였을 때는 신생아에게 피부증상이 없는지 확인할 필요가 있다.

참고문헌

1) Redline, RW. et al. Amniotic infection syndrome : nosology and reproducibility of placental reaction patterns. Pediatr. Dev. Pathol. 6, 2003, 435-48.
2) 竹内真ほか. 胎盤から見たウイルス／トキソプラズマによる胎内感染症の臨床病理学的検討. 周産期学シンポジウム. 18, 2000, 51-62.
3) Benirschke, K. et al. Pathology of the human placenta. 6th ed. New York, Springer, 2012, 557-655.
4) Baergen, RN. Manual of pathology of the human placenta. 2nd ed. New York, Springer, 2011, 281-319.
5) Kraus, FT. et al. Placental pathology. Washington DC, American Registry of Pathology. 2004, 75-115.
6) 中山雅弘. 目で見る胎盤病理. 東京, 医学書院, 2002, 57-64.

≫ 竹内　真

산과마취 · 무통분만

8 산과마취 · 무통분만

a 산과마취

산부인과 마취 영역은 불임치료 마취, 임신 중의 수술 마취, 태아치료·검사 마취, 제왕절개술 마취, 무통분만, 산욕 환자 마취와 전신 관리 등이 있다. MFICU 환자의 진료는 그 중 제왕절개 술의 마취, 임산부의 심폐 소생술이 해당된다. 무통분만에 대해서는 다음 항으로 미루겠다.

마취전 평가와 준비

1. 산과와 마취과의 정보교환

MFICU 입원 환자는 제왕절개술이 될 가능성이 높은 환자가 대부분이다. 병동에서 급변하여 매우 응급한 제왕절개술이 필요하게 된 경우에도 모체와 태아의 상태를 파악하여 신속하게 마취 를 시작할 수 있도록 다음과 같은 여러 단계의 산부인과·마취과 상호 정보교환이 바람직하다.

1) 분만 예약 환자 명단에서 마취 위험이 높은 환자를 찾아낸다.

산모에서 마취의 위험 인자는 산과 위험 인자와는 다를 수 있다. 마취의 위험 인자를 가진 임 산부는 조기에 마취과 상담을 하는 것이 바람직하다. 산과 합병증 이외에 마취 위험을 높이는 인 자로서는 병적 비만, 삽관 곤란을 예상시키는 특징(작은 턱, 개구 제한, 하악 후퇴, 문치의 돌출, 경부 가동성 제한 등), 혈액 질환이나 항응고제 사용, 척추병변, 신경근 질환, 심혈관 질환 등을 들 수 있다.

2) 산과 입원 환자 리스트에서 며칠 내의 움직임을 파악한다.

주간 산과·신생아과 회의 등에서 발표하는 입원 환자 목록에 근거하여 수일 내에 제왕절개술을 해야 할 것 같은 환자들은 마취과에 정보를 주고, 수술 전에 검사를 진행한다. 회의에 마취과 의사도 참석하는 것이 바람직하다.

3) 당일의 움직임을 파악한다.

마취과 의사도 진통발생 환자의 진행상황이나 진통유발 환자의 모체 위험을 조기에 확인하고, 필요에 따라 환자를 진찰하고 마취에 대해 설명한다. 응급 시 잘 평가되지 않던 환자의 마취를 성급히 할 경우, 모아의 안전을 해칠 우려가 있다. 따라서 제왕절개술이 정해진 후에야 마취과 의사나 수술실에 신청하는 것이 아니라, 제왕절개술이 될 가능성이 높은 환자들은 적어도 마취 전문의에게 정보를 제공해 두어야 한다. 이렇게 되면, 수술실 상황을 파악하고 있는 마취과 의사가 필요에 따라 수술실 간호사와 수술 방을 준비해 둘 수 있다. 산부인과 전용 수술실의 경우도 마찬가지이다.

2. 수술실 준비
1) 산과 전용 수술실

분만실에 산과 전용 수술실이 있는 시설에서는 그곳을 매우 응급 시에만 사용하는 것은 마취기나 마취제 등의 준비와 관련하여 누락이 있거나, 익숙하지 않은 환경에서의 마취 행위로 인해 실수가 일어나기 쉽기 때문이다. 결국 예정 제왕절개술도 정기적으로 산부인과 수술실에서 시행하며, 의료직원 모든 사람이 익숙해져야 한다.

마취기는 매일 아침 점검을 한다. 마취유도제나 승압제 등은 매우 응급한 제왕절개술에 대비해서 주사기에 준비해서 냉장고 보관해도 문제는 없다. 상온 보존으로도 일주일 동안은 세균이 번식하지 않았다는 보도가 있다. 프로포폴은 예외이다.

2) 중앙수술실

중앙수술실의 제왕절개술은 다양한 직종의 지원을 받기 쉬운 이점이 있지만, 많은 병원에서는 제왕절개술 방을 확보하지 못하므로 제왕절개술을 하려고 해도 방이 비어 있지 않을 수 있다. 마취과 의사는 진통발생 환자의 태아 심박수 저하 등 제왕절개술의 가능성이 높아진 환자가 나타나면, 수술실 간호사와 상담하여 수술실을 확보하는 등 어느 단계까지 준비를 진행할지를 정한다. 중앙수술실에서의 제왕절개술 준비에는 인펀트(소아)워머 등은 필요할 때마다 반입되므로 준비에 시간이 필요하고 누락도 생기기 쉽다. 체크리스트 등을 사용하여 준비를 서로 확인한다.

3. 마취전 진찰과 수술전 지시

1) 진찰 포인트

과거의 마취경력, 특히 과거의 제왕절개술에서 마취제의 종류·투여량과 최대용량, 마취수기의 용이함, 승압제의 양 등에 대해서 정보를 수집한다. 내과 합병증(천식 등)의 유무와, 출혈 경향, 고열이나 돌연사 등의 가족력, 상용약, 약물·음식·고무제품 알레르기에 대한 문진을 시행한다.

진찰에서는 상기의 삽관이 곤란한 예측인자가 없는지를 평가하고, 입을 벌려서 구강내 관찰 법을 Mallampati 분류로써 평가한다(그림 1). 심음, 호흡음을 청진하고, 하지의 부종, 허리 디스크, 신경학적 소견에 주의한다.

2) 수술 전 지시

예정 제왕절개술 전에 고형물 섭취는 8시간 이상 금지한다. 수분은 2시간 전까지 허가해도 괜찮다.[1] 응급 제왕절개술 전에는 흡인성폐렴 예방 목적으로 H_2브로커(라니티딘 50~100mg 등)와 메토클로플라마이드 10mg을 정주한다.

제왕 절개술 마취

1. 마취법 선택 기준

마취로 인한 모체 사망은 흡인이나 삽관 곤란 등 전신 마취 예에 많기 때문에, 구역마취(척수 지주막하 마취나 경막 외 마취)를 원칙으로 한다.[1] 응급수술의 대부분에서도 척수 지주막하마취

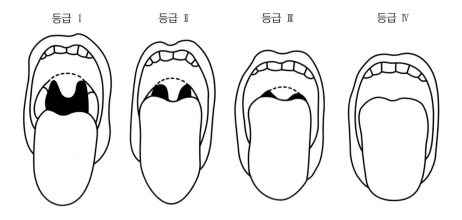

등급 Ⅰ   등급 Ⅱ   등급 Ⅲ   등급 Ⅳ

그림 1. 삽관곤란의 예측으로 이용되는 Mallampati분류 (Samsoon이 개정)

환자를 앉은 자세로 하여 입을 벌리고, 혀를 내밀게 했을 때의 구강 내가 보이는 방식으로 평가한다. 등급 Ⅰ은 구개궁, 연구개, 구개수가 보인다. 등급 Ⅱ에서는 구개궁과 연구개는 보이지만 구개수의 일부가 숨어 있다. 등급 Ⅲ에서는 연구개가 보이지만, 등급 Ⅳ에서는 연구개가 보이지 않는다.
산과 환자에서의 각 분류에서 삽관 곤란의 빈도는 등급 Ⅰ(0.42%), 등급 Ⅱ(1.8%), 등급 Ⅲ(4.3%), 등급 Ⅳ(6.6%)였다.[2]

를 시행할 시간이 있는 경우가 많다. 초긴급에서는 전신마취를 선택한다. 구역마취가 금기되는 지속되는 대량 출혈이나 응고장애, 절개부 국소의 감염 등이 존재한다면 전신마취를 선택한다.

2. 마취 관리의 실제

1) 전신마취 (표 1)

작용 발현이 빠른 점과 금기가 없는 점, 교감신경 차단에 의한 저혈압이 없는 점이 이점이다. 결점으로서는 모체의 마스크 환기·삽관 곤란의 가능성, 흡인 위험, 아이의 마취제에 의한 억제 가능성, 휘발성 흡입 마취제에 의한 이완 출혈, 얕은 마취에서의 모체의 수술 중 각성 등이 있다.

2) 척수 지주막하 마취 (표 2)

작용 발현이 비교적 빠르고 수기가 간편한 것이 장점이다. 단점으로는 저혈압이 있다. 마취 범위가 불충분한 경우에는 수술 중에 진정제나 진통제의 추가가 필요하지만, 임산부는 호흡 억제의 위험성이 높다는 점에 유의한다. 지주막하 펜타닐 첨가로 수술 중 진통 효과를 높인다.

3) 경막외 마취 (표3)

강점은 혈행동태의 안정과 작용시간의 연장, 수술 후 진통효과를 얻을 수 있는 것이다.

4) 척추 지주막하 경막외 마취 병용(combined spinal-epidural ; CSE법)

척추 지주막하 마취에 의한 빠른 작용 발현과 경막외 마취에 의한 작용 시간 연장, 수술 후 진

표 1. 제왕절개술에서의 전신 마취 예[3]

- 전처치 투약: 라니티딘 50~100mg, 메토크로프라미드 10mg정주
- 자궁좌방전위
① 100% 산소로 급속산소화(탈질소화)를 3분간 또는 4회 심호흡을 시행한다.
② 수술체위를 잡고 피부소독, 소록포를 씌운다.
③ 신속 도입(rapid sequence induction)
  임산부 체중당 티오펜탈 나트륨 5mg/kg, 스키사메토늄 염화물 1.5mg/kg 정주
  [주] precurarization은 임신부에서 안검하수나 복시를 초래할 가능성이 시사되며, 스키사메토늄의 작용 발현을 늦춘다. 임산부에게는 거친 섬유속성 경련이 별로 나타나지 않아 근육통의 빈도가 낮다. 이러한 이유로 표준화된 precurarization은 권유되지 않는다.
④ 윤상연골 압박
⑤ 커프 기관 내 튜브(내경 7.0mm 또는 그 이하, 스타일럿 들이)로 삽관, 힘 프노그래프로 확인 후에 집도한다.
⑥ 아산화질소 50%, 산소 50%. 세보플루란 2~3%로 유지한다(NRFS라면 100% 산소).
⑦ 경구 위관을 삽입하다(코피가 나기 쉽다).
⑧ 분만 후: 아산화질소 66%, 산소 33%, 휘발성 흡입 마취제 세보플루란을 1% 이하로 줄인다. 오피오이드, 벤조디아제핀을 적절히 수여한다.
⑨ 완전 각성하면 관을 뽑는다.

표 2. 제왕절개술에서의 척수 지주막하 마취의 예

- 전투약 메톡로브라마이드 10mg 정주하여, 수술 중의 오심을 줄인다.
① 히드록시에틸 전분 500~1,000ml 급속수액을 실시한다. PIH이라면 감량한다.
  급속 수액이 저혈압 예방 효과는 반드시 높지 않다. 교질액이 더 효과는 높다. 응급제왕절개술 에서는 수액이 다 될 때까지 기다릴 필요는 없다.
② 우측와위에서 L2/3 혹은 L3/4 추간에서 요추 천자를 시행한다.
  25G 혹은 27G의 펜실 포인트 바늘이 원칙(긴급시 25G 퀸케 바늘)
③ 국소 마취약: 고비중 또는 등비중 부피바카인염산염 12mg(키와 척추 마취범위는 상관관계가 없으므로, 신장에 상관없이 일정량을 사용해도 좋다)
  지주막하 오피오이드: 펜타닐 10μg로 수술중 진통효과 증강, 모르핀염산염 0.15mg(생리식염수로 10배 희석한 것을 0.15mL)로 수술 후 진통제로 제공.
  T4이하의 무통영역을 목표로 한다.
④ 즉시 앙와위로서 자궁좌방전위를 루틴으로 시행한다.
⑤ 태아 분만까지 혈압을 분당 측정한다.
⑥ 필요에 따라 산소 투여를 시행한다.
⑦ 혈압저하(수축기혈압 100mmHg미만)에 대하여 페니레프린 50~100μg 정주 또는 에페드린 5~10mg을 정주한다. 모체 서맥에서는 에페드린을 선택한다(페니레프린은 자궁혈류를 줄이지만, 태아의 산혈증은 에페드린보다도 적다).
⑧ 자궁절개부터 태아분만까지 3분 이내에 시행한다.
⑨ 자궁 수축제를 투여한다(옥시토신 지속 정주가 첫 번째 선택).
⑩ 진정이 필요한 경우: 디아제팜 2.5mg씩 서서히 정주한다(미다졸람보다는 태아를 출산한 기억을 유지할 수 있다는 보고가 있다).
⑪ 수술 후 지시: 지주막하 모르핀을 사용한 경우에는 지발성 호흡 억제의 위험성이 있기 때문에 펄스옥시미터로 24시간 모니터링을 한다. 호흡수<10회/분 또는 SpO₂<95%는 산소를 투여하기 시작하고 당직 의사에게 연락한다.

통작용에 이용할 수 있는 것이 이점이다. 지주막하 부피파카인 양을 6mg으로 줄임으로 경막외 투여로 마취 범위를 넓히는 sequential CSE에서는 혈행 동태 안정을 얻기 쉽다.

3. 병태별 마취관리

1) nonreassuring fetal status (NRFS, 태아기능부전)

제왕절개술을 신청한 시점에서 몇 분 이내에 아이를 분만하고 싶은지 산부인과 의사는 마취과 의사에게 전한다. 마취과 의사에 의한 환자 수술 전 평가 시간이 없으면 마취과 의사는 수술실 준비를 우선하고, 그 후에 환자를 입실시키면서 기도 평가와 간단한 문진을 실시하여, 간결하게 설명하고, 환자가 안심하도록 노력한다. 입실 시점에서 태아심박수(FHR)가 회복되어 있으면 FHR 모니터링을 계속하면서, 요추 천자를 시도해도 좋다. FHR이 떨어지면 즉시 전신마취기로 전환한다.

표 3. 제왕절개술에서의 경막 외 마취 예

① 젖산첨가링겔액 500~1,000mL 급속수액을, 마취를 시행하면서 실시한다.

② 우측 와위에서 L2/3 또는 L3/4 추간으로 경막외강을 동정한다.

③ 국소마취제: 20만 배 아드레날린 첨가 2% 리도카인(2% 리도카인 20mL에 아드레날린 0.1mL 〈01mg〉를 첨가) 국소마취제를 3mL씩 2회에 나누어 주입한다. 주입 전후에 카테터를 흡인하여, 혈관 내 또는 지주막하 오주입 소견이 없는 것을 확인하면서 투여를 반복한다. 즉 이명이나 입주위의 마비감, 금속 비슷한 맛이 없는지, 하지가 갑자기 운동 불능이 되지는 않았는지 등. 이하, 모든 국소마취제 투여 시에 반복해서 확인한다.

④ 앙와에서 자궁좌방전위로 하고 역 Trendelenburg위치로 국소 마취약을 추가로 3mL 투여한다(천골 영역에 대한 효과를 기대).

⑤ 마취효과가 나타나기 시작하면, 자궁좌방전위를 유지한 채로 수평으로 한다.

⑥ 국소마취제를 3mL씩 추가하여, T4 이하의 무통역을 얻는다. 국소마취제 총 투여량은 12~24mL 정도를 기준으로 한다.

⑦ 집도 전에 생리식염수 9mL를 넣어 희석한 페타닐 50μg을 경막외 투여한다.

⑧ 국소마취제의 추가는 20만배 아드레날린 첨가 2% 리도카인에서는 45분마다, 0.5% 부피바카인에서는 60분마다를 기준으로, 첫 회 투여량의 1/3~1/2량을 투여한다.

⑨ 수술 후 진통: 수술 후 경막외 지속 주입은 하지의 움직임이 회복된 후 시작한다(지주막하오주입을 발견하기 위해서).
경막외 모르핀을 사용할 경우에는 모르핀염산염 3mg+0.25% 부피바카인 6mL를 2회로 나누어 주입한다(국소마취제와 병용하면 지주막하 오주입을 발견할 수 있다).
경막외 모르핀 투여 시에는 지주막하 모르핀 투여 시와 동일한 술후 지시를 따른다.

2) 임신고혈압증후군(pregnancy induced hypertension ; PIH)

직전의 혈소판수를 평가한다. 척추지주막하마취에서도 안정된 혈행동태를 얻을 수 있는 것으로 판명되었다. 과도한 수액 부하는 폐수종의 위험성이 있다. 황산마그네슘 투여 예에서는 수술 중, 수술 후에도 지속하지만, 마취제 및 근이완제의 작용이 증강되는 것에 유의하여 적절한 근이완 모니터링을 시행한다.

3) 상위태반조기박리

높은 응급도로 파종성혈관내응고증후군(DIC)합병의 가능성을 고려하여 전신마취를 선택하는 경우가 많다. 수혈개시 기준으로는 검사결과를 기다리지 말고 임상적 출혈경향에 근거하여 신선동결혈장(FFP) 등의 수혈을 시작한다.

4) 전치태반·유착태반

술전에 유착의 가능성 정도를 산과와 마취과가 정보공유를 해둔다. 유착태반의 가능성이 높다면, 양측 총장골동맥폐색 풍선을 술전에 유치하거나 회수식자가혈도 고려한다. 경막외 마취하에 제왕절개술을 개시하고, 태아의 분만 후에 전신마취로 전환하면 태아의 억제를 피할 수 있다. 동맥라인은 대단히 유용하며 필요에 따라 중심정맥라인을 확보한다. 출혈량이 적다면 구역마취 그대로 수술을 종료 가능한 경우도 있다. 그러나 대량 출혈에서의 대응과 전신마취 도입을 동시에 시행할 위험을 고려하여, 제왕절개술 개시 시점에서 기관삽관에 의한 기도 확보를 해두는 것도 합리적이다.

5) 다태·절박조산

자궁수축억제제에 의한 폐수종의 위험성이 증가하고 있다. 자궁수축억제제 장기투여 후의 탈분극성근이완제(스키사메토늄, 골격근이완제) 투여에서는, 투여직후의 고칼륨혈증의 보고가 있다. 또한 리토드린염산염 중지 후에 세포내에 이행하고 있던 칼륨이 혈중에 이행하기 때문에 수시간 후에 고칼륨혈증을 일으킬 위험성도 있다.

4. 마취합병증 대책

1) 삽관곤란

임신중의 점막충혈 및 유방증대 등에 의해, 임산부 삽관곤란의 위험성이 상승하고 있다. 특히 PIH에서는 후두 또는 구강내의 부종이 심해져서 삽관곤란의 위험성이 높다. 삽관곤란이 마취도입전에 예상되고 있으면, 의식하 기관지 파이퍼 삽관을 선택거나 구역마취를 검토한다. 전신마취도입 후에 삽관곤란이 발생한 경우는 NRFS의 유무에 따라 마취를 지속할지 환자를 각성시킬지 판단한다(그림 2).[4]

예기치 못한 삽관곤란이 발생하면, 마취제 또는 근이완제의 추가투여는 결코 행해서는 안 된다. 마스크 환기가 불가능한 경우는 후두 마스크 투입을 시도하는 것도 좋다. 인공호흡을 할 수

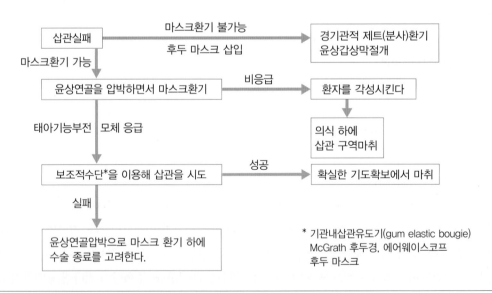

그림 2. 제왕절개수술에서 예기치 않은 삽관곤란의 대처법 (문헌 4에서 인용·개정)

있는 요량이라면, 무리하게 삽관 튜브로 교체할 필요는 없다. 후두 마스크 투입이 잘되지 않을 때는, 즉시 윤상갑상막 천자에 의한 산소화를 우선 개선하고, 기관 절개로 환기가 가능하도록 할 필요가 있다. 에어웨이스코프 등 기관삽관 보조기구를 시도해 볼 수 있지만, 후두경 또는 에어웨이스코프 등의 기구를 몇 번씩 구강내에 삽입하면, 부종 및 출혈로 마스크환기 조차도 어려워지기 때문에, 기구삽입은 3회까지 시행하고 중단해야 한다.

2) 아나필락시스

수술 중에 라텍스 등에 대한 아나필락시스가 나타나면, 수액과 승압제(페닐에프린염산염)로 순환을 보조하고, 기도협착의 정도에 따라 기관 삽관 여부를 판단한다. 아드레날린 정주(아드레날린 1mg을 생리식염수 100mL에 희석하여 1mL정주, 이후 점증)가 가장 효과적이다. 스테로이드나 항히스타민제도 병용한다. 알러젠으로 의심되는 것을 제거하고, 스테로이드를 반복 투여하여 알레르기 증상 재발을 예방한다.[3]

3) 경막천자후 두통(post-dural puncture headache ; PDPH)

척수지주막하 마취에는 지름이 가는 펜슬포인트형 척추마취 침을 이용함으로써 예방한다. 경막외 마취에서의 PDPH에 대해서는, 외전신경 마취에 의한 복시가 확인되면 즉시, 경막외 자가혈 패치를 시행한다.

임신부 심폐소생술

임신부의 심정지율은 2~3만명 중 1명으로 알려져 있으며,[5] 최근의 사회적 사정이나 합병증이 있는 임산부의 증가 등에 의해 발생 빈도는 증가 경향에 있다. 또, 심정지한 임부의 90% 이상은 소생 가능했다고 여겨지고 있으며, 주산기에 종사하는 의료자는 임부의 생리학적 특징을 이해한 후, 소생처치가 가능하도록 소생법을 숙지하고 사전에 준비해 두는 것이 중요하다.

심정지가 임박한 임산부에 대한 대응은 사람들을 불러 산소 투여, 앙와위 또는 자궁좌측이동을 하고 정맥로를 횡격막보다 윗쪽으로 확보한 다음, 원인이 되는 병태를 감별하여 치료한다.

심정지에 이르면 자궁좌측 이동을 유지하고, 흉골압박과 인공호흡을 개시한다. 흉골 압박은 흉골 중앙(비임신부에서의 흉골 압박 부위보다 약간 더 머리측)에서 한다.[6] 순환작동제나 제세동은 자궁혈류나 태아에 대한 영향에 구애받지 않고, 모체 적응에 따라 일반적인 투여량과 에너지로 실시한다. 모체 소생처치에 반응하지 않을 경우에는 태아의 생사 여부에 관계없이 모체의 소생을 목표로 사망전 제왕절개술을 고려·시행한다. 미국심장협회(AHA)에 의한 심폐소생과 구급 심혈관을 위한 가이드라인 2010에 따른 임산부의 심폐소생 알고리즘을 그림 3에 나타낸다.[7]

최초 구조자
• 모체 심정지팀에 통보한다. • 모체심정지의 발생시각을 기록한다. • 환자를 앙와위로 한다. • BLS알코리즘에 따라서 흉골압박을 개시한다. • 손은 흉골의 평소보다 조금 높게 갖다 댄다.

2번째 이후의 구조자	
모체 치료 개입 • 제세동을 늦추지 않는다. • 일반의 ACLS약물을 규정량으로 투여한다. • 100% 산소에 의한 환기를 시행한다. • 파형표시호기CO₂ 모니터 및 CPR의 질을 모니터링한다. • 적당한 심박 재개 후의 치료를 시행한다. **모체를 위한 수정점** • 횡경막보다 위에서 정주를 개시한다. • 혈액량감소를 조사하고, 필요가 있다면 수액의 볼루스 투여를 시행한다. • 기도확보가 어려운 경우에 대비한다. 고도의 기도확보기구는 숙련된 시술자가 장착하는 것이 바람직하다. • 환자가 심정지 전에 마그네슘의 정주/골수내 투여를 받은 경우는 마그네슘의 투여를 중지하고, 염화칼슘 10% 용액을 10mL 혹은 글루코산염 칼슘 10% 용액을 30mL정주/골수내 투여한다. • 제왕절개의 수술중 및 수술후에 모든 모체소생치료(CPR, 체위, 제세동, 약물, 또는 수액)를 지속한다.	**명백하게 임신 하고 있는 환자에 대한 산과적 개입**[주] • 손으로 자궁을 좌측으로 이동(LUD)을 시행한다(자궁을 환자의 왼쪽으로 전위하는 것에 의해, 대동정맥압박[*1]을 완화한다). • 체외용 또는 체내용의 태아감시장치가 장착되어 있는 경우는 양쪽을 함께 제거한다. 산과팀 및 신생아팀은 즉시 응급 제왕절개술 준비가 필요 • 소생치료 개시부터 4분 이내에 자기심박재개가 나타나지 않는 경우는 즉시 응급제왕절개로 결정하는 것을 고려한다. • 소생치료의 개시부터 5분 이내의 제왕절개분만을 목표로한다. [주] 명백한 임신자궁미란, 대동정맥압박[*1]을 일으킬 정도로 큰 임상적으로 간주되는 자궁을 의미한다.

심정지의 원인을 검색해서 치료한다 (앞글자를 따서, BEAU-CHOPS)	
Bleeding/DIC	출혈/DIC
Embolism	색전(관동맥/폐동맥/양수색전증)
Anesthetic complications	마취합병증
Uterine atony	이완출혈
Cardiac disease	심정지(심근경색/협심증/대동맥해리/심근증)
Hypertension	고혈압(임신고혈압신증/자간)
Other	ACLS가이드라인의 기타 감별진단[*2]
Placenta	상위태반조기박리/전지태반
Sepsis	패혈증

그림 3. AHA임신의 심폐소생(CPR) 알고리즘

(문헌7에서 인용)

[*1] AHA가이드라인 일본어판에서는 「대동맥압박」으로 되어 있지만, 원문(aortocaval compression)에 근거하여 「대동정맥압박」으로 하였다.

[*2] ACLS가이드라인에서의 심정지원인의 감별진단으로는 5H5T로 되어 있다.
5H: Hypovolemia(순환혈액량 감소): Hypoxia(저산소증); Hydrogen ion(산혈증); Hypo/hyperkalemia(저/고 칼륨혈증); Hypothermia(저체온)
5T: Tension pneumothorax(긴장성기흉); Tamponade, cardiac(심장탐포나데); Toxins(중독); Thrombosis, pulmonary(폐색전); Thrombosis, coronary(관상동맥색전)

사망전 제왕절개술의 목적은 자궁을 축소시킴으로써, 모체의 순환 동태를 개선시키는 데 있다. 만기출산 제왕절개분만에서는 자궁이 수축하여 대동·정맥의 압박이 해제되는 것에 의해 심박출량이 20~25% 상승한다. 자궁좌측전위를 하며 심폐소생술을 시행하여도, 모체의 심장 박동이 재개되지 않을 경우는, 사망전 제왕절개술의 적용이 된다. AHA 가이드라인에서는 심폐소생으로부터 5분 이내에서 제왕절개분만을 권장하기 때문에, 실제로는 4분 심폐소생술을 해도 자기심박이 재개되지 않을 경우에는 제왕 절개술을 결정하고, 1분 이내에 아이가 태어나게 된다. 그러므로 심장 마비가 확인된 단계에서 제왕 절개술을 염두에 두고 준비할 필요가 있다.

사망전 제왕절개술의 시행을 판단할 때의 고려점으로서 ① 모체 구명의 가능성이 있다고 생각된다, ② 모체 구명 목적의 제왕절개에서는 태아의 생사는 불문한다, ③ 임신 자궁이 혈행동태를 악화시키고 있다고 생각된다, ④ 자궁저가 배꼽위치에 도달하는 정도(임신 20주 이후)이어야 하는 것 등이 있다.[8] 사망전 제왕절개술 실시 전의 가족으로부터의 동의는 소생 처치의 일환이므로 반드시 필요하지는 않다고 생각한다. 또 실시 장소는 수술실로 이송하여 시간을 낭비하는 것보다 응급처치실 등이 바람직하다고 여겨진다. 심폐소생에서는 마취제의 투여가 불필요하며, 오히려 마취가 순환억제작용에 마이너스가 된다. 자기심박 재개 후에 신중하게 진통제 등을 투여하는 것이 좋다. 사망전 제왕절개술의 시행에 있어서는 산부인과뿐만 아니라 마취과나 신생아과, 구명구급, 수술부 등 다진료 부문의 이해와 팀워크가 필수이며, 평소부터 시뮬레이션이나 주지를 철저히 해 둘 필요가 있다.

참 고 문 헌

1 ） Practice Guidelines for Obstetric Anesthesia : An Updated Report by the American Society of Anesthesiologists Task Force on Obstetric Anesthesia. Anesthesiology. 106, 2007, 843-63.
2 ） Rocke, DA. et al. Relative risk analysis of factors associated with difficult intubation in obstetric anesthesia. Anesthesiology. 77, 1992, 67-73.
3 ） Datta, S. 最新産科麻酔ハンドブック. 奥富俊之訳. 東京, メジカルビュー社, 2007, 331p. 原著：Obstetric Anesthesia Handbook. 4th ed.
4 ） Malan, TP Jr. et al. The difficult airway in obstetric anesthesia : techniques for airway management and the role of regional anesthesia. J. Clin. Anesth. 1, 1988, 104-11.
5 ） Chestnut, DH. et al. eds. Chestnut's Obstetric Anesthesia : Principles and Practice. 5th ed. Philadelphia, Elsevier Saunders, 2014, 1229p.
6 ） Vanden Hoek, TL. et al. Part 12 : cardiac arrest in special situations ; 2010 American Heart Association Guidelines for Cardiopulmonary Resuscitation and Emergency Cardiovascular Care. Circulation. 122 (18 Suppl 3) , 2010, S829-61.
7 ） Vanden Hoek, TL. et al. "第12章：特殊な状況下での心停止". AHA心肺蘇生と救急心血管治療のためのガイドライン2010. 東京, シナジー, 2012, S847-80.
8 ） 日本産科婦人科学会・日本産婦人科医会 編集・監修. "CQ903-1". 産婦人科診療ガイドライン：産科編2014. 2014, 392-4.

≫ 照井克生, 吉冨智幸

생리현상인 분만이 골절 통증이나 암성동통을 능가할 정도의 통증이 모아에게 있어 필요하다는 확실한 증거는 없다. 한편 통증자극에 의한 스트레스 호르몬의 유리에 의하여 모체 혈압은 상승하고 자궁 태반 혈류는 감소한다. 또 환기량, 산소소비량은 증가하여, 동맥혈이산화탄소 분압이 저하되면 산소해리 곡선은 좌측으로 이동하여, 태아에게 산소 제공이 적어지게 된다. 정상 태아라면 충분히 견딜 수 있지만, 스트레스가 생리적 범위를 넘어 과잉이 된 경우나 이미 태반기능부전이 존재하여, 태아 예비능력이 저하된 상태의 태아에게 미치는 영향을 무시할 수 없다. 무통분만이 적극적으로 불안-긴장-동통의 사이클을 차단함으로써, 태아에 대한 산소 공급을 유지하면서 모체 피로를 경감하고 쾌적하며 만족도 높은 분만체험이 가능해진다.

무통분만의 의학적 적응례는 심장 질환, 고혈압 합병 등의 고위험 임신, 극도로 불안감이 강한 산모나 태아발육부전 등이지만, 저위험 임신이라도 산모가 희망하면 무통분만을 제공할 수 있는 체제가 요망된다.

무통분만 실시에 있어서는 엄중한 모아 감시는 필수이며, 위험과 장점에 대한 설명 후, 서면 동의를 얻어 둔다(그림 1).

생리학적 기초지식: 산통의 신경지배

분만 제1기의 자궁수축, 경관개대에 동반된 내장통은 교감신경을 통해서, 척수의 T_{10}–L_1분절을 경유하여 전달되어, 제2기의 하부산도의 개대, 신전을 동반한 체성통은 S_2–S_4의 음부신경을 통해서 중추로 전달된다. 따라서 통증의 전달경로를 말초나 중추수준에서 차단하면 산통을 경감할 수 있다(그림 2).

무통분만의 방법

모아에게 있어 안전하고 충분한 효과를 얻을 수 있으며 분만 예후에 영향을 주지 않고, 모유수유를 포함하여 모아에게 장기적으로도 부정적인 영향이 없는 방법이 바람직하다. 약물을 사용하는 방법으로는 전신성 약물을 투여하는 방법과 구역 진통법으로 크게 구분된다(표 1).

기타자토대학병원

설명·동의서

2/3

진료기록용

환자번호		기재일	년 월 일
환자성명		진료과	신과
생년월일		성별	

3. 위험성, 합병증·부작용에 대해서
- 태아로의 진통의 영향: 진통제는 태반을 통과해서 매우 조금 태아에게 이행되지만, 대부분의 신생아를 조사한 결과, 진통제의 영향은 없다고 여겨지고 있습니다. 아기의 섬박이 저하되는 점이 있으나 수분 이내에 일시적인 것 입니다.
- 산모의 부작용: 극히 낮 드물 (50,000~100,000 사례 당 1례 정도)게 마취제 중독 또는 하지신경장애에 동의하는 중독한 합병증이 일어나는 일이 있습니다.
  발저림, 힘빠짐, 소변이 잘 나오지 않음. 가려움, 혐압저하, 발열이 나타나는 경우가 있으나, 일시적인 일입니다.
- 산모의 합병증: 1%정도의 빈도로 출산 후에 강한 두통이 나타나는 경우가 있습니다. 다른 약제 일례를리 신경장애, 국소마취제 중독, 고차 전척수지주막마취, 경막 외 혈종 농양, 수막염이 발생하는 경우에는 그에 대처한 응급 처치를 받는 것도 포함으로 여겨집니다.

이상, 저는, 상기 의료에 대해 설명해 드렸습니다.

설부인과 설명의사 _____ 인

년 월 일

기타자토대학병원장 전   기 타 자 토 대 학 병 원

년 월 일

저는 상기진료행위의 설명을 받고, 내용을 설명 받았기에 동의합니다. 또한 상기진료 행위를 시행하는데 예기치 못한 상황이 발생한 경우에는 그에 대처한 응급 처치를 받는 것도 포함하여 동의합니다.
요한 처치, 및 상기 진료에서 예기치 못한 상황이 필요하게 되는 경우에 동의합니다.

환자 서명 _____ 인

친족 또는 이해보조자 (보호의무자·법정대리인)
본인과의 관계 (   )
                                  서명   인

기타자토대학병원

설명·동의서

1/3

진료기록용

환자번호		기재일	년 월 일
환자성명		진료과	신과
생년월일		성별	

[설명요지]
저희 기타자토대학병원 직원 일동은, 진료에 성의를 다하며, 치료에 최선을 다하겠습니다. 진료행위(검사, 처치, 분만수술 등)는, 신체 상태를 회복하고, 병을 치료하기 위해 실행합니다만, 정도의 차이는 어떤 침습(아픔)을 동반합니다. 여기에서는 예상되는 중요한 합병증에 대해서 설명드립니다. 그러나 극히 세물한 부분 또는 예상외의 내용, 개인의 체조에 따라서 증상이 발생하는 경우가 있습니다. 또한 진료하는 관계는 병이 진료행위의 전후에 발생하는 경우도 있습니다. 모든 가능성을 일은 다하기는 불가능하며, 합병증 또는 우발증이 발생하면, 중대한 후유증이 남을 가능성도 부정할 수 없습니다.

이하의 내용이 인지된 경우는 동의서에 서명을 해주세요. 의문이 남을 시에는 납득가능할 때까지 질문을 해주세요. 납득되지 않는 경우는, 무리하게 결론을 내지말고, 다른 의사의 의견 (세컨드 오피니언)을 묻는 것도 추천드립니다. 필요한 자료도 제공합니다. 기타 의사의 의견을 구하는 것으로 불이익한 응대를 받는 것은 없습니다. (응급시에는 마음의 어려운 경우도 있습니다.)

진료 검사 등의 명칭   무 통 분 만 에 관 하 여

(설명내용)
1. 상기진료행위의 내용·목적 및 필요성에 대해서
- 분만에 대한 통이 또는 공포심 스트레스의 원인이 됩니다.
  자궁의 혈류를 감소시키고, 배송 아기(태아)가 나쁘게 되어버리는 경우가 있습니다.
  - 따라서 통증을 없애는 것이 태아에게 있어서 상황이 좋다고 여겨집니다.
  - 혈압이 높거나, 심장에 병이 있는 임산부의 경우는, 통증을 안정시키기 위해서 진통이 필요하게 되는 경우
  도 도움이 됩니다.

2. 방법
  "경막 외 진통, 척수지주막하 경막 외 진통 (CSEA),
  ① 등 기운매를 소독한 뒤, 무통 주사를 넣습니다.
  ② 경막외강이라는 좁은 공간에 가늘은 튜브를 넣습니다. CSEA의 경우는 먼저 지주막하강에 진통제를 넣고,
     그 후 경막외강에 가늘은 튜브를 넣습니다.
  * 경막 외 진통 및 CSEA가 불가능한 경우 ...... 혈압이 (롱치) 어려운 상태일 때,
    감염되기 쉬운 상태일 때 등으로 진통제의 마취효과 주사를 시행합니다.
  밸린스마취 - 돌발민진행 상황에 따라 진통제의 전통제를 시행합니다.

그림 1 무통분만·설명·동의서

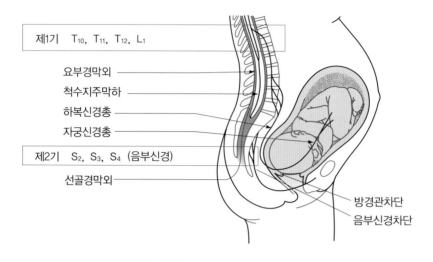

그림 2. 산통의 전달경로와 구역마취　　　　　　　　　　　　　　　　　　　　(문헌1에서 일부 인용)

표 1. 약물을 이용한 무통분만

• 구역진통법(regional analgesia)		
경막외진통(epidural analgesia ; EDA)	간차투여법	
	지속투여법	
	PCEA (patient controlled epidural analgesia)	
척수지주막하 경막외 병용진통(combined spinal- epidural analgesia ; CSEA)		
방경관차단(paracerivical block ; PCB)		
음부신경차단(pudendal block ; PB)		
• 전신투여법		
"밸런스마취"		
정맥마취(intravenous patient controlled analgesia ; IV-PCA)		

1. 구역진통(regional analgesia)

1) 경막외진통(epidural analgesia ; EDA)

무통분만의 제1선택의 방법이다. L_2-L_3 혹은 L_3-L_4의 척수강으로 생리식염수를 이용한 저항소실법으로, 경막외침을 삽입하여 경막외강을 확인하고, 카테터를 3~5cm 유치한다. 혈액, 뇌척수액의 역류가 없는지 확인하고, 테스트도스로서 0.25% 부피바카인(혹은 20만배 아드레날린 첨가 1% 리도카인) 2~3mL 주입 후에, 메인도스로서 0.25% 부피바카인을 3~5mL씩 분할 주입하고 총량 8~12mL을 투여하여 Th_{10}이하의 수준을 얻는다. 혈관 내 오주입의 증상(입 주위의 떨림감, 금속제 미각, 이명), 지주막하 오주입의 소견(하지의 운동불능)이 없는 것을 확인하고, 그 후는 간차투여("top up법")나 지속투여를 한다. 0.24%에서 고농도의 국소마취제는 운동신경차단이 문제가

표 2. 구역진통에서 사용하는 국소마취제의 특성

	리도카인	부피바카인	로피바카인
분자량	234	288	274
pKa	7.7	8.1	8.0
지용성	↑↑↑↑↑	↑↑	↑↑↑
단백결합	64%	95%	94%
최대투여량	5mg/kg	2~3mg/kg	>2mg/kg
독성	경련	심정지	대량에서 경련

되기 때문에 무통분만에서는 사용하지 않는다. 보다 저농도의 국소마취제의 선택이 바람직하나, 감통효과가 떨어지므로 오피오이드를 병용한다. 지속투여는 인퓨전 펌프로 0.0625~0.125% 부피바카인 + 페타닐 2μg/mL을 8~12mL/시간으로 지속투여한다. 로피바카인은 부피바카인에 비해서 심독성, 중추신경독성이 약해, 운동신경 차단의 정도도 약하기 때문에, 0.08~0.1 로피바카인 + 페타닐 2μg/mL의 지속투여법이 표준 방법이다(표 2).

PCEA (patient controlled epidural analgesia)는 PCA 펌프로 산모 스스로 통증을 제어하는 방법으로 사용 국소마취약 용량은 감소하고, 산모의 만족도는 높아졌으며, 의료 종사자의 부담도 경감할 수 있다. 0.125% 부피바카인과 2μg/mL 페타닐을 이용하여 기초 투여량을 4~10mL/시간, 볼루스 투여량을 5~10mL, 락아웃 시간을 10~15분, 최대 투여량을 10~20mL/시간으로 설정한다.

2) 척수지주막하 경막외병용 진통(combined spinal-epidural analgesia ; CSEA)

EDA와 척수지주막하 마취의 각각의 결점을 보완하는 방법으로, 척추마취침으로 경막외강을 확인한 후, 27G의 척추마취침을 지주막하강에 삽입하여(needle through needle법) 펜타닐 15~25μg, 부피바카인 2.5mg을 주입하고, 마취침 제거 후, 경막외강에 카테터를 유치한다. 그 후에는 EDA를 지속적으로 투여한다. EDA에 비해 효과발현이 신속하여, 척수지주막하에 오피오이드만 투여하면 운동 신경 차단을 피할 수 있다.

3) 방경관차단(paracervical block ; PCB)

질원추부 가까이의 경관점막하(2, 4, 8, 10시의 4군데 또는 4, 8시의 2군데)에 국소마취제 5~10mL를 침윤하고, 구심성지각신경을 프랑켄호이젤 신경총의 레벨을 차단한다. 분만 제2기에는 효과가 없다.

표 3. **경막외 진통을 피해야만 하는 경우**

• 임산부가 거부하는 경우 • 혈액응고 이상 • 항응고제, 항혈소판제 투여 예 • 순환혈액량의 저명한 감소 (탈수, 출혈)	• 천자부의 국소감염 • 패혈증 • 척추·척수질환 • 신경계질환 • 두개 내압 항진

4) 음부신경차단(pudendal block ; PB)

내진으로 좌골결절을 확인하고 코백 침을 선극인대에 삽입하여 좌우에 각각 1% 리도카인을 5~10mL 주입한다. 음부동정맥이 가까우므로 혈액 역류가 없는지 확인한다. 선극인대 내의 음부신경차단으로 제2기의 통증은 차단할 수 있지만, 분만 제1기의 내장통은 차단할 수 없다.

2. 밸런스 마취, 정맥 마취

구역 진통이 금기여서, 무통분만이 필요한 경우에 선택한다(표 3). 진통제·진정제·정맥 마취제 등을 분만진행에 맞추어 소량 투여하여 상승 효과로 동통을 완화하는 방법이, 즉 밸런스 마취이다. 디아제팜 10mg 근주, 페티진 50~100mg 근주 또는 25~50mg 정주, 페티롤판®(페티진 50mg+주석산 레바롤판 0.625mg) 근주, 아산화질소에 의한 흡입마취 등을 조합한다. PCA 펌프를 이용하여 펜타닐 등의 정주에 의해 동통을 제어하는 IV-PCA (intravenous patient controlled analgesia)도 행해진다.

경막외 진통문제 대책

1. 수기에 따른 문제

산모는 체형으로 인해 적절한 체위를 유지하기가 어려우며, 특히 비만에서는 경막외강으로의 접근하는데에 어려움을 겪는 일이 있다. 측와위로 잘 되지 않을 경우 좌위로 시도한다. 척추중앙에서 접근이 어려우면 옆에서 가운데로 접근해 본다. 2~3번 시도하여 성공하지 못한다면 시술자를 바꾸거나 다른 방법을 선택한다. 비임신부에 비해 경막외강 확인이 어려운 경우가 있으므로, 신중하게 경막침을 진행하지 않으면, 경막 천공으로 인한 두통(post dural puncture headache ; PDPH) 위험이 높아진다. 공기에 의한 저항 소실에서는 불규칙적인 결과를 보일 가능성이 높고, 만약 경막천공이 되었을 경우에 PDPH의 증상이 심한 점 등으로 인해 생리식염수를 이용한다.

카테터의 삽입이 원활하지 않거나 효과를 얻을 수 없는 경우는 재천자를 시도한다. 카테터의 유치는 3~5cm에 맞추고, 국소마취제의 1회투여량은 3~5mL의 분할투여로 하여, 매번 혈액, 뇌척수액의 역류가 없는 것을 확인한다.

편측차단이 되면 레벨이 나오지 않는 쪽을 아래로 해서 0.25% 부피바카인이나 0.2% 로피바카인 혹은 1% 리도카인을 5~10mL 주입한다. 불규칙적인 경우도 볼루스를 투여한다. 지속 투여에 의한 경우에는 1시간마다 좌우 측와위로 한다. 진통 효과가 없어지고 상실된 경우에는 카테터의 접속(경막외강에서 빠졌을 가능성, 경막외정맥 내로 잘못 삽입되었을 가능성 등)을 확인한다.

2. 저혈압

저농도 국소마취제의 분할투여에서는 교감신경차단에 의한 저혈압의 빈도는 낮으나, 수축압이 90~100mmHg 이하이거나, 30mmHg 이상 저하되면 자궁태반혈류량은 감소하고, 태아에게 저산소부하가 되기 때문에 서둘러 수액투여와 체위변환을 시행한다. 경막외강으로의 국소마취제 투여 후에는 레벨이 고정되기까지 5분 마다 혈압을 측정하고, 저혈압에 유의한다. 앙와위에서는 대동정맥압박에 의한 저혈압이 조장되므로, 자궁을 좌측으로 전위하거나, 베드를 좌측으로 경사시킨다. 수액투여, 체위변환에 의해도 혈압상승이 보여지지 않으면 에페드린 5mg을 반복정주한다.

3. PDPH 치료

비스테로이드계 항염증제(NSAIDs)에 의한 진통이나 뇌척수액 누출에 의한 반사성 혈관 확장에 대하여 혈관수축을 목적으로 안식향산 나트륨카페인 정주를 시행한다. 안정, 수액 부하가 유효하다는 증거는 없다. 증상이 개선되지 않을 경우, 경막외 자가혈 패치를 시도한다. 청결조작으로 정맥혈을 20mL 채취하여, 천자부에 가까운 꼬리쪽부터 접근하여 경막외강에 10~20mL를 서서히 주입한다.

4. 소양감 · 발열 · 요폐 · 요통

오피오이드 첨가에 의하여 소양감을 호소하는 빈도는 높으나 치료를 요할 정도의 소양감은 아니다. EDA에서 분만 시간이 6시간 이상을 경과하면 발열 빈도가 높아진다. 과환기의 회피에 의한 열발산의 감소와 체온조절중추에 미치는 영향에 의한 것이지만 자세한 것은 불분명하다. 융모막양막염과의 감별이 필요하지만, 쿨링과 아세트아미노펜 투여로 해열 대책을 고려한다.

구역 진통에 의해서 배뇨 장애와 요통이 지속되지는 않는다.

5. 심각한 합병증

국소 마취제 중독, 전척수지주막에 걸친 마취, 아나필락시스, 경막외 혈종 등의 심각한 합병증은 극히 드물지만, 응급 소생의 준비, 응급시의 대책은 고려해 둘 필요가 있다.

분만 예후에 미치는 영향

서농도 국소 마취제를 사용하는 한 분만이 지연되어 이른바 난산에 의한 제왕절개술의 빈도가 높아지지는 않지만 옥시토신 사용이 필요한 빈도는 높아진다. 골반저 근육의 이완에 의해 후방 후두위, 저재횡정위가 되는 빈도는 높고, 흡인·겸자 분만의 빈도는 높다. 진통이 약해져서 힘주는 것이 줄어들어, 분만 제2기 시간은 연장되지만 초산부에서 4시간, 경산부에서 3시간까지의 분만 제2기 지연은 허용된다.[8]

태아·신생아에 미치는 영향

구역진통으로 모체 저혈압이 발생하지 않는 한 태아에 대한 영향은 없으나, 특히 CSEA, PCB 에서는 일과성 서맥이 문제가 된다. 급격하게 동통 스트레스가 제거됨으로써 순환혈중 카테콜라민은 감소하고, 지금까지의 베타작용에 의한 자궁수축 억제효과가 해제되어, 자궁근 긴장이 높아지는 것도 원인이라고 생각된다. 통상은 일과성의 변화로 급속 분만이 필요하게 되는 일은 없다.

밸런스마취나 정맥 마취는 마약·진통제·진정제 투여를 통해 태아 well-being의 중요한 지표인 심박수 기준선 미세변동은 감소·소실되고, 사이너소이달 패턴을 볼 수 있다. 무통 효과를 기대하여 투약량을 증가하면 신생아 호흡 억제의 빈도는 높아지고, 포유력은 감약되어 모아관계가 약화될 가능성이 있다.

참고문헌

1) Bonica, JJ. Principle and practice of obstetric analgesia and anesthesia. Baltimore, Williams & Wilkins, 1995.
2) Foley, MR. et al. Obstetric Intensive Care Manual. 3rd ed. McGrawHill, 2011.
3) Ostheiner, GW. BWH産科の麻酔. 照井克生監訳. メディカルサイエンスインターナショナル, 1997.
4) Chestnut, DH. Obstetric Anesthesia : Principles and Practice. Mosby-Year book, 1999.
5) Birnback, DJ. et al. Textbook of Obstetric Anesthesia. Churchill Livingstone, 2000.
6) Hughes, SC. et al. Shnider and Levinson's Anesthesia for Obstetrics. Lippincott Williams & Wilkins, 2001.
7) 天野完. 硬膜外鎮痛法～分娩予後, 胎児・新生児への影響. 日本産科婦人科学会雑誌. 63, 2011, N-282-6.
8) Spong, CY. et al. Preventing the first cesarean delivery : summary of a joint Eunice Kennedy Shriver National Institute of Child Health and Human Development, Society for Maternal-Fetal Medicine, and American College of Obstetricians and Gynecologists Workshop. Obstet. Gynecol. 120, 2012, 1181-93.

≫ 天野 完

9

신생아 관리와 처치

CHAPTER

9 신생아 관리와 처치

a 일반 신생아 관리

일반 신생아의 개념

여기에서 말하는 일반(정상, 건강한) 신생아란 기본적으로는 정상 분만을 통해 출생한 아이이다. 정상분만이란 다음 조건을 충족하는 것으로 생각된다.

1) 재태 37~41주의 만삭 출산일 것.

2) AFD (appropriate-for-dates)이며, 또한 출생 체중 2,500g 이상일 것.

3) 출생 전 태아 정보에 문제점이 없을 것.

4) 분만이나 태아에 영향을 미치는 급성 또는 만성 모체 합병증이 없는 경우.

이러한 조건에 일치하는 신생아에 대하여 산부인과 입원 중의 관리에 대해 서술한다.

산과 입원중인 모자에 대한 기본 목표: 지원

NICU 입원 신생아는 신생아과 의사의 세밀한 진찰과 적극적인 치료를 받는데, 이에 반하여 정상 신생아에 대해서는 산과 입원 중 수일간 모아관계 수립과 향상을 도모하는 것을 첫 번째 목표로, 과도한 관리를 하지 않는 것을 기본으로 삼아야 한다. 이 기간의 모아 관계에서 가장 중요한 것은 모성의 발현으로, 발현에 있어 가장 기본적인 것은 「내 아이가 사랑스럽다」라고 생각하는 감정이다. 그러기 위해서는 주위의 의료인도 산모로 하여금 「내 아이가 사랑스럽다」는 마음이 산모에게서 싹트도록 돕는다. 지나친 간섭과 과도한 지도는 산모의 육아 의욕 저하와 자신감 상실로 이어질 수 있다. 특히 갓 출산을 마친 산모들은 자신의 육아 능력 등에 대해 불안이 많다. 이러한 산모에게 있어서 지지가 되는 것은 의료진의 격려이며, 그러기 위해서는 「지도」가 아니라, 「지원」이라는 말과 자세로 대하는 것이 바람직하다.

정상 신생아의 관리

1. 조기 모아 접촉

출생 직후부터 모아 접촉은 그 후 모성의 발현이나 모유 수유의 확립에 중요하다고 되어 있다. 그런 의미에서 많은 시설에서는 출생 직후부터의 skin-to-skin contact, 이른바 조기 모아 접촉이 분만실에 도입되게 되었다. 캥거루 케어라고도 불리는데, 표 1[1])과 같이 오해가 생기기 때문에 현재 캥거루 케어라는 호칭은 분만실에서 이루어지는 모아 접촉에는 사용하지 않도록 권장되고 있다. 또, 이 조기 모아 접촉에는 그 와중에 나타난 급변 사례에 대한 보고도 있으므로, 표 1의 유의점을 참고하여 주의하여 시행할 필요가 있다.

표 1. 조기 모아 양식 실시 유의점[1)]

1. 「캥거루 케어」란 전신 상태가 안정된 조산아에게 NICU (신생아 중환자실) 내에서 기존부터 실시되어 왔던 모아의 피부 접촉을 일반적으로 말한다. 한편, 만삭 신생아의 출생 직후 분만실에서 실제 이루어지는 모아의 피부 접촉은 다른 케어가 요구됨에도 불구하고 「캥거루 케어」라는 말이 국내외를 막론하고 사용되어, 용어 사용에 혼란을 겪고 있다. 따라서 만삭 신생아의 출생 직후에 실시하는 모아의 피부 접촉에 대해서는 여기에서는 「조기 모아 접촉」이라고 부른다.

2. 출생 직후의 신생아는 태내 생활에서 태외 생활로의 급격한 변화에 적응하는 시기이며, 호흡·순환기능은 쉽게 파탄되고 호흡순환 부전을 일으킬 수 있다. 따라서. 「조기 모아 접촉」의 실시와 상관없이, 이 시기 신생아의 전신 상태가 급변할 가능성이 있기 때문에 주의 깊은 관찰과 충분한 관리가 필요하다(이 시기에는 조기 모아접촉의 실시에 관계없이 호흡정지 등과 같은 위중한 현상은 약 5만 출생에 한 번이고, 어떠한 종류이든 상태의 변화가 출현하는 것은 약 1만 출생에 1. 5회로 보고된 바 있다).

3. 분만 시설은 「조기 모아 접촉」 실시 유무에 관계없이, 신생아 소생술 (NCPR)의 연수를 받은 직원을 상시 배치하여, 갑작스런 아이의 급변에 대비한다. 또 「신생아 소생술 알고리즘」을 분만실에 게시하여 만약의 상황에 대비한다.

4. 「조기 모아 접촉」을 실시하는 시설에서는 각 시설의 실정에 맞는 「적응 기준」「중지 기준」「실시 방법」을 작성한다.

5. 임신중 (예를 들어 출산계획 작성시)에 신생아기에 일어날 수 있는 위험 상태를 이해할 수 있도록 노력하고, 「조기 모아 접촉」에 대한 충분한 설명을 임산부에게 행하고, 남편이나 가족에게도 이해를 촉구한다. 이 때, 유익성이나 효과뿐만 아니라, 아이의 위험성에 대해서도 충분히 설명한다.

6. 분만 후에 「조기 모아 접촉」의 희망 유무를 다시 확인한 후에 희망자에게만 실시하고, 그것을 진료기록에 기재한다.

2. 출생시의 구비강 흡인

출생 시에 호흡이 정상적으로 개시된 상태라면, 과도한 구비강 흡인을 하는 것은 반대로 미주 신경 반사에 의한 서맥을 유발할 염려가 있다. 또한 구비강 흡인에 의해 호흡의 확립을 저해하기도 한다. 지금까지의 몇 가지 보고에서는, 구비강 흡인을 실시하지 않았던 신생아 쪽이 시행했던쪽보다 산소 포화도 상승과 심장 박동 안정이 빨라, 불필요한 흡인은 하지 않는 편이 호흡의 확립을 촉진한다.[2]

따라서 출생 시의 흡인은 「필요 시에만 이루어지는 조치이며 표준은 아니다」라는 것을 명확히 한다.

정상 신생아의 출생 시 흡인에 대해서는 표 2에 나타낸 방법이 권장된다.

3. 탯줄 처치

출생 후 즉시 제대 결찰을 한다. 제대 결찰의 시기에 대해서는 너무 이른 결찰은 아이의 빈혈을, 너무 늦은 결찰은 아이의 다혈을 가져온다. 또한 제왕 절개 분만으로는 자궁 수축이 이루어지지 않기 때문에, 태반의 혈액이 아이에게 가지 않는다거나, 아이의 위치가 태반보다 높으면, 태아의 혈액량은 적어진다. 반대로 좌위 분만에서는 아이의 위치가 낮아 다혈이 되기 쉽다. 이상과 같이 분만양식에 따라 여러 가지 요소가 있으나, 제대 결찰을 하는 시기에 대해서는 결론적으로는 출생 후 30~60초 정도면 문제없다. 조기 모아 접촉의 안전성을 확인할 수 있으면, 조기 모아 접촉

표 2. 출생직후의 구비강 흡인 방법

1) 출생 후 호흡이 규칙적이고, 비강·구강 내에 호흡을 저해하는 양수 등이 없다면, 구비강 흡인은 하지않고 거즈로 코나 입을 닦기만 하면 된다. 또 체위변환으로 양수나 기도의 분비물 배출을 촉진한다.
2) 흡인을 할 경우에도 구강내·비강내에만 국한한다. 카테터의 삽입을 최소한으로 하여 부드럽게 시행한다.
3) 구강 비강 내에 점성이 높은 분비물 등이 확인되어, 수차례 흡인이 필요하다고 생각되는 경우에는 흡인 후의 마스크와 배깅 등의 사이클을 고려해서 실시한다.

표 3. 제대처치 순서

1) 제대 절단 후 제대클립을 끼우고 겸자를 제거한다.
2) 제대동정맥의 혈관 수(동맥 2. 정맥1)를 확인 후, 알코올로 소독, 가제로 가볍게 덮는다. 이 때 거즈를 너무 밀착시키지 않는 것이 좋다.
3) 24시간 후에 제대 클립을 분리하여 지혈되는 지를 확인하고, 그 다음은 건조시키기만 한다. 거즈로 제대를 강하게 압박하면서 감싸주면 잘 건조되지도 않고 탈락도 늦어지며 잡균도 생기기 쉽다.
4) 건조법에 따라서 제대는 4~5일만에 탈락되고 육아종도 거의 생기지 않는다.
5) 제대 육아종이 생긴 경우는 방치하지 않고 질산은 처치를 하거나 안과 겸자로 떼어낸다. 베타메타손 연고를 하루에 두 번 정도 바르면 1주일 정도 지나면서 퇴축하는 경우도 많다.

을 하면서 제대 결찰을 하여도 상관없다.

표 3에 제대 결찰 후의 제대 처치 순서를 나타낸다.

4. 예방적 항균제

임균이나 클라미디아 결막염 등의 예방을 위해서 항균제를 눈에 점적하는 것은 효과적이라고 여겨지고 있다.

5. 입원중의 진찰

1) 출생시

이상을 놓치기 쉬운 부분이 있으므로 신중하게 진찰한다. 놓치기 쉬운 질환으로는 안구이상, 구개열, 수막류, 합지증, 항문폐쇄, 분만시 외상 등을 들 수 있다.

2) 퇴원까지의 기간

정기적으로 체온, 호흡수를 측정하여 체온 36.5~37.5℃, 호흡수 40~60회/분인 것을 확인한다. 다호흡의 경우에는 호흡기 질환, 심장 질환, 대사성 산혈증을 염두에 둔다. 배뇨·배변 횟수, 변색깔에도 주의를 기울여 기록한다. 이유 없이 활기가 없고, 피부색이 좋지 않고, 호흡 등에서 이상이 발견되는 일이 많다는 것을 인식한다. 이러한 점이 확인될 때는 감염증, 저혈당, 선천성 심질환, 소화기질환, 용혈성질환, 선천대사 이상 등을 의심한다.

6. 모아관계 수립 지원

1) 출생 직후부터 모자동실을 권장한다

현재 아직 모자 별실의 시설도 많으나 모아 관계상이나, 또 그 후의 모유수유에서도 출생 직후부터의 모자동실이 바람직하다. 산모에게도 항상 내자식이 곁에 있는 것이 산후 불안 해소로 이어지거나 모성 발현에 대한 효과도 크다. 아이가 곁에 있으면 울어서 모체의 안정을 도모할 수 없는 것이 아닌가 하는 걱정도 있지만, 아이는 산모와 함께 있으면 정신적인 안정이 이루어져 우는 빈도는 적어지는 것을 알 수 있다.[3]

2) 빈번한 수유를 통한 모유육아의 확립

모자동실이면 시간에 관계없이 여러 번 수유가 가능해진다. 이는 「필요하면 먹인다」는 자율수유가 가능해짐과 동시에 여러 번 수유에 의해 모유 분비를 촉진하여 산모의 육아에 대한 자신감으로 이어진다.

출생 후 최초의 몇 주 동안은 아이가 공복 시에 운다고만 할 수 없고 다양한 표현으로 공복을 나타낸다. 모자동실이라면 항상 아이의 상태를 관찰하는 것이 가능하게 되어 산모는 그 표현을 읽어낼 수 있게 된다. 퇴원 후에도 그 표현에 따라서 아이와의 수유 리듬이 만들어진다. 모아 별실이면 퇴원해도 그 표현 파악이 어려워져 울기 전까지는 배가 고프지 않다고 판단하여 수유 시기를 잘 잡지 못하고 결과적으로 시간 수유가 되어 모유 수유를 단념하게 되는 경우가 많다.

충분한 양의 초유 분비는 보통 출산 후 2~3일이 되는 경우가 많다. 이는 임신 중에 유선의 프롤락틴 리셉터를 점유하고 있는 에스트로겐의 농도가 태반 배출 후 급속히 저하되고 난 다음에 프롤락틴이 유선의 프롤락틴 리셉터에 붙을 수 있게 되어, 그에 따라 유즙이 분비되는 것이다. 출산 후 2~3일은 이를 위해 필요한 시간임을 산모에게 설명해 두면 안심한다. 신생아는 다양한 적응 방법으로 그 2~3일의 시간을 극복하는 것이 가능하다. 또한 출생 직후부터 직접 수유를 시도하면 프롤락틴과 옥시토신의 분비가 촉진되고 초유 분비가 빨라진다. 초유분비 후의 빈번한 수유도 동일하며 그 후의 모유분비가 촉진되고 분비 양도 많아진다.

출산 직후부터의 조기 모아 접촉, 모자동실, 빈번한 수유와 같은 일련의 흐름은 모성의 확립과 모유 육아 확립을 위한 기본이며, 퇴원까지의 기간에 산모가 육아에 대한 불안을 해소하고, 자신감으로 이어져, 산모와 아이를 기르는 데 있어 강력한 도움이 된다.

7. 목욕

출생 직후의 목욕은 조기 모아 접촉에 방해가 된다는 견해나, 출생 직후 체온 변화가 심해진다는 등의 이유로 현재는 이뤄지지 않는 것이 일반적이다.

태지에 대해서도 아이에 대한 항균작용과 보온작용이 있다. 갓 태어난 아이의 피부를 지키고 있는 점이 일반화 되어 있기 때문에, 출생 직후의 목욕으로 이것들을 씻어낼 필요는 전혀 없다.

그 후 퇴원할 때까지의 목욕의 필요성과 횟수에 대해서는 의견이 나뉘지만, 일령 3일 정도까지는 물수건질 정도로 하면 된다. 그 이유에 대해서는 목욕에 의한 체온의 변동이나 아이의 피로, 체중 감소에 미치는 영향 등이 생각되기 때문이다. 그러나 정설은 없고, 각 시설의 의견에 따른다.

8. 입원 중 황달 검사와 치료

혈액형 부적합 등의 황달 악화 인자가 확인되지 않는 경우에는 일령 5에 선천성 대사이상 검사 시행 시, 함께 채혈을 하여 총 빌리루빈 값을 검사한다. 이때까지는 간접황달측정기기를 통한 비관혈적 검사를 매일 시행하여 정상 범위를 벗어났을 때에는 채혈에 의한 검사를 하고 필요에 따라서 광선 요법 등의 치료를 한다.

이 출생 초기에 나타나는 생리적 황달의 중증화 예방에 대해서는 조기 빈번한 수유가 효과적이라고 알려져 있다. 따라서 광선 치료 중에 모유를 멈출 필요는 없고 오히려 빈번한 수유를 권한다. 광선요법도 최근에는 보육기에서 하지 않고, 간이침대에서 치료할 수 있는 기기가 보급되어 있으므로, 가능하면 모아 분리를 피하여 모아가 같이 있는 채로 하는 것이 바람직하다.

9. 신생아 매스 스크리닝

신생아 매스 스크리닝은 선천성 대사 이상과 선천성 내분비 이상의 조기 발견을 목적으로 행해진다. 기존 6개 질환을 대상으로 행해져 왔지만, 2014년 현재 표 4에 있는 탠덤매스법을 병용하여, 대상 19개 질환의 조기발견이 도입되어 있다.

채혈은 빨라야 일령 4일 이후부터 보통 일령 4~6일 이내에 시행한다. 족저채혈이 일반적이다. 채혈용 여과지에 겉까지 흠뻑 배도록 채혈하여 그 지역의 검사센터로 보낸다. 일령 4~5일에 포유가 불량한 경우라도 내분비질환은 대상이 되므로 채혈하고, 포유력이 개선된 후 다시 채혈하도록 한다. 검사값에 이상이 있을 경우(cut off값을 초과)는 재검사가 된다. 재검사에서도 이상일 경우는 정밀검사가 필요되므로 지정된 전문 기관에 소개한다. 조산아의 경우에도 마찬가지로 일령 4~6일에 채혈하는데, 그 후 뇌하수체 갑상선 피드백이 성숙하여 갑상선 자극 호르몬(THS)이 상승될 가능성이 있으므로 생후 1개월이나 몸무게가 2,500g이 넘을 때쯤 다시 채혈, 검사를 한다.

표 4. **신생아 마스클리닝의 대상 질환**

기존의 대상 6개 질환	탠덤매스 스크리닝 병용대상 19개 질환
1) 페닐케톤뇨증 2) 호모시스틴뇨증 3) 단풍당뇨증	**아미노산 대사이상** 　1) 페닐케톤뇨증 　2) 호모시스틴뇨증 　3) 단풍당뇨증 　4) 시트룰린혈증 1형 　5) 알지니노석시닉산뇨증 **유기산 대사이상** 　6) 메틸말로닉 산뇨증 　7) 프로피온 산혈증 　8) 이소발레릭 산혈증 　9) 메틸 크로토닐 글리신 뇨증 　10) 히드록시메틸글루타릴 산혈증 　11) 복합 카복실레이즈 결핍증 　12) 글루타릭 산혈증 **지방산 대사이상** 　13) MCAD 결핍증 　14) VLCAD 결핍증 　15) 삼두효소결핍증 　16) CPT-1 결손증
4) 선천성 갑상선기능저하증 5) 선천성 부신과형성 6) 갈락토오스 혈증	17) **선천성 갑상선기능저하증** 　18) **선천성 부신과형성** 　19) **갈락토오스 혈증**

10. 신생아 청각 스크리닝 검사의 실시[4)]

선천성 난청 조기 발견을 목적으로 신생아 청각 선별 검사가 실시된다. 사전설명·동의 후, 출생 후 포유가 안정되었을 무렵(일령 3~5일)에, 포유 후 안정되거나 잠들기 직전에 실시한다. 현재는 자동 청성뇌간반응(automated ABR ; AABR)과 귀음향방사법(oto acoustic emission ; OAE)의 2가지 방법으로 검사가 실시되고 있다. AABR의 감도는 거의 100%이지만 장비와 소모품 가격이 비싸다는 결점이 있으며, OAE는 기기의 가격은 싸지만 2~5퍼센트의 위양성률이 있다는 결점이 있다(표 5). AABR에서는 35dB로 패스하지 않는 경우는 70dB와 40dB로 재검하고, 그래도 패스되지 않을 경우에는 "Refer(소개 필요)"가 되어, 전문기관에서의 정밀한 조사가 필요하다.

이 검사 결과와 정밀한 조사의 필요성을 부모에게 설명할 때는 단순히 결과를 이야기하는 것이 아니라, 부모의 불안에도 충분히 대응하는 것이 중요하다. 현재 모아수첩에 기재란이 설치되어 있지만, 결과의 기재에는 부모의 동의가 필요하다는 점에 유의한다.

11. 비타민 K (VK) 투여

출생 후 1주일 이내의 신생아와 3주부터 3개월 영아는 합병증 없어도 VK 결핍에 빠지기 쉽고 VK 의존성 응고인자(제Ⅱ, Ⅶ, Ⅸ, Ⅹ인자) 결핍에 의하여 출혈 경향이 초래되는 일이 있다. 신생아

표 5. 신생아 난청 스크리닝에 사용되는 AABR과 OAE 비교　　　　　(문헌4에서 일부개정)

	AABR	OAE
측정원리	뇌간의 전기적 신호	내이유모세포의 수축에 의한 기저판의 반향음
감도	거의 100%	95~98% 정상신생아에서는 약 100% Auditory neuropathy를 놓칠 위험이 있음
재검 필요율	1%	3~5%
측정시간	5~10분	몇 분
검사에 맞는 태아 상태	수면 중	안정 시(울지 않으면 가능)
기기 가격	260~450만엔	70~150엔
소모품가격	1,300~2,400엔	160~350엔

표 6. 비타민K 투여 방법

1) 출생 후: 수차례의 포유로 수유가 확립된 것을 확인한 후, 비타민 K_2 시럽 1mL (2mg)을 멸균수 10mL에 희석하여 경구적 1회 투여한다.
2) 생후 1주일(산과 퇴원 시): 비타민 K_2 시럽 1mL (2mg)를 지난번과 동일하게 제공한다. K_2 시럽은 분유 영양의 경우는 분유에 섞어 주어도 좋다.
3) 생후 1개월: 비타민 K_2 시럽 1mL (2mg) 을 경구적으로 투여한다.

기는 소화기관 출혈(신생아 멜레나), 3주 이후에는 특발성 유아 VK 결핍 출혈증에 의한 뇌출혈을 초래하며 예후가 불량하다. 이러한 것을 예방을 위해서 VK 시럽을 예방 투여한다. 일본에서 일반적인 방법[5]을 표 6에 나타낸다. 또한 일본 소아과학회신생아위원회는 생후 3개월까지 VK_2 시럽을 주 1회 투여하는 방법도 제시하고 있다.[6]

또한 현재는 헤파플라스틴 테스트는 필수가 아니며, 필요하다고 생각되는 경우 이외에는 생략해도 상관없다.

퇴원 시의 주의점

모아의 퇴원 시에 중요한 것은 산모가 육아에 자신감과 기쁨을 느끼고 있다는 것이다. 그 중심은 수유이며, 산모가 자식의 공복 시의 표현을 충분하지는 않다고 하더라도 거의 파악하고 있다는 점이 퇴원 후 산모의 버팀목이 된다. 더욱 중요한 점은 산모가 아이에게 「귀엽고, 사랑스러워」라고 하는 감정이 싹트고 있는 것이다. 그것이 모성의 발현, 나아가서는 학대 예방으로도 이어진다.

아이의 체중에 대해서는 아직 감소 추세에 있어도, 그것이 완만하여 수유가 될 수 있으면 가정에서의 육아로 충분하며, 그것이 모아 모두 심리적으로도 안정할 수 있다. 특히 모유수유아의 경우 첫 한 달은 체중이 증가가 느슨하다가, 출생 후 2주일쯤부터 늘기 시작하는 경우가 많으므로 설명하고 안심시킨다. 이 때, 배변과 배뇨의 횟수가 문제없고, 아이의 상태에도 큰 변화가 없으면 필요없는 분유를 추가하지 않도록 설명한다.

모유수유시 변의 성상에 대해서도 설사로 착각하지 않도록 설명한다.

2주간 건강 진단

육아에는 불안이 따르기 마련이며, 생후 2주간, 퇴원 후 7~10일째에 아이 상태의 건강 진단을 일상화하여 상담에 응하는 것이 바람직하다. 이때 체중과 수유에 대한 체크를 하되, 체중에 대해서도 아이에 따라서 증가양상이 다양하다는 것을 격려하며 지원한다. 체중 증가가 불충분하다고 해서 필요없는 분유를 추가하도록 「지도」하는 것은 엄마 스스로를 불충분한 육아자라고 생각하는 방향으로 이끌어 버려, 육아 불안의 증강으로 이어진다. 오히려 산모의 불안에 대하여 잘 이해하고 적절한 지도를 한다.

또, 1일 30g의 체중 증가라고 하는 것은 생후 3개월까지의 「평균치이지 최저치는 아니다」라고 명기한다.

참고문헌

1） 日本周産期・新生児医学会.「早期母子接触」実施の留意点. 2012, 12p. http://www.jspnm.com/sbsv13_8.pdf［2015. 4. 2］

2） Gungor, S. et al. Oronasopharyngeal suction versus no suction in normal, term and vaginally born Infants : A prospective randomized controlled trial. Aust. N. Z. J. Obstet. Gynaecol. 45, 2005, 453-6.

3） 堺武男. 出生直後からのカンガルーケアの意義と方法を考える. ペリネイタルケア. 23, 2004, 662-5.

4） 三科潤. 新生児聴覚スクリーニング. 日本小児科学会雑誌. 108, 2004, 1449-53.

5） 塙嘉之. 新生児・乳児のビタミンK欠乏性出血症の予防に関する研究. 総括報告. 厚生省心身障害研究（主任研究者：奥山和男）. 昭和63年度研究報告書. 1989, 23-7.

6） 白幡聡ほか. 新生児・乳児ビタミンK欠乏生出血症に対するビタミンK製剤投与の改訂ガイドライン（修正版）. 日本小児科学会雑誌. 115(3), 2011, 705-12.

≫ 高橋尚人

병적 신생아의 진단과 초기관리

포인트

신생아는 위독한 질환이어도 병 초기에는 증상이 확실하지 않고 급격하게 증상이 변화하여, 진단이 나온 시기에는 손쓰기 늦은 일도 드물지 않다. 그러므로 조기진단·조기치료가 매우 중요하며, 사소한 증상에서 그 이상을 파악하는 노력이 필요하다. 즉 "not doing well" 로 불리는 신생아 특유의 이상소견을 발견할 수 있도록 평소 조심하는 것이 중요하다. 병적 신생아에서 보이는 이상 소견 중에서 빈도가 높으면서, 여러가지 중요한 질환의 조기 진단의 단서가 되는 항목을 거론한다.

신생아 가사

정의 · 원인 · 빈도

1. 정의

신생아 가사(假死)는 출생 시 호흡·순환 장애가 주특징이며, 대사성산혈증 및 중추신경계의 활동 저하를 동반하는 증후군이다.

2. 병인과 빈도

태내 환경에서 태외 환경으로의 호흡 순환 동태의 이행이 어떤 원인으로 인하여 원활히 이루어지지 않는 경우에 생긴다. 신생아 가사는 전체 출산의 약 10%에서 일어나고, 1%는 고도의 소생술을 필요로 한다고 되어 있다.[1]

진단

1. 아프가 점수

임상 진단에는 아프가 점수가 이용된다. 1분 값의 아프가 점수가 0~3점을 중증 가사, 4~7점을 경증가사로 판정하는 경우가 많다. 실제로는 아프가 점수만으로 중증도를 판단하는 것은 곤란하다. 원칙적으로 아프가 점수는 생후 1분, 5분에서 평가한다. 5분 값이 7점 이하이면, 5분마다 20분까지 평가한다. 1분 값이 아이의 출생시 상태를 반영하나, 5분치는 아이의 예후와 더 강한 상관관계를 나타낸다고 한다. 재태 기간 36주 이후에 출생한 아이에게서 10분 아프가 점수가 5점 이하인 경우에는 저체온 요법을 적용할 수 있으므로 증례에 따라 10분 값도 기재하도록 한다.[2]

2. 제대혈 또는 생후 60분 이내의 태아혈

pH, BE, 젖산, CPK, LDH, 요산 등의 이상. 재태기간 36주 이후에 출생한 아이의 경우, pH 7 미만, BE-16mol/L 이하는 저체온 요법의 적응증이 될 수 있으므로, 가능한 한 검사하는 것이 바람직하다. 신생아 가사의 확정 진단은 상기 1, 2 및 전신 장기에 미치는 영향을 종합하여 판단한다.

관리

예기치 못한 신생아 가사가 발생하는 경우도 있으므로, 평소부터 팀으로서 신생아 소생에 대비해서 훈련해 두는 것이 중요하다.

■ 이송 기준

소생 후, 5분 값의 아프가 점수가 7점 이하인 경우에는 NICU로의 이송을 고려한다. 10분 값의 아프가 점수가 5점 이하인 경우에는 저체온 요법의 적응이 될 수 있으므로, 저체온 요법이 가능한 시설로 이송하는 것이 바람직하다.

발열

정의 · 의의 · 병태

1. 정의 · 의의

심부체온 (직장온) 37.5℃ 이상을 발열이라고 한다. 발열의 원인에는 신속하게 대응하지 않으면 안 되는 질환도 있으므로 적극적으로 원인을 검색한다.

2. 병태

발열에는 열발산 장애로 인한 외인성인 것과 체온조절 중추가 고온으로 설정 변경되거나 장애로 인한 내인성의 경우가 있다. 발열이 확인된 경우에는 표 1에 나타낸 질환을 염두에 두고 원인을 검색한다.

증상

1. **일반 증상**: 포유력 저하, 활동성 저하, 기면 경향, 황달, 체중 감소, 말초냉감
2. **피부 증상**: 건조, 홍조, 창백
3. **호흡기 증상**: 호흡 장애, 무호흡 발작
4. **순환기 증상**: 청색증, 혈압 저하, 소변량 감소
5. **소화기 증상**: 구토, 복부팽창, 배변 이상
6. **신경계 증상**: 과자극, 경련
7. **원인질환의 일반증상**: 표 1에 원인이 되는 주된 질환을 나타낸다.

표 1. 신생아 발열의 원인

내인성 (태아의 이상에 의함): 직장온도 ≥ 피부온도
• 패혈증, 수막염 등의 감염증 (신생아에게서는 아무때나 저체온이 되는 일이 많음)   • 중추신경계 이상 (두개내 출혈, 저산소성 허혈성뇌증 등)   • 갑상선기능항진증   • 탈수   • 약제 등
외인성 (온도환경의 이상에 의함): 직장온도 < 피부온도
• 환경 온도의 상승 (실내온도, 보육기설정 온도)   • 옷이나 모포 등을 많이 걸침   • 광선치료에 의한 영향 등

처치 · 치료

1. 원인질환의 치료
2. 환경 온도의 적정화
3. 병태에 따른 수액요법

관리: 이송기준

내인성에 의한 발열이 의심되는 경우에는 NICU로 이송을 고려한다.

저체온

정의 · 의의 · 병태

1. 정의·의의

직장온도가 35.5℃ 미만을 저체온이라고 한다. 직장온도가 36.5℃ 이하가 되면, 저체온의 원인에 대하여 표 2와 같은 원인을 염두에 두고 적극적으로 검색한다.[3]

2. 병태

저체온에 되면 카테콜라민분비를 자극한다. 그 결과, 조직에서의 혈액량은 저하되어, 대사성 산혈증이 진행된다. 또한 대사성 산혈증에 의한 폐혈관 저항이 높아져, 신생아 지연성폐고혈압증(persistant pulmonary hypertension of the newborn ; PPHN)을 초래한다. 이로 인해 저산소혈증이 되어 산혈증으로 진행된다.

증상

1. **일반 증상**: 포유력 저하, 활동성 저하, 기면경향, 황달, 체중감소, 출혈경향
2. **피부 증상**: 홍조, 부종, 경직성부종, 창백
3. **호흡기 증상**: 얕은 호흡, 신음, 무호흡
4. **순환기 증상**: 서맥, 청색증
5. **소화기 증상**: 구토, 복부팽만, 배변 이상
6. **신경계 증상**: 건반사감소, 경련
7. **원인질환의 제반 증상**: 표 2에 원인이 되는 주요 질환을 나타낸다.[3]

처치 · 치료

1. 원질환의 치료
2. 환경온도의 적정화

실내, 보육기 내의 온도와 습도를 확인하고, 중성 온도 환경으로 한다. 보온은 천천히 하고, 보육기 내에서는 덮개를 사용한다. 처치는 라디안트 워머 아래서 행한다. 온도 측정은 36℃ 이상이 될 때까지 30분마다 행한다.

표 2. 신생아 저체온의 원인
(문헌3, p.165, 표9-2에서 일부 개정하여 인용)

내인성 (태아 이상에 의함): 직장온도 ≤ 피부온도

- 패혈증, 수막염
- 중추신경계 이상(신생아가사, 저산소성허혈성뇌증)
- 갑상선기능저하증
- 저혈당
- 저출생 체중아

외인성 (온도환경의 이상에 의함): 직장온도 > 피부온도

- 분만 장소의 환경온도(양수를 닦지 않고, 분만실의 차가운 환경에 장시간 놓임)
- 환아 이송 중의 문제(이송용 보육기의 온도가 충분하지 않음)
- 신생아실 내의 기온의 저하
- 보육기 내 기온의 저하

표 3. 출생 전 정보와 예측되는 태아의 호흡장해
(문헌4, P87, 표Ⅱ-B-1에서 일부 발췌하여 인용)

1) 조산아: RDS

2) 태아발육부전: 심부전, 다혈증, 저혈당, MAS*

3) 다태: TTTS

4) 양수과다: 소화관폐쇄, 신경근질환, 염색체 이상

5) 양수과소: 폐저형성, Potter증후군

6) 모체당뇨병: 저혈당, 다혈증, RDS, TTN

7) 장기파수: 양수과소(폐저형성, dry lung syndrome)

8) 제왕절개분만: TTN

9) 태아 모니터 이상: 태아·신생아가사, MAS

10) 유전질환: 근긴장성 디스트로피 등

*태변흡인증후군 (meconium aspiration syndrome ; MAS)

관리: 이송 기준

내인성에 의한 저체온이 의심되는 경우, 또한 외인성이며 있더라도 신생아 한랭장애가 의심되는 경우에는 즉시 NICU로 이송한다.

호흡장해

개념

신생아 호흡장해란 미숙성에 기인한 것과, 기타 원인에 의한 것으로 크게 구분된다. 어느 쪽도 출생 시부터 호흡장해가 발생하는 것이 대부분이다. 출생 전의 정보를 확인하는 것이 진단에 관련되며 증상을 예측할 수 있다(표 3).[4]

이학적 소견

1. 함몰 호흡

폐 순응도의 저하(호흡곤란증후군〈respiratory distress syndrome ; RDS〉, 신생아 일과성 빠른 호흡〈transient tachypnea of the new born ; TTN〉).

2. 신음

FRC(기능적잔기량) 저하(RDS, TTN 등), 일과성인 것도 있다.

3. 비익 호흡

횡격막, 늑간근 이외의 보조 호흡근을 동원하여 호흡운동을 강화하고 있는 상태(air hunger). 대부분의 호흡 장애에서 확인된다.

4. 다호흡

폐포저환기로 1회 환기량이 적기 때문에 환기횟수를 증가시킴으로써, 환기량을 유지하고 있다. 60회/분 이상을 다호흡으로 부른다(RDS, TTN, 기흉 등).

감별진단에 필요한 검사

1. 영상진단: 흉부X선, 심장·두부 초음파 검사
2. 혈액검사: 혈액가스, 혈당, 전해질, CBC, CRP

표 4. 신생아 호흡질환: 생후 4시간에 발증하는 호흡장해의 감별진단

질환	재태주수	임상소견	병력	X선소견
RDS	조산 ≫ 만삭	호흡곤란, 신음, 함몰 호흡	조산; 가사	망상과립상, Air bronchogram
태변흡인증후군 (MAS)	만삭	흉부의 팽창; 피부, 손톱, 탯줄의 태변 오염	양수혼탁(태변오염에 의함); 가사; 소생시 기관 내에 태변	선상무기폐; 과팽창폐
태아기능부전 ± 태변 이외의 것의 흡인(양수, 혈액)	만삭	통상, 호흡곤란, 때로 ARDS모양의 강한 호흡긴박; 신경학적 이상을 동반함	인공호흡 관리를 필요하는 주산기 가사	경도의 선상음영만, 중증형은 순백
신생아일과성 빠른 호흡(TTN)	만삭 ≫ 조산	빠른 호흡, 신음, RDS와 흡사한 것도 있음	제왕절개분만>경질분만	엽간흉수저류; 폐문부 혈관 음영 증강, 말초폐환기량 항진
폐렴	재태기간에 관계없이 나타나기 쉽다	체온↑or↓: 근긴장 저하, 조기의 황달, 무호흡 등	모체의 감염 징후: 장기파수, 양수에서 악취	RDS보다 좁쌀같은 음영이 많이 있으나, air bronchogram은 보일 수 있다; 생후 4~6시간 미만에서는 폐렴과 RDS의 구별이 어렵다
횡경막헤르니아	만삭>조산	복부 함요	별다른 이상을 보이지 않음	장관이 흉강내에 있으면 진단
Potter증후군	통상적인 만삭이전	Potter 모양 얼굴 생김새, 양수과소	별다른 이상을 보이지 않음	순백, 특히 작은 폐
폐저형성	조산>만삭	중증의 호흡곤란과 저산소혈증	장기파수와 양수유출	순백, 작고 벨모양의 흉곽
기흉	생후 4시간 이내	심장소리를 청취하기 어려움, 팽창한 복부; 트랜스일루미네이션	신생아가사 → 인공환기가 있을 수 있다	종격의 편위, 흉곽내 공기

(문헌 5, p91, 표10-5DP에서 일부 발췌하여 인용)

발병시기에 따른 호흡장해 감별

1. 생후 4시간 이내에 발병한 호흡장해

신생아에게 일어나는 폐질환의 대부분은 생후 4시간 이내에 발병하기 쉽다. 특히 생후 4시간 이전에 발병이 출현하는 것은, 폐 서팩턴트 결핍에 의한 RDS의 필요조건이다. RDS는 주로 재태주수 35주 미만에서 출생한 조산아에게 많이 보여진다. 병력, 마이크로버블테스트, 흉부X선에 의하여 비교적 진단은 쉽다. 당뇨병 모체태아에서는 재태주수 35주 이후에서도 RDS를 발병하는 가

능성이 있기 때문에 주의가 필요하다. 감별해야만 하는 다른 질환은 주로 만삭 태아에게 나타난다(표 4).[5]

2. 생후 4시간 이후에 발병하는 호흡장해

이하의 질환이 가능성이 높다.

① 폐렴(세균성 혹은 바이러스성), ② 기흉, ③ 폐수종을 동반한 선천성 심질환, ④ 선천기형, ⑤ 대사성질환에 의한 산혈증으로 인한 호흡장해 ⑥ 극저체중 출생아의 만성폐질환.

관리: 이송기준

호흡장해가 계속되는 경우에는 NICU로 이송한다.

> ■ 무호흡
>
> 무호흡이란 20초 이상 계속되는 호흡정지, 혹은 20초 미만에서도 서맥(심박수 100회/분 미만), 청색증을 동반한 경우를 말한다. 원발성 무호흡은 호흡 중추의 미숙성에 의한 것으로, 조산아에게 보여진다. 한편 만삭아에서 나타나는 무호흡은 어떠한 질환에 의한 속발성 무호흡으로 생각하고 대응하는 편이 좋다.

청색증

증상이 가진 의의와 중요성

중심성 청색증은 이유를 막론하고, 즉시 검사·치료가 필요한 위독한 질환의 합병 가능성을 의미한다. 저산소혈증이 계속되는 경우, 대사성 산혈증이 발생할 뿐만 아니라, 뇌 및 심장 등의 중요한 장기의 정상기능을 손상시키고, 심각한 지적장애 등의 후유증을 초래하는 병태라는 점을 고려하지 않으며 안된다.

감별진단

호흡기 질환인지 순환기 질환인지의 감별이 중요하다. 청색증을 동반한 질환과 그 검사에 대하여 이하에 서술한다.

1. 호흡기질환에 의한 청색증

생각되는 호흡기질환으로는, 「호흡장해」의 항목을 참고한다.

특징은 ① 고농도산소부하시험에서 SpO_2 (PaO_2)의 상승이 확실함, ② 흉부X선에서 폐 부위 이상소견, ③ 혈액가스에서의 $PaCO_2$의 상승, 이다.

2. 좌 → 우 션트에 의한 청색증

1) 청색증형 심질환

생각되는 주요 순환기질환은 완전대혈관전위, 총동맥관잔류, 삼첨판폐쇄, 진성폐동맥폐쇄, 팔로사징, 총폐정맥환류이상 등이다.

2) 신생아 지연성 폐고혈압증(PPHN)

특징은 ① 고농도산소부하시험에서 SpO_2 (PaO_2)의 상승이 없음, ② 흉부X선, 심장초음파검사, 심전도 소견, ③ 혈액가스에서 $PaCO_2$의 상승은 확실하지 않음, 이다.

3. 메트헤모글로빈 혈증

혈액중에 메트헤모글로빈이 1~2% 이상으로 상승한 상태. 일산화질소흡입 요법시행 중 메트헤모글로빈 혈증이 나타나는 일이 있으므로 주의한다.

4. 다혈증

헤마토크리트 수치의 상승(65~75%)이 확인된다.

검사

1. 고농도산소부하시험(hyperoxic test)

고농도산소(80% 이상)을 단시간(15분 이내) 투여하여, $PaCO_2$가 100mmHg를 넘는(SpO_2가 100%에 가까움)경우에는 호흡성질환의 가능성이 높고, $PaCO_2$의 상승이 보여지지 않는 경우는 우→좌 션트에 의한 질환이다. PPHN에서는 우상지와 하지의 사이에서 $PaCO_2$ (SpO_2)의 차이가 확인되는 것이 많다.

고농도산소부하시험은 동맥관의존성 청색증형 심질환의 경우에는 산소투여에 따라 동맥관이 폐쇄하여 급격하게 상태가 악화될 위험이 있으므로, 쉽게 생각하고 시행해서는 안 된다.

2. 혈액가스

3. 초음파검사

4. 흉부X선

관리

1. 호흡기질환에 의한 청색증이 의심되는 경우

산소투여를 시행하고, 상태에 따라서 기관 삽관을 한다.

2. 심질환에 의한 청색증이 의심되는 경우

원칙으로서 산소투여는 행하지 않는다.

동맥관의존성심질환이 의심되어, 급격하게 상태가 나빠진 경우에는 정맥라인을 잡고, 리포 PGE$_1$을 지속투여(5ng/kg/분)하면서 NICU로 이송한다. SpO$_2$값을 참고하여 적당하게 증감한다. 이송 중에는 리포PGE$_1$의 부작용인 무호흡에 주의한다.

3. PPHN이 의심되는 경우

기관 삽관, 산소투여, 진정제의 사용, 중증례에서는 일산화질소흡입요법이 필요 된다.

■ 이송기준

중심성 청색증이 계속될 경우에는 NICU로 이송한다. 가능하면 이송 전에 산소투여 가능한 질환인지 아닌지를 판단하는 것이 바람직하다.

구토

감별질환

생리적 구토와 병적 구토와의 감별이 중요하다.

1. 생리적 구토(초기 구토)

출생직후에서 양수, 혹은 커피 침전물 모양의 구토가 확인된다. 수유 개시 후에는 유즙 같은 구토가 된다. 전신 상태는 양호하고 구토 이외의 증상은 나타나지 않는 것이 특징으로, 신생아의 40

퍼센트 정도에서 보인다. 생후 2~3일에 자연 경쾌된다.

2. 병적 구토

신생아 구토의 약 10%는 병적 구토라고 알려져 있다. ① 빈발하는 대량의 구토, ② 담즙성 구토, ③ 혈성 구토, ④ 현저한 복부팽만, ⑤ 구토 이외의 병적 임상소견이 수반된다, ⑥ 전신상태불량, ⑦ 생후 2~3일이 지나도 구토가 계속되는 경우에는 병적 구토의 가능성이 높다.[6]

관리 : 이송기준

병적 구토가 의심될 경우에는 즉시 NICU로 이송한다.

토혈 · 하혈

정의

모체 유래의 혈액 혼입에 의한 것인지, 신생아 자신의 소화관 출혈에 의한 것인지를 감별하는 것이 중요하다. 모체 유래의 혈액 혼입에 의한 경우에는 일반적으로 아동의 전신 상태는 양호하다.

감별질환

태아자신의 혈액인 경우에는 ① 비타민K 결핍, ② 응고선용계 이상, ③ 신생아 급성위점막병변, ④ 감염성위장염, ⑤ 괴사성장염, ⑥ 장중첩, ⑦ 메켈게실 등이 의심된다.

관리

Apt 테스트[7]를 시행하여, 모체 유래의 혈액 혼입에 의한 것인지 신생아 자신의 혈액에 의한 것인지를 감별한다.

■ 이송기준

신생아 자신의 위장관 출혈이 의심되는 경우에는 즉시 NICU로 이송한다.

경련

감별질단

신생아 경련은 대부분이 증후성이다. 신생아경련의 임상발작 양상을 표 5에, 주요원인과 진단을 표 6에 나타냈다.

처치·초기치료[8]

1. 일반적 처치
기도흡인, 기도확보, 필요에 따라서 산소투여를 시행하고 보육기에 넣는다.

2. 병력(가족력, 특히 모친)의 확인

3. 필요한 검사
최소한 필요한 것은 채혈(혈당, CBC, 전해질, CRP, Ca, P)이다. 가능한 두부초음파 검사를 시행한다.

4. 정맥 라인 확보(10% 포도당 등에 필요함)

5. 원인적 치료
1) 저혈당: 혈당 40mg/dL 이하이면 20% → 포도당 2mL/kg 정주
2) 저칼슘혈증: 8.5% 글루코산칼슘 2mL/kg 천천히 정주
3) 저마그네슘혈증: 10% 황산마그네슘 1~1.5mL/kg 천천히 정주
4) 비타민 B_6 의존증·결핍증: B_6(피리독살린산 에스테르) 50mg/kg 정주

관리: 이송기준

경련이 나타난 경우에는 즉시 NICU로 이송한다.

표 5. 신생아경련의 임상발작형

1) 미세발작: 안구편위, 안구진탕, 응시, 눈 찡꿋찡꿋, 빨기, 혀 낼름, 침 흘리기, 수영하는 모양, 보트타는 모양, 자전거 타는 모양, 발작성 울음, 무호흡

2) 전신 강직성 발작

3) 대사성 발작: (a) 다초점성(multi-focal) 간대성발작 발작(clonic convulsion), (b) 초점성 간대성발작(focal clonic convulsion)

4) 마이오 클로누스 발작

표 6. 신생아경련의 감별진단

진단	호발시기	발작형	감별진단
저산소성허혈성뇌증	~3일	간대성	분만시 신생아가사의 병력, 대천문 팽창
두개내 출혈			
뇌실내 출혈	~2일	강직, 간대성	조산아가 대부분
지주막하 출혈	~3일	간대성(미세)	만삭아에서도 분만외상으로 발병
경막하 출혈(텐트상)	2~3일	간대성	만삭아에서도 분만외상으로 발병
뇌경색	~3일	초점성간대, 미세	좌측이 많음, 신생아가사, 다혈증, 색전
수막염	모든 시기에 일어날 수 있음	모든 발작형이 일어날 수 있음	패혈증 증후를 동반함
저혈당	~3일	간대성	부당저체중, 조산아, 모체당뇨병
저Ca혈증	초기~2일 후기 5~8일	강직, 간대성	신생아가사, 조산아, 모체당뇨병 혹은 부갑상선기능항진증
저Mg혈증	5~8일	간대성	보통 저Ca혈증과 고P혈증을 동반함
저Na혈증	모든 시기에 일어날 수 있음	간대성	보통 부종을 보이는 병적 조산아, 급성부신피질부전 등
고Na혈증	모든 시기에 일어날 수 있음	간대성	보통 탈수를 보이는 병적조산아
비타민B$_6$ 의존증	~12시간	다초점성간대	비타민B$_6$ 투여에 의한 경련 소실
드문 선천성대사이상	보통 72시간 이내	모든 발작형이 일어날 수 있음	보통은 포유개시후, 무호흡, 근긴장저하, 포유불량을 보임
약물이탈증후군	보통 1주일 미만	간대성	모친의 약물투여력, 이자극성, 수면장애, 구토 등
양성가족성신생아경련	2~3일	간대성	다발경향, 6개월 이내에 소실, 간질로 이행(11%)
양성 신생아 경련 무호흡(5일째 발작)	4~5일	초점성간대	15일내에 소실, 간질로 이행(0.5%)

감염증

의의

감염증의 증상은 비특이적으로 돌연 쇼크로 발병하는 것도 흔하며, 출생주수에 상관없이 모든 신생아에게 일어날 수 있다. 증상이 분명해지면 이미 때를 놓친 경우도 많다. 따라서 주산기 정보로부터 감염증의 가능성이 높은 아이는 주의 깊게 관찰할 필요가 있다.

주산기 감염위험도의 예측

조산아, 파수 후 24시간 이상, 융모막양막염, 다태, 160/분 이상의 태아 심박수, 모체감염 징후 (발열 > 38℃, 맥박수 > 100/분, 백혈구증가 > 15,000/μL), NRFS (non-reassuring fetal status), 양수의 악취, 자궁 압통 등에 주의한다.

세균감염증의 발병시기[9]

1. 조발형

생후 6일 이내에 발병하며 전격성으로 예후불량인 경우가 많다. 자궁내, 산도감염에 의한 모체 유래의 세균에 의해 발증한다.

1) B군용혈성연쇄구균(Group B *Streptococcus* ; GBS) 감염증(조발형): 평균 발병 시기는 생후 20시간으로, 혈청학적으로 Ⅰa, Ⅰb, Ⅰc, Ⅱ, Ⅲ가 급격한 발병이다. 폐렴(RDS와 구별이 어렵다) 수막염, 패혈증을 일으킨다.

2) 대장균을 포함한 장내균: 대장균은 GBS와 동일하며, 생후 0일에 발병하는 태내감염 혹은 수직감염으로서 중요하다.[10]

3) 폐렴구균

4) A군, D군, G군연쇄구균

5) *Haemophilus*속(influenza, parainfluenzae, aphrophilus)

6) 리스테리아(조발형): 인수공통감염증. 모체감염(육류, 가열처리 되지 않은 유제품 섭취)에 의해 경태반적 혹은 상행성으로 감염한다. 조발형에서는 패혈증을 일으킨다.

표 7. NTED진단기준[11] (다카하시등, 1999)

NTED (신생아 TSS 양 발진증): 이하의 진단기준의 3항목 전부를 만족함
1. 원인불명의 발진: 전신홍반, 구진상, 유합 경향 있음
2. 오른쪽의 3항목 중, 1개 이상 합병 1) 발열 (직장온도 38℃ 이상) 　　　　　　　　　　　　　　　　　2) 혈소판감소 (15만/mm³) 이하 　　　　　　　　　　　　　　　　　3) CRP 약양성 (1~5mg/dL)
3. 기존에 알려진 질환은 제외함

2. 지발형

생후 7일 이후에 발병하는 것. 출생 후의 수평감염이 주이다. 상기의 균 이외에 이하의 균에 의해 발증한다.

1) 황색포도상구균: 포도상구균성열상상피부증후군(staphylococcal scalded skin syndrome ; SSSS)에서는 포토상구균의 균체외 독소에 의해 표피가 박탈된다. 생후1~2주에 발병하며 발열, 전신홍반 등이 보인다.

2) 메티실린내성황색포도상구균(methicillin resistant Staphylococcus aureus ; MRSA): MRSA에서는 패혈증 또는 골수염, 피부감염증 이외에 신생아(생후 2일경에서)에서 특징적인 증상, 신생아 TSS(toxic shosk syndrome) 모양 발진증(neonatal TSS−like exanthematous disease ; NTED)을 일으키는 경우가 있다.[11] 진단기준을 표 7에 나타낸다. 만삭아의 NTED는 항MRSA제의 투여없이 개선되는 경우도 많으나, 무호흡을 일으키는 경우도 있으므로 주의를 요한다.

3) 표피포도상구균

4) 녹농균

5) 세라티아균

진단 · 치료 순서

1. 비특이적인 증상

원인없는 이상증상(not doing well), 무호흡, 다호흡, 서맥, 근긴장저하, 복부팽창, 포유불량, 쉽게 놀람, 청색증, 체온이상(저체온 or 고체온).

2. Sepsis work-up

1) 혈액검사: 백혈구수, 핵좌방이동, 혈소판수, CRP, 혈당, IgM, T.Bil 등

2) 세균배양검사: 혈액, 인후두, 비강, 배꼽, 소변, 경우에 따라서 뇌척수액.

3) 흉부X선: 폐렴의 유무, TTN 또는 RDS와의 감별이 필요한 경우가 있음

3. 치료: 원인균 미정인 경우

1) 조발형의 감염이 의심되는 경우

암피실린, 아미노배당체계 항균제의 병용요법으로 개시한다.

암피실린 100mg/kg/일 분2정주

겐타마이신유산염 5mg/kg/일 분2정주

2) 지발형이 의심되는 경우

감시배양검사에서 발견되는 세균의 동향에 따라서 항균제를 선택한다.

관리: 이송기준

감염증이 의심되는 즉시 NICU에 이송한다. 이 때 모체감염증에 관해서의 정보를 가능한 전달할 수 있도록 한다.

조발황달

정의 · 의의

생후24시간 이내에 육안적 황달이 확인된다(혈청빌리루빈 8mg/dL 이상).

조기황달이란 급속하게 용혈이 일어나기 때문에 빌리루빈 생성 속도가 빠른 것을 의미하는 것으로, 신생아 용혈성 질환이 기저 질환으로 생각되며 방치하게 되면, 반드시 수일 내에 비정상적으로 높은 빌리루빈이 될 것으로 예상된다(그림 2). 그러므로 생후 24시간 이내에 육안적 황달이 확인되는 경우에는 비록 치료의 대상이 되지 않는 정도라도 즉각 대응할 필요가 있다.

조발황달 진단 검사를 표 8,[5] 광선 요법과 교환 수혈의 적응 기준을 표 9에 나타낸다.[4]

관리

신생아 황달 관리에서 중요한 것은 빌리루빈에 의한 중추신경계 장애(핵황달 및 청성뇌관반응의 이상)를 예방하는 것이다. 즉, 혈청 빌리루빈이 높은 값이 되기 전에 치료를 시작하는 것이다. 특히 조발황달은 증상이 급속도로 진행되므로 신속히 판단해야 한다.

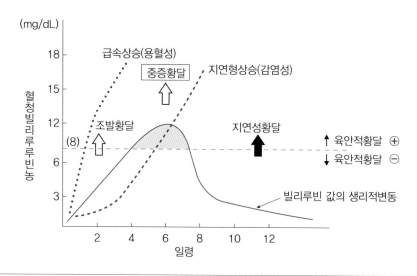

그림 2. 신생아 황달의 패턴(생리적·비정상)

표 8. 조발황달 진단의 검사
(문헌5, p.231, 표14.2에서 일부 발췌해서 인용)

출생당일에 급속하게 황달이 진행한다

		진단	검사
빈도	고 ↓	Rh, ABO, 기타 용혈성질환 구상적혈구증	Hb, 혈액형, 직접쿰스시험 가족력의 확인, 말초혈액상 망상적혈구증
	저	선천성감염증 G6PD결손증을 포함한 구상적혈구증 이외의 용혈성질환	CBC, CRP, IgM, 세균배양 적절한 효소테스트

표 9. 총빌리루빈의 농도에 의한 광선요법과 교환수혈의 기준(mg/dL)

출생체중(g)	~24시간		~48시간		~72시간		~96시간		~120시간		5일~	
	광선요법	교환수혈	광선요법	교환수혈	광선요법	교환수혈	광선요법	교환수혈	광선요법	교환수혈	광선요법	교환수혈
1,000~1,499	6	10	8	12	8	15	10	15	10	18	12	18
1,500~2,499	8	10	10	15	12	18	15	20	15	20	15	20
2,500~	10	12	12	18	15	20	18	22	18	25	18	25

(문헌4, p366, 표Ⅲ-J-8에서 일부 발췌해서 인용)

■ 이송기준

조발황달이 확인된 경우에는 즉시 NICU로 이송한다.

4. 성의 결정

1) 출생의 신고에 대하여: 출생신고는 생후 14일 이내에 시구정촌장에게 제출하게 되어 있으나 성의 결정이 곤란한 경우에는 이름과 관련 사항을 기입할 수 없으므로, 그 취지를 기타 사항란에 기재하여 공백인 채로 제출한다. 성별이 정해지는 대로 진단서와 함께 추가신고서를 제출한다.

2) 양육의 성을 결정하는 기준: 성 결정의 원칙은 장래 본인이 보다 평범하게 사회생활·성생활을 영위하는 것을 목적으로 한다. 그러기 위해서는 외성기의 형태나 성선기능, 성선종양 발생 가능성 등을 충분히 검토한다.

영아돌연사증후군 (sudden infant death syndrome ; SIDS)

정의

지금까지의 건강상태 및 병력으로도 그 사망을 예상할 수 없으며, 더하여 사망 상황 및 부검에 의해서도 그 원인이 동정되지 않고, 원칙적으로 1세 미만 영유아에 돌연사를 초래한 증후군을 말한다.

개념과 발병 빈도

주로 수면 중에 발병하고, 발병 빈도는 일본에서 6,000~7,000 출생에 한명으로 추정되고 있다. 생후 2~6개월의 유아에게 많다. 위험인자는 ① 엎드려 잠, ② 인공영양아, ③ 양육자 흡연, ④ 남아, ⑤ 조산아, ⑥ 저체중아 등이다.

관리

상기의 리스크 인자를 고려하면서, 모든 신생아에게 SIDS가 발병할 수 있다고 생각하여 대응한다. SIDS를 의심하는 증례를 경험했을 경우에는 후생노동성 SIDS 연구반에 의해 작성된 「SIDS 진단 가이드라인」 (제2판) 및 「진단을 위한 문진·확인목록」이 참고가 된다.[13]

갑작스럽게 자식을 잃은 가족들의 정신적 지원은 매우 중요하다. 정확한 의학적 정보의 제공, 가족에게는 잘못이 없는 점 등을 설명한다.

영유아 돌발성 위급 사태(apparent life threatening event ; ALTE)

정의·질환 개념

지금까지의 건강상태 및 병력으로부터 그 발병을 예상할 수 없고, 게다가 아이가 사망하는 것이 아닌가 하고 관찰자가 생각하게 되는 무호흡, 청색증, 안면 창백, 근긴장 저하, 호흡곤란 등의 소견을 보이며, 그 회복이 강한 자극이나 소생조치를 필요로 한 것 중 원인 미상의 것을 가리킨다. 이 정의는 1995년 후생노동성연구반에 의한 질환 개념으로서 제안된 것이었다.

2012년에 후생노동성 연구반에 의해 제안된 새 정의를 기재한다. 「호흡의 이상, 피부색의 변화, 근긴장의 이상, 의식상태의 변화 중 하나 이상이 돌연 발병하여, 아이가 사망하지 않을까 관찰자가 생각하게 되는 소견으로, 회복을 위한 자극의 수단·강약의 유무 및 원인의 유무를 불문한 징후로 한다」 이러한 징후가 확인되어, 여러 검사에서도 기질적 이상이 확인되지 않고, 원인을 특정할 수 없는 경우를 「idiopathic ALTE(특발성 알테)라고 호칭한다. 새 정의는 외국과 마찬가지로, 징후 개념으로서의 정의가 되어 있는 것이 특징이다.[14]

관리: 이송 기준

소생 후 즉시 NICU로 이송한다. 퇴원 후에 자택에서 발병한 경우에는 소아구명구급센터 등 소아의 집중치료가 가능한 시설로 이송한다. ALTE 증례를 경험한 경우에는 후생노동성 SIDS 연구반 에 의해 작성된 「ALTE 문진·확인목록」(2012년도판)이 참고가 된다.[14]

참고문헌

1） 田村正德監修. 日本救急蘇生ガイドライン2010に基づく新生児蘇生法テキスト. 改訂第2版. 東京, メジカルビュー社, 2011, 126-8.
2） 田村正德監修. Consensus 2010に基づく新生児低体温療法実践マニュアル. 東京, 東京医学社, 2011, 32-7.
3） 仁志田博司. 新生児学入門. 東京, 医学書院. 2004, 164-7.
4） 新生児医療連絡会編. NICUマニュアル. 第4版. 東京, 金原出版, 2007, 720p.
5） Roberton, NRC. ロバートン新生児集中治療マニュアル. 大阪, メディカ出版, 1996, 428p.
6） 新生児医療連絡会編. "嘔吐". 前掲書4）, 106-9.
7） 新生児医療連絡会編. "アプトテスト". NICUマニュアル. 第5版. 2014, 444.
8） 吉岡博. "中枢神経障害, 新生児けいれん". 小児科学・新生児学テキスト. 東京, 診断と治療社, 2003, 856-7.
9） 河野寿夫. "出生前後感染症, 細菌感染症". 前掲書8）, 871-3.

10）佐藤吉壮．大腸菌感染症．周産期医学必須知識．周産期医学．41（増刊号），2011, 578-81

11）高橋尚人．新生児TSS発疹症（NTED）．産婦人科の実際．48(8), 1999, 1095-101.

12）日本小児内分泌学会性分化委員会 厚生労働科学研究費補助金難治性疾患克服研究事業 性分化疾患に関する研究班．性分化疾患初期対応の手引き．2011. http://jspe.umin.jp/pdf/seibunkamanual_2011.1.pdf〔2015. 4. 2.〕

13）乳幼児突然死症候群（SIDS）診断ガイドライン（第2版）．
http://www.mhlw.go.jp/bunya/kodomo/pdf/sids_guideline.pdf〔2015. 4. 2.〕

14）ALTEの新定義の提案．日本子ども家庭総合研究所．
http://www.aiiku.or.jp/~doc/houkoku/h24/19013A040.pdf〔2015. 4. 2.〕

≫ 内山 温

c 신생아소생술 (NCPR)

「모든 주산기의료관계자가 표준적인 신생아소생법을 습득하여 모든 분만에 신생아의 소생을 할 수 있는 전문가가 입회할 수 있는 체제를 실현한다」는 것을 최종 목표로 하여, 2007년 7월부터 신생아 소생술(Neonatal Cardio-Pulmonary Resuscitation ; NCPR) 보급사업이 시작되었다. 현재, 강습회사업에서 사용되고 있는 가이드라인은 국제소생연락위원회(ILCOR)에 의한 『2010 Consensus on Science with Treatment Recommendations (CoSTR)』에 따라, 일본응급의료재단·일본판 구급소생 가이드라인 책정 소위원회가 작성한 일본판 구급소생 가이드라인에 의거한 것이다. 앞으로도 5년마다의 개정이 예정되어 있다. 그 목적은 "표준적인 신생아소생술의 이론과 기술에 익숙해짐으로써 아이의 생명을 구하고 심각한 장해를 피한다"는 것이다. 표준적인 신생아 소생술은 소생의 초기 처치 및 마스크와 호흡주머니(백)에 의한 인공 환기와 흉골 압박이며, 이 기술은 보편적인 기술이므로 개정할 때마다 크게 달라지는 일이 적기 때문에, 확실히 습득해 둘 필요가 있다.

일본판 신생아소생술 습득의 필요성

전체 출생의 10%에서 태내 환경에서 태외 환경으로의 이행, 즉 호흡·순환의 이행이 순조롭게 되지 않는 아이가 존재한다. 이 중 90%는 소생의 초기 처치 및 마스크·백에 의한 환기의 지원으로 개선되지만, 출생아의 1%는 흉부 압박 이상의 소생을 필요로 하며, 적절한 조치를 취하지 않으면 죽거나 신경학적 후유장애를 남긴다.[1]

일본판 신생아소생술 가이드라인 알고리즘의 해석

NCPR 가이드라인인 알고리즘은 평소에는 이해하고 있어도 임상에서 실제로 소생을 필요로 한 경우에서는 베테랑인 프로바이더라도 혼란을 초래할 수 있다. 이를 방지하기 위해서 분만실 및 수술실에서 소생 시에 동선을 크게 움직이지 않아도 잘 보이는 장소에 알고리즘 그림을 게시하여, 그림을 참조하면서 소생을 올바른 순서로 실시할 수 있도록 해야 한다.

1. 출생 직후 아동의 상태 평가

출생 시에 소생 처치가 필요한지 여부의 판단은 출생 직후의 3가지 체크포인트(미숙아, 약한 울음, 근긴장 저하)로 평가한다. 임신 주수는 출생 전에 파악하고 있는 것으로, 출생시에는 호흡과 근긴장의 평가를 한다. 모든 문제가 없으면 루틴케어를 행한다.

2. 루틴케어

출생 직후의 신생아는 저체온에 빠지기 쉬우므로 적절히 가온된 개방형 보육기 또는 폐쇄식 보육기에 수용하여 따뜻하게 한 수건으로 양수를 충분히 닦아내고, 젖은 수건은 건조한 수건과 신속히 교환하여 기도개방의 체위를 유지한다. 기도폐색증상이 있으면 입에서 코의 순서로 부드럽게 흡인을 한다. 흡인압은 100mmHg(13kPa)를 넘지 않도록, 또 흡인 튜브는 깊숙히 밀어 넣으면 미주 신경 반사가 생겨 서맥을 나타내므로, 삽입하는 튜브의 길이에 유의한다. 튜브의 굵기는 만삭아에서 8~10 Fr이며, 양수 혼탁이 있으면 12 Fr을 사용한다. 일련의 조치들은 가능한 한 산모 근처에서 행한다. 그 후, 호흡, 심장 박동, 피부색을 30초마다 평가하고, 그 사이 1분, 5분의 Apgar 점수를 채점하여, 9점 이상이면 병동의 진료지침에 의거하여, 이후 일반 처치를 계속한다.

3. 소생 초기 조치

출생 직후 3가지 체크포인트 중 1항목이라도 이상이 있으면 소생 초기 조치를 개시한다. 호흡의 이상은 약한 호흡·울음반사를 가리키며, 근긴장의 저하는 사지의 굴곡이 완전하지 않거나 축 늘어진 상태로 호흡·근 긴장 모두 Apgar 점수에서 1점 이하의 상태라고 생각하면 된다. 자발호흡의 확립을 우선하는데, 저체온증의 예방을 겸하여 따뜻하게 한 수건으로 양수를 닦아 냄으로써 피부 자극이되어 울음이 유발되는 일도 많다. 그럼에도 호흡이 확립되지 않는 경우는 기도개방의 체위를 하고, 분비물이 많은 경우는 입에서 코의 순으로 흡인을 시행한다. 한층 더 등을 부드럽게 문지르거나 발바닥을 가볍게 두드리는 등 호흡 유발을 시도한다.

4. 소생 초기 조치 후 효과판정

소생술 초기 처치는 30초 이내에 할 수 있어야 한다. 출생 30초 후에 호흡과 심박을 평가한다. 소생 초기 처치 후의 호흡 평가는 유효한 환기의 유무로 판단한다. 무호흡 또는 헐떡거리는 호흡은 효과적인 환기가 아니다. 심장박동은 흉부청진을 첫 번째 선택으로 한다. 상태가 나쁜 아이에서는 지속적인 심장 박동 및 산소 포화도를 측정할 수 있는 펄스옥시미터를 장착하고, 시그널 강도가 충분하면 펄스옥시미터에 의한 심장 박동이 더 정확하다고 여겨지고 있다. 펄스옥시미터는 장착하고 나서 안정된 값이 표시될 때까지 60초 가까이 오래 걸리기 때문에, 상태가 나쁘면 소생술 초기 처치와 병행해서 프루브를 장착하는 것도 고려할 수 있다.

5. 무호흡 또는 심박 100/분 미만의 경우

즉시 마스크와 백으로 양압환기를 시작하고 소생에 종사하는 인원이 부족하다면 지원을 요청한다. 만삭아에서는 산소를 이용하지 않고 공기로, 32주 미만의 조산아들은 30~40%의 산소 농도로 인공 환기를 시작한다.

백에는 자체 팽창식과 기류 팽창식 백이 있으므로, 그 장점·단점을 파악한 후에 사용할 기구를 시설에서 선정하고 그 사용을 숙달하기 위해 노력한다.

효과적인 환기가 이루어지면, 우선 심장 박동이 증가한다. 펄스옥시미터의 프로브는 늦어도 이 시점에서 오른손에 장착한다.

6. 양압환기의 효과 판정

유효한 환기가 이루어지면 우선 심박이 증가하여, 피부색의 개선(동맥혈산소포화도의 상승), 자발호흡의 출현, 근긴장·반사의 개선을 볼 수 있다. 유효한 자발호흡이 있고 심박이 100/분 이상이면 양압환기를 중지하고, 노력호흡과 중심성 청색증의 유무를 확인한다.

심박이 60/분 이상 100/분 미만인 상태에서 있으면, 유효한 양압환기가 이루어지고 있는지를 확인하고, 유효한 양압환기가 이루어지지 않으면, 30초간 더 유효한 양압환기를 이어나간다. 유효한 양압환기가 이루어져, 심박이 상승 추세라면 공기로의 양압환기를 계속하지만, 심박의 개선이 보이지 않으면 산소에 의한 양압환기로 변경한다.

7. 심박 60/분 미만의 경우

고농도 산소에 의한 양압환기로 전환하여 흉골 압박을 개시한다. 흉부압박과 양압환기의 비율은 3대 1이며 흉부압박의 술자가 「1, 2, 3, 백」이라고 소리내어 하며, 2초간 1회전의 속도로 유지한다. 흉부 압박은 흉골 위에서 아이의 양측 유두를 연결한 선의 약간 아래쪽(흉골 아래 1/3)을 압박하고, 압박의 심도는 흉곽의 전후경 1/3의 깊이로 한다. 이 경우 충분히 흉곽의 리코일(탄성에 의한 흉곽 되돌림)을 의식한다. 흉곽의 되돌림이 불충분하면 충분한 심박출량을 확보할 수 없으므로 주의가 필요하다. 또 흉골 압박의 술자는 배깅 때에 흉곽의 상승을 감지할 수 없는 경우는 충분한 환기가 이루어지지 않았을 가능성이 있으므로 그 점에도 주의를 기울일 필요가 있다.

흉골압박법에는 「흉곽을 둘러잡고 엄지압박법」과 「2손가락법」이 있으나 특별한 경우를 제외하고는 「흉곽을 둘러잡고 엄지압박법」 쪽이 심박출량이 많고 술자의 피로가 적어, 첫 번째 선택이 된다. 흉부압박의 효율이 떨어졌다고 느꼈을 경우에는 신속하게 다른 사람과 교대할 필요가 있다. 이런 경우, 흉부 압박의 중단이 가장 짧은 시간이 되도록 제때 교대가 필요하다. 이론상으로는 15세트에 30초가 경과하고, 1분 동안 흉부 압박 90회, 인공호흡 30회나 실제 흉부 압박의 속도는 120회/분(1초간 2회)으로 이루어진다.

8. 고농도 산소에 의한 양압환기와 흉부 압박 후 평가

심박 60/분 이상이면 흉골압박을 중지하고 양압환기를 계속한다. 심박이 100/분 이상이 되어 자발호흡이 출현하더라도, 흉골압박과 양압환기의 양자를 그만두는 것이 아니라, 흉골압박만을 중단하고 양압환기는 계속한다. 산소포화도를 측정 가능하며, 90초 시점에서의 산소포화도가 60% 이상에서 계속 상승하고 있다면, 산소 투여 농도를 낮추고 양압환기를 계속한다. 표 1에 시간 경과에따른 산소포화도의 목표치를 나타낸다. 소생 수기에 문제가 있으면, 다시 올바른 수기를 30 초간 실시한 후에 재평가한다. 이 단계에서 가장 많은 오류는 고농도 산소를 사용하지 않고 공기로 계속 소생하는 예이다.

9. 흉부 압박 후 다음 단계

통상적인 가사의 99%는 여기까지의 단계에서 상태의 개선을 볼 수 있다. 호흡·심박의 개선이 없는 경우, 다른 요인이 없는지 확인하면서 약물 투여 단계로 옮긴다.

1) 아드레날린(에피네프린)

0.1% 아드레날린 1mL에 대하여 생리식염수 9mL로 희석하여 0.01% 아드레날린(10% 희석 아드레날린)이 된다. 경정맥적 1회량으로서 0.1~0.3mL/kg를, 부득이한 이유로 경정맥적 투여가 어려운 경우에는 호흡기관을 통하여 0.5~1.0mL/kg 고용량의 아드레날린을 투여한다. 투여 간격은 30초마다의 평가에서 추가 투여하는 것이 아니라, 심박이 60/분으로 지속될 경우, 3~5분 간격으로 투여한다.

2) 순환혈액증강제

아드레날린 투여로 심장 박동 개선이 되지 않는 경우 아이의 순환 혈액량 감소를 고려한다. 순환 혈액량 증가제로는 생리식염수 또는 젖산 링겔 등의 등장액 10mL/kg을 5분에서 10분에 걸쳐 정맥 내 투여한다. 태아기부터의 빈혈이 생각되는 경우, 0형 Rh 음성 농후적혈구의 10mL/kg 투여를 한다. 현재 알부민은 등장액 효과를 대신하지 않으며, 수혈 후 감염증 위험때문에 사용하지 않는다.

3) 탄산수소나트륨

탄산수소 나트륨은 정맥내에서 CO_2로 분해되어서, 환기가 확립되지 않은 상태에서는 호흡성 산혈증이 조장되어 pH 개선이 나타나지 않으므로 분만실에서의 투여는 권장되지 않는다. 탄산수소나트륨은 고삼투압성제이므로 투여하는 경우에는 반드시 증류수로 1/2의 농도로 희석하여 2~4mL/kg 사용한다.

표 1. 산소포화도의 경과

시간 (분)	산소포화도 (%)
1	60
3	70
5	80
10	90

어느 시간도 산소투여하고 있는 경우는 95%를 넘지 않도록 산소농도를 조정한다.

표 2. NCPR에서의 호흡 곤란

1. 다호흡
2. 함몰호흡
3. 신음

지금까지 해설한 알고리즘의 왼쪽이 진정한 의미에서의 긴급성을 요하는 소생이므로, 지체 없이 소생할 수 있도록 평소부터 각 시설 내에서 준비하도록 한다.

10. 소생 초기처치 후에 자발호흡이 있고, 심박이 100/분 이상인 경우

노력호흡과 중심성 청색증의 유무를 확인한다. NCPR에서 정의하는 노력호흡을 표 2에 나타낸다. 심박이 100/분 이상이면 뇌혈류량은 유지되고 있는 것으로 생각되므로, 좌측의 알고리즘과는 달리 긴급도는 낮으니 당황할 필요는 없다. 여기서 펄스옥시미터가 없다면, 먼저 프루브를 오른손에 장착한다.

노력 호흡과 중심성 청색증 둘다 발견되었을 경우에 처음으로 개입한다. 구체적으로는 공기에 의한 지속 양압환기를 기본으로 하나, 물리적으로 불가능한 경우는 30% 정도의 저농도로 산소 투여를 하고 30초 후에 평가한다.

11. CPAP 또는 산소 투여 후 평가

노력호흡과 중심성 청색증이 지속될 경우 양압환기를 시작한다.

12. 노력호흡 또는 전신성 청색증 중 하나의 증상만 있는 경우

소생 후의 케어에 들어간다. 노력호흡의 경우는 원인 검색과 CPAP를 검토한다. 중심성 청색증만 있는 경우는 청색증성 심질환을 감별한다.

13. 소생 초기조치 이상의 소생을 필요로 한 아이의 소생후 케어

1) 혈당값 측정

생체에 스트레스가 생기면 아드레날린 및 코티솔의 분비가 높아져 일과성으로 혈당이 상승할 수 있다. 그 후 반응성 저혈당을 초래할 수 있으므로, 수유가 시작되고 저혈당에 빠질 위험이 없어졌다고 판단될 때까지는 정기적으로 혈당을 측정한다.

2) 저체온요법의 적응여부 판단

2015년의 가이드라인에서 저체온요법은 주산기에 기인하는 저산소성허혈성뇌증에 대한 권장되는 치료법이므로 적응 기준을 알아 둘 필요가 있다. 상세한 것은 다음 항을 참조하기 바란다.

참고문헌

1）田村正徳. 日本版救急蘇生ガイドライン2010に基づく新生児蘇生法テキスト. 改訂第2版. 東京, メジカルビュー, 2010, 50.

≫ 細野茂春

신생아 저체온 요법

consensus 2010 개정 이후, 중등도 이상의 신생아 저산소성 허혈성뇌증에서 대규모 무작위연구 (RCT)에서 사용된 저체온 요법을 시행하는 것이 강하게 추천되어 왔다.[1] 추천의 근거가 된 RCT 는 모든 증례 선택 및 체온관리법의 대부분을 공유하고 있기 때문에, 증례 선택이나 냉각방법이 RCT 방식과 약간 다른 것으로 인해 뇌 조직 온도나 보호 효과의 큰 차이로 이어질 가능성이 있다. 그러므로 일반 임상에서는 RCT 방식의 증례 선택과 관리법을 충분히 이해한 후에 실천하는 것이 중요하다. 현재 권장되는 RCT 방식에서는 생후 6시간이 경과한 아이에게 저체온 요법을 시행할 수는 없다. 산부인과에서는, 생후 초기에 적응을 충족시킬 가능성이 있는 사례가 있을 수 있다는 인식을 갖는 것이 중요하다.

적응 증례 선택

이하의 어느 하나가 해당하는 경우, 현시점에서 저체온 요법의 적응증이 아니다.
- 재태주수 36주 미만
- 체중 1,800g 미만
- 생후 6시간 이상 경과
- 전신상태 불량 및 선천성 이상 때문에 냉각에 의한 이익보다 불이익이 상회할 가능성이 있을 때

또, 시설에 따라 인원이나 기재의 준비가 불충분한 경우, 무리해서 냉각을 시행해서는 안 된다 (표 1).[2] 이러한 제외 기준에 해당하지 않는 경우, 전신이 강한 저산소 허혈스트레스에 의해 노출되었음을 객관적으로 시사하는 소견(적응기준 A), 중증도 이상의 뇌증 상태에 있음을 시사하는 주관적 소견(적응기준 B)에 의해 적응을 평가한다. 일부 RCT는 적응 기준 C(aEEG에 의한 평가)에 의해 중등도 이상의 뇌증이 존재함을 객관적으로 뒷받침하는 시스템을 채용하였으나, RCT에서는 기준C를 이용하거나 혹은 이용하지 않더라도 저체온 요법의 효과가 확인되었으므로 현재는 필수 소견은 아니라고 생각되고 있다.[3] 시설이 받아들일 수 있는 범위에서 냉각 대상 증례를 최소한으로 하고 싶은 경우에만 기준 C를 이용하여 자연 예후가 비교적 좋은 아동을 제외하는 것이 가능하다고 생각한다. 기준 B에는 신생아의 신경학적 평가에 정통한 의사의 판단이 필수적이기 때문에, 산과 시설에서는 기준 A중 하나(혈액가스나 Apgar점수 10분 값이 기준을 충족시키지 않더

라도, 배깅 등의 소생이 10분 이상 필요하면 해당됨)를 충족하는 아이를 인식한 단계에서, 신속히 인근 저체온 요법 시행 시설로의 이송을 검토해야 한다.

실시 가능 시설

저체온 요법을 시행하기 위해서는 통상의 중증 신생아의 집중 치료에 필요한 기구·인원·기술에 더하여 이하의 의료 자원이 필요하다.[2]

1. 신생아의 저체온 요법을 위해 디자인된 순환식 냉각장치
2. 직장 혹은 식도에서 심부 체온을 지속 모니터링 할 수 있는 시스템
3. 뇌파 혹은 aEEG를 필요에 따라 동시에 기록할 수 있는 장치
4. 냉각 도입 시 또는 급변 시에 1대1 혹은 그 이상의 인원으로 케어를 제공할 수 있는 체제

또, 체온관리나 저체온하의 호흡순환 관리 경험이 풍부한 인원, 신경학적 진단이나 뇌파·aEEG·MRI에 의한 급성뇌증의 평가나 추적관찰에 숙달한 인원도 필요하다. 평소 저체온 요법을 시행하고 있는 시설에서도 이러한 높은 수준의 진료를 제공할 수 없는 경우, 저체온 요법을

표 1. **저체온 요법의 도입기준**

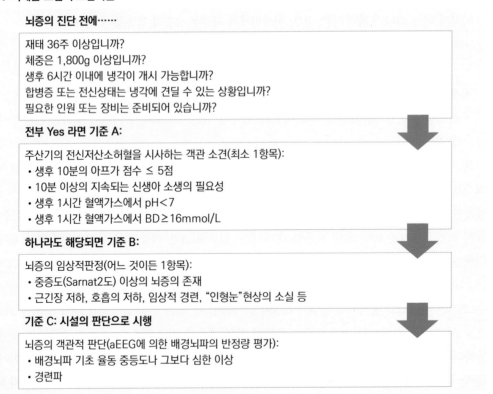

뇌증의 진단 전에……

> 재태 36주 이상입니까?
> 체중은 1,800g 이상입니까?
> 생후 6시간 이내에 냉각이 개시 가능합니까?
> 합병증 또는 전신상태는 냉각에 견딜 수 있는 상황입니까?
> 필요한 인원 또는 장비는 준비되어 있습니까?

전부 Yes 라면 기준 A:

> 주산기의 전신저산소허혈을 시사하는 객관 소견(최소 1항목):
> • 생후 10분의 아프가 점수 ≤ 5점
> • 10분 이상의 지속되는 신생아 소생의 필요성
> • 생후 1시간 혈액가스에서 pH<7
> • 생후 1시간 혈액가스에서 BD≥16mmol/L

하나라도 해당되면 기준 B:

> 뇌증의 임상적판정(어느 것이든 1항목):
> • 중증도(Sarnat2도) 이상의 뇌증의 존재
> • 근긴장 저하, 호흡의 저하, 임상적 경련, "인형눈"현상의 소실 등

기준 C: 시설의 판단으로 시행

> 뇌증의 객관적 판단(aEEG에 의한 배경뇌파의 반정량 평가):
> • 배경뇌파 기초 율동 중등도나 그보다 심한 이상
> • 경련파

해서는 안 된다(그 경우 다른 시행 가능 시설로 이송하거나, 저체온 요법 시행의 위험성을 설명하고 정상체온 관리를 한다).

이송까지의 조치와 이송 중의 주의점

아이의 이송이 결정되면 장착 가능한 호흡 순환 모니터를 이용하여, 적어도 심박과 펄스옥시메터를 이용해서 지속적으로 감시하고 제공할 수 있는 보조 호흡순환을 시행한다. 아기 침상의 가온에 의한 고체온, 보온 불량에 의한 저체온을 피하기 위하여, 5~10분에 1회 체온을 측정한다(가능한 한 직장온도 또는 식도온도를 지속 모니터링 한다). 치료의 효과를 최대화하기 위해서는, 한시라도 빨리 저체온 요법을 도입할 것, 즉, 빨리 냉각 시설로 옮겨 효과적인 냉각을 시작하는 것이 중요하다. 신생아 저체온 요법이 표준 요법이기 때문에, 설명이나 동의서를 받기 위해 이송이나 냉각을 늦출 필요는 없다. 자연 냉각에 의한 프리하스피탈쿨링(탈의하거나 가온을 중단하여 입원까지 목표 냉각 체온 가까이 도달시키는 방법)에 관해서는 아직 충분한 안전성과 효과의 검증이 완료되지 않았으나, 입원 전부터 체온의 지속 모니터링이 가능하며, 급격한 체온 하강이나 전신 상태의 변화에 대처 가능한 장비를 가진 경우(대부분의 경우, 신생아 이송용 닥터카가 필요함), 숙련된 이송 스태프에 의하여 시행을 검토해도 좋다. 장비나 경험이 불충분한 상태에서는 체온을 자주 측정하면서, 36℃ 전후의 정상 하한체온을 목표로 하는 데 그쳐야 할 것이다.

냉각 방법과 특징

신생아의 냉각법에는 전신냉각과 선택적 두부냉각이 있으며, 어느 쪽도 뇌 보호 효과는 같은 수준이라 생각되고 있다.[3] 전신냉각에서는 몸 전체가 똑같이 차가워지므로 확실히 뇌 온도를 낮출 수 있고, 한번 도입이 성공하면 체온이나 호흡 순환 변화가 안정되기 쉽다. 선택적 두부냉각은 10℃ 전후의 매우 차가운 캡으로 머리를 급냉하고, 체간은 래디언트워머로 강하게 데우므로, 온도 관리가 어렵다. 또, 뇌파 검사나 두부 초음파 검사를 시행하기 어렵다. RCT 방식의 두부냉각을 시행할 수 있는 장치가 현재 국내에서는 판매되고 있지 않으므로, 많은 시설에서 전신 냉각이 선택되게 되고 있다.

저체온 요법에 필요한 모니터링

저체온 요법을 시행할 경우, 인공호흡 관리가 시행되고 있는 사례가 대부분이므로 심전도 호흡 운동 모니터·SpO_2(필요에 따라 팔, 다리)의 지속관찰은 필수적이다. 또, 저산소허혈 스트레스나 냉각 그 자체, 혈관확장제나 진정제의 사용에 의해 순환 변동이 커지므로, 동맥압 지속 모니터링의 병용이 바람직하다. 냉각 중에는 혈액가스 이산화탄소 분압이 크게 변동하여 저이산화탄소혈증에 빠지기 쉬우므로 호기가스 CO_2 모니터나 피부 가스모니터가 유용하다.

저체온 요법을 시행 때, 냉각 도입에서 회복 후 24시간 까지는 직장(항문에서 3~5cm) 혹은 식도(흉곽 아래 1/3: 콧구멍에서 흉골하연 거리− 2cm로 유치하고, X선 사진으로 조정)에 프루브를 유치하고, 심부 체온을 지속 모니터할 필요가 있다. 직장온도·식도온도 모두 신뢰할 수 있지만, 직장온도는 식도온도보다 0.5℃ 정도 낮기 때문에, 직장온도로 관리했을 경우, 식도 온도를 기준으로 했을 경우보다도 더 냉각이 된다는 것을 이해하고 있어야 한다. 직장프루브는 기저귀 안에서 자연 제거되기 쉽고, 알아차리기 어렵기 때문에 이송 중 등을 제외하고 식도프루브를 사용할 것을 권한다. 신생아에서는 뇌저부의 온도를 반영하는 비인두온도가 많이 쓰이는데 심부 체온의 목표로는 이용할 수 없다. 또한 비인두온도는 선택적 두부냉각 중에는 다른 부위보다 빨리 저하되므로 이 부위를 기준으로 온도관리를 하면 냉각부족이 된다. 또한 비인강을 비롯한 지속체온 모니터링 값에 의한 피드백으로 캡의 온도를 낮게 조절하는 일은 절대로 해서는 안 된다. 캡에 순환하는 물의 온도는 설정한 상한선·하한 사이를 수분~수십 분마다 왕복하기 때문에, 바로 아래의 대뇌피질의 온도도 마찬가지로 심하게 변동되게 되어, 도저히 뇌 보호 효과는 기대할 수 없게 된다. 심부체온의 지속 모니터링은 저체온 요법을 시행하지 않기로 결정한 아이에게도 중요하다. 저산소 허혈을 경험한 아이에 있어서, 40℃ 이상의 고체온에 빠지는 것은 신경학적 예후를 악화시킬 가능성이 높다. 가능한 한 지속 체온 모니터링을 하여 체온 상승을 저지해야 한다.

aEEG는 냉각 도입 기준에 있어서 필수는 아니지만, 저체온 요법 관리 중에는 필수 모니터라고 해도 과언은 아니다. aEEG를 지속 모니터링 하는 것으로, 생후 6~30시간 정도에 일어나기 쉬운 경련발작을 정확하게 진단할 수 있다. 또한 기초파(basic wave)의 회복이나 sleep−wake cycle의 회복을 평가함으로써 대략의 예후를 비교적 조기에 예측할 수 있다. 초음파 도플러법에 의한 뇌혈류 해석에서는 지금까지 생후 60시간 이내에 resistance index가 0.55를 밑돌면 예후 불량이라고 알려져 왔으나, 오차가 많을 뿐이지, 저체온요법 시행시에는 진단 가치가 더욱 떨어지는 것으로 알려져 있어, 한계를 이해하여 보완하는 형태로 다른 방법을 활용해야 한다.

도입 시에는 레디언트워머나 보육기의 가온 장치를 끄거나, 목표 온도를 극단적으로 낮게 설정한다. 미리 20℃ 정도로 냉각해 둔 매트리스 위에 아이를 눕혀, 5~10분에서 뚜렷한 체온 저하가 확인되지 않는 경우, 2~3℃씩 매트리스의 온도를 낮춘다. 체온이 35℃를 밑돌면, 과냉각을 피하기 위해 매트리스의 온도를 조절한다.

저체온 요법의 도입

　저체온 요법의 효과를 최대한 유지하기 위해서는 저산소 허혈 스트레스에 노출부터 목표 체온 달성까지의 시간을 단축하는 것이 중요하다. 분만실이나 이송 중에는 자주 체온을 측정하면서 고체온·극단적인 저체온 어느 쪽도 피하도록 한다. 1도 저체온이 되어 버린 경우에는 급격히 데워서는 안 된다(저체온 요법을 도입하지 않는 경우는 저체온 요법 후 복온시키는 방법에 준하여 천천히 데운다). 입원 후에는(경우에 따라 입원 전부터) 신속하게 뇌증의 평가를 실시하여, 냉각 적응을 판별한다. 적응이 있다고 판단될 경우, 신속히 냉각을 개시하여 한 시간 이내에 목표 심부 체온인 33~34℃에 도달시킨다(그림 1). 냉각 매트리스는 미리 20℃ 정도로 해두면 시간의 손실이 적다. 보육기는 폐쇄식이어도 개방식이어도 가능하지만 익숙해질 때까지는 개방식이 관리하기 쉽다. 어느 보육기를 사용하는 경우에도 가온 장치를 꺼두고(혹은 히터가 작동하지 않도록 목표 온도를 낮게 설정하고), 20℃로 차게 해 둔 냉각 매트리스 위에 아이를 앙와위로 눕힌다. 전신냉각의 경우는 서브컨트롤을 이용해도 좋지만, 트러블슈팅이 가능하도록 매뉴얼 관리도 반드시 기억해야 할 것이다. 도입 중에는 5~10분마다 심부 온도를 확인하고, 뚜렷한 저하가 확인되지 않는 경우는 1회

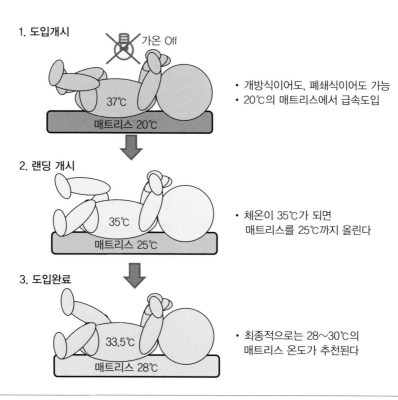

그림 1. **전신 저온의 도입**

에 2~3℃씩, 10℃ 하한으로 매트리스 온도를 낮춘다. 체온이 내려가지 않을 때에는 과도한 신체 움직임이나 교감신경 자극을 의심하여, 펜타닐과 같은 마약계 진정제의 사용을 검토한다. 일단 체온이 내리기 시작하면, 체온 변화가 가속되므로 심부 체온이 목표 상한 플러스 1℃인 35℃에 도달하면 과냉각 방지를 위해서 매트리스 온도를 서서히 높인다. 통상 30~45분으로 목표 심부 체온인 33~34℃에 도달한다. 도입에 1시간 이상 소요되는 경우 어떤 문제점이 있을 가능성이 높다. 온도 회복 개시까지의 72시간 동안은 28~34℃ 정도의 비교적 따뜻한 매트리스로 저체온 상태가 유지되는 경우가 많다.

유지기 관리와 온도 회복

한번 도입에 성공하면 유지기의 체온이 안정되는 일이 많지만, 각성 상태나 몸동작 등으로 체온이 크게 변화하는 일이 있으므로 지속 관찰이 필요하다. 경련 발작은 체온 상승을 수반하는 경우가 많으므로 가능한 aEEG를 지속 장착하여 조기 발견과 개입을 목표로 한다.

도입시에는 혈액가스가 크게 변동되므로 자발호흡에 주의하면서 혈액가스를 확인한다. 냉각 중에는 조직 대사가 저하되어, 산소 소비와 이산화탄소 생산이 감소하기 때문에 냉각 전의 호흡기 설정으로 환기를 계속하면 저이산화탄소혈증에 빠지기 쉽다. 혈액가스는 가능한 환아 체온 보정값(pH−stat법)으로 평가하여, 정상 pH·산소·탄산가스 분압을 유지한다. 일본에서 일반적인 일반적인 α−stat법에서는 검체를 일률적으로 37℃로 따뜻하게 하여 측정하기 때문에, PCO_2가 10% 정도 높게 표시되는 것을 고려한다. 현재 시판되고 있는 호흡기용의 가온가습기에서 저체온 요법에 대응할 수 있는 기종은 매우 한정되어 있으므로, 온습도계가 없는 경우, 호흡기 회로 Y−피스의 결로나 기도 분비물의 양을 참고로 조절할 필요가 있다.

냉각 중의 조직 혈류 수요는 저하되므로, 90~110/분의 심박수는 정상이다. 120/분을 넘는 심박수가 지속되는 경우는 오히려 스트레스나 경련발작에 의한 빈맥을 의심해야 한다. 저체온 환경에서는 순환이 억제되는 한편, 교감 신경이 자극되어, 혈압이 하강하는 경우도 있다. 상태의 중증 정도나 진정제의 영향도 크므로 혈압뿐만 아니라, 소변량이나 혈액 젖산치 등을 지표로 충분한 순환 혈류량을 유지하면서 엄중한 관찰을 할 필요가 있다. 근이완제는 다른 의학적인 이유가 없는한 최대한 사용해서는 안 된다. 냉각 중 관리에 대해서 본 매뉴얼에는 모두 망라할 수 없기 때문에 다른 서적을 추가 참조하기 바란다.[4]

온도회복은 냉각 개시 후 72시간에 시작한다. 매트리스 온도는 이미 30℃ 이상이 되어 있는 경우가 많은데, 37℃를 상한으로 1회에 1~2℃씩 온도를 상승시키고, 1시간에 0.5℃를 넘지 않는 범위에서 6~8시간 정도에서 정상 체온(36.5~37.5℃)에 도달시킨다. 온도회복 시에는 열 대사가 내려가서, 매트리스 온도를 상한인 37℃로 하여도 회복을 완료할 수 없는 경우가 적지 않다. 이러한 경우 정상 체온관리를 위해서 옷을 입히거나 보육기의 가온장치를 이용하여 천천히 정상 하한으로 따뜻하게 한다. 온도회복 중에 경련 발작이나 저혈압, 칼륨의 상승에 주의한다.

퇴원 전 검사와 추적관찰

일령 5~14 정도에 MRI를 촬영한다. 이 시기에는 확산강조영상의 진단 가치가 부족하기 때문에 필수는 아니다. 통상적인 T1·T2 강조 영상이 기본이 되지만, 1H MRS에 의한 젖산 평가가 가능한 경우, 시기에 상관없이 예후 판정에 유용하다. CT는 임상적으로 의미가 없기 때문에, 특수한 경우를 제외하고는 꼭 시행할 필요는 없다. 언뜻 보기에 건강하게 퇴원할 수 있는 아이에게도 최저 6~9세 정도까지는 외래 추적관찰을 계속하여, 수정 18개월·3세·6세·9세 등의 핵심평가에서는 대면으로 발달평가를 실시하고, 운동·언어·인지 기능같은 높은 차원의 뇌 기능의 비정상 발달을 조기에 파악해 시기적절한 개입을 한다.

마지막으로

신생아의 저체온 요법의 대략을 진단에서 이송, 치료의 도입까지의 흐름에 초점을 맞추어 해설하였다. 저체온 요법의 성공 여부는 거듭 말했듯이 출산 현장에서 적응할 수 있는 증례를 찾아내어, 신속하게 저체온요법 시행시설로 이송할 수 있는지 여부에 달려있다. 한 사람이라도 많은 주산기 의료 종사자가 혈액 가스나 아프가 점수 10분 값에 의한 급성 전신 스트레스에 대한 평가를 숙지하고, 대상이 되는 아동이 저체온 요법의 혜택을 골고루 받을 수 있도록 평소 지식의 공유와 네트워크 정비가 더욱 원활해져야 한다.

참고문헌

1) Perlman, JM. et al. Part 11 : Neonatal resuscitation : 2010 International Consensus on Cardiopulmonary Resuscitation and Emergency Cardiovascular Care Science With Treatment Recommendations. Circulation. 122 （16 Suppl 2）, 2010, S516-38.

2) Takenouchi, T. et al. Therapeutic hypothermia for neonatal encephalopathy : JSPNM & MHLW Japan Working Group Practice Guidelines Consensus Statement from the Working Group on Therapeutic Hypothermia for Neonatal Encephalopathy, Ministry of Health, Labor and Welfare （MHLW）, Japan, and Japan Society for Perinatal and Neonatal Medicine （JSPNM）. Brain Dev. 34(2), 2012, 165-70.

3) Jacobs, SE. et al. Cooling for newborns with hypoxic ischaemic encephalopathy. Cochrane Database Syst. Rev. 2013, 1 : CD003311.

4) 田村正徳ほか. Consensus 2010に基づく新生児低体温療法実践マニュアル. 東京, 東京医学社, 2011, 143p.

≫ 岩田欧介

병적 신생아의 이송

포인트

분만을 하다보면 출생한 신생아를 이송할 필요가 반드시 생긴다. 신생아 이송은 미리 정해진 전원 기준에 따라, 신생아의 의료에 정통한 의료종사자에 의해 단시간에 이송하기보다 어떻게 안정된 상태로 이송하느냐가 중요하다.

개념

현재의 주산기 의료체제는 지역화(regionalization)라는 개념에 근거하고 있으며, 지역에서 발생한 고위험 임산부와 고위험 신생아는 진료 가능한 상급 시설로 이송된다. 고위험 임산부를 주산기 센터로 이송하는 것이 이상적이지만, 이는 반드시 항상 가능하다고는 할 수 없다. 왜냐하면 정상적인 임신 경과가 예측불가능한 조산으로 되거나 정상적인 분만 경과를 보였어도 치료를 요하는 신생아가 출생하는 일이 있기 때문이다. 이러한 경우에는 출생 후에 신생아 이송을 할 필요가 있다.

전원 기준

이송해야 할 신생아의 기준을 미리 정함으로써, 긴급 시에도 원활한 신생아 이송이 가능해진다. 오사카 신생아진료 상호원조시스템(NMCS) 및 도쿄주산기의료협의회에서 사용하고 있는 전원 기준을 표 1에 나타낸다.

이송팀

조산아 및 호흡관리를 요하는 중증아는 원칙적으로 이송팀에 의하여 신생아 전용 구급차를 사용하여 이송되어야 한다. 일본에서는 많은 이송 팀이 신생아 전문 의사, NCIU 간호에 정통한 간호사와 운전사로 구성되어 있다. 이송팀은 자신이 소개받은 시설에 도착하는 즉시 진찰과 간단한 검사만으로 아기의 상태를 빠르고 정확하게 평가하고 즉시 적절한 치료를 시작할 수 있는 능력이 요구된다. 이 치료에는 NICU에서의 치료와 마찬가지로 동정맥루트 확보, 기관삽관과 인공환기, 기흉에 대한 흉강천자, 선천성심장질환의 초음파 진단, 신생아외과 질환에 대한 응급 처치 등을 포함한다. 이송팀에게는 의뢰한 시설의 의료진과 환아의 부모의 원활한 커뮤니케이션이 요구된다.

호흡, 순환 상태가 안정된 만삭 출산아라면 의뢰한 시설의 의료 종사자가 119구급차를 이용해서 이송하는 것도 가능하다.

필요한 비품

인공호흡기, 수액주입 펌프 및 보육기를 탑재한 신생아 전용 구급차가 필요하다. 필요한 약제나 물품의 리스트를 작성하여 카트에 넣어 관리해둔다. 오사카시립종합의료센터-NICU에서 사용하고 있는 이송용 물품 목록을 표 2에 나타낸다.

순서

1. 진찰

우선 아이의 병력을 확인하고, 상태에 따라 간단한 혈액검사나 초음파검사도 시행한다. 이 시점에서는 정확한 진단을 하기보다는 이송 중에 발생할 가능성이 있는 상태를 예측하는 것이 더 중요하다.

2. 처치

이송 중에 새로운 처치를 개시하는 것은 어려운 경우가 많으므로 이송 중에 생길수 있는 상태에 대해서는 이송 전에 처치를 미리 시작하는 편이 좋다. 예를 들어 이송 중 약제 투여에 대비하여 수액 루트를 확보하고, 이송 중에 인공환기가 필요할 수 있는 아이에 대해서는 미리 인공 환기를 시작한다. RDS 아기에 대해서는 인공폐 서팩턴트를 투여하고, 도중에 공기제거가 필요할 것 같은 기흉이 있을 때에는 흉강 천자를 시행한다.

어떻게 단시간에 이송하는가 보다는 어떻게 안정된 상태로 이송하는 것이 중요하다. 호흡, 순환 상태가 불안정하여, 서맥에서 회복되지 않는 경우에는 원칙적으로 치료를 통해 심장 박동수를 회복한 후에 이송해야 한다.

3. 부모에 대한 설명·접촉과 수용시설에 연락

출발 전에 부모에게 아이의 상황을 설명하고 접촉하게 한다. 또 아이의 상태와 예측되는 이송 소요시간을 이송시설에 연락해 둔다. 이송 중에는 호흡 심박 모니터, 펄스옥시미터를 장착하여 호흡 순환 상태를 모니터링한다.

표 1. 신생아 전원 기준

신생아의 상태	(A)절대적 적응	(B)상대적 적응	(C) B에 해당하나 산과에서 다음의 케어가 가능한 경우	생각되는 주요 질환	전원시 주의할점
조산아/ 저체중출생아	1) 재태33주 혹은 출생체중 1,800g 미만 2) 경증이라도 호흡장애가 있으며, 산소 투여를 시행하고 있는 경우	재태 35주 혹은 2,300g 미만	조기수유, 필요에 따라 경정맥 수액, 혈당모니터, 체온 유지		보온 확실한 보육기, 소생용 도구, 가능한 한 조기에
호흡장애 (신음, 다호흡, 함몰호흡)	1) 저체중출생아에서 경도 증상 중 무언가 나타나기 시작한 점 2) 만삭아에서 경도 증상 중 무언가 나타난 점			RDS, 선천성심질환, 기흉, 폐렴, 태변흡인증후군, 패혈증, 외과적질환 (흉부)	이송 중 무호흡에 대처가능한 준비, 인원 가능한 조기에 X선 사진이 있으면 좋부
가사	1) 출생시의 소생 후 1시간을 경과하여도 호흡장해, 청색증 등이 증상이 있는 경우 2) 앞으로 1)의 증상 출현이 예측되는 경우				이송 중 무호흡에 대처가능한 준비, 인원 가능한 조기에 X선 사진이 있으면 좋부
청색증	1) 전신에 경도 이상의 청색증 (SpO2<90%) 2) 호흡장애, 구토, 활기부진, 부종 등을 동반한 경우 3) 심장잡음을 동반한 청색증	입 주위, 사지의 간헐적 청색증으로 오른쪽 상지의 SpO2가 낮으나 개선경향	청색증의 증감을 자주 확인, 오른쪽 상지와 하지의 SpO2차이가 없음 SpO2>95%, 호흡심박 모니터	다혈증, 과점도증후군, 선천성심질환, 호흡기질환, 패혈증, 전신상태를 악화시키는 질환	심잡음을 동반한 청색증에서는 원칙적으로 고농도산소투여는 삼간다
무호흡발작	무호흡발작의 모든 경우	주기성 호흡	SpO2 모니터, 호흡심박 모니터		이송 중 무호흡에 대처가능한 준비, 인원 가능한 조기에 X선 사진이 있으면 좋부
경련	경련(강직성, 대사성) 혹은 경련양상 운동 있음	강한 떨림, 쉬운 자극성	혈당, Ca, Mg의 측정 혈당50mg/dL 이상이 지속되면 수액이 필요	저산소성허혈성뇌증, 두개내출혈, 수막염, 저혈당증 저칼슘혈증, 핵황달, 과점도증후군	
황달	1) 교환수혈 적응기준에 일치하는 경우 2) Rh부적합으로 광선요법 적응기준에 일치하는 지 Coombs' test 양성인 경우 3) 회백색 변을 배설하는 경우	광선요법 적응기준에 일치하는 경우	광선요법, 필요하면 교환 혈장, 필요에 따라 수액	용혈성질환, 폐색성황달, 감염증, 조산아, 소화관폐쇄애	부모의 혈액형, 산모의 혈액10mL
구토	1) 담즙 모양 구토물이 있으며, 내내용 흡인에서도 담즙색 내용을 보이는 경우 2) 카테터가 위내까지 삽입되어 있지 않는 경우	비담즙 모양 구토물이 지속하지 않은 경우, 체중감소가 10%를 넘는 경우	수액, 복부 X선	소화관 폐색, 복막염, 패혈증, 식도폐쇄	이송 전, 위내용 흡인 X선 사진이 있으면 좋부

증상	절대적 적응(A)	상대적 적응(B)	검사	의심 질환	처치·이송
복부팽만	1) 피부가 당겨질정도, 광택있는 팽만 2) 팽만 있음: 피부색조(복부)에 변화가 있는 경우 3) 팽만 있음: 위내용에 담즙색을 띄는 경우 4) 복부 종창 5) 대변이 나오지 않는 경우	1) 중등도의 팽만이 있으나, 원쪽(A)의 증상이 확인되지 않는 경우 2) 일반상태가 비교적 좋은 경우	복부X선	소화관천공, 하부소화관폐색, 복막염	상기와 같음
발열	1) 38.0℃ 이상(항문체온) 2) 37.5℃ 이상이 12시간 이상 3) 37.5℃ 이상에서 다른 증상이 있는 경우	37.5-38.0℃가 12시간 미만으로 지속되고 다른 증상없음 (A)에 해당하지만, 환경적인 원인이 의심되는 경우	백혈구수와 분류, CRP 등이 혈액검사	신혈증, 수막염, 탈수증	
저체온	1) 36.0-36.5℃가 24시간 이상 지속 2) 36.0℃ 미만이 12시간 이상 지속	36.0-36.5℃가 24시간 미만으로 지속	보육기 수용시, 기내온도를 적정온도로 설정		
출혈 (입에 머금은, 토혈·하혈)	1) 토혈, 하혈에서 혈성양수 섭감 가능성 없음 2) 기혈 3) 장기출혈이 의심되는 소견, 과거력, 창백한 피부	토혈, 하혈에서 혈성양수 섭감 가능성	Apt test에 의한 모체혈의 확인	신생아출혈증(헤레나), 소화관기형, 폐출혈, 분인손상, DIC	토물, 하혈물 지참 전원 전에 비타민K를 투여 (가능하면)
모유 불량 활기 불량 체중증가 불량	1) 다른 증상 항목에도 해당하고, (A) 혹은 (B)의 작음을 요하는 경우 2) 원쪽 기록 3증상이 동시에 48시간 이상 지속되는 경우			패혈증, 선천성 대사 이상증	
경으로 보이는 근기형	감염의 위험이 있으며, 응급수술을 요하는 것	응급 이와의 외과적처치를 요하는 것			
부종	1) 사지 혹은 전신에 지압흔을 남기는 부종 2) 이상체중 증가 3) 경성부종	사지 혹은 전신의 경도 부종	매일 체중을 측정	선천성 심장질환, 소화관폐색의 합병	패혈증, 신출혈, 저체온, 심부전, 태아수종
설사	1) 발열을 동반한 경우 2) 탈수증상이 확인되는 경우 3) 지속되는 체중감소	(A)의 증상 없음	수혜		
조·전기파수	1) 양수 악취 2) 모체 발열 3) 신생아에 어떤 증상이 확인되는 경우	모아에 감염을 의심하는 증상이 없음	출생시 위액백혈구 5/x400배 이하. 백혈구수, 분류, CRP에 의한 검사직 확인	세균감염, 패혈증, 수막염	

(A) 절대적 적응: 해당증상이 확인된 경우, 신속하게 신생아 진료시설로 전원해야함
(B) 상대적 적응: 해당증상이 확인된 경우, C군의 조건이 신과에서 실시가능하면 전원 불필요, 실시 불가능이라면 신속하게 전원

표 2. 이송용 물품 목록 (예)

품명/규격	수
써지컬 테이프 12mm x 9m	1
써지컬 테이프 25mm x 9m	1
신축성 테이프 2.5cm (1in) x 4.6m	1
커프 없는 기관내 튜브 2.0mm	2
커프 없는 기관내 튜브 2.5mm	2
커프 없는 기관내 튜브 3.0mm	2
커프 없는 기관내 튜브 3.5mm	2
호기 탄산가스 검출기	1
영양 카테터 4Fr 40cm	1
영양 카테터 5Fr 40cm	1
영양 카테터 6Fr 40cm	1
라텍스 수술용 장갑	1
펄스옥시메터용 센서 신생아 발 성인 손가락용	1
PR용 모니터용 전극 미숙아용	1
기관 카테터 10Fr	1
흡인 카테터 (조절구 포함) 6Fr 30cm	1
익스텐션튜브 X 1-50 0.7mL	4
익스텐션튜브 X 2-50 2.1mL	2
코튼 볼 10구 14mm	1
주사기 (중구) 1mL	2
주사기 (중구) 5mL	2
주사기 (중구) 10mL	4
쓰리웨이 L형 360°	3
디스포저블 주사침 19G X 1 1/2인치 PB	4
디스포저블 주사침 23G X 1 1/4인치 PB	4
유치침(앤지오 카테터) 24G X 3/4인치	8
알코올 소독면	20
칼슘 글루카곤	2
포도당 5% 20mL	2
생리식염수 20mL	1
주사용 증류수	1
포도당 50% 20mL	1
탄산수소나트륨 20mL	2
인산하이드로콜티존나트륨 100mg	1
다이제팜 10mg	2
아드레날린 (에피네프린) 0.1% 1mg	2
페노바비탈	2
앰부 백	1
페이스마스크 대	1
페이스마스크 소	1
PVC 튜브	1
폐쇄식 리저버	1
청진기	1
가위	1
후두경 블레이드	1
후두경 핸들	1
단3전지 (AA)	2

➤➤ 市場博幸

신생아 약물치료

포인트

최근 신생아에 대해서도 많은 새로운 약제가 사용 가능하게 되었고, 그 효과로 인해 많은 질환의 치료가 가능해졌다. 따라서 신생아의 예후를 개선시키기 위해서는 약물치료는 필수불가결하다. 그러나 약제의 신생아에 대한 약리작용은 충분히 연구되고 있다고 말하기 어렵다. 특히 신생아 약물요법은 출생 후의 전신장기의 기능변화를 고려하여 연구를 시행할 필요가 있다. 이 때문에 충분하게 알려져 있지 않은 작용, 부작용이 발현할 가능성이 항상 존재한다.

신생아에게는 약제의 부작용이 한번 발생하면 그것은 아이에게 매우 큰 영향을 준다. 그러므로 신생아의 약물치료 시에는 반드시 그 약제를 사용하는 것으로 얻어질 수 있는 장점과 약제의 사용에 따라 발생할 수 있는 여러가지 부작용의 단점을 판단하여 최종적인 치료 방침을 결정한다.

신생아 약물요법에서 고려해야 할 사항

1. 진단의 정확성

효과적인 약물 요법의 기본은 정확한 진단에 있다. 하지만 신생아질환 진단은 반드시 쉽지는 않다. 확진 진단에 시간을 소모하는 것은 치료가 늦어질 수도 있다. 따라서 신생아 약물요법에서는 진단이 확정되지 않은 시점에 약물요법을 시작하는 일도 많다. 따라서 신생아의 약물요법 중에는 반드시 치료의 표적인 질환의 진단과 시행하는 약물요법의 효과를 항상 재평가하여 약물요법의 타당성에 세심한 주의를 기울여야 한다. 불필요한 약물 요법으로 부작용을 일으킬 수 있는 상황은 절대로 피해야 한다.

2. 약리학적인 고려

신생아에게 사용하는 약제에도 당연히 통상적인 약물 동태학(pharmacokinetics)과 약역학(pharmacodynamics)이 적용된다. 그러나 신생아에서 이러한 데이터는 한정되어 있을 뿐만 아니라, 약리작용에 관하여 신생아 특유의 배려가 필요하다. 성인과는 달리 신생아 약물요법에서 고려해야 할 항목을 표 1에 나타낸다. 단, 신생아의 이러한 데이터는 부족하므로, 가능한 사용 약제의 혈중농도를 모니터하고 약물요법을 실시하는 것이 바람직하다. 다만 혈중농도를 모니터 할 수 없는 약제의 투여 계획은 경험에 의존하게 된다.

표 1. 신생아 약물치료에서 특히 고려할 항목

약물의 흡수

경정맥투여
1) 투여라인의 용적에 비해서 투여용량이 적다
2) 투여라인 내에서의 불균등 희석
3) 투여 후 체내에 도달하기 까지 시간이 필요
4) 투여라인에서의 흡착

경구투여
1) 흡수율이 충분하게 검토되지 않음
2) 경구영양의 영향이 큼

약물의 분포

1) 체수분의 조성비율이 높다
   (체중의 85% 이상은 수분)
2) 약물결합 단백량이 적음

약물의 대사

1) 반감기가 길다
2) 대사율이 재태기간, 출생 후 일수에서 변화한다
3) 대사율이 전신상태의 영향을 받는다

약물의 배설

1) 신장에서의 배설력이 낮다
2) 신기능이 출생 후 변화한다
3) 간에서 글루큐론산 포합능이 낮다

표 2. 신생아 약물요법을 위해서 개발된 약제

약제명	적응질환
용해성 필롤린산 제2철	철결핍성빈혈
폐 서팩턴트	신생아호흡곤란증후군
비타민K 메나테트레논 제제	비타민K결핍증 예방
인도메타신나트륨	동맥관개존증
리포PGE$_1$ 알프로스타딜	동맥관의존성심질환
팔리비주맙	RS바이러스 감염증 중증화 억제
아미노필린	미숙아 무호흡 발작
테오필린	미숙아 무호흡 발작
일산화질소	신생아지속성 폐고혈압증
정맥주사용 페노바비탈	신생아 경련
인산나트륨	저인산혈증
카페인	미숙아 무호흡 발작

신생아 약물요법의 실제

1. 약제의 선택

신생아에게 사용하는 약제는 당연히 가장 효과가 기대되거나 부작용이 가장 적은 것을 선택해야 한다. 그러나 실제로 이것은 매우 어려운 일이다. 신생아를 대상으로 한 임상시험이 실시되고, 과학적인 데이터가 축적된 약제라면 당연히 그 약제를 제1선택으로서 사용해야 한다(표 2). 그러나 그러한 약제는 예외적이며, 신생아의 약물요법에서 사용되는 약제의 대부분은 성인을 대상으로 한 임상시험에서 개발된 것이다. 따라서 성인에서의 임상시험 결과를 그대로 신생아 약물요법에 적용하게 된다. 이러한 상황에서 현재 신생아 약물요법에 이용되고 있는 대표적인 약제와 그 표준 투여량을 표 3~4에 나타낸다. 리스트에 기재되어 있는 약제는 신생아 영역에서 이미 사용되고 있으므로 이 중에서 약물을 선택하는 것이 바람직하지만, 병에 따라서는 다른 약제를 선택할 필요성이 당연히 나타난다.

2. 부작용에 대한 배려

신생아 약물요법에서는 사용하는 약물의 부작용이 본래 알려진 것보다 더 심하게 나타날 가능성이 있다. 또, 신생아 특유의 부작용도 나타날 가능성이 있으므로 부작용에 대한 배려가 중요하다. 통상의 부작용이 더욱 커지는 이유는 이미 표 1에 나타낸 것처럼 신생아 약물요법 특유의 특징이 존재하기 때문이다. 한편 신생아 특유의 부작용으로 고려해야 할 것은 알부민과 빌리루빈의 결합을 저해하는 작용이다. 이 저해작용이 강한 약제를 사용하면 신생아 체내의 유리 빌리루빈 농도가 상승하고, 핵황달을 일으킬 위험성이 증가한다. 또, 신생아 특유의 부작용으로서 클로람페니콜로 인한 회백 증후군이 잘 알려져 있다.

게다가 신생아는 성장발달 단계에 있으므로 신생아기에는 부작용이 인지되지 않아도 성장 후에 부작용이 밝혀질 수 있다. 신생아기의 테트라사이클린 사용에 의한 치아의 이상, 신생아기의 덱사메타존 사용에 의한 성장 후의 신경발달장애가 그 예이다. 따라서 장기 예후도 고려하여 신생아의 약물 요법을 실시할 필요가 있다.

3. 투여량의 결정

신생아의 투여량을 성인으로부터 산정하는 방식은 여러 가지 보고되고 있으나, 비교적 자주 사용되는 Ausberger의 식을 이용하면 체중 2kg의 신생아에서 성인 투여량의 약 1/10 된다. 그러나 이것은 어디까지나 하나의 기준이므로 실제로는 혈중농도를 모니터하는 것이 중요하나, 신생아에서 약물의 혈중 농도를 자주 확인하는 것은 불가능하다. 그래서 표 3~4의 표준적 투여량을 참고하여, 각각의 신생아의 투여량을 결정한다. 단, 어디까지나 경험적인 투여량이므로, 투여량은 임상증상과 맞춰서 판단할 필요가 있다. 또한 현재는 장기예후에 관한 데이터가 없고, 부작용도 알려져 있지 않은 약제도 장래 새로운 부작용이 나타날 가능성이 있으므로, 투여량을 포함한 사용기록을 확실하게 보존할 것과, 약물요법을 실시한 신생아의 장기 추적관찰을 시행하는 것이 중요하다.

신생아 약물요법에서의 적응 외 사용의 문제

신생아 약물요법에서 사용되는 약제의 상당수는 신생아의 용법과 용량이 첨부문서에 기재되어 있지 않을 뿐만 아니라, 대부분의 약제에서 신생아에게 투여하는 것을 권장하고 있지 않다. 또 일부 약제는 신생아에게 투여하는 것을 금기하고 있다. 따라서 신생아 약물요법의 대부분은 적응 외 사용이 되어버린다. 적응 외 사용의 문제점은 보험 심사에서 조정될 가능성, 부작용이 나타났을 때에 공적 구제가 적응되지 않을 가능성, 처방의사의 책임이 추궁될 가능성이다. 그러나 많은 약제에서 신생아에게 투여하는 것을 추천하지 않는 이유는 신생아를 대상으로한 임상시험이 실시

표 3. 신생아에게 사용되는 대표적 약제와 통상 투여량(경구투여제)

약제명	투여량	1일 투여 횟수
I 항경련제		
페노바비탈 　　혈중농도	3~6 mg/kg/일 15~40 μg/mL	2회
페니토인 　　혈중농도	5~15 mg/kg/일 5~20 μg/mL	3회
II 기타		
1) 이뇨제: 프로세미드	1~3 mg/kg/일	2회
2) 무호흡발작치료제: 테오필린	2~6 mg/kg/일	2~3회
3) 조혈제 　　Fe(수용성 피로린산 제2철)	2~6 mg/kg/일	1회
4) 비타민제제 　　비타민D(알파칼시돌) 　　비타민K(메나테트레논 제제)	0.008~0.02 μg/kg/일 2 mg/kg/회	1회 3회(출생직후, 생후1주와 30일)
5) 호르몬제: 싸이록신	5~10 μg/kg/일	1회
6) 혈관확장제 　　실데나필 구연산염	0.5~4 mg/kg/일	4회
7) 혈당강하제: 다이아족시드	5~20 mg/kg/일	3~4회

되지 않기 때문에 데이터가 존재하지 않고, 단지 경험이 없는 것으로부터 제약회사가 독자적으로 자가 규제를 하고 있기 때문이다. 따라서 이러한 약제의 경우에는 의사의 판단으로 사용하게 된다. 한편 신생아에 대한 사용을 금기로 기재하고 있는 약제에서는 그 사용에 분명한 타당성이 없으면 사용 후에 문제가 될 가능성이 있다. 그래서 신생아에게 약물요법이 필요한 현재 사용이 금기로 되어 있는 약제에 대해서는 신생아에게 사용이 안전하게 가능한 지를 과학적으로 검증하기 위한 임상시험이 필요하다. 그러나 적응 외 사용인 신생아 약물요법의 환경이 급속하게 전부 개선되는 것은 아니므로, 당분간은 현재의 범위 내에서 신생아 약물요법을 계속할 필요가 있다.

표 4. 신생아에게 사용되는 대표적 약제와 통상의 투여량 (비경구 투여제)

약제명	투여량	1일 투여 횟수	투여방법
I 구급 소생			
NaHCO$_3$	1~2mL/kg (2배 희석액으로 2~4mL/kg)		천천히 정주
아드레날린(에피네프린)	0.01~0.03 mL/kg (10배 희석액으로 0.1~0.3 mL/kg)		정주
칼슘 글루코네이트	1~2mL/kg/회		천천히 정주
아트로핀 유산염	0.02~0.06mL/kg/회 (5배 희석액으로 0.1~0.3 mL/kg/회)		정주
하이드로코르티손	5~10mg/kg/회		정주
폐 서팩턴트	120mg/kg/회 (1바이얼/kg/회)		기관내
II 감염증			
1) 항균제			
〈페니실린계〉 암피실린 피페라실린나트륨	 100~200 mg/kg/일 100~200 mg/kg/일	 2~3 2~3	 정주 정주
〈아미노글리코시드계〉 겐타이마이신염산염 아미카신염산염 알베카신염산염	 2.5~7.5 mg/kg/일 5~15 mg/kg/일 3~6 mg/kg/일	 1~2 2 1~2	 30분 30분
〈카바페넴계〉 이미페넴/시라스타틴나트륨 파니페넴/베타미프론	 30~60 mg/kg/일 30~60 mg/kg/일	 2~3 2~3	 1시간 1시간
〈세파계〉 세포택심나트륨 세포조프란염산염	 50~100 mg/kg/일 20~80 mg/kg/일	 2~3 2~3	 1시간 1시간
〈펩티드계〉 반코마이신염산염	 15~45 mg/kg/일	 1~3	 1시간
혈중 농도 최고치 25~40 mg/L, 트러프치 5~10 mg/L			
2) 항진균제 알코나졸 암포테리신B 미코나졸 미카펀진나트륨	 3~12 mg/kg/일 0.1~1 mg/kg/일 4~20 mg/kg/일 1~3 mg/kg/일	 1 1 2 1	 2시간 4시간 2시간 1시간
3) 항바이러스제 팔리비주맙 칸시클로비어 아시클로비어 비다라빈	 15 mg/kg/회 12 mg/kg/일 30~60 mg/kg/일 15 mg/kg/일	 월1회 2 3 1	 근주 1시간 1시간 24시간

약제명	투여량	1일 투여 횟수	투여방법
Ⅲ 순환기			
1) 강심제 도파민염산염 도부타민염산염 이소프레날린염산염 아드레날린 (에피네프린) 디곡신 밀리논	2~10 μg/kg/분 2~10 μg/kg/분 0.02~2 μg/kg/분 0.05~0.5 μg/kg/분 초기량: 0.0075~0.015 mg/kg/일 혈중농도: 0.8~2 ng/mL 0.25~0.75 μg/kg/분	2	지속정주 지속정주 지속정주 지속정주 정주 지속정주
2) 혈관확장제 리포-PGE$_1$ (알프로스타딜) PGE$_1$ 니트로글리세린 일산화질소	1~5 ng/kg/분 0.05~1 μg/kg/분 0.5~3 μg/kg/분 1~20 ppm		지속정주 지속정주 지속정주 전용기기로 지속투여, 흡입
3) 동맥관개존증치료제 인도메타신나트륨	0.1~0.2 mg/kg/회	12~24시간 간격	천천히 정주
Ⅳ 진통, 진정			
펜타닐	1~5 μg/kg/분		정주
펜타조신	0.5~1 mg/kg/회		정주
미다졸람	0.03~0.2 mg/kg/시		지속정주
티오펜탈나트륨	1~3 mg/kg/시		지속정주
Ⅴ 항경련제			
다이제팜	0.3~0.5 mg/kg/회		천천히정주
페노바비탈	5~20 mg/kg/회		근정주
페니토인	5~20 mg/kg/회		천천히정주
정주용 페노바비탈나트륨	20 mg/kg/회 2.5~5 mg/kg/일	1	정주 지속정주
Ⅵ 기타			
1) 이뇨제 프로세미드 hANP (카페리티드)	1~3 mg/kg/일 0.1 μg/kg/분	1~2	정주 지속정주
2) 무호흡발작치료제 아미노필린 독사프람염산염 카페인	2~6 mg/kg/일 0.2~0.5 mg/kg/시 초회 20 mg/kg 유지 5 mg/kg	2~3	정주 지속정주 정주 혹은 경구
3) 조혈제 에리스로포이에틴	200 단위/kg/회	2/주	피하주사
4) 비타민제제 비타민K (메나테트레논제제)	0.5~1 mg/kg/회		정주
5) 인산 보정 인산나트륨 보정액	20~40 mg/kg/일	1	지속투여

정리

　적응 외 사용을 이유로 약물요법을 실시하지 않는 것은 신생아를 치료할 의무를 포기한 것이 되며, 반대로 신생아 특유의 약물에 대한 반응을 무시하고 성인의 약물요법을 그대로 적응하는 것은 신생아에게 침습적 처치와 같다. 신생아 약물요법의 실시에 있어서는 반드시 그 약제 사용의 장점과 단점을 비교해서 최종 치료 방법을 결정한다.

참고문헌

1) 「周産期医学」編集委員会編. 周産期の治療薬マニュアル. 東京, 東京医学社, 2003, 1086p.
2) 新生児医療連絡会編. NICUマニュアル. 東京, 金原出版, 2014, 771p.
3) 北東功ほか編著. 新生児室・NICUで使う薬剤ノート. 大阪, メディカ出版, 2014, 241p.

》 楠田　聡

제 **9** 장

신생아 관리와 처치

화상진단 판독의 요령

10 화상진단 판독의 요령

a 초음파

개요

산과 초음파 검사에는 일반 산과 검진에서 실시하는 「일반 초음파검사」, 및 태아형태이상·진단을 목적으로 한 「태아 정밀 초음파검사」가 있다.[1]

「일반 초음파검사」는 리스크 유무에 관계없이 실시되는 것이 일반적이다. 「태아 정밀초음파검사」는 태아 질환을 태아기에 발견하여, 주산기 예후 개선을 기대하며 행해지는 한편, 초음파 검사 결과, 임신의 중단이 선택될 수도 있다. 특히, 「태아 초음파검사」실시 시에는 다른 출생 전 진단에 관련된 여러 검사와 마찬가지로, 출생 전 진단의 하나로 인식하여 실시해야 한다. 「태아 정밀초음파검사」는 확인해야 할 항목이 많기 때문에 전용 시간을 갖고 빠짐없이 관찰할 수 있었는지 확인하기 위하여 체크리스트의 작성이 바람직하다.

이러한 초음파 검사는 실시하기 전에 「목적」「검사의의」「발견될 수 있는 이상 및 발견되었을 경우의 고지 범위」 등에 관하여 사전동의를 받는 것이 권장된다. 또한 스크리닝에서 이상이 확인되었다면, 이를 무시하지말고 태아 초음파검사 전문의에게 상담한다.

초음파 기기의 취급

1. 초음파 젤리

경복부프루브를 사용할 때에는, 충분하게 에코젤리를 도포해 프루브가 복벽에 밀착되도록 해서 관찰한다. 또 경질프루브를 사용할 때도 충분하게 젤리를 도포하고, 그 위에 프루브 커버를 장착해서 사용한다. 종료 후에는 프루브커버를 분리하고 진동자(소자)의 손상을 방지하기 위해 젤리를 잘 닦는다.

2. 주파수

주파수가 낮을수록 깊은 곳까지 관찰할 수 있지만, 세세한 부분까지는 보이지 않는다(거리분해능, 방위분해능이 저하된다). 반대로 주파수가 높을수록 깊게 관찰하기 어렵지만, 세세한 부분까지는 보인다(거리분해능, 방위분해능이 향상된다). 예를 들어 임신 초기에 경질 초음파 검사를 할 경우, 관찰하는 대상이 작거나 관찰하는 대상이 가깝기 때문에 고주파수(5~9MHz)로 하는 경우가 많다(그림 1). 이 주파수의 변경은 패널의 스위치를 바꿈으로써 가능하다.

3. 증폭

휘도를 조절(여분의 수신신호를 단절)하여 적절한 증폭으로 관찰한다. 예를 들면, 쌍태의 융모막성 진단을 할 경우, 부적절한 증폭으로 관찰하면 얇은 양막은 확인할 수 없고, 일융모막이양막 쌍태를 일융모막일양막 쌍태로 오인하는 경우가 있다(그림 2). 이 증폭의 조절은 패널의 손잡이로 변경할 수 있다.

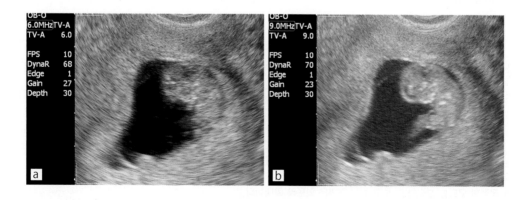

그림 1. 주파수의 차이

a (6.0Hz)와 비교하여, b (9.0Hz) 쪽이, 태아 형태를 선명하게 묘출하고 있다.

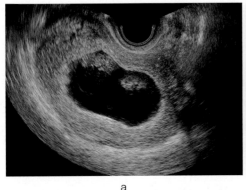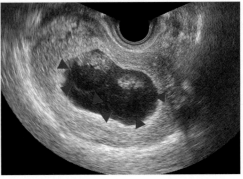

a   b

그림 2. 적절한 증폭의 설정

a: 증폭의 설정이 부적절한 예. 난막을 확인할 수 없고, 일융모막일양막으로 잘못 진단할 가능성이 있다.
b: 증폭의 설정이 적절한 예. 2개의 난막이 확인되고, 일융모막이양막상태로 진단가능하다.

초음파 검사를 잘하는 여섯 가지 요령

초음파 검사의 진단 정확도는 CT나 MRI와는 달리, 검사자의 기량에 달려 있다. 초음파 검사를 효과적으로 실시하기 위한 요령을 다음에 소개한다(표 1).

① 프루브는 어떤 때에는 역동적으로, 어떤 때에는 섬세하게 움직여서 관찰한다.

적절한 단면을 관찰하기 위해서, 프루브를 한번에 복벽 끝에서 끝까지 움직여야 하는 일이 있다(그림 3). 한편 태아 심장 등의 작은 형태에 대하여, 몇 단면의 관찰이 필요할 때에는 프루브를 수mm 단위로, 움직일 필요가 있다.

② 프루브를 자유자재로 다룬다.

프루브를 복벽에 수직으로 대고 손에 일절 에코젤리가 묻지 않도록 잡는 방법으로 품위있게 관찰하는 것으로는 적절한 단면을 얻기 어렵다. 적절한 단면을 얻기 위하여 때로는 프루브를 눕히고 또는 복벽을 누르면서 해야만 되는 경우도 있다(그림 4). 에코를 잘 하는 검사자는 검사가 끝났을

표 1. 초음파 검사를 잘하는 네 가지 요령

① 프루브는 어떨 때는 역동적으로, 어떨 때는 섬세하게 움직인다.
② 프루브를 자유자재로 잡는다.
③ 적절한 모드를 설정하고, 보고 싶은 단면은 되도록 확대한다.
④ 적절한 단면 묘출에 유의한다.
⑤ 확인목록을 사용하여, 태위 태향으로 인해 얻기 쉬운 정보부터 차례로 확인해 가면서 관찰한다.
⑥ 관찰할 수 있었던 형태에 대해서는 이미지로 기록 보존하고, 퀄리티 컨트롤에 활용한다.

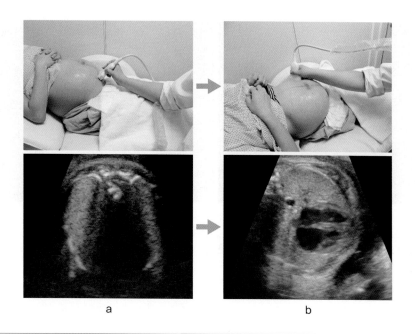

그림 3. **프루브는 때에 따라 역동적으로, 또는 섬세하게 움직인다**

a: 심장을 관찰할 때에는 그림처럼 프루브를 맞출 경우, 태아척추가 방해되어 관찰할 수 없다.
b: 이와 같은 경우는, 역동적으로 르푸브를 움직여 태아척추를 피하면 심장이 잘 관찰된다.

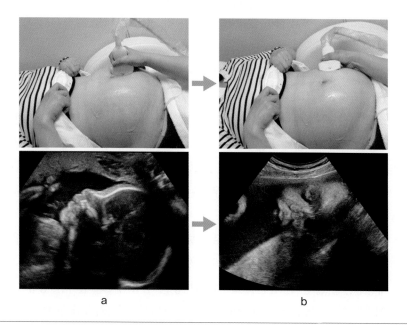

그림 4. **프루브를 자유자재로 다룬다**

얼굴을 관찰할 때에는 복벽에 대해 프루브를 수직으로 대었을 때 얼굴의 횡단면을 얻을 수 있었다면(a), 얼굴의 정면을 얻기 위해서는 프루브를 복벽에 대해 90도로 쓰러뜨려, 복벽에 누르지 않으면 안면관찰이 어렵다(b).

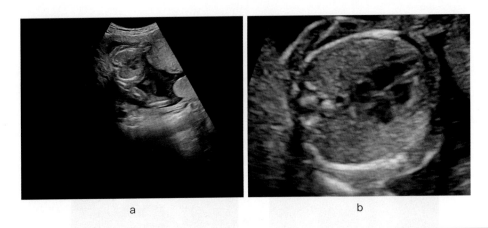

a   b

그림 5. 적절한 모드에서, 보이는 단면을 가능한 확대한다

a: 일반 설정에서, 확대하지 않고 관찰
b: 태아심장 모드 설정에서, 심장을 화면 가득 확대하여 관찰
　b의 쪽이, 심장 구조를 상세히 관찰할 수 있다.

때에는 에코젤리가 손에 많이 묻어있다. 물론 복벽에 대고 누를때 산모에게 아프지 않은지 물어보면서 행한다.

③ 적절한 모드에서 보고 싶은 단면은 되도록 확대한다. 초음파 기기에는 각 장기의 관찰에 적합한 모드가 설정되어 있는 일이 많다. 그러한 모드를 잘 선택해서, 보고 싶은 곳을 되도록 확대해 관찰한다(그림 5).

④ 적절한 단면이 묘출되도록 노력한다. 항상 태아의 기본 3단면(측면, 정면, 횡단면)을 의식하여 비스듬한 절단면을 피하다(그림 6).

⑤ 체크리스트를 사용하여 태위, 태향에서 얻기 쉬운 정보 순으로 확인하며 관찰한다.

태아 형태 관찰은 봐야 할 항목이 많으므로 체크리스트를 사용하여 태위, 태향에서 보다 얻기 쉬운 정보부터 순서대로 확인하면서 실시한다. 관찰하기 어려운 단면에 대해서 아이가 움직이기를 기다리고, 계속하여도 확인하기 어려운 경우에는 관찰 못한 단면을 알 수 있도록 체크리스트에 기재하고, 나중에 관찰한다.

⑥ 관찰할 수 있는 형태에 대해서는 이미지로 기록·보존하고, 퀄리티·컨트롤에 활용한다.

관찰할 수 있었던 단면에 대해서는 정상이라고 생각해도, 정상 형태라는 증거로서 화상을 기록 보존한다. 태아질환을 출생 전 진단할 수 없었던 경우, 정상이라고 생각한 영상을 한번 더 재검토함으로써 왜 진단할 수 없었는지 되돌아보게 되고, 자신의 검사기술의 상향으로 이어지기 때문이다.

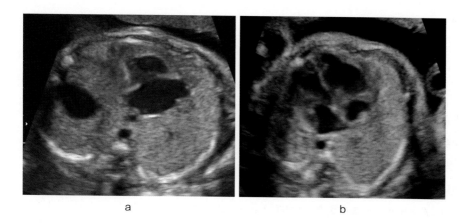

그림 6. 심장사강단면상의 관찰

a: 부적절한 단면(어슷하게 잘린 단면)
b: 적절한 단면
　모두, 동일한 태아의 사강단면상 관찰인데, 부적절한 단면 (a)에서는 횡격막헤르니아를 합병한 단심방·단심실로 보인다. 부적절한 단면에 익숙해지면(적절한 단면에 유의하지 않으면), 낯선 상을 봐도, 단면이 잘 잡히지 않았다고 방치해버려, 비정상 소견을 간과할 수도 있다.

임신중기·임신후기

　검사를 시행하기 적절한 시기에 대해서 보통, 임신중기는 임신 18~20주에, 임신후기는 임신 28~30주에 시행한다. 임신중기의 초음파검사는 미국초음파학회에 따르면, 표 2에 나타낸 부분을 스크리닝하는 것이 요구되고 있다. 또, 이 항목의 검사 결과로 알 가능성이 높은 질환에 대해서는 『산부인과 진료가이드라인: 산과편 2014』의 「CQ106-3 초음파검사를 실시함에 있어서의 유의점은?」의 항목으로 정리되어있다.[1]

　여기에서는 「태아 정밀초음파 검사」의 태아 형태를 관찰할 때의 포인트를 설명하겠다.

1. 두경부

　머리부분의 관찰에는 세계산부인과 초음파학회의 가이드라인에 따르면 머리 3단면을 관찰할 것을 권장하고 있다(그림 3). a) 대횡경(biparietal diameter ; BPD)을 측정하는 단면에서 위쪽으로 평행이동하여 얻을 수 있는 측뇌실단면, b) BPD를 계측하는 단면인 시상통과단면(BPD 계측단면), c) 시상통과단면에서 약간 돌려서 얻어지는 소뇌 통과 단면이다.

　BPD 측정 단면은 문자 그대로 BPD를 측정하여 투명중격강을 확인한다. 투명중격강은 18~37주에 확인되는 2장의 얇은 막으로 둘러쌓인 공간이다. 이 시기에 투명 중격강을 관찰할 수 없는 경우, 전전낭포증이나 뇌량결손, 수두증이 의심된다.[4]

표 2. 임신중기·후기초음파검사의 평가

a. 태아심박, 태아수, 태위
b. 양수량(AFI 혹은 양수 포켓)
c. 태반, 태반위치(내자궁구와의 관계)
d. 임신주수의 평가(특히 임신 중기)
e. 태아추정체중(특히 임신후기)
f. 모체형태(자궁 · 난소)
g. 태아형태
ⅰ. 두경부: 측뇌실, 맥락총, 정중겸, 투명중격강, 소뇌, 후두개와, 구순
ⅱ. 흉부: 심장사강단면, 좌우 유출로(five chamber view, three vessels view)
ⅲ. 복부: 위(위치, 크기), 신장, 방광, 제대진입부, 제대혈관 수
ⅳ. 척추: 경부, 흉부, 요부, 천골부
ⅴ. 사지: 다리, 팔
ⅵ. 성별: 다태이거나 의학적 적응이 있을 때

뇌실 단면에서는 atrium의 측정을 하는데, 세계산부인과 초음파학회의 가이드 라인으로 규정되어 있는 것처럼 측뇌실의 안쪽–안쪽에서 계측한다(그림 8).[3] 정상 값은 임신 주수에 관계없이 6~8mm로, 10mm 이상은 병적 확대의 가능성이 있어 정밀한 조사를 요한다. 또, 소뇌 통과 단면에서는 소뇌의 옆쪽에서 최대 횡경을 측정한다. 정상 값은 14~21주까지는 주수mm 정도이다. 후두개와는 소뇌충부 후면에서 안쪽을 측정한다. 정상 값은 전주수에 걸쳐 2~10mm로, 10mm 이상은 병적 확대 가능성이 있어 정밀 조사를 필요로 한다. 경부 후면의 피부 두께는 후두골 바깥쪽에서 피부의 바깥쪽까지를 계측한다. 14~18주의 주수로는, 두께 5mm 이상일 때, 또 19~24주의 주수로는 두께 6mm 이상일 때 후경부 피하 비후라고 진단한다. 경부 후면의 피하 비후가 보이는 경우는, 다운증후군일 확률이 상승한다.[5]

2. 흉부

세계산부인과 초음파학회 가이드라인에서는 심장 사강 단면상 및 유출로의 확인이 권장되고 있다. 이 때, 우선 태아의 좌우의 확인이 중요하다. 심장이 존재하고 있는 방향이, 또는 위포가 존재하는 방향이 좌측이라는 선입견을 가지고 초음파 검사를 하면 내장역위를 간과하게 된다. 4강단면상은 태아횡격막상의 흉부횡단으로 얻어진다. 적절한 단면의 경우, 좌우 늑골은 같은 길이로 전체 길이에 걸쳐 나타난다. 이 단면에서 확인해야 할 것은 ① 심장의 위치 ② 심첨의 각도 ③ 심장의 크기 그리고 ④ 심장의 좌우 심방·심실의 밸런스이다. 이것들에 대해서 1분에 걸쳐 관찰해야한

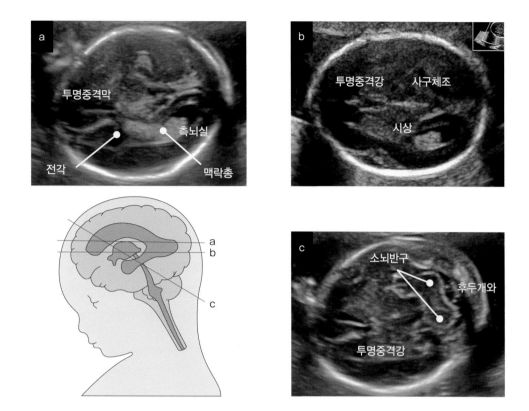

그림 7. 두부: 스크리닝 단면

a: 측뇌실단면, b: 시상통과 (BPD) 단면, c: 소뇌통과단면

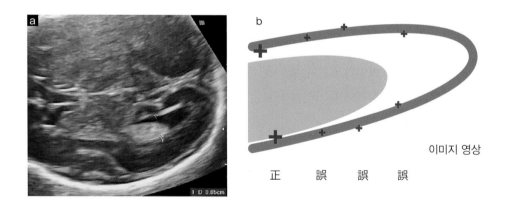

그림 8. atrium의 측정방법

측뇌실의 맥락막선상 (맥락총이 확대된 부분)에서, 뇌실의 내측–내측으로 계측한다.
正: 캘리퍼스(측경기)의 바른 위치/ 誤 : 틀린 위치다. 유출로의 확인은 간단하며, 4강단면상을 얻으면 그대로 태아 두측으로 평행하게 프루브를 이동시킨다. 제일 먼저 확인할 수 있는 것은 좌실 유출로(대동맥)이다(five chamber view). 이어서, 더 태아 머리쪽으로 평행 이동하면, 이번에는 우실 유출로(폐동맥)가 확인된다(three vessels view). 이러한 단면으로 심실의 유출로를 확인한다.

3. 복부

복부주위둘레(abdominal circumference ; AC)를 측정하는 단면에서 위의 위치(좌측에 있는지)와 크기를 확인한다. AC 측정 단면에서 평행하게 태아 다리쪽 방향으로 이동하여, 양측 신장을 확인한다. 여기에서는 신우의 형태의 관찰 및 신우의 직경을 측정한다. 측정 방법은 신우의 전후 방향에서 내측-내측을 측정한다(그림 9-a). 정상 값은 임신 중기에 4~6mm 이내, 임신 후기에는 10mm 이내로 하는 경우가 많다.[7] 이어서 제대 진입부를 확인하다(그림 9-b). 여기에서는 복벽파열이나 제대헤르니아 유무를 확인한다. 다음으로 방광을 확인한다. 여기에서는 방광의 유무나 제대동맥의 혈관 수(복강 내에 들어간 2개의 제대 동맥이 방광의 주변을 주행한다. 컬러도플러를 이용하면 확인하기 쉽다)를 확인한다(그림 9-c).

4. 척추

척추는 방실상단, 횡단, 관상단으로 관찰한다.[3] 방실상 단면상에서는 휘도가 높은 추체와 등쪽에 저휘도의 척추와 더 뒷쪽에 고휘도의 피부가 관찰된다. 횡단면상에서는 추골의 휘도가 높은 추체 1개와 횡돌기 2개가 관찰되어, 위에서부터 차례차례 관찰해 보면 규칙적으로 배열되어 있다. 관상 단면상에서는 2개의 횡돌기가 「전철의 선로」처럼 평행하게 확인된다(그림 10).

5. 사지

태아 사지는 이 시기에 확인하기 쉽다. 대퇴골, 상완골 측정과 함께 그 아래로 2개의 뼈(요골·척골, 경골·비골)가 있는지 확인한다. 또 손가락의 개수를 확인한다.

◖ Genetic sonogram

Genetic sonogram이란 「태아 정밀초음파검사」의 하나로, 소프트마커를 평가하여 태아염색체 이상 가능성을 비침습적으로 추측하는 방법이다. 소프트마커의 대표적인 것으로 임신초기는 NT(nuchal translucency),[8] 임신중기는 맥락총낭포(choroid plexus cyst ; CPC), 후경부의 피부 비후(nuchal skin fold thickening), 심강내 고휘도영역(echogenic intracardiac focus ; EIF), 고휘도 장관(echogenic bowel), 대퇴골 단축(short femur), 상완골 단축(short humerus), 신우확대(pyel-

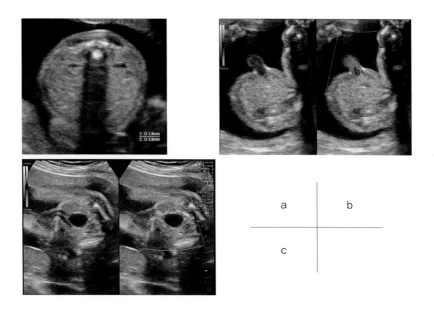

a	b
c	

그림 9. 복부형태: 스크리닝 단면

a: 신장 통과 단면
b: 제대 통과 단면
c: 방광 통과 단면 (칼라도플러로 제대동맥 2개가 관찰되고 있다)

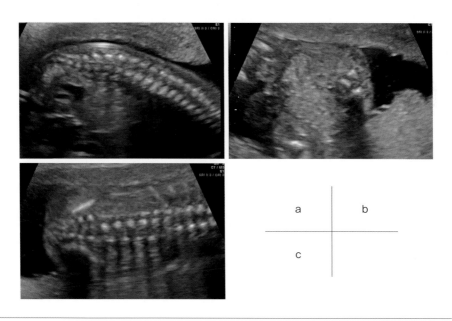

a	b
c	

그림 10. 척추형태: 스크리닝 단면

a: 방실상단면, b: 횡단면, c: 관상단면

ectasis)가 알려져 있다.[5] 이러한 소프트마커는 존재 자체가 병은 아니다. 그러나 정도와 유무를 확인하는 것에 의해, 염색체 이상을 예측할 수 있다. **Genetic Sonogram**은 염색체검사의 비확정적검사이며, 출생전 진단이다. 따라서 일반적인 시행되는 검사는 아니며, 사전의 유전카운셀링이 필수이며, 검사자도 훈련과 경험을 필요로 한다.

참고문헌

1） 日本産科婦人科学会・日本産婦人科医会 編集・監修. "CQ106-2 超音波検査を実施するうえでの留意点は？". 産婦人科診療ガイドライン：産科編2014. 2014, 84-8.

2） AIUM practice guideline for the performance of obstetric ultrasound examinations. J. Ultrasound Med. 32（6）, 2013, 1083-101.

3） International Society of Ultrasound in Obstetrics & Gynecology Education Committee. Sonographic examination of the fetal central nervous system：guidelines for performing the 'basic examination' and the 'fetal neurosonogram'. Ultrasound Obstet. Gynecol. 29(1), 2007, 109-16.

4） Malinger, G. et al. Differential diagnosis in fetuses with absent septum pellucidum. Ultrasound Obstet. Gynecol. 25(1), 2005, 42-9.

5） Nicolaides, K. et al. "Features of chromosomal defects". The 18-23 weeks scan. Nicolaides, K. et al. ed. London, Fetal Medicine Foundation, 2002, 92-7. https://fetalmedicine.org/the-18-23-weeks-scan-1 ［2015. 5. 26.］

6） Laing, F. et al. "Ultrasound evaluation during first trimester of pregnancy". Ultrasonography in Obstet and Gynecol. 5th ed. Callen, P. ed. Philadelphia, Saunders Elsevier, 2007, 181-224.

7） Bassanese, G. et al. Prenatal anteroposterior pelvic diameter cutoffs for postnatal referral for isolated pyelectasis and hydronephrosis：more is not always better. J. Urol. 190(5), 2013, 1858-63.

8） Snijders, R. et al. "First trimester diagnosis of chromosomal defects". The 11-13 weeks scan. Nicolaides, K. et al ed. London, Fetal Medicine Foundation, 2004, 7-42. https://fetalmedicine.org/the-11-13-weeks-scan ［2015. 5. 26.］

≫ 金川武司

b MRI

태아의 위치나 모체의 피하지방 등으로 인하여 초음파 단층 검사로는 충분한 태아 평가를 할 수 없는 증례에 대하여, 선명한 연부 조직의 이미지를 얻을 수 있는 자기공명화상(MRI)이 유용하다.[1]

MRI는 정적 화상 진단이기는 하나, 자궁 내에서 움직이는 위치가 일정하지 않은 태아를 대상으로 하는 촬영 시에는, 화상으로 태아의 위치를 추정할 수 있는 산과 의사가 촬영에 입회하는 것이 바람직하다. '일단 찍고 보자'는 자세가 아니라 '무엇을 목적으로 어떤 정보를 얻고 싶은가'를 명확하게 함으로써, MRI는 초음파 영상과는 다른 각도에서의 정보를 가져다 준다.

MRI의 안전성

MRI는 X선이 아닌 자기를 이용하여 이미지를 구축하는 것이므로, 방사선 피폭의 걱정은 없다. 유감스럽게도 자기의 태아에 대한 안전성이 확립되어 있는 것은 아니지만 구체적인 문제점이 지적되고 있는 것도 아니다. 자기에 의한 최기형성은 수많은 동물 실험 결과 등에서 부정되고 있지만 기관 형성기에서의 시행에는 신중하지 않을 수 없다. 임신 초기의 MRI 영상은 종양 등 모체 측의 문제에 대하여 시행되는 것이다. 이 경우에는 MRI 촬영이 주는 장점과 불확실한 위험성 사이의 균형을 고려하여 촬영 여부를 판단하게 된다. 태아의 어떤 문제를 위해 MRI촬영이 시행되는 것은 임신 중기 이후로 여겨진다. 이런 조건들을 고려하면 적어도 엑스레이 촬영보다는 MRI가 더 안전한 영상 진단법이라고 할 수 있다.

MRI의 적응

임신 중의 어떠한 문제점은 초음파로 진단이 이루어져 왔다. MRI는 간편성에서는 초음파에 훨씬 못 미친다. 따라서 임산부나 태아의 어떤 이상의 스크리닝을 위하여 시행하는 것은 현단계에서는 그다지 의의가 있다고는 할 수 없다. MRI는 초음파의 약점을 보완하는 화상진단법임을 잘 이해한 후에 적절한 촬영 대상 조건에서 촬영하는 것이 MRI 촬영의 효과적 활용 방법이다. 따라서 태아의 형태 이상이 있는 모든 경우가 적응이 되는 것은 아니다. 초음파로 평가 가능한 화상을 얻을 수 없거나 혹은 초음파와는 다른 어떤 정보를 얻는 것을 목적으로 하는 경우가 MRI의 적응이다.

이상으로부터 임신 중의 MRI 적응은 ① 모체의 종양, ② 태아의 이상, ③ 골반계측, ④ 태반 또는 기타 이상 등 4가지로 크게 나눌 수 있을 것으로 생각된다.

MRI 이미지의 특징과 장점

MRI는 촬영 범위 및 촬영 단면을 자유롭게 설정할 수 있다. 따라서 임신 말기에 이르러도 태아의 전신상을 나타낼 수 있다.[2] 이는 이상부분을 태아의 전신과 관련지어 평가할 수 있는 것을 의미한다. 예를 들어 태아의 체표에 종양이 있는 경우에는 종양의 위치나 크기를 태아의 전체상과 대비시켜 평가할 수 있다. 이는 의료진뿐만 아니라 환자 가족도 병의 상태를 쉽게 이해할 수 있을 것으로 생각된다.

1. 각 장기 간의 대조가 명확하다

그림 1은 태아의 흉복부 고속도 T2 강조 이미지(HASTE)이다. 높은 신호를 보이는 폐, 신호 강도가 더 높은, 즉 더 희게 나타나는 위, 폐와 위의 사이에 저신호의 간, 또 소장이나 신장까지 감별이 가능해진다. MRI 화상은 이처럼 장기 간의 대조가 명료한 것이 큰 특징이다.

2. 조직진단이 가능하다

MRI의 또 하나의 특징으로 대상의 조직진단이 가능하다는 점을 들 수 있다. MRI는 서로 다른 촬영 조건에서 대상의 신호 강도의 차이, 즉 하얗게 그려지거나 검게 나타나는가 하는 조합에

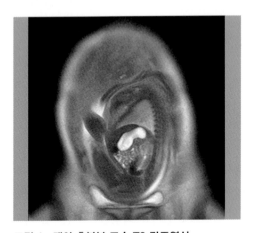

그림 1. 태아 흉복부 고속 T2 강조영상
몇초 만에 영상을 얻을 수 있는 HASTE 이미지이다. 폐는 고신호로 변연 명료하게, 위는 폐의 하방에 더 높은 신호로 그려져 있다. 또한 위의 아래쪽에는 소장이나 신장도 표현되어 있다.

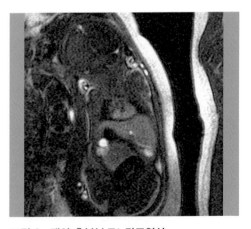

그림 2. 태아 흉복부 T1 강조영상
그림 1과는 달리 폐는 저신호를 띠고 있다. 또 간은 고신호가 되는 등, 그림1과는 각 장기의 화상이 명확하게 다르다.

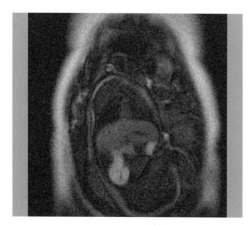

그림 3. 태아 난소종양 T1 강조영상

일반적인 난소낭종은 T1의 강조영상에서는 저신호가 되지만, 여기에서는 고신호를 나타내고 있다.

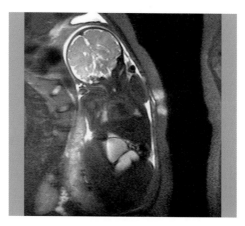

그림 4. 태아 난소종양의 HASTE 영상

HASTE(T2) 강조영상에서도 종양은 고신호로 보이고, 종양내용이 지방 또는 혈액임을 나타내고 있다.

의해, 태아의 장기나 종양의 진단을 할 수 있다. 그림 2는 태아 흉복부의 T1강조영상이다. 여기에서는 폐는 저신호가 되며, 간은 높은 신호로 하여 나타나고 있다. 이 장점을 살려 태아의 종양의 조직 진단을 할 수 있다. MRI를 이용함으로써 초음파와는 다른 태아 정보를 얻을 수 있다는 것을 의미하고 있다. 여기에 지방억제법이라고 하는 대상의 지방으로부터의 신호를 지워버리는 촬영 방법을 부가함으로써 조직 진단은 더 정확해질 수 있다.

　MRI촬영은 혈액과 지방을 구별하는 데 유용하다. 그림 3은 태아의 난소 종양 T1 강조 영상, 그림 4는 HASTE 영상이나, 함께 고신호를 나타내는 종양이 그려져 있다. 이로부터 생각되는 종양 내용은 지방 또는 혈액이라고 생각된다. 여기서 지방억제법을 시행하면 모체나 태아의 피부는 고신호에서 저신호로 변하고 있으나, 종양도 고신호를 나타내는 결장으로 둘러쌓인 것처럼 저신호로 되어 있다(그림 5). 이러한 결과 이 종양은 지방을 많이 함유한 기형종인 것으로 진단되었다. 아기는 출생 후 소아과에서 종양적출술이 시행되었다. MRI에 의하여 얻어진 정보는 태아의 출생 시기의 결정이나 출생 후의 치료 방침의 결정에 매우 유용한 것이 된다.

　그림 6은 수두증으로 소개되어 온 사례의 HASTE 영상이다. 뇌실이 확대되고 있는 모습이 명료하게 나타나고 있다. 그러나 이 증례는 척추에 병변이 있는 것이 영상에서 명확해졌다. 태아의 요추부에 융기병변이 확인되고 있으며, 이분척추가 있을 것으로 추측되는 이미지이다. 이 이미지의 단조 반전, 즉 백과 흑을 역전한 것이 그림 7이다. 여기에서는 양수가 검게 변하므로 초음파 화상이 낯익은 산과 의사에게는 친숙한 영상이 된다. 또, 뇌척수액 속에 떠 있는 뇌의 모습이 더욱 명료해져, 이분 척추의 피부 결손을 피부의 연속성 관찰을 통해 더 또렷해진다. 이분 척추는 이러한 임신 주수가 진행되고 있는 경우에는 병변부위가 자궁벽에 접해 버리는 경우가 많으며, 초음파로

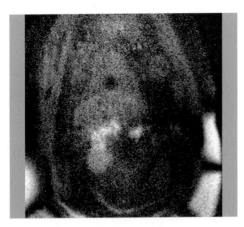

그림 5. 태아난소종양의 지방 억제 영상
지방억제영상에서 태아는 고신호를 나타내는 결장에 둘러싸인 것처럼 저신호로 묘출되고 있다.

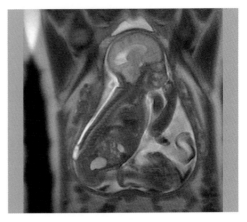

그림 6. 태아이분척추의 HASTE 영상
태아의 뇌실확대가 명확하게 나타나고 있다. 또한 허리 부분을 보면, 일부 피부의 결손이 있음을 알 수 있다.

진단이 쉽지 않은 경우도 적지 않다.

MRI 촬영 방법

일반적인 MRI의 촬영 방법은 위치 결정 이미지를 촬영하고 해당 이미지에서 촬영 단면을 설정하여, 대상의 적절한 촬영 방법을 선택하게 된다. 대상이 임산부의 종양 등인 경우에는 큰 차이는 없으나, 태아를 대상으로 하는 경우에는 이와 같은 방법으로는 만족할 만한 사진은 얻을 수 없다. 자궁 내의 태아는 활발하게 움직이고 있다. 따라서 이전에는 MRI로 평가 가능한 태아의 이미지를 얻는 것은 어렵다고 되어 있었다. 태아에 근이완제를 투여하고, 태동을 멈추고 촬영하는 일도 있었지만, 이러한 방법은 MRI를 침습성이 높은 검사로 만들어 버린다. 검사 시행 직전에 모체를 걷게 함으로써, 태동이 감소하여 선명한 화상을 얻을 수 있지만, 최근에는 기기의 개량에 의해 몇 초 정도면 화상을 얻을 수 있게 되었기 때문에 태동의 영향을 그다지 생각할 필요가 없게 되었다.

자궁 내에서 움직이는 태아를 촬영하기 위해서는 각 이미지마다 단면을 설정하는 것이 중요하다. 따라서 태아를 대상으로 하는 MRI 촬영 시에는 자궁 내의 태아의 위치를 정확하게 파악할 수 있는 산과 의사가 입회하는 것이 바람직하다. 왜냐하면 시시각각 방향을 바꾸는 태아의 촬영은 위치 결정 화상의 반복이 되기 때문이다. 요령은 태아의 횡단면을 일단 활용하는 것이다. 이것으로 부터 태아의 실상단절면이나, 이마단면을 정확하게 나타낼 수 있기 때문이다.

촬영 방법은 대상에 맞는 것을 선택하는 것이 중요하다. 기본적으로는 통상적인 촬영 방법으로 문제없다 신속하게 설정된 단면이 적절하다면 평소와 같은 촬영으로 충분히 만족할 만한 영상

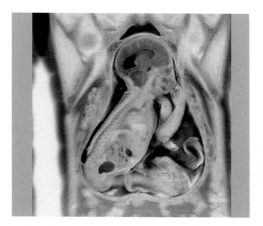

그림 7. 태아 이분척추의 계조(그라데이션)반전 영상

화상의 단조, 즉 백과 흑을 반전시킨 화상이다. 양수가 이곳
에서 저신호가 된다! 초음파 영상과 비슷한 색조를 띤다 또
한 허리부분의 피부결손 상태도 더욱 명료하게 되어 있다

을 얻을 수 있다.

태아는 작다. 작은 태아의 어떤 부분을 나타내려면 어쨌든 촬영 단상을 얇게 설정하거나, 촬영
범위를 작게 하거나 하고 싶어진다. 그러나 이런 선택은 이미지 해상도를 나쁘게 만든다. 촬영하
는 두께는 10mm 정도로 하고, 7mm 이하로 설정하지 않도록 유의한다. 촬영 범위를 나타내는
FOV (field of view)도 30cm 이하가 되지 않도록 설정하는 것이 선명한 화상을 얻기 위해서는 중
요하다. 그 후 필요하거나 가능할 때 얇은 촬영 단면에서의 촬영을 하는 것이 권장된다.

MRI의 새로운 이미지

그림 8은 출산직전 자궁내의 제대를 나타낸 MRI 이
미지이다. 이른바 MRI 앤지오그래피(혈관조영법)를 사
용하여 촬영하고, 제대 이외의 혈관상을 소거하고 얻을
수 있었던 것이다. 이 기법으로는 제대의 위치와 길이를
측정할 수 있다. 분만 중에 일어나는 예상치 못한 태아
의 문제 중 많은 부분이 제대에서 비롯된다. 이 방법은
아직 개발단계이지만, 출산 직전에 이런 좋은 정보를 얻
으면 매우 유용해질 것으로 기대된다

그림 8. 제대의 MRI 영상

참 고 문 헌

1） Kawabata, I., Takahashi, Y. et al. MRI during pregnancy. J. Perinat. Med. 31, 2003, 449-58.
2） 川鰭市郎，玉舎輝彦．MRIの臨床応用．周産期医学．25（増刊号），1995, 335-40.
3） 川鰭市郎，玉舎輝彦ほか．磁気共鳴画像（MRI）を用いて出生前診断した胎児水頭症の8例．小児の脳神経．17, 1992, 333-8.

≫ 川鰭市郎

임신 중의 CT검사: 포인트

임신 중의 CT 검사는 다음과 같은 주의가 필요하다.

1) 통상 X선 피폭이 없는 **초음파**나 **MRI**가 먼저 시행된다.

2) CT보다 MRI 쪽이 주산기에 있어서는 안전성이 높다고 생각되고 있다.

3) **긴급질환(외상**이나 **급성복증** 등)으로 임상적 진단이 곤란한 경우나 병변이 존재하는 장기를 특정할 수 없는 경우, 나아가 **암의 진전도, 림프절 전이** 유무의 검색에 이용된다.

4) MDCT (multidetector-row CT)의 보급에 의해 촬영 범위의 3차원 공간 모두 점의 X선·흡수 데이터를 계측할 수 있는 장치가 되었다.

5) CT의 특징은 ① 객관성이 높음, ② 검사가 비교적 용이하고 단시간, ③ 조직특이도가 높음, 이다.

6) CT를 할 때, 골반 CT만이 태아 피폭 평균 25mGy, 최대 79mGy이며(허용량 100mGy), 주의를 요한다(표 1).[1]

7) X선도 약제와 마찬가지로, 착상 전기에서는 'All or None'로 생각되며, 기형이 발생하는 것은 기관형성기이다(표 2, 표 3).

8) 임신 중, CT에 사용되는 조영제의 안전성은 확립되어 있지 않으나 유익성 투여에 해당한다. 요드 알레르기에는 주의가 필요하다. 수유에 대해서는 시간적 또는 시행 48시간 동안은 피하는 것이 바람직하다.

임신중인 X선 피폭

국제방사선방호위원회(International Commission on Radiological Protection ; ICRP)에서 1962년에 권고가 나왔으며, 1983년에 개정되었고, 2000년에 만들어졌다.

1. 국제방사선방호위원회(ICRP) 1962년 권고

10 days 규칙: 생식 능력이 있는 연령의 여성의 하복부와 골반을 포함하는 방사선 검사는 월경이 시작된 후 10일 이내에 실시한다.

표 1. 검사별 태아피폭선량(영국의 자료)[1]

검사방법	평균 피폭선량 (mGy)	최대 피폭선량 (mGy)
단순촬영		
두 부	0.01 이하	0.01 이하
흉 부	0.01 이하	0.01 이하
복 부	1.4	4.2
요 추	1.7	10.0
골반부	1.1	4.0
배설성 요로 조영	1.7	10.0
소화관조영		
상부소화관	1.1	5.8
하부소화관	6.8	24.0
CT검사		
두 부	0.005 이하	0.005 이하
흉 부	0.06	0.96
복 부	8.0	49.0
요 추	2.4	8.6
골반부	25.0	79.0

표 2. 태아 방사선 영향과 역선량[1]

배아사망 (유산)	100mGy
기형	100mGy
중증도 정신발달지연	120mGy
암	RR 1.4/Gy
유전적 영향	–

(ICRP Publ. 84)

표 3. 태아에 영향을 미치는 시기 특이성[1]　　　　　　　　　　　　　　　　　　　　(ICRP Publ. 84)

영향	착상전기	기관형성기	태아기		
	0~9일	3~8주	8~15주	15~25주	25주~
유산	+++	–	–	–	–
기형	–	+++	±	±	±
발육지연	–	+	+	+	+
정신발달지연	–	–	+++	++	–
암 발생	–	+	+	+	+

일수, 주수는 태령을 나타낸다.

표 4. **피폭시기 별 방사선의 역가치량(ICRP)**

1) 기형발생의 최소선량		
수태후 1~13일	기형 발생 없음	
14~28일	250mGy	
28~50일	500mGy	1986년 UN과학위원회
50일 이후	500mGy 이상	
2) 태아 방사선의 역가치량		
태령 2주 이내 (배아사망)	100mGy	
태령 7주 이내 (기형)	100mGy	1990년 ICRP권고 (국제과학위원회의 1/2.5에 해당하는 안전을 예상하고 있음)
태령 8~15주 (정신발달지체)	100~200mGy	

2. 국제방사선방호위원회(ICRP) 1983년 권고

월경 개시 4주 이내(수태 후 2주 이내)에 주된 영향은 배아사망으로, 사망을 면한 경우에는 정상 발육하여, 기형 발생은 없다(표 4).

3. 국제방사선방호위원회(ICRP) 2000년 권고[1]

태아의 피폭선량이 100mGy 이하인 경우에는, 인공임신 중절의 대상이 되어서는 안 된다(태아의 피폭 총량이 500mGy에서는 낙태에 적응이 되는데, 100~500mGy에서는 개인이 놓인 환경요인에 의해 결정된다. 단 100~1,000mGy이더라도, 모든 기관 형성 후인 임신 후반기에서는 기형이나 조산이 일어나기 어렵기 때문에 적응이 아님).

◖ 총론

1. X선 피폭의 영향

CT는 X선을 이용하고 있기 때문에 X선 피폭을 고려할 필요가 있다. 특히 임산부, 태아, 유아에서는 피폭의 영향을 고려할 필요가 있다.[3](표 1~표 4)

최근 X선량 자동가변기능(real exposure control)이나 피폭저감필터(dose reduction wedge) 등에 의해 방사선피폭을 감소하려는 시도가 이루어지고 있다.

2. CT의 특징[4,5]

① 객관성이 높다.

② 검사가 비교적 용이하며 단시간이다: MRI는 가동되기까지 시간이 필요하고, 환자의 호흡상태가 나쁜 경우는 부적합하다.

③ 조직 특이성이 높다: 석회화, 공기(가스), 지방조직, 낭포성분을 간단히 특정할 수 있다. 급성질환이나 병변이 존재하는 장기를 특정할 수 없는 경우에는 가장 유효성이 높은 영상진단이다.

④ 단순 CT가 조영 CT보다 효과적인 경우: 복강내 출혈, 결석병변, 혈전폐쇄형 대동맥박리, 최근 조영제 사용 등.

3. CT값

CT값(X선 흡수데이터)은 표 5와 같다.

4. 요오드 알레르기

조영제를 사용하는 경우는 요오드 알레르기(비이온성 요오드 조영제)에 주의한다.

표 5. CT값: X선 흡수 데이터

공기 (기체)	-1,000 HU
물	0 HU
지방	-20~100 HU
연부조직	0~100 HU
골피질	1,000 HU

(HU: Hounsfield 단위)

5. 촬영시간

촬영시간(조영제 주입으로부터의 시간)을 고려한다.[4]

1) 조영전 CT: 석회화 구조물(총담관, 요관결석 등), 액체저류의 농도(복강 내 출혈에 주의), 정상조직 농도 이상(혈전증이나 혈종에 주의).

2) 동맥상(1상): 조영제 주입으로부터 25~30초; 혈관내강의 결손, 종류 구조, 출혈점으로부터의 조영제의 혈관외 누출, 혈관벽 찰색 결손의 유무.

3) 문맥상·실질상제(2상): 조영제 주입부터 70~80초

4) 요로상(3상): 조영제 주입으로부터 80~200초

5) 평형상: 조영제 주입으로부터 300~600초; 충수를 동정하기 쉽고, 출혈점으로부터의 조영제의 혈관외 누출 도 동맥상보다 알기 쉬운 경우가 있다.

신우염, 신경색 등 → 신장실질은 착색되지 않는다.

신정맥혈전증 → 신정맥 내강이 착색되지 않는다.

6) 공기 조건: 복강 내 유리가스의 동정.

예를 들어 급성복증인 경우, 횡격막 상연에서 좌골 하단이 스캔 범위이다. 조영전, 동맥상, 평형상, 공기조건의 4시리즈가 필수적이다.[4] 급성복증(2상)의 조영인 경우에는 조영제 농도 300~370mg/mL, 100mL, 3m/초, 동맥상 30초, 실질상 100초 전후로 한다.[4]

6. MDCT에 대해서[5]

MDCT 보급에 의해 CT 검사시간은 비약적으로 단축되고, 약간의 움직임이나 호흡정지를 유지할 수 없는 증례에서도 영상을 얻을 수 있게 되었다. 또, 화질도 좋아지고 진단기능이 크게 발전했다. 이전에는, CT는 인체를 둥글게 자른 횡단면 밖에 얻을 수 없었는데, MDCT로 얻어진 자료를 재구성하여, 고해상도의 3차원 영상이 작성됨으로써 병변부위를 보다 선명한 영상으로 파악하는 것도 가능해졌다.

CT 검사의 장점은 단순 X선 검사나 초음파 검사에 비해 소견의 객관성이 뛰어나고, 조영제를 사용하면 장관, 혈관 등의 정상구조와 병변과의 차이를 명료하게 나타낼 수 있는 점이다.

7. CT 재구성 영상의 종류[5]

1) **MPR (multi-planar reconstruction)법**: 실상단, 관상단 상관없이 임의의 단면상의 작성이 가능하다. 척수 손상이나 대동맥 박리 등의 평가에 유용하다.

2) **VR (volumer rendering)법**: 3차원 CT 재구성 영상. 뇌동맥류, 대동맥류, 골절 등의 평가에 유용하다. 영상에서 관심영역 이외의 관찰을 방해하는 구조물의 제거가 용이하다.

3) **MIP (maximum intensity projection)법**: MR 혈관조영법 등에 이용되는 영상 재구성법. 복부실질장기손상, 혈관병변의 진단에 유용하다.

4) **MinIP (minimum intensity projection)법**: MIP법과 같은 방법으로 공기의 확산을 관찰하는데 유용하다. 담관, 췌관 등 주위의 실질조직보다 CT값이 낮은 구조의 촬영도 가능하다.

5) **VE (virtual endoscopy)법**: VR법으로 보는 관점을 각 장기의 내부에 둔 것. 위장관 등을 내시경 영상처럼 관찰할 수 있다.

6) **Ray Sum법**: 단순 X선 모양의 영상이다.

각론

CT는 외상을 포함한 응급 질환,[4~7] 악성종양(특히 림프절)에 매우 유용하다. 외상에서는 손상부위의 특정 골절·출혈·혈종 등의 진단에 도움이 된다. 여기에서는 응급질환에 대해서 간단히 서술하고, 특히 산부인과에 관련된 질병을 해설한다.

1. 중추신경 영역

뇌혈관 장애, 중추신경계 질환, 두부 외상의 경우, 진단 시 CT를 선택하는 것이 최선이다.

1) **뇌혈관장애**: MRI는 많은 점에서 CT보다 진단능력이 높지만, 마비나 의식장애의 환자가 긴급이송되었을 경우는 CT가 첫 번째 선택이 된다. 이유는 ① 단시간에 검사가 끝난다, 호흡 순환

관리가 필요한 증례에서 MRI는 부적합, ② 멀티슬라이스 CT를 이용한 3DCT angiography (3DCTA)의 진보로 혈관이나 혈류 정보를 신속하게 얻을 수 있게 되었기 때문이다.

촬영법은 우선 단순 CT를 찍는다. 조영을 먼저 하면 고흡수역(HAD)이 출혈에 의한 것인지 조영제에 의한 것인지 불명확해진다.

2) 중추신경계 질환: CO중독, 지방색전증, 중추신경계 감염증, 소생후뇌증, 저혈당혼수, 경련성질환

2. 대동맥 질환

CT 검사의 진단적 가치는 높다(그림 1). 동맥상과 실질상 2상의 촬영이 필요하다.

폐혈전색전증에서는 조영 CT가 가장 유용한 검사이다(그림 2).

3. 폐질환

단순 X선 후 CT는 제1선택이다(그림 3, 그림 4).

폐렴: 진단은 임상증상과 단순 X선 사진으로 실시되지만, 단순 X선 사진에서 소견이 없는 예 또는 일반 항균제가 효과가 없는 폐렴, 폐의 만성질환, 면역저하 환자 등의 경우에는 CT가 유용하다.

고분해능 CT (high-resolution CT ; HRCT)에 의해, 폐 미세구조와 병변의 확산이 밝혀지면서 폐의 형태 진단에 있어서 가장 우수한 영상 진단법이 되었다.

4. 급성복증

환자가 고통없이 복강 전체에 대한 정보를 쉽게 얻을 수 있다는 점에서 CT 검사의 역할은 매우 중요하다.

1) 급성 맹장염

임신 중 급성복증으로 제일 많다(1/1,500).[8] 조영 효과가 강한 충수의 팽창과 벽의 비후, 충수결석의 존재, 주변의 장관벽 비후(특히 맹장, 상행결장, 회맹 말단의 염증상 변화), 천공에 따른 주위 유리가스, 농양형성 등 충수주위 지방조직의 염증은 불균등한 농도상승(dirty fat sign)을 보인다.

〈산부인과 관련〉
2) 이소성 임신

전형적인 자궁외임신은 초음파검사와 임신 반응(소변 또는 혈중 hCG)으로 진단 가능하다. 하

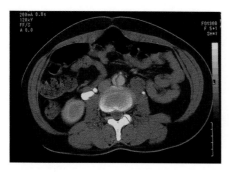

임신 40주 0일 경산분만. 산욕 4일째 아침식사 후부터 상복부통증과 등부분 통증이 있음. 복강내 명료한 조영 효과가 확인된다.

좌측 쇄골 아래부터 복부 대동맥 bifercation 바로 위까지 dissection이 확인되며, Stanford B, DeBakey Ⅱb였다.

그림 1. 대동맥 박리 (33세, 0-P)

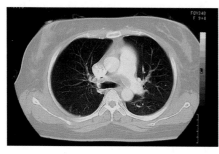

폐동맥 분지 바로 아래~ 양하엽 갈래에 결손이 확인된 폐혈전증.

타 병원에서 임신 38주 4일, 골반위로 제왕절개술을 시행(여아 출생. 3,142g, Apgar 점수 9/10) 수술 후 1일째 오후, 돌연 호흡곤란과 청색증이 나타나고 혈압 60/30mmHg로 쇼크 상태에서 본원 응급센터로 전원되었다. 그 후 혈전흡인제거술, IVC 필터 및 혈전용해 요법을 시행하고 구명된 증례이다.

그림 2. 급성 폐혈전색전증 (35세, 0-P)

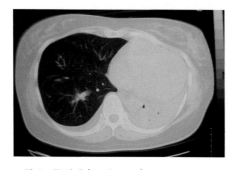

임신 37주 5일, 임신고혈압증후군의 임산부.
전기파수 후, 38℃ 발열 및 백혈구 수 23,700/mm³이 되어, 자궁내감염증 진단으로 척추마취 하에 제왕절개술을 시행(여아 출생. 3,380g, Apgar 점수 9/10). 수술 후 2일째 갑자기 흉통, 호흡 곤란이 출현하여 좌측 폐 거의 전엽에 무기폐 및 양측 흉수가 확인되었다. 그 후, 경과가 호전되어 퇴원.

그림 3. 무기폐 (28세, 0-P)

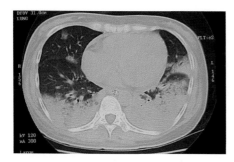

임신 38주에 타병원에서 경과관찰 중, 강으로 뛰어내려 자살을 시도했다. 태아사망 및 흉수, 고도의 폐렴이 확인되었다. 그 후, 입원은 장기간이 되었으나 구명된 증례.

그림 4. 폐렴 (39세, 0-P)

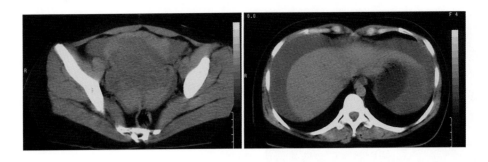

그림 5. 자궁외임신 (26세, 0-P)
하복부 통증, 구토, 설사가 확인되어 응급내과 외래에서 진찰. 급성복증을 진단한 결과, 본원 내과에서 CT 시행.
좌측 부속기에 GS(태포) 양상 및 혈종이 확인되었고, 대량의 복강 내 출혈을 동반하였다. 좌측 난관 팽대부 이소성 임신이
었다.

지만 진단이 망설여지는 증례에서는 CT나 MRI 촬영이 때로는 효과적이다. 단순 CT에서 복수가 고농도를 나타내는 경우, 혈성복수 진단이 용이하다. 농도가 낮은 경우, CT값을 측정하고 방광 내 소변 농도와 비교하면 진단에 참고가 된다. 조영 CT에서도 근육, 방광, 뇌척수액과 농도를 비교하여 진단 가능하나, 단순 CT 쪽이 바람직하다(그림 5).

3) HELLP증후군

간실질 내 또는 간피하막하혈종, 중증례에서는 간파열 또는 복강내혈종이 확인된다.

4) 난소출혈

황체출혈, 배란기출혈, 임신황체출혈이 있다. 더글러스와는 고흡수역의 액체저류가 확인된다.

5) 초콜릿 낭포 파열

내막증성낭포의 긴장저하와 낭포 주위의 혈액상이 확인되나, 영상만으로는 진단이 어려운 경우도 있다.

6) 난소염전

커진 난소의 위치 이상, 염전 내에 울혈 혈관을 나타내는 선상 구조, 종양내 혈종 또는 낭포벽의 부드러운 벽비후, 동맥혈류의 차단을 반영한 조영 효과의 결여 등 출혈성 경색 소견을 보인다.

7) 골반복막염

급성기의 영상은 불명확하며, 영상으로 지적할 수 없는 경우도 있으나, 자궁·부속기 주변이나 더글러스와 내의 복수 저류, 지방 농도의 변화를 볼 수 있다. Fitz-Hugh-Curtis syndrome은 염증이 진행되어 간주위염과 우측 상복부통을 동반하는 병태이나, 2상성의 조영 CT로 진단이 유용하다. 동맥조영 조기상에서 간피막상의 균일한 농염이 특징적이며, 난관 확장이나 난관 주위의 농양 형성이 확인된다.

8) 자궁 파열

산후 출혈로 바이탈이 나빠서, 상태를 약간 개선한 후에 긴급 CT의 적응이 된다. 자궁 파열부 주위에 조영제 누출이 확인된다.

9) 연산도 열상

혈종의 증대나 진전도의 평가. 후복막의 혈종 진행은 생사에 관계된다(그림 6).

10) UAE (transcatheter uterine arterial embolization) 후의 follow up

이완 출혈, 불완전자궁파열, 유착태반, 위동맥류, 제왕절개창 출혈, 연산도 열상 등에 대하여 UAE 후, follow up으로 CT-angiography를 이용한다(그림 7).

5. 소화관 천공

급성 복증의 대표적인 하나이다. CT 검사는 복강 내 유리가스 검출이 감수성이 매우 높기 때문에 식도천공, 위·십이지장 천공, 담낭의 천공, 소장천공, 충수천공, 대장천공 등 소화관 천공의 진단에 필수불가결하다.

6. 횡문근융해증-크래시증후군

골격근조직이 손상되어, 근유래 물질이 혈액 속으로 유출되는 병태를 횡문근융해증이라고 한

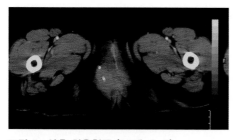

그림 6. 산후 회음혈종 (21세, 0-P)

임신 40주 0일 경질분만 후, 회음부 절개측에 질벽혈종이 확인되어, 타병원에서 응급 전원되었다. 5cm 크기의 혈종이 확인되었으나, 후복막으로의 진전은 없었다.
회음부 우측에 흡수치가 높은 연부 음영이 확인되어, 증강 효과가 결여된 혈종이 확인된다.

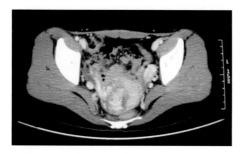

그림 7. 유산 후 자궁동정맥 기형

타병원에서 임신 15주의 자연유산 후, 약 1개월 경과 후 대량 질출혈이 초래되었다. 그 당시 CT상. 자궁 후벽 우측에 20X30mm의 경계가 불분명한 종류가 확인되었고, 동맥과 같은 정도의 조영 효과가 확인되었다. 골반 동맥 조영술로 확진된 자궁동정맥 기형(AVM)으로, 자궁동맥 색전술을 시행하여 자궁을 보존한 증례이다.

다. 특히 외력에 의한 장시간 눌리거나 허혈, 이후 재관류의 장애를 동반하는 경우를 크래시증후군이라고 한다(예를 들면 지진으로 깔림). 비외상성의 횡문근융해증에서는 이학소견이 부족하고, 영상검사에서 처음으로 손상부위가 동정되는 일이 있다. CT검사는 중증환자에게도 비교적 쉽게 실시할 수 있으므로 스크리닝에 유용하다.

7. 기타

간·담도·췌장질환, 신장질환, 후복막강 질환, 괴사성 연부조직감염증에 있어서 유용하다.

참고문헌

1) Pregnancy and medical radiation. ICRP Pub. 84. 2000.
2) 日本産科婦人科学会・日本産婦人科医会 編集・監修. "CQ103 妊娠中の放射線被曝の胎児への影響についての説明は？". 産婦人科診療ガイドライン：産科編2014. 2014, 58-60.
3) 草間朋子. 画像診断の適応と安全性. 周産期医学. 34（6）, 2004, 817-22.
4) 特集：腹痛のCT診断. 臨床画像. 23（2）, 2007, 137-214.
5) 吉岡敏治編. 救急疾患CTアトラス：その撮り方・読み方の実際. 大阪, 永井書店, 2006, 290p.
6) 日本放射線科専門医会. 画像診断のガイドライン2003：画像診断の進め方に関する放射線科専門医による提言・勧告. 2003.
7) 堀川義文ほか. 急性腹症のCT. 東京, へるす出版, 2006, 620p.
8) Gurbuz, AT. et al. The acute abdomen in pregnancy patient：Is there a role for laparoscopy? Surg. Endosc. 11, 1997, 98-102.

≫ 松島　隆, 竹下俊行

주산기의료에 필요한 자료·검사값·분류

부록 주산기의료에 필요한 자료 · 검사값 · 분류

1. 임신중 혈액 자료

표 1. 온혈구계산[1,2]

(마키 등, 1986)

	임신 초기 (~15주)	임신 중기 (16~27주)	임신 후기 (28~42주)
WBC (/mm³)	7,410±1,870	8,340±1,970	8,180±1,980
RBC (만/mm³)	418±35	379±31	388±34
Ht (%)	37.1±2.9	34.4±2.6	34.4±2.7
Hb (g/dL)	12.5±1.0	11.6±0.9	11.4±0.9
MCV (fl)	88.9±5.0	90.9±4.9	88.9±5.7
MCH (pg)	30.0±1.9	30.6±1.8	29.6±2.3
MCHC (%)	33.7±1.3	33.7±1.3	33.3±1.3
혈소판 (×10⁴)	23.8±5.8	24.0±5.8	23.8±6.3
TIBC (µg/dL)	320±75	432±83	493±109

표 2. 임신경과에 따른 응고인자 활성의 변화[1,2]

(마키 등, 1986에서 일부개정)

응고인자활성 (%)	비임신 시	임신 시		
		12~15주	32주~	36~40주
XII	92±20	161±42*	151±39*	151±40*
IX	104±21	162±29*	185±52*	180±41*
VIII	88±22	135±34*	185±61*	181±60*
VII	90±20	123±32*	160±38*	158±42*
X	91±21	123±25*	138±36*	139±33*
V	95±24	99±25	98±24	105±30
II	96±24	125±21*	148±33*	144±35*
XIII	94±15	93±11	74±12*	70±13*
피브리노겐(mg/dL)	256±79	355±85*	417±82*	440±80*

*유의차 있음

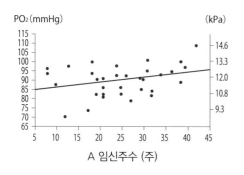

A : PO₂
B : PCO₂
C : HCO₃⁻

Standard biocarbonate

그림 1. 임신중의 동맥혈가스분석[3]

(Lucius등, 1970)

pH는 임신중의 변화로 결여되어 평균 7.47이다.[3]

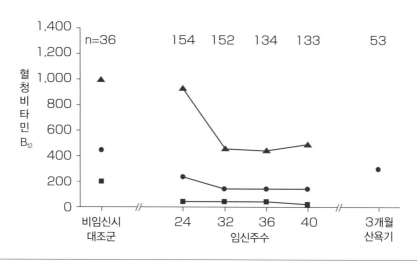

그림 2. 임신중의 비타민B₁₂[4]

임신 중, 측정된 혈청 비타민B₁₂값 (mean과 range). 53명만 분만 후의 값을 측정하는 것이 가능하였다. 비임신의 대조값은 다양한 연령의 36명의 여성으로부터 채취하였다.

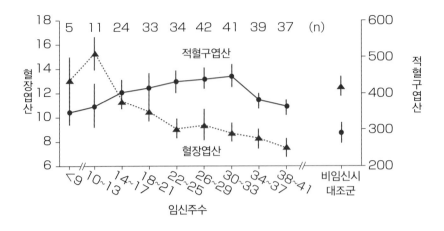

그림 3. 임신중의 엽산[5]

단태임신부를 대상으로 종단적 연구에서 얻은 혈장엽산값과 적혈구엽산값(mean±SEM).
피검자는 모두 임신 12주 무렵부터 철분을 보충하고 있었는데(n=43), 엽산의 보충은 없었다. 샘플은 하룻밤 금식 후 채취되었다. 비임신부의 대조 표본은 19~37세까지의 건강하고 수유하지 않는 여성 50명부터, 식후 3~5시간 후에 채취되었다. 어느 피검자도 임신중에는 빈혈이 없고, 헤모글로빈 양과 평균 적혈구 용적은 안정되어 있었다(엽산염 변환인자: mmol/L × 0.044 = μg/dL).

표 3. 임신에 의한 종양표지자의 변화[6]　　　　　　　　　　　　　　　　　(오자와, 2005에서 인용 일부개정)

	종양 마커	비임신시의 기준값	최대값의 시기	최대값의 양성율	모체혈중의 생리적 상한값
임신에 의해 영향을 받기 쉬움	CA125	≤35 U/mL	임신2개월	임신전기에 50~70%	200~350 U/mL
	AFP	≤20 ng/mL	임신32주 전후	임신중기에 100%	300~400 ng/mL
	GAT	≤13.6 U/mL	임신후기		80 U/mL
	hCG	측정감도 이하	임신10주	전임신 기간에 걸쳐 100%	50 IU/mL
임신에 의해 영향을 조금 받음	CA72-4	≤4 U/mL	임신중기~후기	전임신 기간에 걸쳐 20%	10 U/mL
	SLX	≤38 U/mL	임신전기	임신전기에 25%	50 U/mL
	SCC	≤2 ng/mL		전임신 기간에 걸쳐 14%	3 ng/mL
	CYFRA	≤3.5 ng/mL	임신말기	임신중기에 8%, 후기에 30%	4~5 ng/mL
	TPA	≤100 U/mL	임신말기		200 U/mL
임신에 의해 영향을 거의 받지 않음	CA19-9	≤37 U/mL	대부분 변화없음		
	STN	≤45 U/mL	대부분 변화없음	-	-
	CEA	≤3.5 ng/mL	대부분 변화없음		

2. 각종 기준 및 각종 점수표

표 4. 주산기 모체 쇼크와 심장초음파[7)]

	심장초음파 소견			심장초음파 이외의 임상증상	초기치료
	EF (방출분율)	LVDd (좌심실 확장 말기 직경) /D_s	IVST(interventricular septal thckness) 심실중격 두께 PWT(Posterior wall thickness) 좌심실 후벽 두께	TR 심실중격 좌실편위		
폐혈전색전증	N	↓~N	N	+++	초기에는 출혈경향 없음	헤파린, UK 중증례에서는 삽관 카테콜라민 최중증에서는 PCPS
양수색전증	N	↓~N	N	+++	초기에서의 DIC 출혈경향 있음	헤파린 중증례에서는 삽관 카테콜라민 최중증에서는 PCPS
분만전후심근증	⬇⬇	⬆	↓~N	−	CVP↑ CTR 확대 분만후에도 악화 경향	수액제한 카테콜라민 이뇨제
아나필락시스	N~↑	⬇⬇	⬆	−	항원에 노출 피부발적 등	아드레날린 (에피네프린) 스테로이드
출혈성쇼크	N~↑	⬇⬇	⬆	−	대량출혈	수혈 수액

굵은글씨는 특징적 소견
UK: 우로키나제, PCPS: percutaneous cardiopulmonary support(경피적 심폐 보조)

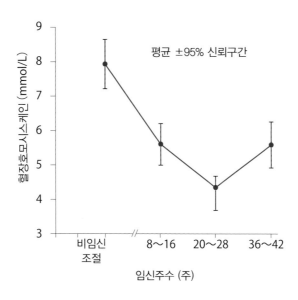

그림 4. **임신 시기별 혈장 호모시스테인 농도**[8)]

(Walker등, 1999)

표 5. 산과 DIC 점수[9]

	점수		점수
Ⅰ. 기초질환		c. 심장, 간, 뇌, 소화관 등에 중요한 위독한 장애가 있을 때는 각각 4점을 더한다.	
a. 태반조기박리			
· 단단한 자궁, 태아사망	[5]	· 심장 (수포음 혹은 포말성 가래 등)	[4]
· 단단한 자궁, 태아생존	[4]	· 간 (황달 등)	[4]
· 초음파 및 태아심음자궁수축감시소견에 의한 조기박리 진단	[4]	· 뇌 (의식장애 및 경련 등)	[4]
		· 소화관 (괴사성장염 등)	[4]
b. 양수색전증		**d. 출혈 경향**	
· 급성 폐심장증	[4]	· 육안적 혈뇨 및 혈변, 자반, 피부, 점막, 잇몸, 주사부위 등에서 출혈	[4]
· 인공환기	[3]		
· 보조 호흡	[2]		
· 산소 흡입만	[1]	**e. 쇼크 증상**	
c. DIC형 산후출혈		· 맥박 ≥ 100/ 분	[1]
· 출혈된 또는 채혈한 혈액이 저응고성인 경우	[4]	· 혈압 ≤ 90mmHg (수축기) 혹은 40% 이하로 저하	[1]
· 2,000mL 이상의 출혈 (출혈 시작부터 24시간 이내)	[3]	· 냉한	[1]
		· 창백	[1]
· 1,000mL 이상 2,000mL 미만의 출혈 (출혈 시작부터 24시간 이내)	[1]	Ⅲ. 검사항목	
d. 자간증		· 혈청FDP≥10μg/mL	[1]
· 자간 발작	[4]	· 혈소판≤10X10^4μL	[1]
e. 기타 기초질환	[1]	· 피브리노겐≤150mg/dL	[1]
		· 프로트롬빈 시간 (PT) ≥15초 (≤50%) 혹은 헤파플라스틴테스트 ≤50%	[1]
Ⅱ. 임상증상			
a. 급성신부전			
· 무뇨 (≤5mL/시)	[4]	· 혈침≤ 4mm /15분 혹은 ≤15mm/시	[1]
· 핍뇨 (5<~≤20mL/시)	[3]	· 출혈시간 ≥5분	[1]
b. 급성호흡부전 (양수색전증은 제외)		· 기타 응고·키닌계 인자 (예: AT-Ⅲ 18mg/dL 혹은 ≤60%, 프리칼린크레인, α_2-PI, 플라스미노겐, 기타 응고인자≤50%	[1]
· 인공환기 혹은 보조호흡	[4]		
· 산소 흡입만	[1]		

주: 합산하여 8점 이상이 된다면, DIC에 대한 치료를 시작한다.

표 6. Amsell에 의한 세균성 질증의 진단기준[10]

1. 질내 Ph가 4.5 이상
2. 질분비물에 KOH 용액첨가에 의한 아민 냄새
3. "Clue cell"의 검출 (질상피세포에 세균의 부착)
4. 균일한 회백색의 냉

상기 중 3항목 이상이 확인될 시, 세균성 질증으로 진단한다.

표 7. 항인지질항체증후군의 개정 분류기준[11]

(Miyakis등, 2006에서 인용 일부개정)

[임상소견]
1. 색전증
2. 임신합병증
   a. 임신 10주 이후에서 다른 원인이 없는 정상형태 태아의 1회 이상의 사망 과거력이 없고
   b. 중증 임신고혈압신증, 자간증 혹은 태반기능부전에 의한 임신 34주 이전의 기능학적 이상이 없는 태아의 1회 이상의 조산력이 없고
   c. 임신 10주 이전의 3회 이상 연속된 다른 원인이 없는 습관유산

[검사기준]
1. lupus anticoagulant
2. aCL IgG, IgM>40GPL (MPL) or >99%ile
3. aβ2GPI IgG, IgM>99%ile
   Category I (복수양성), IIa (LA), IIb (aCL), IIc (aβ2GPI)

임상소견의 1항목 이상, 각 검사항목 중 1항목 (12주에서 2회 이상 양성) 이상이 존재할 시, 항인지질항체증후군으로 한다.

표 8. 신장이식환자의 임신 허가 조건[12]

(Davidson등, 2004)

1. 이식 후 2년 이상 양호한 상태가 계속되고 있음
2. 산과적으로 문제가 없음
3. 단백뇨가 없거나 매우 경한 정도
4. 고혈압이 없음.
5. 거부 반응이 없음
6. 신우조영에서 신우의 확대가 없음
7. 혈청크레아티닌값이 2mg/dL이하 (가능하면 1.4mg/dL이하)인 점
8. 약제의 양이 유지량 이하로 유지
   (프레드니솔론: 15mg/일)
   (아제티오플린: 2mg/kg/일)
   (시크로스폴린: 2~4mg/kg/일)

표 9. 임신중의 단백질S 활성 및 항원량의 추이

(아오모리협립병원종합주산기모아의료센터 예)

단백질S (%)	비임신 (n=20)	임신초기 (n=32)	임신중기 (n=21)	임신후기 (n=121)
단백질S 활성	89.6±10.9	61.7±23.5	42.2±16.4	32.8±12.6
총단백질S 항원량	90.5±15.0	75.4±26.7	74.1±29.3	74.6±26.5

표 10. 혈전증치료시의 헤파린 투여량의 결정법

심부정맥혈전증 및 폐색전증 시의 헤파린 투여량
1. 첫회 헤파린 사용량: 80U/Kg 정주(최고10,000단위)
   그 후: 18U/Kg/시
2. 그 후, APTT에 따라 이하처럼 조절 증감한다.

APTT값	1회 사용량	점적유지량의 조절
<33초	80U/Kg	4 U/Kg/시 증량
33~40초	40U/Kg	2 U/Kg/시 증량
41~49초	–	2 U/Kg/시 증량
50~80초	–	현재량 유지
81~90초	–	2 U/Kg/시 감량
>91초	1시간 점적중지	3 U/Kg/시 감량

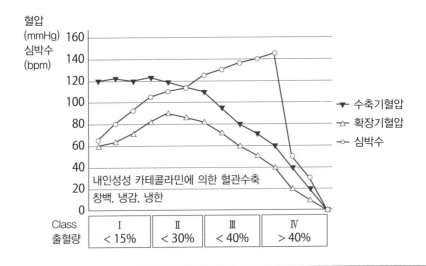

그림 5. 출혈량과 생체징후

표 11. 마스크의 종류와 산소농도

투여방법	유량 (L/분)	산소농도 (%)
코삽입관	2~5	25~40
페이스 마스크	5~10	35~50
리저브 마스크	6~15	40~70
일방향 판 붙임 리저브 마스크	6~15	60~80
벤츄리 마스크	1~3	24~30

3. 출생 전 진단 · 태아진단

표 12. 선천이상, 대사적인 질환의 빈도[13,14]

	출생아의 빈도
전선천이상	6%
단일 대기형	3% (사산아: 15~20%)
소기형	15%
다발기형	0.70%
염색체이상	0.8% (임신초기의 자연유산: 50%)
지적장애	
중등도	3/1,000
경　도	30/1,000
난청	1/1,000~2,000
선천성심장질환	1/100
구순구개열	2.2/1,000
내반족	1.4/1,000
무뇌증·척수수막류	0.8/1,000

표 13. 태아이상이 나타나는 주요 염색체 이상[15]

이상소견	대표적인 염색체 이상
1. 십이지장 폐쇄	다운증후군
2. 제대탈출증	18-세염색체
3. 심장기형	다운증후군
4. 횡격막 탈출증	12-네염색체
5. 식도폐쇄	18-세염색체
6. 후경부낭포성 림프관 종	터너증후군

표 14. 임산부의 출산연령과 다운증후군의 위험[16]

분만시 연령(세)	위험	분만시의 연령(세)	위험
15	1:1,578	40	1:112
20	1:1,528	41	1:85
25	1:1,351	42	1:65
30	1:909	43	1:49
31	1:796	44	1:37
32	1:683	45	1:28
33	1:574	46	1:21
34	1:474	47	1:15
35	1:384	48	1:11
36	1:307	49	1:8
37	1:242	50	1:6
38	1:189		
39	1:146		

표 15. 임신16주 양수 검사 시, 임산부의 나이와 염색체 이상의 빈도[17]

임산부 나이	1,000 당 비율				
	21-세염색체	18-세염색체	13-세염색체	XXY	전염색체이상
35	3.9	0.5	0.2	0.5	8.7
36	5.0	0.7	0.3	0.6	10.1
37	6.4	1.0	0.4	0.8	12.2
38	8.1	1.4	0.5	1.1	14.8
39	10.4	2.0	0.8	1.4	18.4
40	13.3	2.8	1.1	1.8	23.0
41	16.9	3.9	1.5	2.4	29.0
42	21.6	5.5	2.1	3.1	37.0
43	27.4	7.6		4.1	45.0
44	34.8			5.4	50.0
45	44.2			7.0	62.0
46	55.9			9.1	77.0
47	70.4			11.9	96.0

표 16. 풍진 이환 혹은 이환 가능성이 있는 임산부에 대한 대응[18]

각 지역별 상담창구 (2차시설)	
홋카이도	홋카이도 대학병원 산과
토호쿠	토호쿠 공제병원 산과·주산기 센터 미야기현립 어린이병원 산과
관동	국립병원기구 요코하마 의료센터 산부인과 미츠이 기념병원 산부인과 테이쿄 헤이세이 간호 단기대학·테이쿄대학 의학부 부속 미조구치 병원 산부인과 요코하마시립대학 부속병원 산부인과 국립성육의료연구센터 주산기센터 산과
동해	나고야 시립 대학 병원 산부인과 부인과
호쿠리쿠	이시카와현립 중앙 병원 산부인과
킨키	국립순환기병연구센터 병원 주산기·부인과 오사카부립 모아보건 종합의료센터 산과
츄우고쿠	가와사키 의과 대학 부속 병원 산부인과
시코쿠	국립병원 기구 카가와 소아병원 산부인과
큐슈	미야자키 대학 의학부 부속 병원 산과 부인과 큐슈대학 병원 산부인과

(2013년 9월 갱신, 국립감염증연구소)

● **태아호흡운동 (fetal breathing movement)**

정상– 30초 이상 지속되는 태아 호흡양 운동이 30분간에 1회 이상 확인된 것

이상– 태아 호흡양 운동이 없던가, 30초 이상 지속되는 태아 호흡양 운동이 30분 동안 한 번도 확인되지 않는 것

● **태아운동 (fetal movement)**

정상– 구간이나 사지의 단발 혹은 복합된 운동이 30분간에 3회 이상 확인되는 것

이상– 상기의 태동이 30분간에 2회 이하인 경우 (연속된 태동은 1회로 센다. 찡그린얼굴, 흡철, 연하, 결신, 안구운동 등은 태동으로 셀 수 없다)

● **태아 긴장성 (fetal tone)**

정상– 정지 시 굴곡위에 있던 척추나 사지가 태동에 따라 신전되어, 빠르게 원래의 굴곡위로 돌아가는 동작이 30분간 1회 이상 확인된 것 (손바닥의 개폐는 정상으로 간주됨)

이상– 천천히 신전하여 완전한 굴곡위로 돌아오지 않는 것, 신전위 그대로 사지의 움직임, 태동이 없다. 손바닥이 완전히 펴지지 않은 것

● **양수량 (amniotic fluid pocket)**

정상– 양수 포켓의 수직 단면 지름이 2cm 이상인 것

이상– 수직 단면의 지름이 2cm 이상인 양수 포켓이 발견되지 않는 것

● **비수축검사 (non stresse test)**

정상– 15bpm 이상 15초 이상의 일과성 빈맥이 20분간 2회 이상 확인됨

이상– 15bpm 이상 15초 이상의 일과성 빈맥이 없는 것. 일과성 빈맥이 20분간 2회 미만인 것

표 18. 일본인 amniotic fluid index (AFI) 표준값[20]　　　　(Salahuddin등, 1998)

임신주수	AFI (cm)			임신주수	AFI (cm)		
	Predicted value	하한값	상한값		Predicted value	하한값	상한값
20	8.64	4.74	15.76				
21	9.37	5.14	17.07	31	13.28	7.33	24.05
22	10.07	5.53	18.33	32	13.13	7.25	23.79
23	10.74	5.90	19.53	33	12.88	7.11	23.34
24	11.35	6.25	20.63	34	12.53	6.92	22.71
25	11.90	6.55	21.61	35	12.09	6.67	21.92
26	12.38	6.82	22.46	36	11.57	6.38	20.98
27	12.76	7.04	23.15	37	10.98	6.05	19.92
28	13.05	7.20	23.66	38	10.33	5.69	18.76
29	13.24	7.30	23.99	39	9.64	5.31	17.52
30	13.31	7.35	24.12	40	8.92	4.91	16.23

부록

자료

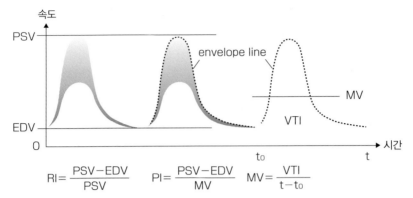

$$RI = \frac{PSV - EDV}{PSV} \qquad PI = \frac{PSV - EDV}{MV} \qquad MV = \frac{VTI}{t - t_0}$$

PSV : peak systolic velocity, EDV : end diastolic velocity,
MV : mean velocity, RI : resistance index, PI : pulsatility index

그림 6. 펄스도플러법에 의한 각종 index 산출법[21]

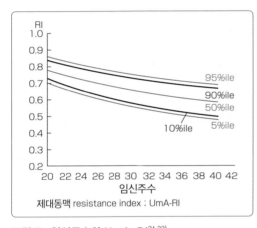

제대동맥 resistance index ; UmA-RI

그림 7. 임신주수와 UmA-RI[21,22]

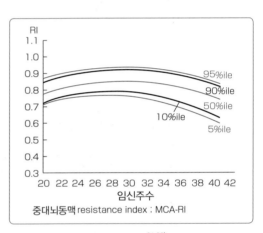

중대뇌동맥 resistance index ; MCA-RI

그림 8. 임신주수와 MCA-RI[21,22]

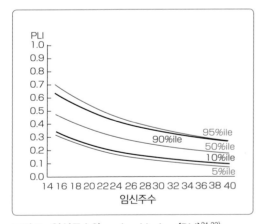

그림 9. 임신주수와 preload index (PLI)[21,23]

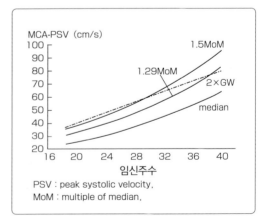

PSV : peak systolic velocity,
MoM : multiple of median,

그림 10. 임신주수와 중대뇌동맥 PSV[21,24]

표 19. 비수축검사의 용어와 정의[25,26]　　　　　　　　　　　　　　　(일본산과부인과학회, 2003, 일부발췌)

Ⅰ. 태아심박수도의 기본사항

(1) 이하의 정의는 태아심박수도를 육안적으로 보아 판단되는 것이나, 장래의 컴퓨터에 의한 자동진단에도 적응될 것으로 한다.

(2) 기록용지, 모니터 디스플레이 화면 상에서도 가로축의 기록속도는 1분간 3cm, 세로축은 기록지 1cm당 심박수 30bpm을 표준으로 한다.

(3) 태아 심전도로부터의 직접유도에 의한 심박수 계측 또는 초음파 도플러법에 의한 자기상관심박수계측, 어느 쪽도 적응된다.

(4) 다음의 정의는 주로 분만 시, 태아 심박수도에 대한 것인데, 임신 중에도 그 읽는 방법은 같다.

(5) 파형은 심박수 기선, 세변동의 정도, 심박수일과성변동을 각각 별개로 판단하는 것으로 한다.

(6) 자궁수축에 따른 변화는 주기성 변동(periodic change), 수반되지 않는 변화는 우발적 변동(episodic change)이라 한다.

(7) 임신주수, 자궁수축 상태, 모체, 태아의 상태, 약물 투여 등, 태아심박수에 영향을 준다고 생각되는 사항을 기재한다.

Ⅱ. 태아심박수 용어

A. 태아심박수기선 FHR baseline
　1) 정상 (정) 맥 normocardia
　　: 110~160bpm
　2) 서맥 bradycardia: <110bpm
　3) 빈맥 tachycardia: >160bpm
B. 태아심박수심박미세변동 FHR baseline
　 variability
C. 태아심박수변동 FHR variability
D. 태아심박수일과성변동
　 Periodic or episodic change of FHR
(1) 일과성빈맥 acceleration
(2) 일과성서맥 deceleration
　(i) 조발일과성서맥 early deceleration
　(ii) 지발일과성서맥 late deceleration
　(iii) 변동일과성서맥 variable deceleration
　(iv) 천연일과성 서맥 prolonged deceleration

Ⅲ. 태아심박수도 파형의 정의

A. 태아심박수기선 FHR baseline
　태아심박수기선은 10분의 구획에서 대략적인 평균 태아심박수이며 5의 배수로 나타낸다.

주: 152bpm, 139bpm이라는 표현은 사용하지 않고, 150bpm, 140bpm으로, 5의 배수로 표현.
　판정에는
　1. 일과성변동의 부분
　2. 26bpm 이상의 태아심박수세변동의 부분을 제외한다. 또한
　3. 10분 사이에 복수의 기선이 있어, 그 기선이 26bpm 이상의 차이가 있을 경우에는, 이부분에서의 기선은 판정하지 않는다.

10분의 구획내에서, 기선으로 읽는 부분은 적어도 2분 이상 계속되어야 한다. 그렇지 않으면 그 구획의 기선은 불확정으로 한다. 이 경우는 직전의 10분간 심박수도에서 판정한다.

혹시 태아심박수기선이 110bpm 미만이면 서맥(bradycardia)으로 부르고, 160bpm을 넘는 경우는 빈맥 (tachycardia)으로 한다.

B. 태아심박수심박미세변동 FHR baseline
　 variability
　태아심박수심박미세변동은 1분 사이에 2사이클 이상의 태아심박수의 변동이며, 진폭, 주파수에도 규칙성이 없는 것을 말한다.
Sinusoidal pattern은 이 세변동의 분류에는 넣지 않는다.

　세변동을 진폭의 크기로 4단계로 분류한다.
　1. 세변동소실(undetectable): 육안적으로 확인할 수 없다.
　2. 세변동감소(minimal): 5bpm 이하
　3. 세변동 중등도(moderate): 6~25bpm
　4. 세변동증가(marked): 26bpm 이상
이분류는 육안적으로 판독한다. Short term variability, long term variability의 표현은 하지않는다.
　㈜ 사이나소이달패턴 sinusoidal pattern
　사이나소이달패턴은 심박수곡선이 규칙적이고, 부드러운 사인 곡선을 나타낸다. 지속 시간은 불문하고, 1분 동안 2~6사이클로, 진폭은 평균 5~15bpm이며, 커도 35bpm 이하의 파형을 칭한다.

C. 태아심박수일과성변동 periodic change of FHR
　 Variability
　태아 심박수 기선 이외의 부분에서 세변동을 판정할 필요가 있는 경우도, 상기의 4단계의 분류는 적응되는 것으로 한다.

D. 태아심박수일과성변동 periodic or episodic change of FHR

(1) 일과성 빈맥 acceleration

일과성 빈맥이란 심박수 개시부터 정점까지가 30초 미만인 급속한 증가로, 개시부터 정점까지가 15bpm 이상, 원래대로 돌아올때까지의 지속이 15초 이상, 2분 미만인 것을 말한다. 32주 미만에서는 심박수 증가가 10bpm 이상 지속이 10초 이상인 것으로 한다.

천연 일과성 빈맥 prolonged acceleration

빈맥의 지속이 2분 이상, 10분 미만인 것을 천연 일과성 빈맥(prolonged acceleration)이라고 한다. 10분 이상 지속되는 것은 기선이 변화한 것으로 간주한다.

이하, 일본산과부인과학회,2012, 일부발췌.[26]

(2) 일과성서맥 deceleration

일과성서맥의 파형은 심박수의 감소가 급속한지, 느린지에 의하여, 육안적으로 구별하는 것을 기본으로 한다. 심박수의 개시부터 최소점에 달하는 데까지 소요되는 시간을 참고하여, 양자의 경계를 30초로 한다.

(i) 조발일과성서맥 early deceleration

조발일과성빈맥은 자궁수축에 동반하여 심박수가 느리게 감소하고, 자궁수축이 사라짐에 따라 원래로 돌아가는 심박수저하로 이 일과성서맥의 최하점과 대응하는 자궁수축의 최강점의 시기가 일치하는 것을 말한다. 이 심박수의 감소는 그 직전과 최하점의 심박수에서 산출된다.

(ii) 지발일과성서맥 late deceleration

지발일과성서맥은 자궁수축에 동반하여 심박수가 느리게 감소하고, 자궁수축이 사라짐에 따라 원래로 돌아가는 심박수저하로 자궁수축의 최강점에 늦고 그 일과성빈맥의 최하점수를 나타내는 것을 말한다. 그 심박수의 감소는 직전의 최하점의 심박수에서 산출된다.

㈜ 대부분의 증례에서는 일과성서맥의 하강개시·최하점·회복이, 각기 자궁수축의 개시·최강점·종료보다 늦게 출현한다.

(iii) 변동일과성서맥 variable deceleration

변동일과성서맥은 15bpm 이상의 심박수 감소가 급속하게 일어나, 그 개시부터 원래로 돌아가는데 까지 15초 이상 2분 미만을 요하는 것을 말한다. 자궁수축에 동반하여 발생하는 경우는 그 발현은 일정한 형태를 취하지 않는다. 하강도, 지속시간은 자궁 수축 시간 마다 변동한다.

㈜ 자궁수축이 불분명한 경우는 조발일과성서맥, 지발일과성서맥, 변동일과성서맥을 구별하지 않는다.

(iv) 천연일과성서맥 prolonged deceleration

천연일과성서맥은 원래로 돌아가기 까지의 시간이 2분 이상 10분 미만인 서맥을 말한다. 10분 이상의 일과성서맥의 지속은 기선의 변동으로 간주한다.

4. 제대혈, 양수와 관련된 검사

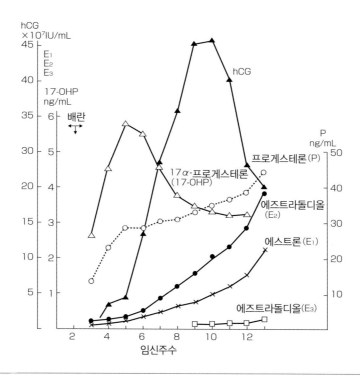

그림 11. **임신초기의 혈중태반성 호르몬농도의 변화**[27]

표 20. **정상만삭아의 제대혈 pH와 혈액가스**[28~30]

(평균±SD)

		Riley&Johnson, 1993 (n=3,520)	Thorp등, 1989 (n=1,924)	Yeomans, 1985 (n=146)
동맥혈	pH	7.27 (0.07)	7.24 (0.07)	7.28 (0.05)
	PCO_2 (mmHg)	50.3 (11.1)	56.3 (8.6)	49.2 (8.4)
	HCO_3^- (mEq/L)	22.0 (3.6)	24.1 (2.2)	22.3 (2.5)
	B.E. (mEq/L)	−2.7 (2.8)	−3.6 (2.7)	–
정맥혈	pH	7.34 (0.06)	7.32 (0.06)	7.35 (0.05)
	PCO_2 (mmHg)	40.7 (7.9)	43.8 (6.7)	38.2 (5.6)
	HCO_3^- (mEq/L)	21.4 (2.5)	22.6 (2.1)	20.4 (4.1)
	B.E. (mEq/L)	−2.4 (2.0)	2.9 (2.4)	–

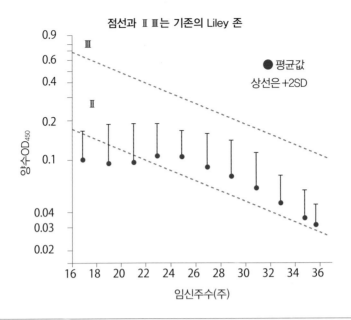

그림 12. 임신주수별 양수중 빌리루빈(OD$_{450}$)[31]   (Nicolaides등, 1986)

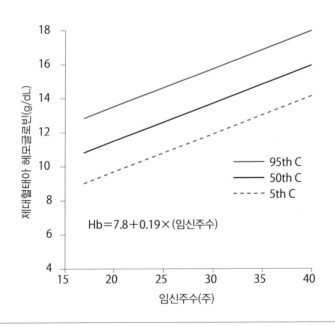

그림 13. 임신주수별 제대혈 헤모글로빈 농도[32]   (Nicolaides등, 1989)

표 21. **양수의 구성성분**[33]   (Assali, 1968)

구성성분	양수 (분만예정일임산부)	모체혈 (분만예정일 임산부)	태아혈 (분만예정일)
총단백질	0.22~0.31g%	6.4g%	5.5g%
알부민	60%	55%	68%
α글로블린	12%	15%	13%
β글로블린	16%	16%	8%
γ글로블린	12%	14%	13%
비단백 질소화합물			
요 소	37mg%	22mg%	25mg%
요 산	5.0mg%	4mg%	4mg%
크레아티닌	2.8mg%	1.4mg%	1.2mg%
당 질			
글루코스	33mg%	60~90mg%	100~120mg%
프룩토오스(과당)	3.5mg%	7.5mg%	4.2mg%
유 산	37~75mg%	–	10~20mg%
피루브산	0.8mg%	–	0.2~0.7mg%
총지질	48mg%	1,000mg%	97~600mg%
지방산	24mg%	465mg%	140mg%
크레즈테롤	2mg%	250±50mg%	17~185mg%
인지질	3mg%	350mg%	21~166mg%
무기질			
Na	127mEq/L	137mEq/L	140mEq/L
K	4.0mEq/L	3.5mEq/L	4.5mEq/L
Cl	106mEq/L	106mEq/L	106mEq/L
Ca	4mEq/L	4.5~6mEq/L	5~6mEq/L
Mg	1.4mEq/L	2mEq/L	1.3mEq/L
P	2.9mg%	3~5 mg%	4~7 mg%
Fe	5.6μmol/L	–	–
Cu	4.9μmol/L	–	–
Zn	3.8μmol/L	–	–
호흡가스 및 H^+			
pH	7.00	7.4	7.3
PO_2	2~15mmHg	95~100mmHg	20~35mmHg
PCO_2	57mmHg	30~35mmHg	32~40mmHg

표 22. **양수에서 얻어지는 임상정보**[34]

(金山등, 2001)

측정물질	임상정보
폐 계면활성제 　L/S (레시틴/스틴고미에린) 　포화 레시틴 　Shake test	태아 폐성숙도 평가 　≥2.0 　≥1.0mg/dL 　2배 희석 이상 양성
태아세포 　염색체분석 　DNA 분석	 염색체이상 (21트리소미, 모자이크 외) 유전자병 (Duchenne형 근디스트로피, 페닐케톤뇨증 외)
빌리루빈 흡광도차이 (ΔOD_{450})	태아용혈도의 평가 ΔOD_{450} 상승 시, 교환수혈 혹은 termination
크레아티닌	≥2.0mg/dL (37주)에서 신장기능발달 혹은 태아발육 (충분한 근내량)
임신 관련 단백질 　α-페토프로틴 (AFP)	 AFP 고수치: 무뇌증, 수두증, 소화관폐쇄, 다낭신장 AFP 저수치: 다운증후군 질분비물 측정에 의한 파수 진단
암태아성 피브로넥틴 인슐린양증식인자 결합단백질1 (IGFBP-1) hCG	질분비물 측정에 의한 파수의 진단, 조산 마커 질분비물 측정에 의한 파수의 진단 hCG 고수치: 임신고혈압증후군, 태아발육부전, 다운증후군
스테로이드호르몬	태아 부신 기능의 평가 선천성 부신성기증후군에서 상승
태변유래물질 　Sialyl Tn (STN) 　아연 코프로포르피린	 양수색전증 (모체혈), 태변흡인증후군, 티애기능부전의 진단 양수색전증의 진단 (모체혈)

5. 신생아

표 23. **아프가 점수**

	0	1	2
심박수	없음	100 이하/분	100 이하/분
호흡	없음	약한 울음소리 불규칙하고 얕은 호흡	강하게 울음 규칙적인 호흡
근긴장	축 늘어져 있음	약간 사지를 굽힘	사지를 활발하게 움직임
자극에 대한 반응	반응하지 않음	얼굴을 찌푸림	울음/기침
피부색	전신 창백 혹은 암흑색	체간 분홍색 사지 티아노제	전신 분홍색

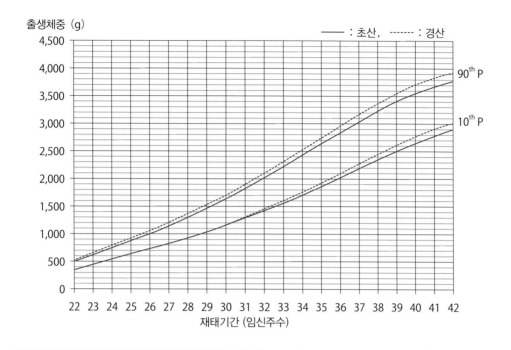

그림 14. 재태기간별 출생체중 표준곡선(남아) 초산28,980명, 경산 24,999명 (문헌 35에서 인용, 일부개정)

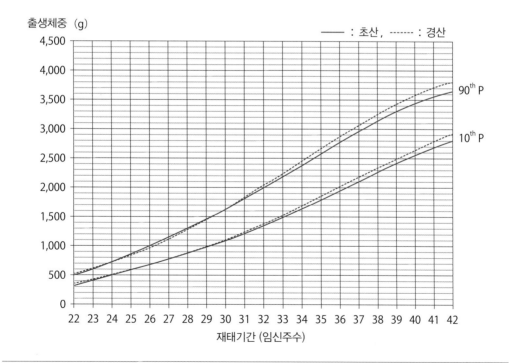

그림 15. 재태기간별 출생체중 표준곡선(여아) 초산 27,024명, 경산 23,745명 (문헌35에서 인용, 일부개정)

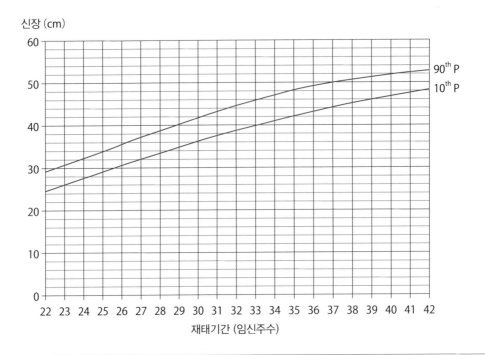

그림 16. 재태기간별 출생시 신장 표준곡선 89,775명 (남녀 초산·경산합계) (문헌35에서 인용, 일부개정)

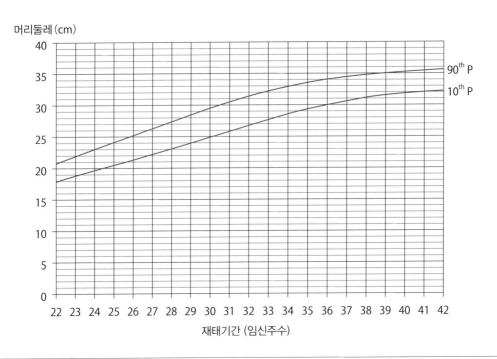

그림 17. 재태기간별 출생시 머리둘레 표준곡선 38,603명 (남녀·초산경산합계) (문헌35에서 인용, 일부개정)

참고문헌

1） 新美眞，若槻明彦．妊婦の基準値．周産期医学．36（増刊），2006, 957-60.

2） 真木正博，設楽芳宏．産婦人科領域における血栓症．日本臨牀．44, 1986, 1178-86.

3） Lucius, H. et al. Respiratory functions, buffer system, and electrolyte concentrations of blood during human pregnancy. Respir. Physiol. 9, 1970, 311-7.

4） Ek, J., Magnus, EM. Plasma and red blood cell folate during normal pregnancies. Acta. Obstet. Gynecol. Scand. 60(3), 1981, 247-51.

5） Temperley, IJ. et al. Serum vitamin B12 levels in pregnant women. J. Obstet. Gynaecol. Br. Common. 75, 1968, 511-6.

6） 小澤真帆．"卵巣腫瘍合併妊娠"．産科診療トラブルシューティング．東京，金原出版，2005, 273-87.

7） 半田冨美．"妊娠の特徴と術前評価：母体の評価"．産科周術期管理のすべて．メジカルビュー，2005, 37-43.

8） Walker, MC. et al. Changes in homocysteine levels during normal pregnancy. Am. J. Obstet. Gynecol. 180, 1999, 660-4.

9） 真木正博ほか．産科DICスコア．産婦人科治療．50, 1985, 119-24.

10） Amsel, R. Nonspecific vaginitis. Diagnostic criteria and microbial and epidemiologic associations. Am. J. Med. 74, 1983, 14-22.

11） Miyakis, S. et al. International consensus statement on an update of the classification criteria for definite antiphospholipid syndrome(APS). J. Thromb. Haemost. 4, 2006, 295-306.

12） Davidson, JM. et al. Maternal-Fetal Medicine. 5th ed. WB Saunders, 2004, 901-23.

13） UNSCEAR 2001 Report Hereditary Effects of Radiation. 2001.

14） Brent, RL. Environmental causes of human congenital malformations : the pediatrician's role in dealing with these complex clinical problems coused by a multiplicity of environmental and genetic factors. Pediatrics. 113, 2004, 957-68.

15） 末原則幸．分娩異常，胎児異常の発生および診断確立時周辺における精神的不安への対応とケア．ペリネイタルケア．26, 2007, 1174-80.

16） Cuckle, HS. et al. Estimating a woman's risk of having a pregnancy associated with Down's syndrome using her age and serum alpha-fetoprotein level. Br. J. Obstet. Gynaecol. 94, 1987, 387-402.

17） Ferguson-Smith, M. Prenatal chromosome analysis and its impact on the birth incidence of chromosome disorders. Br. Med. Bull. 39, 1983, 355-64.

18） 厚生労働科学研究費補助金新興・再興感染症研究事業分担研究班．風疹流行および先天性風疹症候群の発生抑制に関する緊急提言．風疹にともなう母児感染の予防対策構築に関する研究．平成16年8月.

19） ACOG Practice Bulletin. Antepartum fetal surveillance. No. 9. 1990.

20） Salahuddin, S. et al. An assessment of amniotic fluid index among Japanese：A longitudinal study. J. Matern. Fetal. Investig. 8, 1998, 31-4.

21） 宮下進．胎児血流波形．周産期医学．36（増刊），2006, 64-8.

22） 日本超音波医学会会告．超音波胎児計測の標準化と日本人の基準値（案）の公示について．超音波医学．28, 2001, 845-71.

23） Kanagawa, T. et al. Chronologic change in the PLI value at the fetal inferior vena cava in the Japanese fetus. J. Med. Ultrasound. 10, 2002, 94-8.

24） Mari, G. et al. Noninvasive diagnosis by Doppler ultrasonography of fetal anemia due to maternal red-cell alloimmunization. Collaborative Group for Doppler Assessment of the Blood Velocity in Anemic Fetuses. N. Engl. J. Med. 342, 2000, 9-14.

25) 日本産科婦人科学会周産期委員会. 胎児心拍数図の用語及び定義検討小委員会報告（委員長：岡村州博）. 日本産科婦人科学会雑誌. 55(8), 2003, 1205-10.

26) 日本産科婦人科学会周産期委員会. 周産期委員会報告（委員長：海野信也）. 日本産科婦人科学会雑誌. 64(6), 2012, 1580-98.

27) Tulchinsky, D. et al. Plasma human chronic gonadotropin, estrone, estradiol, estriol, progesterone, and 17 alpha-hydroxyprogesterone in human pregnancy. 3. Early normal pregnancy. Am. J. Obstet. Gynecol. 117, 1973, 884-93.

28) Riley, RJ., Johnson, JW. Collecting and analyzing and analyzing cord blood gases. Clin. Obstet. Gynecol. 36, 1993, 13-23.

29) Thorp, JA., Rushing, RS. Umbilical cord blood gas analysis. Obstet. Gynecol. Clin. North Am. 26, 1999, 695-709.

30) Yeomans, ER. et al. Umbilical cord pH, PCO2, and bicarbonate following uncomplicated term vaginal deliveries. Am. J. Obstet. Gynecol. 151, 1985, 798.

31) Nicolaides, KH. et al. Have Liley charts outlived their usefulness? Am. J. Obstet. Gynecol. 155, 1986, 90-4.

32) Nicolaides, KH. et al. Cordocentesis in the investigation of fetal erythropoiesis. Am. J. Obstet. Gynecol. 161, 1989, 1197-200.

33) Assali, NS." Amniotic fluid". Biology of Gestation. Academic Press, 1968, 276.

34) 金山尚裕, 竹内欽哉. "羊水の生理：胎児付属物の発達と変化". 正常妊娠. 東京, 中山書店, 2001, 92-9, （新女性医学大系 22）.

35) 日本小児科学会新生児委員会報告. 新しい在胎期間別出生体格標準値の導入について. 日本小児科学会雑誌. 114, 2010, 1271-93.

　　　　　　　　　　　　　　　　　　　　　　　　　　　　　　　　　　　　》 佐藤秀平

색 인

[영문]

■ A

약제색인